Eternidade por um fio

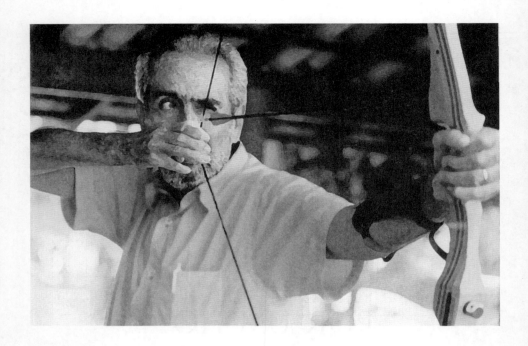

O ARQUEIRO

GERALDO JORDÃO PEREIRA (1938-2008) começou sua carreira aos 17 anos, quando foi trabalhar com seu pai, o célebre editor José Olympio, publicando obras marcantes como *O menino do dedo verde*, de Maurice Druon, e *Minha vida*, de Charles Chaplin.

Em 1976, fundou a Editora Salamandra com o propósito de formar uma nova geração de leitores e acabou criando um dos catálogos infantis mais premiados do Brasil. Em 1992, fugindo de sua linha editorial, lançou *Muitas vidas, muitos mestres*, de Brian Weiss, livro que deu origem à Editora Sextante.

Fã de histórias de suspense, Geraldo descobriu *O Código Da Vinci* antes mesmo de ele ser lançado nos Estados Unidos. A aposta em ficção, que não era o foco da Sextante, foi certeira: o título se transformou em um dos maiores fenômenos editoriais de todos os tempos.

Mas não foi só aos livros que se dedicou. Com seu desejo de ajudar o próximo, Geraldo desenvolveu diversos projetos sociais que se tornaram sua grande paixão.

Com a missão de publicar histórias empolgantes, tornar os livros cada vez mais acessíveis e despertar o amor pela leitura, a Editora Arqueiro é uma homenagem a esta figura extraordinária, capaz de enxergar mais além, mirar nas coisas verdadeiramente importantes e não perder o idealismo e a esperança diante dos desafios e contratempos da vida.

Ken Follett

★★★ TERCEIRO LIVRO DA TRILOGIA O SÉCULO ★★★

Eternidade por um fio

ARQUEIRO

Título original: *Edge of Eternity*
Copyright © 2014 por Ken Follett
Copyright da tradução © 2014 por Editora Arqueiro Ltda.

Todas as citações das palavras de Martin Luther King Jr. foram reproduzidas mediante acordo com os herdeiros do Patrimônio de Martin Luther King Jr., a/c Writers House na condição de agente do proprietário, Nova York, NY. © 1963, 1968 por Dr. Martin Luther King Jr. © renovado 1991, 1996 Coretta Scott King.

Todos os direitos reservados. Nenhuma parte deste livro pode ser utilizada ou reproduzida sob quaisquer meios existentes sem autorização por escrito dos editores. Publicado originalmente por Dutton, um membro da Penguin Group (USA) Inc.

tradução: Fernanda Abreu
preparo de originais: Rachel Agavino
revisão: Flávia Midori, Luis Américo Costa e Taís Monteiro
projeto gráfico e diagramação: Valéria Teixeira
capa: Richard Hasselberger
imagens de capa: Helicóptero: Horst Faas/AP Photo/Glow Images;
Foguete: Ralph Morse/The Life Picture Collection/Getty Images;
Casa Branca: Steve Allen/White House, Washington, D.C./Getty Images
adaptação de capa: Miriam Lerner
impressão e acabamento: Associação Religiosa Imprensa da Fé

CIP-BRASIL. CATALOGAÇÃO NA PUBLICAÇÃO
SINDICATO NACIONAL DOS EDITORES DE LIVROS, RJ

F724e   Follett, Ken, 1949-
        Eternidade por um fio / Ken Follett; tradução de
        Fernanda Abreu. São Paulo: Arqueiro, 2014.
        1072 p.; 16 x 23 cm.

        Tradução de: Edge of eternity
        ISBN 978-85-8041-291-8

        1. Ficção histórica inglesa. I. Abreu, Fernanda.
        II. Título.

                                CDD 823
14-14357   CDU 821.111-3

Todos os direitos reservados, no Brasil, por
Editora Arqueiro Ltda.
Rua Funchal, 538 – conjuntos 52 e 54 – Vila Olímpia
04551-060 – São Paulo – SP
Tel.: (11) 3868-4492 – Fax: (11) 3862-5818
E-mail: atendimento@editoraarqueiro.com.br
www.editoraarqueiro.com.br

A TODOS AQUELES QUE
LUTAM PELA LIBERDADE,
EM ESPECIAL BARBARA

Lista de personagens

Norte-Americanos

Família Dewar
Cameron Dewar
Ursula Dewar, conhecida como Beep, sua irmã
Woody Dewar, seu pai
Bella Dewar, sua mãe

Família Peshkov-Jakes
George Jakes
Jacky Jakes, sua mãe
Greg Peshkov, seu pai
Lev Peshkov, seu avô
Marga, sua avó

Família Marquand
Verena Marquand
Percy Marquand, seu pai
Babe Lee, sua mãe

CIA
Florence Geary
Tony Savino
Tim Tedder
Keith Dorset

Outros
Maria Summers
Joseph Hugo, FBI
Larry Mawhinney, Pentágono
Nelly Fordham, ex-namorada de Greg Peshkov
Dennis Wilson, assessor de Bobby Kennedy
Skip Dickerson, assessor de Lyndon Johnson
Leopold Montgomery, conhecido como Lee, jornalista
Herb Gould, jornalista televisivo do programa *This day*

Suzy Cannon, jornalista de fofocas
Frank Lindeman, dono de rede de TV

Personagens históricos
John F. Kennedy, 35º presidente dos Estados Unidos
Jackie, sua esposa
Robert Kennedy, seu irmão
Dave Powers, assessor do presidente Kennedy
Pierre Salinger, assessor de imprensa do presidente Kennedy
Reverendo Dr. Martin Luther King Jr., presidente da
    Conferência da Liderança Cristã do Sul
Lyndon B. Johnson, 36º presidente dos Estados Unidos
Richard Nixon, 37º presidente dos Estados Unidos
Jimmy Carter, 39º presidente dos Estados Unidos
Ronald Reagan, 40º presidente dos Estados Unidos
George H. W. Bush, 41º presidente dos Estados Unidos
J. Edgar Hoover, diretor do FBI

Ingleses

Família Leckwith-Williams
Dave Williams
Evie Williams, sua irmã
Daisy Williams, sua mãe
Lloyd Williams, membro do Parlamento, seu pai
Eth Leckwith, sua avó

Família Murray
Jasper Murray
Anna Murray, sua irmã
Eva Murray, sua mãe

Músicos do Guardsmen e do Plum Nellie
Lenny, primo de Dave Williams
Lew, baterista
Buzz, baixista
Geoffrey, guitarrista principal

Outros
Conde Fitzherbert, conhecido como Fitz
Sam Cakebread, amigo de Jasper Murray
Byron Chesterfield (nome verdadeiro Brian Chesnowitz), agente musical
Hank Remington (nome verdadeiro Harry Riley), astro pop (popstar)
Eric Chapman, executivo de gravadora

Alemães

Família Franck
Rebecca Hoffmann
Carla Franck, mãe adotiva de Rebecca
Werner Franck, pai adotivo de Rebecca
Walli Franck, filho de Werner e Carla
Lili Franck, filha de Werner e Carla
Maud von Ulrich, nascida Fitzherbert, mãe de Carla
Hans Hoffmann, marido de Rebecca

Outros
Bernd Held, professor
Karolin Koontz, cantora *folk*
Odo Vossler, religioso

Personagens históricos
Walter Ulbricht, primeiro-secretário do Partido Socialista Unitário (Partido Comunista)
Erich Honecker, sucessor de Ulbricht
Egon Krenz, sucessor de Honecker

Poloneses

Stanislaw Pawlak, conhecido como Staz, oficial do Exército
Lidka, namorada de Cam Dewar
Danuta Gorski, ativista do Solidariedade

Personagens históricos
Anna Walentynowicz, operadora de grua

Lech Walesa, líder do sindicato Solidariedade
General Jaruzelski, primeiro-ministro

Russos

Família Dvorkin-Peshkov
Tanya Dvorkin, jornalista
Dimka Dvorkin, assessor do Kremlin, irmão gêmeo de Tanya
Nina, namorada de Dimka
Anya Dvorkin, sua mãe
Grigori Peshkov, seu avô
Katerina Peshkov, sua avó
Vladimir, seu tio, sempre chamado de Volodya
Zoya, esposa de Volodya

Outros
Daniil Antonov, editor de matérias especiais da agência TASS
Pyotr Opotkin, editor-chefe de matérias especiais da TASS
Vasili Yenkov, dissidente
Natalya Smotrov, funcionária do Ministério das Relações Exteriores
Nik Smotrov, marido de Natalya
Yevgeny Filipov, assessor do ministro da Defesa Rodion Malinovski
Vera Pletner, secretária de Dimka
Valentin, amigo de Dimka
Marechal Mikhail Pushnoy

Personagens históricos
Nikita Sergueievitch Kruschev, primeiro-secretário do Partido
    Comunista da URSS
Andrei Gromyko, ministro das Relações Exteriores de Kruschev
Rodion Malinovski, ministro da Defesa de Kruschev
Alexei Kosygin, presidente do Conselho de Ministros
Leonid Brejnev, sucessor de Kruschev
Yuri Andropov, sucessor de Brejnev
Konstantin Chernenko, sucessor de Andropov
Mikhail Gorbachev, sucessor de Chernenko

De outros países

Paz Oliva, general cubano
Frederik Bíró, político húngaro
Enok Andersen, contador dinamarquês

Parte Um

MURO
1961

CAPÍTULO UM

Rebecca Hoffmann foi convocada pela polícia secreta em uma segunda-feira chuvosa de 1961.

A manhã começou como outra qualquer. O marido a levou ao trabalho de carro, um Trabant 500 bege. As antigas e graciosas ruas do centro de Berlim ainda exibiam buracos causados pelos bombardeios da guerra, exceto nos pontos em que novos edifícios de concreto se erguiam como dentes falsos que não combinavam com os outros. Ao volante, Hans estava com a cabeça no trabalho.

– Os tribunais favorecem juízes, advogados, policiais, o governo... todo mundo menos as vítimas de crimes – falou. – Isso seria de se esperar nos países capitalistas ocidentais, mas, em um regime comunista, os tribunais deveriam privilegiar os cidadãos. Meus colegas não parecem entender isso.

Hans trabalhava no Ministério da Justiça.

– Já estamos casados há quase um ano e nos conhecemos há dois, mas ainda não fui apresentada a nenhum dos seus colegas – comentou Rebecca.

– Você os acharia entediantes – retrucou Hans na mesma hora. – São todos advogados.

– Não tem nenhuma mulher?

– Não. Pelo menos não no meu departamento.

Ele trabalhava na administração: designava juízes para os casos, marcava audiências, gerenciava o funcionamento dos prédios dos tribunais.

– Eu gostaria de conhecê-los mesmo assim.

Homem de personalidade forte, Hans havia aprendido a se controlar. Ao observá-lo, Rebecca identificou em seus olhos uma conhecida centelha de raiva diante da sua insistência, que ele com muito esforço conseguiu conter.

– Vou organizar alguma coisa – falou. – Quem sabe vamos a um bar uma noite dessas?

Hans era o primeiro homem que Rebecca conhecia que estava à altura de seu pai. Apesar de seguro e autoritário, sempre escutava o que ela dizia. Tinha um bom emprego – poucas pessoas eram donas de um carro na Alemanha Oriental –, e os funcionários do governo em geral eram comunistas linha-dura, mas ele surpreendentemente compartilhava seu ceticismo político. Assim como seu pai, era alto, bonito e sabia se vestir. Era o homem que ela estava esperando.

Somente uma vez durante o namoro, por um breve instante, Rebecca duvidara dele. Os dois tinham sofrido um acidente de carro sem gravidade. A culpa fora toda do outro motorista, que saíra de uma rua lateral sem fazer a parada obrigatória. Coisas assim aconteciam diariamente, mas Hans tinha ficado louco de raiva. Embora o estrago nos dois carros houvesse sido mínimo, tinha chamado a polícia, mostrado seu crachá do Ministério da Justiça e mandado prender o outro sujeito por dirigir de maneira perigosa.

Depois do acidente, ele lhe pediu desculpas por ter perdido a calma. Assustada com aquele comportamento vingativo, Rebecca por pouco não terminou o relacionamento, mas Hans lhe explicou que não estava no seu temperamento normal por causa das pressões no trabalho, e ela acreditou. Sua confiança tinha se justificado: ele nunca mais fizera nada daquele tipo.

Ao completarem um ano de namoro, quando já fazia seis meses que dormiam juntos quase todos os fins de semana, Rebecca começou a estranhar que ele não a pedisse em casamento. Nenhum dos dois era mais criança: na época, ela estava com 28 anos, ele, com 33. Assim, ela mesma fez o pedido e, apesar de espantado, ele disse sim.

Hans encostou o carro em frente à escola na qual ela trabalhava. O prédio era moderno e bem equipado: os comunistas levavam a educação a sério. Diante do portão, cinco ou seis alunos mais velhos fumavam de pé, sob uma árvore. Eles encararam Rebecca, que os ignorou e se despediu do marido com um beijo na boca antes de saltar do carro.

Os meninos a cumprimentaram com educação, mas ela pôde sentir seus olhos ávidos de adolescentes passearem por seu corpo enquanto chapinhava pelas poças no pátio da escola.

Rebecca vinha de uma família de políticos. O avô fora membro social-democrata do Parlamento alemão, o Reichstag, até Hitler subir ao poder. A mãe, também social-democrata, tinha integrado o conselho municipal durante o breve interlúdio democrático de Berlim Oriental após a guerra. Mas a Alemanha Oriental agora era uma tirania comunista, e Rebecca não via utilidade em se meter na política. Por isso canalizava seu idealismo para o magistério, na esperança de que a geração seguinte fosse menos dogmática, mais tolerante e mais inteligente.

Na sala dos professores, verificou o horário de emergência afixado ao quadro de avisos. A maioria de suas turmas estaria dobrada nesse dia, com dois grupos de alunos imprensados dentro de uma mesma sala. Ela lecionava russo, mas hoje também precisaria dar uma aula de inglês. Não dominava o idioma, embora tivesse aprendido alguns rudimentos com a avó Maud, que era britânica de nascimento e, aos 70 anos, ainda esbanjava energia.

Aquela era a segunda vez que lhe pediam que desse aula de inglês, e ela começou a pensar em um texto que pudesse usar. Da primeira vez, tinha usado um folheto distribuído aos soldados americanos explicando-lhes como se entender com os alemães; além de acharem o texto hilário, os alunos aprenderam muito. Hoje, talvez escrevesse no quadro-negro a letra de uma música que eles conhecessem e os fizesse traduzi-la para o alemão. Poderia ser "The Twist", por exemplo, que não parava de tocar na rádio das Forças Norte-Americanas. Seria uma aula não convencional, mas era o melhor que ela podia fazer.

A escola enfrentava uma desesperadora escassez de professores, pois metade do quadro de funcionários havia emigrado para a Alemanha Ocidental, onde se ganhavam 300 marcos a mais por mês e as pessoas eram livres. A situação era a mesma na maioria das escolas da Alemanha Oriental. E os professores não eram os únicos: médicos podiam receber o dobro na parte ocidental. Carla, mãe de Rebecca, era chefe de enfermagem em um grande hospital de Berlim Oriental e estava arrancando os cabelos com a falta de enfermeiros e médicos. O mesmo acontecia na indústria e até nas Forças Armadas. Era uma crise nacional.

Enquanto ela escrevia a letra de "The Twist" em um caderno, tentando se lembrar do verso que dizia algo sobre "minha irmãzinha", o subdiretor da escola entrou na sala. Bernd Held era com certeza o melhor amigo de Rebecca fora da família. Magro e de cabelos escuros, tinha cerca de 40 anos e uma cicatriz pálida na testa, onde fora atingido por um estilhaço de bomba ao defender as Colinas de Seelow, no auge da guerra. Dava aulas de física, mas compartilhava o interesse de Rebecca por literatura russa, e umas duas vezes por semana os dois almoçavam juntos seus sanduíches.

– Prestem atenção, todos – disse ele. – Infelizmente, tenho más notícias. Anselm nos deixou.

Um murmúrio de surpresa percorreu a sala. Anselm Weber era o diretor da escola. Era um comunista leal; todos os diretores tinham de ser. Mas os seus princípios pareciam ter sido derrotados pelo atrativo da próspera e livre Alemanha Ocidental.

– Vou assumir o cargo até nomearem um novo diretor.

Tanto Rebecca quanto os outros docentes da escola sabiam que, se o critério fosse competência, o próprio Bernd deveria ficar com o cargo, só que ele estava excluído porque se recusava a entrar para o Partido Socialista Unitário, o SED – cuja única diferença em relação ao Partido Comunista era o nome.

Pelo mesmo motivo, Rebecca tampouco poderia ser diretora. Anselm insistia com ela para que entrasse para o partido, mas isso estava fora de cogitação. Para ela, seria como ingressar por vontade própria em um manicômio e fingir que todos os outros pacientes eram sãos.

Enquanto Bernd discorria sobre as providências emergenciais, ela se perguntava quando a escola teria um novo diretor. Dali a um ano? Quanto tempo iria durar aquela crise? Ninguém saberia responder.

Antes da primeira aula, checou seu escaninho, mas encontrou-o vazio. A correspondência ainda não tinha chegado. Talvez o carteiro também tivesse ido para a Alemanha Ocidental.

A carta que viraria sua vida do avesso ainda estava a caminho.

Ela deu sua primeira aula: uma discussão do poema russo "O cavaleiro de bronze" com um grupo grande de jovens de 17 e 18 anos. Usava esse texto todos os anos, desde que começara a lecionar. Como sempre, guiou os alunos na direção da análise soviética ortodoxa, explicando que, para Pushkin, o conflito entre interesse pessoal e dever público era solucionado a favor do público.

Na hora do almoço, levou seu sanduíche para a sala do diretor e sentou-se em frente a Bernd diante da grande escrivaninha. Olhou para a prateleira repleta de bustos de cerâmica vagabundos: Marx, Lênin e Walter Ulbricht, o líder comunista alemão-oriental. O colega acompanhou seu olhar e sorriu.

– Que dissimulado esse Anselm – comentou. – Passou anos fingindo acreditar piamente e então... puff, desaparece.

– Você nunca pensa em ir embora? – perguntou-lhe Rebecca. – É divorciado, sem filhos... não tem vínculo algum.

Ele olhou em volta, como se verificasse se havia alguém escutando, então deu de ombros.

– Já pensei nisso... Quem nunca pensou? Mas e você? Seu pai já trabalha mesmo em Berlim Ocidental, não é?

– É. Ele tem uma fábrica de televisores. Mas minha mãe está decidida a ficar na parte oriental. Segundo ela, precisamos resolver nossos problemas, não fugir deles.

– Eu conheci sua mãe. Uma verdadeira leoa.

– Isso ela é, mesmo. E a casa em que moramos está na família dela há gerações.

– E o seu marido?

– Ele é dedicado ao emprego.

– Então não preciso ter medo de perder você? Que alívio.

– Bernd... – começou Rebecca, mas hesitou.

– Pode falar.

– Posso lhe fazer uma pergunta pessoal?

– Claro.

– Você largou sua esposa porque ela estava tendo um caso?
Ele tensionou o corpo, mas mesmo assim respondeu.
– Foi.
– E como você descobriu?
Ele estremeceu como quem sente uma dor súbita.
– Essa pergunta o incomoda? – indagou ela, aflita. – É pessoal demais?
– Para *você* eu não me importo de contar. Eu pressionei e ela admitiu.
– Mas o que fez você desconfiar?
– Várias pequenas coisas...
Rebecca o interrompeu:
– O telefone toca, você atende e, depois de um silêncio de alguns segundos, a pessoa do outro lado desliga.
Ele assentiu. Ela foi em frente:
– Seu cônjuge rasga um bilhete em pedacinhos, joga na privada e dá a descarga. Durante o fim de semana, é chamado para uma reunião de emergência. À noite, passa duas horas escrevendo algo que não quer lhe mostrar.
– Ai, não – disse Bernd em um tom triste. – É sobre Hans que você está falando.
– Ele está tendo um caso, não está? – Ela pousou o sanduíche na mesa; tinha perdido o apetite. – Diga-me sinceramente o que você acha.
– Sinto muito.
Bernd a beijara uma vez, quatro meses antes, no último dia do semestre de outono. Na hora de se despedir e desejar Feliz Natal, tinha segurado de leve o seu braço, inclinado a cabeça e lhe dado um beijo na boca. Ela lhe pedira que nunca mais fizesse aquilo e dissera que gostaria de continuar sua amiga. Na volta às aulas, em janeiro, ambos fingiram que nada tinha acontecido. Algumas semanas depois, ele chegara a lhe contar que tinha marcado um encontro com uma viúva da idade dele.
Rebecca não queria incentivar esperanças vãs, mas Bernd era a única pessoa com quem podia conversar fora da sua família, e ela não queria preocupá-los; não ainda.
– Eu tinha tanta certeza de que Hans me amava... – falou, e seus olhos se encheram de lágrimas. – E eu o amo.
– Talvez ele ame você. É que alguns homens não conseguem resistir à tentação.
Ela não sabia se Hans considerava sua vida sexual satisfatória. Ele nunca reclamava, mas os dois só transavam cerca de uma vez por semana, frequência que ela considerava baixa para recém-casados.
– Eu só quero ter minha própria família, igual à da minha mãe. Uma família

em que todos se sintam amados, apoiados e protegidos – falou. – Pensei que pudesse ter isso com Hans.

– Talvez ainda possa – disse Bernd. – Um caso não significa necessariamente o fim do casamento.

– No primeiro ano?

– Concordo que é bem ruim.

– O que devo fazer?

– Perguntar. Ele pode admitir ou negar, mas pelo menos vai saber que você sabe.

– E depois?

– O que você quer? Estaria disposta a se divorciar?

Ela fez que não com a cabeça.

– Eu nunca iria embora. O matrimônio é uma promessa. Não se pode cumprir uma promessa só quando nos convém. É preciso mantê-la mesmo que ela seja contrária à nossa inclinação. É isso que significa ser casado.

– Eu fiz o contrário. Você deve pensar mal de mim.

– Não julgo você nem ninguém. Só estou falando de mim mesma. Amo meu marido e quero que ele seja fiel.

O sorriso de Bernd exprimia admiração, mas também pesar.

– Espero que seu desejo se realize.

– Você é um bom amigo.

O sinal da primeira aula da tarde tocou. Rebecca se levantou e guardou o sanduíche de volta no invólucro de papel. Não iria comê-lo, nem agora nem mais tarde, no entanto, como a maioria das pessoas que passara pela guerra, tinha horror de jogar comida fora. Secou os olhos úmidos com um lenço de pano.

– Obrigada por me escutar – agradeceu.

– Não fui um grande reconforto.

– Foi, sim. – Ela saiu da sala.

Ao se aproximar da sala onde daria a aula de inglês, percebeu que não tinha destrinchado a letra inteira de "The Twist". No entanto, era professora havia tempo suficiente para improvisar.

– Quem já ouviu a música "The Twist"? – perguntou em voz alta ao entrar pela porta.

Todos os alunos tinham ouvido.

Ela foi até o quadro-negro e pegou um cotoco de giz.

– E qual é a letra da música?

Todos começaram a gritar ao mesmo tempo.

No quadro, ela escreveu: "*Come on baby, let's do the Twist*". Então perguntou:
– Como ficaria em alemão?
Por um tempo, Rebecca se esqueceu dos próprios problemas.

Encontrou a carta em seu escaninho no intervalo do meio da tarde. Levou-a até a sala dos professores e preparou uma xícara de café solúvel antes de abri-la. Quando leu, derramou a bebida no chão.

Era uma única folha de papel, que trazia o cabeçalho do Ministério da Segurança de Estado. Era o nome oficial da polícia secreta, conhecida extraoficialmente como Stasi. A carta estava assinada por um sargento chamado Scholz e ordenava que ela comparecesse à sua sala na sede do ministério para ser interrogada.

Rebecca limpou o café derramado, desculpou-se com os colegas, fingiu que nada estava acontecendo e foi até o banheiro feminino, onde se trancou em um dos cubículos. Precisava pensar antes de se confidenciar com alguém.

Qualquer habitante da Alemanha Oriental sabia sobre aquelas cartas e todos temiam receber uma delas. A correspondência significava que Rebecca tinha feito alguma coisa errada, talvez algo banal, mas que mesmo assim chamara a atenção dos observadores. Pelo que os outros diziam, não adiantava protestar inocência. A atitude da polícia seria considerar que ela com certeza era culpada de alguma coisa, caso contrário por que a estariam interrogando? Sugerir que eles pudessem ter cometido um erro era insultar sua competência, o que também era crime.

Ela examinou a carta de novo e viu que o interrogatório estava marcado para as cinco horas daquela mesma tarde.

O que ela poderia ter feito? Sua família era altamente suspeita, claro. O pai, Werner, era capitalista e tinha uma fábrica na qual o governo da Alemanha Oriental não podia tocar, pois estava situada na parte ocidental de Berlim. A mãe, Carla, era uma social-democrata notória. A avó, Maud, era irmã de um conde inglês.

Já fazia alguns anos, porém, que as autoridades não os importunavam, e Rebecca imaginava que seu casamento com um funcionário do Ministério da Justiça lhes tivesse proporcionado uma garantia de respeitabilidade. Evidentemente não era o caso.

Será que ela cometera algum crime? Tinha um exemplar do livro *A revolução dos bichos*, alegoria anticomunista assinada por George Orwell que era proibida no país. Seu irmão mais novo, Walli, de 15 anos, tocava violão e cantava músicas americanas de protesto como "This Land Is Your Land". Ela própria às vezes ia a Berlim Ocidental ver mostras de arte abstrata. Em matéria de arte, os comunistas eram tão conservadores quanto matronas vitorianas.

Enquanto lavava as mãos, olhou-se no espelho. Não *parecia* estar com medo. Tinha o nariz reto, o queixo bem marcado e olhos castanhos penetrantes. Seus cabelos escuros rebeldes estavam presos para trás, bem apertados. Era alta e imponente, e algumas pessoas a consideravam intimidadora. Era capaz de enfrentar uma sala cheia de estudantes de 18 anos indisciplinados e silenciá-los com uma única palavra.

Mas *estava* com medo. O que a amedrontava era saber que a Stasi poderia fazer qualquer coisa. Na realidade, nada controlava a polícia secreta: reclamar dela por si só já era crime. E isso a fazia lembrar o Exército Vermelho no final da guerra. Os soldados soviéticos tinham ficado livres para roubar, estuprar e matar alemães, e tinham feito uso dessa liberdade em uma orgia de barbárie indescritível.

Sua última aula do dia, sobre a construção da voz passiva na gramática russa, foi um horror: de longe a pior que já dera desde que se formara. Os alunos não puderam deixar de notar que havia algo errado e, de modo comovente, facilitaram as coisas para a professora, chegando mesmo a lhe fazer sugestões úteis quando ela não encontrava o termo certo. Graças à indulgência deles, ela conseguiu levar a aula até o fim.

Quando o dia terminou, Bernd estava trancado na sala do diretor com autoridades do Ministério da Educação, provavelmente debatendo sobre como manter a escola aberta sem metade do quadro de docentes. Rebecca não queria ir à sede da Stasi sem avisar a ninguém, só para o caso de eles decidirem mantê-la lá, por isso escreveu um bilhete para o colega avisando sobre a convocação.

Então pegou um ônibus e percorreu as ruas molhadas de chuva até a Normannen Strasse, no subúrbio de Lichtenberg.

A sede da Stasi ficava em um prédio comercial novo e feio. A construção estava inacabada, e havia escavadeiras no estacionamento e andaimes em um dos cantos. O lugar tinha um aspecto triste sob a chuva, e decerto não ficaria mais alegre à luz do sol.

Ao entrar pela porta, ela se perguntou se algum dia tornaria a sair.

Atravessou o átrio espaçoso, apresentou a carta na mesa da recepção e foi acompanhada de elevador até um andar superior. Conforme a cabine subia, seu medo ia aumentando. Ela saltou em um corredor pintado em um tom de amarelo-mostarda medonho. Foi levada até uma sala vazia, mobiliada apenas com uma mesa de tampo de plástico e duas cadeiras desconfortáveis feitas de tubos de metal. Um cheiro forte de tinta pairava no ar. Seu acompanhante saiu.

Ela passou cinco minutos sentada sozinha, trêmula. Desejou ser fumante; talvez um cigarro a acalmasse. Esforçou-se para não chorar.

O sargento Scholz entrou. Era um pouco mais jovem do que ela, uns 25 anos, avaliou. Vinha carregando uma pasta fina. Sentou-se, pigarreou para limpar a garganta, abriu a pasta e franziu o cenho. Rebecca pensou que ele estivesse tentando parecer importante e que talvez aquele fosse o seu primeiro interrogatório.

– A senhora é professora na Escola Politécnica de Ensino Médio Friedrich Engels – começou ele.

– Sim.

– Onde mora?

Ela respondeu, mas achou aquilo estranho. Por acaso a polícia secreta não sabia seu endereço? Isso talvez explicasse por que a carta havia chegado na escola, e não em sua casa.

Teve de dizer o nome e a idade dos pais e dos avós.

– Está mentindo para mim! – disse Scholz, triunfante. – Diz que sua mãe tem 39 anos e a senhora, 29. Como ela pode ter tido a senhora aos 10 anos de idade?

– Eu sou adotada – respondeu Rebecca, aliviada por ser capaz de fornecer uma explicação inocente. – Meus pais biológicos morreram no final da guerra, quando uma bomba caiu em cima da nossa casa.

Na época, ela estava com 13 anos. Bombas do Exército Vermelho choviam sobre a cidade em ruínas e ela estava sozinha, perplexa e aterrorizada. Era uma adolescente roliça e fora escolhida por um grupo de soldados para ser estuprada, mas Carla a salvara, se oferecendo em seu lugar. Mesmo assim, tinha sido uma experiência aterrorizante, que deixara Rebecca hesitante e nervosa em relação ao sexo. Se Hans estava insatisfeito, com certeza a culpa devia ser dela.

Ela estremeceu e tentou afastar a lembrança.

– Carla Franck me salvou de... – Conteve-se bem a tempo. Os comunistas negavam que soldados do Exército Vermelho tivessem cometido estupros, embora qualquer mulher que estivesse na Alemanha Oriental em 1945 conhecesse a terrível verdade. – Ela me salvou – repetiu, pulando os detalhes controversos. – Mais tarde, ela e Werner me adotaram legalmente.

Scholz anotava tudo. Não podia haver muita coisa naquela pasta, pensou Rebecca, mas algo devia haver. Se ele pouco sabia sobre a sua família, o que teria despertado seu interesse?

– A senhora é professora de inglês – disse ele.

– Não. Sou professora de russo.

– Está mentindo outra vez.

– Não, nem menti antes – retrucou ela, seca.

Ficou espantada por falar com o sargento naquele tom desafiador. Não estava mais tão assustada quanto antes. Talvez aquilo fosse temerário. O rapaz pode até ser jovem e inexperiente, pensou, mas mesmo assim tem poder para destruir a minha vida.

– Meu diploma é de língua e literatura russa – continuou, ensaiando um sorriso amigável. – Sou chefe do departamento de russo da minha escola. Só que metade dos nossos professores foi para o Ocidente e estamos sendo obrigados a improvisar. Por isso dei duas aulas de inglês na última semana.

– Então eu tinha razão! E nas suas aulas a senhora envenena as mentes dos alunos com propaganda americana.

– Ah, que droga – grunhiu ela. – É por causa dos conselhos aos soldados americanos?

Ele leu uma folha de anotações.

– Está escrito aqui: "Lembre-se de que na Alemanha Oriental não existe liberdade de expressão." Isso não é propaganda americana?

– Eu expliquei aos alunos que os americanos têm um conceito pré-marxista de liberdade – respondeu Rebecca. – Imagino que o seu informante tenha se esquecido de mencionar isso.

Ela se perguntou quem seria o delator. Devia ser um aluno, ou talvez um pai ou mãe que tivesse ficado sabendo sobre a aula. A Stasi tinha mais espiões do que os nazistas.

– E aqui também diz: "Quando estiver em Berlim Oriental, não peça orientações à polícia. Ao contrário dos policiais americanos, eles não estão lá para ajudar vocês." O que me diz sobre isso?

– Não é verdade? Quando o senhor era adolescente, algum dia perguntou a um Vopo onde ficava uma estação do U-Bahn?

Os Vopos eram a *Volkspolizei*, a polícia da Alemanha Oriental.

– Não poderia ter achado algo mais apropriado para ensinar às crianças?

– Por que o senhor não vai à nossa escola dar uma aula de inglês?

– Eu não falo inglês!

– Nem eu! – gritou Rebecca. Arrependeu-se na mesma hora de ter levantado a voz, mas Scholz não estava zangado; na verdade, parecia um pouco intimidado. Era claramente um novato, mas ela não deveria se descuidar. – Nem eu – repetiu, mais baixo dessa vez. – Então estou improvisando, usando qualquer material de língua inglesa que esteja disponível. – Estava na hora de um pouco de humildade fingida, pensou. – Eu obviamente cometi um erro, e sinto muito por isso, sargento.

– A senhora parece uma mulher inteligente – disse ele.

Ela estreitou os olhos. Seria uma armadilha?
– Obrigada pelo elogio – respondeu, neutra.
– Nós precisamos de pessoas inteligentes, sobretudo mulheres.
Rebecca não entendeu.
– Para quê?
– Para ficar de olhos abertos, ver o que acontece por aí... nos avisar quando as coisas derem errado.
Ela ficou estupefata. Depois de alguns instantes, incrédula, perguntou:
– Está me pedindo para virar informante da Stasi?
– É um trabalho importante, que visa ao bem comum. E é vital nas escolas, que é onde são forjadas as atitudes dos jovens.
– Entendo.
O que entendia, isso sim, era que aquele jovem agente da polícia secreta tinha cometido um erro: checara seus antecedentes em seu local de trabalho, mas não sabia nada sobre sua notória família. Se tivesse averiguado o passado de Rebecca, Scholz jamais teria mandado chamá-la.
Podia imaginar como aquilo tinha acontecido. "Hoffmann" era um dos sobrenomes mais comuns que havia e "Rebecca" não era um nome raro. Seria fácil para um novato sem experiência cometer o erro de investigar a Rebecca Hoffmann errada.
– Mas as pessoas que fazem esse trabalho precisam ser totalmente honestas e confiáveis – prosseguiu ele.
A afirmação era tão paradoxal que ela quase riu.
– Honestas e confiáveis? – repetiu. – Para espionar os próprios amigos?
– Exatamente. – Scholz pareceu não entender a ironia. – E há vantagens. – Ele baixou a voz: – A senhora se tornaria uma de nós.
– Não sei o que dizer.
– Não precisa decidir agora. Vá para casa e pense no assunto. Mas não converse a respeito disso com ninguém. Isso deve ser um segredo, é claro.
– É claro.
Ela estava começando a se sentir aliviada. Scholz não demoraria a descobrir que ela não se adequava aos seus objetivos e retiraria a proposta. Àquela altura, porém, não poderia voltar a fingir que ela fazia propaganda do imperialismo capitalista. Talvez ela conseguisse se safar daquela situação.
O sargento se levantou e ela fez o mesmo. Seria possível que a sua visita à sede da Stasi fosse terminar tão bem? Parecia bom demais para ser verdade.
Educado, ele segurou-lhe a porta, depois a acompanhou pelo corredor amare-

lo. Um grupo de cinco ou seis agentes conversava, animado, em pé junto às portas do elevador. Um deles lhe pareceu surpreendentemente familiar: um homem alto, de ombros largos, um pouco curvados, usando um terno de flanela cinza-claro que ela conhecia bem. Encarou-o enquanto se aproximava do elevador, sem compreender o que estava vendo.

Aquele era seu marido, Hans.

O que ele estava fazendo ali? Seu primeiro pensamento assustado foi que ele também estava sendo interrogado. Instantes depois, porém, pela maneira como os homens estavam reunidos, entendeu que ele não era tratado como suspeito.

O que estaria acontecendo, então? Seu coração disparou de medo, mas de quê?

Talvez o emprego de Hans no Ministério da Justiça o obrigasse a ir ali de vez em quando, pensou. Então ouviu um dos outros lhe dizer:

– Mas, tenente, com todo o respeito...

Não ouviu o resto da frase. Tenente? Funcionários públicos não tinham patente militar, a menos que trabalhassem para a polícia...

Foi então que Hans a avistou.

Ela viu as emoções cruzarem o semblante do marido; os homens eram fáceis de ler. No início, Rebecca franziu a testa com o espanto de quem vê algo conhecido em um contexto estranho, como um nabo em uma biblioteca. Seus olhos então se arregalaram de choque ao aceitar a realidade do que estava vendo, e sua boca se entreabriu. O que mais abalou Rebecca, porém, foi a expressão seguinte: as bochechas de Hans coraram de vergonha e seus olhos se desviaram dela com um inconfundível ar de culpa.

Rebecca passou vários segundos em silêncio, tentando processar aquilo. Ainda sem entender o que estava vendo, falou:

– Boa tarde, *tenente* Hoffmann.

Scholz fez uma cara surpresa e amedrontada.

– A senhora conhece o tenente?

– Muito bem – respondeu ela, esforçando-se para manter a compostura enquanto uma terrível suspeita começava a se formar em sua mente. – Estou começando a me perguntar se ele já vem me vigiando há algum tempo.

Mas aquilo não era possível... ou era?

– É mesmo? – foi a reação idiota de Scholz.

Rebecca continuou encarando Hans à espera da reação do marido à sua sugestão, na esperança de que ele fosse descartá-la com uma risada e lhe dar na mesma hora a verdadeira e inocente explicação. Sua boca estava aberta, como prestes a dizer alguma coisa, mas ela pôde ver que ele não pretendia falar a verdade: na realidade, pensou, suas feições eram as de um homem que tenta desesperadamente inventar uma desculpa, mas não consegue pensar em nenhuma que dê conta de todos os fatos.

Scholz estava à beira das lágrimas.

– Eu não sabia!

Sem tirar os olhos de Hans, Rebecca falou:

– Eu sou casada com Hans.

A expressão de seu marido voltou a mudar, tornando-se uma máscara de fúria à medida que a culpa se transformava em raiva. Quando enfim falou, não foi com Rebecca.

– Cale essa boca, Scholz.

Ela então teve certeza, e o mundo tal como o conhecia ruiu ao seu redor.

Scholz estava atônito demais para acatar o aviso de Hans.

– A senhora é *essa* Frau Hoffmann? – perguntou a Rebecca.

Hans se moveu com a velocidade da fúria. Com um punho direito poderoso, partiu para o ataque e acertou um soco na cara de Scholz. O rapaz cambaleou para trás, o lábio sangrando.

– Seu idiota de merda – disse Hans. – Você acabou de arruinar dois anos de árduo trabalho secreto.

– Os telefonemas estranhos, as reuniões repentinas, os bilhetes rasgados – murmurou Rebecca para si mesma. Hans não estava tendo um caso.

Era pior do que isso.

Apesar de atordoada, ela sabia que aquela era a hora de descobrir a verdade, enquanto todos estavam desestabilizados, antes de começarem a mentir e inventar histórias para servir como desculpa. Com esforço, conseguiu manter o foco.

– Hans, você se casou comigo só para me espionar?

Ele a encarou sem responder.

Scholz virou as costas e se afastou cambaleando pelo corredor.

– Vão atrás dele – ordenou Hans. O elevador chegou e Rebecca entrou ao mesmo tempo que ele gritava: – Peguem esse idiota e joguem-no em uma cela!

Quando ele se virou para falar com a esposa, as portas do elevador se fecharam e ela apertou o botão do térreo.

Ao atravessar o átrio, mal conseguia enxergar através das lágrimas. Ninguém lhe dirigiu a palavra; com certeza devia ser comum ver pessoas chorando ali. Ela encontrou o caminho até o ponto de ônibus pelo estacionamento molhado de chuva.

Seu casamento era uma farsa. Ela mal conseguia absorver essa informação. Tinha ido para a cama com Hans, tinha amado aquele homem e se casado com ele, mas durante todo o tempo ele a estivera enganando. A infidelidade podia ser considerada um lapso temporário, mas Hans tinha sido falso com ela desde o início. Devia ter começado a sair com ela para espioná-la.

Sem dúvida nunca pretendera de fato se casar com ela. Originalmente, era provável que a sua única intenção fosse um flerte que lhe permitisse ter acesso à casa. O engodo funcionara bem até demais; ele devia ter ficado chocado quando Rebecca o pedira em casamento. Talvez tivesse sido forçado a tomar uma decisão: dizer não e desistir da vigilância ou se casar com ela e seguir em frente. Talvez até seus chefes tivessem ordenado que aceitasse. Como ela podia ter sido enganada de forma tão completa?

Um ônibus se aproximou e ela embarcou. Caminhou olhando para o chão até um lugar bem lá atrás e cobriu o rosto com as mãos.

Pensou na época de namoro. Sempre que ela havia abordado as questões que tinham causado problemas em seus relacionamentos anteriores – seu feminismo, seu anticomunismo, sua proximidade com Carla –, Hans dera todas as respostas certas. Ela havia acreditado que os dois pensavam da mesma forma, uma afinidade quase milagrosa. Jamais lhe ocorrera que ele pudesse estar fingindo.

O ônibus se arrastava em direção ao bairro central de Mitte por uma paisagem formada de entulho velho e concreto novo. Rebecca tentou pensar no futuro, mas não conseguiu. Tudo o que pôde fazer foi rememorar o passado. Lembrou-se do dia do casamento, da lua de mel e do ano que haviam passado juntos; tudo isso agora lhe parecia uma peça de teatro na qual Hans representava um papel. Ele havia lhe roubado dois anos, e isso a deixou tão furiosa que ela até parou de chorar.

Recordou a noite em que o pedira em casamento. Os dois estavam passeando pelo Parque do Povo, em Friedrichshain, e haviam parado em frente ao antigo Chafariz de Conto de Fadas para admirar as tartarugas esculpidas em pedra. Rebecca estava usando um vestido azul-marinho, a cor que mais a favorecia. Hans estreava um paletó de tweed; conseguia encontrar roupas de qualidade mesmo no deserto de moda que era a Alemanha Oriental. Com os braços dele a envolvê-la, ela se sentira segura, protegida, amada. Queria um único homem para sempre, e esse homem era Hans.

– Vamos nos casar – falou, com um sorriso.

Ele a beijou e disse:

– Que ideia maravilhosa.

Fui uma boba, pensou ela, furiosa; boba e burra.

Uma coisa estava explicada: Hans ainda não quisera filhos. Segundo ele, primeiro queria ser promovido de novo e comprar uma casa própria. Não havia mencionado isso antes do casamento e, levando em conta suas idades, Rebecca ficara surpresa: ela já estava com 29 anos, ele com 34. Agora sabia o verdadeiro motivo.

Quando saltou do ônibus, estava cega de raiva. Caminhou depressa pelo vento e pela chuva até o antigo e alto casarão onde morava. Pela porta aberta da sala principal, pôde ver do hall a mãe muito entretida em uma conversa com Heinrich von Kessel, que tinha sido membro social-democrata do conselho municipal junto com ela após a guerra. Passou por eles depressa, sem dizer nada. Lili, sua irmã de 12 anos, fazia os deveres de casa sobre a mesa da cozinha. Ela ouviu o piano de cauda na sala íntima: seu irmão Walli estava tocando um blues. Ela subiu até o andar de dois cômodos que dividia com Hans.

A primeira coisa que viu ao entrar foi a maquete do marido. Ele havia passado o primeiro ano de casamento trabalhando naquilo, uma miniatura do Portão de Brandemburgo feita com palitos de fósforo e cola. Todos os seus conhecidos tinham de guardar os fósforos usados. A maquete estava quase pronta, sobre a mesinha no meio do cômodo. Ele já havia construído o arco central e as duas laterais e estava agora fazendo a bem mais difícil quadriga, a carruagem puxada por quatro cavalos que ficava no topo do monumento.

Devia estar entediado, pensou Rebecca, amargurada. Decerto aquele projeto era uma forma de passar o tempo nas noites em que era obrigado a ficar na companhia de uma mulher que não amava. Seu casamento era igual àquela maquete, uma cópia frágil do original.

Ela foi até a janela e olhou para a chuva lá fora. Um minuto depois, um Trabant 500 bege parou junto ao meio-fio e Hans saltou.

Como ele se atrevia a dar as caras naquela casa agora?

Sem ligar para a chuva que entrou, Rebecca escancarou a janela e gritou:

– Vá embora daqui!

Hans parou na calçada molhada e olhou para cima.

Rebecca deu com os olhos em um par de sapatos do marido no chão ao seu lado. Eram calçados feitos à mão por um velho sapateiro que ele havia encontrado. Recolheu um dos pés e o atirou em cima de Hans. Sua mira foi certeira e, apesar de ele ter desviado, foi atingido no alto da cabeça.

– Sua piranha maluca! – berrou ele.

Walli e Lili apareceram. Parados na soleira da porta, ficaram olhando a irmã adulta como se ela tivesse virado outra pessoa, o que provavelmente era verdade.

– Você se casou por ordem da Stasi! – gritou Rebecca pela janela. – Qual de nós dois é o maluco? – Ela jogou o outro pé de sapato e errou.

– O que você está fazendo? – perguntou Lili, em tom assombrado.

– Que loucura, cara... – disse Walli com um sorriso.

Do lado de fora, dois passantes pararam e ficaram observando, e um vizinho surgiu na porta de casa e começou a assistir, fascinado. Hans os encarou com fúria. Era um homem orgulhoso, para quem fazer papel de bobo em público era um suplício.

Rebecca olhou em volta à procura de mais alguma coisa para jogar e deparou com a maquete do Portão de Brandemburgo. Tinha uma base de madeira balsa. Rebecca a segurou com as duas mãos. Era pesada, mas ela deu conta.

– Caramba! – exclamou Walli.

Rebecca levou a maquete até a janela.

– Não se atreva! – gritou Hans. – Isso é meu!

Ela apoiou a base de madeira balsa no peitoril da janela.

– Você arruinou a minha vida, seu tirano da Stasi! – berrou.

Uma das pessoas que assistia à cena, uma mulher, deu uma risada que foi como um cacarejo cheio de desprezo e zombaria, e ecoou mais alto do que o barulho da chuva. Rubro de raiva, Hans olhou em volta para tentar identificar de onde viera o som, mas não conseguiu. Ouvir alguém rindo dele era o pior tipo de tortura.

– Ponha essa maquete de volta no lugar, sua piranha! – vociferou ele. – Passei um ano trabalhando nela!

– Foi o tempo que passei trabalhando no nosso casamento – rebateu Rebecca, e levantou a maquete.

– Eu estou mandando! – esgoelou-se Hans.

Rebecca empurrou a maquete pela janela e soltou.

O objeto deu uma cambalhota no ar, de modo que a base ficou para cima e a quadriga para baixo. Pareceu levar uma eternidade para cair, e Rebecca teve a sensação de que o tempo havia parado. A maquete então atingiu o quintal da frente calçado de pedra com o mesmo ruído de um papel sendo amassado. Espatifou-se, e os fósforos se espalharam para todos os lados antes de caírem sobre as pedras molhadas e ficarem ali grudados como os raios de um sol em ruínas. A base de madeira agora tocava o chão, pois tudo o que antes havia em cima dela fora reduzido a pó.

Hans passou vários segundos encarando a maquete destruída, com a boca aberta, em choque.

Então se recuperou e apontou um dedo para Rebecca lá em cima.

– Escute bem o que vou dizer – falou, e sua voz soou tão fria que ela de repente sentiu medo. – Você vai se arrepender do que fez, eu garanto. Você e sua família. Vão se arrepender pelo resto da vida. Eu juro.

Então tornou a entrar no carro e foi embora.

CAPÍTULO DOIS

Para o café da manhã, a mãe de George Jakes lhe preparou panquecas de mirtilo e bacon acompanhadas por mingau de fubá grosso.

– Se eu comer tudo isso vou ter de começar a lutar na categoria peso pesado – comentou ele.

George tinha 77 quilos e era o astro dos pesos meio-pesados do time de luta livre de Harvard.

– Coma à vontade e desista de lutar – retrucou a mãe. – Não criei você para ser um atleta desmiolado. – Sentada em frente ao filho à mesa da cozinha, ela se serviu uma tigela de flocos de milho.

George não era desmiolado e sua mãe sabia disso: estava prestes a se formar na Escola de Direito de Harvard. Já havia concluído as provas finais e, até onde isso era possível, tinha certeza de ter passado. Agora estava na modesta casa de subúrbio da mãe no condado de Prince George, em Maryland, nos arredores de Washington.

– Eu quero continuar em forma – disse ele. – Talvez comece a treinar uma equipe de luta livre do ensino médio.

– Isso, sim, valeria a pena.

George olhou para a mãe com carinho. Sabia que Jacky Jakes tinha sido bonita: vira fotos suas quando adolescente, na época em que ela sonhava ser artista de cinema. Ela ainda parecia jovem; tinha aquele tipo de pele cor de chocolate escuro que não enruga. "Preto que é bom não racha", diziam as mulheres negras. Mas a boca larga de sorriso tão rasgado naquelas fotos antigas tinha agora os cantos caídos, em uma permanente expressão determinada e séria. Ela nunca chegara a ser artista. Talvez nunca tivesse tido oportunidade: os poucos papéis para negras em geral acabavam indo parar nas mãos de beldades de pele mais clara. De todo modo, sua carreira tinha acabado antes mesmo de começar quando, aos 16 anos, ela engravidara de George. A expressão preocupada era resultado de ter criado o filho sozinha nos primeiros dez anos, trabalhando como garçonete, morando em uma casinha minúscula atrás da Union Station e instilando no menino a importância do trabalho duro, da educação e da respeitabilidade.

– Eu te amo, mãe, mas mesmo assim vou participar da Viagem da Liberdade – disse o rapaz.

Jacky contraiu os lábios em reprovação.

– Você tem 25 anos – rebateu. – Pode fazer o que quiser.

– Não posso, não. Sempre conversei com você antes de tomar qualquer decisão importante. E provavelmente sempre vou conversar.

– Você não faz o que eu digo.

– Nem sempre. Mas você continua sendo a pessoa mais inteligente que já conheci, incluindo todo mundo lá em Harvard.

– Ah, você está só me bajulando – disse Jacky, mas George pôde ver que o comentário a deixara satisfeita.

– Mãe, a Suprema Corte declarou inconstitucional a segregação nos ônibus interestaduais e nas estações rodoviárias, mas o pessoal do Sul está peitando a lei e pronto. Precisamos fazer alguma coisa!

– E em que você acha que essa viagem de ônibus vai ajudar?

– Nós vamos embarcar aqui em Washington e seguir para o Sul. Vamos sentar na frente, usar as salas de espera só para brancos e pedir que nos sirvam em restaurantes só de brancos, e, quando as pessoas reclamarem, vamos dizer que a lei está do nosso lado e que elas são criminosas e encrenqueiras.

– Filho, eu sei que você está *certo*. Não precisa me dizer isso. Entendo o que a Constituição diz. Mas o que você acha que vai acontecer?

– Acho que alguma hora vamos acabar sendo presos. Vai haver um julgamento e nós vamos poder defender nosso ponto de vista diante do mundo.

Jacky balançou a cabeça.

– Espero que seja mesmo só isso.

– Como assim?

– Você teve uma criação privilegiada, pelo menos depois que seu pai branco reapareceu nas nossas vidas, quando você tinha 6 anos. Não sabe como é o mundo para a maioria das pessoas de cor.

– Eu gostaria que você não dissesse isso. – George estava melindrado; era a mesma acusação que ativistas negros lhe faziam, e isso o irritava. – Não é porque um avô branco pagou meus estudos que sou cego. Eu sei o que acontece.

– Então deve saber que ser preso talvez seja a coisa menos grave que pode lhe acontecer. E se a situação ficar violenta?

George sabia que sua mãe estava certa. Os Viajantes da Liberdade podiam estar se arriscando a mais do que a prisão. Mas quis tranquilizá-la.

– Eu já tive aulas de resistência passiva – falou. Todos os escolhidos para participar da Viagem da Liberdade eram ativistas experientes na luta pelos direitos civis e tinham passado por um programa de treinamento especial que incluía exercícios de simulação. – Um branco se fingiu de racista e me chamou de crioulo, me

empurrou, trombou em mim e me arrastou para fora do recinto pelos calcanhares... E eu deixei, embora pudesse ter jogado o cara pela janela usando apenas um dos braços.
– Quem era ele?
– Um participante da campanha pelos direitos civis.
– Não era de verdade.
– É claro que não. Ele estava fingindo.
– Está certo, então – falou Jacky e, pelo tom da voz dela, George entendeu que a mãe estava querendo dizer o contrário.
– Mãe, vai ficar tudo bem.
– Não vou falar mais nada. Vai comer as panquecas ou não?
– Olhe para mim – disse ele. – Terno de *mohair*, gravata estreita, cabelos curtos e sapatos tão engraxados que eu poderia usar as ponteiras como espelho para me barbear.
Em geral, George se vestia com elegância para qualquer que fosse a ocasião, mas os Viajantes tinham sido instruídos a se arrumar de forma a parecer o mais respeitáveis possível.
– Tirando essa orelha de couve-flor, você até que está bem bonito.
Sua orelha direita era deformada por causa da luta.
– Quem iria querer machucar um jovem de cor tão distinto?
– Você não faz ideia – disse Jacky, subitamente zangada. – Aqueles brancos lá do Sul, eles... – Para consternação de George, os olhos de sua mãe ficaram marejados. – Ai, meu Deus, estou com tanto medo de que você morra!
Ele estendeu a mão por cima da mesa e segurou a dela.
– Vou tomar cuidado, mãe. Eu juro.
Jacky secou os olhos no avental. George comeu um pouco de bacon só para agradá-la, mas estava com pouco apetite, mais ansioso do que demonstrava. Sua mãe não tinha exagerado. Alguns ativistas dos direitos civis haviam se oposto à ideia da Viagem da Liberdade por achar que provocaria violência.
– Você vai passar um tempão nesse ônibus – comentou Jacky.
– Treze dias daqui até Nova Orleans. Nós vamos parar todas as noites para reuniões e comícios.
– O que está levando para ler?
– A autobiografia de Gandhi.
George sentia que devia saber mais sobre Mahatma Gandhi, cuja filosofia havia inspirado as táticas de protesto não violentas do movimento em defesa dos direitos civis.

Ela pegou um livro em cima da geladeira.

– Talvez ache este aqui um pouco mais divertido. É um sucesso de vendas.

Os dois sempre haviam lido os mesmos livros. O pai de Jacky era professor de literatura em uma faculdade para negros e desde criança ela era uma leitora voraz. Quando George era pequeno, ele e a mãe tinham lido juntos as aventuras dos Bobbsey Twins e dos Hardy Boys, apesar de todos os heróis serem brancos. Agora, passavam regularmente um para o outro os títulos de que tinham gostado. Ele olhou para o exemplar que tinha em mãos. A capa de plástico transparente lhe informou que fora pego na biblioteca pública.

– *O sol é para todos* – leu. – Acabou de ganhar o Pulitzer, não foi?

– E a história se passa no Alabama, para onde você está indo.

– Obrigado.

Alguns minutos depois, ele se despediu da mãe com um beijo, saiu de casa levando uma pequena mala e pegou um ônibus até Washington. Saltou no terminal rodoviário da viação Greyhound, no centro da cidade. Um pequeno grupo de ativistas dos direitos civis estava reunido no café. Ele já conhecia algumas pessoas dos encontros de preparação. Eram um misto de negros e brancos, homens e mulheres, velhos e jovens. Além de uns dez Viajantes, havia organizadores do Congresso da Igualdade Racial – o CORE –, uns dois jornalistas da imprensa negra e alguns simpatizantes. O CORE decidira dividir o grupo em dois, e metade dos ativistas sairia do terminal da Trailways, do outro lado da rua. Não havia cartazes nem câmeras de TV: tudo estava discreto, o que era tranquilizador.

George cumprimentou Joseph Hugo, rapaz branco de olhos azuis saltados que também estudava Direito. Juntos, os dois haviam organizado um boicote na lanchonete da loja de departamentos Woolworth's em Cambridge, Massachusetts. Assim como o serviço de ônibus, a Woolworth's era integrada na maioria dos estados, mas segregada no Sul. Só que Joe tinha o dom de sumir antes de qualquer confronto, e George já o havia classificado como um covarde bem-intencionado.

– Está vindo conosco, Joe? – perguntou, tentando disfarçar o ceticismo na voz.

O outro rapaz fez que não com a cabeça.

– Vim só desejar boa sorte.

Ele fumava longos cigarros mentolados de filtro branco e bateu nervosamente a cinza de um deles na borda de um cinzeiro de latão.

– Que pena. Você é do Sul, não é?

– De Birmingham, no Alabama.

– Eles vão nos tachar de forasteiros agitadores. Seria útil ter um sulista no ônibus para provar que estão errados.

– Não posso, tenho coisas a fazer.

George não insistiu. Já estava suficientemente assustado; se começasse a falar sobre os perigos, poderia acabar desistindo de embarcar. Olhou em volta para o grupo reunido. Ficou satisfeito ao ver John Lewis, um estudante de teologia calmo, mas de personalidade marcante, que fora um dos membros fundadores do Comitê Não Violento de Coordenação Estudantil, a mais radical das organizações em defesa dos direitos civis.

Seu líder pediu atenção e começou uma curta declaração à imprensa. Enquanto ele falava, George viu um branco alto de uns 40 anos entrar no café usando um terno de linho amarrotado. Apesar de estar acima do peso, era um homem bonito, e seu rosto exibia o tom corado de quem bebe. Como parecia um passageiro do terminal, ninguém prestou atenção nele, que foi se sentar ao lado de George e, passando um braço em volta de seus ombros, deu-lhe um rápido abraço.

Era o senador Greg Peshkov, seu pai.

O relacionamento entre os dois era um segredo de polichinelo, conhecido pelos íntimos de Washington, mas jamais admitido publicamente. Greg não era o único político a ter um segredo desse tipo. O senador Strom Thurmond tinha bancado os estudos universitários da filha da empregada da família e, segundo os boatos, era o pai da moça – o que não o impedia de ser um ferrenho segregacionista. Quando Greg havia aparecido, um total desconhecido para o filho de 6 anos, pedira a George que o chamasse de tio Greg, e os dois nunca haviam encontrado eufemismo melhor.

Apesar de egoísta e nada confiável, Greg gostava de George à sua maneira. Quando adolescente, o rapaz tivera uma longa fase de raiva em relação a ele, mas depois passara a aceitá-lo pelo que era, raciocinando que ter um pai pela metade era melhor do que não ter pai nenhum.

– George, estou preocupado – disse Greg em voz baixa.

– Mamãe também.

– O que ela falou?

– Ela acha que aqueles racistas lá do Sul vão matar todos nós.

– Não acho que isso vá acontecer, mas talvez você perca o emprego.

– O Sr. Renshaw disse alguma coisa?

– Ora, é claro que não, ele não sabe nada sobre o que está acontecendo... ainda. Mas, se você for preso, ele vai descobrir rapidinho.

Renshaw, originário de Buffalo, era amigo de infância de Greg e sócio sênior de um prestigioso escritório de advocacia da capital. No verão anterior, Greg conseguira um emprego de verão para George como assistente jurídico no escritório e, como ambos torciam para acontecer, o cargo temporário havia conduzido a uma proposta de emprego fixo para quando ele se formasse. Era um feito e tanto: George seria o primeiro negro a trabalhar no escritório em outra função que não a de faxineiro.

Com certa irritação, ele disse:

– Os Viajantes da Liberdade não estão desrespeitando a lei. Estamos tentando fazer com que ela seja cumprida. Os criminosos são os segregacionistas, isso sim. Imaginei que um advogado como Renshaw fosse entender isso.

– E ele entende. Mas não pode contratar um homem que teve problemas com a polícia. Acredite: seria a mesma coisa se você fosse branco.

– Mas nós estamos do lado da lei!

– A vida é injusta. Seus tempos de estudante universitário acabaram... Bem-vindo ao mundo real.

O líder do grupo chamou:

– Pessoal, por favor, comprem suas passagens e ponham as malas no bagageiro.

George se levantou.

– Não vou conseguir convencê-lo a desistir, não é? – perguntou Greg.

Ele estava com uma cara tão arrasada que George desejou poder lhe dizer que sim, mas não podia.

– Não. Eu já decidi.

– Então, por favor, tente tomar cuidado.

O rapaz ficou tocado.

– Tenho sorte por ter quem se preocupe comigo – falou. – Eu sei disso.

Greg apertou de leve o seu braço e foi embora discretamente.

George entrou na fila do guichê junto com os outros e comprou uma passagem para Nova Orleans. Foi até o ônibus azul e cinza e entregou a mala para ser guardada no compartimento de bagagens. Um grande cão galgo e os dizeres QUE CONFORTO PEGAR UM ÔNIBUS... E DEIXAR A CONDUÇÃO POR NOSSA CONTA estavam pintados na lateral da carroceria. George embarcou.

Um dos organizadores da Viagem o encaminhou até um lugar na parte da frente. Outros foram instruídos a sentarem em pares de raças distintas. O motorista nem deu atenção aos Viajantes, e os passageiros normais não demonstraram mais do que uma leve curiosidade. George abriu o livro que a mãe tinha lhe dado e leu a primeira linha.

Instantes depois, o organizador instruiu uma das mulheres a se acomodar ao lado de George. Satisfeito, ele meneou a cabeça para a moça. Já a encontrara algumas vezes e gostava dela; seu nome era Maria Summers. Ela usava uma roupa bem-comportada: vestido de algodão cinza-claro com decote fechado e saia rodada. Tinha a pele do mesmo tom fechado e escuro de Jacky, um nariz gracioso e achatado, e lábios que o faziam pensar em beijos. Sabia que ela estudava na Faculdade de Direito da Universidade de Chicago e que, assim como ele, estava prestes a se formar, portanto deviam ter a mesma idade. Supôs que, além de inteligente, ela também devia ser determinada: só assim para entrar na Faculdade de Direito de Chicago com duas desvantagens, já que era ao mesmo tempo negra e mulher.

George fechou o livro na mesma hora em que o motorista deu a partida e fez o ônibus andar. Maria baixou os olhos e comentou:

– *O sol é para todos*. Estive em Montgomery no verão passado.

Montgomery era a capital do estado do Alabama.

– Fazendo o quê? – perguntou George.

– Meu pai é advogado e teve um cliente que processou o estado. Trabalhei para papai durante as férias.

– E vocês ganharam a causa?

– Não. Mas não quero atrapalhar sua leitura.

– Imagine! Eu posso ler a qualquer hora. Não é todo dia que se pega um ônibus e uma moça bonita como você senta do nosso lado.

– Ih, bem que me avisaram que você era bom de papo.

– Se quiser, eu conto meu segredo para você.

– Está bem, qual é o seu segredo?

– Eu sou sincero.

Ela riu.

– Mas, por favor, não espalhe – disse ele. – Iria acabar com a minha reputação.

O ônibus atravessou o rio Potomac e seguiu em direção à Virgínia pela Route 1.

– Você acaba de entrar no Sul, George – comentou Maria. – Já está com medo?

– Claro.

– Eu também.

A rodovia reta e estreita cortava muitos quilômetros de mata verde-primavera. Eles passaram por cidadezinhas nas quais havia tão pouco a fazer que as pessoas se detinham para ver o ônibus passar. George não olhou muito pela janela. Ficou sabendo que Maria fora criada em uma família muito religiosa e que seu avô era pastor. Contou-lhe que ia à igreja principalmente para agradar à mãe, e ela confessou que era assim também. Os dois conversaram por 80 quilômetros de estrada, o caminho inteiro até Friedricksburg.

Os Viajantes se calaram quando o ônibus adentrou a pequena cidade histórica na qual a supremacia branca ainda reinava. O terminal da Greyhound ficava entre duas igrejas de tijolo vermelho com portas brancas, mas no Sul o cristianismo não era necessariamente um bom indício. Quando o ônibus parou, George viu os banheiros da estação e ficou espantado por não haver placas acima das portas indicando SÓ BRANCOS ou SÓ DE COR.

Os passageiros desceram para o sol forte e piscaram os olhos para adaptar a vista. Ao observar mais de perto, George viu marcas mais claras acima das portas dos banheiros e deduziu que as placas de segregação tinham sido removidas recentemente.

Mesmo assim, os Viajantes começaram a executar seu plano. Primeiro um organizador branco foi usar o imundo sanitário dos fundos, obviamente destinado aos negros. Saiu de lá ileso, mas essa era a parte fácil. George já tinha se oferecido para ser a pessoa negra a desafiar as regras.

– Lá vamos nós – falou para Maria, e entrou no banheiro limpo e recém-pintado cuja placa de SÓ BRANCOS sem dúvida acabara de ser removida.

Lá dentro, um rapaz branco ajeitava com um pente o topete alto. Olhou para George pelo espelho, mas não disse nada. Embora estivesse assustado demais para conseguir urinar, George não podia simplesmente sair sem fazer nada, então foi lavar as mãos. O rapaz saiu do banheiro e um homem mais velho entrou e se trancou num cubículo. George secou as mãos na toalha de rolo. Depois disso não tinha mais nada a fazer, então saiu.

Os outros estavam à sua espera. Ele deu de ombros e disse:

– Nada. Ninguém tentou me deter, ninguém falou nada.

– Eu pedi uma Coca no balcão e a garçonete me deu – falou Maria. – Acho que alguém aqui resolveu evitar problemas.

– Será que é assim que vai ser até Nova Orleans? – perguntou George. – Será que eles simplesmente vão agir como se nada estivesse acontecendo e voltar a impor a segregação quando formos embora? Seria como tirar o nosso chão!

– Não se preocupe – retrucou Maria. – Eu conheci as pessoas que governam o Alabama. Acredite, elas não são tão inteligentes assim.

CAPÍTULO TRÊS

Walli Franck estava tocando piano na sala íntima do andar de cima. Era um Steinway de cauda que seu pai mantinha afinado para sua avó Maud tocar. Walli estava tentando se lembrar do *riff* da canção "A Mess of Blues", de Elvis Presley. A música era em clave de dó, o que facilitava as coisas.

Sentada ali perto, sua avó lia os obituários do *Berliner Zeitung*. Aos 70 anos, era esbelta, de porte ereto, e usava um vestido de cashmere azul-escuro.

– Você toca bem esse tipo de música – comentou, sem tirar os olhos do jornal.
– Além dos meus olhos verdes, herdou também o meu ouvido. Seu avô Walter, que Deus o tenha, em homenagem a quem você foi batizado, nunca conseguiu tocar um *ragtime*. Eu bem que tentei ensinar, mas não teve jeito.

– Você tocava *ragtime*? – perguntou Walli, surpreso. – Nunca ouvi você tocar nada a não ser música clássica.

– Foi o *ragtime* que não nos deixou morrer de fome quando sua mãe era bebê. Depois da Primeira Guerra, eu toquei em uma boate chamada Nachtleben, aqui mesmo em Berlim. Recebia bilhões de marcos por noite, o que mal dava para comprar pão, mas às vezes ganhava gorjetas em moeda estrangeira, e com dois dólares conseguíamos viver bem por uma semana.

– Caramba!

Ele não conseguia imaginar a avó grisalha tocando piano em uma boate em troca de gorjetas.

Sua irmã entrou na sala. Lili era quase três anos mais nova do que Walli e ultimamente ele não sabia muito bem como tratá-la. Até onde sua memória alcançava, ela sempre tinha sido uma chata, como um menino mais novo, só que ainda mais boba. Agora, porém, havia se tornado mais sensata e, para complicar mais as coisas, algumas de suas amigas já tinham seios.

Ele virou as costas para o piano e pegou o violão. Havia comprado o instrumento um ano antes, em uma loja de penhores de Berlim Ocidental, provavelmente empenhado por algum soldado americano em troca de um empréstimo jamais quitado. Era da marca Martin e, embora tivesse sido barato, Walli o considerava um instrumento muito bom. Imaginou que nem o penhorista nem o soldado tinham se dado conta de seu valor.

– Escute só – falou para Lili, e começou a cantar uma música das Bahamas chamada "All My Trials", com letra em inglês.

Ele a escutara em estações de rádio ocidentais, pois a canção era apreciada por grupos de *folk* americanos. Os acordes menores a tornavam melancólica e ele gostou do acompanhamento dedilhado triste que tinha inventado.

Quando terminou de tocar, sua avó Maud olhou por cima do jornal e disse, em inglês:

– Walli querido, seu sotaque é uma lástima.

– Desculpe.

Ela tornou a passar para o alemão:

– Mas você canta bem.

– Obrigado. – Ele se virou para Lili. – O que achou da música?

– Meio triste – respondeu a menina. – Talvez goste mais depois de escutar algumas vezes.

– Não adianta. Quero tocá-la hoje à noite no Minnesänger.

Era um clube de *folk* que ficava perto da Kurfürstendamm, na parte ocidental de Berlim. O nome significava "trovador" em alemão.

Lili ficou admirada.

– Você vai tocar no Minnesänger?

– Hoje vai ser uma noite especial: eles vão fazer um concurso, qualquer um pode tocar. O vencedor ganha a oportunidade de se apresentar regularmente.

– Não sabia que os clubes faziam isso.

– Em geral, não fazem. É só hoje.

– Você não precisa ter mais idade para entrar em um lugar desses? – perguntou sua avó Maud.

– Preciso, mas já entrei.

– Walli parece mais velho do que é – disse Lili.

– Hum.

– Você nunca cantou em público – continuou sua irmã. – Está nervoso?

– Muito.

– Deveria tocar alguma coisa mais alegre.

– Acho que você tem razão.

– Que tal "This Land is Your Land"? Essa eu adoro.

Walli tocou a música, e Lili o acompanhou na letra.

Enquanto eles cantavam, sua irmã mais velha, Rebecca, entrou na sala. Walli idolatrava Rebecca. Depois da guerra, quando seu pai e sua mãe tinham de trabalhar feito loucos dia e noite para alimentar a família, ela muitas vezes ficara cuidando de Walli e Lili. Era como uma segunda mãe, só que menos rígida.

E como era corajosa! Assombrado, ele a vira arremessar a maquete de fósforos do marido pela janela. Walli nunca tinha gostado de Hans e em seu íntimo estava feliz por ele ter saído de casa.

Os vizinhos não falavam em outra coisa: como Rebecca, sem saber, havia se casado com um agente da Stasi. O fato havia aumentado o prestígio de Walli na escola; antes disso, ninguém imaginava que a família Franck tivesse algo de especial. As meninas, sobretudo, ficavam fascinadas ao pensar que tudo o que fora dito e feito dentro daquela casa tinha sido relatado à polícia durante quase um ano.

Embora Rebecca fosse sua irmã, Walli via muito bem que ela era deslumbrante. Tinha um corpo espetacular e um rosto encantador que expressava ao mesmo tempo bondade e força. Agora, porém, reparou que ela estava com cara de enterro. Parou de tocar e perguntou:

– O que houve?

– Fui demitida.

Sua avó Maud largou o jornal que estava lendo.

– Isso é loucura! – exclamou Walli. – Os meninos da sua escola dizem que você é a melhor professora!

– Eu sei.

– Por que mandaram você embora, então?

– Acho que foi a vingança de Hans.

Walli recordou a reação do ex-cunhado ao ver sua maquete espatifada e os milhares de palitos de fósforo espalhados pela calçada molhada. "Você vai se arrepender", gritara ele, olhando para cima através da chuva. Walli tinha considerado aquilo uma bravata, mas bastava pensar por um instante para entender que um agente da polícia secreta era poderoso o suficiente para levar a cabo uma ameaça desse tipo. "Você e a sua família", gritara Hans, o que também incluía Walli na maldição. O rapaz estremeceu.

– Eles não estão desesperados atrás de professores? – perguntou Maud.

– Bernd Held está arrancando os cabelos – respondeu Rebecca. – Mas recebeu ordens superiores.

– O que você vai fazer? – quis saber Lili.

– Arrumar outro emprego. Não deve ser complicado. Bernd me deu uma carta de referência excelente. E como muitos professores se mudaram para o Ocidente, todas as escolas da Alemanha Oriental estão com o quadro desfalcado.

– Você deveria se mudar para o Ocidente – comentou Lili.

– Todos nós deveríamos nos mudar para o Ocidente – disse Walli.

– Mamãe não quer e vocês sabem – falou Rebecca. – Ela diz que precisamos resolver nossos problemas, não fugir deles.

Foi quando seu pai entrou na sala, vestido com um terno azul-escuro de três peças antiquado, porém elegante.

– Boa noite, Werner querido – disse Maud. – Rebecca precisa de uma bebida. Ela foi demitida.

A sogra sugeria com frequência que alguém precisava de uma bebida. Assim ela também podia beber.

– Eu sei o que aconteceu com Rebecca – respondeu Werner. – Nós já conversamos.

Ele estava de mau humor; para falar rispidamente com Maud, tinha de estar, pois nutria amor e respeito por ela. Walli se perguntou o que teria acontecido para deixar o pai chateado.

Não demorou a descobrir.

– Walli, venha ao meu escritório – disse Werner. – Quero dar uma palavrinha com você. – Ele atravessou a porta dupla que conduzia a uma sala íntima menor, usada como seu escritório. Walli o seguiu. Werner sentou-se atrás da escrivaninha, e Walli entendeu que deveria permanecer em pé. – Um mês atrás nós tivemos uma conversa sobre cigarro – começou Werner.

Walli sentiu-se imediatamente culpado. Tinha começado a fumar para parecer mais velho, mas pegara gosto e agora estava viciado.

– Você prometeu parar – falou Werner. Na opinião de Walli, o pai não tinha nada a ver com o fato de ele fumar ou não. – Parou?

– Parei – mentiu Walli.

– Não sabe que deixa cheiro?

– Acho que sei, sim.

– Senti o cheiro assim que você entrou na sala.

Walli se sentiu um bobo. Fora pego mentindo feito uma criança. Aquilo não aumentou em nada sua simpatia pelo pai.

– Portanto, sei que você não parou.

– Então por que perguntou? – Detestou o tom petulante da própria voz.

– Na esperança de você me dizer a verdade.

– Você esperava me pegar mentindo, isso sim.

– Pode pensar assim, se quiser. Imagino que esteja com um maço no bolso agora mesmo.

– Sim.

– Ponha em cima da minha mesa.

Walli tirou o maço de cigarros do bolso da calça e, irritado, jogou-o em cima da escrivaninha. Werner pegou-o e o pôs casualmente dentro de uma gaveta.

Era um maço de Lucky Strike, não da marca alemã-oriental muito pior chamada "f6", e além disso estava quase cheio.

– Você vai passar todas as noites em casa durante um mês – declarou Werner. – Pelo menos assim não vai frequentar bares nos quais as pessoas tocam banjo e fumam o tempo todo.

O pânico fez o estômago de Walli se contrair. Ele lutou para se manter calmo e racional.

– Não é banjo, é violão. E não tem como eu ficar em casa durante um mês.

– Não seja ridículo. Você vai me obedecer e pronto.

– Está bem – disse Walli, desesperado. – Mas não a partir de hoje.

– A partir de agora.

– Mas hoje à noite eu tenho que ir ao Minnesänger!

– É exatamente esse o tipo de lugar do qual quero afastá-lo.

O velho era impossível!

– Eu fico em casa todas as noites durante um mês a partir de amanhã, está bem?

– Seu castigo não vai ser adaptado para se adequar aos seus planos. Seria contraproducente. O objetivo do castigo é atrapalhar a sua vida.

Com o humor de seu pai nessa noite, seria impossível demovê-lo da decisão, mas Walli, louco de tanta frustração, tentou mesmo assim:

– Você não está entendendo! Hoje vou participar de um concurso no Minnesänger... é uma oportunidade única.

– Eu não vou adiar seu castigo para permitir que você toque banjo!

– É violão, seu velho idiota! Violão! – Walli saiu batendo o pé.

As três mulheres na sala ao lado evidentemente tinham escutado tudo e o encararam quando ele entrou.

– Ai, Walli... – disse Rebecca.

O rapaz pegou seu violão e saiu da sala.

Antes de chegar ao térreo, não tinha plano algum, apenas raiva; assim que viu a porta da frente, porém, soube o que tinha de fazer. Levando o instrumento, saiu da casa e bateu a porta com tanta força que fez a estrutura tremer.

Uma janela do primeiro andar se abriu e ele ouviu o pai gritar:

– Volte aqui! Está me ouvindo? Volte agora mesmo ou vai ficar ainda mais encrencado.

Walli continuou andando.

No início sentiu apenas raiva, mas depois de algum tempo começou a ficar empolgado. Tinha desafiado o pai e chegara a chamá-lo de velho idiota! Com passos saltitantes, seguiu na direção oeste. No entanto, sua euforia logo passou e ele começou a se perguntar que consequências teria de enfrentar. Seu pai levava a desobediência muito a sério. Mandava nos filhos e nos empregados, e esperava que todos o acatassem. Mas o que ele poderia fazer? Havia dois ou três anos que Walli era grande demais para apanhar. Nesse dia, seu pai tentara mantê-lo dentro de casa como se esta fosse uma prisão, mas não conseguira. Às vezes Werner ameaçava tirá-lo da escola e fazê-lo trabalhar na fábrica, mas o rapaz considerava isso uma ameaça vazia: o pai não se sentiria à vontade com um adolescente ressentido perambulando por sua preciosa fábrica. Mesmo assim, tinha a sensação de que o coroa acabaria pensando em alguma coisa.

A rua em que ele estava saía da parte oriental de Berlim e entrava na parte ocidental em um cruzamento. Encostados em um canto, três Vopos fumavam. Tinham autorização para interpelar qualquer um que quisesse cruzar aquela fronteira invisível. Não podiam abordar todo mundo, era impossível: milhares de pessoas passavam por ali todos os dias, entre elas vários *Grenzgänger*, berlinenses da parte oriental que trabalhavam na parte ocidental em troca de salários melhores pagos em valiosos marcos alemães. Embora fosse remunerado por lucro, e não por salário, o pai de Walli era um *Grenzgänger*. O próprio Walli atravessava a fronteira pelo menos uma vez por semana, em geral para ir com os amigos aos cinemas da parte ocidental, que passavam filmes americanos sensuais e violentos, bem mais legais do que as fábulas moralizantes dos cinemas comunistas.

Na prática, os Vopos paravam qualquer um que lhes chamasse a atenção. Famílias inteiras atravessando juntas, pais e filhos, quase com certeza eram interpeladas sob a suspeita de estarem tentando abandonar definitivamente a parte oriental, sobretudo se estivessem com bagagem. Os outros tipos que a polícia adorava importunar eram adolescentes, sobretudo se vestidos com roupas ocidentais. Muitos rapazes da parte oriental de Berlim eram membros de gangues antiautoridade: a Gangue do Texas, a Gangue do Jeans, a Sociedade Apreciadora de Elvis Presley, entre outras. Eles odiavam a polícia, e a polícia os odiava também.

Walli estava usando uma calça preta simples, camiseta branca e casaco quebra-vento bege. Bem estiloso, pensou, um pouco parecido com James Dean, mas não com o membro de alguma gangue. O violão talvez chamasse atenção, porém. Era, por excelência, o símbolo do que a polícia classificava como "incultura americana" – pior ainda do que um gibi do Super-Homem.

Atravessou a rua tomando cuidado para não olhar na direção dos Vopos. Com o rabo do olho, pensou ter visto um deles o encarando. Ninguém disse nada, no entanto, e ele passou para o Mundo Livre sem ser detido.

Pegou um bonde no lado sul do parque até Ku'damm. A melhor coisa da parte ocidental de Berlim, pensou, era que *todas* as garotas usavam meias finas.

Foi até o Clube Minnesänger, situado num subsolo de uma ruazinha lateral que saía de Ku'damm, onde vendiam cerveja aguada e linguiças. Chegou cedo, mas a casa já estava enchendo. Foi falar com o jovem proprietário do estabelecimento, Danni Hausmann, e inscreveu seu nome na lista de participantes do concurso. Comprou uma cerveja sem ninguém perguntar sua idade. Muitos rapazes como ele carregavam violões, além de várias meninas e algumas pessoas mais velhas.

Uma hora mais tarde, o concurso começou. Cada um tocava duas músicas. Alguns dos participantes eram novatos sem talento algum que só dedilhavam acordes simples, mas, para consternação de Walli, havia vários violonistas mais experientes do que ele. Quase todos se pareciam com os artistas americanos que imitavam. Três homens vestidos igual ao Kingston Trio cantaram "Tom Dooley", e uma moça de longos cabelos negros tocou "The House of the Rising Sun" no violão igualzinho a Joan Baez, recebendo fortes aplausos e vivas animados.

Um casal mais velho, ambos de calça de veludo, levantou-se e cantou uma canção sobre o mundo rural chamada "Im Märzen der Bauer", acompanhada por um acordeão. Era uma música *folk*, mas não do tipo que aquela plateia queria. Eles receberam aplausos irônicos, mas estavam fora de moda.

Enquanto esperava impacientemente a sua vez, Walli foi abordado por uma menina bonita. Acontecia muito. Ele achava o próprio rosto esquisito, com malares saltados e olhos amendoados, quase como se fosse metade japonês, mas muitas garotas o achavam bonito. A moça se apresentou como Karolin. Parecia um ou dois anos mais velha do que ele. Seus cabelos louros compridos repartidos ao meio emolduravam um rosto oval. No início, Walli pensou que ela fosse igual a todas as outras meninas fãs de *folk*, mas Karolin tinha um sorriso largo que fez seu coração bater descompassado.

– Eu ia entrar no concurso com meu irmão ao violão, mas ele me deixou na mão... Você por acaso aceitaria fazer dupla comigo?

O primeiro impulso de Walli foi dizer não. Já tinha um repertório de canções e nenhuma delas era um dueto. Mas Karolin era um encanto e ele queria um motivo para continuar conversando com ela.

– A gente precisaria ensaiar... – respondeu, em tom de dúvida.

– Poderíamos ir lá fora. Em que músicas você estava pensando?

– Eu ia tocar "All My Trials", depois "This Land Is Your Land".

– Que tal "Noch Einen Tanz"?

Aquela música não fazia parte do repertório de Walli, mas ele conhecia a melodia e era fácil de tocar.

– Nunca pensei em cantar uma música cômica – falou.

– O público iria adorar. Você pode cantar a parte do homem, quando ele diz para ela ir para casa cuidar do marido doente, e aí eu cantaria "só mais uma dança", e faríamos juntos a última estrofe.

– Vamos tentar.

Eles saíram. Era início de verão e ainda estava claro. Sentaram-se na soleira de uma porta e ensaiaram a canção. Suas vozes soavam bem juntas e Walli improvisou uma harmonia na última estrofe.

A voz de Karolin era um puro contralto que poderia ter uma sonoridade comovente, achou ele, e sugeriu que seu segundo número poderia ser uma canção triste, só para variar. Ela recusou "All My Trials", deprimente demais, mas gostou de "Nobody's Fault But Mine", um *spiritual* bem lento. Quando eles ensaiaram, Walli sentiu os pelos da nuca se arrepiarem.

Um soldado americano entrou no clube, sorriu para eles e disse, em inglês:

– Olhem só, os Bobbsey Twins!

Karolin riu e disse a Walli:

– Acho que nós somos mesmo parecidos... cabelos louros, olhos verdes. Quem são os Bobbsey Twins?

Walli não tinha reparado na cor dos olhos dela, e ficou lisonjeado que ela soubesse a dos seus.

– Nunca ouvi falar – respondeu.

– Mas é um bom nome para uma dupla. Que nem os Everly Brothers.

– A gente precisa de um nome?

– Se ganhar, sim.

– Tudo bem. Vamos entrar. Nossa vez já deve estar chegando.

– Mais uma coisa – disse ela. – Na hora de "Noch Einen Tanz", seria bom a gente se olhar de vez em quando e sorrir.

– Tudo bem.

– Quase como se a gente fosse namorado, sabe? Vai ficar legal no palco.

– Claro. – Não seria difícil sorrir para Karolin como se ela fosse sua namorada.

Lá dentro, uma menina loura cantava "Freight Train" com um violão. Não era tão bonita quanto Karolin, mas tinha uma beleza mais óbvia. Depois dela, um violonista virtuoso tocou um blues dedilhado complexo. Então Danni Hausmann chamou o nome de Walli.

Ele ficou tenso ao encarar a plateia. A maioria dos violonistas tinha estilosas bandoleiras de couro, mas ele nunca se dera ao trabalho de arrumar uma, e o instrumento pendia de seu pescoço por um pedaço de barbante. Nessa hora, desejou ter uma bandoleira.

– Boa noite – disse Karolin. – Nós somos os Bobbsey Twins.

Walli tocou um acorde e começou a cantar, e descobriu que não estava mais ligando para o fato de não ter bandoleira. Como a música era uma valsa, tocou em ritmo vivaz. Karolin fingiu ser uma mulher de vida fácil, e Walli respondeu se transformando em um rígido tenente prussiano.

A plateia riu.

Foi então que algo aconteceu com Walli. Devia haver apenas umas cem pessoas no recinto e o barulho que elas fizeram não passou de uma risadinha coletiva de apreciação, mas aquilo lhe causou uma sensação que ele nunca havia experimentado antes, um pouco parecida com a da primeira tragada de um cigarro.

A plateia riu várias outras vezes, e no final da canção aplaudiu bem alto.

Walli gostou disso mais ainda.

– Eles adoraram a gente! – sussurrou Karolin, animada.

Walli começou a tocar "Nobody's Fault But Mine", puxando as cordas de aço com as unhas para acentuar a dramaticidade das sétimas plangentes, e a multidão se calou. Karolin mudou de atitude, tornando-se uma mulher caída em desgraça e tomada pelo desespero. Walli observou a plateia: ninguém conversava. Uma mulher ficou com os olhos marejados, e ele imaginou se ela teria passado pelas coisas sobre as quais falava a canção.

A concentração silenciosa do público era ainda melhor do que suas risadas.

No final da interpretação, todos gritaram e pediram bis.

Como a regra era duas músicas por dupla, Walli e Karolin desceram do palco e ignoraram os pedidos, mas Hausmann lhes disse para voltar. Em pânico, eles se entreolharam; não tinham ensaiado uma terceira canção. Então Walli perguntou:

– Você conhece "This Land Is Your Land"?

Karolin assentiu.

O público cantou junto, obrigando Karolin a aumentar o tom de voz, e Walli ficou surpreso com a sua potência. Ele cantou uma harmonia aguda, e suas vozes se ergueram acima do barulho da plateia.

Quando por fim deixaram o palco, Walli estava empolgadíssimo. Os olhos de Karolin brilhavam.

– A gente se saiu muito bem! – comentou ela. – Você é melhor do que o meu irmão.

– Você tem um cigarro? – perguntou Walli.

Fumando, eles assistiram a mais uma hora de concurso.
– Acho que fomos os melhores – disse Walli.
Karolin se mostrou mais cautelosa.
– Eles gostaram da loura que cantou "Freight Train".
Por fim, o resultado saiu.
Os Bobbsey Twins ficaram em segundo lugar.
A vencedora foi a sósia de Joan Baez.
– Ela mal sabia tocar! – reclamou Walli, zangado.
– Mas as pessoas adoram Joan Baez – comentou Karolin, mais filosófica.

A casa começou a esvaziar e os dois se encaminharam para a porta. Walli estava desanimado. Quando saíam, Danni Hausmann os deteve. Tinha uns 20 e poucos anos e usava roupas modernas e casuais: suéter preto de gola rulê e calça jeans.

– Vocês poderiam tocar meia hora segunda que vem?

Walli ficou espantado demais para reagir, mas Karolin respondeu na hora:

– Claro!

– Mas quem ganhou foi a dublê da Joan Baez – disse Walli, e imediatamente pensou: "Por que estou discutindo?"

– Vocês dois parecem capazes de alegrar uma plateia por mais de um ou dois números – retrucou Danni. – Têm músicas suficientes para um set?

Walli hesitou outra vez, e novamente quem respondeu foi Karolin:

– Na segunda-feira teremos – garantiu.

Walli lembrou que o pai planejava mantê-lo em casa à noite durante um mês, de castigo, mas resolveu não mencionar isso.

– Obrigado – falou Danni. – Vocês vão tocar cedo, às oito e meia. Cheguem às sete e meia.

Ao saírem para a rua agora iluminada pela luz do poste, os dois estavam nas nuvens. Walli não tinha a menor ideia do que faria em relação ao pai, mas estava otimista de que tudo daria certo.

No fim das contas, Karolin também morava na parte oriental de Berlim. Eles pegaram um ônibus e começaram a conversar sobre os números que apresentariam na semana seguinte. Conheciam várias das mesmas canções *folk*.

Saltaram do ônibus e tomaram o rumo do parque. Karolin franziu a testa e falou:

– O cara ali atrás.

Walli olhou para trás. Um homem de boina caminhava uns 30, 40 metros atrás deles, fumando.

– O que tem ele?
– Não estava lá no Minnesänger?
Apesar de Walli encará-lo, o homem não cruzou olhares com ele.
– Acho que não – respondeu. – Você gosta dos Everly Brothers?
– Gosto!
Enquanto caminhavam, Walli começou a tocar "All I Have to Do Is Dream" no violão pendurado no pescoço pelo barbante. Animada, Karolin se juntou a ele. Os dois atravessaram o parque cantando. Walli tocou "Back in the USA", o sucesso de Chuck Berry.

Estavam entoando a plenos pulmões o refrão *"I'm so glad I'm living in the USA"* quando Karolin parou de repente.

– Shh! – sussurrou ela.

Walli percebeu que tinham chegado à fronteira e viu três Vopos debaixo de um poste olhando para eles com cara de mau.

Calou-se na mesma hora e torceu para que tivessem parado de cantar a tempo.

Um dos policiais era sargento e olhou para trás de Walli. Quando o rapaz se virou, viu o homem da boina menear de leve a cabeça. O sargento deu um passo em direção ao casal.

– Documentos – pediu.

O homem da boina começou a falar em um walkie-talkie.

Walli franziu a testa. Karolin parecia estar certa: eles tinham sido seguidos.

Ocorreu-lhe que Hans talvez estivesse por trás daquilo.

Será que seu ex-cunhado podia ser tão mesquinho e vingativo? Sim, podia.

O sargento examinou a identidade de Walli e comentou:

– Você tem só 15 anos. Não deveria estar na rua a esta hora.

Walli mordeu a língua. De nada adiantava discutir com a polícia.

Depois de olhar a identidade de Karolin, o sargento prosseguiu:

– E você tem 17! O que está fazendo com esse pirralho?

O comentário fez Walli se lembrar da briga com o pai, e ele respondeu, zangado:

– Eu não sou pirralho.

O sargento o ignorou.

– Você poderia sair comigo – disse ele para Karolin. – Eu sou um homem de verdade.

Os dois outros Vopos deram risadas de aprovação.

Karolin não respondeu, mas o sargento insistiu.

– Que tal?

– O senhor deve estar maluco – falou Karolin baixinho.

– Que falta de educação – disse ele, ofendido.

Walli já tinha reparado nisso em relação a alguns homens. Quando uma garota lhes dava um fora, eles ficavam indignados, mas qualquer outra reação era considerada um incentivo. Como as mulheres deviam agir, então?

– Devolva minha identidade, por favor – pediu Karolin.

– Você é virgem? – perguntou o sargento.

Karolin enrubesceu.

Os dois outros policiais tornaram a rir.

– Deviam pôr isso nas identidades das mulheres – disse o sargento. – Virgem ou não.

– Pare com isso – falou Walli.

– Eu sou delicado com as virgens.

– Esse uniforme não lhe dá o direito de importunar garotas! – protestou Walli, indignado.

– Ah, não? – O sargento não devolveu suas identidades.

Um Trabant 500 bege se aproximou e Hans Hoffmann saltou do carro. Walli começou a ficar com medo. Como podia ter se metido numa encrenca tão grande? Tudo o que tinha feito fora cantar no parque.

Hans se aproximou e disse:

– Deixe-me ver esse troço aí em volta do seu pescoço.

Walli tomou coragem e retrucou:

– Por quê?

– Porque desconfio de que está sendo usado para contrabandear propaganda capitalista-imperialista para a República Democrática da Alemanha. Me dê isso aqui.

O violão era tão precioso que, mesmo assustado, Walli não o entregou.

– E se eu não der? Vou ser preso?

O sargento esfregou as articulações da mão direita com a palma da esquerda.

– No fim das contas, sim – respondeu Hans.

A coragem de Walli se esgotou. Ele passou o barbante por cima da cabeça e entregou o violão.

Hans segurou o instrumento como se fosse tocá-lo, bateu nas cordas e cantou, em inglês:

– *You ain't nothing but a hound dog.*

Os Vopos deram risadas histéricas.

Aparentemente, até a polícia ouvia música pop no rádio.

Hans enfiou a mão sob as cordas do violão e tentou tatear dentro da boca.

– Cuidado! – exclamou Walli.

A primeira corda de cima, o mi, se partiu com um estalo.

– Isso é um instrumento delicado! – protestou Walli, desesperado.

As cordas impediam Hans de enfiar a mão lá dentro.

– Alguém tem uma faca? – pediu ele.

O sargento pôs a mão dentro do casaco e sacou uma faca de lâmina larga; Walli tinha certeza de que aquilo não fazia parte de seu equipamento-padrão.

Hans tentou usar a faca para cortar as cordas, mas eram mais duras do que ele imaginara. Conseguiu arrebentar o si e o lá, mas não foi capaz de cortar as mais grossas.

– Não tem nada aí dentro – disse Walli em tom de súplica. – Dá para sentir pelo peso!

Hans olhou para ele, sorriu e então desceu a faca com força, com a ponta virada para baixo, bem no tampo do violão, perto do cavalete.

A lâmina penetrou a madeira de uma vez só, e Walli deixou escapar um grito de dor.

Satisfeito com essa reação, Hans repetiu o gesto, abrindo vários furos no violão. Com a superfície enfraquecida, a tensão das cordas fez o cavalete e a madeira em volta se soltarem do corpo do instrumento. Hans então acabou de arrancá-lo, revelando o interior parecido com um caixão vazio.

– Nada de propaganda – falou. – Parabéns... você é inocente.

Entregou a Walli o violão destruído.

Com um sorriso forçado, o sargento devolveu as carteiras de identidade.

Karolin segurou Walli pelo braço e o afastou dos outros.

– Venha – falou em voz baixa. – Vamos embora daqui.

Walli deixou que ela o conduzisse. Mal conseguia ver para onde estava indo. Não conseguia parar de chorar.

CAPÍTULO QUATRO

George Jakes embarcou em um ônibus da Greyhound em Atlanta, Geórgia, em 14 de maio de 1961, um domingo. Era Dia das Mães.

Ele estava com medo.

Maria Summers estava sentada ao seu lado. Os dois sempre viajavam juntos. Aquilo havia se tornado um hábito; todos partiam do princípio que o lugar vazio ao lado de George estava reservado para Maria.

Para disfarçar o nervosismo, ele puxou papo com ela:

– Então, o que achou de Martin Luther King?

King era o líder da Conferência da Liderança Cristã do Sul, um dos mais importantes grupos de direitos civis. Eles o haviam conhecido na noite anterior, durante um jantar em um dos restaurantes de Atlanta cujo proprietário era negro.

– Ele é um homem fantástico – respondeu Maria.

George não tinha tanta certeza.

– Ele falou maravilhas sobre os Viajantes da Liberdade, mas não está aqui no ônibus com a gente.

– Ponha-se no lugar dele – ponderou Maria. – Ele é o líder de outro grupo de direitos civis. Um general não pode virar soldado em outro regimento que não o seu.

Ele não tinha visto a questão sob esse viés. Como Maria era inteligente!

George já estava meio apaixonado. Vivia desesperado por uma oportunidade de ficar a sós com ela, mas as pessoas que hospedavam os Viajantes eram cidadãos negros confiáveis e respeitáveis, muitos deles cristãos praticantes, que nunca teriam permitido que seus quartos de hóspedes fossem usados para dar uns amassos. E Maria, por mais atraente que fosse, não fazia nada a não ser sentar-se ao seu lado, conversar com ele e rir das suas piadas. Nunca fazia os pequenos gestos que sugeriam que uma mulher queria ser mais do que amiga: não tocava seu braço, não segurava sua mão ao descer do ônibus nem pressionava o corpo junto ao dele em uma multidão. Ela não flertava. Talvez até ainda fosse virgem, mesmo aos 25 anos.

– Você passou um tempão conversando com King – comentou ele.

– Se ele não fosse pastor, eu diria que estava me dando uma cantada – disse ela.

George não soube muito bem como reagir a esse comentário. Não ficaria surpreso se um pastor desse uma cantada em uma moça charmosa como Maria, mas a considerava ingênua em relação aos homens.

– Também conversei um pouco com ele.

– E o que ele falou?

George hesitou. O que o deixara com medo tinham sido justamente as palavras de King. Decidiu lhe contar mesmo assim: ela tinha o direito de saber.

– Que não vamos conseguir passar pelo Alabama.

Maria empalideceu.

– Foi isso mesmo que ele disse?

– Exatamente isso.

Agora os dois estavam com medo.

O Greyhound se afastou da rodoviária.

Nos primeiros dias, George temeu que a Viagem da Liberdade fosse ser pacífica demais. Os passageiros brancos dos ônibus não reagiram aos negros e negras sentados nos lugares errados, e às vezes até cantavam com eles suas canções. Nada aconteceu quando os Viajantes desafiaram placas de SÓ BRANCOS e SÓ DE COR nas rodoviárias. Algumas cidades tinham até passado tinta sobre as placas. George temeu que os segregacionistas tivessem bolado a estratégia perfeita. Não havia confusão nem publicidade, e os Viajantes de cor eram servidos educadamente nos restaurantes para brancos. Toda noite, desciam dos ônibus e faziam reuniões sem serem importunados, em geral nas igrejas, depois pernoitavam na casa de simpatizantes. Mas George tinha certeza de que, assim que eles saíssem de cada cidade, as placas seriam recolocadas e a segregação voltaria, e a Viagem da Liberdade teria sido uma perda de tempo.

A ironia chamava a atenção. Até onde sua memória alcançava, George se magoara e se enfurecera com a constante mensagem – às vezes implícita, mas muitas vezes dita em voz alta – de que ele era inferior. Não fazia diferença ser mais inteligente do que 99% dos americanos brancos. Tampouco ser trabalhador, educado e bem vestido. Ele era sempre menosprezado por uma gente branca feia que era burra ou preguiçosa demais para fazer qualquer coisa mais difícil do que servir bebidas ou abastecer automóveis. Não podia entrar em uma loja de departamentos, sentar-se em um restaurante ou se candidatar a um emprego sem se perguntar se iriam ignorá-lo, pedir-lhe que saísse ou rejeitá-lo por causa da sua cor. Essa situação lhe causava um ressentimento insuportável. Mas agora, paradoxalmente, estava desapontado por isso não estar acontecendo.

Enquanto isso, a Casa Branca vacilava. No terceiro dia da Viagem, o secretário de Justiça Robert Kennedy tinha feito um discurso na Universidade da Geórgia prometendo aplicar os direitos civis no Sul. Então, três dias mais tarde, o presidente – seu irmão – dera um passo atrás, retirando o apoio a dois projetos de lei sobre direitos civis.

Seria assim que os segregacionistas iriam vencer, perguntou-se George? Evitando o confronto, depois tocando a vida como antes?

Não era. A paz durou apenas quatro dias.

No quinto dia da Viagem, um dos manifestantes foi preso por insistir no direito de ter seus sapatos engraxados.

A violência começou no sexto.

A vítima foi John Lewis, o estudante de teologia. Atacado por brutamontes em um banheiro para brancos de Rock Hill, na Carolina do Sul, Lewis deixou que os homens o socassem e chutassem sem reagir. George não viu o incidente, o que provavelmente foi uma coisa boa, pois não tinha certeza se teria conseguido demonstrar o mesmo autocontrole do outro rapaz, digno de Gandhi.

Nos jornais do dia seguinte, leu notas curtas sobre a agressão, mas decepcionou-se ao ver a notícia ofuscada pelo voo de foguete de Alan Shepard, o primeiro americano no espaço. Que importância tem isso?, pensou, amargurado. O cosmonauta soviético Yuri Gagarin tinha sido o primeiro homem a ir ao espaço, menos de um mês antes. Os russos chegaram na nossa frente. Um americano branco pode flutuar na órbita da Terra, mas um americano negro não pode entrar em um toalete.

Então, em Atlanta, os Viajantes foram aplaudidos por uma multidão de boas-vindas ao descer do ônibus, e George tornou a ficar animado.

Mas Atlanta ficava na Geórgia, e agora eles estavam a caminho do Alabama.

– Por que King falou que a gente não iria passar pelo Alabama? – perguntou Maria.

– Corre um boato de que a Ku Klux Klan está planejando alguma coisa em Birmingham – respondeu George, soturno. – Parece que o FBI sabe, mas não fez nada para impedir.

– E a polícia local?

– A polícia *faz parte* da droga da KKK.

– E aqueles dois ali? – Com um gesto da cabeça, Maria indicou os assentos do outro lado do corredor, na fila atrás deles.

George olhou por cima do ombro e viu dois brancos fortões sentados juntos.

– O que tem?

– Não acha que eles têm cara de agentes?

Ele entendeu o que ela estava falando.

– Acha que são do FBI?

– As roupas deles são vagabundas demais para o FBI. Meu palpite é que são agentes da polícia rodoviária do Alabama, disfarçados.

– Como é que você ficou tão inteligente? – perguntou George, impressionado.

– Minha mãe me fez comer verdura. E meu pai é advogado em Chicago, capital norte-americana dos gângsteres.

– E o que você acha que esses dois estão fazendo?

– Não tenho certeza, mas não acho que estejam aqui para defender nossos direitos civis, e você?

George olhou pela janela e viu uma placa que dizia AQUI COMEÇA O ALABAMA. Olhou para o pulso. Era uma da tarde. O sol brilhava no céu azul. Que lindo dia para morrer, pensou.

Maria queria trabalhar com política ou no governo.

– Os manifestantes podem ter um grande impacto, mas no fim das contas quem transforma o mundo são os governos – disse ela.

George refletiu, pensando se concordava. Maria tinha se candidatado a um emprego na assessoria de imprensa da Casa Branca e sido chamada para a entrevista, mas não conseguira a vaga.

– Lá em Washington eles não contratam muitos advogados negros – continuou ela, com ar tristonho. – Provavelmente vou ficar em Chicago e trabalhar no escritório do meu pai.

Sentada ao lado de George do outro lado do corredor estava uma mulher branca de meia-idade, sobretudo e chapéu, que segurava no colo uma grande bolsa de plástico branco. George sorriu para ela e disse:

– Que dia lindo para andar de ônibus.

– Vou visitar minha filha em Birmingham – falou a mulher, embora ele não tivesse perguntado.

– Que ótimo. George Jakes, prazer.

– Cora Jones. Sra. Jones. Minha filha vai ter neném daqui a uma semana.

– O primeiro?

– Terceiro.

– Bem, se me permite dizer, a senhora parece jovem demais para ser avó.

– Tenho 49 anos – disse ela, dengosa.

– Eu nunca teria adivinhado!

Outro Greyhound vindo no sentido contrário piscou o farol e o ônibus dos Viajantes diminuiu a velocidade. Um homem branco se aproximou da janela do motorista e George o escutou dizer:

– Tem um povo reunido lá na rodoviária de Anniston. – O motorista respondeu alguma coisa que George não ouviu. – Tomem cuidado – disse o homem à janela.

O ônibus seguiu viagem.

– Como assim, um povo reunido? – indagou Maria, aflita. – Podem ser vinte pessoas ou mil. Pode ser um comitê de boas-vindas ou uma multidão enfurecida. Por que ele não deu mais detalhes?

George pensou que a irritação dela devia esconder o medo.

Lembrou-se das palavras da mãe: "Estou com tanto medo de que você morra!" Algumas pessoas no movimento se diziam prontas para morrer pela causa da liberdade, mas George não tinha certeza se queria se tornar um mártir. Havia muitas outras coisas que ainda pretendia fazer, como, por exemplo, transar com Maria.

Um minuto depois, eles entraram em Anniston, uma cidadezinha igual a qualquer outra do Sul: construções baixas, ruas em ângulo reto, atmosfera quente e empoeirada. Os meios-fios estavam cheios de gente, como em um desfile. Muitos estavam arrumados, as mulheres de chapéu, as crianças de banho tomado; decerto tinham ido à igreja.

– O que eles esperam ver, pessoas com chifres? – comentou George. – Estamos aqui, pessoal. Verdadeiros negros do Norte, de sapato e tudo. – Falou como se estivesse se dirigindo às pessoas lá fora, embora apenas Maria pudesse escutá-lo. – Viemos levar embora suas armas e ensinar a vocês o comunismo. Onde as garotas brancas vão nadar?

Maria deu uma risadinha.

– Se eles pudessem ouvi-lo, não saberiam que você está brincando.

Na verdade, ele não estava brincando; era mais como se estivesse assobiando ao passar por um cemitério. Estava tentando ignorar o medo que contraía suas entranhas.

O ônibus virou para entrar na rodoviária estranhamente deserta. Os prédios pareciam fechados e trancados. George achou aquilo sinistro.

O motorista abriu as portas do ônibus.

George não viu de onde os homens saíram, mas, de repente, o veículo foi cercado. Eram todos brancos, alguns de roupa de trabalho, outros usando ternos de domingo. Seguravam tacos de beisebol, canos de metal e pedaços de correntes de ferro. E gritavam. A maior parte do que diziam era uma algaravia incompreensível, mas George ouviu algumas palavras de ódio, entre elas *Sieg heil!*

Levantou-se, e seu primeiro impulso foi fechar a porta do ônibus, mas os dois homens que Maria havia identificado como policiais rodoviários foram mais rápidos e as fecharam com um baque. Talvez eles estejam aqui para nos defender, pensou George; ou talvez estejam apenas defendendo a si mesmos.

Olhou pelas janelas em todas as direções. Não havia nenhum policial do lado de fora. Como era possível a polícia não saber que uma turba armada tinha se reunido na rodoviária? Ela devia estar mancomunada com a KKK. Não era nenhuma surpresa.

Um segundo depois, os homens atacaram o ônibus com suas armas. Uma cacofonia assustadora ecoou quando correntes e pés de cabra amassaram a carroceria. Vidraças se estilhaçaram, e a Sra. Jones deu um grito. O motorista tornou a ligar o ônibus, mas um dos homens lá fora se deitou na frente das rodas. George pensou que o motorista talvez fosse passar por cima do sujeito, mas ele parou.

Uma pedra voou pela janela e estraçalhou o vidro, e George sentiu uma agulhada na bochecha, como a picada de uma abelha: tinha sido atingido por um estilhaço. Sentada junto a uma janela, Maria estava correndo perigo. George a pegou pelo braço e a puxou na sua direção.

– Ajoelhe-se no corredor! – gritou.

Um homem de sorriso arreganhado enfiou a mão pela janela ao lado da Sra. Jones; usava um soco-inglês.

– Abaixe-se aqui comigo! – gritou Maria, puxando a Sra. Jones e envolvendo a mulher mais velha com os braços em um gesto protetor.

Os gritos ficaram mais altos.

– Comunistas! – gritavam os homens. – Covardes!

– Abaixe-se, George! – falou Maria.

Mas George não conseguiu se forçar a se acovardar diante daqueles arruaceiros.

De repente, o barulho diminuiu. As batidas nas laterais do ônibus cessaram e não se ouviu mais nenhum vidro quebrando. George viu um policial.

Já não era sem tempo, pensou.

Apesar de ter um cassetete na mão, o policial conversava amigavelmente com o homem do soco-inglês.

Então George viu três outros policiais. Eles haviam acalmado a multidão, mas, para sua indignação, não estavam fazendo mais nada. Agiam como se nenhum crime houvesse sido cometido. Conversavam casualmente com os arruaceiros, que pareciam ser seus amigos.

Sentados em seus lugares, os dois policiais rodoviários pareciam atônitos. George imaginou que sua missão fosse espionar os Viajantes e que não imaginavam que se tornariam vítimas da violência de uma turba armada. Tinham sido forçados a ficar do lado dos Viajantes para se defender. Talvez aprendessem a ver as coisas sob um novo ponto de vista.

O ônibus andou. Pelo para-brisa, George viu que um policial mandava os homens saírem da frente enquanto outro acenava para o motorista seguir. Do lado de fora da rodoviária, um carro de polícia entrou na frente do ônibus e o conduziu pela rua até fora da cidade.

George começou a se sentir melhor.

– Acho que escapamos – falou.

Maria se levantou; não parecia ferida. Pegou um lenço no bolso do paletó de George e limpou seu rosto delicadamente. O algodão branco ficou sujo de sangue.

– Abriu um cortezinho bem feio – comentou ela.

– Vou sobreviver.

– Mas não vai mais ser tão bonito.

– Eu sou bonito?

– Antes era, mas agora...

O instante de normalidade não durou. Ao olhar para trás, George viu uma longa fila de caminhonetes e carros seguindo o ônibus. Os veículos pareciam cheios de homens aos gritos. Ele soltou um grunhido.

– Escapamos nada – falou.

– Lá em Washington, antes de embarcarmos, vi você conversando com um rapaz branco – comentou Maria.

– Joseph Hugo – disse George. – Ele estuda Direito em Harvard. Por quê?

– Acho que eu o vi com aqueles homens lá atrás.

– Joseph Hugo? Não. Ele está do nosso lado. Você deve estar enganada.

Mas Hugo era do Alabama, lembrou George.

– Ele tinha uns olhos azuis esbugalhados – observou Maria.

– Se ele estiver com aqueles homens, isso quer dizer que passou todo esse tempo fingindo apoiar os direitos civis... e nos espionando. Ele não pode ser um dedo-duro.

– Será que não?

George tornou a olhar para trás.

A escolta da polícia deu meia-volta no limite da cidade, mas os outros carros, não.

Os homens nos veículos gritavam tão alto que era possível ouvi-los mesmo com o barulho de todos os motores.

Depois dos subúrbios, em um trecho comprido e deserto da Rodovia 202, dois automóveis ultrapassaram o ônibus e diminuíram a velocidade, obrigando o motorista a frear. Ele tentou ultrapassá-los, mas eles se moveram de um lado para outro da estrada para impedir a passagem.

Pálida e trêmula, Cora Jones segurava a bolsa de plástico branco como se fosse uma boia salva-vidas.

– Sinto muito termos envolvido a senhora nisso, Sra. Jones.

– Eu também – retrucou ela.

Os carros mais à frente finalmente abriram caminho, e o ônibus os ultrapassou. Mas o calvário não havia terminado: o comboio continuou a segui-los. George então ouviu um barulho de estalo conhecido. Quando o ônibus começou a ziguezaguear pela estrada, entendeu que era um pneu furado. O motorista parou junto a uma mercearia de beira de estrada cuja placa George pôde ler: Forsyth & Filho.

O motorista saltou. George o ouviu dizer:

– *Dois* pneus furados?

Ele então entrou na loja, decerto para telefonar chamando ajuda.

George estava tenso. Um pneu furado era só um acidente; dois eram uma emboscada.

Estava certo: os carros do comboio estavam parando, e uma dúzia de homens brancos vestidos com seus ternos de domingo saltou, berrando injúrias e brandindo as armas qual selvagens em guerra. O ventre de George se contraiu outra vez quando ele os viu correr em direção ao ônibus com suas caras feias contorcidas de raiva, e ele entendeu por que os olhos de sua mãe tinham ficado marejados ao falar sobre os brancos do Sul.

À frente do grupo vinha um adolescente, que ergueu um pé de cabra e estilhaçou alegremente uma janela.

O homem logo atrás tentou entrar no ônibus. Um dos dois passageiros brancos fortões foi se postar no alto da escada e sacou um revólver, confirmando a teoria de Maria de que eram policiais rodoviários à paisana. O intruso recuou e o policial trancou a porta.

George temeu que isso tivesse sido um erro. E se os Viajantes precisassem sair às pressas?

Os homens lá fora começaram a balançar o ônibus como se tentassem virá-lo, sem parar de gritar: "Morte aos crioulos! Morte aos crioulos!" Passageiras gritavam. Maria se pendurou em George de um jeito que talvez tivesse lhe agradado caso ele não estivesse temendo pela própria vida.

Do lado de fora, viu dois policiais rodoviários de uniforme se aproximarem e ficou mais esperançoso; para sua fúria, porém, eles nada fizeram para conter os agressores. George olhou para os dois agentes à paisana no ônibus: eles pareciam bobos e amedrontados. Estava claro que os uniformizados lá fora não sabiam sobre os colegas à paisana. Pelo visto, além de racista, a polícia rodoviária do Alabama era desorganizada.

Desesperado, George olhou em volta à procura de algo que pudesse fazer para proteger Maria e a si mesmo. Descer do ônibus e sair correndo? Deitar no chão? Pegar a arma de um dos policiais e atirar nos brancos? Todas essas possibilidades pareciam ainda piores do que não fazer nada.

Furioso, encarou os dois policiais lá fora, que assistiam como se nada estivesse acontecendo. Eles eram da polícia, pelo amor de Deus! O que estavam fazendo? Se não eram capazes de aplicar a lei, que direito tinham de estar usando aquele uniforme?

Foi então que viu Joseph Hugo. Não havia como se enganar: George conhecia muito bem aqueles olhos azuis esbugalhados. Hugo abordou um dos policiais e lhe disse alguma coisa, e os dois riram.

Ele era mesmo um dedo-duro.

Se eu sair desta vivo, pensou George, esse canalha vai se arrepender.

Os homens do lado de fora gritaram para os Viajantes saírem. George ouviu alguém dizer:

– Venham aqui receber o que merecem, seus amigos de crioulos!

Isso o fez pensar que estaria mais seguro no ônibus.

Mas não por muito tempo.

Um dos integrantes da turba tinha voltado até seu carro e aberto o porta-malas, e agora corria em direção ao ônibus com alguma coisa acesa nas mãos. Atirou uma trouxa em chamas por uma das janelas estilhaçadas. Segundos depois, a trouxa explodiu em meio a uma fumaça cinza. Mas a arma não era apenas uma bomba de fumaça: também pôs fogo no estofamento dos bancos, e em poucos segundos espirais de fumaça preta e espessa começaram a sufocar os passageiros.

– Tem algum ar aí na frente? – gritou uma mulher.

Do lado de fora, George ouvia gritos:

– Fogo nos crioulos! Vamos fritar os crioulos!

Todos tentaram sair pela porta. O corredor estava abarrotado de pessoas tossindo. Algumas conseguiam avançar, mas algo parecia bloqueá-las.

– Desçam! – berrou George. – Todo mundo para fora!

Da frente, alguém berrou de volta:

– A porta não abre!

George lembrou que o policial do revólver tinha trancado a porta para impedir os homens de entrar.

– Vamos ter que pular pelas janelas! Venham!

Ele ficou em pé sobre um dos bancos e chutou pela janela a maior parte do vidro restante. Então tirou o paletó do terno e usou-o para forrar a soleira e proporcionar alguma proteção contra os cacos afiados ainda presos ao batente.

Maria tossia sem parar.

– Eu vou primeiro e pego você – disse George.

Segurou o encosto do assento para se equilibrar, dobrou o corpo na cintura e pulou. Ouviu a camisa se rasgar em um caco de vidro, mas não sentiu nenhuma dor e concluiu que tivesse escapado sem se ferir. Aterrissou na grama do acostamento. Amedrontada, a turba havia recuado para longe do ônibus em chamas. George se virou e ergueu os braços para Maria.

– Passe como eu fiz! – gritou.

Os sapatos de salto dela eram frágeis comparados aos oxfords de bico reforçado que George calçava, e ele ficou satisfeito de ter sacrificado o paletó quando viu seus pezinhos sobre o batente. Maria era mais baixa do que ele, mas suas curvas generosas a tornavam mais larga. Ele fez uma careta quando seu quadril roçou em um caco na hora em que ela se espremeu para passar, mas o vidro não rasgou a fazenda do vestido e instantes depois ela caiu nos seus braços.

George a segurou sem dificuldade; ela não era pesada e ele estava em boa forma. Pousou-a no chão, mas ela caiu ajoelhada, arquejando em busca de ar.

Ele olhou em volta. Os arruaceiros continuavam a manter distância. Tornou a olhar para dentro do ônibus. Em pé no corredor, Cora Jones tossia e girava, chocada e atarantada demais para fugir.

– Cora, aqui! – gritou George. Ela ouviu o próprio nome e olhou para ele. – Passe pela janela como nós fizemos! Eu ajudo você!

Ela pareceu entender. Com dificuldade, ainda segurando a bolsa, subiu no assento. Hesitou ao ver os cacos de vidro pontiagudos ao redor do batente da janela, mas seu casaco era grosso e ela pareceu decidir que um corte era melhor do que morrer sufocada. Pôs um dos pés no batente. George passou a mão por dentro da janela, segurou-a pelo braço e puxou. Ela rasgou o casaco, mas não se machucou, e ele a ajudou a ficar em pé. Ela se afastou cambaleando e pedindo água.

– Temos que sair de perto do ônibus! – gritou ele para Maria. – O tanque de combustível pode explodir!

Maria, porém, convulsionada pela tosse, parecia incapaz de se mover. Ele passou um braço em volta de suas costas, pôs outro debaixo de seus joelhos e a pegou no colo. Carregou-a até a mercearia e a recolocou no chão quando julgou que estivessem a uma distância segura.

Ao olhar para trás, viu que o ônibus agora se esvaziava depressa. A porta enfim tinha sido aberta, e as pessoas desciam cambaleando e pulavam pelas janelas.

As labaredas ficaram mais altas. Depois de os últimos passageiros saírem, o interior do ônibus virou uma fornalha. George ouviu um homem gritar alguma coisa sobre o tanque de combustível, e a multidão repetiu o grito e pôs-se a entoar:
– Vai explodir! Vai explodir!
Assustados, todos se espalharam para se afastar ainda mais. Foi então que se ouviu um baque grave e, com um súbito jorro de chamas, uma explosão sacudiu o ônibus.

George tinha quase certeza de que não havia sobrado ninguém lá dentro, e pensou: pelo menos ninguém morreu... ainda.

A detonação pareceu saciar a fome de violência da turba. Os homens ficaram em volta do ônibus vendo-o queimar.

Um pequeno grupo do que pareciam ser moradores locais havia se reunido em frente à mercearia, muitos para instigar a multidão; mas então uma menina saiu lá de dentro com um balde d'água e alguns copos de plástico. Deu um pouco d'água para a Sra. Jones e então foi até Maria, que bebeu um copo agradecida e logo pediu outro.

Um rapaz branco se aproximou com ar preocupado. Tinha uma cara de fuinha, testa e queixo recuados, nariz adunco e dentes saltados, e seus cabelos castanhos arruivados estavam lambidos para trás com brilhantina.
– Como está, querida? – perguntou a Maria.

Só que ele estava escondendo alguma coisa e, quando ela começou a responder, ergueu um pé de cabra bem alto e o baixou, mirando no alto de sua cabeça. George esticou um dos braços para protegê-la e o pé de cabra atingiu com força seu antebraço esquerdo. A dor foi lancinante, e ele gritou. O rapaz tornou a erguer a arma. Apesar da dor no braço, George se projetou para a frente, impelindo o corpo a partir do ombro direito, e trombou no rapaz com tanta força que o fez voar.

Tornou a se virar para Maria e viu mais três integrantes da turba correndo na sua direção, obviamente decididos a vingar o amigo com cara de fuinha. George se precipitara ao julgar que os segregacionistas tivessem saciado sua sede de violência.

Estava acostumado a brigar. Ainda no curso básico da universidade, fizera parte da equipe de luta livre de Harvard, depois havia treinado a equipe enquanto se formava em Direito. Aquilo ali, porém, não seria uma luta justa, com regras. E ele só estava em condições de usar um dos braços.

Por outro lado, tinha feito o ensino médio em uma favela de Washington e sabia muito bem brigar sujo.

Como os homens vinham na sua direção ombro a ombro, ele se moveu de lado. Isso não apenas os afastou de Maria como os obrigou a se virar, de modo que agora não formavam mais uma fila só.

O primeiro deles o golpeou selvagemente com uma corrente de ferro.

George se esquivou para trás e a corrente não o atingiu. O impulso do golpe desequilibrou o sujeito. Quando ele cambaleou, George lhe deu uma rasteira e o derrubou no chão. Ele soltou a corrente.

O segundo homem caiu cambaleando por cima do primeiro. George deu um passo à frente, virou as costas e o acertou na cara com o cotovelo direito, torcendo para deslocar sua mandíbula. O homem soltou um grito engasgado e caiu, largando o cano de ferro.

Subitamente assustado, o terceiro adversário parou. George deu um passo na sua direção e, com toda a força, desferiu-lhe um soco no rosto. Seu punho acertou o sujeito bem no nariz. O osso se partiu, o sangue jorrou e o homem soltou um grito de dor. Foi o soco que proporcionou mais satisfação a George em toda sua vida. Gandhi que se dane, pensou.

Dois tiros ecoaram. Todos pararam o que estavam fazendo e olharam na direção do barulho. Um dos policiais rodoviários uniformizados tinha um revólver erguido no ar.

– Muito bem, rapazes, vocês já se divertiram – falou. – Vamos dispersar.

George ficou furioso. Diversão? O policial havia testemunhado uma tentativa de assassinato e chamava aquilo de diversão? Estava começando a ver que, no Alabama, um uniforme da polícia não significava muita coisa.

A turba voltou a seus carros. George reparou, zangado, que nenhum dos quatro policiais se deu ao trabalho de anotar qualquer placa. Tampouco anotaram nenhum nome, embora com certeza devessem conhecer todos aqueles homens.

Joseph Hugo tinha sumido.

Uma nova explosão sacudiu a carcaça do ônibus e George imaginou que devia haver um segundo tanque, mas àquela altura ninguém mais estava perto o bastante para correr perigo. Depois disso, o fogo pareceu se extinguir sozinho.

Várias pessoas deitadas pelo chão ainda arquejavam tentando respirar depois de terem aspirado a fumaça. Outras sangravam de vários ferimentos. Alguns eram Viajantes, outros, passageiros normais, negros e brancos. O próprio George segurava o braço esquerdo com a mão direita junto à lateral do corpo, tentando mantê-lo imóvel, pois qualquer movimento lhe provocava uma dor excruciante. Os quatro homens com os quais ele havia brigado ajudavam uns aos outros a mancar de volta até seus carros.

Ele conseguiu andar até os policiais.

– Precisamos de uma ambulância – falou. – Talvez duas.

O mais jovem dos agentes o encarou, irado.

– O que foi que você disse?

– Essas pessoas precisam de cuidados médicos – explicou George. – Chamem uma ambulância!

O homem parecia furioso e George se deu conta de que cometera o erro de dar uma ordem a um homem branco. O policial mais velho, porém, disse ao colega:

– Deixe, deixe. – Virou-se então para George. – A ambulância está a caminho, rapaz.

Minutos depois, uma ambulância do tamanho de um pequeno ônibus chegou, e os Viajantes começaram a ajudar uns aos outros a embarcar. Quando George e Maria se aproximaram, porém, o motorista falou:

– Vocês não.

George o encarou, incrédulo.

– Como assim?

– Esta ambulância é para brancos – disse o motorista. – Não para crioulos.

– De jeito nenhum.

– Não me desafie, rapaz.

Um Viajante branco que já havia subido tornou a descer.

– O senhor tem que levar todo mundo para o hospital. Negros e brancos.

– Esta ambulância não é para crioulos – repetiu o motorista, teimoso.

– Bom, sem nossos amigos nós não vamos.

E os Viajantes começaram a descer da ambulância, um a um.

O motorista não soube o que fazer. Ficaria com cara de bobo se voltasse de lá sem pacientes, imaginou George.

O policial mais velho se aproximou e disse:

– É melhor você levá-los, Roy.

– Se você está dizendo... – retrucou o motorista.

George e Maria embarcaram na ambulância.

Enquanto se afastavam, ele tornou a olhar para o ônibus. Não havia sobrado nada exceto uma coluna de fumaça e uma carcaça carbonizada, com a fileira de escoras enegrecidas que sustentavam o teto a se destacar feito as costelas de um mártir queimado na fogueira.

CAPÍTULO CINCO

Tanya Dvorkin saiu de Yakutsk, na Sibéria – a cidade mais fria do mundo – depois de tomar o desjejum bem cedo. Voou até Moscou, a pouco menos de dois mil quilômetros de distância, a bordo de um Tupolev Tu-16 da Força Aérea do Exército Vermelho. A cabine havia sido projetada para meia dúzia de militares, e o responsável não perdera tempo pensando em seu conforto: os assentos eram feitos de alumínio perfurado e não havia tratamento acústico. A viagem levou oito horas, com uma parada para reabastecer. Como em Moscou eram seis horas a menos do que em Yakutsk, Tanya chegou a tempo para um segundo café da manhã.

Era verão na capital, e ela teve de carregar o pesado sobretudo e o chapéu de pele. Pegou um táxi até a Casa do Governo, o prédio reservado à elite moscovita privilegiada onde dividia um apartamento com a mãe, Anya, e o irmão gêmeo, Dmitri, que todos chamavam de Dimka. Era uma unidade espaçosa, com três dormitórios, embora sua mãe dissesse que só era grande pelos padrões soviéticos: o apartamento em Berlim no qual ela havia morado na infância, quando seu avô Grigori era diplomata, era bem mais espaçoso.

Nessa manhã, o apartamento estava silencioso e vazio: tanto sua mãe quanto Dimka já tinham saído para o trabalho. Seus sobretudos estavam pendurados no hall de entrada em ganchos pregados ali 25 anos antes pelo pai de Tanya: o impermeável preto de Dimka e o tweed marrom de Anya, deixados em casa por causa do calor. Tanya pendurou o próprio sobretudo junto aos outros e levou a mala até seu quarto. Não esperava encontrá-los, mas mesmo assim sentiu uma certa tristeza pelo fato de a mãe não estar em casa para preparar seu chá, nem Dimka para escutar suas aventuras na Sibéria. Pensou em ir visitar os avós, Grigori e Katerina Peshkov, que moravam em outro andar do mesmo prédio, mas acabou decidindo que não daria tempo.

Tomou uma ducha, trocou de roupa e pegou um ônibus até a sede da TASS, a agência de notícias soviética. Tanya era uma entre os mais de mil jornalistas que trabalhavam para a agência, mas poucos andavam de jato militar. Ela era uma estrela em ascensão e conseguia produzir matérias atraentes e interessantes que agradavam aos jovens sem deixar de respeitar as diretrizes do partido. Esse talento às vezes trazia desvantagens: ela muitas vezes recebia missões difíceis e importantes.

Na cantina da agência, comeu uma tigela de trigo sarraceno tostado com coalhada e foi até a editoria de matérias especiais em que trabalhava. Embora fosse uma estrela, não merecia uma sala só sua. Cumprimentou os colegas, sentou-se diante de sua mesa, inseriu papel e papel-carbono na máquina e começou a escrever.

A turbulência do voo a impedira até de tomar notas, mas ela já havia planejado as matérias em sua cabeça e conseguiu escrever de forma fluente, consultando o bloquinho de vez em quando para conferir detalhes. A pauta era incentivar famílias soviéticas a se mudarem para a Sibéria e trabalhar nas indústrias em ascensão da mineração e da extração do petróleo, uma tarefa nada fácil. Os campos de prisioneiros forneciam bastante mão de obra não especializada, mas a região precisava de geólogos, engenheiros, agrônomos, arquitetos, químicos e gerentes. Tanya, entretanto, ignorou os homens e escreveu sobre suas esposas. Começou com uma jovem e atraente mãe chamada Klara, que falara com animação e bom humor sobre a vida em temperaturas abaixo de zero.

No meio da manhã, Daniil Antonov, editor de Tanya, pegou as folhas na bandeja da moça e começou a ler. Era um homem miúdo, de modos afáveis pouco frequentes no universo jornalístico.

– Está ótimo – falou, dali a algum tempo. – Quando pode me entregar o resto?

– Estou datilografando o mais rápido que consigo.

Ele continuou junto à sua mesa.

– Você ouviu alguma coisa sobre Ustin Bodian lá na Sibéria?

Bodian era um cantor de ópera que fora pego contrabandeando dois exemplares de *Doutor Jivago* comprados durante uma apresentação na Itália. Estava agora em um campo de trabalhos forçados.

O coração de Tanya acelerou de culpa. Será que Daniil estava desconfiado? Para um homem, ele era especialmente intuitivo.

– Não – mentiu. – Por quê? Você ouviu?

– Nada. – Ele voltou para sua mesa.

Tanya já tinha quase terminado a terceira matéria quando Pyotr Opotkin parou junto à sua mesa e começou a ler seus textos com um cigarro pendurado na boca. Atarracado e de pele maltratada, ele era o editor-chefe de matérias especiais. Ao contrário de Daniil, não era jornalista formado, mas sim comissário, um cargo político. Seu trabalho era garantir que as matérias não violassem as diretrizes do Kremlin, e sua única qualificação para o emprego era uma rígida ortodoxia.

Ele leu as primeiras páginas do texto de Tanya e disse:

– Já falei para não escrever sobre o clima.

Opotkin vinha de uma aldeia ao norte de Moscou e ainda falava com sotaque.

Tanya suspirou.

– Pyotr, a série é sobre a Sibéria. As pessoas já sabem que faz frio lá. Ninguém se deixaria enganar.

– Mas este texto é *só* sobre o clima.

– O texto é sobre como uma habilidosa jovem moscovita está criando os filhos em condições desafiadoras... e vivendo uma grande aventura.

Daniil entrou na conversa.

– Ela tem razão, Pyotr. Se não mencionarmos o frio, as pessoas vão saber que a matéria é uma porcaria e não vão acreditar em uma palavra sequer.

– Não gostei – insistiu Opotkin, teimoso.

– Você precisa admitir que Tanya faz a vida lá parecer empolgante.

Opotkin assumiu um ar pensativo.

– Talvez vocês tenham razão. – Ele tornou a largar as folhas dentro da bandeja. – Vou dar uma festa na minha casa no sábado à noite – falou então para Tanya. – Minha filha se formou na faculdade. Estava pensando se você e seu irmão não gostariam de ir.

Opotkin era um alpinista social malsucedido que dava festas insuportavelmente chatas. Tanya sabia que podia responder pelo irmão.

– Eu adoraria, e tenho certeza de que Dimka também, mas é aniversário da nossa mãe. Sinto muito.

Opotkin fez cara de ofendido.

– Que pena – falou e afastou-se.

Quando ele saiu do raio de alcance de suas vozes, Daniil perguntou:

– Não é aniversário da sua mãe, é?

– Não.

– Ele vai verificar.

– E aí vai entender que dei uma desculpa educada porque não queria ir.

– Você deveria ir às festas dele.

Tanya não queria ter aquela conversa. Tinha coisas mais importantes com que se preocupar. Precisava escrever suas matérias, sair dali e salvar a vida de Ustin Bodian. Mas Daniil era um bom chefe e tinha ideias liberais, por isso ela reprimiu a impaciência.

– Pyotr não liga a mínima se eu for ou não à festa dele – falou. – É meu irmão que ele quer, porque Dimka trabalha para Kruschev.

Estava acostumada com pessoas que tentavam se aproximar dela por causa de sua família influente. Seu falecido pai era coronel da KGB, a polícia secreta, e seu tio Volodya era general da Inteligência do Exército Vermelho.

Daniil tinha uma insistência típica de jornalista.

– Pyotr cedeu em relação às matérias sobre a Sibéria. Você deveria mostrar que está agradecida.

– Eu detesto aquelas festas. Os amigos dele ficam bêbados e mexem com as esposas uns dos outros.

– Não quero que ele comece e implicar com você.

– Por que ele implicaria comigo?

– Você é muito bonita. – Não era uma cantada. Daniil morava com um amigo, e Tanya tinha certeza de que era um daqueles homens que não sentiam atração por mulheres. Seu tom era casual. – Linda, talentosa e o pior de tudo: jovem. Pyotr não vai achar difícil odiar você. Faça uma forcinha para agradá-lo. – Ele se afastou.

Tanya se deu conta de que seu editor provavelmente estava certo, mas decidiu pensar no assunto mais tarde e tornou a se concentrar na máquina de escrever.

Ao meio-dia, pegou um prato de salada de batatas com arenque em conserva na cantina e comeu à escrivaninha mesmo.

Pouco depois, terminou a terceira matéria. Entregou as folhas a Daniil.

– Vou para casa dormir – falou. – Por favor, não me ligue.

– Bom trabalho – disse ele. – Durma bem.

Ela guardou seu bloco de anotações na bolsa a tiracolo e saiu da agência.

Agora precisava se certificar de que ninguém a seguia. Estava cansada, e isso a deixava propensa a cometer erros tolos. Sentia-se preocupada.

Passou pelo ponto de ônibus, andou vários quarteirões até o ponto anterior e pegou o coletivo ali. Não fazia sentido, portanto qualquer pessoa que fizesse o mesmo obrigatoriamente a estaria seguindo.

Mas ninguém a seguiu.

Ela saltou perto de um grandioso palácio pré-revolucionário agora transformado em prédio de apartamentos. Deu a volta no quarteirão, mas ninguém parecia estar vigiando o prédio. Ansiosa, deu mais uma volta para ter certeza. Então entrou no hall sombrio e subiu a escadaria de mármore rachado até o apartamento de Vasili Yenkov.

Quando estava prestes a enfiar a chave na fechadura, a porta se abriu, e do outro lado surgiu uma loura magra de uns 18 anos. Atrás dela estava Vasili. Tanya praguejou consigo mesma. Era tarde demais para sair correndo ou fingir que estava indo para outro apartamento.

A loura a encarou com um olhar duro, avaliador, examinando seu penteado, suas curvas e suas roupas. Então beijou Vasili na boca, tornou a olhar para Tanya com um ar triunfante e desceu a escada.

Vasili tinha 30 anos, mas gostava de meninas novas. Elas diziam sim porque ele era alto e atraente, com um belo rosto de traços marcados, fartos cabelos pretos sempre meio compridos demais e um olhar castanho manso e sedutor. Tanya o admirava por motivos totalmente diferentes: ele era inteligente, corajoso e um escritor de categoria mundial.

Entrou no escritório dele e largou a bolsa em cima de uma cadeira. Vasili trabalhava fazendo copidesque de roteiros para o rádio e era um homem naturalmente bagunçado: sua escrivaninha estava coberta de papéis e havia livros empilhados pelo chão. No momento, parecia estar trabalhando em uma adaptação para o rádio da primeira peça de Maxim Gorki, *Os filisteus*. Sua gata cinza, Mademoiselle, dormia em cima do sofá. Tanya a empurrou para poder se sentar.

– Quem era aquela vagabunda?

– Minha mãe.

Apesar de irritada, Tanya riu.

– Sinto muito por ela estar aqui – disse Vasili, embora não parecesse muito triste.

– Você sabia que eu viria hoje.

– Pensei que fosse mais tarde.

– Ela viu meu rosto. Ninguém deveria saber que existe uma ligação entre nós.

– Ela trabalha na loja de departamentos GUM. Chama-se Varvara. Não vai desconfiar de nada.

– Vasili, por favor, não deixe isso acontecer de novo. O que estamos fazendo já é perigoso o suficiente. Não deveríamos correr mais riscos. Você pode trepar com uma adolescente em qualquer dia.

– Tem razão, e não vai acontecer de novo. Deixe-me lhe preparar um chá. Você parece cansada. – Vasili começou a mexer no samovar.

– Estou cansada, sim. Mas Ustin Bodian está morrendo.

– Que droga. De quê?

– Pneumonia.

Tanya não conhecia Bodian pessoalmente, mas o havia entrevistado antes de ele ter problemas. Além do talento extraordinário, ele era um homem bom e generoso. Artista soviético admirado no mundo inteiro, tivera uma vida de grande privilégio, mas ainda era capaz de se zangar publicamente por causa de injustiças cometidas com pessoas menos afortunadas do que ele – e por isso fora mandado para a Sibéria.

– Eles ainda o estão obrigando a trabalhar? – perguntou Vasili.

Tanya fez que não com a cabeça.

– Ele já não consegue. Mas não querem mandá-lo para um hospital. Ele passa o dia inteiro deitado na cama e sua saúde está cada vez pior.

– Você o viu?

– Caramba, não. Perguntar sobre ele já foi perigoso demais. Se eu tivesse ido ao campo de prisioneiros, eles teriam me feito ficar lá.

Vasili lhe passou o chá e o açúcar.

– Ele está recebendo algum tratamento médico?

– Não.

– E deu para ter alguma noção de quanto tempo ele ainda pode ter?

Tanya negou com a cabeça.

– Você agora sabe tanto quanto eu.

– Temos que espalhar essa notícia.

Ela concordou.

– O único jeito de salvar a vida dele é divulgar a doença e torcer para o governo ter a dignidade de ficar envergonhado.

– Vamos lançar uma edição especial?

– Sim – falou Tanya. – Hoje mesmo.

Os dois publicavam uma folha de notícias ilegal chamada *Dissidência*. Escreviam sobre censura, passeatas, julgamentos e prisioneiros políticos. Em sua sala na Rádio Moscou, Vasili tinha seu próprio mimeógrafo, em geral usado para copiar roteiros. Lá imprimia em segredo cinquenta exemplares de cada edição do *Dissidência*. A maioria das pessoas que recebia o jornal fazia outras cópias em suas máquinas de escrever, ou mesmo à mão, e a circulação se multiplicava. Esse sistema de publicação independente, conhecido em russo como *samizdat*, era generalizado: romances inteiros já tinham sido distribuídos assim.

– Eu escrevo – disse Tanya.

Foi até o armário, de onde tirou uma grande caixa de papelão cheia de ração para gatos, na qual enfiou a mão para pegar uma máquina de escrever escondida. Era a que usavam para datilografar o *Dissidência*.

A datilografia era tão única quanto a caligrafia. Cada máquina tinha suas características próprias. As letras nunca se alinhavam de forma perfeita: algumas ficavam meio levantadas, outras, descentralizadas. Outras ainda se desgastavam ou se danificavam de forma singular. Consequentemente, peritos da polícia podiam fazer a correspondência entre uma máquina de escrever e os textos por ela produzidos. Se o *Dissidência* fosse datilografado na mesma máquina dos roteiros de Vasili, alguém poderia ter percebido, então ele havia roubado uma velha máquina do departamento de programação, que levara para casa e escondera dentro da ração para gatos para que ninguém visse. Uma busca minuciosa poderia encontrá-la, mas no caso de uma busca minuciosa Vasili estaria perdido de qualquer forma.

Dentro da caixa havia também folhas do papel encerado especial usado na máquina, que não tinha fita; em vez disso, as letras furavam o papel e o mimeógrafo funcionava fazendo a tinta passar pelos buracos em forma de letra.

Tanya escreveu uma notícia sobre Bodian, dizendo que o general Nikita Kruschev seria pessoalmente responsável caso um dos maiores tenores da União Soviética morresse em um campo de prisioneiros. Recapitulou os principais pontos de seu julgamento por atividades antissoviéticas, incluindo sua defesa apaixonada da liberdade artística. Para desviar as suspeitas de si, creditou a informação sobre a doença de Bodian a um fã de ópera imaginário que trabalhava na KGB.

Ao terminar, entregou as duas folhas de papel vazado para Vasili.

– Está conciso – falou.

– A concisão é irmã do talento. Foi Tchekhov quem disse. – Ele leu o texto devagar antes de menear a cabeça com um gesto aprovador. – Vou tirar as cópias lá na rádio. Depois devemos levar os jornais para a praça Maiakovski.

Tanya não ficou surpresa, mas estava preocupada.

– Será que é seguro?

– É claro que não. É um evento cultural não organizado pelo governo. E é por isso que condiz com os nossos objetivos.

No início daquele ano, jovens moscovitas tinham começado a se reunir informalmente ao redor da estátua do poeta bolchevique Vladimir Maiakovski. Alguns recitavam poemas em voz alta, atraindo ainda mais gente. Um animado festival de poesia acabara surgindo, e algumas das obras declamadas eram críticas disfarçadas ao governo.

Sob Stalin, um fenômeno como esse teria durado dez minutos, mas Kruschev era um reformista. Seu programa incluía um grau limitado de tolerância cultural, e até agora nenhuma ação tinha sido tomada contra as leituras de poesia. Mas a liberalização avançava ao ritmo de dois passos para a frente e um para trás. Segundo o irmão de Tanya, dependia se Kruschev estava indo bem ou se sentindo politicamente forte, ou então enfrentando reveses e temendo um golpe de seus inimigos conservadores dentro do Kremlin. Fosse qual fosse o motivo, não havia como prever o que as autoridades fariam.

Tanya estava cansada demais para pensar no assunto, e calculou que qualquer local alternativo seria igualmente perigoso.

– Enquanto você vai à rádio, eu vou dormir.

Ela entrou no quarto. Os lençóis estavam amarfanhados; imaginou que Vasili e Varvara tivessem passado a manhã na cama. Cobriu tudo com a colcha, tirou as botas e se deitou.

Apesar do corpo cansado, sua mente não sossegava. Apesar do medo, ela queria ir à praça Maiakovski. Mesmo com a produção amadora e a circulação limitada, o *Dissidência* era uma publicação importante. Sua existência demonstrava que o governo comunista não era todo-poderoso e que os dissidentes não estavam sozinhos. Líderes religiosos que lutavam contra perseguições liam nele matérias sobre cantores populares presos por canções de protesto e vice-versa. Em vez de se sentir uma voz isolada em uma sociedade monolítica, o dissidente percebia ser parte de uma grande rede, formada por milhares de pessoas que desejavam um governo diferente e melhor.

E o *Dissidência* agora poderia salvar a vida de Ustin Bodian.

Por fim, Tanya adormeceu.

Acordou com alguém acariciando seu rosto. Abriu os olhos e viu Vasili deitado ao seu lado.

– Vá embora daqui – falou.

– A cama é minha.

– Eu tenho 22 anos – disse ela, sentando-se. – Sou velha demais para o seu gosto.

– Por você eu abriria uma exceção.

– Quando eu quiser fazer parte de um harém, aviso.

– Por você eu largaria todas as outras.

– É mesmo? Caramba!

– Sério, largaria mesmo.

– Talvez por cinco minutos.

– Para sempre.

– Se largar por seis meses, eu penso no seu caso.

– Seis meses?

– Está vendo? Se não consegue ser casto nem por meio ano, como pode prometer a eternidade? Que horas são, afinal?

– Você dormiu a tarde inteira. Não levante. Eu tiro a roupa e deito junto com você.

Tanya se levantou.

– Temos de ir agora.

Vasili desistiu. Provavelmente não estava falando sério. Sentia-se obrigado a cantar todas as mulheres. Depois de fazer isso automaticamente, iria esquecer o assunto, pelo menos por algum tempo. Entregou a Tanya um maço com cerca de

25 folhas de papel impressas dos dois lados com letras levemente borradas: as cópias da nova edição do *Dissidência*. Apesar do bom tempo, enrolou um cachecol de algodão vermelho no pescoço. O acessório lhe dava um ar de artista.

– Então vamos – falou.

Tanya o fez esperar enquanto ia ao banheiro. O rosto no espelho a fitou com um penetrante olhar azul emoldurado por cabelos louro-claros bem curtos. Pôs óculos escuros para esconder os olhos e cobriu os cabelos com um lenço marrom sem nada de especial. Agora poderia passar por uma moça qualquer.

Ignorando Vasili, que, impaciente, batia os pés no chão, foi até a cozinha e se serviu de um copo d'água da torneira. Bebeu-o e então disse:

– Estou pronta.

Foram a pé até a estação de metrô. O trem estava lotado de trabalhadores voltando para casa. Saltaram na estação Maiakovski, situada na via perimetral que margeava o centro da cidade. Não ficariam muito tempo ali: assim que tivessem distribuído os cinquenta novos exemplares, iriam embora.

– Se houver algum problema, não se esqueça: nós não nos conhecemos – disse Vasili.

Os dois se separaram e emergiram da estação com um minuto de diferença. O sol havia baixado, e o dia de verão já esfriava.

Além de bolchevique, Vladimir Maiakovski tinha sido um poeta de envergadura internacional, e a União Soviética se orgulhava dele. Sua heroica estátua de 7 metros de altura ocupava o centro da praça batizada em sua homenagem. Reunidas no gramado estavam várias centenas de pessoas, a maioria jovem e algumas vestidas de modo vagamente ocidental, com jeans e suéteres de gola rulê. Um rapaz de boné vendia o romance de sua autoria, páginas reproduzidas em papel carbono perfuradas com furadeira e amarradas com barbante. Chamava-se *Crescer ao contrário*. Uma moça de cabelos compridos segurava um violão, mas sem fazer menção de tocar; talvez fosse um acessório, como uma bolsa. Um único policial uniformizado patrulhava a praça, mas os agentes da polícia secreta chegavam a ser risíveis de tão óbvios, com seus casacos de couro para esconder as armas, apesar da temperatura amena. Mesmo assim, Tanya evitou encará-los: eles não eram tão engraçados assim.

As pessoas se revezavam para se levantar e recitar um ou dois poemas cada. Eram quase todos homens, mas havia umas poucas mulheres. Um rapaz de sorriso travesso leu versos sobre um fazendeiro desajeitado tentando tocar um bando de gansos, que a multidão logo percebeu ser uma metáfora do modo como o Partido Comunista organizava o país. Em pouco tempo estavam todos morrendo de rir, exceto os agentes da KGB, que exibiam um ar de incompreensão.

Enquanto ouvia sem prestar muita atenção um poema sobre angústia adolescente no mesmo estilo futurista de Maiakovski, Tanya foi percorrendo a multidão sem se fazer notar ao mesmo tempo que sacava as folhas de papel do bolso, uma de cada vez, e as entregava discretamente para qualquer um com uma cara amigável. Mantinha sempre um olho em Vasili, que fazia a mesma coisa. Não demorou a escutar exclamações de choque e preocupação quando as pessoas começaram a falar em Bodian: em um grupo como aquele, a maioria o conhecia e sabia por que estava preso. Ela seguiu distribuindo as folhas o mais depressa que podia, ansiosa para se livrar de todas antes que a polícia percebesse o que estava acontecendo.

Um homem de cabelos curtos que parecia um ex-soldado ficou em pé na frente dos outros e, em vez de recitar um poema, começou a ler o texto de Tanya sobre Bodian. Ela ficou satisfeita: a notícia estava se espalhando ainda mais depressa do que ela previra. Quando o rapaz chegou ao trecho que contava que Bodian não estava recebendo tratamento médico, ouviram-se gritos indignados. Os homens de casaco de couro, porém, perceberam a mudança no ambiente e ficaram mais alertas. Ela viu um deles falar algo com urgência em um walkie-talkie.

Ainda faltava distribuir cinco exemplares, que pareciam abrir um rombo em seu bolso.

Os agentes da polícia secreta, antes à margem do grupo, começaram a se aproximar e a convergir para cima do rapaz que lia. Ele acenou desafiadoramente com seu exemplar do *Dissidência* e gritou palavras sobre Bodian enquanto os agentes se aproximavam. Algumas pessoas se aglomeraram em volta do tablado para dificultar a aproximação da polícia. Em resposta, os agentes da KGB ficaram mais truculentos e começaram a empurrar as pessoas para abrir caminho. Era assim que começavam os tumultos. Nervosa, Tanya se afastou em direção à margem da multidão. Sobrara-lhe um exemplar do *Dissidência*, que ela jogou no chão.

De repente, meia dúzia de policiais uniformizados apareceu. Perguntando-se temerosa de onde poderiam ter surgido, Tanya olhou para o edifício mais próximo, do outro lado da rua, e viu outros policiais saindo pela porta: deviam estar escondidos lá dentro, à espera, caso fosse necessário intervir. Sacaram os cassetetes e foram abrindo caminho pela multidão, golpeando as pessoas indiscriminadamente. Tanya viu Vasili se virar e se afastar caminhando o mais rápido possível entre as pessoas, e fez o mesmo. Então uma adolescente em pânico trombou nela e a derrubou no chão.

Tanya ficou atordoada por alguns instantes. Quando sua visão clareou, viu mais pessoas correndo. Ajoelhou-se, mas ainda estava tonta. Alguém tropeçou nela e tornou a derrubá-la. Então, de repente, Vasili apareceu e a segurou com as duas mãos para pô-la de pé. Ela teve um segundo de surpresa: não esperava que ele fosse arriscar a própria segurança para ajudá-la.

Um policial então golpeou Vasili na cabeça com um cassetete e o derrubou. Ajoelhando-se, puxou seus braços até as costas e o algemou com movimentos rápidos e experientes. Vasili ergueu o rosto, cruzou olhares com Tanya e, sem produzir nenhum som, articulou a palavra "corra".

Ela se virou e saiu em disparada, mas um segundo depois colidiu com um policial uniformizado que a segurou pelo braço. Tentou se desvencilhar, aos gritos.

– Me solte!

Mas o homem apertou com mais força e disse:

– Está presa, piranha.

CAPÍTULO SEIS

A Sala Nina Onilova, no Kremlin, fora batizada em homenagem a uma operadora de metralhadora morta durante a Batalha de Sebastopol. Na parede, uma fotografia em preto e branco mostrava um general do Exército Vermelho depositando sobre o túmulo de Nina a medalha da Ordem da Bandeira Vermelha. A imagem encimava uma lareira de mármore branco tão manchada quanto os dedos de um fumante. Por toda a sala, rebuscadas sancas de gesso emolduravam quadrados de tinta mais clara onde outros quadros antes pendiam, sugerindo que as paredes não eram pintadas desde a Revolução. Talvez antigamente aquilo fosse um salão elegante. Agora, a mobília se resumia a umas vinte cadeiras baratas e mesas de cantina reunidas para formar um retângulo comprido. Sobre elas, cinzeiros de cerâmica pareciam ser esvaziados diariamente, mas nunca limpos.

Dimka Dvorkin entrou, com a mente em polvorosa e um nó na barriga.

A sala era o local em que habitualmente se reuniam os assessores dos ministérios e secretarias que formavam o Presidium do Soviete Supremo, órgão que governava a URSS.

Embora fosse assessor de Nikita Kruschev, premiê e presidente do Presidium, Dimka sentia que ali não era o seu lugar.

Faltavam poucas semanas para a Cúpula de Viena, o impactante primeiro encontro entre Kruschev e o recém-eleito presidente americano John Kennedy. No dia seguinte, no Presidium mais importante do ano, os líderes da URSS decidiriam a estratégia para a cúpula. Agora, na véspera, os assessores se reuniam para se preparar para o Presidium. Uma reunião de planejamento para outra reunião de planejamento.

O representante de Kruschev tinha de apresentar o pensamento do líder de modo que os outros assessores pudessem preparar seus superiores para o dia seguinte. Sua tarefa implícita era desmascarar qualquer oposição latente às ideias do premiê e, se possível, sufocá-la. Era seu dever solene garantir que o debate do dia seguinte corresse sem percalços para o líder.

Dimka sabia o que Kruschev pensava sobre a cúpula, mas mesmo assim tinha a sensação de que não seria capaz de lidar com aquela reunião. Era o mais jovem e o menos experiente dos assessores de Kruschev. Fazia apenas um ano que saíra da universidade. Nunca tinha participado de uma reunião pré-Presidium:

era novato demais. Dez minutos antes, porém, sua secretária, Vera Pletner, lhe informara que um dos assessores seniores tinha mandado avisar que estava doente e outros dois haviam acabado de ter um acidente de carro, de modo que ele precisava substituí-los.

Dois motivos tinham levado o jovem Dimka a conseguir aquele emprego com Kruschev. Um era ter sido o melhor aluno de todos os cursos que fizera, desde o maternal até a universidade. O outro era o fato de seu tio ser general. Ele não sabia qual dos dois fatores fora o mais importante.

Embora projetasse a imagem de um monólito para o mundo exterior, o Kremlin na realidade era um campo de batalha. O poder de Kruschev não era muito sólido. Apesar de comunista no coração e na alma, ele era também um reformista, que via falhas no sistema soviético e queria implementar novas ideias. Mas os velhos stalinistas do Kremlin ainda não estavam derrotados e se mantinham sempre alertas a qualquer oportunidade de enfraquecer Kruschev e fazer retroceder suas reformas.

A reunião era informal; assessores tomavam chá e fumavam, sem paletó e com as gravatas afrouxadas – a maioria era do sexo masculino, mas não todos. Dimka viu um rosto amigo: Natalya Smotrov, assessora do ministro das Relações Exteriores, Andrei Gromyko. Com 20 e poucos anos, era uma moça bonita apesar do vestido preto sem graça. Dimka não a conhecia bem, mas tinha falado com ela algumas vezes. Sentou-se ao seu lado. Ela pareceu surpresa em vê-lo.

– Konstantinov e Pajari tiveram um acidente de carro – explicou ele.

– Eles se machucaram?

– Nada grave.

– E Alkaev?

– Está doente. Cobreiro.

– Que nojo. Quer dizer que o representante do líder é você.

– Estou apavorado.

– Vai dar tudo certo.

Ele olhou em volta. Todos pareciam estar esperando alguma coisa. Em voz baixa, perguntou a Natalya:

– Quem vai presidir a reunião?

Um dos outros o escutou. Era Yevgeny Filipov, que trabalhava para o ministro da Defesa, o conservador Rodion Malinovski. Apesar de ter apenas 30 e poucos anos, vestia-se como um homem bem mais velho, e estava usando um terno folgado do pós-guerra e uma camisa de flanela cinza. Em voz alta, repetiu a pergunta de Dimka com um tom de desprezo:

– Quem vai presidir a reunião? Você, claro. Não é você o assessor do presidente do Presidium? Vamos lá, universitário.

Dimka sentiu as faces corarem. Por um instante, não soube o que dizer. Então teve uma inspiração e falou:

– Graças ao impressionante voo no espaço do major Yury Gagarin, o camarada Kruschev irá a Viena com os parabéns do mundo ecoando em seus ouvidos.

No mês anterior, Gagarin tinha se tornado o primeiro homem a viajar para o espaço sideral em um foguete, antecipando-se aos americanos por poucas semanas em um formidável golpe de ciência e propaganda para a União Soviética e para Nikita Kruschev.

Os assessores ao redor da mesa bateram palmas, e Dimka começou a se sentir melhor.

Então Filipov tornou a falar:

– Talvez fosse melhor se o que estivesse ecoando nos ouvidos do primeiro-secretário fosse o discurso de posse do presidente Kennedy. – Ele parecia incapaz de falar sem um sorriso de escárnio. – Caso os camaradas ao redor da mesa tenham esquecido, Kennedy nos acusou de estar planejando dominar o mundo e jurou nos deter a qualquer custo. Depois de todos os movimentos conciliatórios de nossa parte, insensatos, aliás, na opinião de camaradas experientes, o presidente americano não poderia ter deixado mais claras suas intenções agressivas. – Ele ergueu o braço com um dedo no ar, como um professor. – Só há uma resposta possível para nós: aumentar nossa força militar.

Dimka ainda estava pensando no que responder quando Natalya foi mais rápida:

– É uma corrida que não podemos ganhar – afirmou ela em um tom prático e profissional. – Os Estados Unidos são mais ricos do que a União Soviética e podem facilmente igualar qualquer incremento em nossas Forças Armadas.

A moça tinha mais bom senso do que seu chefe conservador, concluiu Dimka, lançando-lhe um olhar grato e continuando o que ela havia começado:

– Daí a política de coexistência pacífica de Kruschev, que nos permite gastar menos com o Exército e em vez disso investir na agricultura e na indústria.

Os conservadores do Kremlin odiavam a coexistência pacífica. Para eles, o conflito com o capitalismo-imperialismo era uma guerra de morte.

Pelo canto do olho, Dimka viu entrar na sala sua secretária, Vera, uma quarentona inteligente e agitada. Acenou mandando-a embora.

Filipov não se deixou vencer tão facilmente.

– Não podemos permitir que uma visão ingênua da política mundial nos incentive a reduzir nosso Exército depressa demais – falou com desdém. – Não podemos afirmar que estamos ganhando no cenário internacional. Vejam só como os chineses estão nos desafiando. Isso nos enfraquece em Viena.

Por que Filipov estava tentando com tanto afinco fazer Dimka passar por bobo? O rapaz de repente se lembrou de que o outro queria um emprego no gabinete de Kruschev, o emprego que agora era seu.

– Assim como a Baía dos Porcos enfraqueceu Kennedy – retrucou. O presidente americano tinha autorizado um plano mirabolante da CIA para invadir Cuba em um lugar chamado Baía dos Porcos, mas o plano dera errado e Kennedy fora humilhado. – Eu acho que a posição do nosso líder é mais forte.

– Mesmo assim, Kruschev não conseguiu...

Percebendo que estava indo longe demais, Filipov não completou a frase. Aquelas conversas pré-Presidium eram francas, mas havia limites.

Dimka aproveitou seu momento de fraqueza.

– O que Kruschev não conseguiu fazer, camarada? Por favor, nos explique.

Filipov logo se emendou:

– Nós não conseguimos alcançar nosso principal objetivo na política externa: uma solução permanente para a situação de Berlim. A Alemanha Oriental é nosso posto avançado na Europa. Suas fronteiras protegem as da Polônia e da Checoslováquia. Seu status não resolvido é intolerável.

– Certo – disse Dimka, e espantou-se com o tom confiante da própria voz. – Eu acho que já basta de falar sobre princípios gerais. Antes de encerrar a reunião, vou explicar o pensamento do primeiro-secretário sobre esse problema.

Filipov abriu a boca para protestar contra essa interrupção abrupta, mas Dimka não o deixou prosseguir.

– Os camaradas se pronunciarão quando solicitados pela presidência – disse, fazendo questão de impor à voz um tom áspero. Todos se calaram. – Em Viena, Kruschev dirá a Kennedy que não podemos mais esperar. Já fizemos propostas razoáveis para regulamentar a situação de Berlim, e tudo o que os americanos conseguem dizer é que não querem mudanças. – Em volta da mesa, vários participantes assentiram. – Nosso líder vai dizer que, se eles não concordarem com um plano, tomará uma atitude unilateral e, se os americanos tentarem nos deter, revidará à altura.

Seguiram-se vários instantes de silêncio. Dimka aproveitou para se levantar.

– Obrigado pela presença de todos – falou.

Quem disse o que todos estavam pensando foi Natalya:

– Isso significa que estamos dispostos a entrar em guerra com os americanos por causa de Berlim?

– O primeiro-secretário não acha que vá haver guerra – respondeu Dimka, dando-lhes a mesma resposta evasiva que Kruschev tinha lhe dado. – Kennedy não é louco.

Ao sair da sala, viu que Natalya o olhava com surpresa e admiração. Não conseguia acreditar que tinha sido tão firme. Nunca fora covarde, mas aquele era um grupo de homens poderosos e inteligentes, e ele conseguira intimidá-los. Sua posição ajudava: embora fosse jovem, a mesa que ocupava no complexo de salas do premiê lhe conferia poder. Além disso, paradoxalmente, a hostilidade de Filipov tinha ajudado. Todos os presentes podiam entender a necessidade de ter pulso firme com alguém que estivesse tentando prejudicar o líder.

Vera o aguardava na antessala. Assistente política experiente, não era de entrar em pânico sem motivo. Dimka teve um lampejo de intuição.

– É sobre a minha irmã, não é?

Vera ficou assustada. Seus olhos se arregalaram.

– Como o senhor faz isso? – indagou, assombrada.

Não era nada sobrenatural. Havia algum tempo ele temia que Tanya estivesse prestes a ter problemas.

– O que foi que ela fez?

– Foi presa.

– Ah, droga...

Vera apontou para um telefone fora do gancho sobre uma mesa lateral e Dimka o pegou. Sua mãe, Anya, estava na linha.

– Tanya está na Lubyanka! – disse ela, usando o apelido para a sede da KGB na praça Lubyanka. Estava quase histérica.

Aquilo não era uma surpresa total para Dimka. Sua irmã gêmea e ele concordavam que havia muitas coisas erradas com a União Soviética, mas, ao passo que ele acreditava na necessidade de uma reforma, ela pensava que o comunismo devia ser abolido. Um desacordo intelectual que não tinha qualquer influência em seu afeto um pelo outro: eles eram melhores amigos e sempre fora assim.

Quem pensava como Tanya podia ser preso, e essa era justamente uma das coisas que estavam erradas.

– Mãe, calma, vou tirá-la de lá – falou. Torceu para ser capaz de justificar essa firmeza. – Você sabe o que aconteceu?

– Um motim em algum encontro de poesia!

– Aposto que ela foi à praça Maiakovski. Se for só isso...

Ele não sabia tudo em que a irmã se metia, mas desconfiava que fosse pior do que declamar poesia.

– Dimka, você precisa fazer alguma coisa! Antes que eles...

– Eu sei.

Antes que eles começassem a interrogá-la, sua mãe queria dizer. Um calafrio atravessou seu corpo. A perspectiva de ser interrogado nas famosas celas subterrâneas da sede da KGB deixava qualquer cidadão soviético aterrorizado.

Seu primeiro instinto fora dizer que daria um telefonema, mas decidiu que isso não bastaria. Precisava ir até lá pessoalmente. Hesitou por um instante: se as pessoas descobrissem que ele fora à Lubyanka libertar a irmã, isso poderia prejudicar sua carreira. Mas esse pensamento não o deteve. Tanya vinha antes dele próprio, de Kruschev e de toda a União Soviética.

– Estou a caminho, mãe. Ligue para o tio Volodya e conte o que aconteceu.

– Sim, boa ideia! Meu irmão vai saber o que fazer.

Dimka desligou.

– Ligue para a Lubyanka – pediu a Vera. – Diga claramente que está ligando do gabinete do primeiro-secretário, que está preocupado com a prisão da influente jornalista Tanya Dvorkin. Diga que o assessor do camarada Kruschev está a caminho para saber mais detalhes e que não devem fazer nada antes de ele chegar.

A secretária ia anotando.

– Quer que eu peça um carro?

A praça Lubyanka ficava a um quilômetro e meio do complexo do Kremlin.

– Estou com a moto lá embaixo. Vai ser mais rápido.

Dimka tinha o privilégio de ser dono de uma motocicleta Voskhod 175 com cinco marchas e escapamento duplo.

Sabia que a irmã estava prestes a arrumar problemas porque, paradoxalmente, ela havia parado de lhe contar tudo, pensou no caminho. Em geral os dois não guardavam segredos um do outro. Dimka tinha uma intimidade com Tanya que não compartilhava com mais ninguém. Quando a mãe não estava e os dois ficavam sozinhos em casa, sua irmã andava pelada pelo apartamento para pegar roupas de baixo limpas na rouparia, e Dimka fazia xixi sem se dar ao trabalho de fechar a porta. Às vezes, seus amigos sugeriam aos risos que aquela intimidade tinha um quê de erotismo, mas a verdade era justamente o contrário: eles só podiam ser tão íntimos porque não havia nenhuma conotação sexual.

Ao longo do último ano, entretanto, percebera que Tanya estava lhe escondendo alguma coisa. Não sabia o quê, mas podia adivinhar. Tinha certeza de que não era nenhum namorado: eles contavam um ao outro tudo sobre suas vidas amorosas, comparando detalhes e se consolando. Era quase certo que tivesse a ver com política, pensou. O único motivo que a faria esconder algo do irmão seria protegê-lo.

Chegou em frente ao famigerado prédio, um palácio de tijolos amarelos construído antes da Revolução para servir de sede a uma empresa de seguros. Pensar na irmã presa lá dentro lhe deu náuseas. Por alguns segundos, teve medo de que fosse vomitar.

Estacionou bem em frente à entrada principal, esperou um pouco até recuperar a compostura e entrou.

Daniil Antonov, editor de Tanya, já estava lá e conversava com um agente da KGB no saguão. Era um homem baixo e franzino que Dimka considerava inofensivo, mas estava se mostrando incisivo.

– Quero ver Tanya Dvorkin e quero vê-la *agora* – falou.

O agente da KGB ostentava a mesma expressão obstinada de uma mula.

– Isso talvez não seja possível.

Dimka entrou na conversa.

– Sou do gabinete do primeiro-secretário.

O agente não se deixou impressionar.

– E o que você faz lá, meu filho? Prepara o chá? – disse ele, grosseiro. – Qual é o seu nome?

Era uma pergunta intimidadora: as pessoas morriam de medo de dizer seu nome à KGB.

– Dmitri Dvorkin, e vim aqui lhe informar que o camarada Kruschev tem um interesse pessoal neste caso.

– Vá se foder, Dvorkin – retrucou o sujeito. – O camarada Kruschev não sabe nada sobre este caso. Você veio aqui tirar sua irmã da encrenca.

Dimka ficou espantado com a grosseria confiante do agente. Calculou que muita gente que tentava livrar parentes ou amigos de uma prisão pela KGB devia alegar ligações pessoais com gente poderosa. Mesmo assim, fez uma nova tentativa:

– Qual é o seu nome?

– Capitão Mets.

– E do que vocês estão acusando Tanya Dvorkin?

– De agredir um agente.

– Uma garota bateu em um dos seus capangas de casaco de couro? – indagou Dimka com sarcasmo. – Ela primeiro deve ter pego a arma dele. Vamos, Mets, deixe de ser babaca.

– Ela participou de uma reunião sediciosa. Havia literatura antissoviética circulando. – Ele entregou a Dimka uma folha de papel amassada. – A reunião virou motim.

Dimka olhou para o papel intitulado *Dissidência*. Já tinha ouvido falar naquela folha de notícias subversiva. Era muito fácil Tanya ter algo a ver com aquilo. A edição era sobre o cantor de ópera Ustin Bodian. Dimka foi momentaneamente distraído pela chocante alegação de que Bodian estava morrendo de pneumonia em um campo de trabalho na Sibéria. Então lembrou que Tanya chegara da Sibéria naquele mesmo dia e entendeu que ela devia ter escrito aquilo. Talvez estivesse mesmo em apuros.

– Tanya estava com este jornal, segundo o senhor? – perguntou. Viu Mets hesitar e completou: – Pensei mesmo que não.

– Ela não deveria estar lá.

– Ela é jornalista, seu tolo – interveio Daniil. – Estava observando o evento, assim como os seus agentes.

– Ela não é agente.

– Todos os jornalistas da TASS cooperam com a KGB, como o senhor bem sabe.

– Vocês não podem provar que ela estava lá oficialmente.

– Eu posso, sim. Sou o editor dela. Fui eu que a mandei para lá.

Seria verdade?, pensou Dimka. Duvidava muito. Ficou grato por Daniil se arriscar tentando defender Tanya.

Mets já não se mostrava mais tão confiante.

– Ela estava com um homem chamado Vasili Yenkov, que tinha cinco cópias desse papel no bolso.

– Ela não conhece ninguém chamado Vasili Yenkov – afirmou Dimka. Podia ser verdade: ele com certeza nunca tinha ouvido aquele nome. – Se era um motim, como vocês podem dizer quem estava com quem?

– Vou ter que falar com meus superiores – retrucou Mets, e virou as costas.

Dimka forçou a voz a sair dura.

– Não demore – bradou. – A próxima pessoa do Kremlin que o senhor vir talvez não seja o garoto que prepara o chá.

Mets desceu uma escada. Dimka estremeceu: todos sabiam que as salas de interrogatório ficavam no porão.

Instantes depois, um homem mais velho com um cigarro pendurado no canto da boca foi se juntar a Dimka e Daniil no saguão. Tinha um rosto feio, flácido, com um queixo agressivamente protuberante. Daniil não pareceu contente ao vê-lo. Apresentou-o como Pyotr Opotkin, o editor-chefe de matérias especiais.

Opotkin encarou Dimka com olhos semicerrados para se proteger da fumaça.

– Quer dizer que sua irmã foi presa em um encontro de protesto – falou.

Apesar do tom zangado, Dimka sentiu que, no fundo, Opotkin estava satisfeito por algum motivo.

– Uma leitura de poesia – corrigiu.

– Não faz muita diferença.

– Fui eu que a mandei lá – interveio Daniil.

– No dia em que ela voltou da Sibéria? – perguntou Opotkin, cético.

– Na verdade não era um trabalho. Sugeri que ela passasse lá para ver o que estava acontecendo, só isso.

– Não minta para mim – disse Opotkin. – Você só está tentando protegê-la.

Daniil ergueu o queixo e lançou-lhe um olhar desafiador.

– E não foi isso que você veio fazer aqui?

Antes de Opotkin conseguir responder, o capitão Mets voltou.

– O caso ainda está sendo examinado – informou.

Opotkin se apresentou e mostrou a Mets seu documento de identidade.

– A questão não é se Tanya Dvorkin deve ser punida, mas como – falou.

– Exato – respondeu Mets, deferente. – Gostaria de me acompanhar?

Opotkin assentiu, e o capitão o conduziu escada abaixo.

– Ele não vai deixar que ela seja torturada, vai? – indagou Dimka em voz baixa.

– Opotkin já estava zangado com Tanya – disse Daniil, preocupado.

– Por quê? Pensei que ela fosse uma boa jornalista.

– Ela é brilhante. Mas recusou o convite para uma festa na casa dele no sábado. Ele queria que você fosse também. Pyotr adora gente importante. Ser esnobado o magoa muito.

– Ai, merda.

– Eu disse a ela que deveria ter aceitado.

– Você a mandou mesmo à praça Maiakovski?

– Não. Nós nunca poderíamos dar uma matéria sobre uma reunião tão extraoficial.

– Obrigado por tentar protegê-la.

– É uma honra... mas não acho que esteja dando certo.

– O que acha que vai acontecer?

– Ela pode ser demitida. Mais provavelmente será transferida para algum lugar desagradável, como o Cazaquistão. – Daniil franziu a testa. – Preciso pensar em algum acordo que satisfaça Opotkin, mas não seja duro demais para Tanya.

Ao olhar para a porta de entrada, Dimka viu um homem de 40 e poucos anos com os cabelos bem curtos, à moda militar, e vestido com o uniforme de general do Exército Vermelho.

– Tio Volodya, até que enfim – falou.

Volodya Peshkov tinha o mesmo olhar azul penetrante da sobrinha.

– Que porra está acontecendo aqui? – perguntou ele, irado.

Dimka lhe contou. Quando estava terminando, Opotkin reapareceu. Dirigiu-se a Volodya em tom obsequioso:

– General, eu debati esse problema da sua sobrinha com nossos amigos da KGB, e eles disseram que vão se contentar se eu tratar a situação como uma questão interna da TASS.

Dimka sentiu o corpo relaxar de alívio. Então pensou se a estratégia de Opotkin teria sido manipular a situação para se colocar na posição de quem estaria fazendo um favor a Volodya.

– Permita-me fazer uma sugestão – disse o general. – O senhor poderia assinalar o incidente como sério, sem atribuir culpa a ninguém, simplesmente transferindo Tanya para outro cargo.

Era a mesma punição que Daniil mencionara segundos antes.

Opotkin assentiu, pensativo, como quem reflete sobre o assunto, mas Dimka tinha certeza de que ele concordaria de bom grado com qualquer "sugestão" do general Peshkov.

– Quem sabe um posto no exterior? – indagou Daniil. – Ela fala alemão e inglês.

Dimka sabia que isso era um exagero: Tanya tinha estudado os dois idiomas na escola, de fato, mas isso não era a mesma coisa que ser fluente. Daniil estava tentando impedir que sua irmã fosse banida para alguma região remota da URSS.

– E ela poderia continuar escrevendo matérias para o meu departamento – prosseguiu o editor. – Eu preferiria não perdê-la para a editoria de notícias... ela é boa demais.

Opotkin parecia em dúvida.

– Não podemos mandá-la para Londres ou Bonn. Isso iria parecer uma recompensa.

Era verdade. Missões em países capitalistas eram disputadas. As ajudas de custo eram colossais e, ainda que não comprassem tantas coisas quanto na URSS, mesmo assim os cidadãos soviéticos viviam muito melhor no Ocidente do que no seu país.

– Berlim Oriental, talvez, ou quem sabe Varsóvia? – sugeriu Volodya.

Opotkin assentiu. Ser transferida para outro país comunista era mais parecido com uma punição.

– Fico feliz que tenhamos conseguido resolver a questão – disse Volodya.

– Vou dar uma festa no sábado à noite – disse Opotkin para Dimka. – Quem sabe você gostaria de ir?

Dimka imaginou que isso selaria o acordo. Fez que sim com a cabeça.

– Tanya me disse – falou, fingindo animação. – Iremos os dois. Obrigado.

Opotkin ficou radiante.

– Por acaso sei de uma vaga em um país comunista disponível agora mesmo – disse Daniil. – Precisamos de alguém lá com urgência. Ela poderia viajar amanhã.

– Onde? – perguntou Dimka.

– Em Cuba.

– Pode ser uma solução aceitável – disse Opotkin, agora animado.

Com certeza era melhor do que o Cazaquistão, pensou Dimka.

Mets reapareceu no saguão acompanhado por Tanya. Dimka sentiu o coração dar um pinote: sua irmã estava pálida e assustada, mas não parecia ferida. Mets falou com um misto de deferência e desafio, como um cão que ladra por estar assustado:

– Permitam-me sugerir que a jovem Tanya mantenha distância de leituras de poesia no futuro.

Apesar de parecer prestes a esganar aquele idiota, Volodya ostentou um sorriso.

– Ótimo conselho, tenho certeza.

Todos saíram. A noite havia caído.

– Estou de moto, posso levá-la para casa – disse Dimka.

– Sim, por favor – respondeu ela.

Obviamente queria conversar com o irmão.

– Deixe que eu a levo no meu carro... você parece abalada demais para andar de moto – sugeriu Volodya, que não sabia ler tão bem a mente da sobrinha.

Para sua surpresa, Tanya falou:

– Obrigada, tio, mas prefiro ir com Dimka.

Volodya deu de ombros e entrou em uma limusine Zil que o aguardava. Daniil e Pyotr se despediram.

Assim que os dois se viram fora do alcance de ouvidos alheios, Tanya se virou para Dimka com uma expressão desatinada.

– Eles disseram alguma coisa sobre Vasili Yenkov?

– Sim, que você estava com ele. É verdade?

– É.

– Ai, merda. Mas ele não é seu namorado, é?

– Não. Você sabe o que aconteceu com ele?

– Ele estava com cinco exemplares do *Dissidência* no bolso, portanto não vai sair da Lubyanka tão cedo, mesmo que tenha amigos em altos cargos.

– Caramba! Acha que eles vão investigá-lo?
– Com certeza. Vão querer saber se ele só distribui o *Dissidência* ou se na verdade o produz, o que seria bem mais sério.
– Vão revistar o apartamento dele?
– Seria uma omissão não fazê-lo. Por quê? O que vão encontrar lá?
Ela olhou em volta, mas não havia ninguém por perto. Mesmo assim, baixou a voz:
– A máquina de escrever na qual o *Dissidência* é datilografado.
– Então fico feliz por Vasili não ser seu namorado, porque ele vai passar os próximos 25 anos na Sibéria.
– Não diga isso!
Dimka franziu a testa.
– Você não está apaixonada por ele, dá para ver... mas tampouco lhe é totalmente indiferente.
– Olhe aqui, Vasili é um homem corajoso e um poeta incrível, mas o nosso relacionamento não é romântico. Eu nunca sequer o beijei. Ele é um daqueles homens que precisam ter várias mulheres diferentes.
– Igual ao meu amigo Valentin.
Valentin Lebedev, seu colega de quarto na universidade, tinha sido um verdadeiro Don Juan.
– Isso, exatamente igual ao Valentin.
– Então... que importância tem para você se eles vasculharem o apartamento de Vasili e encontrarem a máquina de escrever?
– Muita. Nós produzíamos o *Dissidência* juntos. Fui eu que escrevi a edição de hoje.
– Que merda. Era isso que eu temia.
Agora Dimka sabia que segredo a irmã vinha escondendo dele no último ano.
– Temos que ir ao apartamento dele agora mesmo, pegar a máquina e dar um fim nela.
Dimka deu um passo para longe da irmã.
– De jeito nenhum. Pode esquecer.
– Mas é preciso!
– Não. Eu correria qualquer risco por você, e talvez corresse um risco grande por alguém que você amasse, mas não vou arriscar meu pescoço por esse cara. Nós todos podemos ir parar na porra da Sibéria!
– Então eu vou sozinha.
Tentando avaliar todos os riscos, Dimka tornou a franzir a testa.

– Quem mais sabe sobre você e Vasili?
– Ninguém. Nós tomamos cuidado. Eu me certifiquei de não ser seguida toda vez que fui à casa dele. Nunca nos encontramos em público.
– Quer dizer que a investigação da KGB não vai ligar você a ele.
Ela hesitou, e foi nesse momento que Dimka entendeu que eles estavam em sérios apuros.
– O que foi? – perguntou.
– Depende de quão criteriosos forem os homens da KGB.
– Por quê?
– Hoje de manhã, quando fui ao apartamento de Vasili, tinha uma garota lá... Varvara.
– Ai, caralho...
– Ela estava de saída. Não sabe o meu nome.
– Mas, se a KGB lhe mostrar fotos das pessoas presas na praça Maiakovski, ela pode conseguir identificar você?
Tanya pareceu amedrontada.
– Ela me olhou de cima a baixo, bem devagar, imaginando que eu pudesse ser uma rival. Sim, poderia reconhecer meu rosto.
– Ai, meu Deus, então nós precisamos pegar a tal máquina. Sem ela, eles vão pensar que Vasili não passa de um distribuidor do *Dissidência*, então provavelmente não devem tentar encontrar todas as suas namoradas casuais, ainda mais porque parece haver muitas. Talvez você consiga escapar. Mas, se eles acharem a máquina, você está perdida.
– Eu vou sozinha. Tem razão, não posso fazer você correr todo esse perigo.
– Mas eu não posso deixar você correr todo esse perigo sozinha – retrucou ele. – Qual é o endereço?
Ela lhe disse.
– Não fica muito longe daqui. Suba na moto.
Ele subiu e acionou o pedal da partida.
Tanya hesitou, mas então subiu na garupa.
Dimka acendeu o farol e eles saíram dali.
Enquanto dirigia, ele pensou se a KGB já estaria no apartamento de Vasili vasculhando tudo. Era uma possibilidade, concluiu, mas improvável. Considerando que tivessem prendido umas quarenta ou cinquenta pessoas, levariam a maior parte da noite para conduzir os primeiros interrogatórios, coletar nomes e endereços e decidir quem priorizar. Ainda assim, era sensato ter cautela.
Quando chegaram ao endereço que Tanya tinha lhe dado, ele passou na frente

sem diminuir a velocidade. Os postes da rua iluminavam um grandioso casarão do século XIX. Todas as construções desse tipo haviam sido convertidas em escritórios para o governo ou então divididas em apartamentos. Não havia nenhum carro estacionado na frente do prédio nem agentes da KGB de casaco de couro à espreita na entrada. Ele deu a volta no quarteirão sem ver nada suspeito. Por fim, estacionou a uns 200 metros da porta.

Desceu da moto. Uma mulher que passeava com um cachorro lhes deu boa-noite e passou direto. Dimka e Tanya entraram no prédio.

A portaria devia ter sido um salão imponente. Agora, uma solitária lâmpada elétrica revelava um piso de mármore todo lascado e riscado e uma imensa escadaria com vários balaústres faltando no corrimão.

Os irmãos subiram a escada. Tanya pegou uma chave e abriu o apartamento. Eles entraram e fecharam a porta.

Ela seguiu na frente até a sala. Uma gata cinza os observava, desconfiada. Tanya tirou de um armário uma caixa grande cheia até a metade com ração para gatos. Vasculhou lá dentro até encontrar uma máquina de escrever protegida por uma capa. Então pegou também algumas folhas de papel estêncil.

Rasgou as folhas, jogou-as na lareira e acendeu um fósforo para queimá-las. Enquanto as via arder, Dimka perguntou, zangado:

– Por que você põe tudo em risco só por causa de um protesto inútil?

– Nós vivemos em uma tirania brutal. Temos que fazer alguma coisa para manter viva a esperança.

– Nós vivemos em uma sociedade que está desenvolvendo o comunismo – corrigiu Dimka. – É difícil, temos problemas. Mas você deveria ajudar a resolver esses problemas em vez de fomentar o descontentamento.

– Como é possível encontrar soluções se ninguém pode falar sobre os problemas?

– No Kremlin nós falamos sobre os problemas o tempo todo.

– E os mesmos poucos homens de pensamento limitado sempre decidem não fazer nenhuma mudança importante.

– Nem todos têm o pensamento limitado. Alguns estão trabalhando duro para mudar as coisas. É só nos dar um pouco de tempo.

– A revolução foi há quarenta anos. De quanto tempo vocês precisam para finalmente reconhecer que o comunismo é um fracasso?

As folhas na lareira tinham se transformado rapidamente em cinzas negras. Frustrado, Dimka deu as costas à irmã.

– Nós já tivemos esta mesma discussão tantas vezes... Precisamos sair daqui.

Ele pegou a máquina de escrever.

Tanya recolheu a gata e os dois saíram.

Quando estavam deixando o prédio, um homem entrou na portaria carregando uma pasta e acenou com a cabeça ao passar por eles na escada. Dimka torceu para a luz fraca o impedir de ver direito seus rostos.

Em frente à porta, Tanya pôs a gata na calçada.

– Você agora vai ter que se virar sozinha, Mademoiselle.

A gata saiu andando com um ar de desdém.

Os dois seguiram depressa pela rua até a esquina, e Dimka tentou sem muito sucesso esconder a máquina de escrever debaixo do paletó. Para sua consternação, a lua tinha nascido e eles estavam bem visíveis. Chegaram à motocicleta.

Dimka passou a máquina para Tanya.

– Como vamos nos livrar desse troço? – sussurrou.

– Jogando no rio?

Ele pensou por um instante e então se lembrou de um ponto na margem do rio ao qual ele e alguns colegas de faculdade já tinham ido algumas vezes para passar a noite em claro tomando vodca.

– Eu conheço um lugar.

Subiram na moto e Dimka saiu do centro em direção ao sul. O lugar em que estava pensando ficava nos arredores da cidade, mas era melhor assim: menos provável alguém reparar neles.

Depois de uns vinte minutos dirigindo depressa, ele parou em frente ao mosteiro de Nikolo-Perervinsky.

Dotada de uma catedral magnífica, a antiga instituição estava agora em ruínas, abandonada havia décadas e destituída de seus tesouros. Ficava em um trecho de terreno situado entre a principal ferrovia em direção ao sul e o rio Moscou. Os campos à sua volta estavam sendo transformados em canteiros de obras para arranha-céus residenciais, mas à noite o bairro ficava deserto. Não havia ninguém à vista.

Dimka empurrou a moto para fora da estrada até o meio de um grupo de árvores e a apoiou no descanso. Então conduziu Tanya pelo meio do bosque até o mosteiro em ruínas. O luar conferia aos prédios desmoronados um tom branco espectral. As cúpulas da catedral estavam ruindo, mas a maioria dos telhados de telhas verdes das construções do mosteiro permanecia intacta. Dimka não conseguia parar de pensar que os fantasmas de várias gerações de monges o observavam pelas janelas quebradas.

Conduziu Tanya por um campo pantanoso na direção oeste até o rio.

– Como você conhece este lugar? – ela quis saber.

– Nós vínhamos aqui quando estávamos na faculdade. Ficávamos bêbados e víamos o sol nascer acima do rio.

Chegaram à beira da água. O rio ali não passava de um canal vagaroso em uma curva larga, e suas águas estavam plácidas sob o luar. No entanto, Dimka sabia que eram fundas o suficiente para o que eles pretendiam fazer.

– Que desperdício – disse Tanya, hesitando.

Dimka deu de ombros.

– Máquinas de escrever são caras, mesmo.

– Não é só pelo dinheiro. É uma voz dissidente, uma visão alternativa do mundo, uma forma diferente de pensar. Uma máquina de escrever significa liberdade de expressão.

– Nesse caso, você estará melhor sem ela.

Tanya entregou a máquina ao irmão.

Ele moveu o rolo o mais para a direita possível, de modo a criar um cabo pelo qual segurar o objeto.

– Lá vai – falou.

Levou o braço para trás e, com toda a força de que foi capaz, atirou a máquina no rio. Não conseguiu jogá-la muito longe, mas ela aterrissou com um baque gratificante e logo sumiu de vista.

Os dois irmãos ficaram em pé sob a luz da lua vendo a água se encrespar.

– Obrigada – disse Tanya. – Principalmente porque você não acredita no que estou fazendo.

Ele passou o braço pelos seus ombros e, juntos, os dois foram embora.

CAPÍTULO SETE

George Jakes estava de mau humor. Embora engessado e pendurado em uma tipoia presa ao seu pescoço, seu braço ainda doía. Ele havia perdido o cobiçado emprego antes mesmo de começar. Exatamente como Greg previra, o escritório de advocacia Fawcett Renshaw havia retirado a proposta depois de o seu nome sair no jornal como um Viajante da Liberdade ferido. Agora ele não sabia o que iria fazer com o resto da vida.

A cerimônia de formatura, conhecida como *commencement*, o "começo", acontecia no Pátio Antigo de Harvard, uma esplanada coberta de grama e cercada por graciosas construções de tijolo vermelho. Membros do Conselho de Supervisão usavam cartola e fraque. Diplomas honorários foram concedidos ao secretário das Relações Exteriores britânico, um aristocrata sem queixo chamado Lorde Home, e a um membro da equipe de Kennedy na Casa Branca chamado, estranhamente, McGeorge Bundy. George estava um pouco triste por sair da faculdade. Havia passado sete anos ali, primeiro como aluno do ciclo básico, depois no curso de Direito. Conhecera pessoas incríveis e fizera alguns bons amigos. Passara em todas as provas. Saíra com muitas mulheres e fora para a cama com três. Ficara bêbado uma vez e detestara a sensação de perder o controle.

Nesse dia, porém, estava mal-humorado demais para se entregar à nostalgia. Depois da violência em Anniston, esperava uma resposta firme do governo Kennedy. Jack Kennedy tinha se apresentado ao eleitorado americano como um homem liberal e conquistara o voto dos negros. Bobby Kennedy era secretário de Justiça, o mais alto cargo de segurança pública do país, e George imaginara que ele fosse dizer, em alto e bom som, que a Constituição norte-americana valia tanto no Alabama quanto em qualquer outro lugar.

Só que Bobby não tinha feito isso.

Ninguém fora preso por atacar os Viajantes da Liberdade. Nem a polícia local nem o FBI tinham investigado qualquer um dos muitos crimes violentos cometidos. Em pleno ano de 1961, nos Estados Unidos, racistas brancos podiam atacar manifestantes defensores dos direitos civis – quebrar seus ossos, tentar queimá-los vivos – na frente da polícia e sair impunes.

A última vez que George vira Maria Summers fora no consultório de um médico. Os Viajantes da Liberdade feridos tinham sido recusados no hospital mais próximo, mas acabaram encontrando profissionais dispostos a atendê-los.

George estava com uma enfermeira, recebendo tratamento para o braço quebrado, quando Maria apareceu dizendo ter conseguido um voo para Chicago. Se pudesse, ele teria se levantado e lhe dado um abraço. Mas ela lhe dera apenas um beijo na bochecha antes de sumir.

Perguntou-se se algum dia voltaria a vê-la. Eu poderia ter me apaixonado muito por essa mulher, pensou. Talvez já estivesse apaixonado. Em dez dias de conversas ininterruptas, não se sentira entediado nenhuma vez sequer: ela era tão inteligente quanto ele, talvez até mais. Além disso, apesar do ar inocente, tinha olhos castanhos aveludados que o faziam imaginá-la à luz de velas.

A cerimônia de formatura terminou às onze e meia. Formandos, parentes e ex-alunos começaram a se afastar por entre as sombras dos altos olmos a caminho dos almoços oficiais nos quais seriam entregues os diplomas. George procurou seus parentes, que no início não viu.

Mas avistou Joseph Hugo.

O rapaz estava sozinho, em pé junto à estátua de bronze de John Harvard, acendendo um de seus longos cigarros. Com a beca preta de formatura, sua pele branca parecia ainda mais cadavérica. George cerrou os punhos. Queria matar aquele traidor de porrada, mas o seu braço esquerdo estava inutilizável e, de toda forma, se ele e Hugo tivessem uma briga no Pátio Antigo nesse dia, as consequências seriam gravíssimas. Talvez até perdessem os diplomas. George já estava suficientemente encrencado. O mais sensato seria ignorar o colega e seguir em frente.

Mas em vez disso ele disse:

– Hugo, seu merda!

Apesar do braço ferido de George, o outro rapaz pareceu amedrontado. Tinha a mesma altura e devia ser tão forte quanto George, mas este tinha a vantagem de estar com raiva, e Joseph sabia disso. Olhando para o outro lado, tentou rodear George enquanto resmungava:

– Não quero papo com você.

– Isso não me espanta. – George avançou para se postar à sua frente. – Você ficou olhando enquanto uma turba enfurecida me atacava. Aqueles arruaceiros quebraram a droga do meu braço!

Hugo recuou um passo.

– Vocês não deveriam ter ido ao Alabama.

– E você não deveria ter se passado por ativista de direitos civis quando na verdade estava espionando para o adversário! Quem estava lhe pagando, a Ku Klux Klan?

Hugo empinou o queixo, desafiador, e George teve vontade de socá-lo.

– Eu me ofereci para dar informações ao FBI – respondeu Hugo.
– Então nem dinheiro você recebeu! Não sei se isso é melhor ou pior.
– Mas não vou ser voluntário por muito mais tempo: começo a trabalhar lá na semana que vem. – Ele disse isso em um tom meio constrangido, meio desafiador de quem admite pertencer a uma seita religiosa.
– Você foi um dedo-duro tão bom que eles lhe deram um emprego.
– Eu sempre quis trabalhar com segurança pública.
– Não era isso que você estava fazendo lá em Anniston. Você estava do lado dos criminosos.
– Vocês são comunistas. Já os ouvi falando sobre Karl Marx.
– E também sobre Hegel, Voltaire, Gandhi e Jesus Cristo. Faça-me o favor, Hugo, nem você é tão burro assim.
– Eu odeio desordem.

E era justamente esse o problema, pensou George, amargurado. As pessoas detestavam desordem. A cobertura da imprensa havia culpado os Viajantes por criarem confusão, não os segregacionistas com seus tacos de beisebol e bombas. Isso o deixava louco de frustração: será que ninguém naquele país pensava no que era *certo*?

Do outro lado do gramado, viu Verena Marquand acenando para ele. De repente, perdeu qualquer interesse por Joseph Hugo.

Verena estava se formando em letras, mas havia tão poucos negros em Harvard que todos se conheciam. E ela era tão deslumbrante que George teria reparado nela mesmo que houvesse mil garotas negras na universidade. Tinha olhos verdes e a pele da cor de um sorvete de caramelo. Por baixo da beca, usava um vestido verde curto que deixava à mostra um par de pernas compridas e lisinhas. Usava o capelo inclinado sobre a cabeça em um ângulo gracioso. Era dinamite pura.

As pessoas diziam que ela e George formavam um belo casal, mas os dois nunca tinham saído juntos. Sempre que ele estava solteiro, ela estava namorando, e vice-versa. Agora era tarde demais.

Verena era uma ardente defensora dos direitos civis e depois da formatura iria para Atlanta trabalhar para Martin Luther King.

– Aquela sua Viagem da Liberdade foi mesmo o início de algo importante! – disse-lhe ela, entusiasmada.

Era verdade. Depois do incêndio do ônibus em Anniston, George fora embora do Alabama de avião com o braço engessado, mas outros haviam continuado a luta. Dez alunos de Nashville pegaram um ônibus até Birmingham, onde foram presos. Outros Viajantes substituíram o primeiro grupo. Houve mais violência por parte de grupos de brancos racistas. As Viagens da Liberdade tinham virado um movimento de massa.

— Mas perdi o emprego — disse George.

— Vamos para Atlanta trabalhar com King — propôs Verena na mesma hora.

George se espantou.

— Ele disse para você me chamar?

— Não, mas ele precisa de um advogado, e nenhum dos candidatos tem metade da sua inteligência.

George ficou intrigado. Quase havia se apaixonado por Maria Summers, mas seria bom esquecê-la: decerto nunca a veria de novo. Pensou se Verena sairia com ele caso os dois estivessem trabalhando para King.

— É uma ideia — falou. Mas queria pensar um pouco. — Seus pais vieram hoje? — perguntou, mudando de assunto.

— Claro. Venha conhecê-los.

Os pais de Verena apoiavam Kennedy e eram verdadeiras celebridades; George estava torcendo para que agora fossem a público criticar o presidente por sua fraca reação diante da violência segregacionista. Talvez ele e Verena, juntos, conseguissem convencê-los a dar uma declaração pública. Isso aliviaria bastante a dor no seu braço.

Ele atravessou o gramado ao lado de Verena.

— Mãe, pai, este é o meu amigo George Jakes — disse ela.

Seus pais eram um negro alto e bem vestido e uma branca com um penteado louro rebuscado. George já tinha visto fotos suas muitas vezes: eram um casal inter-racial famoso. Percy Marquand, o "Bing Crosby negro", era astro de cinema e um cantor de voz suave; Babe Lee era uma atriz de teatro especializada em papéis de mulheres de fibra.

Percy falou com seu barítono caloroso, gravado em uma dezena de discos de sucesso:

— Lá no Alabama esse seu braço foi quebrado por todos nós, Sr. Jakes. É uma honra apertar sua mão.

— Obrigado, mas, por favor, me chame de George.

Babe Lee estendeu a mão e o fitou nos olhos como se quisesse se casar com ele.

— Somos muito gratos a você, George, e estamos orgulhosos também.

Sua atitude era tão sedutora que George, constrangido, olhou de esguelha para o marido dela, pensando que Percy talvez estivesse zangado. No entanto, nem Verena nem o pai esboçaram qualquer reação, e ele se perguntou se Babe fazia isso com todos os homens que conhecia.

Assim que conseguiu libertar a mão do aperto dela, virou-se para Percy.

– Sei que o senhor fez campanha para Kennedy na eleição presidencial do ano passado. Não está com raiva do comportamento dele agora em relação aos direitos civis?

– Estamos todos decepcionados – respondeu Percy.

– E é bom estarem, mesmo! – intrometeu-se Verena. – Bobby Kennedy pediu uma trégua aos Viajantes. Dá para acreditar em uma coisa dessas? É claro que o CORE recusou. Este país é governado por leis, não por turbas amotinadas!

– Justamente o que o secretário de Justiça deveria ter defendido – acrescentou George.

Percy assentiu, impassível diante daquele duplo ataque.

– Ouvi dizer que o governo fez um acordo com os estados sulistas – disse ele. George apurou os ouvidos: aquilo não tinha saído nos jornais. – Os governadores concordaram em frear as turbas, e é isso que os irmãos Kennedy querem.

George sabia que, em política, ninguém nunca dava nada de graça.

– Em troca de quê?

– O secretário de Justiça vai deixar passar a prisão ilegal dos Viajantes da Liberdade.

Verena ficou indignada e irritada com o pai.

– Preferiria que você tivesse me contado isso antes, pai – falou, seca.

– Eu sabia que você ficaria brava, meu amor.

O tratamento condescendente fez o rosto de Verena ficar sombrio, e ela olhou para o outro lado.

George se concentrou na questão mais importante:

– O senhor vai protestar publicamente, Sr. Marquand?

– Pensei nisso – disse Percy. – Mas não acho que vá ter muito impacto.

– Talvez influencie os eleitores negros a não votarem em Kennedy em 1964.

– E estamos certos de querer isso? Ter alguém como Dick Nixon na Casa Branca seria pior para todos nós.

– Então *o que* nós podemos fazer? – indagou Verena, indignada.

– O que aconteceu lá no Sul no último mês demonstrou, sem sombra de dúvida, que a legislação tal como ela é hoje é fraca. Precisamos de uma nova lei de direitos civis.

– Amém – retrucou George.

– Eu talvez consiga ajudar a fazer isso acontecer – continuou Percy. – No momento, tenho uma pequena influência na Casa Branca. Se criticar os Kennedy, não terei nenhuma.

Na opinião de George, Percy deveria se pronunciar. Verena exprimiu o mesmo pensamento.

– Você deveria dizer o que é certo – falou. – Este país está cheio de pessoas prudentes. Foi assim que nos metemos nesta confusão.

Sua mãe se ofendeu.

– Seu pai é famoso por dizer o que é certo – rebateu, em tom de ultraje. – Ele arriscou o próprio pescoço em incontáveis ocasiões.

George viu que Percy não se deixaria convencer. Mas talvez ele tivesse razão: uma nova lei de direitos civis que tornasse impossível para os estados sulistas oprimirem os negros talvez fosse a única solução legítima.

– É melhor eu ir procurar meus pais – disse ele. – Foi uma honra conhecê-los.

– Pense em ir trabalhar para Martin – gritou Verena enquanto ele se afastava.

George foi até o parque no qual os diplomas de Direito seriam distribuídos. Um tablado provisório tinha sido erguido, e mesas de cavalete foram montadas debaixo de toldos para o almoço que seria servido a seguir. Não demorou a encontrar os pais.

Sua mãe estava usando um vestido amarelo novo. Devia ter juntado dinheiro para adquiri-lo: orgulhosa, nunca permitira que os ricos Peshkov lhe comprassem coisas, só para George. Olhou de cima a baixo o filho de beca e capelo.

– Nunca senti tanto orgulho na vida! – falou. Então, para espanto de George, desatou a chorar.

Ele ficou surpreso; aquilo não era comum. Jacky passara os últimos 25 anos se recusando a demonstrar fraqueza. Ele passou o braço em volta da mãe.

– Que sorte a minha ter você, mãe.

Soltou-a delicadamente e enxugou suas lágrimas com um lenço branco. Então se virou para o pai. Como a maioria dos ex-alunos de Harvard, Greg estava usando um chapéu de palha com o ano de sua formatura impresso na faixa, 1942.

– Parabéns, meu garoto – falou, apertando a mão de George.

Bem, pensou o rapaz, pelo menos ele veio.

Seus avós apareceram instantes depois. Ambos eram imigrantes russos. O avô, Lev Peshkov, começara administrando bares e boates em Buffalo e agora era dono de um estúdio em Hollywood; sempre fora um dândi, e nesse dia ostentava um terno branco. George nunca soube o que pensar a seu respeito. As pessoas diziam que ele era um homem de negócios implacável, com pouco respeito pela lei. Por outro lado, Lev sempre fora gentil com o neto negro e, além de pagar seus estudos, também lhe dera uma gorda mesada.

Segurou George pelo braço e disse, em tom de confidência:

94

– Tenho apenas um conselho a lhe dar para sua carreira de advogado: não defenda criminosos.

– Por quê?

– Porque eles são uns perdedores. – Seu avô deu uma risadinha.

Muita gente acreditava que o próprio Lev Peshkov tivesse sido um criminoso, um contrabandista de bebidas nos tempos da Lei Seca.

– *Todos*? – perguntou George.

– Os que são pegos, sim – respondeu Lev. – Os outros não precisam de advogados. – Ele riu com gosto.

A avó de George, Marga, beijou-o carinhosamente.

– Não preste atenção no que o seu avô diz – falou.

– Tenho de prestar – retrucou George. – Ele pagou meus estudos.

Lev apontou um dedo para o neto.

– Que bom que você não esquece.

Marga ignorou o marido.

– Olhe só para você – disse para George com uma voz cheia de afeto. – Tão bonito e agora advogado!

George era seu único neto e ela o mimava muito. Com certeza antes do final do dia lhe daria 50 dólares discretamente.

Marga tinha sido cantora de boate, e aos 65 anos ainda se movimentava como se estivesse subindo ao palco dentro de um vestido justo. Seus cabelos pretos a essa altura deviam ser pintados. George sabia que a avó estava usando mais joias do que pedia um evento ao ar livre, mas imaginou que na condição de amante, e não de esposa, ela sentisse necessidade daqueles símbolos de status.

Havia mais de cinquenta anos que Marga era amante de Lev, e Greg era o único filho do casal.

Lev tinha também uma esposa, Olga, e uma filha, Daisy, que era casada com um inglês e morava em Londres. Portanto, George tinha primos ingleses que não conhecia – todos brancos, supunha.

Marga beijou Jacky, e George reparou que as pessoas em volta lhes lançaram olhares de espanto e reprovação. Mesmo na liberal Harvard, era raro ver uma pessoa branca beijando uma negra. Mas a família de George sempre atraía olhares nas raras ocasiões em que todos apareciam juntos em público. Mesmo em lugares que aceitavam todas as raças, uma família mista ainda podia trazer à tona os preconceitos latentes dos brancos. Ele sabia que, antes de o dia terminar, ouviria alguém murmurar a palavra "vira-lata". Ignoraria o insulto. Seus avós negros já tinham morrido fazia tempo e aqueles eram seus únicos parentes vivos. Ver aquelas quatro pessoas explodindo de orgulho na sua formatura valia qualquer preço.

– Almocei ontem com o velho Renshaw – falou Greg. – Convenci-o a renovar a proposta de trabalho da Fawcett Renshaw.

– Ah, que maravilha! – exclamou Marga. – No fim das contas você vai mesmo ser advogado em Washington, George!

Jacky abriu um raro sorriso para Greg.

– Obrigada – falou.

Greg ergueu um dedo em sinal de alerta.

– Com algumas condições.

– Ah, George vai concordar com qualquer coisa dentro dos limites do razoável – falou Marga. – É uma oportunidade excelente para ele.

Apesar de saber que ela queria dizer *para um rapaz negro*, George não protestou. De toda forma, sua avó estava certa.

– Que condições? – indagou, cauteloso.

– Nada que não se aplique a qualquer advogado do mundo – respondeu Greg. – Você não pode se meter em encrenca, só isso. Um advogado não pode contrariar as autoridades.

George ficou desconfiado.

– Como assim, encrenca?

– É só não participar de mais nenhum tipo de protesto, passeatas, manifestações, essas coisas. De toda forma, no seu primeiro ano como sócio você não vai mesmo ter tempo para essas coisas.

Aquilo deixou George irritado.

– Quer dizer que eu começaria minha vida profissional prometendo não fazer nada em prol da causa da liberdade.

– Não veja as coisas assim – falou seu pai.

George engoliu uma resposta irada. Sabia que a família só queria o melhor para ele. Tentando manter um tom de voz neutro, perguntou:

– E como eu deveria ver as coisas?

– O seu papel no movimento em defesa dos direitos civis não seria o de um soldado da linha de frente, só isso. Apoie a causa. Mande um cheque uma vez por ano para a NAACP. – A Associação Nacional para o Desenvolvimento das Pessoas Negras, o mais antigo e conservador grupo de direitos civis, havia contestado os Viajantes da Liberdade por considerá-los provocadores demais. – Fique na sua e pronto. Deixe outras pessoas subirem no ônibus.

– Pode ser que haja outro jeito – disse George.

– E qual seria?

– Eu poderia ir trabalhar para Martin Luther King.

– Ele lhe ofereceu um emprego?

– Fui sondado.

– E quanto ele pagaria?

– Não muito, imagino.

– Não pense que você pode recusar um ótimo emprego e depois vir me pedir mesada – falou Lev.

– Tudo bem, vovô – disse George, embora fosse exatamente isso que estivesse pensando. – Mas acho que vou aceitar mesmo assim.

Sua mãe se meteu na conversa:

– Ah, George, não faça isso – Ia falar mais, porém os formandos foram chamados para fazer a fila e pegar os diplomas. – Vá lá. Conversaremos melhor depois.

George se afastou da família e foi ocupar seu lugar na fila. A cerimônia começou e ele foi avançando. Lembrou-se de quando havia trabalhado na Fawcett Renshaw no verão anterior. O Sr. Renshaw se considerava um herói liberal por ter contratado um assistente jurídico negro, mas George recebera atribuições tão fáceis que chegavam a ser humilhantes, até para um estagiário. Fora paciente e ficara de olhos abertos para uma oportunidade, até que uma surgira de fato. Tinha feito uma pesquisa jurídica que permitira ao escritório ganhar uma causa, o que lhe valera uma oferta de emprego depois que se formasse.

Aquele tipo de coisa acontecia muito com ele. O mundo partia do princípio de que um aluno de Harvard devia ser inteligente e capaz – a menos que fosse negro; nesse caso, a regra não se aplicava. George tivera de passar a vida inteira provando que não era idiota, o que o deixava ressentido. Se algum dia tivesse filhos, sua esperança era que eles crescessem em um mundo diferente.

Chegou sua vez. Quando subiu o curto lance de escada que levava ao tablado, ficou surpreso ao ouvir sibilos.

Sibilar era uma tradição em Harvard, geralmente usada contra professores que davam aulas ruins ou eram grosseiros com os alunos. George ficou tão horrorizado que parou no meio da escada e olhou para trás. Seu olhar cruzou com o de Joseph Hugo. Hugo não era o único – os sibilos estavam altos demais para isso –, mas George teve certeza de que fora ele o responsável por orquestrar aquilo.

Sentiu-se detestado. Era humilhação demais para que subisse no tablado. Ficou ali, imóvel, e o sangue lhe subiu às faces.

Então alguém começou a bater palmas. George correu os olhos pelas fileiras de assentos e viu um professor em pé: era Merv West, um dos mais jovens do corpo docente. Outros seguiram seu exemplo e também aplaudiram, e as palmas logo abafaram os sibilos. Várias outras pessoas se levantaram. George imaginou que até mesmo quem não sabia quem ele era tinha adivinhado, por causa do braço engessado.

Tornou a reunir coragem e subiu no tablado. Gritos de incentivo ecoaram quando recebeu o diploma. Ele se virou devagar para encarar a plateia e agradeceu as palmas com um modesto meneio de cabeça. Então desceu.

Quando se juntou aos outros alunos, seu coração parecia querer explodir. Vários homens apertaram sua mão em silêncio. Ele estava ao mesmo tempo horrorizado com os sibilos e exultante com as palmas. Percebeu que estava suando e secou o rosto com um lenço. Que calvário.

Assistiu ao resto da formatura em meio a uma névoa, agradecido por ter tempo para se recuperar. Quando o choque provocado pelos sibilos passou, pôde ver que os responsáveis tinham sido Hugo e um punhado de malucos de direita, e que o restante da Harvard liberal o havia homenageado. Eu deveria sentir orgulho, pensou.

Os alunos se juntaram às suas famílias para almoçar. A mãe de George lhe deu um abraço.

– Eles aplaudiram você – disse ela.

– Foi. Mas no começo parecia que ia ser outra coisa.

Ele abriu os braços em um gesto de súplica.

– Como posso não participar dessa luta? – indagou. – Eu quero muito o emprego na Fawcett Renshaw e quero agradar à família que me apoiou durante todos esses anos de estudos... mas não é só isso. E se eu tiver filhos?

– Seria ótimo! – exclamou Marga.

– Mas, vó, meus filhos vão ser negros. Em que tipo de mundo irão crescer? Será que vão ser americanos de segunda classe?

A conversa foi interrompida por Merv West, que apertou a mão de George e o parabenizou pela formatura. O professor estava vestido um pouco aquém do que pedia a ocasião, com um terno de tweed e sem gravata.

– Obrigado por puxar as palmas, professor – falou George.

– Não precisa agradecer, você mereceu.

George apresentou a família.

– Estávamos aqui justamente conversando sobre o meu futuro.

– Espero que ainda não tenha tomado nenhuma decisão definitiva.

George ficou curioso. O que significaria aquilo?

– Ainda não – respondeu. – Por quê?

– Tenho conversado com o secretário de Justiça Bobby Kennedy... ele se formou em Harvard, como você sabe.

– Espero que tenha dito a ele que a sua forma de lidar com o que aconteceu no Alabama foi uma desgraça nacional.

West abriu um sorriso triste.

– Não foram exatamente as palavras que usei. Mas ele e eu concordamos que a reação do governo foi inadequada.

– Muito. Não posso imaginar que ele... – George interrompeu a frase quando algo lhe ocorreu. – O que isso tem a ver com decisões sobre o meu futuro?

– Bobby decidiu contratar um jovem advogado negro, para o gabinete do secretário ter um ponto de vista negro sobre os direitos civis. Ele me perguntou se eu teria alguém para indicar.

George ficou tonto por alguns segundos.

– Está dizendo que...

West ergueu a mão em um gesto de alerta.

– Não estou lhe oferecendo o emprego... só Bobby pode fazer isso. Mas posso conseguir a entrevista para você, se quiser.

– George! – exclamou Jacky. – Trabalhar com Bobby Kennedy! Seria fantástico!

– Mãe, os Kennedy nos decepcionaram muito.

– Então vá trabalhar com Bobby para mudar isso!

George hesitou. Olhou para as expressões animadas à sua volta: a mãe, o pai, a avó, o avô, depois tornou a olhar para a mãe.

– Pode ser – falou, por fim.

CAPÍTULO OITO

Dimka Dvorkin estava arrasado por ainda ser virgem aos 22 anos.
 Havia namorado várias garotas na universidade, mas nenhuma delas o deixara ir até o fim. De toda forma, não tinha certeza de que deveria. Ninguém chegara a lhe dizer que o sexo deveria fazer parte de um relacionamento amoroso de longo prazo, mas ele meio que sentia isso mesmo assim. Nunca experimentara aquela pressa louca de transar que alguns rapazes tinham. Mesmo assim, sua falta de experiência já estava virando um constrangimento.

Seu amigo Valentin Lebedev era o oposto. Alto e seguro de si, tinha cabelos negros, olhos azuis e charme para dar e vender. Ao final do primeiro ano na Universidade de Moscou, já tinha ido para a cama com a maioria das alunas e com uma professora do departamento de Política.

Bem no início de sua amizade, Dimka lhe perguntara:

– O que você faz para... enfim, para evitar a gravidez?

– Isso é problema da garota, não é? – retrucou Valentin com descaso. – Se o pior acontecer, fazer um aborto não é tão difícil assim.

Ao conversar com outros amigos, Dimka descobriu que muitos rapazes soviéticos tinham a mesma atitude. Homens não engravidavam, então aquilo não era problema deles; além do mais, o aborto era legalizado até doze semanas de gestação. Mas não conseguia se sentir à vontade com o comportamento de Valentin, talvez porque sua irmã o desdenhasse tanto.

O principal interesse de Valentin era o sexo; os estudos vinham em segundo lugar. Com Dimka acontecia o contrário – por isso ele era assessor no Kremlin, ao passo que Valentin trabalhava para o Departamento de Parques e Jardins de Moscou.

Foi graças aos seus contatos no trabalho que, em julho de 1961, Valentin conseguiu fazer os dois irem passar uma semana no VI Acampamento de Férias Lênin para Jovens Comunistas.

O acampamento tinha um quê de militar, com barracas armadas em fileiras bem retas e toque de recolher às dez e meia, mas havia uma piscina, um lago para andar de barco e pencas de garotas; uma semana lá era um privilégio muito cobiçado.

Dimka sentia que merecia umas férias. A Cúpula de Viena tinha sido uma vitória para a União Soviética, e parte do crédito era sua.

Na verdade, Viena começara mal para Kruschev. Kennedy e sua estonteante esposa tinham chegado à cidade a bordo de uma frota de limusines enfeitadas com dezenas de bandeiras dos Estados Unidos. Quando os dois líderes se encontraram, espectadores de TV de todas as partes do mundo viram que Kennedy era vários centímetros mais alto e dominava Kruschev, espiando por baixo da ponta do nariz de aristocrata o cocuruto careca do russo. Seus ternos de alfaiataria e gravatas fininhas faziam Kruschev parecer um camponês endomingado. Os Estados Unidos tinham saído vitoriosos de um concurso de glamour do qual a URSS nem sequer sabia que estava participando.

Começadas as discussões, porém, Kruschev havia dominado a situação. Quando Kennedy tentou ter uma conversa amigável, como entre dois homens sensatos, o premiê soviético pôs-se a falar alto e ficou agressivo. Kennedy sugeriu que não era lógico a URSS incentivar o comunismo em países do Terceiro Mundo e depois protestar, indignada, quando os Estados Unidos tentavam fazer o comunismo recuar na esfera soviética. Com desdém, Kruschev retrucou que a expansão do comunismo era historicamente inevitável, e nada que nenhum dos dois líderes pudesse fazer iria impedir isso. Kennedy, que não conhecia muito bem a filosofia marxista, não soubera o que dizer.

A estratégia desenvolvida por Dimka e outros conselheiros saíra vitoriosa. De volta a Moscou, Kruschev ordenou a distribuição de dezenas de exemplares das atas da cúpula, não apenas no bloco soviético, mas para líderes de países tão distantes quanto Camboja e México. Desde então, Kennedy se mantivera calado e nem sequer reagira à ameaça de Kruschev de ocupar a parte ocidental de Berlim. E Dimka saíra de férias.

No primeiro dia, vestiu suas roupas novas: camisa quadriculada de mangas curtas e um short que a mãe havia feito reaproveitando a calça meio gasta de um terno de sarja azul.

– Esse short está na moda no Ocidente? – perguntou Valentin.

Dimka riu.

– Que eu saiba, não.

Enquanto o amigo se barbeava, ele foi comprar mantimentos.

Assim que saiu, ficou feliz ao ver, bem ali ao lado, uma moça acendendo o pequeno fogareiro portátil do qual eram providas todas as barracas. Era um pouco mais velha do que Dimka, uns 27 anos, avaliou ele. Tinha cabelos castanho-avermelhados fartos e curtos, e um rosto sardento e atraente. Estava vestida de modo extremamente estiloso, com uma blusa laranja e uma calça preta que acabava logo abaixo do joelho.

– Oi! – disse Dimka, sorrindo. Ela ergueu os olhos para ele. – Quer ajuda com isso?

Ela acendeu o fogareiro com um fósforo e entrou na barraca sem dizer nada.

Bem, não é com ela que eu vou perder a virgindade, pensou Dimka, e se afastou.

Comprou ovos e pão na loja ao lado do pavilhão de banheiros comunitários. Quando voltou, havia duas garotas em frente à barraca ao lado: aquela primeira com quem ele tinha falado e uma loura bonita de corpo esguio. A loura usava uma calça preta do mesmo tipo que a da amiga, só que com uma blusa rosa. Valentin estava conversando com elas e ambas riam.

Ele as apresentou a Dimka. A ruiva se chamava Nina e, embora ainda parecesse reservada, não fez qualquer referência ao primeiro encontro que tiveram mais cedo. A loura se chamava Anna e ficou claro que era a mais extrovertida, sempre sorridente e jogando os cabelos para trás com um gesto gracioso.

Dimka e Valentin tinham levado uma frigideira de ferro na qual pretendiam fazer toda a sua comida, e Dimka a enchera com água para ferver os ovos; as moças, no entanto, estavam mais bem equipadas, e Nina pegou os ovos para preparar blinis.

Aquilo parecia promissor, pensou Dimka.

Enquanto comiam, ficou observando Nina. O nariz estreito, a boca pequena e o queixo delicado e pontudo lhe davam um ar distante, como se estivesse sempre avaliando as coisas. Mas ela era voluptuosa, e Dimka sentiu a garganta seca ao pensar que talvez fosse vê-la de maiô.

– Dimka e eu vamos pegar um barco e remar até a outra margem do lago – disse Valentin. Era a primeira vez que Dimka ouvia falar nesse plano, mas não contestou. – Por que não vamos os quatro juntos? Podemos levar comida e fazer um piquenique.

Aquilo não podia ser tão fácil assim, pensou Dimka. Eles haviam acabado de se conhecer!

As moças se entreolharam por um instante, como se conversassem por telepatia, e então Nina falou depressa:

– Vamos ver. Primeiro vamos tirar a mesa.

Ela começou a recolher pratos e talheres.

Foi decepcionante, mas talvez o assunto não estivesse encerrado.

Dimka se ofereceu para levar a louça suja até o pavilhão dos banheiros.

– Onde você arrumou esse short? – perguntou Nina enquanto caminhavam.

– Minha mãe que fez.

Ela riu.

– Que graça.

Dimka se perguntou o que sua irmã poderia estar querendo dizer se falasse aquilo para um homem, e concluiu que significava que ele era gentil, mas não atraente.

O pavilhão de concreto abrigava toaletes, chuveiros e grandes pias comunitárias. Dimka ficou olhando Nina lavar a louça. Tentou pensar em coisas para dizer, mas nada lhe ocorreu. Se ela lhe perguntasse sobre a crise em Berlim, ele poderia passar o dia inteiro falando. Mas não tinha dom algum para a fieira de bobagens que Valentin sabia fazer jorrar da boca sem qualquer esforço. Depois de algum tempo, conseguiu articular:

– Você e Anna são amigas há muito tempo?

– Trabalhamos juntas – respondeu Nina. – Nós duas trabalhamos na administração da sede do sindicato dos metalúrgicos em Moscou. Eu me divorciei há um ano e Anna estava procurando alguém com quem dividir apartamento, então agora moramos juntas.

Divorciada, pensou Dimka; isso queria dizer que ela era sexualmente experiente. Sentiu-se intimidado.

– Como era o seu marido?

– Ele é um merda – respondeu Nina. – Não gosto de falar dele.

– Tudo bem. – Desesperado, ele tentou encontrar alguma coisa inofensiva para dizer. – Anna parece uma moça bem simpática – arriscou.

– Ela conhece muita gente.

Parecia um comentário estranho de se fazer sobre uma amiga.

– Como assim?

– O pai dela nos arrumou estas férias. Ele é o secretário do sindicato para o distrito de Moscou.

Ela parecia sentir orgulho disso.

Dimka levou a louça limpa de volta para as barracas. Quando chegaram, Valentin falou, alegre:

– Fizemos sanduíches... presunto com queijo.

Anna olhou para Nina e fez um gesto de impotência, como quem avisa que fora incapaz de frear o rolo compressor que era Valentin, mas ficou claro para Dimka que ela na verdade não quisera detê-lo. Nina deu de ombros e assim ficou decidido que os quatro fariam o piquenique.

Tiveram de fazer fila para pegar um barco, mas os moscovitas estavam acostumados com filas, e no final da manhã já navegavam pelas águas claras e geladas. Valentin e Dimka se revezavam nos remos enquanto as moças tomavam sol. Ninguém pareceu achar necessário jogar conversa fora.

Do outro lado do lago, amarraram o barco em uma prainha. Valentin tirou a camisa e Dimka o imitou. Anna tirou a blusa e a calça; por baixo estava usando uma roupa de banho azul-celeste de duas peças. Dimka sabia que aquilo se chamava biquíni e estava na moda no Ocidente, mas era a primeira vez que via um, e ficou constrangido com a própria excitação. Quase não conseguiu desgrudar os olhos daquela barriga chapada lisinha e daquele umbigo.

Para sua decepção, Nina ficou de roupa.

Eles comeram os sanduíches e Valentin sacou uma garrafa de vodca. Dimka sabia que a loja da colônia de férias não vendia álcool.

– Comprei do supervisor dos barcos – explicou Valentin. – Ele montou uma pequena operação capitalista.

Dimka não se espantou: a maioria das coisas que as pessoas realmente queriam era vendida no mercado negro, de televisores a calças jeans.

A garrafa passou de mão em mão e as moças beberam goles generosos.

Nina secou a boca com as costas da mão.

– Vocês dois trabalham juntos no Parques e Jardins?

– Não – respondeu Valentin, rindo. – Dimka é inteligente demais para isso.

– Eu trabalho no Kremlin – falou Dimka.

Nina ficou impressionada.

– O que você faz lá?

Ele não gostava muito de dizer, porque parecia que estava se gabando.

– Sou assessor do primeiro-secretário.

– Do camarada Kruschev?! – indagou Nina, pasma.

– Isso.

– Como conseguiu um emprego assim?

– Ele é inteligente, já falei. Foi o melhor aluno de todas as turmas.

– Ninguém consegue um emprego assim só tirando boas notas – disse Nina, seca. – Quem você conhece?

– Meu avô, Grigori Peshkov, invadiu o Palácio de Inverno na Revolução de Outubro.

– Isso não garante um bom emprego.

– Bom, meu pai era da KGB; ele morreu ano passado. Meu tio é general. E eu sou *mesmo* inteligente.

– E modesto – disse ela, mas seu sarcasmo soou bem-humorado. – Qual é o nome do seu tio?

– Vladimir Peshkov. Na família ele é chamado de Volodya.

– Já ouvi falar no general Peshkov. Quer dizer então que ele é seu tio... Com uma família dessas, como é que você usa um short costurado em casa?

Dimka ficou confuso. Pela primeira vez Nina se mostrava interessada nele, mas não conseguia saber se era por admiração ou por desdém. Talvez fosse apenas o jeito dela.

Valentin se levantou.

– Venha, vamos explorar – falou para Anna. – Vamos deixar esses dois aqui conversando sobre o short que Dimka está usando. – Ele estendeu a mão.

Anna a segurou e deixou que ele a puxasse até pô-la de pé. Os dois então se afastaram de mãos dadas em direção à mata.

– Seu amigo não gosta de mim – falou Nina.

– Mas gosta de Anna.

– Ela é bonita.

– E você é linda – retrucou Dimka baixinho.

Não havia planejado dizer isso, simplesmente saiu. Mas era verdade.

Nina o encarou, pensativa, como se o estivesse reavaliando. Então perguntou:

– Quer nadar?

Dimka não gostava muito de água, mas queria vê-la de maiô. Tirou a roupa; estava de calção por baixo do short.

Nina usava um maiô inteiro de náilon marrom em vez de biquíni, mas o preenchia tão bem que Dimka não ficou desapontado. Ela era o oposto da esbelta Anna: tinha seios fartos, quadris largos e um pescoço todo sardento. Reparou no olhar dele sobre seu corpo, virou-lhes as costas e correu para a água.

Dimka foi atrás.

Apesar do sol, o lago estava gelado, mas mesmo assim ele gostou do contato sensual da água em seu corpo. Os dois nadaram vigorosamente para se aquecer. Foram até o meio do lago, depois voltaram para a margem mais devagar. Paramos antes de chegar à praia, e Dimka deixou os pés alcançarem o fundo. A água batia em suas cinturas. Ele olhou para os seios de Nina: a água fria fazia seus mamilos se contraírem e ficarem aparentes por baixo do maiô.

– Pare de olhar – disse ela, jogando água na cara dele de brincadeira.

Ele revidou.

– Então tá! – exclamou ela, e o segurou pela cabeça para tentar lhe dar um caldo.

Dimka se debateu e a segurou pela cintura. Os dois lutaram dentro d'água. Embora fosse pesado, o corpo de Nina era firme, e ele apreciou aquela solidez. Passou os dois braços em volta dela e tirou seus pés do chão. Quando ela se debateu, rindo e tentando se soltar, ele a puxou com mais firmeza para junto de si e sentiu no rosto o contato de seus seios macios.

– Eu me rendo! – gritou ela.

A contragosto, ele a recolocou no chão. Por um instante, os dois se entreolharam e ele viu nos olhos dela uma centelha de desejo. Alguma coisa havia mudado sua atitude em relação a ele: a vodca, a consciência de que ele era um poderoso *apparatchik*, a empolgação da brincadeira na água, ou talvez as três coisas juntas. Não fazia diferença: ele viu o convite no sorriso dela e lhe deu um beijo na boca.

Ela retribuiu com entusiasmo.

Perdido nas sensações provocadas pelos lábios e pela língua dela, ele esqueceu a água fria, mas alguns minutos depois Nina estremeceu e disse:

– Vamos sair.

Ele lhe deu a mão enquanto atravessavam a água rasa até o seco. Deitaram-se na grama lado a lado e voltaram a se beijar. Dimka tocou seus seios e começou a pensar se aquele seria o dia em que iria perder a virgindade.

Então foram interrompidos por uma voz dura que saiu de um megafone:

– Levem os barcos de volta para o cais! Seu tempo acabou!

– É a polícia do sexo – murmurou Nina.

Apesar da decepção, Dimka riu.

Ao erguer os olhos, viu um bote de borracha com motor de popa passando a uns 100 metros da margem.

Acenou para avisar que tinham escutado. Eles podiam ficar com o barco por duas horas. Supunha que um suborno ao supervisor poderia ter lhes garantido uma extensão de prazo, mas não havia pensado nisso antes. Na verdade, nem sequer sonhava que sua situação com Nina fosse evoluir tão depressa.

– Não podemos voltar sem os outros – disse ela, mas segundos depois Valentin e Anna surgiram da mata.

Deviam estar bem ali por perto, pensou Dimka, e também tinham escutado o aviso pelo megafone.

Os rapazes se afastaram um pouco das moças e todos vestiram as roupas por cima dos trajes de banho. Dimka ouviu Nina e Anna conversando em voz baixa, Anna em tom urgente, e Nina dando risadinhas e concordando com meneios de cabeça.

Então Anna encarou Valentin com um olhar significativo. Aquilo parecia ser um sinal combinado de antemão. Valentin assentiu e virou-se para Dimka. Bem baixinho, falou:

– Vamos os quatro ao baile de dança folclórica hoje à noite. Quando voltarmos, Anna vai para a nossa barraca comigo. E você vai para a delas com Nina. Tudo bem?

Estava mais do que tudo bem: aquilo era incrível.

– Você combinou tudo com Anna?

– Combinei, e Nina acabou de concordar.

Dimka mal pôde acreditar. Seria capaz de passar a noite inteira abraçando aquele corpo rijo.

– Ela gosta de mim!

– Deve ser o short.

Eles subiram no barco e remaram de volta. As moças anunciaram que iriam tomar uma ducha assim que chegassem. Dimka ficou pensando em como poderia fazer o tempo passar depressa até a noite.

Quando chegaram ao deque, viram um homem de terno preto à sua espera.

Por instinto, Dimka soube que era um mensageiro para ele. Eu deveria ter desconfiado, pensou, pesaroso; tudo estava indo bem demais.

Todos desceram do barco. Nina olhou para o homem que suava dentro do terno e perguntou:

– Nós vamos ser presos por ficar tempo demais com o barco?

Não era de todo uma brincadeira.

– O senhor quer falar comigo? – indagou Dimka. – Sou Dmitri Dvorkin.

– Sim, Dmitri Ilich – respondeu o homem, respeitoso, usando seu patronímico. – Sou o seu motorista. Vim levá-lo para o aeroporto.

– Qual é a emergência?

O sujeito deu de ombros.

– O primeiro-secretário quer falar com o senhor.

– Vou pegar minhas coisas – disse Dimka, a contragosto.

Para seu parco consolo, Nina estava embasbacada.

O carro levou Dimka até o aeroporto de Vnukovo, a sudoeste de Moscou, onde Vera Pletner o aguardava com um envelope grande na mão e uma passagem para Tbilisi, capital da república socialista soviética da Geórgia.

Kruschev não estava em Moscou, mas sim em sua dacha, a residência secundária que tinha em Pitsunda, balneário no mar Negro apreciado pelos altos funcionários do governo; era para lá que Dimka estava indo.

Era a primeira vez que andava de avião.

Não era o único assessor cujas férias tinham sido interrompidas. No salão de embarque, prestes a abrir o envelope, foi abordado por Yevgeny Filipov; apesar do clima de verão, o outro assessor usava sua habitual camisa de flanela cinza. Tinha um ar satisfeito, o que não podia ser bom sinal.

– Sua estratégia fracassou – disse ele para Dimka com evidente satisfação.

– O que houve?

– O presidente Kennedy fez um pronunciamento na televisão.

Kennedy passara sete semanas calado, desde a Cúpula de Viena. Os Estados Unidos não haviam reagido à ameaça de Kruschev de assinar um tratado com a Alemanha Oriental e retomar a parte ocidental de Berlim. Dimka imaginara que o presidente americano estivesse acovardado demais para enfrentar Kruschev.

– Sobre o quê?

– Ele disse para o povo americano se preparar para uma guerra.

Então era essa a emergência.

O embarque foi anunciado.

– O que Kennedy falou exatamente? – perguntou Dimka.

– Falando sobre Berlim, ele disse: "Um ataque àquela cidade será considerado um ataque a todos nós." A íntegra do discurso está aí dentro do seu envelope.

Quando eles embarcaram, Dimka ainda estava usando seu short de férias. O avião era um jato Tupolev Tu-104. Dimka olhou pela janela durante a decolagem. Sabia como funcionavam as aeronaves, entendia como a superfície superior curva das asas criava uma diferença na pressão do ar, mas mesmo assim pareceu-lhe magia quando o avião subiu aos ares.

Por fim, forçou-se a desgrudar os olhos lá de fora e abriu o envelope.

Filipov não tinha exagerado.

Kennedy não estava apenas fazendo bravatas ameaçadoras. Propunha triplicar o alistamento obrigatório, convocar os reservistas e aumentar o Exército americano para um milhão de homens. Estava preparando um novo corredor aéreo até Berlim, transferindo seis divisões para a Europa e planejando sanções econômicas a países-membros do Pacto de Varsóvia.

Além disso, havia aumentado o orçamento militar em mais de três *bilhões* de dólares.

Dimka percebeu que a estratégia planejada por Kruschev e seus assessores tinha sido um fracasso retumbante. Todos eles haviam subestimado o belo e jovem presidente. No final das contas, Kennedy não se deixara intimidar.

O que Kruschev poderia fazer?

Talvez ele fosse obrigado a renunciar. Nenhum líder soviético jamais fizera isso – tanto Lênin quanto Stalin tinham morrido no poder –, mas na política revolucionária sempre havia uma primeira vez para tudo.

Dimka leu o discurso duas vezes e passou o resto da viagem de duas horas refletindo a respeito. Só havia uma alternativa à renúncia de Kruschev, pensou: demitir todos os assessores, arrumar novos conselheiros e reformular o Presidium, dando mais poder a seus inimigos, como reconhecimento de que ele estava errado e garantia de buscar conselhos mais sensatos no futuro.

De toda forma, era o fim da curta carreira de Dimka no Kremlin. Talvez aquilo tivesse sido ambicioso demais, pensou ele, pessimista. Sem dúvida um futuro mais modesto o aguardava.

Pensou se a voluptuosa Nina ainda iria querer passar a noite com ele.

O voo pousou em Tbilisi, e uma pequena aeronave militar levou Dimka e Filipov até uma pista de pouso no litoral.

Natalya Smotrov, do Ministério das Relações Exteriores, os aguardava lá. O ar úmido da beira-mar deixara seus cabelos encaracolados, o que lhe dava um aspecto libertino.

– Más notícias de Pervukhin – disse ela enquanto os acompanhava para longe do avião. Mikhail Pervukhin era o embaixador soviético na Alemanha Oriental. – O fluxo de emigrantes para o Ocidente virou uma enxurrada.

Filipov fez cara de irritação, decerto porque Natalya não tinha lhe dado aquela notícia antes.

– De que números estamos falando?

– Quase mil pessoas por dia.

Dimka ficou estarrecido.

– Mil *por dia*?

Natalya assentiu.

– Pervukhin disse que o governo da Alemanha Oriental não é mais estável. O país está à beira do colapso. Há risco de levante popular.

– Está vendo? – disse Filipov para Dimka. – Foi isso que a sua política causou.

Dimka não soube o que responder.

Natalya avançou pela estrada à beira-mar até uma península arborizada e entrou por um imenso portão de ferro aberto em um longo muro de estuque. Entre gramados perfeitos erguia-se uma mansão branca com uma varanda comprida no andar superior. Ao lado da casa, uma piscina olímpica. Dimka nunca tinha visto uma casa com piscina particular.

– Ele está na beira do mar – disse um guarda a Dimka, meneando a cabeça em direção ao outro extremo da casa.

Dimka avançou por entre as árvores até uma praia de seixos. Um soldado com uma metralhadora lançou-lhe um olhar duro quando ele passou.

Encontrou Kruschev debaixo de uma palmeira. O segundo homem mais poderoso do mundo era baixo, gordo, careca e feio. Usava uma calça social presa por suspensórios e uma camisa branca com as mangas arregaçadas. Estava sentado em uma cadeira de praia feita de vime, e sobre uma mesinha à sua frente havia uma jarra d'água e um copinho de vidro. Não parecia estar fazendo nada.

Olhou para Dimka e perguntou:

– Onde arrumou esse short?

– Foi minha mãe quem costurou.

– Eu deveria ter um short.

Dimka disse as palavras que havia ensaiado:

– Camarada primeiro-secretário, quero apresentar minha demissão.

Kruschev o ignorou.

– Nos próximos vinte anos, nós vamos ultrapassar os Estados Unidos tanto em poderio militar quanto em prosperidade econômica – falou, como quem continua uma conversa já em andamento. – Mas, enquanto isso, como vamos impedir a potência mais forte de dominar a política mundial e conter a expansão do comunismo?

– Não sei – respondeu o rapaz.

– Observe – disse Kruschev. – Eu sou a União Soviética. – Empunhando a jarra, ele serviu água no copinho devagar até a borda. Então passou a jarra para Dimka. – Você é os Estados Unidos. Agora sirva água no copo.

Dimka fez o que ele mandava. O copo transbordou, e a água encharcou a toalha branca da mesa.

– Está vendo? – indagou Kruschev, como se houvesse conduzido uma demonstração. – Quando o copo já está cheio, não é possível enchê-lo mais sem fazer lambança.

Dimka não entendeu nada. Fez a pergunta esperada:

– Qual é o significado disso, Nikita Sergueievitch?

– A política internacional é como um copo. Movimentos agressivos de qualquer parte despejam mais água. O transbordamento é a guerra.

Dimka então entendeu.

– Quando a tensão já está no máximo, ninguém pode fazer movimento nenhum sem provocar uma guerra.

– Muito bem. E os americanos não querem uma guerra, assim como nós não queremos. Portanto, se mantivermos a tensão internacional no máximo e o copo cheio até a borda, o presidente americano ficará impotente. Como não pode agir sem provocar uma guerra, será obrigado a não fazer nada!

Dimka percebeu que o raciocínio era brilhante, e demonstrava como a potência mais fraca podia levar a melhor.

– Quer dizer que Kennedy agora não pode fazer nada? – indagou.

– Porque o próximo movimento dele é uma guerra!

Será que aquele era o plano de Kruschev desde o início?, perguntou-se Dimka. Ou será que ele tinha apenas inventado tudo aquilo depois, para se justificar? O premiê era acima de tudo um improvisador. Pouco importava.

– Mas então o que vamos fazer em relação à crise de Berlim? – indagou.

– Nós vamos construir um muro – respondeu Kruschev.

CAPÍTULO NOVE

George Jakes levou Verena Marquand para almoçar no Jockey Club. Na realidade não se tratava de um clube, mas de um novo e chique restaurante no Hotel Fairfax que caíra nas graças da turma de Kennedy. George e Verena eram o casal mais bem-arrumado do lugar, ela deslumbrante em um vestido quadriculado de guingão com um largo cinto vermelho, ele com um blazer de linho azul-escuro de alfaiataria e gravata listrada. Mesmo assim, foram postos em uma mesa junto à porta da cozinha. Washington era uma cidade integrada, mas não desprovida de preconceitos. George não se deixou abalar.

Verena estava na cidade com os pais. O casal fora convidado à Casa Branca mais tarde nesse dia para um coquetel de agradecimento aos grandes doadores de campanha como os Marquand – e, como George sabia, também para garantir seu apoio nas eleições seguintes.

Verena olhou em volta com ar de apreciação.

– Faz muito tempo que não vou a um restaurante decente – comentou. – Atlanta é um deserto.

Filha de astros de Hollywood, ela fora criada achando que o luxo era normal.

– Você deveria se mudar para cá – disse-lhe George, fitando seus olhos verdes cativantes.

O vestido sem mangas valorizava a perfeição de sua pele cor de café com leite, e Verena com certeza sabia disso. Se ela se mudasse para Washington, ele sem dúvida a chamaria para sair.

Estava tentando esquecer Maria Summers. Agora namorava Norine Latimer, estudante de história que trabalhava como secretária no Museu de História Americana. Ela era bonita e inteligente, mas o namoro não estava dando certo: ele ainda pensava em Maria o tempo todo. Talvez Verena fosse uma cura mais eficaz.

Naturalmente, guardou esse pensamento para si.

– Lá na Geórgia você está longe de tudo – falou.

– Nem tanto – retrucou ela. – Eu trabalho para Martin Luther King. Ele vai mudar os Estados Unidos mais do que John F. Kennedy.

– Isso porque o Dr. King só trata de uma questão: os direitos civis. O presidente cuida de cem. Ele é o defensor do mundo livre. No momento, sua maior preocupação é Berlim.

– Curioso, não? Ele acredita na liberdade e na democracia para a população de Berlim Oriental, mas não para os negros americanos do Sul do próprio país.

George sorriu. Verena era sempre combativa.

– Não se trata só de acreditar – disse ele. – Trata-se do que ele pode realizar.

Ela deu de ombros.

– E que diferença *você* pode fazer?

– O Departamento de Justiça emprega 950 advogados. Antes de eu chegar, só dez eram negros. Eu represento uma melhoria de dez por cento.

– E o que você já conseguiu fazer?

– O departamento está sendo duro com a Comissão de Comércio Interestadual. Bobby pediu a eles para banir a segregação no serviço de ônibus.

– E o que o leva a pensar que essa legislação vai ser mais aplicada do que todas as anteriores?

– Não muita coisa, até agora. – George estava frustrado, mas queria esconder de Verena o quanto. – Tem um cara chamado Dennis Wilson, um jovem advogado branco da equipe pessoal de Bobby, que me vê como uma ameaça e me deixa de fora das reuniões realmente importantes.

– Mas como é possível? Você foi contratado por Robert Kennedy. Ele não quer ouvir sua opinião?

– Preciso conquistar a confiança de Bobby.

– Você é um enfeite – disse ela com desdém. – Com sua presença lá, Bobby pode dizer ao mundo que um negro lhe dá conselhos sobre direitos civis. Ele não precisa escutar o que você diz.

George temia que ela tivesse razão, mas não deu o braço a torcer:

– Isso depende de mim. Eu preciso fazê-lo escutar.

– Vá para Atlanta – disse ela. – A vaga com o Dr. King continua aberta.

George fez que não com a cabeça.

– Minha carreira é aqui. – Lembrou-se do que Maria dissera e repetiu para Verena: – Os manifestantes podem ter um forte impacto, mas no fim das contas quem transforma o mundo são os governos.

– Alguns sim, outros não – falou ela.

Ao saírem, encontraram Jacky à sua espera no saguão do hotel. George havia combinado encontrar a mãe ali, mas não imaginava que ela fosse esperar do lado de fora do restaurante.

– Por que não entrou para se juntar a nós? – indagou.

Jacky ignorou a pergunta e se dirigiu a Verena:

– Nós nos conhecemos rapidamente no dia da formatura em Harvard – falou.

– Como vai, Verena? – Estava se esforçando para ser educada, o que George sabia ser um sinal de que ela na verdade não gostava da moça.

Ele acompanhou Verena até um táxi e se despediu dela com um beijo na bochecha.

– Foi um prazer rever você – falou.

Ele e a mãe seguiram a pé até o Departamento de Justiça. Ela queria ver onde o filho trabalhava. George havia combinado sua visita em um dia tranquilo: Bobby Kennedy estava na sede da CIA em Langley, Virgínia, a pouco mais de 10 quilômetros do centro da cidade.

Jacky havia tirado uma folga do trabalho. Estava vestida à altura da ocasião, com chapéu e luvas, como quem vai à igreja. Enquanto caminhavam, George perguntou:

– O que você acha de Verena?

– É uma moça linda – respondeu Jacky.

– Você iria gostar das opiniões políticas dela – falou George. – Você e Kruschev. – Ele estava exagerando, mas tanto Verena quanto Jacky eram ultraliberais. – Ela acha que os cubanos têm o direito de serem comunistas se quiserem.

– E têm mesmo – disse Jacky, provando que ele estava certo.

– Do que você não gosta nela, então?

– De nada.

– Mãe, nós homens não somos muito intuitivos, mas passei minha vida inteira estudando você e sei quando tem reservas.

Ela sorriu e tocou afetuosamente o braço do filho.

– Você está atraído e posso entender por quê: ela é uma moça irresistível. Não quero falar mal de alguém de quem você gosta, mas...

– Mas o quê?

– Talvez seja difícil ser casado com Verena. Tenho a sensação de que ela pensa em si mesma em primeiro, segundo e terceiro lugar.

– Você a acha egoísta.

– Egoístas somos todos. Eu a acho mimada.

George assentiu e tentou não se ofender. Sua mãe provavelmente estava certa.

– Não precisa se preocupar – falou. – Ela está decidida a continuar em Atlanta.

– Bom, talvez seja melhor assim. Eu só quero que você seja feliz.

O Departamento de Justiça ficava em um prédio grandioso, em estilo clássico, situado bem em frente à Casa Branca. Jacky pareceu inflar um pouco de orgulho quando eles entraram. Agradava-lhe que o filho trabalhasse em um lugar tão prestigioso. George gostou de sua reação. Jacky tinha esse direito: dedicara sua vida a ele, e aquela era a sua recompensa.

Entraram no Grande Hall. Jacky gostou dos célebres murais com cenas da vida americana, mas olhou torto para a estátua de alumínio do *Espírito da Justiça*, que mostrava uma mulher com um dos seios nu.

– Não sou pudica, mas não vejo por que a Justiça precisa estar com o busto de fora – comentou. – Por que isso?

George refletiu.

– Para mostrar que a Justiça não tem nada a esconder?

Sua mãe riu.

– Boa tentativa.

Eles subiram no elevador.

– Como está seu braço? – indagou Jacky.

Ele já havia tirado o gesso e não precisava mais de tipoia.

– Ainda dói – respondeu. – Tenho achado que ficar com a mão esquerda no bolso ajuda. Dá um pouco de sustentação ao braço.

Eles desceram no quinto andar. George levou a mãe até a sala que dividia com Dennis Wilson e vários outros colegas. A sala de Bobby Kennedy ficava logo ao lado.

Dennis estava sentado diante de sua mesa perto da porta. Era um homem pálido cujos cabelos louros começavam prematuramente a rarear.

– A que horas ele volta? – perguntou-lhe George.

Dennis sabia que ele estava se referindo ao secretário.

– Vai demorar mais uma hora, no mínimo.

– Venha ver a sala de Bobby Kennedy – disse George para Jacky.

– Tem certeza de que não tem problema?

– Ele não está. Não acharia ruim.

George fez a mãe atravessar uma antessala, meneando a cabeça para duas secretárias, e entrou na sala do secretário de Justiça. Parecia mais a sala de estar de uma grande casa de campo, com paredes revestidas de nogueira, uma imensa lareira de pedra, tapete e cortinas estampados e luminárias sobre mesas de apoio. Era um cômodo imenso, mas mesmo assim Bobby conseguira fazê-lo parecer abarrotado. A decoração incluía um aquário e um tigre empalhado. A enorme escrivaninha estava coberta por uma profusão de papéis, cinzeiros e fotos de família. Quatro telefones repousavam sobre uma prateleira atrás da cadeira da escrivaninha.

– Lembra aquela casa perto da Union Station em que morávamos quando você era pequeno? – perguntou Jacky.

– Claro.

– A casa inteira caberia aqui dentro.

George olhou em volta.

– É, acho que sim.

– E essa escrivaninha é maior do que a cama em que você e eu dormimos juntos até você fazer 4 anos.

– Nós dois e o cachorro.

Sobre a escrivaninha havia uma boina verde, parte do uniforme das Forças Especiais do Exército americano que Bobby tanto admirava. Mas Jacky estava mais interessada nas fotografias. George pegou um porta-retratos com uma imagem de Bobby e Ethel sentados no gramado em frente a um casarão cercados pelos sete filhos.

– Esta aqui foi tirada em frente a Hickory Hill, a casa que eles têm em McLean, na Virgínia. – Passou a foto para a mãe.

– Gostei – disse ela, estudando a fotografia. – Ele dá valor à família.

Uma voz confiante com sotaque de Boston perguntou:

– Quem dá valor à família?

George girou nos calcanhares e viu Bobby Kennedy entrando na sala. O secretário estava usando um terno cinza-claro de verão todo amarrotado. Tinha a gravata frouxa e o colarinho desabotoado. Não era tão bonito quanto o irmão mais velho, principalmente por causa dos dentes da frente grandes e saltados como os de um coelho.

George ficou constrangido.

– Secretário, me desculpe – falou. – Pensei que o senhor fosse passar a tarde inteira fora.

– Não tem problema – respondeu Bobby, mas George não teve certeza se ele estava sendo sincero. – Isto aqui pertence ao povo americano... quem quiser pode olhar.

– Esta é minha mãe, Jacky Jakes – apresentou George.

Bobby apertou a mão dela com vigor.

– Sra. Jakes, parabéns pelo seu filho – falou, ligando o botão do charme como fazia toda vez que conversava com algum eleitor.

O rosto de Jacky estava escuro de vergonha, mas ela respondeu sem hesitar:

– Obrigada. O senhor tem vários... estava vendo aqui nesta foto.

– Quatro meninos e três meninas. Todos maravilhosos, e falo com total imparcialidade.

Todos riram.

– Foi um prazer conhecê-la, Sra. Jakes. Venha nos visitar sempre que quiser – falou Bobby.

Apesar de bem-educada, era claramente uma dispensa, e George e a mãe saíram da sala.

Seguiram pelo corredor até o elevador.

– Que constrangimento – comentou Jacky. – Mas ele foi educado.

– Foi uma armação – retrucou George, zangado. – Bobby nunca chega cedo para nada. Dennis nos enganou de propósito. Quis me fazer parecer presunçoso.

Jacky afagou seu braço.

– Se essa for a pior coisa que acontecer hoje, estamos bem.

– Não sei. – George se lembrou da acusação de Verena, de que o seu emprego era só um enfeite. – Você acha que o meu papel aqui pode ser só dar a impressão de que Bobby está ouvindo os negros, quando na verdade não está?

Jacky refletiu um pouco.

– Pode ser.

– Talvez eu seja mais útil trabalhando para Martin Luther King em Atlanta.

– Entendo como você se sente, mas acho que deveria ficar aqui.

– Eu sabia que você diria isso.

Ele a acompanhou até o lado de fora do prédio.

– Como é o seu apartamento? – perguntou ela. – Minha próxima visita vai ser lá.

– É ótimo. – Ele havia alugado o último andar de uma casa vitoriana alta e estreita no bairro de Capitol Hill. – Pode ir no domingo.

– Para eu poder preparar o jantar na sua cozinha?

– Que oferta generosa.

– Vou conhecer sua namorada?

– Sim, eu convido Norine.

Eles se despediram com um beijo. Jacky pegaria um trem de subúrbio até sua casa no condado de Prince George, em Maryland. Antes de se afastar, ela disse:

– Lembre-se do seguinte: há mil rapazes inteligentes querendo trabalhar para Martin Luther King, mas só um negro sentado na sala ao lado da de Bobby Kennedy.

Ela estava certa, pensou George. Geralmente estava.

Ao voltar para sua sala, não disse nada a Dennis; apenas sentou-se à mesa e escreveu para Bobby o resumo de um relatório sobre integração escolar.

Às cinco da tarde, o secretário de Justiça e seus assessores entraram em limusines para fazer o curto trajeto até a Casa Branca, onde ele tinha hora marcada com o presidente. Era a primeira vez que George participava de uma reunião na Casa

Branca, e ele se perguntou se isso seria um sinal de que estava ficando mais digno de confiança – ou apenas de que a reunião era menos importante.

Eles entraram na Ala Oeste e foram até a Sala do Gabinete, recinto comprido com quatro janelas altas em uma das paredes. Umas vinte cadeiras de couro azul-escuro rodeavam uma mesa em formato de caixão. Naquela sala eram tomadas decisões que abalavam o mundo, pensou George com solenidade.

Quinze minutos depois, ainda não havia nem sinal do presidente Kennedy.

– Pode ir se certificar de que Dave Powers sabe que estamos aqui? – pediu Dennis a George. Powers era o assistente pessoal do presidente.

– Claro – respondeu George.

Sete anos em Harvard para virar garoto de recados, pensou.

Antes da reunião com Bobby, o presidente ficara de passar em uma festa para celebridades que o apoiavam. George se afastou na direção do edifício principal e foi seguindo o barulho. Sob os imensos lustres do Salão Leste, umas cem pessoas já estavam em sua segunda hora de drinques. George acenou para Percy Marquand e Babe Lee, pais de Verena, que conversavam com alguém do Comitê Democrata Nacional.

O presidente não estava no salão.

Olhando em volta, George viu a entrada de uma cozinha. Ficara sabendo que o presidente gostava de usar portas de serviço e corredores dos fundos para evitar ser abordado e atrasado o tempo inteiro.

Passou por uma porta de serviço e logo do outro lado encontrou a comitiva presidencial. Bonito e bronzeado, o presidente de apenas 44 anos usava um terno azul-marinho com uma camisa branca e uma gravata fininha. Parecia cansado e irritado.

– Não posso ser fotografado com um casal inter-racial! – falou, em tom frustrado, como se estivesse sendo obrigado a se repetir. – Eu perderia dez milhões de votos!

George só tinha visto um casal inter-racial no salão: Percy Marquand e Babe Lee. Ficou indignado. Quer dizer que aquele presidente liberal tinha medo de ser fotografado com eles?

Dave Powers era um simpático homem de meia-idade, narigudo e calvo, que não poderia ser mais diferente de seu superior.

– O que devo fazer? – indagou ao presidente.

– Tire-os de lá!

Dave era amigo pessoal do presidente e não teve medo de lhe mostrar sua irritação:

– E o que digo a eles, pelo amor de Deus?

De repente, a raiva de George passou e ele começou a raciocinar. Seria aquela uma oportunidade para ele? Sem nenhum plano definido, falou:

– Presidente, meu nome é George Jakes, eu trabalho para o secretário de Justiça. Posso cuidar desse problema para o senhor?

Observou os rostos dos presentes e entendeu o que eles estavam pensando: se Percy Marquand seria ofendido na Casa Branca, antes fosse por um negro.

– Caramba, pode sim – respondeu o presidente. – Eu ficaria muito grato, George.

– Pois não – retrucou o rapaz, e voltou ao salão.

Mas o que iria fazer? Foi refletindo enquanto atravessava o recinto de chão encerado em direção a Percy e Babe. Precisava tirá-los dali por uns quinze ou vinte minutos, só isso. O que poderia dizer?

Qualquer coisa menos a verdade, supôs.

Quando chegou ao grupo que conversava e tocou com delicadeza o braço de Percy Marquand, ainda não sabia o que iria dizer.

Percy se virou, reconheceu-o, sorriu e apertou sua mão.

– Pessoal! – falou para os convivas à sua volta. – Venham conhecer um Viajante da Liberdade!

Babe Lee segurou o braço de George com as duas mãos, como se temesse que alguém fosse roubá-lo.

– Você é um herói, George – falou.

Foi nessa hora que ele atinou com o que deveria dizer.

– Sr. Marquand, Srta. Lee, eu trabalho para Bobby Kennedy agora e ele gostaria de conversar alguns minutos com vocês sobre direitos civis. Posso levá-los até ele?

– É claro – respondeu Percy, e poucos segundos depois os três já estavam fora do salão.

George se arrependeu na mesma hora do que acabara de dizer. Com o coração aos pulos, conduziu-os até a Ala Oeste. Como Bobby iria reagir? Poderia dizer *Que droga, não vai dar, estou sem tempo*. Se houvesse um incidente constrangedor, a culpa seria sua. Por que não tinha ficado de bico calado?

– Almocei com Verena hoje – falou, para puxar papo.

– Ela está adorando o emprego em Atlanta – disse Babe Lee. – A Conferência da Liderança Cristã do Sul é uma organização pequena, mas está fazendo coisas incríveis.

– O Dr. King é um grande homem – comentou Percy. – De todos os líderes de direitos civis que já conheci, é o mais impressionante.

Eles chegaram à Sala do Gabinete e entraram. A meia dúzia de homens lá dentro estava sentada em uma das extremidades da mesa comprida, conversando; alguns fumavam. Todos olharam espantados para os recém-chegados. George localizou Bobby e observou sua expressão: ele parecia intrigado e irritado.

– Bobby, você conhece Percy Marquand e Babe Lee – falou. – Eles ficariam felizes em conversar alguns minutos conosco sobre direitos civis.

Por instantes, o semblante de Bobby escureceu de raiva. George se deu conta de que era a segunda vez no mesmo dia que surpreendia o chefe com uma visita indesejada. Mas então o secretário sorriu.

– Que privilégio! – falou. – Sentem-se, amigos, e obrigado por terem apoiado a campanha eleitoral do meu irmão.

Por alguns instantes, George sentiu alívio. Não haveria constrangimento. Bobby tinha acionado seu botão de charme automático. Pediu as opiniões de Percy e de Babe Lee e falou com franqueza sobre as dificuldades que os Kennedy estavam tendo com os democratas sulistas no Congresso. O casal ficou lisonjeado.

Alguns minutos depois, o presidente entrou na sala. Apertou a mão de Percy e Babe, em seguida pediu a Dave Powers para acompanhá-los de volta à festa.

Assim que a porta se fechou atrás deles, Bobby se virou para George.

– Nunca mais faça isso comigo!

Sua expressão revelava a força de sua fúria contida.

George viu Dennis Wilson reprimir um sorriso.

– Quem você pensa que é, porra? – explodiu Bobby.

George pensou que ele fosse lhe bater. Equilibrou-se na parte da frente dos pés, pronto para se esquivar de um soco. Desesperado, falou:

– O presidente queria que eles saíssem do salão! Não queria ser fotografado com Percy e Babe.

Bobby olhou para o irmão mais velho, que assentiu.

– Tive trinta segundos para pensar em um pretexto que não fosse ofendê-los. Inventei que o senhor queria conhecê-los. E deu certo, não foi? Eles não ficaram ofendidos... Na verdade, acham que receberam tratamento VIP!

– É verdade, Bob – disse o presidente. – George nos tirou de uma sinuca.

– Queria garantir que não perdêssemos o apoio deles na campanha da reeleição – falou George.

Bobby ficou sem ação durante alguns segundos, enquanto digeria a informação.

– Quer dizer que você disse aos dois que eu queria falar com eles só para deixá-los de fora das fotos com o presidente?

– Isso mesmo – confirmou George.

– Foi um raciocínio bem sagaz – comentou o presidente.

A expressão de Bobby se modificou. Depois de alguns instantes, ele começou a rir. O irmão o imitou, e então os outros homens na sala puseram-se a rir também.

Bobby passou o braço em volta dos ombros de George.

O rapaz ainda estava abalado. Tivera medo de ser demitido.

– Georgie, meu garoto, você é um de nós! – exclamou Bobby.

George percebeu que acabara de ser aceito no círculo íntimo dos poderosos. Aliviado, relaxou os ombros.

Não sentia tanto orgulho quanto poderia ter sentido. Havia bolado uma farsa mambembe e ajudado o presidente a ser condescendente com o preconceito racial. Sua vontade era lavar as mãos.

Mas então viu a raiva na expressão de Dennis Wilson e sentiu-se melhor.

CAPÍTULO DEZ

Naquele mês de agosto, Rebecca foi convocada pela segunda vez à sede da polícia secreta.

Perguntou-se, temerosa, o que a Stasi poderia querer dessa vez. Eles já tinham arruinado sua vida: ela fora enganada para fazer um casamento que era uma farsa e agora não conseguia arrumar emprego, decerto porque eles estavam ordenando às escolas que não a contratassem. O que mais poderiam fazer com ela? Não poderiam prendê-la só por ter sido sua vítima.

Mas a verdade é que podiam fazer o que quisessem.

Ela pegou um ônibus para cruzar Berlim; fazia calor. A nova sede da Stasi era tão feia quanto a organização ali sediada: uma caixa retilínea de concreto para pessoas cuja mente era feita apenas de ângulos retos. Novamente, ela subiu no elevador acompanhada e foi conduzida pelos corredores pintados em um tom feio de amarelo, mas dessa vez foi levada para uma sala diferente. Ali, à sua espera, encontrou o marido, Hans. Ao vê-lo, seu temor foi substituído por uma raiva ainda mais potente. Embora ele tivesse o poder de lhe fazer mal, ela estava furiosa demais para se curvar diante dele.

Hans estava usando um terno cinza-azulado que ela não conhecia. Tinha uma sala grande, com duas janelas e móveis novos e modernos: era mais importante na organização do que ela supusera.

Como precisava de tempo para decidir como se comportar, ela falou:

– Imaginava que o sargento Scholz fosse me receber.

Hans olhou para o outro lado.

– Ele não tinha talento para trabalhar com segurança.

Rebecca pôde ver que Hans estava escondendo alguma coisa. Provavelmente Scholz fora demitido, ou quem sabe rebaixado a agente de trânsito.

– Imagino que ele tenha cometido um erro ao me interrogar aqui, e não na delegacia do meu bairro.

– Ele não deveria ter interrogado você e ponto final. Sente-se.

Hans apontou para uma cadeira em frente à sua grande e feia escrivaninha.

A cadeira feita de tubos metálicos e plástico duro cor de laranja fora projetada para fazer as vítimas se sentirem ainda mais desconfortáveis, pensou Rebecca. Sua fúria reprimida lhe deu forças para desafiar Hans. Em vez de se sentar, ela foi até a janela e olhou para o estacionamento.

– Você perdeu seu tempo, não foi? – indagou. – Teve todo aquele trabalho para vigiar minha família, mas não encontrou sequer um espião ou sabotador. – Ela se virou para ele. – Seus chefes devem estar bem bravos com você.

– Pelo contrário – retrucou ele. – Essa operação é considerada uma das mais bem-sucedidas já conduzidas pela Stasi.

Rebecca não conseguia imaginar como isso poderia ser possível.

– Vocês não podem ter descoberto nada muito interessante.

– Minha equipe produziu um gráfico que mostra todos os social-democratas da Alemanha Oriental e os vínculos entre eles – declarou Hans, orgulhoso. – E a informação-chave foi conseguida na sua casa. Seus pais conhecem todos os reacionários mais importantes, e muitos os visitaram.

Rebecca franziu a testa. Era verdade que a maioria das pessoas que ia à sua casa era social-democrata; nada mais natural.

– Mas são só amigos – disse ela.

Hans deixou escapar uma risada curta e zombeteira.

– Só amigos! – arremedou. – Por favor, eu sei que você não é lá muito inteligente... você mesma disse isso várias vezes quando vivíamos juntos. Mas tampouco é totalmente desmiolada.

Ocorreu a Rebecca que Hans e todos os agentes da polícia secreta eram obrigados a acreditar, ou pelo menos a fingir que acreditavam, em fantásticas conspirações contra o governo. Caso contrário, seu trabalho era uma perda de tempo. Assim, Hans havia construído uma rede imaginária de social-democratas baseada na casa da família Franck, todos conspirando para derrubar o governo comunista.

Quem dera fosse verdade.

– É claro que o plano nunca foi me casar com você – continuou Hans. – Tínhamos planejado só um flerte, o suficiente para eu poder entrar na casa.

– O meu pedido de casamento deve ter sido um problema para vocês.

– Nosso projeto estava indo bem demais. As informações que eu estava obtendo eram cruciais. Cada pessoa que eu via na sua casa nos conduzia a mais social-democratas. Se eu recusasse o seu pedido, essa fonte iria secar.

– Que coragem a sua – disse Rebecca. – Você deve estar orgulhoso.

Ele a encarou. Por alguns instantes, ela não conseguiu interpretar sua expressão. Algo estava acontecendo na mente dele, e ela não sabia o quê. Ocorreu-lhe que Hans talvez quisesse tocá-la ou lhe dar um beijo. O pensamento lhe causou um arrepio. Hans então balançou a cabeça como quem tenta clarear as ideias.

– Nós não estamos aqui para falar sobre o casamento – retrucou ele, irritado.

– Então por que estamos aqui?

– Você causou um incidente na central de empregos.

– Incidente? Perguntei ao homem na minha frente na fila quanto tempo fazia que ele estava desempregado. A mulher do outro lado do balcão se levantou e começou a gritar "Não existe desemprego nos países comunistas!" com uma voz esganiçada. Eu olhei para a fila à minha frente e atrás de mim e ri. Isso é um incidente?

– Você teve um acesso de riso e se recusou a parar, depois foi expulsa do prédio.

– É verdade que eu não consegui parar de rir. O que ela disse foi tão absurdo...

– Não foi absurdo! – Hans extraiu um cigarro de um maço de f6. Como todos os homens truculentos, ficava nervoso quando alguém o enfrentava. – Ela estava certa. Não há desempregados na Alemanha Oriental. O comunismo resolveu o problema do desemprego.

– Por favor, não comece – pediu Rebecca. – Você vai me fazer rir de novo e serei expulsa deste prédio também.

– O seu sarcasmo não vai adiantar.

Ela olhou para uma foto emoldurada na parede na qual Hans apertava a mão de Walter Ulbricht, o líder da Alemanha Oriental. Ulbricht era careca e usava bigode e um cavanhaque pontudo: a semelhança com Lênin era levemente engraçada.

– O que Ulbricht estava dizendo? – quis saber Rebecca.

– Estava me dando os parabéns pela promoção a capitão.

– Outra recompensa por ter enganado cruelmente a sua mulher. Mas me diga, se não estou desempregada, qual é a minha situação?

– Você está sob investigação por ser uma parasita social.

– Que absurdo! Eu trabalho sem parar desde que me formei. Oito anos sem tirar nenhum dia por motivo de doença. Fui promovida e recebi responsabilidades suplementares, entre elas a supervisão de novos professores. Aí, um belo dia, descubro que meu marido é um espião da Stasi e logo depois sou mandada embora. Desde então, fiz seis entrevistas de emprego, e em todas elas a escola se mostrou desesperada para que eu começasse o quanto antes. Apesar disso, em todas as vezes a escola me escreveu logo depois dizendo que não podia me oferecer a vaga, sem conseguir me dar nenhum motivo para isso. Você sabe por quê?

– Ninguém quer você.

– Todo mundo me quer. Eu sou uma boa professora.

– Você é ideologicamente suspeita. Seria má influência para jovens suscetíveis.

– Eu tenho uma recomendação excelente do meu último patrão.

– De Bernd Held, não é? Ele também está sendo investigado por ser ideologicamente suspeito.

Rebecca sentiu um arrepio de medo no fundo do peito. Tentou manter a expressão neutra. Que terrível seria se o bondoso e capaz Bernd tivesse problemas por causa dela. Preciso avisá-lo, pensou.

Mas não conseguiu esconder de Hans o que estava sentindo.

– Ficou abalada, não foi? Sempre tive minhas desconfianças. Você gostava dele.

– Ele queria ter um caso comigo, mas não quis trair você. Imagine só.

– Eu teria descoberto.

– Mas em vez disso fui eu que descobri você.

– Eu estava cumprindo o meu dever.

– Quer dizer que está me impedindo de conseguir um emprego e me acusando de parasitismo social. O que espera que eu faça? Que vá para o Ocidente?

– Emigrar sem permissão é crime.

– Mas mesmo assim muitas pessoas emigram! Ouvi dizer que já são quase mil por dia. Professores, médicos, engenheiros, até policiais. Ah! – Ela teve um lampejo. – Foi isso que aconteceu com o sargento Scholz?

Hans se esquivou da pergunta.

– Não é da sua conta.

– Dá para ver na sua cara. Quer dizer que Scholz foi para o Ocidente. Por que você acha que toda essa gente respeitável está virando criminosa? Será porque querem viver em um país que tem eleições livres, essas coisas?

Zangado, Hans levantou a voz:

– Eleições livres nos deram Hitler! É isso que essa gente quer?

– Talvez eles não gostem de morar em um país no qual a polícia secreta pode fazer o que quiser. Você pode imaginar como isso deixa as pessoas nervosas.

– Só as que têm segredos condenáveis!

– E qual é o meu segredo, Hans? Vamos lá, você deve saber.

– Você é uma parasita social.

– Quer dizer que você primeiro me impede de arrumar um emprego e depois ameaça me prender por não ter um emprego. Suponho que eu seria mandada para um campo de trabalho, não é? Aí eu teria um emprego, só que não seria remunerada. Eu amo o comunismo, ele é tão lógico! Me pergunto por que as pessoas ficam tão desesperadas para escapar dele.

– Sua mãe me disse muitas vezes que jamais emigraria para o Ocidente. Para ela seria como fugir.

Rebecca se perguntou aonde ele estava querendo chegar.

— E daí?
— Se você cometer o crime de emigração ilegal, nunca mais poderá voltar.

Rebecca entendeu o que estava por vir, e o desespero a sufocou.

— Você nunca mais veria sua família — disse Hans, triunfante.

⁂

Arrasada, Rebecca saiu do prédio da Stasi e parou no ponto de ônibus. Por mais que pensasse na questão, via-se forçada a perder a família ou a liberdade.

Cabisbaixa, pegou o ônibus até a escola em que havia trabalhado. Estava despreparada para a nostalgia que a atingiu como um soco quando entrou lá: o barulho das conversas dos alunos, o cheiro de pó de giz e produtos de limpeza, os quadros de avisos, as chuteiras de futebol e as placas dizendo "Ande, não corra". Percebeu quanto era feliz como professora. Era um trabalho de importância vital e ela o fazia muito bem. Não conseguia suportar a ideia de jamais voltar a lecionar.

Encontrou Bernd na sala do diretor, vestido com um terno de camurça preto; o tecido estava gasto, mas a cor lhe favorecia. Seu rosto se acendeu de felicidade quando ele a viu abrir a porta.

— Virou diretor? — perguntou ela, embora já pudesse adivinhar a resposta.

— Nunca vai acontecer — respondeu ele. — Mas mesmo assim assumi o cargo e estou adorando. Enquanto isso, Anselm, nosso chefe, agora é diretor de uma grande escola em Hamburgo e está ganhando o dobro do salário. E você? Sente-se.

Rebecca se sentou e lhe contou sobre as entrevistas de emprego.

— É a vingança de Hans. Eu nunca deveria ter atirado aquela maldita maquete pela janela.

— Talvez não seja isso — ponderou Bernd. — Já vi essa situação antes. Paradoxalmente, a pessoa odeia aquela a quem fez mal. Acho que é porque a vítima é um eterno lembrete de seu comportamento vergonhoso.

Bernd era muito inteligente. Rebecca sentia saudades dele.

— Acho que infelizmente Hans talvez odeie você também — falou. — Ele me disse que você estava sendo investigado como ideologicamente suspeito por ter me escrito uma carta de recomendação.

— Ai, droga.

Ele esfregou a cicatriz na testa, sempre um sinal de que estava preocupado. Envolver-se com a Stasi nunca trazia um final feliz.

— Desculpe.

– Não precisa se desculpar. Estou feliz por ter escrito a carta. Escreveria de novo. Alguém precisa dizer a verdade nesta porcaria de país.
– De algum jeito Hans também descobriu que você... sentia atração por mim.
– E ele está com ciúmes?
– Difícil de imaginar, não é?
– Nem um pouco. Nem mesmo um espião poderia deixar de se apaixonar por você.
– Não diga bobagem.
– Foi por isso que você veio aqui? Para me alertar?
– E para dizer... – Mesmo com Bernd, ela precisava ser discreta. – Para dizer que nós provavelmente não vamos nos ver por algum tempo.
– Ah... – Ele meneou a cabeça; já tinha entendido.

As pessoas raramente diziam que estavam indo para o Ocidente. Era possível ser preso pelo simples fato de planejar fazer isso. E quem descobrisse que você pretendia emigrar estaria cometendo um crime caso não informasse à polícia. Portanto, ninguém, exceto os parentes mais próximos, queria ser culpado de saber uma coisa dessas.

Rebecca se levantou.
– Obrigada pela sua amizade, então.
Bernd deu a volta na mesa e a segurou pelas duas mãos.
– Não, quem agradece sou *eu*. E boa sorte.
– Para você também.

Ela percebeu que, em seu inconsciente, já tinha tomado a decisão de emigrar para o Ocidente; e era nisso que estava pensando, surpresa e nervosa, quando de repente Bernd inclinou a cabeça e a beijou.

Ela não esperava por isso. Foi um beijo delicado. Ele deixou os lábios encostarem nos dela, mas sem abrir a boca. Rebecca fechou os olhos. Depois de um ano de casamento falso, era bom saber que alguém realmente a considerava desejável, ou mesmo digna de ser amada. Teve o impulso de envolvê-lo nos braços, mas se reprimiu. Seria loucura começar um relacionamento fadado ao fracasso. Depois de alguns segundos, afastou-se.

Sentia-se à beira das lágrimas, e não quis que ele a visse chorando.
– Adeus – conseguiu dizer. Então virou as costas e saiu da sala depressa.

Decidiu que iria embora em dois dias, domingo de manhã bem cedo.

Todos se levantaram para se despedir.

Ela não conseguiu comer nada no café da manhã. Estava nervosa demais.

– Provavelmente devo ir para Hamburgo – falou, fingindo animação. – Anselm Weber agora é diretor de uma escola na cidade, e tenho certeza de que vai me contratar.

Vestida com um roupão de seda roxa, sua avó Maud disse:

– Você conseguiria emprego em qualquer lugar da Alemanha Ocidental.

– Mas vai ser bom conhecer pelo menos uma pessoa na cidade – falou Rebecca, desolada.

– Parece que em Hamburgo a cena musical é ótima – comentou Walli. – Assim que terminar o colégio irei encontrar você lá.

– Se você terminar a escola, vai ter que trabalhar – disse Werner para o filho em tom de sarcasmo. – Vai ser uma experiência nova para você.

– Nada de brigas hoje – pediu Rebecca.

Seu pai lhe entregou um envelope com dinheiro.

– Assim que chegar ao outro lado, pegue um táxi – instruiu. – Vá direto para Marienfelde. – Havia um centro para refugiados nessa localidade ao sul de Berlim, perto do aeroporto de Tempelhof. – Dê logo entrada nos papéis da emigração. Com certeza vai ter de esperar horas na fila, talvez dias. Assim que estiver com tudo em ordem, vá até a fábrica. Aí eu abro uma conta bancária para você na Alemanha Ocidental, essas coisas.

Carla estava aos prantos.

– Nós *vamos* nos ver – falou Rebecca. – Você pode pegar um avião até Berlim Ocidental sempre que quiser, e podemos simplesmente atravessar a fronteira a pé para encontrá-la. Faremos piqueniques à beira do Wannsee.

Rebecca estava tentando não chorar. Guardou o dinheiro em uma pequena bolsa a tiracolo que era sua única bagagem. Qualquer outro volume poderia levá-la a ser detida pelos Vopos na fronteira. Queria ficar mais um pouco, mas teve medo de perder a coragem. Beijou e abraçou cada um de seus parentes: a avó, o pai adotivo, o irmão e a irmã, e por último Carla, a mulher que havia salvado sua vida e a criara como filha. Não era sua mãe de verdade, mas justamente por isso era ainda mais preciosa.

Então, com os olhos marejados, saiu de casa.

A manhã de verão estava ensolarada e não havia uma só nuvem no céu. Ela tentou se manter otimista: iria começar uma vida nova, longe da soturna repressão de um regime comunista. E em breve, de uma forma ou de outra, tornaria a ver sua família.

Foi andando depressa pelas ruas sinuosas do antigo centro da cidade. Passou pelo vasto pátio do hospital universitário Charité e pegou a Invaliden Strasse. À sua esquerda ficava a ponte de Sandkrug, pela qual os carros atravessavam o canal de Berlim-Spandau até o lado ocidental.

Só que nesse dia a ponte estava interditada.

No início, ela não entendeu muito bem o que estava vendo. Havia uma fila de carros parada antes da ponte. Atrás deles, um aglomerado de pessoas em pé observava alguma coisa. Talvez tivesse havido algum acidente na ponte. À sua direita, porém, na Platz vor dem Neuen Tor, uns vinte ou trinta soldados alemães-orientais estavam parados sem fazer nada. Atrás deles, dois tanques soviéticos.

Intrigante e assustador.

Ela abriu caminho pela multidão. Agora podia ver qual era o problema. Uma cerca grosseira de arame farpado tinha sido erguida quase no final da ponte. Um pequeno buraco nessa cerca era vigiado por policiais que pareciam não deixar ninguém passar.

Rebecca sentiu-se tentada a perguntar o que estava acontecendo, mas não quis chamar atenção para si. Não estava muito longe da estação da Friedrichstrasse, e de lá poderia pegar o metrô direto até Marienfelde.

Pegou a direção sul, agora com o passo mais apertado, e ziguezagueou por entre uma série de prédios universitários até o metrô.

Só que lá também havia alguma coisa errada.

Várias dezenas de pessoas estavam amontoadas junto à entrada da estação. Aos empurrões, Rebecca conseguiu chegar até a frente e leu um aviso pregado na parede que informava apenas o óbvio: a estação estava fechada. No alto da escada, uma fila de policiais armados formava uma barreira. Ninguém podia descer até as plataformas.

Começou a ficar com medo. Talvez fosse coincidência os dois primeiros pontos que escolhera para atravessar estarem bloqueados. Mas talvez não.

Havia 81 locais em que as pessoas podiam passar de Berlim Oriental para Berlim Ocidental. O mais próximo dali era o Portão de Brandemburgo, onde a larga Unter den Linden atravessava o arco monumental e adentrava o parque Tiergarten. Ela pegou a Friedrichstrasse na direção sul.

Assim que dobrou a oeste na Unter den Linden, soube que estava em apuros. Aquele ponto também estava tomado por tanques e soldados. Havia centenas de pessoas reunidas em frente ao famoso portão. Chegando à frente da multidão, Rebecca viu outra cerca de arame farpado sustentada por cavaletes de madeira e protegida por policiais da Alemanha Oriental.

Rapazes parecidos com Walli – jaqueta de couro, calças justas e penteado ao estilo Elvis – gritavam insultos de uma distância segura. Do lado ocidental, jovens parecidos também gritavam, irados, e ocasionalmente atiravam pedras na polícia.

Rebecca olhou com mais atenção e viu que os vários agentes de segurança pública – Vopos, policiais de fronteira e milicianos operários de fábrica – abriam buracos na rua para fincar altas colunas de concreto e prendiam arame farpado de coluna em coluna para construir uma estrutura mais permanente.

Permanente, pensou, e seu ânimo despencou.

– Isso está acontecendo por toda parte? – perguntou a um homem ao seu lado.

– Essa cerca?

– Por toda parte – respondeu ele. – Desgraçados!

O regime da Alemanha Oriental tinha feito aquilo que todos diziam ser impossível: construíra um muro que cortava Berlim ao meio.

E Rebecca estava do lado errado.

Parte Dois

GRAMPO
1961-1962

CAPÍTULO ONZE

Foi com certa cautela que George almoçou no Electric Diner com Larry Mawhinney. Não tinha certeza do que levara Larry a marcar aquele encontro, mas a curiosidade o fizera concordar. Os dois tinham a mesma idade e empregos parecidos: Larry era assessor no gabinete do general Curtis LeMay, chefe do Estado-Maior da Força Aérea. Mas os seus respectivos chefes tinham opiniões divergentes: os irmãos Kennedy não confiavam nos militares.

Larry estava usando um uniforme de tenente da Força Aérea. Tinha os traços característicos de um soldado: a barba bem-feita, cabelos cortados à escovinha, a gravata presa com um nó bem apertado e os sapatos engraxados até ficarem reluzentes.

– O Pentágono detesta segregação – disse ele.

George arqueou as sobrancelhas.

– É mesmo? Pensei que o Exército tradicionalmente relutasse em dar armas a negros.

Mawhinney ergueu a mão em um gesto conciliador.

– Entendo o que você quer dizer. Mas, em primeiro lugar, essa atitude foi sempre superada pela necessidade: desde a Guerra da Independência, os negros combateram em todos os conflitos nacionais. Em segundo lugar, isso faz parte do passado. O Pentágono hoje precisa de homens de cor nas Forças Armadas. E não queremos nem as despesas nem a ineficiência da segregação: dois conjuntos de sanitários, duas alas de alojamentos, preconceito e ódio entre homens que supostamente deveriam estar lutando lado a lado.

– Muito bem, estou convencido – falou George.

Larry cortou um pedaço de seu sanduíche de queijo quente e George comeu uma garfada de seu *chili con carne*.

– Quer dizer que Kruschev conseguiu o que queria em Berlim – comentou Larry.

George sentiu que aquele era o verdadeiro tema do almoço.

– Graças a Deus não vamos ter de entrar em guerra contra os soviéticos – falou.

– Kennedy amarelou – disse Larry. – O regime da Alemanha Oriental estava à beira do colapso. Se o presidente tivesse tido uma atitude mais firme, poderia ter havido uma contrarrevolução. Mas o Muro estancou o derrame de refugiados para o Ocidente, e agora os soviéticos podem fazer o que quiserem em Berlim Oriental. Nossos aliados na Alemanha Ocidental estão revoltados.

– O presidente evitou a Terceira Guerra Mundial! – disse George, indignado.

– E o preço foi deixar os soviéticos aumentarem sua influência. Não foi exatamente uma vitória.

– É isso que o Pentágono acha?

– Em resumo, sim.

Claro, pensou George com irritação. Agora ele entendia: Mawhinney estava ali para defender o ponto de vista do Pentágono na esperança de conquistar seu apoio. Eu deveria me sentir lisonjeado, pensou. Isso mostra que as pessoas agora me consideram parte do círculo íntimo de Bobby.

Só que ele não iria escutar um ataque ao presidente Kennedy sem revidar.

– Imagino que não devesse esperar nada diferente do general LeMay. O apelido dele não é LeMay das Bombas?

Mawhinney franziu a testa. Se achava engraçado o apelido de seu chefe, não iria demonstrar.

Na opinião de George, o autoritário LeMay, sempre com um charuto na boca, merecia ser alvo de chacota.

– Acho que ele um dia falou que, se houvesse uma guerra nuclear e no final sobrassem dois americanos e um russo, nós teríamos vencido.

– Nunca o ouvi dizer nada desse tipo.

– Parece que o presidente Kennedy respondeu: "É bom você torcer para que esses dois americanos sejam de sexos diferentes."

– Nós precisamos ser fortes! – exclamou Mawhinney, começando a se deixar irritar. – Já perdemos Cuba, o Laos e Berlim Oriental, e agora corremos o risco de perder o Vietnã.

– O que você imagina que possamos fazer em relação ao Vietnã?

– Mandar o Exército – respondeu Larry sem pestanejar.

– Já não temos milhares de consultores militares por lá?

– Não é suficiente. O Pentágono já pediu várias vezes ao presidente para mandar tropas terrestres. Mas ele não parece ter coragem para tanto.

O comentário incomodou George; era uma injustiça.

– O que não falta ao presidente é coragem – disparou.

– Então por que ele não ataca os comunistas no Vietnã?

– Porque não acha que possamos ganhar.

– Ele deveria escutar os generais experientes, que entendem do assunto.

– Será? Foram eles que o aconselharam a apoiar aquela invasão idiota da Baía dos Porcos. Se o Estado-Maior Conjunto das Forças Armadas tem experiência e entende do assunto, como é que não disse ao presidente que uma invasão por exilados cubanos estava fadada ao fracasso?

– Nós *avisamos* a ele para mandar cobertura aérea...

– Larry, me desculpe, mas a ideia era justamente evitar o envolvimento dos americanos. Apesar disso, assim que as coisas começaram a dar errado, o Pentágono quis despachar os fuzileiros navais. Os irmãos Kennedy estão desconfiados de que foi fogo amigo: vocês os atraíram para uma invasão de exilados fadada ao fracasso porque queriam forçá-los a despachar tropas americanas.

– Isso não é verdade.

– Pode ser, mas o presidente acha que agora vocês estão tentando atraí-lo para o Vietnã usando o mesmo método. E está decidido a não se deixar enganar uma segunda vez.

– Certo, então ele está implicando conosco por causa da Baía dos Porcos. Sério, George, isso é razão suficiente para deixar o Vietnã virar comunista?

– Bem, temos aqui um típico desacordo de cavalheiros.

Mawhinney largou o garfo e a faca.

– Vai querer sobremesa?

Percebeu que estava perdendo tempo: George jamais se aliaria ao Pentágono.

– Não, obrigado – respondeu George.

Ele estava trabalhando com Bobby para lutar por justiça, para que seus filhos pudessem crescer como cidadãos americanos com direitos iguais. Alguma outra pessoa teria de combater o comunismo na Ásia.

A expressão de Mawhinney mudou e ele acenou para o outro lado do restaurante. George olhou para trás por cima do ombro e teve um choque.

A pessoa para quem Mawhinney estava acenando era Maria Summers.

Ela não o viu. Já estava se virando de volta para sua companhia, uma moça branca mais ou menos da mesma idade.

– Aquela é Maria Summers? – indagou George, sem acreditar.

– É.

– Você a conhece?

– Claro. Estudamos Direito juntos em Chicago.

– O que ela está fazendo aqui em Washington?

– É uma história engraçada. Originalmente ela foi recusada para um cargo na assessoria de imprensa da Casa Branca. Só que a pessoa que eles escolheram não deu certo e ela era a segunda opção.

George ficou animado. Maria estava em Washington, e para ficar! Decidiu falar com ela antes de sair do restaurante.

Ocorreu-lhe que Mawhinney talvez pudesse lhe contar mais coisas.

– Você saiu com ela na faculdade?

– Não, ela só saía com caras negros, e não muitos. Tinha fama de ser um iceberg.

George não levou o comentário muito a sério. Para alguns homens, qualquer moça que dissesse não era um iceberg.

– Ela saía com alguém fixo?

– Namorou um cara por mais ou menos um ano, mas ele a largou porque ela não quis transar.

– Não me espanta – comentou George. – A família dela é bem rígida.

– Como você sabe?

– Fizemos a primeira Viagem da Liberdade juntos. Conversei um pouco com ela.

– Ela é bonita.

– É, sim.

A conta chegou e eles a dividiram. No caminho da saída, George parou na mesa de Maria.

– Bem-vinda a Washington – falou.

Ela abriu um sorriso caloroso.

– Oi, George. Estava me perguntando quando iria esbarrar com você.

– Oi, Maria – disse Larry. – Eu estava contando para George como você era chamada de iceberg lá na faculdade, em Chicago. – Ele riu.

Era uma provocação tipicamente masculina, nada fora do comum, mas mesmo assim Maria corou.

Larry saiu do restaurante, mas George se demorou um pouco mais.

– Sinto muito por ele ter dito isso. E estou constrangido por ter escutado. Foi bem grosseiro.

– Obrigada. – Maria indicou a outra moça. – Esta é Antonia Capel. Ela também é advogada.

Antonia era uma mulher magra e enérgica, com os cabelos puxados para trás em um penteado severo.

– Prazer – disse George.

– George quebrou o braço no Alabama, me protegendo de um segregacionista que quis me atacar com um pé de cabra – explicou Maria.

Antonia assumiu uma expressão impressionada.

– Você é um cavalheiro de verdade – comentou.

George viu que as moças estavam prontas para ir embora: a conta sobre um pires em cima da mesa estava coberta por algumas cédulas de dinheiro.

– Posso acompanhar você de volta até a Casa Branca? – perguntou a Maria.

– Claro – respondeu ela.
– Tenho de passar correndo na farmácia – disse Antonia.
Os três saíram para o agradável ar de outono da capital. Antonia se despediu com um aceno e George e Maria tomaram o rumo da Casa Branca.
Enquanto atravessavam a Pennsylvania Avenue, ele a examinou de soslaio. Ela usava uma capa de chuva estilosa por cima de um suéter branco de gola rulê, o traje de uma moça séria que trabalhava com política, mas não conseguia esconder o sorriso caloroso. Era bonita, tinha o nariz e o queixo pequenos, grandes olhos castanhos e lábios carnudos sensuais.
– Eu estava discordando de Mawhinney sobre o Vietnã – comentou George. – Acho que ele tinha esperanças de me convencer para atingir Bobby indiretamente.
– Tenho certeza que sim – respondeu Maria. – Mas o presidente não vai dar o braço a torcer para o Pentágono em relação a esse assunto.
– Como você sabe?
– Kennedy vai fazer um pronunciamento hoje à noite dizendo que há limites para o que podemos conquistar em matéria de política externa. Não podemos reparar todos os males nem reverter todas as adversidades. Acabei de escrever o release desse pronunciamento para a imprensa.
– Que bom que ele vai se manter firme.
– George, você não ouviu o que eu disse: eu escrevi um release para a imprensa! Não entende o quanto isso é raro? Em geral quem escreve releases são homens, as mulheres só datilografam.
George sorriu.
– Parabéns.
Sentia-se feliz por estar com ela, e os dois haviam retomado a relação de amizade.
– Na verdade vou saber o que eles acharam quando voltar para o escritório. E lá na Justiça, quais as novidades?
– Parece que nossas Viagens da Liberdade deram mesmo algum resultado – respondeu George, animado. – Em breve todos os ônibus interestaduais vão ter uma placa dizendo: "A ocupação deste veículo não terá discriminação de raça, cor, credo ou origem nacional." As mesmas palavras serão impressas nas passagens. – Estava orgulhoso da sua conquista. – Que tal?
– Muito bom. – Mas então Maria fez a pergunta mais importante: – E a lei vai ser aplicada?
– Depende de nós, na Justiça, e estamos tentando com mais afinco do que nunca. Já nos opusemos várias vezes às autoridades do Mississippi e do Alabama.

E um número surpreendente de cidades em outros estados está simplesmente acatando a lei.

– É difícil acreditar que estejamos mesmo vencendo. Os segregacionistas sempre parecem ter mais um truque sujo escondido na manga.

– Nossa próxima campanha é no alistamento eleitoral. Martin Luther King quer dobrar o número de eleitores negros no Sul até o final do ano.

– O que precisamos mesmo é de uma nova lei de direitos civis que torne difícil para os estados sulistas desobedecer à constituição.

– Estamos preparando isso.

– Está me dizendo então que Bobby Kennedy apoia os direitos civis?

– Caramba, não! Um ano atrás, essa questão nem sequer estava na agenda dele. Mas Bobby e o presidente detestaram aquelas fotos da violência dos brancos sulistas. Elas projetaram uma imagem ruim dos Kennedy nas manchetes de jornal do mundo todo.

– E a política externa é a sua maior preocupação.

– Exato.

George quis chamá-la para sair, mas se conteve. Iria terminar com Norine Latimer quanto antes; agora que Maria estava em Washington, era inevitável. Mas sentia que devia dizer a Norine que seu relacionamento havia chegado ao fim antes de chamar Maria para sair. Qualquer outra coisa iria parecer desonesta. E não demoraria muito: ele veria Norine em poucos dias.

Os dois entraram na Ala Oeste. Rostos negros na Casa Branca eram raros o suficiente para as pessoas os encararem. Foram até o escritório da assessoria de imprensa. George se espantou ao ver que este não passava de uma salinha abarrotada de mesas. Meia dúzia de pessoas trabalhava concentrada em máquinas de escrever cinza da Remington e telefones com várias fileiras de luzinhas piscantes. De uma sala contígua vinha o murmúrio dos teletipos pontuado pelas sinetas que alertavam para mensagens particularmente importantes. Havia também uma sala interna, que George supôs que pertencesse ao assessor de imprensa Pierre Salinger.

Todos pareciam muito concentrados, e ninguém conversava nem olhava pela janela.

Maria lhe mostrou sua mesa e apresentou-lhe a mulher que datilografava na máquina ao lado, uma bela ruiva de 30 e poucos anos.

– George, essa é minha amiga Nelly Fordham. Nelly, por que está todo mundo tão calado?

Antes de Nelly conseguir responder, Salinger saiu de sua sala, um homem baixinho e gorducho vestido com um terno de alfaiataria em estilo europeu. Junto com ele estava Jack Kennedy.

O presidente sorriu para todo mundo, meneou a cabeça para George e disse a Maria:

– Você deve ser Maria Summers. Seu release ficou bom, claro e vigoroso. Parabéns.

Maria corou de prazer.

– Obrigada, presidente.

Kennedy não parecia estar com pressa.

– O que você fazia antes de vir para cá? – Fez a pergunta como se não houvesse nada mais interessante no mundo.

– Estudava Direito em Chicago.

– E está gostando da assessoria?

– Ah, estou sim, é muito interessante.

– Bem, obrigado pelo seu bom trabalho. Continue assim.

– Vou me esforçar ao máximo.

O presidente saiu, e Salinger foi atrás.

George olhou para Maria com um ar de quem acha graça. Ela parecia atordoada. Depois de alguns segundos, Nelly Fordham falou:

– É assim mesmo. Durante um minuto, você foi a mulher mais linda do mundo.

Maria olhou para a colega.

– É. Foi exatamente assim que eu me senti.

∽

Tirando uma certa solidão, Maria era feliz.

Adorava trabalhar na Casa Branca, cercada por pessoas inteligentes e sinceras que só queriam tornar o mundo um lugar melhor. Sentia que poderia conquistar muitas coisas trabalhando no governo. Sabia que teria de lidar com o preconceito – tanto contra as mulheres quanto contra os negros –, mas acreditava que, com inteligência e determinação, poderia chegar lá.

Sua família tinha tradição em superar os obstáculos. Seu avô, Saul Summers, fora a pé de Golgotha, sua cidade natal no Alabama, até Chicago. No caminho, fora preso por "indigência" e condenado a trinta dias de trabalho forçado em uma mina de carvão. Enquanto estava preso, vira um homem ser espancado até a morte pelos guardas por tentar fugir. Um mês depois, não foi solto e, ao reclamar, foi açoitado. Arriscando a própria vida, fugiu e finalmente conseguiu chegar a Chicago.

Lá acabou se tornando pastor da Igreja Pentecostal de Belém. Agora, aos 80 anos, estava semiaposentado, mas ainda pregava de vez em quando.

Daniel, pai de Maria, havia cursado o ensino superior básico e estudado Direito em uma universidade para negros. Em 1930, durante a Depressão, abrira um escritório de advocacia independente no bairro de South Side, onde ninguém tinha dinheiro sequer para comprar um selo de correio, quanto mais para pagar um advogado. Maria já o escutara relembrar muitas vezes como os clientes o remuneravam: bolos caseiros, ovos de galinhas criadas no quintal, um corte de cabelo gratuito, algum serviço de carpintaria no escritório. Quando o New Deal de Roosevelt finalmente começou a surtir efeito e a economia melhorou, ele já era o advogado negro mais badalado de Washington.

Com uma história assim, Maria não tinha medo da adversidade. No entanto, sentia-se só. Todo mundo à sua volta era branco. Seu avô Summers costumava dizer: "Não há nada de errado com os brancos. Eles só não são negros." Ela entendia o que o avô queria dizer. Os brancos não sabiam o que era "indigência". De alguma forma, tinham esquecido o fato de que o Alabama continuara a mandar negros para campos de trabalhos forçados até 1927. Quando ela falava sobre essas coisas, as pessoas faziam cara de tristeza por alguns instantes e depois olhavam para o outro lado, e ela sabia que pensavam que ela estava exagerando. Os brancos ficavam entediados com negros que falavam sobre preconceito, como com doentes que recitam os próprios sintomas.

Ficara encantada por tornar a encontrar George Jakes. Teria procurado por ele logo depois de chegar a Washington, mas uma moça recatada não corria atrás de homem, por mais charmoso que ele fosse; de todo modo, não teria sabido o que dizer. Gostava de George mais do que de qualquer outro rapaz que conhecera desde o término de seu namoro com Frank Baker, dois anos antes. Teria se casado com Frank se ele houvesse pedido, mas ele queria transar sem estar casado, e isso ela não aceitara. Quando George a acompanhou até a assessoria de imprensa, Maria teve certeza de que ele estava prestes a chamá-la para sair e ficou decepcionada quando isso não aconteceu.

Maria dividia apartamento com duas outras moças negras, mas não tinha grande afinidade com elas. Ambas eram secretárias, interessadas sobretudo em moda e cinema.

Ela estava acostumada a ser diferente. Não havia muitas negras durante seu ciclo básico na universidade, e no curso de Direito ela era a única. Agora, tirando faxineiras e cozinheiras, era a única negra na Casa Branca. Não tinha do que reclamar, pois todos a tratavam bem, mas sentia-se só.

Na manhã depois de esbarrar com George, estava estudando um discurso de Fidel Castro em busca de informações que a assessoria pudesse usar quando seu telefone tocou e uma voz de homem perguntou:

– A senhorita gostaria de dar um mergulho?

O sotaque de Boston era conhecido, mas por alguns instantes ela não conseguiu identificá-lo.

– Quem está falando?

– Dave.

Era Dave Powers, o assessor pessoal do presidente, às vezes chamado de primeiro-amigo. Maria já havia falado com ele duas ou três vezes. Como a maioria das pessoas na Casa Branca, era amável e encantador.

Mas nesse dia ela foi pega de surpresa.

– Onde? – indagou.

Ele riu.

– Aqui na Casa Branca, claro.

Ela lembrou que havia uma piscina na galeria oeste, entre a Casa Branca e a Ala Oeste. Nunca fora lá, mas sabia que tinha sido construída para o presidente Roosevelt. Ouvira dizer que Kennedy gostava de nadar pelo menos uma vez por dia, pois tinha problema nas costas e a água aliviava a pressão.

– Vai ter outras garotas lá – acrescentou Dave.

A primeira coisa em que Maria pensou foi nos cabelos. Praticamente todas as negras que trabalhavam fora usavam apliques ou perucas para o trabalho. Tanto negros quanto brancos concordavam que o aspecto natural dos cabelos dos negros simplesmente não era profissional. Nesse dia, Maria estava usando um penteado tipo colmeia, com um aplique cuidadosamente trançado nos próprios cabelos relaxados à base de produtos químicos para imitar a textura macia e lisa dos cabelos das brancas. Não era nenhum segredo: qualquer negra que a olhasse veria que ela estava de aplique. Mas um homem branco feito Dave jamais repararia numa coisa dessas.

Como ela poderia ir à piscina? Se molhasse os cabelos, eles ficariam tão estragados que ela não conseguiria recuperá-los.

Ficou encabulada demais para dizer qual era o problema, mas rapidamente pensou em uma desculpa:

– Estou sem maiô.

– Nós temos maiôs lá – retrucou Dave. – Passo para pegá-la ao meio-dia.

Ele desligou.

Maria olhou para o relógio. Eram dez para o meio-dia.

O que ela iria fazer? Será que conseguiria entrar na água com cuidado, na parte rasa, e não molhar os cabelos?

Percebeu que tinha feito as perguntas erradas. O que realmente precisava saber era por que fora convidada e o que se esperava dela – e se o presidente estaria lá.

Olhou para a colega da mesa ao lado. Nelly Fordham era solteira e trabalhava na Casa Branca havia dez anos. Já dera a entender que, anos antes, tivera uma decepção amorosa. Desde o início se mostrara solícita com Maria. Agora exibia um ar curioso.

– Estou sem maiô? – repetiu.

– Fui convidada para ir à piscina do presidente – explicou Maria. – Será que devo aceitar?

– Claro! Contanto que me conte tudo o que aconteceu quando voltar.

Maria baixou a voz:

– Ele disse que vai ter outras garotas. Acha que o presidente vai estar lá?

Nelly olhou em volta, mas ninguém estava ouvindo.

– Jack Kennedy gosta de nadar rodeado por garotas bonitas? – perguntou. – Quem responder certo nem merece um prêmio.

Maria ainda não tinha certeza se deveria ir. Então se lembrou de como Larry Mawhinney a tinha chamado de iceberg. O comentário a deixara magoada. Ela não era um iceberg. Continuava virgem aos 25 anos porque ainda não conhecera um homem a quem quisesse se entregar de corpo e alma, mas não era frígida.

Dave Powers apareceu na porta e perguntou:

– Vamos?

– Ah, que se dane. Vamos – respondeu ela.

Dave a conduziu pelos arcos em um dos lados do Roseiral até a entrada da piscina. Duas outras garotas chegaram ao mesmo tempo. Maria já as vira antes, sempre juntas: ambas eram secretárias da Casa Branca. Dave as apresentou:

– Essas são Jennifer e Geraldine. Todo mundo as conhece como Jenny e Jerry.

As moças levaram Maria até um vestiário onde havia uns dez ou mais trajes de banho pendurados em ganchos. Jenny e Jerry logo se despiram. Maria reparou que ambas tinham corpos esculturais. Não era sempre que via brancas peladas. Embora fossem louras, as duas tinham pelos pubianos pretos que formavam um triângulo perfeito. Maria imaginou se os teriam aparado com tesoura. Nunca havia pensado em fazer isso.

Os trajes de banho eram todos maiôs inteiros de algodão. Maria rejeitou as cores mais vistosas e escolheu um modesto azul-marinho. Então seguiu Jenny e Jerry até a piscina.

Em três dos lados, as paredes eram pintadas com cenas caribenhas, palmeiras e barcos a vela. A quarta parede era espelhada, e Maria espiou o próprio reflexo. Até que não era muito gorda, pensou, tirando a bunda grande demais. O azul-marinho ficava bem sobre sua pele marrom-escura.

Reparou em uma mesa de bebidas e sanduíches em um dos lados da piscina, mas estava nervosa demais para comer.

Sentado à beira da piscina, descalço e com as calças arregaçadas, Dave tinha os pés mergulhados na água. Jenny e Jerry ficaram boiando na piscina, conversando e rindo. Maria sentou-se em frente a Dave e molhou os pés. A piscina estava morna feito um banho de banheira.

Um minuto depois, o presidente apareceu, e o coração de Maria disparou.

Jack Kennedy estava usando o habitual terno escuro com camisa branca e gravata fininha. Ficou parado na beira da piscina e sorriu para as moças. Maria sentiu um sopro da colônia cítrica 4711 que ele usava.

– Vocês se importam se eu entrar também? – perguntou ele, como se a piscina fosse delas, e não sua.

– Por favor, entre! – respondeu Jenny.

Nem ela nem Jerry estavam surpresas com a sua presença, e Maria deduziu que aquela não era a primeira vez que nadavam com o presidente.

Kennedy entrou no vestiário e saiu usando um calção de banho azul. Esguio e bronzeado, tinha ótima forma física para um homem de 44 anos, decerto por velejar tanto em Hyannis Port, Cape Cod, onde tinha casa de veraneio. Sentou-se na borda e entrou na água devagar, com um suspiro.

Passou alguns minutos nadando. Maria se perguntou o que sua mãe diria. Sem dúvida não acharia adequado sua filha nadar com qualquer outro homem casado que não fosse o presidente. Mas nada de ruim poderia acontecer ali, em plena Casa Branca, na frente de Dave Powers, Jenny e Jerry. Ou poderia?

O presidente nadou até onde ela estava sentada.

– Como andam as coisas lá na assessoria, Maria? – indagou, como se fosse a pergunta mais importante do mundo.

– Bem, obrigada, presidente.

– Pierre é um bom chefe?

– Muito bom. Todo mundo gosta dele.

– Eu também gosto dele.

Assim tão de perto, Maria podia ver as rugas nos cantos de seus olhos e da boca, e os fios grisalhos nos fartos cabelos castanhos arruivados. Os olhos não chegavam a ser azuis, constatou ela: estavam mais para avelã.

Pensou que o presidente sabia que estava sendo estudado e não se importava. Talvez estivesse acostumado com aquilo. Talvez gostasse. Ele sorriu e perguntou:

– E que tipo de trabalho você está fazendo?

– Um misto de coisas. – Maria sentia-se muito lisonjeada. Talvez ele estivesse apenas sendo educado, mas parecia genuinamente interessado nela. – O que mais faço é pesquisar coisas para Pierre. Hoje de manhã passei o pente fino em um discurso de Fidel.

– Antes você do que eu. Os discursos dele são intermináveis!

Maria riu. No fundo de sua mente, uma vozinha falou: *O presidente está fazendo piada comigo sobre Fidel Castro! À beira de uma piscina!*

– Às vezes Pierre me pede para escrever algum release, é o que mais gosto de fazer.

– Diga a ele para lhe pedir mais releases. Você escreve bem.

– Obrigada, presidente. O senhor não sabe como é importante para mim ouvir isso.

– Você é de Chicago, não é?

– Sou, sim.

– E onde está morando agora?

– Georgetown. Divido apartamento com duas outras moças que trabalham no Departamento de Estado.

– Que ótimo. Bem, fico contente por você estar instalada. Valorizo seu trabalho e sei que Pierre também pensa assim.

Kennedy se virou e começou a conversar com Jenny, mas Maria não ouviu o que ele disse; estava empolgada demais. O presidente se lembrava do seu nome; sabia que ela era de Chicago, e tinha seu trabalho em alta conta. E ele era *tão* bonito... Maria se sentia tão leve que tinha a impressão de que poderia flutuar até a Lua.

Dave olhou para o relógio e disse:

– Meio-dia e meia, presidente.

Ela não conseguiu acreditar que já fazia meia hora que estava ali. Pareciam dois minutos. Mas o presidente saiu da piscina e foi para o vestiário.

As três moças também saíram.

– Aceitem um sanduíche – ofereceu Dave.

Elas se aproximaram da mesa. Como aquele era seu intervalo de almoço, Maria tentou comer alguma coisa, mas sua barriga parecia ter murchado até as costas. Tomou uma garrafa de refrigerante bem doce.

Dave se retirou, e as três moças tornaram a vestir suas roupas de trabalho.

Maria se olhou no espelho. Seus cabelos estavam um pouco molhados por causa da umidade, mas o penteado continuava perfeito, no lugar certo.

Depois de se despedir de Jenny e Jerry, ela voltou para a sala da assessoria. Sobre sua mesa havia um grosso relatório sobre o serviço público de saúde e um bilhete de Salinger pedindo um resumo de duas páginas para dali a uma hora.

Ela cruzou olhares com Nelly, e a colega perguntou:

– Então? Que história foi essa?

Depois de refletir por alguns segundos, Maria respondeu:

– Não faço a menor ideia.

George Jakes recebeu um recado pedindo-lhe que fosse ver Joseph Hugo na sede do FBI. Hugo agora era assistente pessoal de J. Edgar Hoover, diretor da agência de investigação. O recado dizia que eles tinham informações importantes sobre Martin Luther King, que Hugo desejava compartilhar com funcionários do secretário de Justiça.

Hoover odiava Martin Luther King. Não havia um só agente negro no FBI. Hoover também odiava Bobby Kennedy. Ele odiava uma porção de gente.

George cogitou não ir. A última coisa que desejava era falar com Hugo, aquele mau-caráter que traíra o movimento pelos direitos civis e a ele pessoalmente. Seu braço ainda doía de vez em quando por causa da agressão sofrida em Anniston enquanto Hugo assistia, fumando e conversando com policiais.

Por outro lado, se fosse alguma notícia ruim, George queria ser o primeiro a saber. Talvez o FBI tivesse descoberto que King traía a mulher ou algo assim. Seria muito bom ter a chance de administrar a divulgação de qualquer informação negativa relacionada ao movimento em defesa dos direitos civis. Ele não queria alguém como Dennis Wilson espalhando a notícia. Por esse motivo, seria obrigado a ir falar com Hugo, e provavelmente a suportar o seu tripúdio.

A sede do FBI ficava em outro andar do prédio do Departamento de Justiça. George encontrou Hugo em uma salinha próxima ao complexo de salas do diretor. O rapaz tinha os cabelos curtos, ao estilo da agência, e usava um terno cinza simples com camisa de náilon branca e gravata azul-marinho. Sobre sua mesa havia um maço de cigarros mentolados e uma pasta de documentos.

– O que você quer? – perguntou George.

Hugo deu um sorriso forçado. Não conseguia esconder a própria satisfação.

– Um dos conselheiros de Martin Luther King é comunista – falou.

George ficou chocado. Aquela acusação poderia prejudicar todo o movimento em defesa dos direitos civis. Sentiu um calafrio de apreensão. Era impossível provar que alguém *não era* comunista, e de toda forma a verdade não tinha a menor importância: a simples sugestão já era mortal. Como uma acusação de bruxaria na Idade Média, era um jeito fácil de fomentar o ódio entre pessoas estúpidas e ignorantes.

– Qual deles? – perguntou a Hugo.

O outro rapaz verificou um documento como se precisasse refrescar a memória.

– Stanley Levison – respondeu.

– Não parece nome de um negro.

– Ele é judeu.

Hugo pegou uma foto dentro da pasta e lhe entregou.

George viu um rosto branco sem nenhuma característica especial, com os cabelos recuados na testa e óculos grandes. O homem usava uma gravata-borboleta. George já havia encontrado King e seu pessoal em Atlanta, e ninguém se parecia com aquele sujeito.

– Tem certeza de que ele trabalha na Conferência da Liderança Cristã do Sul?

– Eu não disse que ele *trabalhava* para King. Ele é advogado em Nova York. É também um bem-sucedido homem de negócios.

– Então em que sentido ele é "conselheiro" do Dr. King?

– Ele ajudou o reverendo a publicar seu livro e o defendeu em um processo por evasão fiscal no Alabama. Eles não se encontram com frequência, mas se falam ao telefone.

George se empertigou.

– Como é que você sabe dessas coisas?

– Fontes – respondeu Hugo, convencido.

– Está dizendo então que o Dr. King de vez em quando telefona para um advogado de Nova York para receber conselhos sobre impostos e questões editoriais.

– De um comunista.

– Como sabe que ele é comunista?

– Fontes.

– Que fontes?

– Não podemos revelar a identidade dos informantes.

– Para o secretário de Justiça, podem, sim.

– Você não é o secretário de Justiça.

– Você tem o número da carteirinha de Levison?

– O quê? – Hugo ficou momentaneamente desconcertado.

– Os membros do Partido Comunista têm uma carteira, como você bem sabe. Cada carteira tem um número. Qual é o número da de Levison?

Hugo fingiu procurar dentro da pasta.

– Acho que não está aqui.

– Então vocês não podem provar que ele é comunista.

– Nós não precisamos *provar* – retrucou Hugo, demonstrando irritação. – Não vamos processá-lo. Estamos apenas informando o secretário de Justiça sobre nossas suspeitas, como é nosso dever.

George ergueu a voz:

– Vocês estão comprometendo o nome do Dr. King com a alegação de que um advogado que ele consultou é comunista e não apresentam prova nenhuma?

– Tem razão – disse Hugo, surpreendendo George. – Precisamos de mais provas. É por isso que vamos solicitar um grampo no telefone de Levison. – Os grampos precisavam de autorização do secretário de Justiça. – A pasta é para vocês. – Ele a estendeu.

Mas George não a pegou.

– Se vocês grampearem Levison, vão interceptar algumas das ligações do Dr. King.

– Quem fala com comunistas corre o risco de ser grampeado – disse Hugo, dando de ombros. – Algum problema com isso?

Para George, fazer uma coisa dessas em um país livre era um problema, *sim*, mas ele não disse nada.

– Não sabemos se Levison é comunista.

– Então precisamos descobrir.

George pegou a pasta, levantou-se e abriu a porta.

– Hoover com certeza vai mencionar a questão na próxima vez em que estiver com Bobby – falou Hugo. – Então não tente segurar a informação.

George havia pensado em fazer isso, mas o que disse foi:

– É claro que não.

De toda forma, não era uma boa ideia.

– Então o que você vai fazer?

– Falar com Bobby. Caberá a ele decidir.

Dito isso, George saiu da sala.

Subiu de elevador até o quinto andar. Vários altos funcionários do Departamento de Justiça estavam saindo da sala de Bobby. George espiou lá dentro. O secretário estava sem paletó, com as mangas da camisa arregaçadas e de óculos. Estava claro que acabara de encerrar uma reunião. George verificou o relógio: tinha alguns minutos antes do próximo compromisso de Bobby. Entrou na sala.

– Oi, George, como andam as coisas? – perguntou Bobby, caloroso.

Fora assim desde o dia em que George pensara que Bobby Kennedy fosse lhe bater: o secretário agora o tratava como um grande amigo. Pensou se isso seria um padrão de comportamento; talvez Bobby precisasse brigar com alguém antes de se tornar íntimo.

– Más notícias – anunciou George.

– Sente-se e me conte.

George fechou a porta.

– Hoover está dizendo que encontrou um comunista no círculo de Martin Luther King.

– Hoover é um veadinho criador de caso – retrucou Bobby.

George se espantou. Será que Bobby estava querendo dizer que Hoover era homossexual? Parecia impossível. Talvez fosse apenas um xingamento.

– O nome do cara é Stanley Levison – informou.

– E de quem se trata?

– Um advogado que o Dr. King consultou sobre impostos e outros assuntos.

– Em Atlanta?

– Não. Levison trabalha em Nova York.

– Não está parecendo muito próximo de King.

– Não acho que seja.

– Mas isso não importa muito – disse Bobby, desanimado. – Hoover sempre pode fazer as coisas parecerem piores do que são.

– Segundo o FBI, Levison é comunista, mas eles não quiseram me dizer que provas têm. Talvez digam ao senhor.

– Eu não quero saber nada sobre as fontes deles. – Bobby ergueu as duas mãos com as palmas para a frente, em um gesto defensivo. – Se houvesse qualquer vazamento, eles me culpariam para sempre.

– Eles não têm nem o número da carteirinha do partido de Levison.

– Eles não sabem porra nenhuma, estão só jogando verde – falou Bobby. – Mas não faz diferença. As pessoas vão acreditar.

– O que nós vamos fazer?

– King tem de romper com Levison – respondeu Bobby em tom decidido. – Caso contrário, Hoover vai vazar essa informação, a reputação de King vai ser prejudicada e toda essa lambança dos direitos civis só vai piorar.

George não pensava na campanha em defesa dos direitos civis como uma "lambança", mas os irmãos Kennedy, sim. A questão, porém, era outra. A acusação de Hoover constituía uma ameaça que precisava ser administrada, e Bobby tinha razão: a solução mais simples seria King romper com Levison.

– Mas como vamos conseguir que o Dr. King faça isso? – indagou George.

– Você vai pegar um avião até Atlanta e dirá isso a ele – respondeu Bobby.

George ficou intimidado. Martin Luther King era famoso por desafiar as autoridades, e George sabia, por Verena, que tanto na esfera pessoal quanto na pública não era fácil convencê-lo de nada. No entanto, escondeu sua apreensão por trás de um semblante calmo.

– Vou ligar agora mesmo e marcar uma hora. – Ele andou até a porta.

– Obrigado, George – disse Bobby com alívio evidente. – É ótimo mesmo poder contar com você.

⁓

Um dia depois de ir à piscina com o presidente, Maria atendeu o telefone e tornou a escutar a voz de Dave Powers.

– Vai ter uma confraternização de funcionários às cinco e meia – disse ele. – Gostaria de participar?

Maria e as colegas de apartamento tinham combinado ir ver Audrey Hepburn e o galã George Peppard em *Bonequinha de luxo*, mas funcionários subalternos da Casa Branca não diziam não a Dave Powers. As meninas teriam de babar por Peppard sem sua companhia.

– Onde vai ser? – indagou ela.

– Lá em cima.

– Lá em cima? – Em geral isso queria dizer a residência pessoal do presidente.

– Passo aí para buscá-la. – Dave desligou.

Na mesma hora, Maria desejou ter escolhido uma roupa mais elegante para ir trabalhar. Estava usando uma saia xadrez plissada e uma blusa branca simples com pequenos botões dourados. Seu penteado hoje era curto e sem requinte, batido na nuca e com duas mechas tipo pega-rapaz de um lado e outro do rosto, como estava na moda. Receava estar igualzinha a qualquer outra moça da capital que trabalhasse em um escritório.

– Você foi convidada para uma confraternização de funcionários hoje no final do dia? – perguntou a Nelly.

– Eu, não. Onde vai ser?

– Lá em cima.

– Que sorte a sua.

Às cinco e quinze, Maria foi ao banheiro feminino ajeitar os cabelos e a maquiagem. Reparou que nenhuma das outras mulheres estava fazendo qualquer esforço especial, e deduziu que elas não tinham sido convidadas. Talvez a confraternização fosse para os recém-contratados.

Às cinco e meia, Nelly pegou a bolsa para ir embora.

– Cuide-se, então – falou para Maria.

– Você também.

– Não, estou falando sério – insistiu a secretária, e saiu antes de Maria poder perguntar o que ela queria dizer com isso.

Um minuto depois, Dave Powers apareceu. Conduziu-a porta afora pela Galeria Oeste, passou pela porta da piscina, tornou a entrar no prédio e subiu por um elevador.

As portas se abriram para um corredor imponente com dois lustres no teto. As paredes tinham uma cor entre o azul e o verde que talvez, pensou Maria, fosse o tom conhecido como *eau de nil*. Mal teve tempo para absorver o ambiente que a cercava.

– Aqui é a Sala de Espera Oeste – explicou Dave, fazendo-a passar por uma porta aberta até uma sala informal mobiliada com vários sofás confortáveis e com uma ampla janela em arco virada para o pôr do sol.

As mesmas duas secretárias, Jenny e Jerry, estavam presentes, mas não havia mais ninguém. Maria sentou-se e perguntou-se quando os outros iriam chegar. Sobre a mesa de centro, viu uma bandeja com copos de drinques e uma jarra.

– Aceite um daiquiri – disse Dave, e serviu a bebida sem esperar resposta.

Maria não tinha o hábito de ingerir álcool, mas sorveu um golinho e gostou. Pegou um folheado de queijo na bandeja de canapés. O que estaria acontecendo ali?

– A primeira-dama vai vir nos encontrar? – indagou. – Adoraria conhecê-la.

Houve alguns segundos de silêncio que lhe deram a impressão de ter dito algo inconveniente, então Dave falou:

– Jackie está em Glen Ora.

Glen Ora era uma fazenda em Middleburg, na Virgínia, onde Jackie Kennedy criava cavalos e fazia parte do clube de caça Orange County Hunt. Ficava a cerca de uma hora da capital.

– Ela levou Caroline e John John – disse Jenny.

Caroline Kennedy tinha 4 anos, e John John, 1.

Se eu fosse casada com ele, pensou Maria, não o deixaria sozinho para ir montar.

De repente, o presidente entrou; todos se levantaram.

Ele estava com um ar cansado e tenso, mas exibia o mesmo sorriso caloroso de sempre. Tirou o paletó, jogou-o sobre o encosto de uma cadeira, sentou-se no sofá, reclinou-se e pôs os pés em cima da mesa de centro.

Maria teve a sensação de ter sido aceita no grupo social mais exclusivo do mundo. Estava na casa do presidente, tomando drinques e comendo canapés enquanto ele punha os pés para cima. O que quer que o futuro lhe reservasse, guardaria para sempre aquela lembrança.

Esvaziou seu copo e Dave tornou a enchê-lo.

Por que ela estava pensando *o que quer que o futuro lhe reservasse*? Havia alguma coisa estranha naquela situação. Ela não passava de uma pesquisadora que esperava conseguir em breve uma promoção a assessora de imprensa assistente. Apesar da atmosfera descontraída, na verdade não estava entre amigos. Nenhuma daquelas pessoas sabia nada sobre ela. O que estava fazendo ali?

Kennedy se levantou e perguntou:

– Maria, quer dar uma volta para conhecer a residência?

Uma volta para conhecer a residência? Com o próprio presidente? Quem poderia recusar?

– Claro.

Ela se levantou. O daiquiri lhe subiu à cabeça e ela ficou tonta por alguns segundos, mas depois passou.

O presidente entrou por uma porta lateral e ela foi atrás.

– Aqui antigamente era um quarto de hóspedes, mas a Sra. Kennedy o transformou em sala de jantar – explicou.

O cômodo era forrado com um papel de parede que mostrava cenas de batalha da Revolução Americana. A mesa quadrada no centro dava a impressão de ser pequena demais para o espaço, pensou Maria, e o lustre grande demais para a mesa. Mas o que ela mais pensou foi: estou sozinha com o presidente na residência da Casa Branca... eu, Maria Summers!

Kennedy sorriu e a encarou.

– O que achou? – quis saber, como se ele próprio não conseguisse decidir o que pensava sem antes ouvir sua opinião.

– Adorei – respondeu ela, desejando conseguir pensar em um elogio mais inteligente.

– Por aqui. – Tornou a atravessar com ela a Sala de Estar Oeste e entrou pela porta do lado oposto. – Este é o quarto da Sra. Kennedy – falou, fechando a porta atrás deles.

– Que lindo – disse Maria, com um sussurro.

Em frente à porta ficavam duas largas janelas emolduradas por cortinas azul-claras. À esquerda de Maria havia uma lareira, e diante desta um sofá sobre um tapete estampado no mesmo tom de azul. Acima do parapeito pendia uma coleção de desenhos enquadrados de visual elegante e refinado, como a própria Jackie. Do outro lado, a colcha e o baldaquino da cama também combinavam entre si, bem como o pano que recobria a mesinha de canto. Maria nunca tinha visto um quarto como aquele, nem mesmo nas revistas.

Mas estava pensando: por que ele disse "o quarto da Sra. Kennedy"? Por acaso não dormia ali? A espaçosa cama de casal estava feita em duas metades distintas, e Maria recordou que o presidente precisava de um colchão duro por causa dos problemas nas costas.

Ele a levou até a janela, e ambos admiraram a vista. A luz do fim de tarde batia suavemente no Gramado Sul e no chafariz em que os filhos do casal Kennedy às vezes brincavam.

– Muito lindo – repetiu Maria.

O presidente pôs a mão no seu ombro. Era a primeira vez que a tocava, e a emoção foi tanta que ela estremeceu de leve. Sentiu o cheiro da água-de-colônia que ele usava, e agora estava próxima o bastante para distinguir o alecrim e o almíscar por baixo do aroma cítrico. Ele a encarou com seu leve sorriso tão atraente.

– Este é um quarto muito íntimo – murmurou.

Ela o fitou nos olhos.

– Sim – sussurrou.

Teve uma sensação de grande intimidade com ele, como se o conhecesse da vida inteira, como se soubesse, sem qualquer dúvida possível, que podia confiar nele e amá-lo sem limites. Sentiu um instante fugidio de culpa em relação a George Jakes, mas o rapaz nem sequer a convidara para sair. Afastou-o do pensamento.

Kennedy pousou a outra mão sobre seu outro ombro e a empurrou delicadamente para trás. Quando sentiu as pernas tocarem a cama, ela se sentou.

Ele a empurrou mais para trás até obrigá-la a se apoiar nos próprios cotovelos. Sem desgrudar os olhos dos seus, começou a abrir sua blusa. Por um segundo apenas, ela sentiu vergonha daqueles botões dourados vagabundos ali, naquele quarto de elegância indescritível. Então ele tocou seus seios.

De repente, Maria sentiu ódio do sutiã de náilon que se interpunha entre a sua pele e a dele. Abriu rapidamente o resto dos botões, tirou a blusa, levou a mão às costas para abrir o sutiã e o despiu também. Ele fitou seus seios com adoração, em seguida os segurou com as mãos macias e os acariciou, primeiro com delicadeza, depois apertando bem firme.

Pôs a mão por baixo de sua saia plissada e puxou a calcinha para baixo. Maria desejou ter se lembrado de aparar os pelos pubianos, como Jenny e Jerry faziam.

Kennedy estava ofegante, e ela também. Ele abriu a braguilha da calça do terno e a deixou cair no chão, então se deitou por cima dela.

Será que era sempre assim tão rápido? Ela não sabia.

Ele começou a penetrá-la sem dificuldade. Então, ao sentir uma resistência, parou.

– Você nunca fez isso antes? – indagou ele, surpreso.

– Não.

– Está tudo bem?

– Tudo.

Tudo mais do que bem, até. Ela estava feliz, excitada, cheia de desejo.

Ele empurrou com mais delicadeza. Alguma coisa cedeu, e Maria sentiu uma pontada de dor. Não pôde reprimir um grito débil.

– Tudo bem? – repetiu ele.

– Tudo. – Não queria que ele parasse.

De olhos fechados, Kennedy continuou. Maria ficou olhando seu rosto, a expressão concentrada, o sorriso de prazer. Ele então deu um suspiro satisfeito, e tudo terminou.

Ele se pôs de pé e levantou a calça.

Com um sorriso, falou:

– O banheiro é logo ali.

Apontou para uma porta no canto e fechou a braguilha.

De repente, Maria sentiu-se encabulada, deitada ali na cama com a nudez totalmente exposta. Levantou-se depressa. Recolheu a blusa e o sutiã, curvou-se para catar a calcinha e correu para o banheiro.

Olhou-se no espelho e pensou: o que acabou de acontecer?

Não sou mais virgem, concluiu. Fiz sexo com um homem maravilhoso. Ele por acaso é presidente dos Estados Unidos. Senti prazer.

Vestiu as roupas e retocou a maquiagem. Felizmente, não tinha desarrumado os cabelos.

Este é o banheiro de Jackie, lembrou, culpada, e de repente quis sair dali.

Não havia mais ninguém no quarto. Ela foi até a porta, então se virou e tornou a olhar para a cama.

Deu-se conta de que ele não a beijara uma vez sequer.

Foi até a Sala de Estar Oeste. O presidente estava sentado ali, sozinho, com os pés sobre a mesa de centro. Dave e as moças tinham ido embora e deixado atrás de si uma bandeja de copos usados e as sobras dos canapés. Kennedy parecia relaxado, como se nada importante tivesse acontecido. Seria aquilo uma ocorrência diária para ele?

– Quer comer alguma coisa? – ofereceu. – A cozinha fica aqui ao lado.

– Não, presidente, obrigada.

Ele acabou de me comer e eu ainda o estou chamando de presidente, pensou. Kennedy se levantou.

– Tem um carro no Pórtico Sul esperando para levá-la em casa – disse ele. Acompanhou-a até o saguão principal. – Está tudo bem? – perguntou, pela terceira vez.

– Tudo.

O elevador chegou. Maria se perguntou se ele lhe daria um beijo de boa-noite. Mas ele não deu. Ela entrou no elevador.

– Boa noite, Maria.

– Boa noite – disse ela, e as portas se fecharam.

༄

George ainda precisou esperar mais uma semana para dizer a Norine Latimer que queria terminar a relação.

Estava apreensivo com a conversa.

Já tinha terminado com outras garotas, claro. Depois de uma ou duas saídas, era fácil: bastava não ligar mais. Depois de um relacionamento longo, pela sua experiência, o sentimento em geral era mútuo: ambos sabiam que a emoção tinha morrido. Mas com Norine não era nem uma coisa nem outra. Eles só saíam havia uns dois meses e se davam bem. George estava torcendo para transarem muito em breve. Ela não estaria esperando um fora.

Convidou-a para almoçar. Ela pediu que ele a levasse a um restaurante no subsolo da Casa Branca conhecido como refeitório, mas o lugar não aceitava mulheres. George não queria levá-la a um lugar chique como o Jockey Club por medo de ela pensar que estava prestes a pedi-la em casamento. No fim das contas, acabaram indo ao Old Ebbitt, restaurante tradicional de políticos que já vira dias melhores.

Norine tinha uma aparência mais árabe do que africana. Dona de uma beleza exuberante e exótica, tinha cabelos negros ondulados, pele morena e nariz adunco. Estava usando um suéter fofinho que na realidade não lhe caía bem. George calculou que estivesse tentando intimidar seu chefe: os homens não se sentiam à vontade com a presença de mulheres de aspecto autoritário em seus escritórios.

– Sinto muito mesmo por ter cancelado ontem – disse ele depois de fazerem o pedido. – Fui convocado para uma reunião com o presidente.

– Bem, com o presidente eu não posso competir – retrucou ela.

George achou aquilo uma coisa meio boba de se dizer. É claro que ela não podia competir com o presidente; ninguém podia. Mas não queria começar esse debate. Foi direto ao assunto.

– Aconteceu uma coisa – falou. – Antes de eu conhecer você, tinha outra garota.

– Eu sei – disse Norine.

– Como assim?

– George, eu gosto de você. Você é inteligente, engraçado, gentil. E, tirando essa orelha, é bonito.

– Mas...

– Mas eu sei dizer quando um homem está a fim de outra pessoa.

– Sabe?

– Imagino que seja Maria.

George ficou pasmo.

– Como é que você pode saber isso?

– Você disse o nome dela umas quatro ou cinco vezes. E nunca falou sobre nenhuma outra garota do seu passado. Então não é preciso ser nenhum gênio para entender que ela ainda é importante na sua vida. Só que, como ela está em Chicago, eu achei que talvez conseguisse tirar você dela.

De repente, Norine exibiu uma expressão triste.

– Ela veio para Washington – falou George.

– Garota esperta.

– Não por minha causa. Por causa de um emprego.

– Seja como for, você está me dando um pé na bunda para ficar com ela.

Ele não podia dizer sim para isso, mas era verdade, portanto ficou calado.

A comida chegou, mas Norine não pegou o garfo.

– Desejo a você tudo de bom, George – disse ela. – Cuide-se bem.

Aquilo parecia muito súbito.

– Ahn... você também.

Ela se levantou.

– Tchau.

Só havia uma coisa a dizer:

– Tchau, Norine.

– Pode ficar com a minha salada – concluiu ela, e saiu do restaurante.

George ainda ficou empurrando a comida de um lado para outro do prato por alguns minutos, sentindo-se mal. Ao seu modo, Norine tinha sido boa com ele, tinha facilitado as coisas. Torceu para ela ficar bem. Ela não merecia ser magoada.

Do restaurante, foi direto para a Casa Branca. Precisava participar do Comitê Presidencial de Oportunidades de Emprego Igualitárias, presidido pelo vice Lyndon Johnson; havia formado uma aliança com Skip Dickerson, um dos consultores de Johnson. Só que ainda faltava uma hora para a reunião, então foi até a assessoria à procura de Maria.

Nesse dia, ela estava usando um vestido de bolinhas com uma faixa da mesma estampa nos cabelos. A faixa decerto estava segurando uma peruca: a maioria das garotas negras usava apliques complicados, e o belo penteado curto de Maria com certeza não era natural.

Quando ela lhe perguntou como ele estava, George não soube o que responder. Sentia-se culpado por causa de Norine, mas agora podia chamar Maria para sair sem peso na consciência.

– Bastante bem, considerando tudo – respondeu. – E você?

Ela baixou a voz:

– Às vezes eu simplesmente odeio os brancos.

– O que houve?

– Você não conheceu o meu avô.

– Nunca conheci ninguém da sua família.

– Vovô ainda faz sermões lá em Chicago de vez em quando, mas passa a maior parte do tempo na cidade em que nasceu, Golgotha, no Alabama. Diz que nunca se acostumou com o vento frio do Meio-Oeste. Mas ele ainda tem muita disposição. Vestiu seu melhor terno e foi ao tribunal de Golgotha tirar seu título de eleitor.

– E o que aconteceu?

– Eles o humilharam. – Ela balançou a cabeça. – Você sabe como é. Eles mandam as pessoas fazerem um teste de alfabetização: é preciso ler em voz alta um trecho da Constituição, explicá-lo, e depois escrevê-lo. Quem escolhe a cláusula a ser lida é o funcionário do cartório. Para os brancos, dá frases simples como "Ninguém poderá ser preso por motivo de dívida." Mas os negros sempre recebem parágrafos longos e complicados, que só um advogado seria capaz de entender. Depois disso cabe ao funcionário dizer se você é alfabetizado ou não, e é claro que ele sempre decide que os brancos são e os negros não.

– Filhos da puta.

– E não é só isso. Os negros que tentam tirar o título são demitidos de seus empregos como punição, só que, como vovô é aposentado, isso eles não puderam fazer. Então, quando ele estava saindo do tribunal, foi preso por vadiagem. Teve de passar a noite na cadeia... o que não é fácil para um senhor de 80 anos.

Ela estava com os olhos marejados.

Aquela história aumentou a determinação de George. Do que ele podia reclamar? E daí se algumas das suas atribuições lhe davam vontade de lavar as mãos? Trabalhar para Bobby ainda era a coisa mais eficaz que ele podia fazer por gente como o avô Summers. Um dia aqueles racistas do Sul seriam derrotados.

Ele olhou para o relógio.

– Tenho reunião com Lyndon.

– Conte a ele sobre o meu avô.

– Talvez conte, mesmo.

O tempo que ele passava com Maria sempre lhe parecia curto demais.

– Sinto muito ter de sair correndo, mas quer fazer alguma coisa depois do trabalho? Podemos tomar um drinque, ou quem sabe ir jantar em algum lugar.

Ela sorriu.

– Obrigado, George, mas hoje eu tenho compromisso.

– Ah... – George ficou espantado. Por algum motivo, não havia lhe ocorrido que ela talvez já estivesse saindo com alguém. – Eu, ahn, amanhã preciso ir a Atlanta, mas volto daqui a dois ou três dias. Quem sabe no fim de semana?

– Não, obrigada. – Ela hesitou antes de explicar: – Estou meio que namorando firme.

George ficou arrasado, o que era uma estupidez: por que uma moça bonita como Maria *não* estaria namorando firme? Que bobo ele tinha sido. Sentiu-se desorientado, como se houvesse perdido o chão.

– Cara de sorte – conseguiu articular.

Ela sorriu.

– É muito gentil da sua parte dizer isso.

George queria saber quem era o concorrente.

– Quem é o cara?

– Você não conhece.

Não, mas assim que puder vou descobrir o nome dele.

– Pode ser que conheça.

Mas ela fez que não com a cabeça.

– Prefiro não dizer.

George ficou frustradíssimo. Tinha um adversário, mas nem sequer sabia o nome do sujeito. Quis insistir com ela, mas tomou cuidado para não forçar a barra: garotas odiavam isso.

– Está bem – falou, relutante. E arrematou com toda a insinceridade de que foi capaz. – Divirta-se hoje à noite.

– Pode deixar.

Os dois se separaram, Maria na direção da assessoria de imprensa, George na da sala do vice-presidente.

Estava arrasado. Gostava mais de Maria do que de qualquer outra garota que já tivesse conhecido, e a havia perdido para outro homem.

Quem poderia ser?, perguntou-se.

⌒

Maria tirou a roupa e entrou na banheira com Jack Kennedy.

O presidente passava o dia tomando remédios, mas nada aliviava mais sua dor nas costas do que estar dentro d'água. Ele chegava até a se barbear na banheira pela manhã. Se pudesse, dormiria dentro de uma piscina.

Aquela era a sua banheira, no seu banheiro privativo, com o seu frasco dourado e azul-turquesa de água-de-colônia 4711 na prateleira acima da pia. Depois daquela primeira vez, Maria nunca mais voltara aos aposentos de Jackie. O presidente tinha sua própria suíte, ligada à de Jackie por um corredor curto que, por algum motivo, era onde ficava o toca-discos.

Jackie estava viajando de novo. Maria já tinha aprendido a não se torturar pensando na esposa de seu amante. Sabia que estava traindo uma mulher decente e isso a entristecia, de modo que não pensava no assunto.

Adorava aquele banheiro. Era mais luxuoso do que ela poderia ter sonhado: toalhas macias, roupões brancos e sabonetes caros, além de uma família de patos de borracha amarelos.

Eles agora tinham uma rotina. Sempre que Dave Powers a convidava, o que ocorria cerca de uma vez por semana, ela pegava o elevador até a residência presidencial depois do trabalho. Uma jarra de daiquiri e uma bandeja de canapés sempre a aguardavam na Sala de Espera Oeste. Às vezes Dave estava lá, outras vezes Jenny e Jerry, e em algumas ocasiões não havia ninguém. Maria se servia uma bebida e, ansiosa mas pacientemente, esperava o presidente chegar.

Eles iam para o quarto logo em seguida. Aquele era o lugar preferido de Maria no mundo todo. Havia uma cama de baldaquino azul, duas cadeiras em frente a uma lareira de verdade, e pilhas de livros, revistas e jornais por toda parte. Tinha a sensação de que poderia passar o resto da vida morando dentro daquele quarto, sem problema algum.

Com toda a delicadeza, ele havia lhe ensinado a praticar sexo oral; ela se revelara uma aluna muito disposta. Em geral era isso que ele queria assim que chegava. Muitas vezes mostrava pressa, quase um desespero, e essa urgência era excitante. Porém Maria gostava mais dele depois, quando relaxava e se mostrava mais caloroso, carinhoso.

Às vezes ele punha um disco para tocar. Gostava de Sinatra, Tony Bennett e Percy Marquand. Nunca tinha ouvido falar em The Miracles nem em The Shirelles.

Havia sempre uma ceia fria na cozinha: frango, camarão, sanduíches, salada. Depois de comerem, eles tiravam a roupa e entravam na banheira.

Nessa noite, Maria se sentou do lado oposto da banheira. Ele pôs dois patos na água e disse:

– Aposto 25 *cents* que o meu pato é mais rápido do que o seu. – Com seu sotaque de Boston, pronunciava algumas palavras como se fosse inglês.

Maria pegou um pato. Gostava mais dele assim: brincalhão, bobo, infantil.

– Tudo bem, presidente. Mas vamos apostar um dólar, se tiver coragem.

Ela ainda o chamava quase sempre de presidente. Sua mulher o chamava de Jack; os irmãos, às vezes, de Johnny. Maria só o chamava de Johnny nos momentos de intensa paixão.

– Não posso me dar ao luxo de perder um dólar – disse ele, rindo. Mas era um homem sensível, e pôde ver que ela não estava muito animada. – O que houve?

– Não sei. – Ela deu de ombros. – Em geral não falo com você sobre política.

– Por que não? Eu vivo de política e você também.

– Você passa o dia inteiro sendo importunado. O tempo que temos juntos é para relaxarmos e nos divertirmos.

– Abra uma exceção. – Ele segurou o pé dela, encostado em sua coxa dentro d'água, e acariciou os dedos. Maria sabia que tinha pés lindos e sempre pintava as unhas. – Alguma coisa incomodou você. Me diga o que foi.

Quando ele a encarava assim tão intensamente, com aqueles olhos cor de avelã e o sorriso de ironia, ela ficava sem ação.

– Anteontem meu avô foi preso por tentar tirar o título de eleitor.

– Preso? Eles não podem fazer isso. Qual foi a acusação?

– Vadiagem.

– Ah. Foi em algum lugar no Sul.

– Golgotha, no Alabama. A cidade em que ele nasceu. – Ela hesitou, mas resolveu lhe contar a história toda, mesmo que ele não fosse gostar: – Quer saber o que ele disse quando saiu da prisão?

– O quê?

– "Com Kennedy na Casa Branca eu achei que pudesse votar, mas pelo visto estava errado." Pelo menos foi o que minha avó me disse.
– Que droga – disse Kennedy. – Ele acreditou em mim e eu o decepcionei.
– É isso que ele pensa, eu acho.
– E você, Maria, o que pensa? – Ele continuava a afagar seus dedos.

Ela tornou a vacilar; olhou para seu pé escuro nas mãos brancas dele. Temia que aquela conversa pudesse azedar. Ele era muito suscetível à menor sugestão de que fosse insincero ou indigno de confiança, ou de que não conseguisse manter suas promessas políticas. Se ela forçasse demais, poderia terminar seu relacionamento. E, se isso acontecesse, ela iria morrer.

Mas precisava ser sincera. Respirou fundo e tentou manter a calma.
– Até onde eu posso constatar, a questão não é complicada – começou. – Os sulistas fazem isso porque podem. Apesar da Constituição, a lei, da maneira que é hoje, os deixa escapar impunes.
– Não totalmente – interrompeu Kennedy. – Meu irmão Bob aumentou o número de processos por violações do direito ao voto no Departamento de Justiça. Tem um advogado negro brilhante trabalhando com ele.

Ela assentiu.
– George Jakes. Eu o conheço. Mas o que eles estão fazendo não basta.

O presidente deu de ombros.
– Isso eu não posso negar.

Ela insistiu:
– Todo mundo concorda que temos de mudar a legislação criando uma nova Lei de Direitos Civis. Várias pessoas pensaram que você estivesse prometendo isso na sua campanha. E... e ninguém entende por que ainda não fez nada. – Ela mordeu o lábio, então arriscou o ultimato: – Nem eu.

O semblante dele se tornou duro.

Na mesma hora Maria se arrependeu de ter sido tão sincera.
– Não se zangue – pediu. – Por nada deste mundo eu iria querer chateá-lo, mas você perguntou e quis ser sincera. – Seus olhos se encheram de lágrimas. – E o coitadinho do meu avô passou a noite inteira na prisão vestido com seu melhor terno.

Ele forçou um sorriso.
– Não estou zangado, Maria. Pelo menos não com você.
– Pode me dizer o que quiser – falou ela. – Eu adoro você. Jamais iria julgá-lo, você deve saber disso. É só dizer o que sente e pronto.
– Acho que estou zangado por ser fraco. Nós só temos a maioria no Congresso

contando com os democratas conservadores do Sul. Se eu criar uma nova Lei de Direitos Civis, eles vão sabotá-la... e não só isso: para se vingar, vão votar contra o resto do meu programa legislativo nacional, incluindo o sistema público de saúde. O sistema de saúde poderia melhorar a vida dos negros americanos mais ainda do que uma Lei de Direitos Civis.

– Isso significa que você desistiu dos direitos civis?

– Não. A eleição de meio de mandato vai ser em novembro próximo. Vou pedir aos americanos que ponham mais democratas no Congresso de modo que eu possa cumprir minhas promessas de campanha.

– E eles vão fazer isso?

– Provavelmente não. Os republicanos estão me atacando por causa da política externa. Nós perdemos Cuba, perdemos o Laos, e agora estamos perdendo o Vietnã. Tive que deixar Kruschev erguer uma cerca de arame farpado no meio de Berlim. Que droga... No momento estou imprensado contra a parede.

– Que coisa estranha – refletiu Maria. – Você não pode deixar os negros do Sul votarem porque está vulnerável em relação à política externa.

– Todo líder precisa parecer forte no cenário mundial, do contrário não consegue nada.

– Você não poderia simplesmente tentar? Apresentar uma Lei de Direitos Civis, mesmo que provavelmente não consiga aprová-la? Pelo menos as pessoas vão saber que é sincero.

Ele balançou a cabeça.

– Se eu apresentar uma lei e for derrotado, parecerei fraco, e isso ameaçará todo o resto. E aí eu nunca mais terei uma segunda chance em relação aos direitos civis.

– Então o que devo dizer ao meu avô?

– Que fazer a coisa certa não é tão fácil quanto parece, mesmo quando se é presidente.

Ele se levantou, e ela fez o mesmo. Secaram um ao outro com a toalha e foram para o quarto. Maria vestiu uma das camisas azuis macias que ele usava para dormir.

Tornaram a fazer amor. Quando ele estava cansado, era tudo bem rápido como da primeira vez, mas nessa noite ele estava relaxado. Tornou-se brincalhão e os dois ficaram deitados na cama, divertindo-se com o corpo um do outro, como se nada mais no mundo importasse.

Em seguida, ele adormeceu depressa. Maria ficou deitada ao seu lado, a mais feliz das mulheres. Não queria que chegasse a manhã, quando teria de se vestir, ir para a assessoria e começar seu dia de trabalho. Vivia no mundo real como se este fosse um sonho, esperando apenas a ligação de Dave Powers lhe avisando que podia acordar e voltar à única realidade que importava.

Sabia que alguns de seus colegas deviam ter adivinhado o que estava acontecendo. Sabia que ele nunca deixaria a mulher para ficar com ela. Sabia que deveria se preocupar em evitar uma gravidez. Sabia que tudo o que estava fazendo era uma tolice, era errado, e jamais poderia ter um final feliz.

E estava apaixonada demais para se importar.

George entendia por que Bobby estava tão feliz por poder mandá-lo conversar com King. Quando o secretário de Justiça precisava fazer pressão sobre o movimento pelos direitos civis, tinha mais chance de sucesso se o seu mensageiro fosse negro. Na opinião de George, Bobby estava certo em relação a Levison, mas mesmo assim seu papel não o deixava totalmente à vontade – sensação que começava a se tornar conhecida.

Chovia e fazia frio em Atlanta. Verena o esperava no aeroporto, de sobretudo bege com gola de pele. Estava linda, mas a rejeição de Maria ainda doía demais em George para ele sentir atração.

– Eu conheço Stanley Levison – disse ela enquanto o conduzia de carro pela extensa área urbana da cidade. – Sujeito muito sincero.

– Advogado, não é?

– Mais do que isso. Ele ajudou Martin a escrever *A caminho da liberdade*. São bem próximos.

– O FBI está dizendo que Levison é comunista.

– Para o FBI, qualquer um que discorde de J. Edgar Hoover é comunista.

– Bobby chamou Hoover de veadinho.

Verena riu.

– Acha que ele estava falando sério?

– Sei lá.

– Hoover, bicha? – Ela balançou a cabeça, incrédula. – É bom demais para ser verdade. A vida real nunca é tão engraçada assim.

Ela foi dirigindo debaixo de chuva até o bairro de Old Fourth Ward, ocupado por centenas de estabelecimentos comerciais cujos donos eram negros. Parecia haver uma igreja por quarteirão. A Auburn Avenue um dia já fora chamada de a mais próspera rua negra dos Estados Unidos. A sede da Conferência da Liderança Cristã do Sul ficava no número 320. Verena parou diante de um prédio comprido de tijolo vermelho.

– Bobby acha o Dr. King arrogante – comentou George.

– Martin acha Bobby arrogante – rebateu Verena, dando de ombros.

– E você, o que acha?

– Que os dois têm razão.

George riu. Gostava do senso de humor afiado de Verena.

Eles correram pela calçada molhada até lá dentro. Então aguardaram quinze minutos em frente à sala de King antes de serem chamados.

Martin Luther King era um belo homem de 33 anos, de bigode e cabelos pretos que rareavam prematuramente. Era baixo – George calculou que tivesse 1,68 metro – e meio gordinho. Estava usando um terno cinza-escuro bem passado, camisa branca e gravata fininha de cetim preto. Um lenço de seda despontava do bolso da frente do paletó, e ele usava abotoaduras grandes. George sentiu um leve cheiro de água-de-colônia. Teve a impressão de estar diante de um homem que achava importante ter uma aparência digna. Sentiu empatia: ele também era assim.

King o cumprimentou com um aperto de mão e disse:

– Da última vez que nos encontramos, você estava na Viagem da Liberdade a caminho de Anniston. Como vai o braço?

– Totalmente bom, obrigado – respondeu George. – Larguei as competições de luta livre, mas já estava decidido a não continuar mesmo. Agora sou treinador de uma equipe em Ivy City. – Ivy City era um bairro negro de Washington.

– Que ótimo... Ensinar os negros a usarem sua força em um esporte disciplinado, com regras. Por favor, sente-se. – Ele acenou para uma cadeira e foi para trás de sua mesa. – Diga-me, por que o secretário de Justiça o mandou vir aqui falar comigo?

Sua voz tinha um quê de orgulho ferido. Talvez King pensasse que Bobby deveria ter ido pessoalmente. George recordou que, no movimento pelos direitos civis, o apelido de King era Nosso Senhor.

Expôs rapidamente o problema relacionado a Stanley Levison, sem deixar nada de fora, exceto o pedido de grampo.

– Bobby me mandou aqui para insistir, com a maior ênfase possível, que o senhor rompa todos os vínculos com o Sr. Levison – concluiu. – É o único jeito de protegê-lo da acusação de conivência com os comunistas... uma acusação que pode causar danos incalculáveis ao movimento no qual ambos acreditamos.

Depois que ele terminou, King falou:

– Stanley Levison não é comunista.

George abriu a boca para perguntar alguma coisa, mas King ergueu uma das mãos para silenciá-lo: não era homem de tolerar interrupções.

– Stanley nunca foi membro do Partido Comunista. O comunismo é ateu, e eu, como seguidor de Jesus Cristo, não poderia ser amigo íntimo de um ateu. Mas... – Ele se inclinou por cima da mesa. – Essa não é toda a verdade.

Ele passou algum tempo em silêncio, mas George sabia que não deveria dizer nada.

– Vou lhe contar toda a verdade sobre Stanley Levison – retomou King por fim, e George teve a sensação de que estava prestes a ouvir um sermão. – Stanley tem talento para ganhar dinheiro. Isso o constrange. Ele sente que deveria passar a vida ajudando os outros. Portanto, quando era jovem, ele se deixou... enfeitiçar. Sim, é essa a palavra certa: deixou-se enfeitiçar pelos ideais do comunismo. Embora nunca tenha entrado para o partido, usou seus notáveis talentos para ajudar de várias formas o Partido Comunista dos Estados Unidos. Logo que viu como estava errado, rompeu a relação e passou a apoiar a causa da liberdade e da igualdade para os negros. Assim ficamos amigos.

George esperou até ter certeza de que King havia terminado antes de falar:

– Sinto muitíssimo ouvir isso, reverendo. Se Levison foi consultor financeiro do Partido Comunista, está maculado para sempre.

– Mas ele mudou.

– Eu acredito no senhor, mas outros não vão acreditar. Se continuar se relacionando com Levison, o senhor estará dando munição a seus inimigos.

– Que seja, então – falou King.

George ficou estupefato.

– Como assim?

– É preciso obedecer às regras morais mesmo quando elas não nos convêm. Caso contrário, por que precisaríamos de regras?

– Mas se o senhor pesar...

– Nós não pesamos – retrucou King. – Stanley errou ao ajudar os comunistas. Ele se arrependeu e está se redimindo. Eu sou um pregador a serviço de Deus. Preciso perdoar como Jesus perdoa e receber Stanley de braços abertos. A alegria no céu será maior por um pecador arrependido do que por 99 justos. Eu próprio preciso com muita frequência da graça de Deus para evitar recusar o perdão a um semelhante.

– Mas o custo...

– George, eu sou um pastor cristão. A doutrina do perdão está profundamente enraizada em minha alma, mais até do que a liberdade e a justiça. Eu não iria retroceder nisso por nenhuma recompensa no mundo.

George entendeu que sua missão estava condenada: King tinha sido absolutamente sincero. Não havia perspectiva nenhuma de ele mudar de ideia. Levantou-se.

– Obrigado por gastar seu tempo me explicando seu ponto de vista. Sou grato por isso, e o secretário de Justiça também.

– Vá com Deus – respondeu King.

George e Verena saíram da sala e foram até a rua. Em silêncio, entraram no carro dela.

– Vou deixá-lo no seu hotel – disse a moça.

George assentiu. Estava pensando nas palavras de King. Não queria conversar. Seguiram em silêncio até ela parar em frente à porta do hotel.

– E aí? – perguntou Verena por fim.

– Ele me fez sentir vergonha de mim mesmo – respondeu George.

༄

– É isso que os pregadores fazem – comentou sua mãe. – É o trabalho deles. É bom para você.

Ela serviu um copo de leite e uma fatia de bolo para o filho. George não quis nenhum dos dois.

Estavam ambos sentados na cozinha da casa dela, e George tinha lhe contado toda a história.

– Ele foi tão forte... Quando entendeu o que era o certo, resolveu agir assim, qualquer que fosse o custo.

– Não o ponha nas alturas além da conta – alertou Jacky. – Ninguém é santo, sobretudo se for homem.

Era fim de tarde, e ela ainda estava usando as roupas do trabalho: vestido preto simples e sapatos sem salto.

– Eu sei. Mas ali estava eu, tentando convencê-lo a romper com um amigo leal por motivos políticos cínicos, e tudo o que ele fez foi falar sobre certo e errado.

– Como estava Verena?

– Queria que você a tivesse visto, com aquele sobretudo de gola de pele.

– Você a levou para sair?

– Fomos jantar.

Ele não lhe dera um beijo de boa-noite. Do nada, Jacky falou:

– Eu gosto de Maria Summers.

George ficou espantado.

– Como você a conhece?

– Ela é sócia do clube. – Jacky era supervisora dos funcionários negros do Clube Feminino Universitário. – Não temos muitas sócias negras, então é claro que conversamos. Ela comentou que trabalhava na Casa Branca, eu lhe contei sobre você e percebemos que já se conheciam. Ela é de boa família.

George achou graça naquilo.

– E *isso*, como é que você sabe?

– Ela levou os pais para almoçar. O pai é um advogado importante em Chicago. Conhece o prefeito Daley. – Daley era um grande aliado de Kennedy.

– Você sabe mais sobre ela do que eu!

– As mulheres escutam. Os homens falam.

– Eu também gosto de Maria.

– Que bom. – Ao se lembrar do assunto original da conversa, Jacky franziu a testa. – O que Bobby Kennedy falou quando você voltou de Atlanta?

– Que vai autorizar o grampo de Levison. Ou seja, o FBI vai passar a escutar alguns dos telefonemas do Dr. King.

– E qual é a real importância disso? Tudo o que King faz é para ser divulgado.

– Eles talvez descubram com antecedência o que King pretende. Nesse caso, vão alertar os segregacionistas, que poderão se planejar e talvez encontrar jeitos de prejudicar as ações de King.

– É ruim, mas não é o fim do mundo.

– Eu poderia avisar a King sobre o grampo. Dizer a Verena para mandá-lo tomar cuidado com o que diz para Levison ao telefone.

– Você estaria traindo a confiança dos seus colegas de trabalho.

– É isso que me incomoda.

– Na verdade, provavelmente teria de pedir demissão.

– Exatamente. Porque eu me sentiria um traidor.

– Além do mais, eles podem descobrir que alguém avisou e, quando buscarem o culpado, o único rosto negro que verão na sala será o seu.

– Talvez eu devesse avisar mesmo assim, se for a coisa certa a fazer.

– George, se você sair, não haverá *nenhum* rosto negro no círculo íntimo de Bobby Kennedy.

– Eu sabia que você me diria para calar a boca e ficar.

– Não é fácil, mas sim, acho que é isso que você deveria fazer.

– Eu também – concordou George.

CAPÍTULO DOZE

– Vocês moram em uma casa incrível – disse Beep Dewar a Dave Williams. Dave tinha 13 anos, morava ali desde que se entendia por gente e, na verdade, nunca havia reparado na casa. Ergueu os olhos para a fachada de tijolos no lado que dava para o jardim, com suas fileiras regulares de janelas em estilo georgiano.

– Incrível?
– É tão antiga...
– É do século XVIII, acho. Ou seja, deve ter só uns duzentos anos.
– Só! – Beep riu. – Lá em São Francisco nada tem duzentos anos!

O imóvel ficava na rua londrina chamada Great Peter Street, a poucos minutos a pé do Parlamento. A maioria das casas do bairro era do século XVIII, e Dave sabia vagamente que tinham sido construídas para os deputados e nobres que precisavam trabalhar na Câmara dos Comuns e na Câmara dos Lordes. Lloyd Williams, pai de Dave, era deputado na Câmara dos Comuns.

– Você fuma? – perguntou Beep, sacando um maço.
– Só quando tenho oportunidade.

Ela lhe passou um cigarro, e cada um acendeu o seu.

Ursula Dewar, que todos conheciam como Beep, também tinha 13 anos, mas parecia mais velha do que Dave. Usava sempre roupas americanas estilosas, suéteres justos, jeans apertados e botas. Afirmava já saber dirigir e chamava a rádio britânica de careta: só três estações, nenhuma das quais tocava rock 'n' roll, e todas saíam do ar à meia-noite! Ao pegar Dave de olho nas pequenas protuberâncias que seus seios formavam na frente do suéter preto de gola rulê, não ficou sequer encabulada, apenas sorriu. Mas nunca chegou de fato a lhe dar uma chance de beijá-la.

Ela não seria a primeira menina que Dave beijaria. Ele teria gostado de lhe dizer isso, só para o caso de ela o considerar inexperiente. Seria a terceira, contando com Linda Robertson – que ele contava, mesmo que a garota não tivesse retribuído o beijo. A questão era: ele sabia o que fazer.

Só ainda não conseguira fazê-lo com Beep.

Havia chegado bem perto. Discretamente, tinha passado o braço em volta de seus ombros no banco de trás do Humber Hawk do pai dela, mas Beep tinha virado o rosto e olhado para as ruas iluminadas pela luz dos postes. Ela não sentia cócegas. Os dois já tinham dançado o *jive* ao som do toca-discos Dansette no quarto de Evie, irmã de 15 anos de Dave, mas ela não quisera dançar coladinho quando ele pôs Elvis cantando "Are You Lonesome Tonight?".

Nem assim Dave perdera as esperanças. Infelizmente, aquele não era o momento certo: em pé no pequeno jardim em uma tarde de inverno, Beep com os braços em volta do corpo para se aquecer, ambos ainda vestidos com suas roupas mais chiques. Estavam a caminho de um evento formal de família, mas depois haveria uma festa. Beep tinha um quarto de garrafa de vodca na bolsa para turbinar os refrigerantes que lhes seriam servidos enquanto seus pais, os hipócritas, se entupiam de uísque e gim. E aí tudo poderia acontecer. Ele encarou aqueles lábios cor-de-rosa que se fechavam em volta do filtro do Chesterfield e imaginou, cheio de desejo, como seria beijá-los.

A mãe dele os chamou da casa com seu sotaque americano:
– Crianças, venham, estamos saindo!
Os dois jogaram os cigarros no canteiro de flores e entraram.

As duas famílias estavam se reunindo no hall. A avó de Dave, Eth Leckwith, seria "apresentada" à Câmara dos Lordes, ou seja, viraria baronesa, passaria a ser chamada de Lady Leckwith e ocuparia um lugar de representante trabalhista na câmara alta do Parlamento. Os pais de Dave, Lloyd e Daisy, aguardavam ali com sua irmã Evie e um jovem amigo da família, Jasper Murray. Os Dewar, amigos da época da guerra, também estavam presentes. Woody Dewar era fotógrafo e estava em missão de trabalho em Londres por um ano; trouxera consigo a mulher, Bella, e os filhos Cameron e Beep. Todos os americanos pareciam fascinados pela pantomima da vida pública britânica, de modo que os Dewar iriam participar da comemoração. Foi um grupo grande que saiu da casa e tomou o rumo da Parliament Square.

Enquanto percorria as ruas brumosas de Londres, Beep transferiu sua atenção de Dave para Jasper Murray. Jasper tinha 18 anos e parecia um viking: alto, ombros largos, cabelos louros. Estava usando um pesado paletó de tweed. Dave não via a hora de ser crescido e másculo como ele, e de ver Beep olhá-lo com aquela mesma expressão de admiração e desejo. Dave tratava Jasper como um irmão mais velho e havia pedido seu conselho: confessara-lhe que adorava Beep e não conseguia encontrar um jeito de conquistá-la.

– Continue tentando – respondera Jasper. – Às vezes a simples persistência funciona.

Dave agora podia ouvir a conversa dos dois.

– Então você é primo de Dave? – perguntou Beep a Jasper enquanto atravessavam a Parliament Square.

– Não exatamente – respondeu o rapaz. – Nós não somos parentes.

– Então como você mora aqui sem pagar aluguel?

– Minha mãe estudou com a mãe de Dave em Buffalo. Foi lá que elas conheceram o seu pai. Desde então, são todos amigos.

Dave sabia que a história não era bem assim. Eva, mãe de Jasper, tivera de fugir da Alemanha nazista, e Daisy, mãe de Dave, a acolhera, com sua típica generosidade. Jasper, contudo, preferia minimizar o tamanho da dívida que sua família tinha para com os Williams.

– O que você está estudando? – quis saber Beep.

– Francês e alemão. Estou em St. Julian's, um dos maiores *colleges* da Universidade de Londres. Mas o que mais faço é escrever para o jornal estudantil. Vou ser jornalista.

Dave sentiu inveja. Ele jamais aprenderia francês nem estudaria na universidade. Era o último da classe em tudo, para desespero do pai.

– Onde estão seus pais? – perguntou Beep a Jasper.

– Na Alemanha. Eles viajam pelo mundo com o Exército. Meu pai é coronel.

– Coronel! – exclamou a adolescente, admirada.

Evie, irmã de Dave, murmurou em seu ouvido:

– O que essa vadiazinha pensa que está fazendo? Primeiro fica espichando o olho para você, depois paquera um cara cinco anos mais velho!

Dave não comentou nada. Sabia que a irmã era apaixonada por Jasper. Poderia tê-la provocado, mas se conteve. Gostava dela, e além do mais era melhor guardar aquele tipo de informação para usar da próxima vez que ela o tratasse mal.

– Não é preciso nascer aristocrata? – Beep estava perguntando.

– Mesmo nas famílias mais antigas é preciso ter um primeiro nobre – respondeu Jasper. – Mas hoje em dia existem os nobres vitalícios, que não transmitem o título aos herdeiros. A Sra. Leckwith vai ser nobre vitalícia.

– Vamos ter que fazer reverência para ela?

Jasper riu.

– Não, sua idiota.

– A rainha vai assistir à cerimônia?

– Não.

– Que decepção!

– Vaca burra – sussurrou Evie.

Entraram no Palácio de Westminster pela Entrada dos Lordes. Foram recebidos por um homem em traje de corte completo, incluindo a calça curta na altura do joelho e as meias de seda. Dave ouviu a avó dizer em seu sotaque galês cadenciado:

– Uniformes obsoletos são um sinal claro de uma instituição que precisa ser reformada.

Dave e Evie frequentavam o prédio do Parlamento desde pequenos, mas para os Dewar aquela era uma experiência nova, e eles ficaram maravilhados. Beep se esqueceu de jogar charme para Jasper e exclamou:

– Todas as superfícies são decoradas! Lajotas no chão, tapetes estampados, papéis de parede, forros de madeira, vitrais e pedra esculpida!

Jasper a encarou com mais interesse.

– É o típico estilo gótico vitoriano.

– Ah, é?

Dave estava começando a se irritar com o jeito como Jasper deixava Beep impressionada.

O grupo se separou, e a maioria subiu vários lances de escada atrás de um guia até uma galeria da qual se via o plenário. Os amigos de Ethel já tinham chegado. Beep sentou-se ao lado de Jasper, mas Dave deu um jeito de ocupar o lugar do outro lado dela e Evie se acomodou junto ao irmão. Dave já tinha visitado inúmeras vezes a Câmara dos Comuns, situada no outro extremo do mesmo palácio, mas aquele ambiente era mais ornamentado e tinha bancos de couro vermelho em vez de verdes.

Após uma longa espera, houve uma movimentação lá embaixo e sua avó entrou em fila indiana com quatro outras pessoas, todas usando chapéus gozados e túnicas extremamente ridículas debruadas de pele.

– Sensacional! – exclamou Beep, mas Dave e Evie riram baixinho.

A procissão se deteve em frente a um trono e sua avó se ajoelhou, não sem alguma dificuldade, pois tinha 68 anos. Houve um grande passa-passa de pergaminhos que tiveram de ser lidos em voz alta. Daisy, mãe de Dave, explicava a cerimônia em voz baixa aos pais de Beep, o alto Woody e a roliça Bella, mas Dave não estava prestando atenção. Na verdade aquilo tudo era uma babaquice.

Depois de algum tempo, Ethel e duas das pessoas que a acompanhavam sentaram-se em um dos bancos. Aí veio a parte mais engraçada de todas.

Eles se sentaram, e imediatamente tornaram a se levantar. Tiraram os chapéus e fizeram uma reverência. Sentaram-se outra vez e recolocaram os chapéus na cabeça. Então repetiram tudo de novo, como três marionetes suspensas por cordões: levanta, tira o chapéu, reverência, senta, põe o chapéu de novo. A essa altura, Dave e Evie já quase não conseguiam mais segurar o riso. Então sua avó e os outros repetiram tudo uma terceira vez. Dave ouviu a irmã dizer, com a voz engasgada:

– Parem, por favor, parem com isso! – o que o fez rir ainda mais.

Daisy lhes lançou um olhar azul muito sério, mas ela própria era bem-humorada demais para não ver o lado engraçado daquilo, e no final acabou sorrindo também.

Por fim, a cerimônia acabou e Ethel se retirou do plenário. Seus parentes e amigos se levantaram. Daisy os conduziu por um labirinto de corredores e escadas até uma sala no subsolo onde haveria a festa. Dave verificou que seu violão estava guardado direitinho em um canto. Ele e Evie iriam se apresentar, mas a estrela era ela; ele fazia apenas o acompanhamento.

Em poucos minutos, a sala se encheu com cerca de cem pessoas.

Evie encurralou Jasper e começou a lhe fazer perguntas sobre o jornal estudantil. Ele apreciava o assunto e respondeu com entusiasmo, mas Dave tinha certeza de que a paixonite da irmã era um caso perdido. Jasper era um rapaz que sabia cuidar dos próprios interesses. Naquele momento, tinha aposentos luxuosos, sem pagar aluguel, a uma curta viagem de ônibus do *college* onde estudava. Na cínica opinião de Dave, não era provável que fosse desestabilizar esse confortável esquema iniciando um romance com a filha do casal que o hospedava.

No entanto, Evie desviou a atenção de Jasper de Beep, deixando o caminho livre para Dave. Ele foi lhe buscar uma *ginger beer* e perguntou se ela havia gostado da cerimônia. Ethel chegou, agora com roupas normais: vestido vermelho, casaco no mesmo feitio e um pequeno chapéu pousado meio de banda sobre os cachos grisalhos.

– Ela devia ser linda de morrer antigamente – sussurrou Beep.

Dave achou sinistro pensar na avó como uma mulher atraente.

Ethel começou a falar:

– É um prazer dividir este acontecimento com todos vocês. Só lamento que meu amado Bernie não tenha vivido para ver este dia. Ele foi o homem mais sensato que já conheci. – Bernie, avô de Dave, tinha morrido um ano antes. – É estranho ser chamada de *Lady*, principalmente para quem foi socialista a vida inteira – continuou ela, e todos riram. – Bernie decerto me perguntaria se eu derrotei meus inimigos ou simplesmente passei para o lado deles. Então vou lhes garantir uma coisa: eu entrei para a nobreza para abolir essa instituição. – Ouviram-se aplausos. – Estou falando sério, camaradas: abri mão do cargo de deputada por Aldgate porque pensei que estava na hora de alguém mais jovem assumir, mas não me aposentei ainda. Há injustiças demais em nossa sociedade, muitas moradias ruins e muita pobreza, muita fome pelo mundo... e pode ser que

eu só tenha mais uns vinte ou trinta anos de campanha pela frente! – Mais risos.
– O conselho que me deram foi que aqui, na Câmara dos Lordes, o mais sensato é escolher uma batalha e abraçá-la por inteiro, e eu já decidi qual vai ser a minha.

Todos se calaram. As pessoas sempre queriam saber qual seria o próximo passo de Eth Leckwith.

– Na semana passada, meu grande e velho amigo Robert von Ulrich morreu. Ele combateu na Primeira Guerra, teve problemas com os nazistas nos anos 1930 e acabou virando dono do melhor restaurante de Cambridge. Certa vez, quando eu era uma jovem costureira que trabalhava em um ateliê clandestino no East End, ele me pagou um vestido novo e me levou para jantar no Ritz. Além disso... – Ela empinou o queixo, desafiadora. – Além disso, ele era homossexual.

Um sussurro audível de surpresa varreu a sala.

– Caraca! – murmurou Dave.

– Gostei da sua avó – falou Beep.

As pessoas não estavam acostumadas a ver aquele assunto tratado de modo tão aberto, sobretudo por uma mulher. Dave sorriu. Sua avó era danada: depois de tantos anos, continuava dando trabalho.

– Não precisam sussurrar, vocês na verdade nem estão chocados – disse ela, direta. – Todo mundo aqui sabe que existem homens que amam outros homens. Essas pessoas não fazem mal a ninguém. Pelo contrário! Na minha opinião, homens assim tendem a ser mais gentis do que os outros. Mas pelas leis do nosso país o que eles fazem é crime. E pior: inspetores de polícia à paisana se fazem passar por homens do mesmo tipo para fazê-los cair em armadilhas, prendê-los e jogá-los na cadeia. Penso que isso é tão ruim quanto perseguir as pessoas por serem judias, pacifistas ou católicas. Portanto, minha campanha aqui na Câmara dos Lordes vai ser a reforma das leis contra os homossexuais. Espero que todos vocês me desejem sorte. Obrigada.

Ela recebeu aplausos entusiasmados. Dave imaginou que quase todo mundo ali naquela sala de fato lhe desejava sorte. Ficou impressionado. Na sua opinião, prender veados era uma idiotice. A Câmara dos Lordes subiu no seu conceito: se ali era possível fazer campanha por aquele tipo de mudança, talvez o lugar não fosse totalmente ridículo.

Por fim, Ethel falou:

– E agora, em homenagem a nossos parentes e amigos americanos, uma música.

Evie foi até a frente e Dave a seguiu.

– Vovó é craque em dar às pessoas alguma coisa em que pensar – sussurrou Evie para o irmão. – E aposto que vai ter sucesso.

– Em geral ela consegue o que quer.

Ele pegou o violão e dedilhou a corda do sol.

Evie começou a cantar na mesma hora.

Ó, digam se podem ver, à luz nascente da aurora...

Era o hino dos Estados Unidos. A maioria dos presentes era britânica, não americana, mas a voz de Evie fez todos prestarem atenção.

O que com tanto orgulho anunciamos ao último brilho do entardecer...

Dave na verdade achava aquele orgulho nacionalista uma babaquice, mas mesmo assim ficou um pouco emocionado. A culpa era da canção.

Cujas largas listras e radiantes estrelas, durante a perigosa luta,
Por cima das muralhas nós vimos, tremulando tão valorosa.

O silêncio no recinto era tal que Dave podia ouvir a própria respiração. Evie tinha esse dom: quando subia ao palco, todos ficavam vidrados.

E o clarão vermelho do foguete, as bombas a explodir no ar
Demonstraram noite adentro que nossa bandeira lá estava

Dave olhou para a mãe e viu Daisy enxugar uma lágrima.

Ó, digam se a bandeira estrelada ainda tremula
Acima da terra dos livres e do lar dos bravos.

Todos aplaudiram e gritaram elogios. Dave tinha de dar crédito à irmã: Evie às vezes podia ser um pé no saco, mas tinha o dom de enfeitiçar uma plateia.

Ele pegou outra *ginger beer* e olhou em volta à procura de Beep, mas não a viu na sala. Viu seu irmão mais velho, Cameron, que era um nojo.

– Oi, Cam. Cadê a Beep?

– Deve ter saído para fumar – respondeu o outro rapaz.

Dave imaginou se conseguiria encontrá-la. Resolveu sair à sua procura. Pousou o copo.

Chegou à saída ao mesmo tempo que a avó, então segurou a porta para ela passar. Ethel decerto estava a caminho do toalete feminino: ele tinha uma vaga noção de que as mulheres mais velhas faziam muito xixi. Ela sorriu para o neto e começou a subir uma escadaria coberta por um carpete vermelho. Como ele não sabia onde estava, foi atrás.

No patamar intermediário, Ethel foi abordada por um senhor de idade apoiado em uma bengala. Dave reparou que ele usava um terno elegante de risca de giz cinza-claro. Um lenço de seda estampado despontava do bolso da frente de seu paletó. Tinha o rosto todo manchado e cabelos brancos, mas era óbvio que já tinha sido um homem bonito.

– Parabéns, Ethel – disse ele, apertando a mão de sua avó.

– Obrigada, Fitz.

Os dois pareciam se conhecer bem. Ele não soltou a mão dela.

– Quer dizer que você agora é baronesa.

Ela sorriu.

– A vida não é estranha?

– Fico pasmo.

Como eles estavam impedindo a passagem, Dave ficou parado, esperando. Embora as palavras fossem triviais, um arrebatamento permeava a conversa. Dave não conseguiu identificar muito bem o que era.

– Não lhe incomoda o fato de sua governanta ter ganhado um título de nobreza? – indagou ela.

Governanta? Dave sabia que a avó começara a vida como empregada em uma mansão do País de Gales. Aquele homem devia ter sido seu patrão.

– Parei de me importar com esse tipo de coisa há muito tempo – respondeu o homem. Depois de dar alguns tapinhas carinhosos na mão de Ethel, ele a soltou. – Durante o governo Attlee, para ser exato.

Ethel riu. Estava claro que gostava de conversar com ele. Havia uma corrente subjacente poderosa em sua conversa, nem amor nem ódio, mas alguma outra coisa. Se os dois não fossem tão velhos, Dave teria pensado que fosse sexo.

Já impaciente, ele pigarreou.

– Este é meu neto, David Williams – apresentou ela. – Se você parou mesmo de se importar, talvez queira apertar a mão dele. Dave, esse é o conde Fitzherbert.

O conde hesitou e por um instante Dave pensou que fosse recusar o cumprimento, mas então pareceu se decidir e estendeu-lhe a mão. Dave a apertou e perguntou:

– Como vai?

– Obrigada, Fitz – disse Ethel.

Ou melhor, quase disse, mas pareceu engasgar antes de completar a frase. Sem falar mais nada, seguiu em frente. Educado, Dave meneou a cabeça para o velho conde e foi atrás dela.

Instantes depois, Ethel desapareceu por uma porta na qual se lia "Damas".

Dave imaginou que devia ter havido alguma história entre sua avó e Fitz. Decidiu perguntar à mãe. Então viu uma saída que talvez fosse dar do lado de fora e esqueceu por completo os mais velhos.

Passou pela porta e se viu em um pátio interno de formato irregular, cheio de latas de lixo. Seria o lugar perfeito para uns amassos discretos, pensou. Não era passagem, nenhuma janela dava para lá, e era cheio de cantinhos esquisitos. Sua esperança aumentou.

Não viu sinal de Beep, mas sentiu cheiro de fumaça de cigarro.

Passou pelas latas de lixo e olhou pela quina.

Ela estava ali, como ele esperava que estivesse, e segurava um cigarro na mão esquerda. Mas estava com Jasper, e os dois estavam agarrados em um abraço. Dave os encarou. Seus dois corpos pareciam colados um no outro e eles se beijavam com sofreguidão, a mão direita dela no meio dos cabelos dele, a direita dele sobre seu seio.

– Jasper Murray, seu patife traidor – disse Dave antes de dar meia-volta e entrar de novo no prédio.

~

Na montagem escolar de *Hamlet*, Evie Williams sugeriu interpretar nua a cena da loucura de Ofélia.

Essa simples ideia fez Cameron Dewar sentir um calor desconfortável.

Cameron tinha adoração por Evie. Só detestava suas opiniões. Ela defendia qualquer causa apelativa que saísse nos jornais, da crueldade contra os animais ao desarmamento nuclear, e falava como se quem não fizesse o mesmo fosse obrigatoriamente bruto e estúpido. Mas Cameron estava acostumado: discordava da maioria das pessoas da sua idade e de todos os seus parentes. Seus pais eram liberais incorrigíveis e sua avó já havia sido editora de um jornal cujo título improvável era *O Anarquista de Buffalo*.

A família Williams era igualmente ruim: todos de esquerda. O único outro residente da casa de Great Peter Street com um mínimo de bom senso era aquele aproveitador do Jasper Murray, que via tudo de modo mais ou menos cínico. Londres era um ninho de subversivos, pior ainda do que São Francisco, cidade natal de Cameron. Ele ficaria feliz quando a missão do pai acabasse e todos pudessem voltar para os Estados Unidos.

Só que ficaria com saudades de Evie. Cameron tinha 15 anos e estava apaixonado pela primeira vez. Não *queria* viver um romance: tinha coisas de mais a fazer. No entanto, enquanto tentava decorar o vocabulário de francês e latim sentado em sua carteira escolar, pegou-se lembrando de Evie cantando o hino americano.

Ela gostava dele, tinha certeza. Percebia que ele era inteligente e lhe fazia perguntas interessadas: como funcionavam as centrais nucleares? Hollywood era um lugar de verdade? Como os negros eram tratados na Califórnia? E o que era ainda melhor: escutava suas respostas com atenção, e não apenas por estar jogando conversa fora. Como ele, Evie não tinha o menor interesse por papo furado. Na fantasia de Cameron, os dois formariam um famoso casal de intelectuais.

Naquele ano, Cameron e Beep estavam frequentando a mesma escola de Evie e Dave, um estabelecimento londrino progressista cuja maioria dos professores – até onde Cameron podia constatar – era comunista. A controvérsia relacionada à cena da loucura proposta por Evie rodou a escola em um piscar de olhos. O professor de teatro, Jeremy Faulkner, sujeito barbado que usava um cachecol listrado de universitário, aprovou a ideia. Mas o diretor não era tão tolo assim e bateu o pé: nem pensar.

Aquela era uma ocasião em que Cameron teria ficado contente em ver a decadência liberal prevalecer.

As famílias Williams e Dewar foram juntas assistir à peça. Apesar de detestar Shakespeare, Cameron estava ansioso para ver do que Evie seria capaz no palco. A garota tinha um temperamento intenso que a presença de uma plateia parecia exacerbar. Segundo Ethel, sua neta era igual ao bisavô Dai Williams, pioneiro sindicalista e pregador evangélico. "Meu pai tinha nos olhos a mesma luzinha destinada à fama", dissera Ethel.

Cameron havia estudado *Hamlet* com atenção – do mesmo jeito que estudava tudo para tirar boas notas – e sabia que Ofélia era um papel notório por sua dificuldade. Supostamente patética, podia se tornar cômica com facilidade, com suas canções obscenas. Como uma menina de 15 anos poderia interpretar aquele papel e convencer uma plateia? Cameron não queria ver Evie passar vexame (embora, no fundo de sua mente, vivesse uma pequena fantasia na qual passava os braços em volta de seus ombros delicados e a reconfortava enquanto ela chorava por causa de seu humilhante fracasso).

Com os pais e a irmã menor, Beep, ele entrou no auditório da escola, que também fazia as vezes de ginásio, de modo que recendia tanto a hinários empoeirados quanto a tênis molhados de suor. Eles se sentaram ao lado da família Williams: Lloyd, deputado trabalhista; sua esposa americana, Daisy; Eth Leckwith, a avó; e Jasper Murray, o jovem hóspede. Dave, irmão mais novo de Evie, estava em algum outro lugar organizando um bar que funcionaria no intervalo.

Em várias ocasiões durante os últimos poucos meses, Cameron tinha ouvido a história de como sua mãe e seu pai haviam se encontrado pela primeira vez ali em Londres, durante uma festa dada por Daisy. Seu pai levara sua mãe em casa; toda vez que Woody contava a história, um brilho estranho surgia em seus olhos, e Bella lhe lançava um olhar que significava *Cale essa droga dessa boca neste ins-*

tante, e ele não dizia mais nada. Cameron e Beep se perguntavam, maliciosos, o que seus pais teriam feito no caminho.

Alguns dias depois, seu pai tinha sido lançado de paraquedas na Normandia e sua mãe pensara que nunca mais o veria, mas mesmo assim rompera o noivado com outro homem.

– Minha mãe ficou uma fera – dizia Bella. – Ela nunca me perdoou.

Cameron achava os assentos do auditório desconfortáveis até mesmo para a meia hora de assembleia matinal. Aquela noite seria um verdadeiro purgatório. Sabia muito bem que a peça inteira durava mais de cinco horas, mas Evie lhe garantira que aquela era uma versão reduzida. Cameron se perguntou quão reduzida seria.

– O que Evie vai usar na cena da loucura? – perguntou a Jasper, sentado ao seu lado.

– Não sei – respondeu o rapaz. – Ela não quis contar a ninguém.

As luzes se apagaram e a cortina subiu diante das ameias de Elsinore.

As pinturas que constituíam o cenário eram obra de Cameron. Dono de uma forte sensibilidade visual decerto herdada do pai fotógrafo, ele estava particularmente satisfeito com o modo como a lua pintada escondia um canhão de luz mirado na sentinela.

Não havia mais grande coisa para se apreciar. Todas as montagens escolares que Cameron vira na vida eram horríveis, e aquela não seria nenhuma exceção. O menino de 17 anos que interpretava Hamlet tentava ser enigmático, mas só conseguia parecer engessado. Mas com Evie foi diferente.

Na primeira cena em que aparecia, Ofélia tinha pouco a fazer além de ouvir a conversa entre o irmão condescendente e o pai pomposo, até no final alertar o irmão dizendo-lhe que não fosse hipócrita em um curto discurso que Evie recitou com um deleite irritado. Na segunda cena, porém, ao contar para o pai sobre como Hamlet, enlouquecido, tinha invadido seus aposentos pessoais, ela desabrochou. No início se mostrou frenética, depois ficou mais calma, mais calada e concentrada, até que a plateia mal parecia se atrever a respirar quando ela disse: "Ele deu um suspiro tão lamentável, tão profundo." Então, na cena seguinte, quando Hamlet, enfurecido, tentava convencê-la a entrar para um convento, pareceu tão atarantada e magoada que Cameron teve vontade de pular para cima do palco e dar um soco no ator. Jeremy Faulkner havia tomado a sábia decisão de encerrar a primeira metade do espetáculo nesse ponto, e os aplausos foram estrondosos.

No intervalo, Dave estava encarregado de um bar que vendia bebidas sem álcool e balas. Uma dezena de amigos seus serviam o mais depressa possível. Cameron ficou impressionado: nunca tinha visto alunos de escola trabalharem tão duro.

– Deu algum remédio para eles? – perguntou a Dave enquanto pegava um copo de refrigerante de cereja.

– Nada – respondeu Dave. – Só uma comissão de vinte por cento sobre tudo o que venderem.

Cameron estava torcendo para Evie sair e falar com a família durante o intervalo, mas a garota ainda não tinha aparecido quando o sinal tocou anunciando o segundo ato, e ele voltou a seu lugar decepcionado, mas ansioso para ver o que ela faria a seguir.

Hamlet melhorou quando teve de agredir Ofélia com piadas sujas na frente de todo mundo. Talvez aquele comportamento fosse natural para o ator, pensou Cameron, pouco gentil. O constrangimento e a perturbação de Ofélia aumentaram até as raias da histeria.

Mas foi a cena da loucura que fez a casa vir abaixo.

Ela entrou parecendo a paciente de um hospício, com uma camisola de algodão fino manchada e suja que só descia até o meio da coxa. Longe de inspirar pena, mostrou-se cruel e agressiva, como uma puta bêbada na rua. Quando disse: "A coruja era filha de um padeiro", frase que, na opinião de Cameron, não queria dizer nada, conseguiu fazê-la soar como uma vil provocação.

Cameron ouviu a mãe sussurrar para o pai:

– Não acredito que essa menina tem só 15 anos.

Na fala "Homens jovens talvez façam isso quando chegam ao limite, e a culpa é do pau", Ofélia tentou agarrar os genitais do rei e arrancou risinhos nervosos da plateia.

Então houve uma súbita mudança. Lágrimas rolaram por seu rosto, e sua voz se transformou quase num sussurro quando ela falou no pai morto. A plateia silenciou. Ela virou novamente criança ao dizer: "Não posso senão chorar, ao pensar que eles vão enterrá-lo no chão frio."

Cameron sentiu vontade de chorar também.

Ela então revirou os olhos, cambaleou e berrou, fora de si, com a mesma voz rascante de um velha bruxa: "Venha, meu coche!" Levou as duas mãos à gola da camisola e a rasgou na frente. A plateia arquejou. "Boa noite, senhoras!", gritou, deixando a roupa cair no chão. Nua em pelo, ainda tornou a gritar: "Boa noite, boa noite, boa noite!" Então saiu correndo.

Depois disso, a peça morreu. O coveiro não foi engraçado, e a luta de espadas do final, de tão artificial, chegou a ser tediosa. Cameron não conseguia pensar em outra coisa senão Ofélia nua delirando de loucura na boca de cena, os seios pequenos empinados, os pelos do púbis de um tom ruivo flamejante, uma linda moça que perdera a razão. Imaginou que todos os homens da plateia deviam estar sentindo a mesma coisa. Ninguém dava a mínima para Hamlet.

Quando o pano caiu, os aplausos mais fortes foram para Evie. No entanto, o diretor não subiu ao palco para fazer os elogios rasgados e os extensos agradecimentos que em geral até mesmo a mais sofrível montagem de teatro amador recebia.

Ao sair do auditório, todos olhavam para a família de Evie. Tentando não se deixar abater, Daisy conversava animadamente com outros pais. Já Lloyd, vestido com um severo terno cinza-escuro de três peças, não dizia nada, mas tinha o semblante sério. Eth Leckwith, avó de Evie, exibia um leve sorriso: talvez tivesse lá as suas reservas, mas não iria reclamar.

A família de Cameron também exibiu reações diversas: Bella tinha os lábios franzidos de reprovação, e Woody sorria com um ar de tolerância bem-humorada. Beep estava quase explodindo de tanta admiração.

– Sua irmã é um estouro – disse Cameron a Dave.

– Também gosto da sua – retrucou Dave, sorrindo com ironia.

– Ofélia roubou a cena de Hamlet!

– Evie é um gênio – retrucou Dave. – Nossos pais ficam subindo pelas paredes.

– Por quê?

– Eles não acham que o mundo artístico seja um trabalho sério. Querem que nós dois entremos para a política. – Ele revirou os olhos.

Woody Dewar entreouviu a conversa.

– Eu tive o mesmo problema – comentou. – Meu pai era senador dos Estados Unidos, e meu avô também foi. Eles não conseguiam entender por que eu queria ser fotógrafo. Simplesmente não lhes parecia um trabalho de verdade.

Woody agora trabalhava para a *Life*, decerto a melhor revista fotográfica do mundo depois da *Paris Match*.

As duas famílias foram até as coxias. Evie saiu do camarim feminino com um ar bem-comportado, de *twin set* e saia abaixo dos joelhos, roupa obviamente escolhida para dizer: *Eu não sou sexualmente exibida; aquela era Ofélia*. No entanto, ostentava também uma expressão de discreto triunfo. O que quer que as pessoas dissessem sobre sua nudez, ninguém podia negar que a sua atuação havia arrebatado a plateia.

O primeiro a falar foi seu pai:

– Só espero que você não seja presa por atentado ao pudor.

– Na verdade eu não planejei aquilo – disse Evie, como se ele houvesse acabado de lhe fazer um elogio. – Foi meio que de última hora. Não sabia nem se a camisola iria rasgar.

Até parece, pensou Cameron.

Jeremy Faulkner apareceu, com o cachecol universitário que era sua marca registrada. Ele era o único professor que permitia aos alunos o chamarem pelo primeiro nome.

– Foi sensacional! – elogiou. – Que instante memorável!

Seus olhos brilhavam de animação.

Ocorreu a Cameron que Jeremy também estava apaixonado por Evie.

– Jerry, esses são meus pais, Lloyd e Daisy Williams – disse ela.

O professor pareceu momentaneamente amedrontado, mas logo se recuperou.

– Sra. Williams, Sr. Williams, vocês devem estar ainda mais surpresos do que eu – declarou, isentando-se habilmente de qualquer responsabilidade. – Precisam saber que Evie é a aluna mais brilhante que já tive.

Ele apertou a mão de Daisy, em seguida a de Lloyd, que visivelmente relutou.

– Você está convidado para a festa do elenco – disse Evie a Jasper. – Meu convidado de honra.

– Festa? – indagou Lloyd, de testa franzida. – Depois daquilo?

Na sua opinião, uma comemoração não era adequada.

Daisy tocou seu braço.

– Não tem problema – disse ela.

Lloyd deu de ombros.

– Só por uma hora – falou Jeremy, animado. – Amanhã é dia de aula!

– Eu sou velho demais, me sentiria deslocado – observou Jasper.

– Você é só um ano mais velho do que os alunos do último ano – protestou Evie.

Cameron se perguntou por que diabo ela fazia questão da presença dele. Ele era *mesmo* velho demais. Já estava na universidade: uma festa de colegiais não era o seu lugar.

Felizmente, Jasper concordou com ele.

– Nos vemos em casa – falou, firme.

– Não depois das onze, por favor – interpôs Daisy.

Os pais foram embora.

– Meu Deus, você conseguiu! – disse Cameron.

Evie sorriu.

– Eu sei.

Todos comemoraram com café e bolo. Cameron desejou que Beep estivesse presente para pôr um pouco de vodca no café, mas como ela não participara da produção, já tinha ido para casa, assim como Dave.

Evie era o centro das atenções. Até o menino que havia interpretado Hamlet reconheceu que ela era a estrela da noite. Jeremy Faulkner não conseguia parar de falar sobre como a sua nudez havia expressado a vulnerabilidade de Ofélia. Seus elogios a Evie se tornaram constrangedores, e depois de algum tempo até meio sinistros.

Paciente, Cameron aguardou e deixou que eles a monopolizassem, sabendo que o maior dos trunfos era seu: era ele quem a levaria para casa.

Às dez e meia, foram embora.

– Que bom que meu pai teve essa missão aqui em Londres – comentou Cameron enquanto os dois ziguezagueavam pelas ruas secundárias. – Detestei ter que sair de São Francisco, mas aqui é bem legal.

– Que bom – disse Evie, sem animação.

– E a melhor parte foi ter conhecido você.

– Que gentil. Obrigada.

– Isso realmente mudou a minha vida.

– Até parece.

A coisa não estava tomando o rumo que Cameron havia imaginado. Os dois estavam sozinhos nas ruas desertas, falando em voz baixa enquanto caminhavam bem juntinhos pelos círculos de luz dos postes e pelos trechos escuros, mas não havia sensação alguma de intimidade. Pareciam mais duas pessoas jogando conversa fora. Mesmo assim, ele não iria desistir.

– Quero que sejamos amigos próximos – falou.

– Nós já somos – respondeu ela, com certa impaciência na voz.

Quando chegaram a Great Peter Street, ele ainda não tinha dito o que queria dizer. Ao se aproximarem da casa, parou. Como ela deu outro passo à frente, ele a segurou pelo braço.

– Evie, estou apaixonado por você.

– Ai, Cam, não seja ridículo.

Cameron teve a sensação de ter levado um soco.

Evie tentou seguir em frente. Cameron apertou um pouco mais seu braço, agora sem ligar para o fato de talvez a estar machucando.

– Ridículo? – repetiu. Sua voz tremeu de modo constrangedor, e quando ele tornou a falar saiu mais firme. – Ridículo por quê?

– Você não sabe de nada – disse ela, com irritação.

Aquela acusação o deixou particularmente magoado. Cameron se orgulhava de saber muita coisa, e supusera que ela o apreciasse por isso.

– Do que eu não sei? – indagou.

Ela arrancou o braço da mão dele com um tranco violento.

– Eu estou interessada no Jasper, seu idiota – falou antes de entrar em casa.

CAPÍTULO TREZE

De manhã, enquanto ainda estava escuro, Rebecca e Bernd transaram mais uma vez.

Fazia três meses que os dois estavam morando juntos na velha casa no bairro de Mitte. Era uma sorte a casa ser grande, pois lá moravam também os pais de Rebecca, Werner e Carla, seus irmãos, Walli e Lili, e sua avó, Maud.

Durante algum tempo, o amor os havia consolado de tudo o que tinham perdido. Estavam ambos desempregados e a polícia secreta os impedia de conseguir trabalho, apesar da desesperadora escassez de professores na Alemanha Oriental.

Mas os dois estavam sendo investigados por parasitismo social, o crime de estar desempregado em um país comunista. Mais cedo ou mais tarde seriam condenados e presos. Bernd iria para um campo de trabalhos forçados, onde provavelmente morreria.

Por isso planejavam fugir.

Aquele era o último dia inteiro que passariam em Berlim Oriental.

Quando Bernd deslizou a mão delicadamente por baixo da camisola de Rebecca, ela falou:

– Estou nervosa demais.

– Pode ser que não tenhamos muitas outras oportunidades.

Ela o abraçou e apertou com força. Sabia que ele tinha razão. Os dois poderiam morrer tentando fugir.

Ou pior: um poderia morrer e o outro, não.

Bernd estendeu a mão para pegar um preservativo. Eles haviam combinado se casar quando chegassem ao mundo livre, e evitar a gravidez até lá. Se os seus planos dessem errado, Rebecca não queria criar um filho na Alemanha Oriental.

Apesar de todos os medos que a atormentavam, ela foi tomada pelo desejo e reagiu com vigor ao toque de Bernd. A paixão era uma descoberta recente. Sua vida sexual com Hans fora razoavelmente agradável na maior parte das vezes, bem como as experiências com dois amantes anteriores, mas ela nunca se sentira inundada pelo desejo daquela forma, possuída por ele de maneira tão completa a ponto de esquecer todo o resto. Agora, a possibilidade de aquela ser a última vez tornou seu desejo ainda mais intenso.

Ao fim, ele comentou:

– Você é uma leoa.

Ela riu.

– Nunca fui assim antes. É por sua causa.

– É por nossa causa – disse ele. – Somos certos um para o outro.

Depois de recuperar o fôlego, ela falou:

– Pessoas fogem todos os dias.

– Ninguém sabe quantas.

Os fugitivos atravessavam canais e rios a nado, escalavam cercas de arame farpado, escondiam-se em carros e caminhões. Os alemães-ocidentais, que tinham autorização para entrar em Berlim Oriental, levavam passaportes falsos da Alemanha Ocidental para seus parentes. Soldados aliados podiam circular livremente, de modo que um morador da Alemanha Oriental comprou um uniforme americano em uma loja de fantasias para teatro e passou por um posto de controle sem ser interpelado.

– E muitas morrem – completou Rebecca.

Os guardas de fronteira não tinham dó nem vergonha: atiravam para matar. Às vezes, como lição para os outros, deixavam os feridos sangrarem até morrer. A pena por tentar sair do paraíso comunista era a morte.

Rebecca e Bernd estavam planejando fugir pela Bernauer Strasse.

Uma das sombrias ironias do Muro era que, em algumas ruas, os prédios ficavam em Berlim Oriental, mas a calçada ficava na parte ocidental. Ao abrirem suas portas no domingo, 13 de agosto de 1961, os moradores do lado leste da Bernauer Strasse tinham se deparado com uma cerca de arame farpado que os impedia de sair à rua. No início, muitos pularam das janelas dos andares mais altos rumo à liberdade, alguns se machucando, outros aterrissando em um cobertor providenciado pelos bombeiros de Berlim Ocidental. Agora, todos esses prédios tinham sido evacuados, e janelas e portas, lacradas com tábuas de madeira.

O plano de Rebecca e Bernd era diferente.

Eles se vestiram e foram tomar café da manhã com a família, provavelmente o último que tomariam em muito tempo. Foi uma tensa repetição da refeição feita em 13 de agosto do ano anterior, quando a família inteira estava triste e aflita: Rebecca planejava ir embora, mas não arriscando a vida. Dessa vez, eles estavam com medo.

Ela tentou se mostrar animada.

– Talvez um dia vocês todos nos sigam até o outro lado da fronteira – falou.

– Você sabe que não vamos fazer isso – disse Carla. – Você *precisa* ir, não tem mais vida nenhuma aqui. Mas nós vamos ficar.

– E o trabalho do papai?

— Por enquanto, estou conseguindo levar — respondeu Werner.

Ele não podia mais ir à sua fábrica, que ficava em Berlim Ocidental. Estava tentando administrá-la a distância, mas era quase impossível. Como não havia serviço telefônico entre as duas partes de Berlim, era obrigado a fazer tudo pelo correio, que sempre tinha a probabilidade de ser atrasado pelos censores.

A situação era uma agonia para Rebecca. Sua família era a coisa mais importante do mundo, mas ela estava sendo forçada a abandoná-la.

— Bem, não há muro que dure para sempre — disse ela. — Um dia Berlim será unificada outra vez, e então poderemos ficar juntos de novo.

Alguém tocou a campainha e Lili pulou da mesa.

— Espero que seja o carteiro com as contas da fábrica — disse Werner.

— Eu vou atravessar o Muro assim que puder — falou Walli. — Não vou passar a vida na parte oriental com algum velho comunista me dizendo que música tocar.

— Você vai poder tomar sua própria decisão assim que for adulto — observou Carla.

Lili voltou à cozinha com um ar amedrontado.

— Não é o carteiro — falou. — É Hans.

Rebecca deixou escapar um gritinho. Seu ex-marido não tinha como saber sobre seu plano de fugir, ou tinha?

— Ele está sozinho? — indagou Werner.

— Acho que sim.

— Lembra o que fizemos com Joachim Koch? — perguntou Maud a Carla.

Carla olhou para os filhos. Ficou claro que eles não deveriam saber o que as duas tinham feito com Joachim Koch.

Werner foi até o armário da cozinha e abriu a gaveta de baixo, cheia de panelas pesadas. Puxou-a até o fim e a pôs no chão. Então enfiou a mão lá no fundo e trouxe de volta uma pistola preta com cabo marrom e uma pequena caixa de munição.

— Meu Deus do céu — comentou Bernd.

Rebecca não sabia grande coisa sobre armas, mas achava que aquilo fosse uma Walther P38. Seu pai a devia ter guardado depois da guerra.

O que teria acontecido com Joachim Koch?, pensou. Será que ele fora morto? Por sua mãe? E *por sua avó*?

— Se Hans Hoffmann tirar você desta casa, nós nunca mais vamos vê-la — disse Werner a Rebecca. Então começou a carregar a pistola.

— Talvez ele não tenha vindo prender Rebecca — falou Carla.

— É verdade — concordou seu marido. Virou-se para Rebecca. — Vá falar com ele. Descubra o que ele quer. Se precisar, grite.

Rebecca se levantou. Bernd fez o mesmo.
– Você não – disse-lhe Werner. – Se ele o vir, pode ficar com raiva.
– Mas...
– Papai tem razão – observou Rebecca. – Apenas fique a postos para me acudir se eu chamar.
– Tudo bem.
Rebecca respirou fundo, acalmou-se e foi até o hall.
Hans estava postado lá com seu terno cinza-azulado novo, usando a gravata listrada que ela lhe dera de presente em seu último aniversário.
– Eu trouxe os papéis do divórcio – disse ele.
Rebecca assentiu.
– Você estava esperando que eles chegassem, claro.
– Podemos conversar sobre o assunto?
– Tem alguma coisa a dizer?
– Talvez.
Ela abriu a porta da sala de jantar, usada de vez em quando para jantares formais ou então para fazer os deveres de casa. Os dois entraram e se sentaram. Rebecca não fechou a porta.
– Tem certeza de que é isso que você quer? – perguntou Hans.
Rebecca estava com medo. Será que ele estava se referindo à fuga? Será que ele sabia? Conseguiu articular:
– Isso o quê?
– O divórcio.
Ela não entendeu.
– Por que não? É o que você quer, também.
– Será?
– Hans, o que você está tentando dizer?
– Que nós não precisamos nos divorciar. Poderíamos começar de novo. Desta vez sem fingimento. Agora que você sabe que eu trabalho na Stasi, não haveria por que mentir.
Aquilo parecia um sonho idiota em que coisas impossíveis acontecem.
– Mas por quê? – indagou ela.
Hans se inclinou para a frente por cima da mesa.
– Você não sabe? Não consegue nem adivinhar?
– Não, não consigo! – respondeu ela, embora começasse a vislumbrar uma sinistra suspeita.
– Eu te amo – disse Hans.

– Pelo amor de Deus! – gritou Rebecca. – Como você pode dizer uma coisa dessas? Depois de tudo o que fez?

– Estou falando sério. No início eu estava fingindo, mas depois de um tempo percebi a mulher maravilhosa que você é. Eu *quis* me casar com você, não foi só por causa do trabalho. Você é linda, inteligente e dedicada ao magistério... Eu admiro a sua dedicação. Nunca conheci uma mulher como você. Rebecca, volte para mim... por favor.

– Não! – exclamou ela.

– Pense um pouco. Espere um dia. Uma semana.

– Não!

Apesar de ela gritar sua recusa o mais alto que podia, ele continuava agindo como se ela estivesse bancando a difícil e fingindo relutância.

– Vamos tornar a conversar – falou, com um sorriso.

– Não! – berrou ela. – Nunca! Nunca! Nunca! – E saiu correndo da sala.

Toda sua família estava junto à porta aberta da cozinha com cara de assustada.

– O que houve? – perguntou Bernd.

– Ele não quer se divorciar – respondeu Rebecca, gemendo. – Está dizendo que me ama. Quer começar de novo... quer tentar outra vez!

– Vou esganar esse filho da puta – falou Bernd.

Mas não houve necessidade alguma de contê-lo. Nesse instante, eles ouviram a porta da frente bater.

– Ele foi embora – disse Rebecca. – Graças a Deus.

Bernd a abraçou e ela enterrou o rosto em seu ombro.

– Bem, por *essa* eu não esperava – falou Carla com a voz trêmula.

Werner descarregou a pistola.

– Essa história não acabou – afirmou Maud. – Hans vai voltar. Oficiais da Stasi acham que as pessoas comuns não podem lhes dizer não.

– E eles têm razão – completou Werner. – Rebecca, vocês precisam ir embora hoje.

Ela se afastou do abraço de Bernd.

– Ah, não... hoje?

– Agora – insistiu seu pai. – Você está correndo um perigo terrível.

– Ele tem razão – falou Bernd. – Talvez Hans volte com reforços. Precisamos fazer agora mesmo o que estávamos planejando fazer amanhã de manhã.

– Tudo bem – concordou Rebecca.

Os dois subiram correndo a escada até seu quarto. Bernd vestiu seu terno preto de camurça com camisa branca e gravata preta, como se estivesse a caminho de um funeral. Rebecca também se vestiu toda de preto. Ambos calçaram sapatos esportivos pretos. Embaixo da cama, Bernd pegou uma corda de varal que havia comprado na semana anterior. Passou-a em volta do corpo como uma bandoleira, depois vestiu uma jaqueta de couro marrom por cima para escondê-la. Rebecca pôs um sobretudo escuro curto por cima do suéter preto de gola rulê e da calça preta.

Em poucos minutos, os dois ficaram prontos.

O resto da família os aguardava no hall. Rebecca abraçou e beijou cada um deles. Lili chorava.

– Não deixe ninguém te matar – falou, aos soluços.

Bernd e Rebecca calçaram luvas de couro e foram até a porta.

Acenaram para a família mais uma vez, então saíram.

Walli os seguiu a uma curta distância.

Queria ver como eles fariam. Os dois não haviam contado seu plano a ninguém, nem mesmo aos membros da família. Carla dizia que o único jeito de guardar um segredo era não dividi-lo com ninguém. Ela e Werner defendiam ardentemente essa opinião, o que fazia Walli desconfiar de que ela vinha das misteriosas experiências durante a guerra que seus pais nunca haviam explicado direito.

O rapaz dissera aos outros que ia tocar no quarto. Em vez de violão, agora tocava guitarra. Quando não ouvissem barulho, seus pais imaginariam que ele estivesse praticando sem ligá-la na tomada.

Ele saiu pela porta dos fundos sem se fazer notar.

Rebecca e Bernd caminhavam de braços dados. Andavam depressa, mas não tão apressados a ponto de chamar atenção. Eram oito e meia, e a bruma da manhã começava a se dissipar. Foi fácil para Walli seguir o casal, e ele podia ver o calombo que o varal fazia no ombro de Bernd. Nenhum dos dois olhou para trás, e os tênis que ele calçava não faziam ruído no chão. Reparou que os dois também estavam de tênis, e perguntou-se por quê.

Sentia-se ao mesmo tempo animado e assustado. Que manhã espantosa! Quase caíra para trás ao ver o pai puxar aquela gaveta e sacar uma pistola. O coroa estava pronto para atirar em Hans Hoffmann! Talvez no fim das contas seu pai não fosse um velho bobo e caquético.

Walli estava com medo pela irmã que tanto amava. Nos próximos minutos, ela poderia ser morta. Mas estava também empolgado: se ela podia fugir, ele também podia.

Continuava decidido a ir embora. Após desafiar o pai desacatando suas ordens e indo à boate Minnesänger, acabara não ficando encrencado: segundo Werner, a destruição de seu violão já era punição suficiente. Mas ainda assim Walli sofria sob o jugo de dois tiranos, Werner Franck e o secretário-geral Walter Ulbricht, e pretendia se libertar de ambos na primeira oportunidade.

Rebecca e Bernd chegaram a uma rua que conduzia direto ao Muro. Dava para ver dois guardas de fronteira no extremo oposto, batendo com as botas no chão para espantar a friagem da manhã. Traziam penduradas nos ombros submetralhadoras soviéticas PPSh-41 com carregamento de tambor. Walli não via qualquer chance de alguém escalar o arame farpado com aqueles dois olhando.

Mas Rebecca e Bernd saíram da rua e entraram em um cemitério.

Walli não pôde segui-los pelos caminhos entre as lápides: ficaria visível demais no espaço aberto. Caminhou rapidamente em um ângulo reto em relação à sua trajetória até chegar atrás da capela situada no meio do cemitério. Espiou pela quina do prédio. Eles obviamente não o tinham visto.

Observou-os andar até o canto noroeste do cemitério.

Lá havia uma cerca de aramado, e depois disso o quintal dos fundos de uma casa.

Os tênis estão explicados, pensou Walli.

Mas e o varal?

∽

Apesar de os prédios da Bernauer Strasse estarem em ruínas, as ruas laterais ainda eram ocupadas normalmente. Rebecca e Bernd, tensos e amedrontados, esgueiraram-se pelo quintal dos fundos de uma casa em uma dessas vias adjacentes, a cinco portas do fim da rua, onde esta era interrompida pelo Muro. Escalaram uma segunda cerca, depois uma terceira, aproximando-se cada vez mais do Muro. Rebecca tinha 30 anos e era ágil, e Bernd, apesar de ter 40 e poucos, estava em boa forma: fora treinador do time de futebol da escola. Os dois chegaram aos fundos da antepenúltima casa.

Já tinham visitado o cemitério uma vez, igualmente vestidos de preto para se fazer passar por um casal enlutado, mas seu verdadeiro objetivo fora examinar as construções. A visão não fora perfeita e eles não podiam se dar ao luxo de usar binóculos, mas tinham quase certeza de que a antepenúltima casa proporcionaria uma rota possível até o telhado.

Um telhado conduzia a outro, e finalmente ia dar nos prédios vazios da Bernauer Strasse.

Agora que estava mais próxima, Rebecca ficou ainda mais apreensiva.

Eles tinham planejado subir por um depósito de carvão baixo, depois por um barracão de telhado chato, e enfim por um beiral com um peitoril de janela saliente. Só que, do cemitério, todas as alturas davam a impressão de ser menores. De perto, a escalada parecia gigantesca.

Não podiam entrar na casa, pois havia o risco de os moradores darem o alarme. Se não o fizessem, seriam severamente punidos depois.

Os telhados úmidos de orvalho deviam estar escorregadios, mas pelo menos não chovia.

– Está pronta? – perguntou Bernd.

Não. Ela estava aterrorizada, isso sim.

– Caramba, estou – respondeu.

– Você é uma leoa.

O depósito de carvão batia na altura do peito. Eles subiram nele. Seus sapatos macios quase não fizeram barulho.

Dali, Bernd apoiou os dois cotovelos na borda do telhado chato do barracão e içou-se até lá em cima. Deitado de bruços, estendeu a mão e puxou Rebecca. Ambos ficaram em pé no telhado. Rebecca sentia-se muito exposta e ficou tonta, mas ao olhar em volta não viu ninguém a não ser uma silhueta distante no cemitério.

A parte seguinte era um desafio. Bernd pôs um joelho no peitoril da janela, mas o espaço era estreito demais. Felizmente, as cortinas estavam fechadas, assim ninguém que porventura estivesse lá dentro conseguiria ver nada, a menos que escutasse algum barulho e fosse investigar. Com certa dificuldade, conseguiu subir o outro joelho até o peitoril. Apoiado no ombro de Rebecca, conseguiu ficar em pé. Com os pés agora bem plantados apesar do peitoril estreito, ajudou-a a subir.

Ela se ajoelhou na saliência e tentou não olhar para baixo.

Bernd estendeu a mão para a beirada oblíqua do telhado inclinado, a etapa seguinte de sua escalada. De onde estava, não podia subir no telhado: a única coisa que havia para se segurar era a borda de uma telha. Eles já tinham conversado sobre esse problema. Ainda ajoelhada, Rebecca se preparou. Bernd apoiou um dos pés sobre seu ombro direito. Segurando-se na beira do telhado para se equilibrar, apoiou todo o peso do corpo em cima dela. Doeu, mas ela aguentou firme. Instantes depois, ele colocou o pé esquerdo em seu ombro esquerdo. Assim equilibrado, ela podia sustentá-lo – por alguns segundos.

Um instante depois, ele passou a perna pela beirada das telhas e rolou para cima do telhado.

Espichou bem os braços e pernas para aumentar o máximo possível a aderência, então estendeu a mão para baixo. Com uma das mãos enluvadas, segurou firme a gola do casaco de Rebecca, enquanto ela se agarrava ao seu braço.

De repente, as cortinas foram abertas e um rosto de mulher encarou Rebecca a poucos centímetros de distância.

A mulher gritou.

Com esforço, Bernd ergueu Rebecca até ela conseguir passar a perna pela borda inclinada do telhado, e então a puxou na sua direção até um lugar seguro.

Mas os dois perderam aderência e começaram a escorregar.

Rebecca abriu os braços e pressionou nas telhas as palmas das mãos enluvadas para tentar frear a queda. Bernd fez o mesmo. No entanto, continuaram a deslizar, lenta mas regularmente, até os tênis de Rebecca tocarem uma calha de ferro. Apesar de não parecer sólida, a estrutura aguentou, e ambos pararam.

– Que grito foi aquele? – perguntou Bernd, aflito.

– Uma mulher lá no quarto me viu. Mas não sei se deu para escutar o grito dela da rua.

– Mas ela pode dar o alarme.

– Não há nada que possamos fazer. Vamos em frente.

Moveram-se de lado pela superfície inclinada. As casas eram antigas, e algumas das telhas estavam quebradas. Rebecca tentou não apoiar o peso na calha que seus pés tocavam. Eles foram avançando a uma velocidade tão lenta que chegava a dar agonia.

Ela imaginou a mulher da janela falando com o marido: "Se não fizermos nada, seremos acusados de colaboração. Podemos dizer que estávamos ferrados no sono e não ouvimos nada, mas eles provavelmente vão nos prender mesmo assim. E, mesmo se chamarmos a polícia, eles ainda podem nos prender por suspeita. Quando as coisas dão errado, eles prendem todo mundo em volta. É melhor ficarmos quietos. Vou fechar as cortinas de novo."

Pessoas comuns evitavam qualquer contato com a polícia, mas talvez a mulher da janela não fosse comum. Se ela ou o marido fossem membros do Partido, se tivessem um bom emprego e gozassem de privilégios, teriam algum grau de imunidade e não seriam importunados pela polícia, e nessas circunstâncias sem dúvida alguma dariam o alarme e começariam a gritar.

Entretanto, os segundos foram passando e Rebecca não ouviu nenhum barulho de alarme. Talvez ela e Bernd tivessem conseguido passar incólumes.

Chegaram a um ângulo do telhado. Apoiando os pés nas duas águas, Bernd conseguiu rastejar para cima até alcançar a cumeeira com as mãos. Agora tinha mais apoio, embora corresse o risco de as pontas de seus dedos cobertos pelas luvas escuras serem vistas pela polícia na rua.

Ele dobrou a quina e seguiu rastejando, a cada segundo mais perto da Bernauer Strasse e da liberdade.

Rebecca foi atrás. Imaginando se alguém podia vê-los, olhou por cima do ombro. Suas roupas escuras não se destacavam sobre as telhas cinzentas, mas eles não estavam invisíveis. Será que tinha alguém olhando? Ela podia ver os quintais dos fundos e o cemitério. A silhueta escura que vira ali um minuto antes estava agora correndo da capela em direção ao portão. Um medo pesado feito chumbo gelou seu estômago. Será que aquela pessoa os tinha visto e estava correndo para avisar à polícia?

Por alguns segundos sentiu pânico, mas então percebeu que a silhueta era conhecida.

– Walli? – indagou.

Que droga seu irmão estava fazendo? Era óbvio que tinha seguido os dois. Mas para quê? E para onde estava correndo com tanta pressa?

Ela não tinha como evitar se preocupar.

Eles chegaram à parede dos fundos do prédio de apartamentos na Bernauer Strasse.

As janelas estavam lacradas com tábuas. Bernd e Rebecca tinham falado em quebrar as tábuas para entrar e depois quebrar outra série de tábuas na frente para sair, mas acabaram concluindo que seria barulhento, demorado e difícil demais. O mais fácil, pensaram, seria passar por cima do prédio.

A cumeeira do telhado em que estavam ficava no mesmo nível das calhas do prédio contíguo, mais alto, de modo que eles poderiam facilmente passar de um telhado para o outro.

A partir de então, ficariam claramente visíveis para os guardas armados com submetralhadoras na rua lateral lá embaixo.

Aquele era o seu momento mais vulnerável.

Bernd rastejou telhado acima até a cumeeira, passou por cima desta, então pisou no telhado mais alto do prédio de apartamentos e começou a avançar em direção ao alto.

Rebecca foi atrás. Estava ofegante agora. Havia machucado os joelhos, e tinha os ombros doloridos nos pontos em que Bernd havia pisado.

Quando estava passando pela cumeeira do telhado mais baixo, olhou para a rua. A proximidade dos policiais a deixou alarmada. Estavam acendendo cigarros; se um deles erguesse os olhos, tudo estaria perdido. Tanto ela quanto Bernd seriam alvos fáceis para suas submetralhadoras.

Mas só uns poucos passos os separavam da liberdade.

Ela se preparou para rastejar até o outro telhado na sua frente, mas algo se moveu sob seu pé esquerdo. O tênis resvalou e ela caiu. Ainda estava a cavalo sobre a cumeeira, e o impacto a machucou entre as pernas. Ela soltou um grito abafado, inclinou-se de lado vertiginosamente por um instante de horror, então recuperou o equilíbrio.

Infelizmente, a causa de seu tropeço, uma telha solta, escorregou pelo telhado, quicou na calha e caiu lá na rua, onde se espatifou com grande alarde.

Os policiais ouviram o barulho e olharam para os cacos sobre a calçada.

Rebecca congelou.

Os policiais olharam em volta. A qualquer segundo se dariam conta de onde a telha devia ter caído e olhariam para cima. Antes de o fazerem, contudo, um deles foi atingido por uma pedra. Um segundo depois, Rebecca ouviu a voz do irmão gritar:

– Os policiais são todos uns escrotos!

⁓

Walli catou outra pedra e a jogou nos policiais. Dessa vez, errou.

Provocar policiais da Alemanha Oriental era um ato burro e suicida, ele sabia. Corria o risco de ser preso, espancado e encarcerado. Mas tinha de fazê-lo.

Podia ver que Rebecca e Bernd estavam muito expostos. Os policiais iriam vê-los a qualquer instante, e nunca hesitavam em atirar nos fugitivos. O alcance era curto, uns 15 metros. Ambos ficariam crivados de balas de submetralhadora em poucos segundos.

A menos que algo pudesse distrair os policiais.

Os dois eram mais velhos do que Walli. Ele tinha 16 anos, e aqueles rapazes pareciam ter uns 20. Estavam olhando em volta, com os cigarros que haviam acabado de acender pendurados na boca, sem conseguir entender por que uma telha tinha se espatifado e duas pedras sido lançadas.

– Seus porcalhões! – berrou Walli. – Seus merdas! Filhos da puta!

Eles então o identificaram, a uns 100 metros de distância, visível apesar da névoa. Assim que o distinguiram, começaram a avançar na sua direção.

Ele recuou.

Os policiais começaram a correr.

Walli virou as costas e fugiu.

No portão do cemitério, olhou para trás. Um dos rapazes tinha parado, sem dúvida ao perceber que não deviam ambos abandonar o posto no Muro para perseguir alguém que apenas lhes jogara pedras. Ainda não tinham parado para pensar por que alguém faria algo tão temerário.

O segundo policial se ajoelhou e mirou com a arma.

Walli entrou no cemitério.

⁓

Bernd amarrou a corda de varal em volta de uma chaminé de tijolos, retesou-a e deu um nó bem firme.

Deitada na cumeeira do telhado, Rebecca olhava para baixo, ofegante. Podia ver um dos policiais correndo pela rua atrás de Walli, e o irmão correndo pelo cemitério. O segundo policial já estava voltando para seu posto, mas felizmente não parava de olhar para trás, conferindo a situação do colega. Rebecca não sabia se deveria ficar aliviada ou horrorizada com o fato de o irmão estar arriscando a vida para distrair a atenção da polícia pelos cruciais segundos seguintes.

Olhou para o outro lado, na direção do mundo livre. Na Bernauer Strasse, do outro lado da rua, um casal a observava e conversava animadamente.

Segurando a corda, Bernd sentou-se e escorregou sobre o traseiro pela superfície oeste do telhado até a beirada. Então passou a corda duas vezes em volta do peito e debaixo dos braços, deixando uma sobra comprida, de uns 15 metros. Agora, sustentado pela corda amarrada à chaminé, podia se inclinar pela beirada do telhado.

Tornou a ir até onde estava Rebecca e passou por cima da cumeeira.

– Sente-se – instruiu.

Amarrou a ponta livre da corda em volta dela e deu um nó. Segurou a corda com firmeza nas mãos enluvadas.

Rebecca deu uma última olhada para Berlim Oriental. Viu Walli escalar com agilidade a cerca do lado mais afastado do cemitério. A silhueta de seu irmão atravessou uma via larga e desapareceu em uma rua lateral. O policial desistiu e deu meia-volta.

Então o rapaz olhou para cima por acaso, em direção ao telhado do prédio de apartamentos, e seu queixo caiu de espanto.

Rebecca não teve dúvidas quanto ao que ele tinha visto: ela e Bernd encarapitados no alto do telhado, bem destacados contra o céu.

O policial gritou, apontou e começou a correr.

Rebecca rolou para fora da cumeeira e escorregou devagar pela superfície inclinada do telhado até seus tênis tocarem a calha na beirada.

Ouviu uma rajada de metralhadora.

Bernd se levantou ao seu lado, preso pela corda amarrada à chaminé, e se preparou.

Rebecca o sentiu sustentar seu peso.

Agora, pensou.

Ela rolou por cima da calha e caiu no vazio.

A corda se retesou dolorosamente em volta de seu peito e acima dos seios. Ela ficou pendurada no ar por alguns instantes, então Bernd foi soltando a corda e ela começou a descer em pequenos trancos.

Os dois haviam treinado aquilo na casa de seus pais. Bernd a fizera saltar da janela mais alta até o quintal dos fundos. Suas mãos doíam, dissera, mas, se estivesse com boas luvas, ele conseguiria. Mesmo assim, disse-lhe para fazer pausas breves sempre que pudesse apoiar o peso em um parapeito de janela para lhe dar alguns segundos de descanso.

Ela ouviu gritos de incentivo, e calculou que já houvesse pessoas reunidas na Bernauer Strasse, do lado ocidental do Muro.

Lá embaixo, pôde ver a calçada e o arame farpado que margeava a fachada do prédio. Será que já estava em Berlim Ocidental? A polícia de fronteira atirava em qualquer um do lado oriental, mas tinha rígidas instruções para não disparar no lado ocidental, pois os soviéticos não queriam nenhum incidente diplomático. No entanto, ela estava suspensa exatamente acima do arame farpado, nem em um país nem no outro.

Ouviu outra rajada de metralhadora. Onde estariam os policiais, e em quem estariam atirando? Imaginou que eles fossem tentar subir no telhado e atirar nela e em Bernd antes que fosse tarde demais. Se usassem o mesmo caminho dos fugitivos, não chegariam a tempo. Mas decerto poderiam ir mais depressa entrando no prédio e simplesmente subir correndo a escada.

Ela estava quase lá. Seus pés tocaram o arame farpado. Tentou se afastar do prédio, mas não conseguiu livrar as pernas do arame por completo. Sentiu as farpas rasgarem sua calça e ferirem dolorosamente a pele. Então pessoas se juntaram à sua volta para ajudá-la, sustentaram seu peso, desembaraçaram-na do arame farpado, desamarraram a corda em volta de seu peito e a puseram no chão.

Assim que sentiu os pés firmes, ela olhou para cima. Na beira do telhado, Bernd estava afrouxando a corda do peito. Ela deu um passo para trás de modo a poder ver melhor. Os policiais ainda não tinham chegado ao telhado.

Bernd segurou firme a corda com as duas mãos e desceu do telhado de costas. Foi se abaixando devagar junto à parede, deixando a corda deslizar pelas mãos conforme descia. Era muito difícil, pois todo o seu peso estava sustentado pelas mãos na corda. Ele havia treinado em casa e descido escalando a parede dos fundos, à noite, quando ninguém podia vê-lo. Mas aquele prédio era mais alto.

As pessoas na rua gritaram incentivos.

Então um policial apareceu no telhado.

Bernd desceu mais depressa, afrouxando a corda para poder ganhar velocidade.

– Peguem um cobertor! – gritou alguém.

Rebecca sabia que não havia tempo para isso.

O policial mirou a submetralhadora em Bernd, mas hesitou. Não podia atirar na Alemanha Ocidental. Poderia acertar outras pessoas. Aquele era o tipo de incidente capaz de desencadear uma guerra.

O rapaz se virou e olhou para a corda em volta da chaminé. Poderia desamarrá-la, mas Bernd chegaria ao chão antes disso.

Será que o policial tinha uma faca?

Aparentemente não.

Foi então que ele teve uma inspiração. Encostou o cano da arma na corda esticada e disparou uma única rajada.

Rebecca gritou.

A corda se partiu e a ponta voou no ar acima da Bernauer Strasse.

Bernd despencou feito uma pedra.

As pessoas se afastaram.

Bernd acertou a calçada com um baque assustador.

Então ficou imóvel.

Três dias depois, Bernd abriu os olhos, viu Rebecca e disse:

– Oi.

– Ai, graças a Deus! – exclamou ela.

Quase enlouquecera de tanta preocupação. Os médicos tinham lhe dito que ele recobraria a consciência, mas ela só conseguiria acreditar quando visse. Ele havia passado por várias cirurgias, e nos intervalos fora fortemente medicado. Aquela era a primeira vez que ela via uma expressão coerente em seu rosto.

Tentando não chorar, inclinou-se por cima da cama de hospital e lhe deu um beijo na boca.

– Você voltou. Que coisa boa!

– O que houve? – perguntou ele.

– Você caiu.

Ele assentiu.

– Do telhado. Eu me lembro. Mas...

– O policial atirou na sua corda.

Ele baixou os olhos para o próprio corpo.

– Estou engessado?

Ela vinha ansiando por vê-lo acordar, mas também estava apreensiva com aquele instante.

– Da cintura para baixo – respondeu.

– Eu... não consigo mexer as pernas. Não consigo senti-las. – Uma expressão de pânico se estampou em seu rosto. – Eles amputaram minhas pernas?

– Não. – Rebecca respirou fundo. – Você quebrou quase todos os ossos das pernas, mas não consegue senti-las porque a sua medula foi parcialmente rompida.

Ele passou um longo tempo pensando, então perguntou:

– E vai sarar?

– Segundo os médicos, os nervos podem se reconstituir, mas vai ser demorado.

– Então...

– Então talvez algum dia você recobre algumas das funções abaixo da cintura. Mas quando sair do hospital vai ser de cadeira de rodas.

– Eles disseram por quanto tempo?

– Eles disseram... – Ela teve de se esforçar para não chorar. – Você precisa se preparar para a possibilidade de isso ser permanente.

Ele olhou para o outro lado.

– Fiquei aleijado.

– Mas nós agora somos livres! Você está em Berlim Ocidental. Nós escapamos.

– Eu escapei para uma cadeira de rodas.

– Não pense assim.

– Que porcaria eu vou poder fazer?

– Já pensei nisso. – Ela falou com voz firme, confiante, bem mais do que realmente se sentia. – Você vai se casar comigo e voltar a lecionar.

– Não é muito provável.

– Já telefonei para Anselm Weber. Lembra que ele agora é diretor de uma escola em Hamburgo? Ofereceu trabalho para nós dois a partir de setembro.

– Um professor de cadeira de rodas?

– Que diferença faz? Você ainda vai ser capaz de explicar questões de física até para o aluno mais burro da turma. Não precisa de pernas para isso.

– Você não quer se casar com um aleijado.

– Não, eu quero me casar com você. E vou!

O tom dele se tornou mais amargo:

– Você não pode se casar com um homem sem função nenhuma abaixo da cintura.

– Escute aqui – retrucou ela, arrebatada. – Três meses atrás eu não sabia o que era o amor. Acabei de encontrar você, e não vou perdê-lo. Nós fugimos, sobrevivemos, e vamos viver. Vamos nos casar, trabalhar em uma escola e nos amar.

– Não sei.

– Eu só quero uma coisa de você: que não perca as esperanças. Vamos enfrentar juntos as dificuldades, e vamos resolver juntos qualquer problema que surgir. Eu posso aguentar qualquer dificuldade desde que tenha você comigo. Me prometa, Bernd Held, que nunca vai desistir. Nunca.

Houve uma pausa demorada.

– Prometa – repetiu ela.

Ele sorriu.

– Você é uma leoa.

Parte Três

ILHA
1962

CAPÍTULO CATORZE

Dimka e Valentin levaram Nina e Anna à roda-gigante do Parque Gorki.
Depois de Dimka ser convocado no meio da colônia de férias, Nina havia conhecido um engenheiro com quem saíra por vários meses, mas os dois tinham rompido e agora ela estava livre outra vez. Enquanto isso, Valentin e Anna tinham virado um casal; ele dormia no apartamento das moças quase todos os fins de semana. Além disso, Valentin tinha dito ao amigo algumas vezes que ir para a cama com uma mulher depois da outra era apenas uma fase pela qual os homens passavam quando jovens.

Quem me dera, pensou Dimka.

No primeiro fim de semana de tempo ameno do curto verão moscovita, Valentin sugeriu uma saída a quatro. Dimka concordou, animado. Nina era inteligente e tinha opiniões fortes; sabia desafiá-lo, e ele gostava disso. Mas, acima de tudo, ela era sexy. Com frequência ele recordava o entusiasmo com que ela o beijara. Queria muito repetir a dose. Lembrava-se de como seus mamilos tinham ficado durinhos por causa da água fria. Ficava se perguntando se ela também pensava naquele dia no lago.

Seu problema era que ele não conseguia ter o mesmo comportamento alegremente predatório de Valentin em relação às mulheres. Seu amigo era capaz de dizer qualquer coisa para levar uma mulher para a cama. Dimka achava errado manipular ou intimidar os outros. Também acreditava que, quando alguém dizia "não", era preciso aceitar, enquanto Valentin sempre partia do princípio de que "não" queria dizer "talvez não ainda".

O Parque Gorki era um oásis no deserto do sisudo comunismo, um lugar que os habitantes de Moscou podiam frequentar apenas para se divertir. Todos vestiam suas melhores roupas, compravam sorvetes e balas, paqueravam desconhecidos e se beijavam no meio dos arbustos.

Anna fingiu ter medo da roda-gigante e Valentin entrou na brincadeira, passou o braço em volta dela e lhe disse que o brinquedo era totalmente seguro. Nina parecia à vontade e despreocupada, e, embora Dimka preferisse essa atitude ao medo fingido, ela não lhe dava qualquer chance de intimidade.

Nina estava bonita, com um vestido de algodão abotoado na frente listrado de laranja e verde. A vista de trás era particularmente atraente, pensou ele quando desceram da roda-gigante. Para aquele programa, ele conseguira um jeans americano e uma camisa azul quadriculada. Em troca, passara adiante dois ingressos para assistir ao balé *Romeu e Julieta* no Bolshoi que Kruschev não quis.

– O que você tem feito desde que nos vimos pela última vez? – perguntou-lhe Nina enquanto os dois passeavam pelo parque, tomando um licor de laranja morno comprado em uma barraquinha.

– Trabalhado.

– Só?

– Em geral chego ao escritório uma hora antes de Kruschev, para ter certeza de que está tudo pronto: os documentos de que vai precisar, os jornais estrangeiros, quaisquer pastas que ele possa querer. Ele muitas vezes trabalha até tarde da noite e eu raramente vou para casa antes. – Dimka desejou poder fazer seu emprego soar tão empolgante quanto de fato era. – Não tenho muito tempo para outra coisa.

– Ele era igualzinho na universidade – disse Valentin. – Só trabalho, trabalho, trabalho...

Felizmente, Nina não parecia considerar a vida de Dimka maçante.

– Você encontra mesmo o camarada Kruschev todos os dias?

– Quase todos.

– E onde você mora?

– Na Casa do Governo.

Era um prédio de apartamentos para a elite não muito longe do Kremlin.

– Que ótimo.

– Com minha mãe – acrescentou ele.

– Se fosse para ter um apartamento naquele prédio, eu também moraria com a minha mãe.

– Minha irmã gêmea também mora conosco, mas agora ela está em Cuba... é jornalista da TASS.

– Eu bem que gostaria de ir a Cuba – falou Nina, sonhadora.

– É um país pobre.

– Isso não me incomodaria em um clima em que não existe inverno. Imagine, dançar na praia em pleno mês de janeiro!

Dimka assentiu. Cuba o empolgava por outros motivos. A revolução de Fidel Castro mostrava que a rígida ortodoxia soviética não era a única forma possível de comunismo. Fidel tinha ideias novas, diferentes.

– Tomara que Fidel sobreviva – comentou.

– E por que não sobreviveria?

– Os americanos já invadiram Cuba uma vez. A Baía dos Porcos foi um fiasco, mas eles vão tentar de novo, e com um exército maior... provavelmente em 1964, quando Kennedy for candidato à reeleição.

– Que horror! Não há nada que se possa fazer?

– Fidel está tentando fazer as pazes com Kennedy.

– E vai conseguir?

– O Pentágono é contra, e os membros conservadores do Congresso estão reclamando bastante, de modo que a coisa não está andando muito.

– Nós precisamos apoiar a revolução cubana!

– Concordo... mas os nossos conservadores também não gostam de Fidel. Eles não têm certeza de que ele seja um comunista de verdade.

– O que vai acontecer, então?

– Depende dos americanos. Talvez eles deixem Cuba em paz. Mas não acho que sejam tão inteligentes assim. Meu palpite é que vão continuar importunando Fidel até ele achar que o único país ao qual pode pedir ajuda é a União Soviética. Então, mais cedo ou mais tarde, ele vai acabar nos pedindo proteção.

– E o que vamos poder fazer?

– Boa pergunta.

Valentin os interrompeu:

– Estou com fome. Vocês têm comida em casa, garotas?

– Claro – respondeu Nina. – Comprei um joelho de porco para fazer um ensopado.

– Então o que estamos esperando? Dimka e eu podemos comprar cerveja no caminho.

Foram de metrô. As moças moravam em um apartamento de um prédio controlado pelo sindicato dos metalúrgicos, para o qual trabalhavam. Era pequeno: um quarto com duas camas de solteiro, uma sala de estar com sofá em frente a uma TV, uma cozinha com uma mesa de jantar pequena e um banheiro. Dimka imaginou que a responsável pelas almofadas de rendinha do sofá e pelas flores de plástico no vaso em cima da TV fosse Anna, e que Nina houvesse comprado as cortinas listradas e os cartazes na parede com paisagens montanhosas.

Estava preocupado com o fato de só haver um quarto. Se Nina quisesse ir para a cama com ele, será que dois casais poderiam transar no mesmo cômodo? Coisas desse tipo aconteciam quando estava na universidade e morava em um alojamento abarrotado. Mesmo assim, não gostava da ideia. Tirando todo o resto, não queria que Valentin soubesse quanto ele era inexperiente.

Perguntou-se onde Nina dormia quando Valentin passava a noite ali. Então reparou em uma pequena pilha de cobertores no chão da sala, e deduziu que ela devia dormir no sofá.

Nina pôs a carne dentro de uma panela grande, Anna picou um rabanete, Valentin pegou talheres e pratos, e Dimka serviu a cerveja. Todos, exceto Dimka, pareciam saber o que iria acontecer em seguida. Apesar de um pouco nervoso, ele foi em frente.

Nina preparou uma bandeja de canapés: cogumelos em conserva, blinis, salsichão e queijo. Enquanto o ensopado cozinhava, eles foram para a sala. Nina sentou-se no sofá e bateu de leve no lugar ao seu lado, chamando Dimka para junto dela. Valentin se acomodou na poltrona e Anna sentou-se no chão a seus pés. Ficaram ouvindo música no rádio e tomando cerveja. Nina tinha posto algumas ervas na panela, e o cheiro da cozinha deixou Dimka com fome.

Falaram sobre seus pais. Os de Nina eram divorciados, os de Valentin separados, e os de Anna se odiavam.

– Minha mãe não gostava do meu pai – falou Dimka. – Nem eu. Ninguém gosta de um agente da KGB.

– Eu me casei uma vez... nunca mais – disse Nina. – Vocês conhecem alguém que tenha um casamento feliz?

– Sim – respondeu Dimka. – Meu tio Volodya. É bem verdade que tia Zoya é deslumbrante. Ela é física, mas parece uma atriz de cinema. Quando eu era pequeno, a chamava de Tia da Revista, porque ela era igualzinha àquelas mulheres de beleza impossível das fotografias das revistas.

Valentin acariciou os cabelos de Anna, e ela recostou a cabeça em sua coxa de um jeito que Dimka achou sensual. Queria tocar em Nina, e ela certamente não acharia ruim; caso contrário, por que o teria chamado para ir ao seu apartamento? Entretanto, sentia-se constrangido e pouco à vontade. Desejou que a moça fizesse alguma coisa: afinal, ela é que era experiente. Mas Nina parecia satisfeita em ouvir música e bebericar sua cerveja, com um leve sorriso no rosto.

O jantar enfim ficou pronto. O ensopado, que comeram acompanhado de pão preto, estava uma delícia. Nina cozinhava bem.

Depois de terminarem e tirarem a mesa, Valentin e Anna foram para o quarto e fecharam a porta.

Dimka foi ao banheiro. O rosto no espelho acima da pia não era bonito. Seu melhor traço eram os grandes olhos azuis. Os cabelos castanho-escuros estavam curtos, ao estilo militar aprovado para jovens *apparatchiks*. Ele parecia um rapaz sério cujas preocupações estavam muito acima do sexo.

Verificou a camisinha no bolso. Essas coisas eram raras, e ele tivera muito trabalho para arrumar algumas. No entanto, não concordava com a opinião de Valentin de que a gravidez era problema da mulher. Tinha certeza de que não conseguiria sentir prazer no sexo caso tivesse a sensação de estar forçando a garota a passar por um parto ou por um aborto.

Voltou para a sala. Para sua surpresa, Nina estava de casaco.

– Pensei em acompanhar você até a estação de metrô – disse ela.

Dimka ficou pasmo.

– Por quê?

– Acho que você não conhece o bairro... não quero que se perca.

– Não, por que você quer que eu vá embora?

– O que mais você iria fazer?

– Queria ficar aqui e beijar você – respondeu ele.

Ela riu.

– O seu entusiasmo compensa a falta de sofisticação.

Ela tirou o casaco e se sentou.

Dimka sentou-se ao seu lado e a beijou com hesitação.

Nina retribuiu seu beijo com um entusiasmo reconfortante. Cada vez mais excitado, ele percebeu que ela não se importava com a sua inexperiência. Em pouco tempo, já estava tentando abrir os botões de seu vestido. Seus seios eram maravilhosamente fartos. Estavam comprimidos dentro de um sutiã intimidador, mas ela o tirou e lhe ofereceu os seios para ele beijar.

Depois disso, foi tudo bem rápido.

Quando o grande momento chegou, ela se deitou no sofá com a cabeça sobre o braço e um dos pés no chão, posição que adotou com tanta naturalidade que Dimka pensou: ela já deve ter feito isso antes.

Apressado, ele pegou a camisinha e a abriu com gestos atabalhoados, mas ela disse:

– Não precisa.

Ele ficou espantado.

– Como assim?

– Eu não posso ter filhos. Os médicos disseram. Foi por isso que meu marido se divorciou de mim.

Ele largou a camisinha no chão e se deitou por cima dela.

– Devagar – disse ela, guiando-o para dentro de si.

Pronto, pensou Dimka: finalmente não sou mais virgem.

A lancha era do tipo conhecido antigamente como *rum-runner*: comprida e estreita, extremamente veloz e muito desconfortável para os passageiros. Atravessou os Estreitos da Flórida a 80 nós, batendo em cada onda com o mesmo impacto de um carro que derruba uma cerca de madeira. Os seis homens a bordo estavam presos por cintos de segurança, única forma de garantir relativa segurança em uma embarcação aberta àquela velocidade. No pequeno compartimento de carga, levavam submetralhadoras M3, pistolas e bombas incendiárias. Estavam a caminho de Cuba.

Na verdade, George Jakes não deveria estar com eles.

Mareado, ele olhou para a água iluminada pelo luar. Quatro dos passageiros eram cubanos exilados em Miami, que George conhecia apenas pelo primeiro nome. Eles odiavam o comunismo, Fidel Castro e todo mundo que não concordasse com eles. O sexto homem era Tim Tedder.

Tudo havia começado quando Tedder entrara em sua sala no Departamento de Justiça. Parecera-lhe vagamente conhecido, e George o identificara como agente da CIA, apesar de ele estar oficialmente "aposentado" e trabalhar como consultor de segurança independente.

George estava sozinho na sala.

– Posso ajudar? – perguntou, educado.

– Vim para a reunião da Mangusto.

George já tinha ouvido falar na Operação Mangusto, projeto no qual estava envolvido o pouco confiável Dennis Wilson, mas não conhecia todos os detalhes.

– Pode entrar – falou, acenando para uma cadeira.

Tedder então tinha entrado com uma pasta de papelão debaixo do braço. Era uns dez anos mais velho do que George, mas parecia ter se vestido na década de 1940: usava um terno jaquetão e os cabelos ondulados repartidos de lado e empapados de brilhantina.

– Dennis vai voltar a qualquer momento – disse George.

– Obrigado.

– Como estão indo as coisas? Na Mangusto?

Tedder fez uma cara ressabiada e retrucou:

– Na reunião eu digo.

– Não vou participar. – George olhou para o relógio de pulso. Estava desonestamente dando a entender que fora convidado, o que não era verdade, mas sua curiosidade agora fora atiçada. – Tenho outra reunião na Casa Branca.

– Que pena.

George recordou um fragmento de informação.

– Pelo plano original, vocês agora deveriam estar na fase dois, o desenvolvimento.

O semblante de Tedder se desanuviou quando ele deduziu que George estava por dentro.

– Aqui está o relatório – falou, abrindo a pasta de papelão.

George fingia saber mais do que de fato sabia. Mangusto era um projeto destinado a ajudar cubanos anticomunistas a fazerem uma contrarrevolução. O plano tinha um cronograma cujo clímax seria a derrubada de Fidel Castro em outubro daquele ano, logo antes das eleições legislativas no meio do mandato de Kennedy. Equipes infiltradas da CIA estavam encarregadas da organização política e da propaganda anti-Fidel.

Tedder entregou duas folhas de papel a George. Fingindo menos interesse do que de fato sentia, este falou:

– Tudo dentro do cronograma?

Tedder se esquivou da pergunta.

– Está na hora de aumentar a pressão – disse ele. – Fazer circular discretamente panfletos que zombam de Fidel não está nos ajudando a alcançar nossos objetivos.

– Como podemos aumentar a pressão?

– Está tudo aí – respondeu Tedder, apontando para o papel.

George olhou para baixo. O que leu foi pior do que esperava. A CIA propunha sabotar pontes, refinarias de petróleo, usinas de energia, usinas de açúcar e o transporte marítimo.

Foi nessa hora que Dennis Wilson entrou. George reparou que estava com o colarinho da camisa aberto, a gravata frouxa e as mangas arregaçadas, igualzinho a Bobby, embora seus cabelos já ralos nunca fossem ser páreo para a basta cabeleira do secretário. Quando Wilson viu Tedder conversando com George, primeiro pareceu espantado, depois tenso.

– Se vocês explodirem uma refinaria de petróleo e morrer gente, todo mundo aqui em Washington que tiver aprovado o projeto vai ser culpado de assassinato.

Irado, Dennis Wilson perguntou a Tedder:

– O que você contou a ele?

– Pensei que ele tivesse autorização para saber!

– E tenho – retrucou George. – Meu nível de autorização é o mesmo de Dennis. – Ele se virou para Wilson. – Então por que você tomou tanto cuidado para esconder isso de mim?

– Porque eu sabia que você criaria problemas.

– E tinha razão. Nós não estamos em guerra contra Cuba. Matar cubanos é crime.

– Estamos em guerra, sim – insistiu Tedder.

– Ah, é? Então, se Fidel mandasse agentes aqui para Washington e eles bombardeassem uma fábrica e matassem a sua mulher, não seria crime?

– Deixe de ser ridículo.

– Tirando o fato de ser assassinato, será que você não consegue imaginar o escândalo se esse plano vazar? Seria um incidente internacional! Imagine Kruschev na ONU pedindo ao nosso presidente que pare de financiar o terrorismo internacional. Pense nas matérias do *The New York Times*. Bobby pode ter que se demitir. E a campanha de reeleição do presidente? Por acaso ninguém pensou no lado político disso tudo?

– É claro que pensamos. Por isso é tudo ultrassecreto.

– E está dando certo? – George virou uma página. – Estou mesmo lendo isto? Estamos tentando assassinar Fidel Castro com charutos envenenados?

– Você não faz parte da equipe desse projeto – disse Wilson. – Então esqueça o que leu e pronto, certo?

– Certo o caramba. Vou direto falar com Bobby sobre isso.

Wilson riu.

– Seu babaca. Será que você não entendeu? Bobby é o chefe dessa operação!

George ficou perplexo.

Mesmo assim, foi falar com Bobby, que lhe disse calmamente:

– Vá até Miami e dê uma olhada na operação, George. Peça para Tedder lhe mostrar as coisas. Quando voltar, me diga o que acha.

Assim, George foi visitar o grande e novo campo de treinamento da CIA na Flórida, onde exilados cubanos eram preparados para missões de infiltração. Tedder então falou:

– Talvez você devesse participar de uma missão. Para ver com os próprios olhos.

Era um desafio, e Tedder não imaginava que George fosse aceitar. Mas ele sentia que, se recusasse, estaria se colocando em posição de fraqueza. No momento, a vantagem era sua: ele era contra a Operação Mangusto por motivos morais e políticos. Caso se recusasse a participar de uma ação, seria considerado um medroso. E talvez parte dele não conseguisse resistir ao desafio de provar a própria coragem. Portanto, como um bobo, respondeu:

– Tudo bem. Você vai também?

A resposta surpreendeu Tedder, e ficou claro para George que ele desejou poder retirar o convite. Mas agora o agente também tinha sido desafiado. Era o que Greg Peshkov chamaria de concurso para ver quem mija mais longe. E Tedder também se sentira incapaz de recuar, embora tenha acabado por dizer:

– É claro que não podemos contar a Bobby que você vai.

Ali estavam eles, portanto. Era uma pena o presidente Kennedy gostar tanto dos romances de espionagem do autor britânico Ian Fleming, refletiu George. Kennedy parecia acreditar que, como nos livros, James Bond também podia salvar o mundo real. Bond tinha "autorização para matar". Que bobagem. Ninguém tinha autorização para matar.

Seu alvo era uma cidadezinha chamada La Isabela, situada em uma estreita península que despontava feito um dedo da costa leste de Cuba. O lugar era um porto e não tinha qualquer outra atividade além do comércio. Seu objetivo era danificar a estrutura portuária.

Eles haviam calculado o tempo para chegar quando o dia raiasse. O céu do leste já estava se acinzentando quando o capitão Sanchez diminuiu a potência do motor, transformando o ronco em um débil gargarejo. Sanchez conhecia bem aquele trecho de costa: antes da revolução, seu pai tinha sido dono de uma fazenda de cana ali perto. O contorno de uma cidade começou a surgir no horizonte ainda escuro, e ele desligou o motor e soltou um par de remos.

A maré os levou naturalmente na direção da cidade; os remos eram mais para manter o curso. Sanchez tinha avaliado de modo perfeito sua aproximação. Uma fileira de píeres de concreto apareceu e, além deles, George pôde distinguir mal e mal grandes armazéns com telhados pontudos. Não havia nenhum navio grande no porto; mais adiante na costa, alguns pequenos barcos de pesca estavam ancorados. Tirando as ondas baixas que sussurravam na praia, tudo era silêncio. A lancha bateu em um dos píeres sem fazer barulho.

O compartimento de carga foi aberto e os homens se armaram. Tedder estendeu uma pistola para George, mas este fez que não com a cabeça.

– Pegue – disse Tedder. – Vai ser perigoso.

George sabia o que o outro estava pretendendo: Tedder queria que ele tivesse sangue nas mãos para não poder mais criticar a Operação Mangusto. Mas não era tão fácil assim manipulá-lo.

– Não, obrigado. Sou apenas um observador.

– O chefe desta missão sou eu, e estou mandando.

– E eu estou mandando você tomar no cu.

Tedder desistiu.

Sanchez amarrou a lancha e todos desembarcaram. Ninguém disse nada. Sanchez apontou para o armazém mais próximo, que também parecia ser o maior. Todos correram naquela direção. George foi por último, fechando o grupo.

Não havia mais ninguém à vista. George pôde ver uma fileira de casas que não passavam de pouco mais de barracos de madeira. Um jumento preso pastava a grama esparsa no acostamento da estrada de terra. O único veículo por perto era uma picape enferrujada modelo década de 1940. Um lugar muito pobre, percebeu ele. Estava claro que ali antigamente funcionava um porto movimentado. Imaginou que este houvesse sido arruinado pelo presidente americano Eisenhower, que, em 1960, impusera um embargo ao comércio entre os Estados Unidos e Cuba.

Em algum lugar, um cão começou a latir.

O armazém tinha laterais de madeira e telhado de ferro corrugado, mas não havia janelas. Sanchez encontrou uma pequena porta e a derrubou com um chute. Eles entraram correndo. O espaço vazio continha apenas restos de embalagens: caixotes quebrados, caixas de papelão, pedaços curtos de corda e barbante, sacos descartados e redes rasgadas.

– Perfeito – falou Sanchez.

Os quatro cubanos atiraram bombas incendiárias pelo chão. Segundos depois, os artefatos explodiram. Os restos descartados pegaram fogo na hora. As paredes de madeira se incendiariam em poucos instantes. Todos correram para fora.

– Ei! O que está acontecendo? – perguntou uma voz em espanhol.

George se virou e viu um cubano de cabelos brancos vestido com um tipo de uniforme. Era velho demais para ser policial ou soldado, então George concluiu que era o vigia. Estava calçando sandálias. No entanto, tinha uma arma no cinto e já tateava tentando soltá-la do coldre.

Antes de ele conseguir sacar sua arma, Sanchez lhe deu um tiro. O sangue brotou no peito da camisa branca do uniforme e o homem caiu para trás.

– Vamos embora! – falou Sanchez, e os cinco homens correram em direção à lancha.

George se ajoelhou junto ao senhor cubano cujos olhos encaravam – embora não vissem nada – o céu cada vez mais claro.

Atrás dele, Tedder gritou:

– George! Vamos embora!

Por alguns instantes, o sangue saiu aos borbotões do ferimento no peito do vigia, mas depois virou um filete. George tentou encontrar sua pulsação, mas não conseguiu. Pelo menos ele morreu rápido.

O incêndio no armazém estava se espalhando depressa, e George já podia sentir o calor.

– George! Vamos deixar você para trás! – insistiu Tedder.

O motor da lancha foi ligado e rugiu.

George fechou os olhos do morto e se levantou. Permaneceu alguns instantes em pé, com a cabeça baixa. Então saiu correndo em direção à lancha.

Assim que ele embarcou, a lancha se afastou do cais e partiu baía afora. George prendeu o cinto de segurança.

– Que porra você estava fazendo, afinal? – berrou Tedder em seu ouvido.

– Nós matamos um inocente. Achei que ele merecesse um instante de respeito.

– Ele trabalhava para os comunistas!

– Ele era o vigia noturno. Provavelmente não sabia nem o que é comunismo.

– Você é mesmo um banana.

George olhou para trás. O armazém agora era uma gigantesca fogueira. Pessoas o rodeavam, decerto tentando apagar as chamas. Ele tornou a encarar o mar à sua frente e não se virou mais.

Quando por fim chegaram a Miami e pisaram em terra firme outra vez, falou para Tedder:

– Quando estávamos no mar, você me chamou de banana. – Sabia que aquilo era uma burrice quase tão grande quanto participar da missão, mas era orgulhoso demais para deixar passar. – Agora estamos em terra firme, sem problemas de segurança. Por que não repete o que disse?

Tedder o encarou. Era mais alto do que George, mas não tão corpulento. Devia ter algum tipo de treinamento em combate corpo a corpo, e George pôde ver que estava avaliando as próprias chances, enquanto os cubanos observavam com cara de pouco interesse.

Os olhos de Tedder relancearam para as orelhas de George, deformadas pela luta livre, e então tornaram a encará-lo.

– Acho melhor esquecermos isso – disse ele.

– É, foi o que pensei.

No avião de volta a Washington, ele redigiu um relatório curto para Bobby dizendo que, na sua opinião, a Operação Mangusto era ineficaz, uma vez que não havia indício algum de que o povo de Cuba (ao contrário dos exilados) quisesse derrubar Fidel. Ela era também uma ameaça ao prestígio global dos Estados Unidos, pois causaria hostilidade contra os americanos caso um dia viesse a público. Ao entregar o relatório a Bobby, falou, sucinto:

– A Mangusto é inútil e perigosa.
– Eu sei – disse Bobby. – Mas nós precisamos fazer alguma coisa.

∽

Dimka agora via todas as mulheres sob um novo viés.

Ele e Valentin passavam quase todos os fins de semana com Nina e Anna no apartamento das duas, e os casais se revezavam para dormir na cama ou no chão da sala. Em uma só noite, ele e Nina transavam duas ou até três vezes. Ele agora conhecia, com mais detalhes do que jamais sonhara, o aspecto, o cheiro e o gosto de um corpo de mulher.

Consequentemente, olhava para todas as outras de um jeito novo e mais conhecedor. Podia imaginá-las nuas, desenhar a curva de seus seios, visualizar os pelos de seu corpo, imaginar a expressão em seus rostos durante o prazer. De certa forma, conhecendo uma mulher, conhecia todas.

Sentiu-se um pouco desleal a Nina quando admirou Natalya Smotrov na praia, em Pitsunda, vestida com um maiô amarelo-canário, os cabelos molhados e os pés sujos de areia. Seu corpo esbelto não era tão curvilíneo quanto o de Nina, mas nem por isso era menos delicioso. Talvez aquele seu interesse fosse perdoável: já fazia duas semanas que ele estava ali com Kruschev no litoral do Mar Negro, levando uma vida de monge. De todo modo, não chegava a considerar seriamente a tentação, pois Natalya usava aliança de casada.

Era meio-dia e, enquanto ele nadava, ela estava lendo um relatório datilografado. Em seguida pôs um vestido por cima do maiô ao mesmo tempo que ele vestia seu short feito em casa, e então subiram juntos caminhando da praia até o lugar que chamavam de Alojamento.

O prédio era novo e feio, com quartos para visitantes de status relativamente baixo como eles próprios. Encontraram os outros assessores no refeitório vazio, que recendia a carne de porco cozida e repolho.

Era uma reunião de posicionamento em preparação para o Politburo da semana seguinte. O objetivo, como sempre, era identificar questões controversas e avaliar o apoio a um lado ou outro. Dessa forma, um assessor podia salvar o chefe do constrangimento de defender uma proposta que seria subsequentemente rejeitada.

Dimka partiu logo para o ataque:

– Por que o ministro da Defesa está demorando tanto a mandar armas para nossos camaradas em Cuba? – indagou. – A ilha é o único país revolucionário no continente americano. Ela é uma prova de que o marxismo pode ser aplicado no mundo inteiro, não só no Leste.

O apreço de Dimka pela revolução cubana era mais do que ideológico. Ele ficava empolgado com os heróis barbados, seus uniformes de combate e seus charutos, tão diferentes dos sisudos líderes soviéticos e seus indefectíveis ternos cinza. O comunismo supostamente deveria ser uma feliz cruzada por um mundo melhor, mas às vezes a União Soviética mais parecia um mosteiro medieval no qual todos houvessem feito votos de pobreza e obediência.

Yevgeny Filipov, assessor do ministro da Defesa, se ofendeu.

– Fidel Castro não é um marxista de verdade – afirmou. – Ele ignora a linha correta ditada pelo Partido Socialista Popular de Cuba e adota um comportamento revisionista próprio. – O PSP era o partido pró-Moscou.

Na opinião de Dimka, o comunismo andava fortemente precisado de uma revisão, mas ele não disse isso.

– A revolução cubana é um imenso golpe para o imperialismo capitalista. Nós deveríamos apoiá-la nem que fosse pelo fato de os irmãos Kennedy odiarem tanto Fidel.

– Será que odeiam mesmo? – falou Filipov. – Não tenho tanta certeza. A invasão da Baía dos Porcos foi há um ano. O que os americanos fizeram desde então?

– Rejeitaram as tentativas de paz de Fidel.

– É verdade: os conservadores do Congresso não deixariam Kennedy fazer um pacto com Fidel nem se ele quisesse. Mas isso não significa que ele vai entrar em guerra.

Dimka correu os olhos pelos assessores reunidos no recinto, todos de camisas de manga curta e sandálias. Discretamente calados, observavam ele e Filipov até conseguirem saber quem iria vencer aquele combate de gladiadores.

– Nós temos de garantir que a revolução cubana não seja derrubada – prosseguiu Dimka. – O camarada Kruschev acredita que vai haver outra invasão americana, dessa vez mais bem organizada e com mais financiamento.

– Mas onde estão as provas?

Dimka não teve como responder. Havia sido agressivo e dado o melhor de si, mas a sua posição era fraca.

– Não temos provas nem de uma coisa, nem de outra – admitiu ele. – Precisamos discutir com base em possibilidades.

– Ou poderíamos esperar a situação ficar mais clara antes de armar Fidel.

Em volta da mesa, várias pessoas concordaram com meneios de cabeça. Filipov tinha marcado um ponto importante contra Dimka.

Foi nessa hora que Natalya falou:

– Na verdade, temos algumas provas, sim. – Ela estendeu para Dimka as páginas datilografadas que estava lendo na praia.

Ele passou os olhos pelo documento. Era um relatório do chefe da KGB nos Estados Unidos, intitulado "Operação Mangusto".

Enquanto ele lia rapidamente, Natalya prosseguiu:

– Ao contrário do que argumenta o camarada Filipov, do Ministério da Defesa, a KGB tem certeza de que os americanos *não* desistiram de Cuba.

Filipov ficou uma fera:

– Por que esse documento não foi distribuído para todos nós?

– Ele acabou de chegar de Washington – respondeu Natalya, calma. – Tenho certeza de que você vai receber uma cópia hoje à tarde.

Natalya sempre parecia conseguir informações importantes um pouco antes de todo mundo, pensou Dimka. Era uma grande habilidade para um assessor. Ela com certeza devia ter grande valor para seu chefe Gromyko, ministro das Relações Exteriores. Certamente era por isso que tinha um cargo tão poderoso.

Ficou pasmo com o que estava lendo. Aquilo significava que, graças a Natalya, ele iria vencer o debate daquele dia, mas era péssima notícia para a revolução cubana.

– Isto aqui é ainda pior do que o camarada Kruschev temia! – exclamou. – A CIA tem equipes de sabotagem em Cuba prontas para destruir usinas de açúcar e de energia. É uma guerrilha! E eles estão tramando o assassinato de Fidel Castro!

– Essas informações são confiáveis? – perguntou Filipov, desesperado.

Dimka o encarou.

– Qual é a sua opinião sobre a KGB, camarada?

Filipov calou a boca.

Dimka se levantou.

– Sinto muito ter de encerrar prematuramente nossa reunião, mas acho que o primeiro-secretário precisa ver este documento agora mesmo. – Ele saiu do prédio.

Seguiu um caminho pelo meio da floresta de pinheiros até a casa de estuque branco de Kruschev. O interior estava decorado de maneira ousada, com cortinas brancas e móveis de madeira clara, como descorada pelo sol e pelo mar. Perguntou-se quem teria escolhido um estilo tão radicalmente contemporâneo; com certeza não o camponês Kruschev: se o premiê reparasse em decoração, decerto teria preferido estofados de veludo e tapetes com estampas florais.

Dimka encontrou o líder na varanda do andar de cima, com vista para a baía. Kruschev estava segurando um potente binóculo da Komz.

Dimka não estava nervoso; sabia que Kruschev havia desenvolvido simpatia por ele. Seu chefe gostava do modo como ele resistia aos ataques dos outros assessores.

— Pensei que o senhor gostaria de ver este relatório sem demora — falou. — A Operação Mangusto...

— Acabei de ler — interrompeu Kruschev. Ele passou o binóculo para Dimka. — Olhe ali — falou, apontando para o outro lado do mar em direção à Turquia.

O rapaz levou o binóculo aos olhos.

— Mísseis nucleares americanos — disse Kruschev. — Apontados para a minha dacha!

Dimka não conseguiu ver míssil algum. Não conseguiu sequer ver a Turquia, que ficava a quase 250 quilômetros naquela direção. Sabia, porém, que aquele gesto teatral típico de Kruschev estava certo na essência: os Estados Unidos haviam instalado na Turquia mísseis Júpiter, antiquados, mas certamente não obsoletos. Ele sabia isso graças ao seu tio Volodya, que trabalhava na Inteligência do Exército Vermelho.

Não soube muito bem como agir. Será que deveria fingir estar vendo os mísseis pelo binóculo? Mas Kruschev com certeza sabia que isso era impossível.

O premiê resolveu o problema arrancando o binóculo da sua mão.

— E sabe o que eu vou fazer? — indagou ele.

— Por favor, me diga.

— Vou fazer Kennedy entender que sensação isso dá. Vou instalar mísseis nucleares em Cuba... apontados para a dacha *dele*!

Dimka ficou sem palavras; por essa ele não esperava. E não conseguia pensar que fosse uma boa ideia. Concordava com o chefe que era preciso mais ajuda militar a Cuba e vinha enfrentando o Ministério da Defesa em relação a isso, mas agora Kruschev estava exagerando.

— Mísseis nucleares? — repetiu, tentando ganhar tempo para pensar.

— Exatamente! — Kruschev apontou para o relatório da KGB sobre a Operação Mangusto que Dimka ainda segurava. — E isso aí vai convencer o Politburo a me apoiar. Charutos envenenados. Essa é boa!

— Nossa linha oficial até agora foi não usar armas nucleares em Cuba — disse Dimka no tom de quem está citando uma informação incidental, não defendendo um ponto de vista. — Nós demos essa garantia aos americanos várias vezes, e em público.

Kruschev sorriu com um deleite travesso.

— Nesse caso, Kennedy vai ficar ainda mais surpreso!

Aquele seu comportamento deixava Dimka assustado. O primeiro-secretário não era bobo, mas tinha alma de jogador. Se aquela estratégia desse errado, poderia conduzir a uma humilhação diplomática que talvez lhe custasse a posição de líder e que, por conseguinte, poderia pôr fim à carreira do próprio Dimka. Pior ainda: aquilo poderia provocar justamente a invasão americana a Cuba que pretendia evitar – e sua amada irmã estava em Cuba. Havia até uma chance de aquilo provocar a guerra nuclear que poria fim ao capitalismo, ao comunismo e, muito possivelmente, à humanidade.

Por outro lado, Dimka não conseguiu conter uma certa animação. Que golpe tremendo seria aquilo contra os ricos e arrogantes irmãos Kennedy, contra a truculência mundial dos Estados Unidos e contra todo o bloco capitalista-imperialista! Se a estratégia desse certo, que triunfo para a URSS e para Kruschev!

O que ele deveria fazer? Começou a pensar de forma prática e se esforçou para bolar maneiras de reduzir os riscos apocalípticos daquele plano.

– Nós poderíamos começar assinando um tratado de paz com Cuba – falou. – Seria difícil para os americanos reclamarem sem admitir que estão planejando atacar um país pobre do Terceiro Mundo. – Kruschev não pareceu entusiasmado, mas não disse nada, então ele prosseguiu: – Depois poderíamos aumentar o fornecimento de armas convencionais. Aí também seria difícil Kennedy protestar: por que um país não poderia comprar armas para o seu exército? Por fim, poderíamos mandar os mísseis...

– Não – disse Kruschev abruptamente. Ele nunca apreciava medidas graduais, pensou Dimka. – Não é isso que vamos fazer. Vamos mandar os mísseis para lá em segredo. Vamos colocá-los em caixas com os dizeres "encanamento de esgoto", ou qualquer outra coisa. Nem mesmo os comandantes dos navios saberão o que elas contêm. Vamos mandar nossos artilheiros para Cuba a fim de montar os lança-mísseis. Os americanos não terão a menor ideia do que estaremos fazendo.

As palavras causaram certa náusea em Dimka, tanto de medo quanto de empolgação. Mesmo na União Soviética, seria extraordinariamente difícil manter em segredo um projeto grande como aquele. Milhares de homens teriam de participar do encaixotamento das armas, de seu envio por trem até os portos e, por fim, de sua abertura e montagem em Cuba. Seria possível fazer todos eles ficarem calados?

Apesar das reservas, não disse nada.

– E então, quando as armas estiverem prontas para serem lançadas, faremos um anúncio – continuou Kruschev. – Será um fato consumado, e os americanos não poderão fazer nada a respeito.

Era exatamente o tipo de gesto grandioso e dramático que Kruschev adorava, e Dimka percebeu que jamais conseguiria demovê-lo da ideia.

– Fico pensando como o presidente Kennedy vai reagir a um anúncio desses – comentou, cauteloso.

Kruschev deu um muxoxo de desdém.

– Kennedy é um garoto... inexperiente, temeroso, fraco.

– Claro – concordou Dimka, embora temesse que talvez o primeiro-secretário estivesse subestimando o jovem presidente. – Mas os americanos vão ter eleições de meio de mandato no dia 6 de novembro. Se revelarmos a existência dos mísseis durante a campanha, Kennedy vai sofrer grande pressão para tomar alguma atitude drástica de modo a evitar uma humilhação nas urnas.

– Então é preciso guardar segredo até 6 de novembro.

– E quem vai fazer isso? – indagou Dimka.

– Você. Vou colocá-lo à frente desse projeto. Você fará a ponte com o Ministério da Defesa, que terá de executar o plano. Caberá a você garantir que eles não deixem o segredo vazar antes de estarmos prontos.

Chocado, o rapaz balbuciou:

– Por que eu?

– Você detesta aquele escroto do Filipov. Portanto, posso ter certeza de que vai pressioná-lo bastante.

Estarrecido, Dimka se perguntou como Kruschev sabia que ele odiava Filipov. O Exército teria de cumprir uma tarefa quase impossível e, se algo desse errado, a culpa seria dele. Que catástrofe!

Mas ele sabia que não podia falar nada.

– Obrigado, Nikita Sergueievitch – retrucou, de modo formal. – Pode contar comigo.

CAPÍTULO QUINZE

A limusine GAZ-13 se chamava Gaivota por causa das laterais traseiras aerodinâmicas em estilo americano. Podia chegar a 160 quilômetros por hora, embora andar a essa velocidade nas estradas soviéticas não fosse lá muito confortável. Apesar de também estar disponível em dois tons de bordô ou creme com pneus de risca branca, a de Dimka era preta.

Sentado no banco de trás, ele aguardou o carro se aproximar do cais do porto de Sebastopol, na Ucrânia. Situada bem na pontinha da Península da Crimeia, a cidade adentrava o Mar Negro. Vinte anos antes, fora arrasada pelas bombas e pela artilharia alemãs. Depois da guerra, fora reconstruída como um alegre balneário, com varandas mediterrâneas e arcos inspirados em Veneza.

Dimka desceu e observou o navio no cais, um cargueiro de transporte de madeira, com imensos compartimentos de carga projetados para comportar troncos inteiros. Sob o sol quente do verão, estivadores carregavam esquis e caixotes com etiquetas bem visíveis de roupas de inverno, para parecer que o destino da embarcação era o norte gelado. Dimka inventara o nome deliberadamente enganoso de Operação Anadyr, em homenagem a uma cidade na Sibéria.

Uma segunda limusine Gaivota chegou ao cais e parou atrás da de Dimka. Quatro homens com uniformes da Inteligência do Exército Vermelho saltaram e ficaram parados, aguardando suas instruções.

Uma ferrovia passava rente ao cais, e um imenso guindaste montado sobre os trilhos transferia carga diretamente dos vagões para o navio. Dimka olhou para o relógio de pulso.

– A porra do trem já deveria ter chegado.

Estava uma pilha de nervos. Nunca sentira tanta tensão na vida. Antes de começar aquele projeto, nem sequer sabia o que era estresse.

O oficial do Exército Vermelho mais graduado era coronel e se chamava Pankov. Apesar da patente, dirigiu-se a Dimka de maneira respeitosa e formal:

– Quer que eu telefone para me informar, Dmitri Ilich?

– Acho que ele está vindo – disse um segundo oficial, o tenente Meyer.

Dimka olhou para os trilhos ao longe e viu, aproximando-se lentamente, uma fila de vagões abertos e baixos carregados com caixotes de madeira.

– Porra! Por que todo mundo acha que não tem problema chegar quinze minutos atrasado?

Estava preocupado com espiões. Já tinha visitado o chefe da estação da KGB em Sebastopol e verificado a sua lista de suspeitos nas redondezas. Eram todos dissidentes: poetas, padres, pintores de arte abstrata ou judeus desejosos de se mudar para Israel – os típicos descontentes com o sistema soviético, tão ameaçadores quanto um clube de ciclistas. Dimka mandara prender todos eles mesmo assim, mas nenhum parecia perigoso. Era quase certo que houvesse agentes da CIA de verdade em Sebastopol, mas a KGB não sabia quem eram.

Um homem em uniforme de comandante veio descendo a passarela do navio e falou com Pankov:

– É o senhor quem manda aqui, coronel?

Pankov meneou a cabeça na direção de Dimka.

O comandante se tornou menos deferente.

– Meu navio não pode ir para a Sibéria – falou.

– O seu destino é uma informação ultrassecreta – retrucou Dimka. – Não o mencione.

Em seu bolso, ele trazia um envelope lacrado que o comandante deveria abrir quando saísse do Mar Negro e entrasse no Mediterrâneo. Nesse momento ele ficaria sabendo que seu destino era Cuba.

– Preciso de lubrificante para temperaturas frias, anticongelante, equipamento para degelo...

– Cale a porra da boca.

– Mas eu preciso protestar. As condições na Sibéria...

– Dê um soco na boca dele – disse Dimka ao tenente Meyer.

Meyer era um homem grande e o golpe foi forte. O comandante caiu para trás com os lábios sangrando.

– Volte para o seu navio, aguarde as ordens e mantenha essa porcaria dessa boca fechada – ordenou Dimka.

O comandante se retirou, e os homens reunidos no cais tornaram a prestar atenção no trem que se aproximava.

A Operação Anadyr era imensa. O trem que vinha chegando era o primeiro de outros dezenove iguais a ele, todos encarregados de trazer apenas aquele primeiro regimento de mísseis até Sebastopol. Ao todo, Dimka estava despachando cinquenta mil homens e 230 mil toneladas de equipamento para Cuba. Sua frota tinha 85 navios.

Ele ainda não sabia como conseguiria manter tudo aquilo em segredo.

Muitos dos homens com cargos de autoridade na URSS eram descuidados, preguiçosos, bêbados ou pura e simplesmente burros. Não entendiam as instruções recebidas, esqueciam, abordavam tarefas desafiadoras sem muito entusiasmo e depois desistiam, e às vezes apenas decidiam que sabiam fazer melhor. Tentar convencê-los pela lógica era inútil; tentar conquistá-los pelo charme era ainda pior. Tratá-los com amabilidade os fazia pensar que você era um tolo que podia ser ignorado.

O trem avançou devagar junto ao navio; seus freios chiaram, aço contra aço. Cada vagão especialmente construído carregava apenas um caixote de madeira de 24 metros de comprimento, 3 de largura e 3 de altura. Um operador subiu no guindaste e entrou na cabine de controle. Estivadores pularam nos vagões e começaram a preparar os caixotes para serem transferidos. Uma companhia de soldados, que tinha viajado a bordo do trem, começou a ajudar os estivadores. Dimka ficou aliviado ao ver que o regimento de mísseis tinha removido as insígnias dos uniformes, de acordo com as suas instruções.

Um homem em trajes civis saltou de um carro e Dimka se irritou ao ver que era Yevgeny Filipov, que ocupava cargo equivalente ao seu no Ministério da Defesa. Como o comandante do navio, Filipov primeiro se dirigiu a Pankov, mas o coronel disse:

– Quem está no comando aqui é o camarada Dvorkin.

Filipov deu de ombros.

– Só alguns minutos de atraso – falou, com ar satisfeito. – Ficamos presos por causa de...

Dimka então reparou em uma coisa.

– Ah, não – falou. – Puta que pariu!

– Algum problema? – indagou Filipov.

Dimka bateu com os pés no cais de concreto.

– Puta que pariu!

– O que foi?

– Quem é o responsável pelo trem? – perguntou-lhe Dimka, enfurecido.

– O coronel Kats nos acompanhou.

– Traga esse imbecil para falar comigo agora mesmo.

Filipov não gostava de obedecer às ordens de Dimka, mas não podia recusar um pedido desses; afastou-se para chamar o colega.

Pankov olhou para Dimka sem entender.

– Está vendo aquilo ali gravado na lateral de cada caixote? – indagou ele, com um tom de raiva e exaustão.

Pankov assentiu.

– É um número de código do Exército.

– Exato – falou Dimka, amargurado. – Significa "míssil balístico R-12".

– Ai, que merda.

Furioso e impotente, Dimka balançou a cabeça.

– Tem gente que nem torturando...

Ele já temia que mais cedo ou mais tarde fosse ter um conflito com o Exército, mas, pensando bem, era até melhor que isso acontecesse agora, no primeiro carregamento. E ele estava preparado.

Filipov voltou acompanhado por um coronel e um major.

– Bom dia, camaradas – disse o oficial mais graduado. – Sou o coronel Kats. Houve um pequeno atraso, mas, tirando isso, está tudo correndo...

– Não está não, seu babaca retardado! – disparou Dimka.

Kats não acreditou no que tinha ouvido.

– Como disse?

– Escute aqui, Dvorkin, você não pode falar assim com um oficial – interveio Filipov.

Dimka o ignorou e seguiu falando com Kats:

– Com sua desobediência, o senhor pôs em risco a segurança de toda esta operação. Suas ordens eram cobrir com tinta os números do Exército gravados nos caixotes. O senhor recebeu moldes vazados com os dizeres "Tubulação Plástica para Construção Civil". Deveria ter gravado isso nos caixotes.

– Não deu tempo! – rebateu Kats, indignado.

– Seja sensato, Dvorkin – disse Filipov.

Dimka suspeitava que o colega da Defesa fosse ficar feliz se o segredo vazasse, pois a credibilidade de Kruschev seria prejudicada e o premiê poderia até cair. Apontou para o sul, na direção do mar.

– Olhe ali, seu idiota: a menos de 250 quilômetros naquela direção tem um país da OTAN, porra! Por acaso não sabe que os americanos têm espiões? E que eles mandam esses espiões para lugares como Sebastopol, que é uma base naval e um porto soviético importante?

– Os dizeres estão em código...

– Em código? O seu cérebro é feito de quê? Cocô de cachorro? Que treinamento imagina que os espiões capitalistas recebem? Eles aprendem a reconhecer as divisas dos uniformes, como por exemplo a insígnia do regimento de mísseis que o senhor está usando na lapela, também contrariando as minhas ordens, além de outros emblemas e códigos de equipamentos militares. Em toda a Europa, qualquer traidor e informante da CIA sabe ler os códigos militares desses caixotes, seu imbecil de merda.

Kats tentou manter a dignidade.

– Quem está pensando que é? – questionou. – Não se atreva a falar assim comigo. Eu tenho filhos mais velhos que o senhor.

– O senhor não está mais no comando desta operação – falou Dimka.

– Não seja ridículo.

– Mostre a ele, por favor.

O coronel Pankov tirou do bolso uma folha de papel que entregou a Kats.

– Como pode ver nesse documento, eu tenho autoridade para isso. – Percebeu que Filipov estava de queixo caído. – O senhor está preso por traição. Acompanhe esses homens.

O tenente Meyer e outro integrante do grupo de Pankov se posicionaram com agilidade dos lados de Kats, seguraram-no pelos braços e o conduziram até a limusine.

Filipov recobrou o domínio de si.

– Dvorkin, pelo amor de Deus...

– Se não tiver nada útil para dizer, nem adianta abrir a porra dessa boca – disparou Dimka. Então virou-se para o major do regimento de mísseis, que até então não pronunciara uma só palavra. – O senhor é o segundo de Kats?

O homem exibia uma expressão aterrorizada.

– Sim, camarada. Major Spektor, ao seu dispor.

– Quem está no comando agora é o senhor.

– Obrigado.

– Tire esse trem da minha frente. Ao norte daqui há um grande complexo de garagens ferroviárias. Combine com a administração da ferrovia parar lá por doze horas enquanto os dizeres dos caixotes são trocados. Traga o trem de volta amanhã.

– Sim, camarada.

– O coronel Kats vai passar o resto da vida, que não vai ser muito longa, em um campo de trabalho na Sibéria. Portanto, major Spektor, é melhor o senhor não cometer nenhum erro.

– Sim, camarada.

Dimka entrou na limusine. Enquanto se afastava, passou por Filipov, que continuava em pé no cais com cara de quem não entendia direito o que acabara de acontecer.

Tanya Dvorkin estava em pé no cais de Mariel, litoral norte de Cuba, a 40 quilômetros de Havana, onde uma estreita enseada se abria para um imenso porto natural escondido entre os morros em volta. Nervosa, olhou para o navio soviético atracado a um píer de concreto. No píer, um caminhão soviético ZIL-130 rebocava um trailer de 25 metros. Uma grua retirava um caixote de madeira comprido do compartimento de carga do navio e o movia muito lentamente pelo ar em direção ao caminhão. No caixote estava escrito em russo: "Tubulação Plástica para Construção Civil".

Ela viu tudo isso à luz de refletores. Por ordem de seu irmão, os navios tinham de ser descarregados à noite. Todas as outras embarcações haviam sido retiradas do porto. Barcos de patrulha tinham fechado a enseada. Mergulhadores vasculhavam as águas em volta do navio para protegê-lo de qualquer ameaça submarina. O nome de Dimka era pronunciado em tom de medo: diziam que sua palavra era lei e que sua ira era terrível.

Tanya estava escrevendo para a TASS matérias sobre como a União Soviética vinha ajudando Cuba e sobre a imensa gratidão do povo cubano pela amizade daquele aliado distante do outro lado do planeta. A verdade, porém, ela reservava para as mensagens codificadas que mandava, por cabo, para o irmão no Kremlin, usando o sistema telegráfico da KGB. E agora Dimka também lhe atribuíra a tarefa informal de garantir que as suas instruções fossem cumpridas à risca. Por isso ela estava tão nervosa.

Ao seu lado estava o general Paz Oliva, o homem mais lindo que Tanya já conhecera.

A beleza de Paz era de tirar o fôlego: ele era alto, forte e um pouco assustador, mas só até sorrir e falar com uma voz suave de baixo que a fazia pensar nas cordas de um violoncelo sendo acariciadas pelo arco. Tinha 30 e poucos anos; a maioria dos militares de Fidel Castro era jovem. Com a pele morena e os cabelos cacheados, parecia mais negro do que hispânico. Ele era um modelo da política de igualdade racial de Fidel, tão diferente da de Kennedy.

Tanya adorava Cuba, mas isso levara algum tempo para acontecer. Sentia mais saudades de Vasili do que imaginara. Agora percebia quanto gostava dele, mesmo que os dois nunca tivessem sido amantes. Preocupava-se com ele no campo de trabalho da Sibéria, sentindo fome e frio. A campanha pela qual ele fora punido – divulgar a doença do cantor Ustin Bodian – tivera sucesso, por assim dizer: Bodian tinha sido solto, mas morrera pouco depois em um hospital de Moscou. Vasili consideraria essa ironia reveladora.

Com algumas coisas ela não conseguia se acostumar. Embora nunca fizesse frio, ainda vestia um casaco para sair. Ficava enjoada de comer feijão com arroz e, para a própria surpresa, pegava-se ansiando por uma tigela de *kasha* com creme azedo. No verão, após uma sequência interminável de dias de sol forte, às vezes torcia por um temporal que viesse refrescar as ruas.

Os camponeses cubanos eram tão pobres quanto os soviéticos, mas pareciam mais felizes; talvez por causa do clima. Depois de algum tempo, a irrefreável alegria de viver do povo de Cuba acabou fisgando Tanya. Ela passou a fumar charutos e a tomar rum com tuKola, substituto local da Coca-Cola. Adorava dançar com Paz ao ritmo sensual e irresistível da música tradicional conhecida como *trova*. Fidel tinha fechado quase todas as boates, mas ninguém conseguia impedir os cubanos de tocar violão, e os músicos agora se apresentavam em pequenos bares chamados *casas de la trova*.

Mas os cubanos a deixavam preocupada. Eles haviam desafiado seu gigante vizinho, os Estados Unidos, situado a menos de 150 quilômetros de distância do outro lado do Estreito da Flórida, e Tanya sabia que um dia poderiam ser punidos. Quando pensava nisso, sentia-se como uma ave-do-crocodilo, corajosamente pousada entre as mandíbulas abertas do grande réptil, ciscando comida em uma fileira de dentes que pareciam lâminas de faca.

Será que a atitude desafiadora dos cubanos valeria a pena? Só o tempo diria. Tanya via com pessimismo a probabilidade de reformar o comunismo, mas algumas das coisas que Fidel tinha feito eram admiráveis. Em 1961, o Ano da Educação, dez mil estudantes tinham se deslocado para a zona rural para ensinar os camponeses a ler, uma cruzada heroica para erradicar o analfabetismo em uma única campanha. A primeira frase ensinada era "Os camponeses trabalham na cooperativa", mas e daí? Pessoas alfabetizadas eram mais capazes de reconhecer a propaganda do governo como o que ela de fato era.

Fidel estava longe de ser bolchevique. Desdenhava a ortodoxia e vivia à procura de novas ideias. Era por isso que incomodava tanto o Kremlin. Mas ele também não era nenhum democrata. Tanya ficou triste quando ele anunciou que a revolução tinha tornado as eleições desnecessárias. E havia uma área em que ele imitava servilmente a União Soviética: a conselho da KGB, criara uma polícia secreta de eficiência implacável para eliminar a dissidência.

Pesando tudo, Tanya desejava sorte para a revolução. Cuba precisava escapar do subdesenvolvimento e do colonialismo. Ninguém queria os americanos de volta com seus cassinos e prostitutas. Mas ela ficava pensando se os cubanos um dia teriam autonomia para tomar as próprias decisões. A hostilidade dos americanos os fizera correr para os braços dos soviéticos, mas, quanto mais Fidel se aproximava da URSS, maior era a probabilidade de sofrer uma invasão dos Estados Unidos. O que Cuba precisava mesmo era ser deixada em paz.

Mas talvez agora houvesse uma chance de isso acontecer. Tanya e Paz pertenciam ao pequeno grupo de pessoas que sabiam o que continham aqueles compridos caixotes de madeira. Ela se reportava diretamente a Dimka em relação à eficácia do plano de segurança. Se a operação desse certo, talvez conseguisse proteger Cuba permanentemente do perigo de uma invasão americana, e dar ao país alguma margem de manobra para encontrar o próprio caminho no futuro.

Pelo menos essa era a sua esperança.

Fazia um ano que ela conhecia Paz.

Enquanto observavam o caixote ser posicionado sobre o trailer, comentou:

– Você nunca fala sobre a sua família. – Dirigiu-se a ele em espanhol; agora já dominava razoavelmente bem a língua. Arranhava também um pouco do inglês com sotaque americano que muitos cubanos usavam de vez em quando.

– Minha família é a revolução – disse ele.

Até parece, pensou ela.

Mesmo assim, provavelmente iria para a cama com ele.

Paz talvez viesse a se revelar uma versão morena de Vasili: belo, charmoso e infiel. Provavelmente, uma fila de graciosas moças cubanas de olhos brilhantes se revezava em sua cama.

Disse a si mesma para não ser cínica. O simples fato de um homem ser deslumbrante não fazia dele obrigatoriamente um Don Juan desmiolado. Talvez Paz estivesse apenas esperando a mulher certa para se tornar sua companheira e trabalhar ao seu lado na missão de construir uma nova Cuba.

O caixote contendo o míssil foi amarrado à caçamba do trailer. Paz foi abordado por um tenente baixinho e obsequioso chamado Lorenzo.

– Estamos prontos para partir, general.

– Podem ir – respondeu Paz.

O caminhão se afastou lentamente do cais. Várias motocicletas ligaram o motor e partiram na frente do caminhão para liberar a estrada. Tanya e Paz entraram no carro militar do general, um furgão Buick Le Sabre verde, e seguiram o comboio.

As estradas cubanas não tinham sido projetadas para caminhões de 25 metros. Nos últimos três meses, engenheiros do Exército Vermelho haviam construído pontes novas e reconfigurado as curvas mais fechadas, mas, mesmo assim, na maior parte do tempo o comboio avançava a passos de tartaruga. Tanya reparou, aliviada, que todos os outros veículos tinham sido removidos das estradas. Nos vilarejos pelos quais passaram, as casas de madeira de dois cômodos e pé-direito baixo estavam às escuras, e os bares todos fechados. Dimka ficaria satisfeito.

Tanya sabia que, lá no cais, outro míssil já estava sendo carregado em outro caminhão. O trabalho vararia a noite até o amanhecer. Descarregar o lote inteiro levaria duas noites.

Até o momento, a estratégia de Dimka estava funcionando: ninguém parecia desconfiar do que a União Soviética fazia em Cuba. Não havia nenhum ruído a respeito no circuito diplomático nem nas páginas não controladas dos jornais do Ocidente. O temido clamor de indignação da Casa Branca ainda não acontecera.

Mas ainda faltavam dois meses para as eleições legislativas nos Estados Unidos; mais dois meses até aqueles imensos mísseis ficarem prontos para serem lançados em total sigilo. Tanya não tinha certeza de que seria possível.

Duas horas mais tarde, eles chegaram a um amplo vale, agora ocupado pelo Exército Vermelho, onde engenheiros construíam uma base de lançamento. Era apenas um entre mais de uma dúzia de pontos escondidos em meio aos contornos das montanhas por todos os 1.250 quilômetros de extensão da ilha de Cuba.

Tanya e Paz saltaram do carro para ver o caixote ser descarregado do caminhão, novamente sob a luz de refletores.

– Conseguimos – disse o militar em tom satisfeito. – Nós agora temos armas nucleares.

Ele sacou um charuto e o acendeu.

– Quanto tempo vai levar para prepará-los? – indagou Tanya, cautelosa.

– Não muito – respondeu ele, sem dar importância. – Umas duas semanas.

O general não estava com disposição para pensar em problemas, mas, para Tanya, aquilo parecia poder durar mais de duas semanas. O vale era um local de construção poeirento, onde até então pouca coisa tinha sido feita. Mesmo assim, Paz tinha razão: eles já haviam conseguido o mais difícil, que era levar as armas nucleares até Cuba sem que os americanos descobrissem.

– Olhe só aquele bebê – disse Paz. – Um dia ele poderá aterrissar bem no meio de Miami. Bum.

Pensar nisso fez Tanya ter um calafrio.

– Espero que não.

– Por quê?

Será que ele precisa mesmo ouvir o motivo?

– O objetivo dessas armas é ser uma ameaça. É deixar os americanos com medo de invadir Cuba. Se elas um dia forem usadas, terão fracassado.

– Pode ser. Mas, se eles nos atacarem, poderemos riscar do mapa cidades americanas inteiras.

Tanya ficou incomodada com o óbvio deleite que essa terrível possibilidade causava no general.

– E do que iria adiantar?

Paz pareceu espantado com a pergunta.

– Vai preservar a dignidade da nação cubana. – Ele pronunciou a palavra espanhola *dignidad* como se fosse sagrada.

Tanya mal conseguiu acreditar no que estava escutando.

– Quer dizer que você daria início a uma guerra nuclear em nome da sua dignidade?

– Claro. O que poderia ser mais importante?

– A sobrevivência da raça humana, para começar! – respondeu ela, indignada.

Ele acenou com o charuto aceso em um gesto de desdém.

– Você se preocupa com a raça humana; eu, com a minha honra.

– Puta merda – disse ela. – Você está louco?

Paz a encarou.

– O presidente Kennedy está preparado para usar armas nucleares se os Estados Unidos forem atacados. O premiê Kruschev as usará se a União Soviética for atacada. O mesmo vale para De Gaulle, na França, e para quem quer que seja o líder da Grã-Bretanha. Se algum deles disser algo diferente, será deposto em questão de horas. – Ele tragou o charuto, fazendo a ponta se acender até ficar vermelha, em seguida soltou a fumaça. – Se eu estou louco, todos eles também estão.

George Jakes não sabia qual era a emergência. Na manhã de terça-feira, 16 de outubro, Bobby Kennedy convocou a ele e a Dennis Wilson para uma reunião de crise na Casa Branca. Seu melhor palpite era que o assunto seria a manchete do *The New York Times* daquele dia, cujo título era:

EISENHOWER CONSIDERA O PRESIDENTE
FRACO EM POLÍTICA EXTERNA

A regra implícita era que ex-presidentes não atacassem seus sucessores, mas George não estava surpreso por Eisenhower ter ignorado essa convenção. Jack Kennedy ganhara a eleição tachando seu adversário de fraco e inventando um "diferencial de mísseis" inexistente a favor dos soviéticos. Estava claro que o golpe ainda doía em Ike. Agora que Kennedy estava vulnerável a uma acusação parecida, seu antecessor estava se vingando – exatamente três semanas antes das eleições legislativas de meio de mandato.

A outra possibilidade era pior. O grande temor de George era que a Operação Mangusto tivesse vazado. A revelação de que o presidente e seu irmão estavam organizando ações terroristas internacionais serviria de munição para qualquer candidato republicano. Eles diriam que os Kennedy eram criminosos por agir assim e tolos por deixarem o segredo vazar. E quem poderia saber as represálias que Kruschev seria capaz de conceber?

Logo viu que seu chefe estava irado. Bobby não tinha nenhum talento para esconder os próprios sentimentos. A raiva transparecia na contração de seu maxilar, nos ombros curvados e na expressão gélida de seus olhos azuis.

George gostava de Bobby por suas emoções sinceras. Todos os que trabalhavam com ele muitas vezes podiam ver o que ele estava sentindo. Isso o tornava mais vulnerável, porém mais carismático também.

Quando entraram na Sala do Gabinete, o presidente já estava lá. Sentado do lado oposto de uma mesa comprida sobre a qual havia diversos cinzeiros grandes, posicionado bem no centro, com o selo presidencial na parede logo atrás, um pouco mais acima. De cada lado do selo, altas janelas em arco davam para o Roseiral da Casa Branca.

Ao seu lado estava uma menina pequena de vestido branco que obviamente devia ser sua filha Caroline, que ainda não tinha completado 5 anos. Seus cabelos castanho-claros curtos estavam repartidos de lado, iguais aos do pai, e presos por uma fivela simples. Ela conversava com ele, muito séria, explicando algo, e ele a escutava com atenção, como se as suas palavras fossem tão importantes quanto qualquer outra coisa que pudesse ser dita ali, naquela sala de poder. George ficou profundamente impressionado com a forte conexão entre pai e filha. Se um dia eu for pai de uma menina, pensou, vou escutá-la assim, para ela saber que é a pessoa mais importante do mundo.

Os assessores assumiram seus lugares junto à parede. George sentou-se ao lado de Skip Dickerson, que trabalhava para o vice Lyndon Johnson. Skip tinha cabelos lisos muito louros e pele clara; parecia quase albino. Afastou a franja loura dos olhos e perguntou, com um sotaque sulista:

– Faz alguma ideia de onde é o incêndio?

– Bobby não quis dizer – respondeu George.

Uma mulher que ele não conhecia entrou na sala e levou Caroline embora.

– A CIA tem novidades para nós – disse o presidente. – Vamos começar.

Nos fundos da sala, em frente à lareira, um cavalete exibia uma grande fotografia em preto e branco. O homem em pé ao seu lado se apresentou: era um especialista em interpretação de imagens. George nem sabia que essa profissão existia.

– As fotos que vocês vão ver agora foram tiradas no domingo por uma aeronave U-2 de grande altitude da CIA que estava sobrevoando Cuba.

A existência dos aviões espiões da CIA era notória. Os soviéticos tinham abatido um deles na Sibéria dois anos antes e processado o piloto por espionagem.

Todos olharam para a foto borrada e granulosa sobre o cavalete, que, aos olhos de George, não mostrava nada reconhecível a não ser árvores, talvez. Eles precisavam de um intérprete para saber o que estavam vendo.

– Isto aqui é um vale em Cuba a uns 30 quilômetros do porto de Mariel – disse o perito da CIA, apontando com um pequeno bastão. – Uma estrada nova de boa qualidade conduz a um grande descampado. Essas formas pequeninas espalhadas em volta são veículos de construção: escavadeiras, retroescavadeiras e caminhões de entulho. E aqui... – Ele bateu na imagem para enfatizar o que dizia. – Aqui, bem no meio, dá para ver um grupo de formas que parecem tábuas de madeira enfileiradas. Na realidade são caixotes de 25 metros de comprimento por 3 de largura, exatamente o tamanho e o formato necessários para comportar um míssil balístico intermediário soviético R-12, projetado para carregar uma ogiva nuclear.

Foi por pouco que George conseguiu se conter e não exclamar um *puta merda*, mas à sua volta houve quem não fosse tão controlado e, por alguns segundos, a sala se encheu de palavrões ditos em tom de surpresa.

– Vocês têm certeza? – perguntou alguém.

O perito tornou a apontar.

– Eu estudo fotos de reconhecimento aéreo há muitos anos, meu senhor, e posso lhe garantir duas coisas: primeiro, esse é exatamente o aspecto de mísseis nucleares, e segundo, nenhuma outra coisa tem esse aspecto.

Que Deus nos proteja, pensou George, assustado: os malditos cubanos têm armas nucleares.

– E como é que eles foram parar lá? – perguntou outra pessoa.

– Está claro que os soviéticos os levaram em condições de total sigilo – respondeu o perito.

– Bem debaixo dos nossos narizes, porra! – exclamou quem tinha feito a pergunta.

– E qual é o alcance desses mísseis? – quis saber um terceiro participante.

– Mais de 1.600 quilômetros.

– Quer dizer que eles poderiam atingir...

– Este prédio.

George teve de reprimir o impulso de se levantar e sair dali naquele mesmo instante.

– E quanto tempo levaria?

– Para o míssil chegar aqui vindo de Cuba? Pelos nossos cálculos, treze minutos.

Involuntariamente, George olhou para as janelas, como se pudesse ver um míssil se aproximando pelo Roseiral.

– Kruschev mentiu para mim, aquele filho da puta – concluiu o presidente. – Ele me garantiu que não iria pôr mísseis nucleares em Cuba.

– E a CIA nos disse para acreditar nele – completou Bobby.

– Isso com certeza vai dominar as três semanas que faltam de campanha eleitoral – observou alguém.

Com alívio, George começou a pensar nas consequências políticas domésticas: a possibilidade de uma guerra nuclear era terrível demais para ser considerada. Pensou na edição daquela manhã do *The New York Times*. Eisenhower agora podia dizer muito mais coisa! Pelo menos, quando ele era presidente, não permitira que a URSS transformasse Cuba em uma base nuclear comunista.

Aquilo era um desastre, e não apenas para a política externa. Uma vitória republicana em novembro significaria que Kennedy não poderia fazer mais nada em seus últimos dois anos no poder; seria o fim da batalha pelos direitos civis. Com mais republicanos engrossando o time dos democratas sulistas na oposição à igualdade para os negros, Kennedy não teria a menor chance de fazer passar uma Lei de Direitos Civis. Quanto tempo o avô de Maria teria de esperar para poder tirar seu título de eleitor sem ir para a cadeia?

Em política, tudo estava interligado.

Precisamos fazer alguma coisa em relação a esses mísseis, pensou George.

Só não tinha a menor ideia do quê.

Felizmente, Jack Kennedy tinha.

– Em primeiro lugar, temos de intensificar a vigilância de Cuba pelos U-2 – disse o presidente. – Precisamos saber quantos mísseis eles têm e onde estão. E, quando soubermos, juro por Deus que vamos destruí-los.

George se animou. De repente, o problema não lhe pareceu mais tão grave assim. Os Estados Unidos tinham centenas de aeronaves e milhares de bombas. O fato de o presidente tomar atitudes decididas e agressivas para proteger o país não faria mal aos democratas nas legislativas.

Todos olharam para o general Maxwell Taylor, chefe do Estado-Maior Conjunto e principal comandante militar dos Estados Unidos depois do presidente. Seus cabelos ondulados lustrosos de brilhantina e repartidos bem no alto da cabeça fizeram George pensar que ele talvez fosse um homem vaidoso. Tanto Jack quanto Bobby confiavam em Taylor, mas ele não sabia muito bem por quê.

– Um ataque aéreo precisaria ser seguido por uma invasão integral a Cuba – disse o general.

– E nós temos um plano de contingência para isso.

– Podemos desembarcar 150 mil homens lá uma semana depois do bombardeio.

Kennedy ainda estava pensando em destruir os mísseis soviéticos.

– Temos a garantia de que todas as bases em Cuba serão destruídas? – indagou ele.

– Nunca vamos poder ter cem por cento de certeza, presidente – respondeu Taylor.

George não tinha pensado nesse porém. Cuba tinha 1.250 quilômetros de extensão. A Força Aérea talvez não conseguisse encontrar todas as bases, que dirá destruí-las.

– E imagino que qualquer míssil restante depois do nosso ataque aéreo seria disparado imediatamente contra os Estados Unidos – continuou Kennedy.

– Sim, presidente, temos de partir desse princípio – concordou Taylor.

Kennedy ostentou um ar sombrio, e George teve uma súbita e vívida percepção do enorme peso da responsabilidade que ele tinha de suportar.

– Me diga uma coisa – pediu. – Se um míssil atingisse uma cidade americana de médio porte, qual seria o estrago?

A política eleitoral desapareceu da mente de George, e mais uma vez seu coração gelou ao pensar na terrível possibilidade de um conflito nuclear.

O general Taylor confabulou por alguns instantes com seus assessores antes de tornar a se virar para a mesa.

– Pelos nossos cálculos, presidente, 600 mil pessoas iriam morrer.

CAPÍTULO DEZESSEIS

Anya, mãe de Dimka, queria conhecer Nina. Isso o deixou espantado. Estava animado com o namoro e dormia com ela sempre que tinha oportunidade, mas o que isso tinha a ver com sua mãe?

Quando lhe fez essa pergunta, Anya respondeu com irritação:

– Você era o menino mais inteligente da escola, mas às vezes pode ser mesmo um bobo. Escute aqui: todos os fins de semana em que não está viajando com Kruschev você passa com essa mulher. É óbvio que ela é importante. Faz três meses que estão saindo. É claro que a sua mãe quer saber que cara ela tem! Que pergunta é essa?

Ela estava certa, pensou. Nina não era só uma pretendente, nem mesmo um simples flerte. Era sua namorada. Tinha se tornado parte da sua vida.

Apesar de amar a mãe, Dimka não lhe obedecia em tudo: ela não aprovava sua moto, sua calça jeans ou seu amigo Valentin. Mesmo assim, para agradá-la faria qualquer coisa dentro dos limites do razoável, então convidou Nina para ir visitá-los.

No início, ela recusou.

– Não quero ser inspecionada pela sua família como um carro usado que você está pensando em comprar – disse, ressentida. – Diga à sua mãe que eu não quero me casar. Ela logo vai perder o interesse por mim.

– Não é minha família. É só ela – garantiu-lhe Dimka. – Meu pai já morreu e minha irmã está em Cuba. E, afinal, o que você tem contra o casamento?

– Por quê? Você está pedindo a minha mão?

Ele ficou encabulado. Nina era empolgante e sensual, e ele nunca sequer chegara perto daquele grau de envolvimento com uma mulher, mas casar-se não havia lhe passado pela cabeça. Será que ele queria passar o resto da vida ao seu lado?

Esquivou-se da pergunta:

– Só estou tentando entender você.

– Eu já fui casada e não gostei. Entendeu agora?

Nina era naturalmente desafiadora. Ele não ligava; era parte do que a tornava tão empolgante.

– Você prefere ser solteira – falou.

– Claro.

– O que tem de tão bom nisso?

– Como eu não preciso agradar a nenhum homem, posso agradar a mim mesma. E quando quero alguma outra coisa posso sair com você.
– E eu me encaixo direitinho nesse espaço.
O duplo sentido da frase a fez sorrir.
– Exatamente.
No entanto, ela passou algum tempo pensativa; então falou:
– Ah, que droga, não quero transformar sua mãe numa inimiga. Eu vou.
No dia marcado, Dimka estava nervoso. Nina era imprevisível. Quando acontecia alguma coisa que lhe desagradava – um prato quebrado por descuido, um tropeço real ou imaginário, um leve tom de reprovação na voz dele –, sua reação era como uma rajada do vento norte de Moscou em pleno mês de janeiro. Torceu para ela se dar bem com Anya.
Era a primeira vez que Nina entrava na Casa do Governo. Ficou impressionada com a portaria, do mesmo tamanho de um pequeno salão de baile. Apesar de não ser grande, o apartamento tinha acabamentos luxuosos em comparação com a maioria dos lares moscovitas: tapetes felpudos, papel de parede caro e um móvel radiola, um armário de madeira que conjugava toca-discos e rádio. Esses eram os privilégios dos altos oficiais da KGB, como o pai de Dimka.
Anya havia preparado uma farta variedade de aperitivos, que os moscovitas preferiam a um jantar formal: arenque defumado e ovos cozidos com pimenta vermelha sobre pão branco; pequenos sanduíches de pepino e tomate no pão de centeio; e sua *pièce de résistance*, uma travessa de "barquinhos a vela", torradas de formato oval com triângulos de queijo na vertical, presos por um palito, como se fossem velas.
Anya estava usando um vestido novo e maquiagem leve. Tinha engordado um pouco desde a morte do marido, e os quilos extras lhe caíam bem. Dimka sentia que a mãe ficara mais feliz depois que seu pai morrera. Talvez Nina estivesse certa em relação ao casamento.
A primeira coisa que Anya disse a Nina foi:
– Meu Dimka tem 23 anos, mas esta é a primeira vez que ele traz uma garota para casa.
Desejou que a mãe não tivesse feito esse comentário; assim ele ficava parecendo um principiante. Era *mesmo* um principiante, e Nina já percebera havia muito tempo, mas nem por isso precisava que alguém lhe recordasse o fato. De todo modo, estava aprendendo depressa. Nina dizia que ele era bom amante, melhor do que seu ex-marido, embora não entrasse em detalhes.
Para surpresa dele, Nina se esforçou para ser simpática com sua mãe, chaman-

do-a educadamente de Anya Grigorivitch, ajudando-a na cozinha, perguntando-lhe onde havia comprado o vestido.

Depois de tomarem um pouco de vodca, Anya relaxou o suficiente para dizer:
– Mas Nina, meu Dimka me disse que você não quer se casar.

Dimka grunhiu.
– Mãe, isso é um assunto pessoal!

Mas Nina não pareceu se importar.
– Eu sou como a senhora: já fui casada – falou.
– Mas eu sou velha.

Anya tinha 45 anos, idade em geral considerada avançada demais para segundas núpcias. Considerava-se que, para mulheres dessa idade, o desejo fosse coisa do passado; caso contrário, elas eram malvistas. Uma viúva respeitável que se casasse na meia-idade tomava sempre o cuidado de dizer a todo mundo que era "só pela companhia".

– A senhora não parece velha, Anya Grigorivitch – disse Nina. – Poderia ser a irmã mais velha de Dimka.

Era mentira, mas mesmo assim Anya gostou do comentário. Talvez as mulheres sempre apreciassem aquele tipo de elogio, independentemente da credibilidade. De todo modo, ela não protestou.

– Enfim, sou velha demais para ter outros filhos.
– Eu também não posso ter filhos.
– Ah! – Anya ficou abalada com essa revelação, que atrapalhava todas as suas fantasias. Por um breve instante, esqueceu-se do tato. – Por que não? – perguntou.
– Por motivos médicos.
– Ah.

Ficou óbvio que Anya teria gostado de saber mais. Dimka já havia reparado que muitas mulheres se interessavam por detalhes médicos. Mas Nina parou por aí, como sempre acontecia em relação àquele assunto.

Alguém bateu à porta. Dimka suspirou. Já podia adivinhar quem era. Foi abrir. Deparou-se com os avós, que moravam no mesmo prédio.

– Ah, Dimka... você está em casa! – exclamou seu avô Grigori Peshkov, fingindo surpresa.

Ele estava de uniforme. Tinha quase 74 anos, mas recusava-se a se aposentar. Na opinião de Dimka, velhos que não sabiam a hora de sair de cena eram um grave problema na União Soviética.

Sua avó Katerina tinha arrumado os cabelos.
– Nós trouxemos caviar – disse ela.

Estava óbvio que aquela não era a visita casual que eles queriam fazer parecer que fosse. Os dois tinham ficado sabendo da visita de Nina e foram até lá conferi-la. Exatamente como temia, a moça estava sendo inspecionada pela família.

Dimka fez as apresentações. Katerina deu um beijo em Nina e Grigori segurou a mão dela por um tempo maior do que o necessário. Para seu alívio, Nina continuou se mostrando encantadora e chamou seu avô de "camarada general". Percebendo na hora que ele era suscetível ao charme de moças bonitas, começou a flertar, para deleite do velho, ao mesmo tempo que lançava para Katerina um olhar que dizia *Nós duas sabemos como são os homens*.

Grigori lhe perguntou sobre seu trabalho. Nina lhe contou que fora promovida recentemente: agora era gerente editorial e organizava a impressão das várias publicações internas do sindicato. Já Katerina lhe fez perguntas sobre a família, e ela respondeu que não os via muito, já que todos ainda moravam em Perm, sua cidade natal, 24 horas de trem a leste de Moscou.

Nina logo conseguiu fazer Grigori falar sobre seu assunto preferido: os deslizes históricos do filme *Outubro*, de Eisenstein, sobretudo nas cenas que retratavam a tomada do Palácio de Inverno, da qual ele havia participado.

Dimka ficou feliz por todos estarem se dando tão bem, mas ao mesmo tempo teve a desconfortável sensação de não estar no controle do que acontecia ali. Era como se estivesse em um navio, singrando águas tranquilas rumo a um destino desconhecido: por enquanto estava tudo bem, mas o que haveria adiante?

O telefone tocou e ele atendeu. Sempre atendia à noite, pois em geral era o Kremlin querendo falar com ele. Ouviu a voz de Natalya Smotrov dizer:

– Acabei de ter notícias da estação da KGB em Washington.

Falar com ela enquanto Nina estava no mesmo recinto o deixou pouco à vontade. Disse a si mesmo que deixasse de ser idiota: nunca havia tocado em Natalya. No entanto, tinha pensado nisso. Mas um homem não precisava sentir culpa pelos próprios pensamentos, precisava?

– O que houve? – indagou.

– Kennedy marcou um pronunciamento à população americana pela TV para hoje à noite.

Como sempre, ela era a primeira a saber das notícias quentes.

– Por quê?

– Eles não sabem.

Na hora, Dimka pensou em Cuba. A maioria dos mísseis já estava lá, com as ogivas nucleares correspondentes. Toneladas de equipamento auxiliar e milhares de soldados também já tinham chegado. Em poucos dias, os armamentos estariam prontos para serem lançados. A missão estava quase terminada.

No entanto, ainda faltavam quinze dias para as eleições legislativas nos Estados Unidos. Dimka andava pensando em pegar um avião até Cuba – havia um voo regular entre Praga e Havana – para garantir que não houvesse nenhum vazamento por mais algum tempo. Era fundamental que o segredo fosse mantido só mais um pouco.

Rezou para que a aparição surpresa de Kennedy na TV fosse sobre algum outro assunto, talvez Berlim ou o Vietnã.

– A que horas vai ser? – perguntou a Natalya.

– Sete da noite, horário da Costa Leste dos Estados Unidos.

Ou seja, duas da manhã em Moscou.

– Vou ligar para ele agora mesmo – falou. – Obrigado.

Desligou, e logo em seguida discou o número da casa de Kruschev.

Quem atendeu foi Ivan Tepper, chefe da equipe de funcionários da casa, o equivalente de um mordomo.

– Boa noite, Ivan – cumprimentou Dimka. – Ele está?

– Está indo se deitar – respondeu Ivan.

– Diga a ele para vestir as calças de novo. Kennedy vai falar na televisão às duas da manhã daqui.

– Um instante, ele chegou.

Dimka ouviu um diálogo abafado, e então a voz de Kruschev:

– Eles acharam nossos mísseis!

Dimka sentiu um aperto no peito. A intuição espontânea do premiê em geral estava certa. O segredo tinha vazado e quem levaria a culpa era ele.

– Boa noite, camarada primeiro-secretário – falou, e as quatro pessoas que estavam na sala com ele se calaram. – Ainda não sabemos qual vai ser o assunto do pronunciamento.

– São os mísseis, com certeza. Convoque uma reunião de emergência do Presidium.

– Para que horas?

– Daqui a uma hora.

– Está bem.

Kruschev desligou.

Dimka ligou para a casa de sua secretária.

– Oi, Vera. Um Presidium de emergência, hoje às dez da noite. Ele está a caminho do Kremlin.

– Vou começar a convocar as pessoas – disse ela.

– Está com os telefones em casa?

– Estou.

– É claro! Obrigado. Chego ao escritório em alguns minutos. – Ele desligou.

Todos o encaravam. Tinham-no ouvido dizer *Boa noite, camarada primeiro-secretário*. Grigori exibia um ar de orgulho, Katerina e Anya pareciam preocupadas, e Nina tinha nos olhos um brilho de empolgação.

– Preciso ir trabalhar – falou, embora não fosse necessário.

– Qual é a emergência? – quis saber Grigori.

– Ainda não sabemos.

Seu avô lhe deu uns tapinhas no ombro e assumiu uma expressão emocionada.

– Com homens como você e meu filho Volodya no comando, sei que a revolução está segura.

Dimka sentiu-se tentado a dizer que não tinha tanta certeza, mas em vez disso falou:

– Avô, pode pedir um carro do Exército para levar Nina em casa?

– Claro.

– Lamento interromper o encontro...

– Não se preocupe – falou seu avô. – O seu trabalho é mais importante. Vá, ande logo.

Dimka vestiu o sobretudo, deu um beijo em Nina e saiu.

Enquanto descia no elevador, pensou agoniado se, apesar de todos os seus esforços, teria de alguma forma deixado escapar o segredo dos mísseis cubanos. Havia comandado a operação toda com a mais estrita segurança e sua eficiência tinha sido brutal. Mostrara-se um verdadeiro tirano, punira os erros com severidade, humilhara os tolos e arruinara as carreiras daqueles que não conseguiram cumprir meticulosamente as suas ordens. O que mais poderia ter feito?

Na rua, estava havendo um ensaio noturno para o desfile militar marcado para o Dia da Revolução, dali a duas semanas. Uma fila interminável de tanques, peças de artilharia e soldados avançava ruidosamente pela margem oblíqua do rio Moscou. Nada disso vai nos adiantar se houver uma guerra nuclear, pensou ele. Os americanos não sabiam, mas a URSS tinha poucas armas nucleares, nem de longe a mesma quantidade que os Estados Unidos. Os soviéticos podiam ferir os americanos, sim, mas os americanos podiam riscar a União Soviética do mapa.

Como a rua estava interditada para o desfile e o Kremlin ficava a pouco mais de um quilômetro, Dimka deixou a moto em casa e foi a pé.

O Kremlin era uma fortaleza triangular, situada na margem norte do rio, que abrigava diversos palácios agora convertidos em prédios do governo. Dimka foi até o Senado, prédio amarelo de colunas brancas, e subiu de elevador ao segundo andar. Foi seguindo um tapete vermelho por um corredor de pé-direito alto até a sala de Kruschev, mas o primeiro-secretário ainda não tinha chegado. Então avançou mais duas portas até a sala do Presidium. Felizmente, estava tudo limpo e arrumado.

O Presidium do Comitê Central do Partido Comunista era, na prática, o órgão responsável pelo governo da URSS, presidido por Kruschev. Era ali que ficava o núcleo do poder. O que o premiê faria?

Dimka foi o primeiro a chegar, mas outros membros do Presidium não demoraram a aparecer com seus assessores. Ninguém sabia o que Kennedy pretendia. Yevgeny Filipov chegou com seu chefe, o ministro da Defesa Rodion Malinovski.

– Que cagada – disse Filipov, mal conseguindo conter a euforia.

Dimka o ignorou.

Natalya entrou acompanhando o ministro das Relações Exteriores Andrei Gromyko, homem elegante de cabelos negros. Ela decidira que a hora tardia permitia trajes mais casuais, e estava bonita com uma calça jeans em estilo americano e um suéter de lã folgado com uma volumosa gola enrolada.

– Obrigado por me avisar antes – murmurou-lhe Dimka. – Estou muito grato, mesmo.

Ela tocou seu braço.

– Eu estou do seu lado. Você sabe disso.

Kruschev chegou e abriu a reunião dizendo:

– Acho que o pronunciamento de Kennedy vai ser sobre Cuba.

Dimka sentou-se junto à parede atrás do premiê, pronto para sair e tomar qualquer providência. O líder poderia precisar de uma pasta, um jornal ou relatório, ou então querer um chá, uma cerveja ou um sanduíche. Dois outros assessores de Kruschev estavam sentados ao seu lado. Nenhum deles conhecia a resposta para as grandes perguntas: os americanos tinham encontrado os mísseis? Em caso positivo, quem havia deixado o segredo vazar? O futuro do mundo estava por um triz, mas Dimka estava igualmente preocupado com o próprio futuro, o que lhe causava certa vergonha.

A impaciência era enlouquecedora. Faltavam quatro horas para o pronunciamento de Kennedy. Será que o Presidium não conseguiria descobrir o conteúdo de seu discurso antes disso? Para que servia a KGB?

Com seus traços regulares e fartos cabelos grisalhos, o ministro da Defesa Malinovski parecia um astro do cinema veterano. Segundo ele, os Estados Unidos não estavam prestes a invadir Cuba. A Inteligência do Exército Vermelho tinha agentes na Flórida. Havia alguns soldados reunidos lá, mas, em sua opinião, nem de longe era o suficiente para uma invasão.

– Isso é algum tipo de truque de campanha eleitoral – falou.

Dimka pensou que ele soava excessivamente confiante.

Kruschev também demonstrou ceticismo. Talvez Kennedy não quisesse mesmo uma guerra com Cuba, mas será que ele tinha liberdade para agir como quisesse? O premiê acreditava que o presidente americano vivesse, pelo menos em parte, sob o controle do Pentágono e de capitalistas-imperialistas como a família Rockefeller.

– Precisamos de um plano de contingência para o caso de os americanos de fato invadirem – falou. – Nossas tropas têm de estar preparadas para essa eventualidade. – Ele ordenou um intervalo de dez minutos para os membros do comitê considerarem as alternativas.

Dimka ficou horrorizado com a rapidez com a qual o Presidium começara a falar em guerra. O plano nunca tinha sido aquele! Quando Kruschev decidira mandar mísseis para Cuba, sua intenção não era provocar um confronto. Como chegamos a esse ponto?, perguntou-se, desesperado.

Viu Filipov deliberando com Malinovski e vários outros em um grupinho intimidador. O assessor do ministro da Defesa anotou algo em um papel. Quando todos voltaram à mesa, Malinovski leu o rascunho de uma ordem para o comandante soviético em Cuba, general Issa Pliyev, autorizando-o a usar "todos os meios disponíveis" para defender a ilha.

Dimka quis perguntar: *Vocês ficaram malucos?*

Kruschev pensava a mesma coisa.

– Isso significa dar autorização a Pliyev para começar uma guerra nuclear! – falou, zangado.

Para alívio de Dimka, Anastas Mikoyan apoiou o premiê. Sempre contemporizador, Mikoyan parecia um advogado de província, com seu bigode bem aparado e seus cabelos ralos, mas era ele quem conseguia convencer Kruschev a desistir de seus planos mais temerários. Ele se opôs a Malinovski. Por ter visitado Cuba pouco depois da revolução, sabia muito bem do que estava falando.

– E se déssemos o controle dos mísseis a Fidel? – propôs Kruschev.

Dimka já ouvira seu chefe dizer coisas loucas, sobretudo durante conversas hipotéticas, mas aquilo era uma irresponsabilidade mesmo para os seus padrões. O que ele estava pensando?

– Se me permite, recomendo que não façamos isso – disse Mikoyan, calmo. – Os americanos sabem que não queremos uma guerra nuclear e, se nós controlarmos as armas, vão tentar resolver o problema pela diplomacia. Mas eles não vão confiar em Fidel Castro. Se souberem que é o dedo dele que está no gatilho, talvez tentem destruir todos os mísseis em Cuba com um primeiro ataque aéreo avassalador.

Kruschev aceitou o argumento, mas não estava preparado para desistir por completo das armas nucleares.

– Nesse caso, os americanos poderiam retomar Cuba! – falou, indignado.

Alexei Kosygin então interveio. Embora dez anos mais novo do que Kruschev, era seu aliado mais próximo. A calvície avançada havia deixado no topo de sua cabeça um topete grisalho que parecia a proa de um navio. Apesar de seu rosto vermelho de beberrão, Dimka o considerava o homem mais inteligente do Kremlin.

– Não deveríamos estar pensando em quando usar armas nucleares – disse ele. – Se chegarmos a esse ponto, teremos fracassado miseravelmente. A questão a ser debatida é: que atitudes podemos tomar para garantir que a situação não se deteriore e vire um conflito nuclear? – Graças a Deus, pensou Dimka. Enfim alguém diz uma coisa sensata. – Proponho que o general Pliyev seja autorizado a defender Cuba por todos os meios *menos* o uso de armas nucleares.

Malinovski expressou dúvidas, pois temia que a inteligência americana desse um jeito de descobrir essa ordem. No entanto, apesar das reservas do ministro da Defesa, a proposta foi aprovada e a mensagem, enviada. A ameaça de um holocausto nuclear ainda pairava, mas pelo menos o Presidium estava concentrando seus esforços em evitar uma guerra, e não em travá-la.

Logo depois, Vera Pletner espichou a cabeça para dentro da sala e fez um gesto chamando Dimka. Ele saiu discretamente. No largo corredor, a secretária lhe entregou três folhas de papel.

– O pronunciamento de Kennedy – falou, em voz baixa.

– Graças a Deus! – Ele conferiu o relógio: era 1h15 da manhã; faltavam 45 minutos para o presidente ir ao ar. – Como conseguimos isso?

– O governo americano teve a gentileza de entregar uma cópia antecipada à nossa embaixada em Washington, e o Ministério das Relações Exteriores rapidamente a traduziu.

Em pé no corredor, acompanhado apenas por Vera, Dimka leu depressa. "Como prometido, este governo vigiou de perto a movimentação militar soviética na ilha de Cuba."

Kennedy falava em ilha, reparou Dimka, como se Cuba não fosse um país de verdade.

"Na última semana, indícios inconfundíveis demonstraram que uma série de bases para mísseis ofensivos está agora sendo montada naquela ilha aprisionada."

Indícios?, pensou Dimka. Que indícios?

"A finalidade dessas bases não pode ser outra senão proporcionar uma capacidade de ataque nuclear contra o hemisfério ocidental."

Dimka seguiu lendo, mas, para sua irritação, Kennedy não dizia como tinha obtido a informação, se de traidores ou espiões, na URSS ou em Cuba mesmo, ou então por algum outro expediente. Ainda não sabia se aquela crise era culpa sua.

O discurso de Kennedy dava muita importância ao sigilo dos soviéticos, que tachava de engodo. Era justo, pensou Dimka: em uma situação inversa, Kruschev teria feito a mesma acusação. Mas o que o presidente americano iria fazer? Dimka foi pulando trechos até chegar à parte importante.

"Primeiro, para deter essa escalada ofensiva, estamos implementando uma rígida quarentena de todo o material militar ofensivo transportado para Cuba."

Ah, pensou ele: um bloqueio naval. Isso contrariava as leis internacionais, motivo pelo qual Kennedy usava a palavra quarentena, como se estivesse combatendo alguma espécie de epidemia.

"Caso se descubra que carregam armas ofensivas, embarcações de qualquer tipo com destino a Cuba, de qualquer porto ou nação, terão de dar meia-volta."

Dimka viu na hora que aquilo era apenas um começo. A quarentena não faria diferença: a maior parte dos mísseis estava instalada e praticamente pronta para ser lançada e, se as suas informações fossem tão boas quanto pareciam, Kennedy já devia saber disso. O bloqueio naval era apenas simbólico.

O discurso continha também uma ameaça:

"A política deste país será considerar qualquer míssil nuclear disparado de Cuba contra qualquer nação do hemisfério ocidental um ataque da União Soviética contra os Estados Unidos, que exigirá uma reação retaliatória integral contra a União Soviética."

Dimka sentiu um frio pesado na barriga. Aquilo era uma ameaça terrível. Kennedy não se daria ao trabalho de saber se os mísseis tinham sido disparados pelos cubanos ou pelo Exército Vermelho; para ele, não fazia diferença. Tampouco se importaria em saber qual era o alvo. Se eles bombardeassem o Chile, seria o mesmo que bombardear Nova York.

Assim que uma de suas armas nucleares fosse disparada, os Estados Unidos transformariam a União Soviética em um deserto radioativo.

Dimka visualizou a imagem de todos os seus conhecidos e da nuvem em forma de cogumelo de uma explosão nuclear, e na sua imaginação esta se ergueu sobre o centro de Moscou, acima das ruínas do Kremlin, de sua casa e de todos os prédios que ele conhecia, enquanto cadáveres calcinados boiavam feito uma tenebrosa espuma nas águas envenenadas do rio Moscou.

Outra frase chamou sua atenção: "É difícil solucionar ou mesmo debater esses problemas em uma atmosfera de intimidação." A hipocrisia dos americanos o deixou sem ar. O que era a Operação Mangusto senão intimidação?

Fora a Mangusto que convencera o relutante Presidium a mandar mísseis para Cuba. Dimka estava começando a desconfiar que, em política internacional, a agressão era um tiro que costumava sair pela culatra.

Já tinha lido o suficiente. Voltou para a sala do Presidium, andou rapidamente até Kruschev e lhe entregou o maço de papéis.

– O discurso que Kennedy vai dar na TV – falou, em voz alta o bastante para todos ouvirem. – Uma cópia antecipada fornecida pelos Estados Unidos.

Kruschev arrancou os papéis de sua mão e começou a ler. O recinto caiu em silêncio. Não adiantava dizer nada até todos saberem o que continha o documento.

O premiê leu com toda a calma o texto formal, abstrato. De vez em quando, dava um muxoxo de desdém ou um grunhido de surpresa. Conforme ele ia lendo, Dimka sentiu sua ansiedade se transformar em alívio.

Depois de vários minutos, Kruschev pousou sobre a mesa a última página. Por fim, ergueu os olhos. Um sorriso se abriu em seu rosto gordo de camponês enquanto olhava para os colegas reunidos em volta da mesa.

– Camaradas – falou. – Nós salvamos Cuba!

⌇

Como era seu costume, Jacky interrogou George sobre sua vida amorosa:

– Você está namorando?

– Acabei de terminar com Norine.

– Acabou? Já faz seis meses.

– Ah, é... Acho que faz mesmo.

Sua mãe tinha preparado frango frito com quiabo e os bolinhos de fubá que chamava de *hush puppies*, a comida favorita de George quando criança. Agora, aos 27 anos, ele preferia carne malpassada com salada ou massa ao molho de mariscos. Além disso, geralmente jantava às oito da noite, não às seis da tarde. No entanto, começou a comer sem lhe dizer nada disso; preferia não estragar o prazer que a mãe sentia ao alimentá-lo.

Como sempre, Jacky estava sentada em frente ao filho à mesa da cozinha.

– E como vai a simpática Maria Summers?

George tentou reprimir uma careta. Tinha perdido Maria para outro homem.

– Está namorando firme – respondeu.

– Ah, é? Quem?

– Não sei.

Jacky grunhiu de frustração.

– Não perguntou?

– Claro que perguntei. Ela não quis dizer.

– Por quê?

George deu de ombros.

– É um homem casado – afirmou Jacky, segura.

– Mãe, você não tem como saber isso – retrucou George, mas teve a terrível suspeita de que ela poderia estar certa.

– Em geral, as moças se gabam do homem com quem estão saindo. Quando ficam caladas, é porque estão com vergonha.

– Pode ser que haja outro motivo.

– Qual, por exemplo?

Na hora, ele não conseguiu pensar em nenhum.

– Deve ser alguém do trabalho. Tomara que seu pai pastor não descubra.

George pensou em outra possibilidade.

– Talvez ele seja branco.

– Casado e branco, aposto. Como é o assessor de imprensa, aquele tal Pierre Salinger?

– Um cara educado, de 30 e poucos anos, meio acima do peso, que usa sempre roupas francesas de boa qualidade. Ele é casado e ouvi dizer que anda aprontando com a secretária, então não tenho certeza se tem tempo para outra namorada.

– Pode ser que tenha, afinal ele é francês.

George sorriu com ironia.

– Você já conheceu algum francês?

– Não, mas eles têm fama.

– E os negros têm fama de preguiçosos.

– Tem razão, eu não deveria falar assim. Cada um é de um jeito.

– Foi o que você sempre me ensinou.

George não estava prestando muita atenção na conversa. A notícia sobre os mísseis de Cuba fora mantida em segredo da população americana por uma semana, mas estava prestes a ser revelada. A semana tinha sido cheia de acalorados debates no pequeno grupo dos que sabiam, mas pouca coisa fora resolvida. Em retrospecto, George percebeu que, na primeira vez em que tinha escutado a notícia, não lhe dera a devida importância. Pensara, sobretudo, nas legislativas iminentes e no efeito sobre a campanha dos direitos civis. Por alguns instantes, chegara a saborear a ideia de uma retaliação americana. Só depois havia percebido a verdade: que os direitos civis não teriam mais importância e nenhuma outra eleição jamais iria acontecer se houvesse uma guerra nuclear.

Jacky mudou de assunto:

– O chefe de cozinha do clube onde eu trabalho tem uma filha linda.

– É mesmo?

– Cindy Bell.

– Cindy é apelido de quê? Cinderela?

– De Lucinda. Ela se formou este ano na Universidade de Georgetown.

Georgetown era um bairro da capital, mas raros eram os membros da maioria negra da cidade que estudavam nessa prestigiosa universidade.

– Ela é branca?

– Não.

– Então deve ser inteligente.

– Muito.

– É católica? – A Universidade de Georgetown era uma instituição jesuíta.

– Não há nada de errado em ser católico – disse Jacky em tom levemente desafiador. Apesar de frequentar a Igreja Evangélica Betel, era tolerante. – Católicos também acreditam em Deus.

– Mas não em controle da natalidade.

– Não sei se eu mesma acredito.

– Como assim? Você não pode estar falando sério.

– Se eu tivesse usado anticoncepcionais, não teria tido você.

– Mas não pode querer negar às outras mulheres o direito de decidir!

– Ah, deixe de ser tão combativo. Eu não quero proibir os anticoncepcionais. – Jacky abriu um sorriso afetuoso. – Só fico feliz por ter sido tão ignorante e descuidada aos 16 anos. Vou fazer um café – falou, levantando-se. A campainha tocou. – Pode ver quem é?

George abriu a porta e deparou com uma moça negra bonita de 20 e poucos anos, vestida com uma calça Capri justa e um suéter folgado. Ela se espantou ao vê-lo.

– Ué, desculpe. Achei que fosse a casa da Sra. Jakes.

– E é. Estou de visita.

– Meu pai me pediu para deixar isto aqui quando passasse. – Ela lhe entregou um livro chamado *A nave dos loucos*. Ele já tinha ouvido falar; era um sucesso de vendas. – Acho que papai pegou emprestado com a Sra. Jakes.

243

– Obrigado – disse George, pegando o livro. – Quer entrar? – convidou, educado. A moça hesitou.

Jacky apareceu na porta da cozinha. Como a casa não era muito grande, pôde ver dali quem estava lá fora.

– Oi, Cindy. Eu estava falando de você agora mesmo. Entre, acabei de passar um café.

– Está mesmo com um cheiro ótimo – respondeu Cindy, cruzando a soleira.

– Mãe, podemos tomar café na sala? – pediu George. – Está quase na hora de o presidente falar.

– Você não quer assistir à TV, quer? Sente-se e converse com Cindy.

George abriu a porta da sala.

– Você se importaria de assistir ao presidente? – perguntou à moça. – Ele vai dizer uma coisa importante.

– Como você sabe?

– Ajudei a escrever o discurso.

– Nesse caso, tenho que assistir – disse ela.

Eles entraram na sala. Lev Peshkov, seu avô, tinha comprado e mobiliado aquela casa para Jacky e George em 1949. Depois disso, ela havia orgulhosamente recusado qualquer outra ajuda a não ser os custos da escola e da universidade do filho. Com seu salário modesto, não sobrava dinheiro para redecorar, de modo que, em treze anos, a sala praticamente não mudara. George gostava dela do jeito que era: estofados franjados, um tapete oriental, um louceiro. Antiquada, mas aconchegante.

A principal inovação era o televisor RCA Victor. George ligou o aparelho, e eles aguardaram a tela verde esquentar.

– Sua mãe trabalha no Clube Feminino Universitário com meu pai, não é?

– Isso.

– Então ele não precisava que eu viesse entregar o livro. Poderia ter devolvido a ela amanhã no trabalho.

– É.

– Armaram para cima da gente.

– Eu sei.

Ela riu.

– Ah, e daí?

George gostou dela por isso.

Jacky trouxe uma bandeja. Quando terminou de servir o café, o presidente Kennedy já tinha aparecido na tela em preto e branco e dito: "Boa noite, cidadãs e cidadãos." Estava sentado diante de uma mesa, e na sua frente havia um pequeno púlpito com dois microfones. Usava um terno escuro, camisa branca e gravata fininha. George sabia que as marcas da terrível tensão em seu rosto tinham sido disfarçadas pela maquiagem da TV.

Quando Kennedy falou que Cuba agora tinha "capacidade de conduzir um ataque nuclear contra o hemisfério ocidental", Jacky deu um arquejo e Cindy exclamou:

– Ai, meu Deus do céu!

Com seu sotaque de Boston, Kennedy foi lendo as páginas sobre o púlpito; sua pronúncia o fazia engolir algumas das letras. O tom era neutro, quase entediado, mas as palavras eram eletrizantes. "Qualquer um desses mísseis, em suma, tem capacidade para atingir a capital Washington..."

Jacky soltou um gritinho.

"... o Canal do Panamá, o Cabo Canaveral, a Cidade do México..."

– O que vamos fazer? – indagou Cindy.

– Esperem – disse George. – Vocês vão ver.

– Como isso foi acontecer? – perguntou Jacky.

– Os soviéticos são dissimulados – respondeu ele.

"Não temos desejo algum de dominar ou conquistar qualquer outra nação, nem de impor nosso sistema de governo à sua população", afirmou Kennedy. A essa altura, Jacky normalmente teria feito algum comentário sarcástico sobre a invasão da Baía dos Porcos, mas agora não estava mais ligando para picuinhas políticas.

A câmera se aproximou para um close enquanto o presidente dizia: "Para deter essa escalada ofensiva, será implementada uma rígida quarentena de todo o material militar ofensivo transportado para Cuba."

– De que adianta isso? – indagou Jacky. – Os mísseis já estão lá... ele acabou de dizer!

De modo lento e pausado, o presidente prosseguiu: "A política deste país será considerar qualquer míssil nuclear disparado de Cuba contra qualquer nação do hemisfério ocidental um ataque da União Soviética contra os Estados Unidos, que exigirá uma reação retaliatória contra a União Soviética."

– Ai, meu Deus do céu! – repetiu Cindy. – Quer dizer que, se Cuba disparar um único míssil, vai ser uma guerra nuclear.

– Isso mesmo – disse George, que havia participado das reuniões nas quais essa decisão fora discutida.

Assim que o presidente disse "Obrigado e boa noite", Jacky desligou a TV e se virou para o filho.

– O que vai acontecer conosco?
Ele queria muito reconfortá-la, fazê-la se sentir segura, mas não podia.
– Não sei, mãe.
– Até eu consigo ver que essa quarentena não faz a menor diferença – disse Cindy.
– É só uma preliminar.
– E qual é o próximo passo?
– Não sabemos.
– George, me diga a verdade. Vai haver uma guerra? – perguntou Jacky.

Ele hesitou. Armas nucleares estavam sendo carregadas em jatos e espalhadas pelo país para garantir que pelo menos algumas sobrevivessem a um primeiro ataque soviético. O plano de invasão de Cuba estava sendo esmiuçado, e o Departamento de Estado já selecionava candidatos para liderar o governo pró-Estados Unidos que assumiria posteriormente o comando de Cuba. O Comando Aéreo Estratégico tinha aumentado seu status para DEFCON-3, Condição de Defesa 3, o que possibilitava iniciar um ataque nuclear em quinze minutos.

Pesando todos os fatores, qual seria o desfecho mais provável daquilo tudo?

Foi com um peso no coração que George respondeu:
– Sim, mãe. Eu acho que vai haver guerra.

⟿

No fim das contas, o Presidium ordenou a todos os navios que estivessem transportando mísseis soviéticos para Cuba que dessem meia-volta e retornassem à União Soviética.

Kruschev avaliou que perderia pouca coisa com essa manobra, e Dimka concordava. Cuba agora tinha armas nucleares; pouco importava quantas fossem. A União Soviética evitaria um confronto em alto-mar, alegaria estar tentando contornar a crise, e mesmo assim continuaria tendo uma base nuclear a 150 quilômetros dos Estados Unidos.

Todos sabiam que a história não terminaria ali. As duas superpotências ainda não tinham abordado a verdadeira questão: o que fazer com as armas nucleares que já estavam em Cuba. Todas as alternativas continuavam disponíveis para Kennedy e, até onde Dimka podia constatar, a maioria delas conduzia à guerra.

Kruschev decidiu não ir para casa nessa noite. Era perigoso demais estar longe, nem que fosse a poucos minutos de carro: se uma guerra estourasse, ele precisava estar ali, pronto para tomar decisões em questão de segundos.

Ao lado de sua sala elegante havia um pequeno cômodo com um sofá confortável. Foi lá que o premiê se deitou, ainda de roupa. A maioria dos integrantes do Presidium tomou a mesma decisão, e os líderes do segundo país mais poderoso do mundo se acomodaram para um sono agitado em suas respectivas salas.

Mais adiante no corredor, Dimka tinha um pequeno cubículo no qual não havia sofá, apenas uma cadeira dura, uma escrivaninha funcional e um arquivo. Estava tentando entender onde seria o lugar menos desconfortável para repousar a cabeça quando alguém bateu na porta e Natalya entrou, trazendo um aroma leve diferente de qualquer perfume soviético.

Ele percebeu que ela fizera bem ao escolher trajes casuais, pois todos teriam que dormir de roupa.

– Gostei do seu suéter – comentou.
– É um Sloppy Joe – disse ela, usando o termo em inglês.
– O que isso quer dizer?
– Não sei, mas gosto da sonoridade.
Ele riu.
– Estava aqui tentando decidir onde dormir.
– Eu também.
– Pensando bem, não tenho certeza de que vou conseguir dormir.
– Sabendo que pode nunca mais acordar, você quer dizer?
– Exatamente.
– Estou sentindo a mesma coisa.

Ele pensou por alguns segundos. Mesmo que passasse a noite em claro, angustiado, seria bom achar um lugar onde pudesse ficar confortável.

– Isto aqui é um palácio e está vazio – falou. Hesitou antes de prosseguir: – Quer explorar por aí?

Não soube muito bem por que disse isso. Era o tipo de coisa que Valentin, seu amigo mulherengo, talvez dissesse.

– Tudo bem – respondeu Natalya.

Dimka pegou o sobretudo para usar como coberta.

Os espaçosos quartos e saletas do palácio tinham sido divididos de maneira deselegante em salas para burocratas e datilógrafas, e equipados com mobília barata feita de pinho e plástico. Algumas das salas maiores tinham poltronas estofadas para os funcionários mais importantes, mas nada em que se pudesse dormir. Dimka começou a pensar em jeitos de fazer uma cama no chão. Então, bem no final da ala, os dois passaram por um corredor abarrotado de baldes e esfregões e chegaram a um salão cheio de mobília guardada.

Não havia calefação, e seu hálito se condensou em um vapor branco. As janelas grandes estavam cobertas por uma camada de gelo. As arandelas e os lustres folheados a ouro tinham suportes para velas, todos vazios. Uma luz débil provinha de duas lâmpadas nuas penduradas no teto decorado com pinturas.

Os móveis empilhados pareciam estar ali desde a época da Revolução. Havia mesas lascadas de pés finos, cadeiras com estofado de brocado puído e estantes vazias de madeira esculpida: os tesouros dos czares transformados em quinquilharia.

A mobília apodrecia naquele salão porque era *ancien régime* demais para ser usada nas salas dos comissários, embora Dimka avaliasse que deviam ser peças capazes de render fortunas nos leilões de antiguidades do Ocidente.

E havia uma cama de baldaquino.

As cortinas estavam todas empoeiradas, mas a colcha azul desbotada parecia intacta, e havia até um colchão e travesseiros.

– Bem, uma cama nós temos – comentou Dimka.

– Talvez precisamos dividir – rebateu Natalya.

A ideia havia lhe passado pela cabeça, mas ele a descartara. Em suas fantasias, moças bonitas sugeriam dividir a cama com ele, mas nunca acontecia na vida real.

Até agora.

Mas será que ele queria? Não estava casado com Nina, mas sem dúvida ela esperava que ele lhe fosse fiel, e ele certamente esperava o mesmo dela. Por outro lado, Nina não estava ali, e Natalya, sim.

Feito um bobo, perguntou:

– Está sugerindo dormirmos juntos?

– Só por causa do frio. Posso confiar em você, não posso?

– Claro. – Então estava tudo bem, supôs.

Natalya retirou a colcha velha, levantando tanta poeira que a fez espirrar. Os lençóis da cama haviam amarelado com o tempo, mas pareciam intactos.

– Traças não gostam de algodão – comentou ela.

– Essa eu não sabia.

Ela tirou os sapatos. De calça jeans e suéter, entrou debaixo dos lençóis e estremeceu.

– Venha. Deixe de ser tímido.

Dimka a cobriu com o sobretudo, então desamarrou os cadarços e tirou os sapatos. Aquilo era estranho, porém empolgante. Natalya queria dormir com ele, só que sem transar.

Nina jamais acreditaria.

Mas ele precisava dormir em algum lugar.

Tirou a gravata e entrou na cama. Os lençóis estavam gelados. Envolveu Natalya com os dois braços. Ela pousou a cabeça sobre seu ombro e pressionou o corpo contra o seu. Seu volumoso suéter e o terno que ele usava não lhe permitiram sentir os contornos de seu corpo, mas mesmo assim ele ficou excitado. Se ela sentiu, não teve reação alguma.

Em poucos minutos, os dois pararam de tremer e se sentiram mais aquecidos. Dimka tinha o rosto enterrado nos cabelos de Natalya, fartos e ondulados, que recendiam a sabonete de limão. Suas mãos a tocavam nas costas, mas ele não conseguia sentir a textura da pele através do suéter grosso. Sentia seu hálito no pescoço. O ritmo da respiração dela se modificou, tornando-se regular e raso. Ele beijou o topo de sua cabeça, mas ela não reagiu.

Não conseguia entendê-la. Era apenas uma assessora igual a ele e só uns três ou quatro anos mais velha, mas dirigia um Mercedes dos anos 1950 lindamente preservado. Em geral usava as roupas desenxabidas típicas do Kremlin, mas seu perfume era caro e importado. Sua simpatia com ele beirava o flerte, mas depois ela voltava para casa e fazia o jantar do marido.

Havia dado um jeito de fazer Dimka se deitar na cama com ela, mas depois pegara no sono.

Ele teve certeza de que não conseguiria dormir, ali deitado abraçado a uma moça quentinha.

Mas conseguiu.

Quando acordou, ainda estava escuro lá fora.

– Que horas são? – balbuciou Natalya.

Os dois continuavam abraçados. Ele esticou o pescoço para olhar o relógio atrás do ombro esquerdo dela.

– Seis e meia.

– E continuamos vivos.

– Os americanos não nos bombardearam.

– Ainda não.

– É melhor nos levantarmos – disse Dimka, mas se arrependeu na mesma hora.

Kruschev ainda não devia estar acordado. Mesmo que estivesse, Dimka não precisava encerrar prematuramente aquele momento delicioso. Estava confuso, mas feliz. Por que fora sugerir que se levantassem?

Mas ela não quis.

– Só mais um minutinho – falou.

Agradou-lhe pensar que ela gostava de ficar deitada nos seus braços.

Ela então lhe deu um beijo no pescoço.

Foi o toque mais leve possível dos lábios na pele, como se uma traça tivesse voado das antigas cortinas e roçado as asas ali; mas ele não esperava por isso.

Ela o havia beijado.

Ele acariciou seus cabelos.

Natalya inclinou a cabeça para trás e o encarou com a boca entreaberta, os lábios carnudos um pouco separados e um leve sorriso, como diante de uma agradável surpresa. Dimka não era nenhum especialista em mulheres, mas nem mesmo ele podia confundir um convite daqueles. Mesmo assim, hesitou em beijá-la.

Mas ela falou:

– Provavelmente seremos bombardeados hoje, até virarmos pó.

Então Dimka a beijou.

O beijo pegou fogo em segundos. Ela mordeu seus lábios e enfiou a língua em sua boca. Ele a virou de costas e pôs a mão por baixo do suéter largo. Ela abriu o sutiã com um movimento rápido; tinha os seios deliciosamente pequeninos e firmes, com mamilos grandes e pontudos que ele sentiu endurecer ao toque de seus dedos. Quando os chupou, ela arquejou de prazer.

Dimka tentou tirar sua calça jeans, mas ela teve outra ideia. Empurrou-o de costas e, com gestos febris, abriu sua braguilha. Ele teve medo de gozar na hora – coisa que, segundo Nina, ocorria com muitos homens –, mas isso não aconteceu. Natalya tirou seu pau da cueca, acariciou-o com as duas mãos, passou-o pelo rosto e o beijou. Em seguida o pôs na boca.

Quando ele sentiu que ia explodir, empurrou a cabeça dela para longe e tentou se afastar; Nina preferia assim. Mas Natalya emitiu um ruído de protesto e começou a esfregar e chupar com mais força ainda, até ele se descontrolar e gozar em sua boca.

Pouco depois, ela lhe deu um beijo. Ele sentiu o gosto do próprio sêmen. Será que aquilo era estranho? Pareceu-lhe apenas carinhoso.

Ela então tirou a calça e a calcinha, e ele entendeu que havia chegado sua vez de lhe dar prazer. Felizmente, Nina lhe ensinara o que fazer.

Os pelos de Natalya eram tão encaracolados e abundantes quanto seus cabelos. Ele enterrou o rosto neles, ansioso por retribuir o deleite que ela havia lhe proporcionado. Com as mãos na sua cabeça, ela o guiou, indicando com uma leve pressão quando seus beijos deveriam ser mais suaves ou mais fortes, e movendo os quadris para cima ou para baixo de modo a lhe mostrar onde concentrar sua atenção. Era apenas a segunda mulher em quem ele fazia aquilo, e o sabor e o cheiro dela o embriagaram.

Com Nina, aquela prática era só uma preliminar, mas depois de um tempo surpreendentemente curto Natalya gritou, apertou a cabeça dele com força e então, como se o prazer fosse demais para suportar, empurrou-o para longe.

Ficaram deitados lado a lado, recuperando o fôlego. Aquela experiência tinha sido totalmente nova para Dimka, e ele comentou, pensativo:

– Essa história toda de sexo é mais complicada do que eu pensava.

Para sua surpresa, isso fez Natalya rir com vontade.

– O que foi que eu disse? – perguntou.

Ela riu mais ainda, e tudo o que conseguiu responder foi:

– Ah, Dimka, eu adoro você.

La Isabela era uma cidade fantasma, constatou Tanya. Outrora um próspero porto cubano, fora duramente atingida pelo embargo comercial de Eisenhower. Cercada por salinas e manguezais, ficava a muitos quilômetros de qualquer outro lugar. Cabras magras vagavam pelas ruas. O porto ainda abrigava alguns pesqueiros mambembes e o *Alexandrovsk*, cargueiro soviético de 5.400 toneladas abarrotado com ogivas nucleares até as amuradas.

O destino original do navio era Mariel. Depois de Kennedy anunciar o bloqueio naval, a maioria das embarcações soviéticas tinha dado meia-volta, mas algumas, as que estavam a poucas horas do destino, tinham recebido ordens para ir correndo até o porto cubano mais próximo.

Tanya e Paz observaram o navio se aproximar lentamente do cais de concreto debaixo de uma tempestade. As peças de artilharia antiaérea no convés estavam camufladas sob rolos de corda.

Ela estava em pânico. Não tinha a menor ideia do que iria acontecer. Nem mesmo todos os esforços de seu irmão tinham conseguido impedir que o segredo vazasse antes das eleições legislativas americanas, e a situação complicada de Dimka era a menor das suas preocupações. Estava claro que o bloqueio naval era apenas um começo. Agora, Kennedy tinha de se mostrar forte. Com Kennedy sendo forte e os cubanos defendendo sua preciosa *dignidad*, tudo podia acontecer, de uma invasão americana a um holocausto nuclear de proporções mundiais.

Tanya e Paz agora estavam mais íntimos. Tinham conversado sobre as respectivas infâncias, famílias e os relacionamentos amorosos. Tocavam-se com frequência, riam muito, mas se refreavam antes de iniciar um romance. Tanya sentia-se tentada, mas resistia. A ideia de transar com um homem só porque ele era bonito lhe parecia errada. Gostava de Paz – apesar da sua *dignidad* –, mas não o amava. Já tinha beijado homens que não amava, principalmente na universidade, mas não chegara a transar com eles. Tinha ido para a cama com um único homem, e por amor, ou pelo menos foi o que pensou na época. Mas talvez acabasse mesmo dormindo com Paz, nem que fosse para ter alguém que a abraçasse na hora em que as bombas caíssem.

O maior dos armazéns do cais estava incendiado.

– Como será que isso aconteceu? – perguntou ela, apontando.

– A CIA tocou fogo – respondeu Paz. – Houve vários ataques terroristas aqui.

Tanya olhou em volta. As construções que margeavam o porto estavam vazias e caindo aos pedaços. A maioria das casas eram barracos de madeira de um andar só. A chuva empoçava nas ruas de terra batida. Os americanos poderiam explodir a cidade inteira sem causar grandes danos ao regime de Fidel.

– Por quê? – indagou.

Paz deu de ombros.

– Como fica na ponta da península, é um alvo fácil. Eles vêm da Flórida de lancha, atracam sem ninguém ver, explodem alguma coisa, matam um ou dois inocentes e voltam para os Estados Unidos. *Fucking cowards!* – arrematou, em inglês: covardes de merda.

Será que todos os governos eram iguais?, perguntou-se Tanya. Os irmãos Kennedy falavam em liberdade e democracia, mas despachavam gangues armadas até o outro lado do estreito para aterrorizar a população cubana. Os comunistas soviéticos falavam em libertar o proletariado, mas prendiam ou assassinavam quem discordasse deles, e tinham exilado Vasili na Sibéria por protestar. Será que em algum lugar do mundo existia um regime honesto?

– Vamos – falou. – Temos muito chão até voltar a Havana e preciso avisar a Dimka que o navio dele chegou bem. – Moscou decidira que o *Alexandrovsk* estava próximo o suficiente para chegar ao porto, mas Dimka estava ansioso à espera de uma confirmação.

Embarcaram no Buick de Paz e saíram da cidade. A estrada era margeada de ambos os lados por altos canaviais. Abutres voavam à caça dos gordos ratos das plantações. Ao longe, a alta chaminé de uma usina de açúcar apontava para o céu feito um míssil. A paisagem chapada do centro de Cuba era entrecortada por ferrovias de um trilho só, construídas para transportar a cana das fazendas até as usinas. Nos trechos não cultivados, a floresta tropical dominava tudo: flamboyants, jacarandás, imensas palmeiras-imperiais, ou ainda arbustos ásperos que o gado pastava. As esguias garças brancas que seguiam o gado eram floreios na paisagem castanha monocromática.

Na zona rural de Cuba, o transporte ainda se fazia sobretudo por carroças puxadas a cavalo, mas conforme se aproximaram de Havana a estrada se encheu de caminhões e ônibus militares conduzindo os reservistas para seus quartéis. Fidel tinha posto o país em alerta máximo de combate; Cuba estava em pé de guerra. Quando o Buick de Paz passava em alta velocidade, os homens acenavam e gritavam: *Patria o muerte! Cuba sí, yanqui no!*

Nos arredores da capital, Tanya viu que um novo cartaz havia surgido da noite para o dia e agora cobria todos os muros. Era simples, em preto e branco, e exibia a mão de uma pessoa segurando uma arma e as palavras A LAS ARMAS. Pensou que Fidel realmente entendia de propaganda, ao contrário dos velhos do Kremlin, cujo conceito de slogan era: "Implementem as resoluções do XX Congresso do Partido!"

Como havia redigido e cifrado a mensagem mais cedo, agora só precisava completá-la com o horário exato em que o *Alexandrovsk* havia atracado no porto. Levou a mensagem até a embaixada soviética e entregou-a ao funcionário de comunicações da KGB, que conhecia bem.

Dimka ficaria aliviado, mas ela continuava com medo. Seria mesmo uma boa notícia Cuba ter recebido mais um carregamento de armas nucleares? O povo cubano – e a própria Tanya – não estaria mais seguro sem arma nenhuma?

– Você tem mais algum compromisso hoje? – perguntou a Paz ao sair da embaixada.

– Meu compromisso é fazer a ponte com você.

– Mas nesta crise...

– Nesta crise, nada é mais importante do que uma comunicação clara com nossos aliados soviéticos.

– Então vamos passear juntos no Malecón.

Foram até o passeio à beira-mar. Paz estacionou no Hotel Nacional. Soldados posicionavam uma peça de artilharia antiaérea em frente ao famoso hotel.

Eles saltaram do carro e puseram-se a percorrer o passeio. Um vento norte encrespava o mar e formava ondas altas, que estouravam contra a mureta de pedra e projetavam no ar explosões de espuma que molhavam a calçada como se fosse chuva. Era um lugar popular, mas nesse dia estava mais cheio do que o normal e o ambiente não era descontraído. Reunidas em pequenos grupos, as pessoas às vezes conversavam, mas em geral permaneciam caladas. Não paqueravam nem faziam piadas ou desfilavam suas melhores roupas. Todas olhavam na mesma direção: para o norte, para os Estados Unidos. Atentas à chegada dos *yanquis*.

Tanya e Paz se demoraram alguns instantes observando os outros. No fundo de seu coração, ela sentia que a invasão era inevitável. Destróieres chegariam rasgando as ondas, submarinos viriam à tona a poucos metros da costa, e os aviões cinza pintados com estrelas azuis e brancas surgiriam das nuvens, carregados com bombas para lançar sobre a população de Cuba e seus amigos soviéticos.

Por fim, Tanya segurou a mão de Paz. Ele a apertou delicadamente. Ela ergueu o rosto e encarou seus profundos olhos castanhos.

– Eu acho que nós vamos morrer – falou, calma.
– É – concordou ele.
– Quer ir para a cama comigo antes?
– Quero.
– Vamos para o meu apartamento?
– Vamos.

Voltaram para o carro e foram até uma rua estreita na parte antiga da cidade, próxima da catedral, onde ela ocupava o andar de cima de um prédio colonial.

O primeiro e único amante de Tanya chamava-se Petr Iloyan, um professor da sua universidade. Ele venerava seu corpo jovem, admirava seus seios, tocava sua pele e beijava seus cabelos como se nunca tivesse visto nada tão maravilhoso. Embora Paz tivesse a mesma idade de Petr, Tanya logo percebeu que o sexo com ele seria diferente: o centro das atenções era o corpo *dele*. O general se despiu devagar, como se a provocasse, e depois ficou em pé na sua frente, parado, dando-lhe tempo para admirar sua pele perfeita e as curvas de seus músculos. Tanya gostou de ficar sentada na beira da cama admirando aquele homem. A exibição parecia excitá-lo, pois seu pênis já estava a meio mastro, grosso de desejo; Tanya mal podia esperar para tocá-lo.

Petr tinha sido um amante paciente, delicado. Conseguia provocar nela uma antecipação febril, e em seguida se conter para provocá-la ainda mais. Mudava de posição várias vezes, pondo-a por cima, ajoelhando-se por trás dela, depois fazendo-a montar nele. Paz não era violento, mas era vigoroso, e Tanya se entregou à excitação e ao prazer.

Depois do sexo, ela preparou ovos e fez um café. Paz ligou a TV e juntos assistiram ao discurso de Fidel enquanto comiam.

Fidel Castro estava sentado à frente da bandeira nacional de Cuba, cujas vivas listras azuis e brancas pareciam pretas e brancas na imagem monocromática do televisor. Como sempre, usava uma roupa de combate cáqui, e o único indício de patente era uma estrela na ombreira. Tanya nunca o tinha visto em trajes civis, tampouco usando aqueles uniformes pomposos e repletos de medalhas prezados pelos líderes comunistas de outras nações.

Sentiu uma onda de otimismo. Fidel não era bobo: sabia que não conseguiria derrotar os Estados Unidos em uma guerra, nem mesmo com o apoio da União Soviética. Com certeza iria inventar algum gesto dramático de reconciliação, alguma iniciativa que pudesse transformar a situação e desarmar aquela bomba-relógio.

Tinha uma voz aguda, esganiçada, mas falava com uma paixão arrebatadora. Embora fosse óbvio que estava dentro de um estúdio, a barba cerrada lhe dava o aspecto de um messias a pregar no deserto. Duas sobrancelhas pretas expressivas se agitavam na testa larga. Ele gesticulava com as mãos grandes, e às vezes erguia um indicador, como um professor de escola para proibir qualquer desobediência; muitas vezes cerrava o punho. De vez em quando, segurava os braços da cadeira como para se impedir de levantar voo qual um foguete. Parecia não ter roteiro, nem sequer anotações. Sua expressão exibia indignação, orgulho, desprezo, raiva, mas jamais dúvida. Fidel Castro vivia em um universo de certezas.

Ele atacou ponto a ponto o discurso televisivo de Kennedy, transmitido ao vivo pelo rádio. Desdenhou o apelo feito pelo presidente americano ao "povo aprisionado de Cuba". "Nós não somos soberanos só porque os *yanquis* permitem", falou, com desprezo.

No entanto, não disse nada sobre a União Soviética nem sobre armas nucleares.

O discurso durou uma hora e meia. Foi um espetáculo de magnetismo digno de Churchill: a corajosa e pequena Cuba desafiaria os grandes e truculentos Estados Unidos e jamais se renderia. Aquilo devia ter levantado o moral do povo cubano, mas, tirando isso, tudo ficara na mesma. Tanya sentiu uma decepção profunda e seu medo aumentou. Fidel nem sequer tentara impedir uma guerra.

No fim, ele bradou: "Pátria ou morte, vamos vencer!" Então pulou da cadeira e saiu correndo, como se não tivesse nenhum segundo a perder na luta para salvar Cuba.

Tanya olhou para Paz. Os olhos do general estavam marejados.

Ela o beijou e os dois transaram outra vez, no sofá, em frente ao chuvisco da tela da TV. Dessa vez foi mais lento e mais prazeroso. Ela o tratou da mesma forma que Petr costumava tratá-la. Não era difícil adorar aquele corpo, e ele sem dúvida gostava de ser adorado. Ela apertou os músculos de seus braços, beijou-lhe os mamilos e enroscou os dedos nos cachos de seus cabelos.

– Como você é lindo – murmurou, chupando o lóbulo de sua orelha.

Depois do sexo, quando estavam deitados dividindo um charuto, ouviram barulhos vindos de fora. Tanya abriu a porta que dava para a varanda. A cidade se acalmara enquanto Fidel falava na TV, mas agora as pessoas começavam a sair às ruas estreitas. A noite havia caído, e alguns carregavam velas e tochas. O instinto jornalístico de Tanya tornou a despertar.

– Preciso ir lá fora – disse ela para Paz. – Isso que está acontecendo rende uma matéria e tanto.

– Vou com você.

Vestiram-se e saíram. Apesar das ruas molhadas, a chuva havia estiado. Cada vez mais pessoas iam aparecendo. O clima era de Carnaval. Todos gritavam vivas e slogans, e muitos entoavam o hino nacional, "La Bayamesa". A melodia não tinha nada de latina e soava mais como uma canção de bar alemã, mas as pessoas cantavam cada palavra com total sinceridade.

Viver acorrentado é viver
Na desonra e ignomínia.
Ouçam o chamado do berrante:
Depressa, ó valentes, às armas!

Enquanto os dois marchavam pelos becos da cidade antiga junto com a multidão, Tanya reparou que muitos dos homens estavam armados. Na falta de armas de fogo, seguravam ferramentas de jardim e facões ou traziam no cinto facas e cutelos de cozinha, como se estivessem indo combater os americanos corpo a corpo no Malecón.

Lembrou que um B-52 Stratofortress da Força Aérea americana transportava mais de trinta mil quilos de explosivos.

Que bobagem! Coitados de vocês!, pensou com amargura. De que acham que suas facas vão adiantar contra uma coisa assim?

CAPÍTULO DEZESSETE

George nunca havia se sentido tão próximo da morte quanto na Sala do Gabinete da Casa Branca naquela quarta-feira, 24 de outubro.

A reunião matinal começava às dez, e ele pensava que a guerra fosse estourar antes das onze.

Tecnicamente falando, era uma reunião do Comitê Executivo do Conselho de Segurança Nacional, chamado de ComEx para encurtar. Kennedy convocava todos os que pensava poderem ajudar na crise. Seu irmão Bobby sempre participava.

Os conselheiros estavam sentados em cadeiras de couro em volta da mesa comprida, e seus assessores, acomodados em cadeiras parecidas encostadas nas paredes. A tensão na sala era sufocante.

O status de alerta do Comando Aéreo Estratégico tinha subido para DEFCON-2, apenas um nível abaixo de uma guerra iminente. Todos os bombardeiros da Força Aérea estavam a postos. Muitos deles, carregados de armas nucleares, não pousavam mais e patrulhavam constantemente o Canadá, a Groenlândia e a Turquia, o mais perto possível das fronteiras da URSS. Cada bombardeiro tinha um alvo soviético específico.

Se uma guerra eclodisse, os americanos dariam início a um ataque nuclear que arrasaria todas as cidades importantes da União Soviética. Milhões de pessoas morreriam. A Rússia demoraria cem anos para se recuperar.

E os soviéticos tinham um plano semelhante em relação aos Estados Unidos.

O bloqueio naval estava marcado para começar às dez. A partir dessa hora, qualquer embarcação soviética a menos de 800 quilômetros de Cuba poderia ser alvejada. A primeira interceptação de um navio soviético carregado de mísseis pelo *USS Essex* estava prevista para ocorrer entre dez e meia e onze horas. Às onze, todos eles já poderiam estar mortos.

John McCone, diretor da CIA, abriu a reunião citando os nomes de todas as embarcações soviéticas a caminho de Cuba. Seu tom de voz monocórdio deixou todo mundo impaciente e só fez aumentar a tensão. Que navios soviéticos a Marinha deveria interceptar primeiro? O que iria acontecer depois? Será que os soviéticos deixariam seus navios serem inspecionados? Será que disparariam contra navios americanos? Nesse caso, o que a Marinha faria?

Enquanto o grupo ali reunido tentava adivinhar o que estariam pensando seus equivalentes em Moscou, um assessor trouxe um bilhete para McCone.

Elegante sessentão de cabelos brancos, McCone era um executivo e George desconfiava que os profissionais que faziam carreira na CIA não lhe revelavam tudo o que faziam.

McCone leu o bilhete através dos óculos sem armação e pareceu intrigado com o conteúdo. Demorou algum tempo para falar:

– Presidente, o Escritório de Inteligência Naval acaba de nos informar que todos os seis navios soviéticos atualmente em águas cubanas pararam ou reverteram o curso.

Que droga significa isso? pensou George.

– Como assim, em águas cubanas? – perguntou Dean Rusk, o secretário de Estado careca e de nariz achatado.

McCone não soube explicar.

– A maioria desses navios está indo no sentido oposto, de Cuba para a União Soviética... – disse Bob McNamara, presidente da Ford que Kennedy havia nomeado secretário de Defesa.

– Por que não procuramos saber? – interrompeu o presidente, irritado. – Estamos falando em navios que estão saindo de Cuba ou entrando?

– Vou descobrir – retrucou McCone, e saiu da sala.

A tensão aumentou mais um pouco.

George sempre havia pensado que as reuniões de crise na Casa Branca seriam um festival de profissionalismo, com todos dando informações precisas ao presidente para que ele pudesse tomar uma decisão sensata. No entanto, apesar de aquela ser a maior crise que já haviam enfrentado, imperavam a confusão e os mal-entendidos. Isso deixava George mais assustado ainda.

Ao voltar, McCone falou:

– Os navios estavam todos seguindo para oeste, em direção a Cuba.

Ele citou o nome das seis embarcações.

McNamara tomou a palavra. Tinha 46 anos, e a expressão "Menino-Prodígio" fora cunhada para ele depois que conseguira transformar em lucro os prejuízos da Ford Motor Company. O presidente confiava mais nele do que em qualquer outra pessoa presente naquela sala, à exceção de Bobby. Então, de cabeça, McNamara recitou a posição de cada um dos seis navios. A maioria ainda estava a centenas de quilômetros de Cuba.

O presidente ficou impaciente:

– O que eles disseram que estão fazendo com esses navios, John?

– Todos pararam ou reverteram o curso – respondeu McCone.

– Esses são *todos* os navios soviéticos, ou só alguns?

– Só alguns. Ao todo são 24.

Mais uma vez, McNamara os interrompeu com a informação mais importante:

– Parece que esses são os navios mais próximos da barreira da quarentena.

– Parece que os soviéticos estão recuando da beira do precipício – sussurrou George para Skip Dickerson, sentado ao seu lado.

– Espero que você tenha razão – murmurou Skip.

– Não estamos planejando interceptar nenhum desses navios, estamos? – perguntou o presidente.

– Não estamos planejando interceptar nenhum navio que não esteja indo para Cuba.

O chefe do Estado-Maior Conjunto, general Maxwell Taylor, pegou um telefone e disse:

– Quero falar com George Anderson.

O almirante Anderson era o chefe de operações navais e o responsável pelo bloqueio. Depois de alguns instantes, Taylor começou a falar baixinho.

Houve um silêncio. Todos tentavam absorver a notícia e entender o que ela significava. Será que os soviéticos estavam desistindo?

– Precisamos verificar antes – disse o presidente. – Como podemos descobrir que seis navios estão revertendo o curso ao mesmo tempo? General, o que a Marinha tem a dizer sobre essa informação?

O general Taylor ergueu os olhos e respondeu:

– Três dos navios com certeza estão dando meia-volta.

– Entre em contato com o *Essex* e mande aguardarem uma hora. Precisamos ser rápidos, porque eles vão interceptar entre dez e meia e onze horas.

Todos na sala conferiram seus relógios.

Eram 10h32.

George olhou de relance para a expressão de Bobby: seu chefe parecia um condenado à morte que acabara de ser agraciado com o perdão.

A crise imediata havia terminado, mas nos minutos seguintes George se deu conta de que nada fora solucionado. Embora os soviéticos estivessem obviamente tomando providências para evitar um confronto no mar, seus mísseis nucleares continuavam em Cuba. Os ponteiros do relógio tinham sido atrasados uma hora, mas continuavam a avançar.

O ComEx então falou sobre a Alemanha. Kennedy temia que Kruschev talvez anunciasse um bloqueio a Berlim Ocidental como retaliação ao bloqueio naval americano a Cuba. No entanto, não havia nada que eles pudessem fazer em relação a isso.

A reunião se dispersou. George não precisava estar presente no compromisso seguinte de Bobby. Saiu junto com Skip Dickerson, que perguntou:
– Como vai sua amiga Maria?
– Vai bem, eu acho.
– Passei na assessoria ontem. Ela ligou para avisar que está doente.

George sentiu um aperto no coração. Já havia desistido por completo de qualquer romance com Maria, mas mesmo assim a notícia de que ela estava doente lhe causou pânico.
– Eu não sabia.
– Não tenho nada com isso, George, mas ela é uma moça bacana e acho que alguém talvez devesse ir ver como ela está.

George apertou de leve o braço do amigo.
– Obrigado por me avisar. Você é um bom amigo.

Funcionários da Casa Branca não mandavam avisar que estavam doentes no meio da maior crise da Guerra Fria, pensou ele, a menos que fosse alguma coisa grave. Ficou mais aflito ainda.

Foi depressa até a assessoria. A cadeira de Maria estava vazia. Nelly Fordham, simpática secretária que ocupava a mesa ao lado, informou:
– Maria está passando mal.
– Fiquei sabendo. Ela disse o que é?
– Não.

George franziu a testa.
– Será que consigo tirar uma horinha para ir visitá-la?
– Seria ótimo – falou Nelly. – Também estou preocupada.

Ele olhou para o relógio. Tinha quase certeza de que Bobby não precisaria dele até depois do almoço.
– Acho que dá tempo. Ela mora em Georgetown, não é?
– Isso, mas se mudou de onde estava antes.
– Por quê?
– Disse que as colegas de apartamento eram enxeridas demais.

Fazia sentido, pensou George. Outras moças ficariam desesperadas para descobrir a identidade de um amante secreto. Maria estava tão decidida a guardar segredo que tinha mudado de casa; isso indicava que seu envolvimento com o tal sujeito era mesmo sério.

Nelly estava folheando o fichário giratório.
– Vou anotar o endereço para você.
– Obrigado.

Ela lhe entregou um pedaço de papel e perguntou:
– Você é Georgy Jakes, não é?
– Sou, sim. – Ele sorriu. – Mas faz tempo que ninguém me chama de Georgy.
– Eu conhecia o senador Peshkov.

A menção a Greg quase certamente significava que ela sabia que ele era pai de George.
– É mesmo? Conhecia como?
– Nós namoramos, para falar a verdade. Só que não deu em nada. Como ele está?
– Muito bem. Almoço com ele uma vez por mês, mais ou menos.
– Ele nunca se casou, não é?
– Ainda não.
– E já deve ter mais de 40.
– Acho que ele tem alguém.
– Ah, fique tranquilo, não estou atrás dele. Já tomei essa decisão faz tempo. Mas mesmo assim quero o seu bem.
– Direi isso a ele. Agora vou pegar um táxi e ver como está Maria.
– Obrigada, Georgy... ou melhor, George.

Ele saiu apressado. Nelly era uma mulher bonita e tinha bom coração. Por que Greg não havia se casado com ela? Talvez ser solteiro lhe conviesse.
– O senhor trabalha na Casa Branca? – perguntou o taxista.
– Sim, com Bobby Kennedy. Sou advogado.
– Não brinca?! – O motorista não se deu ao trabalho de esconder a surpresa com o fato de um negro ser advogado e ter um cargo importante. – Pois diga ao Bobby que a gente deveria bombardear Cuba até ela virar pó. Sim, senhor. Bombardear todos eles até virarem pó.
– O senhor sabe qual o tamanho de Cuba de uma ponta a outra?
– Que papo é esse, um programa de calouros? – perguntou o homem, contrariado.

George deu de ombros e não falou mais nada. Nos últimos tempos, vinha evitando debates políticos com pessoas de fora do governo. Elas em geral tinham respostas fáceis: mandar todos os mexicanos de volta para casa, obrigar os integrantes do Hell's Angels a se alistarem no Exército, castrar as bichas. Quanto mais ignorantes, mais extremas eram suas opiniões.

Georgetown ficava a poucos minutos da Casa Branca, mas o trajeto lhe pareceu longo. George imaginou Maria desmaiada no chão, deitada na cama à beira da morte, ou então em coma.

O endereço que Nelly lhe dera se revelou uma bonita casa antiga dividida em vários apartamentos pequenos. Maria não atendeu à campainha, mas uma moça negra com cara de universitária o deixou entrar e lhe indicou onde ela morava.

Maria veio abrir a porta de roupão. De fato, parecia doente. Estava abatida e com uma expressão arrasada. Não disse "entre", mas afastou-se deixando a porta aberta, e ele entrou. Pelo menos ela estava andando, pensou, aliviado; temera coisa pior.

O apartamento era minúsculo, só um quartinho e uma cozinha americana. Ele calculou que ela devia usar o banheiro coletivo do corredor.

Olhou-a com atenção. Sentia muito por vê-la assim, não só doente, mas triste. Quis abraçá-la, mas sabia que ela não iria deixar.

– O que houve, Maria? Você está com uma cara péssima!

– Nada de mais, coisas de mulher.

A expressão era o eufemismo geralmente usado para designar o período menstrual, mas ele estava convencido de que não era só isso.

– Deixe eu lhe preparar um café... ou quem sabe um chá? – Ele tirou o sobretudo.

– Não, obrigada.

Mas George decidiu preparar a bebida mesmo assim, só para mostrar a ela que se importava. Nessa hora, porém, olhou para a cadeira em que ela estava prestes a sentar e viu que o assento estava manchado de sangue.

Ela reparou ao mesmo tempo, enrubesceu e disse:

– Ai, que droga.

George sabia alguma coisa sobre o corpo feminino. Várias possibilidades lhe passaram pela cabeça.

– Maria, você estava grávida e perdeu o bebê?

– Não – respondeu ela sem entonação. Então hesitou.

Ele aguardou, paciente.

– Eu fiz um aborto – admitiu ela por fim.

– Ai, coitadinha. – Ele pegou um pano de prato na cozinha, dobrou-o e o pôs em cima da mancha. – Sente aqui por enquanto. Descanse.

Olhou para a prateleira acima da geladeira e viu uma caixa de chá de jasmim. Imaginando que devesse ser o de que ela gostava, pôs água para ferver. Não disse mais nada até o chá ficar pronto.

As leis relacionadas ao aborto variavam dependendo do estado. George sabia que, ali na capital, o procedimento era legalizado caso fosse necessário proteger a saúde da mãe. Muitos médicos tinham uma interpretação bem liberal desse preceito, que incluía a saúde e o bem-estar da mulher em geral. Na prática, qualquer um que tivesse dinheiro podia encontrar um médico disposto a realizar um aborto.

Embora tivesse dito que não queria o chá, ela aceitou uma xícara.

George se sentou na sua frente com outra xícara para si.

– O seu amante secreto – falou. – Imagino que seja o pai.

Ela assentiu.

– Obrigada pelo chá. Suponho que a Terceira Guerra Mundial ainda não tenha começado, caso contrário você não estaria aqui.

– Os soviéticos fizeram seus navios reverterem o curso, então o perigo de um confronto no mar diminuiu. Mas os cubanos continuam com armas nucleares apontadas para nós.

Maria parecia deprimida demais para se importar com isso.

– Ele não quer casar com você – falou George.

– Não.

– Porque já é casado?

Ela não respondeu.

– Então arrumou um médico e pagou a conta.

Ela assentiu.

George achou aquele comportamento desprezível, mas, se dissesse isso, ela provavelmente o expulsaria da casa por insultar o homem que amava. Tentando controlar a raiva, ele perguntou:

– Onde ele está agora?

– Ele vai ligar. – Ela olhou para o relógio de parede. – Daqui a pouco, provavelmente.

George decidiu não fazer mais perguntas. Seria maldade interrogá-la, e ela não precisava de ninguém para lhe dizer quanto tinha sido boba. Mas *do que* ela precisava, então? Resolveu perguntar:

– Está precisando de alguma coisa? Posso ajudar?

Ela começou a chorar.

– Eu mal o conheço! – falou, entre soluços. – Como pode ser meu único amigo de verdade nesta cidade inteira?

Ele sabia a resposta para essa pergunta: Maria tinha um segredo que não dividia com ninguém. Isso dificultava a aproximação das pessoas.

– Que sorte a minha você ser tão gentil.

A gratidão dela o deixou constrangido.

– Está doendo? – perguntou.

– Sim, está doendo pra caramba.

– Quer que eu chame um médico?

– Não é para tanto. Eles me avisaram que iria doer.

– Você tem aspirina em casa?
– Não.
– Que tal eu sair para comprar?
– Você faria isso? Detesto pedir a um homem para fazer compras para mim.
– Não tem problema, é uma emergência.
– Tem uma farmácia bem na esquina.
George largou a xícara e tornou a vestir o sobretudo.
– Posso lhe pedir um favor ainda maior? – indagou ela.
– Claro.
– Preciso de absorventes higiênicos. Você acha que consegue me comprar uma caixa?
Ele hesitou. Um homem comprando absorventes?
– Não, é pedir demais – disse ela. – Esqueça.
– Ah, o que eles vão fazer? Me prender?
– A marca é Kotex.
George assentiu.
– Eu já volto.

Sua coragem não durou muito. Ao chegar à farmácia, sentiu-se fulminado pela vergonha. Disse a si mesmo para se controlar. E daí se era constrangedor? Homens da mesma idade que a sua arriscavam a vida nas selvas do Vietnã. O que poderia haver de tão grave naquela situação?

A loja tinha três corredores de autoatendimento e um balcão. A aspirina não ficava nas gôndolas, era preciso pedir.

Para consternação de George, o mesmo valia para os produtos de higiene feminina.

Ele pegou um pacote de cartolina com seis garrafas de Coca: ela estava com hemorragia, então precisava se hidratar. Mas não conseguiu adiar por muito tempo o momento da humilhação.

Aproximou-se do balcão.

A vendedora era uma mulher branca de meia-idade. Que sorte a minha, pensou ele.

Pôs a embalagem de refrigerantes em cima do balcão e pediu:
– Queria aspirina, por favor.
– De que tamanho? Temos vidros pequenos, médios e grandes.

George ficou sem ação. E se ela lhe perguntasse que tamanho de absorvente ele queria?

– Ahn, grande, eu acho – respondeu.

A vendedora pôs sobre o balcão um vidro grande de aspirina.

– Mais alguma coisa?

Uma jovem cliente apareceu e se postou atrás dele segurando uma cesta de arame cheia de cosméticos. Naturalmente iria escutar tudo.

– Mais alguma coisa? – repetiu a mulher.

Vamos lá, George, seja homem, pensou.

– Queria uma caixa de absorventes higiênicos – falou. – Kotex.

A moça atrás dele abafou uma risadinha.

A vendedora o encarou por cima dos óculos.

– Está fazendo isso por causa de alguma aposta, rapaz?

– Não, minha senhora! – respondeu ele, indignado. – São para uma moça que está doente demais para vir à loja.

Ela o olhou de cima a baixo, observando o terno cinza-escuro, a camisa branca, a gravata lisa e o lenço branco dobrado no bolso da frente do paletó. Ele ficou feliz por não ter a aparência de um universitário participando de algum trote.

– Está bem, eu acredito – falou.

Levou a mão até debaixo do balcão e pegou uma caixa de absorventes.

George olhou para aquilo horrorizado. A palavra Kotex estava impressa na lateral em letras grandes. Será que ele teria de carregar aquilo pela rua?

– O senhor prefere que eu embale? – indagou a vendedora, lendo seus pensamentos.

– Sim, por favor.

Com movimentos rápidos e experientes, ela embrulhou a caixa em papel pardo e a pôs dentro de uma sacola junto com a aspirina.

George pagou.

A vendedora o encarou com um olhar duro, então pareceu se comover.

– Desculpe ter duvidado. O senhor deve ser um bom amigo dessa moça.

– Obrigado – disse ele, e saiu da loja depressa.

Apesar do frio de outubro, estava suando.

Voltou para o apartamento de Maria. Ela tomou três aspirinas, depois subiu o corredor em direção ao banheiro segurando firme a caixa embrulhada.

George guardou as Cocas na geladeira e olhou em volta. Viu uma prateleira de livros de Direito acima de uma pequena mesa com fotos em porta-retratos. Em uma delas apareciam seus pais, supôs, e um religioso de certa idade que devia ser seu digno avô. Outra mostrava Maria com a roupa de formatura. Havia também uma foto do presidente Kennedy. Maria tinha um televisor, um rádio e um toca-discos. Ele examinou os discos. Ela gostava das bandas mais recentes de música pop: The Crystals, Little Eva, Booker T. & The MG's. Sobre a mesa de cabeceira repousava o romance de sucesso *A nave dos loucos*.

Enquanto ela estava no banheiro, o telefone tocou.

George atendeu:

– É da casa de Maria.

– Posso falar com ela, por favor? – pediu uma voz masculina.

A voz era vagamente conhecida, mas George não conseguiu identificá-la.

– Ela deu uma saidinha. Quem está... espere um instante, ela acabou de voltar.

Maria arrancou o fone da sua mão.

– Alô? Ah, oi... É um amigo, ele me trouxe umas aspirinas... Ah, não muito, eu vou ficar bem...

– Vou ficar no hall para deixar você à vontade – disse George.

Não estava gostando nem um pouco daquele amante de Maria. Mesmo que o imbecil fosse casado, deveria estar presente. Tinha engravidado a moça, então deveria cuidar dela depois do aborto.

Mas aquela voz... não era a primeira vez que ele a ouvia. Será que conhecia o amante dela? Não seria nenhuma surpresa se fosse um colega de trabalho, como sua mãe supusera. Mas a voz do outro lado da linha não era a de Pierre Salinger.

A moça que tinha aberto a porta para ele passou, novamente de saída. Sorriu ao vê-lo em pé do lado de fora, como um menino que se comportou mal.

– Fez bagunça na aula? – perguntou.

– Quem me dera – respondeu George.

Ela riu e seguiu seu caminho.

Maria abriu a porta e ele tornou a entrar.

– Tenho mesmo que voltar ao trabalho – falou.

– Eu sei. Você veio me visitar no meio da crise de Cuba. Nunca vou esquecer.

Ela estava visivelmente mais feliz depois de ter falado com o amante.

De repente, George teve um lampejo de compreensão.

– A voz! No telefone.

– Você reconheceu?

Ele ficou perplexo.

– Você está tendo um caso com Dave Powers?

Para consternação de George, Maria deu uma risada sonora.

– Ora, faça-me o favor!

Ele percebeu na hora como aquilo era improvável. O assistente pessoal do presidente era um homem feio de 50 e poucos anos que ainda usava chapéu. Era pouco provável que conquistasse o coração de uma moça linda e cheia de vida.

Instantes depois, atinou *com quem* Maria estava tendo um caso.
– Ai, meu Deus – falou, encarando-a.
Estava atônito com o que acabara de compreender.
Maria não disse nada.
– Você está transando com o presidente! – exclamou George, assombrado.
– Por favor, não conte a ninguém! – implorou ela. – Se você contar, ele vai me deixar. Por favor, prometa!
– Eu prometo – falou George.

Pela primeira vez na vida, Dimka tinha feito uma coisa verdadeira, indiscutível e vergonhosamente errada.

Não era casado com Nina, mas ela esperava que ele fosse fiel e ele supunha que ela também o fosse, portanto não havia dúvida de que traíra sua confiança ao passar a noite com Natalya.

Tinha pensado que aquela talvez fosse a última noite da sua vida, mas a desculpa agora parecia esfarrapada.

Não chegara a ter uma relação sexual com Natalya, mas isso também era uma desculpa esfarrapada; o que os dois tinham feito era até mais íntimo e mais afetuoso do que o sexo convencional. Estava torturado pela culpa. Jamais se sentira tão pouco digno de confiança, tão insincero e irresponsável.

Seu amigo Valentin sem dúvida manteria o caso com as duas até ser desmascarado, mas Dimka nem cogitava essa possibilidade. Já estava se sentindo mal o suficiente depois de uma única noite de traição; seria incapaz de repetir aquilo de maneira regular. Acabaria se atirando no rio Moscou.

Precisava contar para Nina ou então terminar com ela, ou os dois. Não podia viver com uma farsa daquela magnitude. Constatou, porém, que estava assustado. Aquilo era ridículo. Ele era Dmitri Ilich Dvorkin, braço direito de Kruschev, odiado por alguns, temido por muitos. Como podia estar com medo de uma simples garota? Mas estava.

E Natalya?

Tinha uma centena de perguntas para fazer a ela. Queria saber o que ela sentia pelo marido, sobre quem nada sabia a não ser o nome, Nik. Será que eles estavam se divorciando? Nesse caso, a separação tinha alguma coisa a ver com ele? E o mais importante de tudo: Natalya via alguma participação dele em seu futuro?

Cruzava com ela no Kremlin o tempo todo, mas os dois não tinham chance de ficar a sós. O Presidium se reuniu três vezes na terça-feira – de manhã, à tarde e à noite – e nos intervalos para as refeições os assessores ficaram ainda mais atarefados. Toda vez que olhava para Natalya, ela lhe parecia mais maravilhosa. Assim como os outros colegas, ele continuava usando o mesmo terno com o qual dormira, mas Natalya tinha posto um vestido azul-escuro com casaquinho combinando que lhe dava um aspecto profissional e sedutor. Embora sua tarefa fosse evitar a Terceira Guerra Mundial, Dimka estava achando difícil se concentrar nas reuniões. Ficava olhando para ela, lembrava-se do que tinham feito e desviava os olhos, constrangido; então, no minuto seguinte, olhava outra vez.

Mas o ritmo de trabalho foi tão frenético que não conseguiu conversar a sós com ela nem mesmo por alguns segundos.

Na terça à noite, já bem tarde, Kruschev foi para casa dormir na própria cama, e todos os outros o imitaram. Bem cedo na quarta de manhã, Dimka deu ao premiê a feliz informação, recém-recebida de sua irmã em Cuba, de que o *Alexandrovsk* havia atracado em segurança em La Isabela. O resto do dia foi igualmente atarefado. Ele viu Natalya várias vezes, mas nenhum dos dois teve um minuto livre sequer.

A essa altura, Dimka já estava se fazendo mil perguntas. O que *ele* achava que a noite de segunda-feira tinha significado? Quais eram seus desejos para o futuro? Se algum deles estivesse vivo dali a uma semana, queria passar o resto da vida com Natalya, com Nina... ou com nenhuma das duas?

Na quinta, já estava desesperado por respostas. De modo irracional, sentia que não queria morrer em uma guerra nuclear antes de ter resolvido aquela questão.

Tinha um encontro com Nina naquela noite: iriam ao cinema com Valentin e Anna. Se conseguisse escapar do Kremlin a tempo de manter o compromisso, o que poderia lhe dizer?

O Presidium da manhã geralmente começava às dez, e os assessores se reuniam informalmente às oito na Sala Onilova. Na quinta-feira de manhã, ele tinha uma nova proposta de Kruschev para apresentar aos outros, e também torcia para conseguir conversar a sós com Natalya. Estava prestes a abordá-la quando Yevgeny Filipov apareceu com as primeiras edições dos jornais europeus.

– As manchetes são todas ruins – anunciou, e, embora fingisse estar abalado pela tristeza, Dimka sabia que ele estava sentindo o contrário. – O recuo dos nossos navios está sendo retratado como um humilhante rebaixamento da União Soviética!

Não era exagero, constatou Dimka ao espiar os jornais espalhados sobre as mesas modernas e baratas.

Natalya saiu em defesa do premiê:

– É claro que eles estão dizendo isso. Todos esses jornais têm donos capitalistas. Você esperava que eles fossem elogiar a sabedoria e o comedimento do nosso líder? É ingênuo, por acaso?

– Ingênua é *você*. O *Times* de Londres, o *Corriere de la Sera* italiano e o *Le Monde* de Paris são os jornais que os líderes dos países do Terceiro Mundo que esperamos conquistar para a nossa causa leem e nos quais confiam.

Era verdade. Por mais injusto que fosse, as pessoas mundo afora confiavam mais na imprensa capitalista do que nas publicações comunistas.

– Não podemos decidir nossa política externa com base nas prováveis reações dos jornais ocidentais – retrucou Natalya.

– Essa operação deveria ter sido ultrassecreta – falou Filipov. – Só que os americanos descobriram. Todos nós sabemos quem era o responsável pela segurança. – Ele estava se referindo a Dimka. – Por que essa pessoa está sentada aqui diante desta mesa? Não deveria estar sendo interrogada?

– Talvez seja culpa da segurança do Exército – rebateu Dimka. Filipov trabalhava para o ministro da Defesa. – Quando soubermos como o segredo vazou, aí sim poderemos decidir quem deve ser interrogado.

Era uma resposta fraca e ele sabia disso, mas ainda não tinha a menor ideia do que saíra errado.

Filipov mudou de tática:

– No Presidium de hoje de manhã, a KGB vai informar que os americanos aumentaram drasticamente sua mobilização na Flórida. As ferrovias estão congestionadas com vagões carregados de tanques e peças de artilharia. A pista de turfe de Hallandale foi ocupada pela 1ª Divisão de Blindados, e há milhares de homens dormindo nas arquibancadas. As fábricas de munição estão trabalhando sem descanso na produção de balas para os aviões americanos alvejarem soldados soviéticos e cubanos. Bombas de napalm...

– Isso também estava previsto – interrompeu Natalya.

– Mas o que nós vamos fazer quando eles invadirem Cuba? – perguntou Filipov. – Se reagirmos usando somente armas convencionais, não teremos como vencer; os americanos são fortes demais. Vamos reagir com armas nucleares? O presidente Kennedy afirmou que, se qualquer arma nuclear for lançada de Cuba, vai bombardear a União Soviética.

– Ele não pode estar falando sério – disse Natalya.

– É só ler os relatórios da Inteligência do Exército Vermelho. Há bombardeiros americanos nos rodeando neste exato instante! – Ele apontou para o teto, como se fosse possível erguer os olhos e ver os aviões. – Só existem dois desfechos possíveis para nós: uma humilhação internacional, se tivermos sorte, ou o holocausto nuclear.

Natalya se calou. Ninguém em volta da mesa tinha resposta para isso.

Exceto Dimka.

– O camarada Kruschev tem uma solução – disse ele.

Todos o encararam, espantados.

– Na reunião de hoje de manhã, o primeiro-secretário vai sugerir uma proposta a ser feita aos Estados Unidos. – O silêncio era sepulcral. – Vamos desmontar nossos mísseis em Cuba...

Ele foi interrompido por uma reação em coro ao redor da mesa que ia de arquejos de surpresa a gritos de protesto. Ergueu uma das mãos para pedir silêncio.

– Vamos desmontar nossos mísseis *em troca* de uma garantia daquilo que queríamos desde o início. Os americanos terão de prometer não invadir Cuba.

Os presentes levaram alguns segundos para digerir a informação.

Natalya foi a primeira a entender.

– Excelente – falou. – Como Kennedy vai poder recusar? Isso equivaleria a reconhecer sua intenção de invadir um país pobre do Terceiro Mundo. Ele seria condenado mundialmente por colonialismo. E estaria provando nossa tese de que Cuba precisa de mísseis nucleares para se defender.

Além de ser a pessoa mais bonita em volta daquela mesa, ela era também a mais inteligente.

– Mas, se Kennedy aceitar, vamos ter que tirar os mísseis de lá – falou Filipov.

– Eles não serão mais necessários! – disse Natalya. – A Revolução Cubana estará segura.

Dimka pôde ver que Filipov queria criticar o plano, mas não conseguia. Kruschev tinha posto a União Soviética em uma situação espinhosa, mas acabara inventando uma saída honrosa.

Quando a reunião se dispersou, Dimka enfim conseguiu abordar Natalya.

– Precisamos conversar um minuto sobre os termos a serem usados na proposta de Kruschev para Kennedy – falou.

Eles se afastaram até o canto da sala e sentaram-se. Dimka fitou a frente do vestido dela e se lembrou dos seios miúdos com mamilos proeminentes.

– Você precisa parar de me encarar – disse ela.

Ele se sentiu bobo.

– Eu não estava encarando você – retrucou, embora evidentemente não fosse verdade.

Ela ignorou a resposta:

– Se continuar, até os homens vão reparar.

– Desculpe, não consigo evitar.

Estava desanimado. Aquela não era a conversa íntima e feliz que havia previsto.

– Ninguém pode saber o que fizemos. – Natalya parecia assustada.

Dimka teve a sensação de estar falando com uma pessoa diferente da moça alegre e sensual que o seduzira na antevéspera.

– Bom, eu não planejo sair por aí contando, mas não sabia que era um segredo de Estado.

– Eu sou casada!

– Está planejando continuar com Nik?

– Que pergunta é essa?

– Vocês têm filhos?

– Não.

– As pessoas se divorciam.

– Meu marido nunca iria aceitar um divórcio.

Ele a encarou. Obviamente aquilo não era o fim do mundo: uma mulher podia se divorciar contra a vontade do marido. Mas aquela conversa na verdade não era sobre o estado civil de Natalya. Por algum motivo, ela estava apavorada.

– Por que você fez aquilo, afinal? – perguntou Dimka.

– Achei que fôssemos todos morrer!

– E agora está arrependida?

– Eu sou casada! – repetiu ela.

Isso não respondia à sua pergunta, mas ele imaginou que não fosse conseguir lhe arrancar mais nada.

Boris Kozlov, outro assessor de Kruschev, o chamou da cantina:

– Dimka, vamos!

Ele se levantou.

– Podemos conversar de novo em breve? – murmurou.

Natalya baixou os olhos e não respondeu.

– Dimka, vamos logo! – insistiu Boris.

Ele saiu.

O Presidium passou a maior parte do dia debatendo a proposta de Kruschev. Havia complicações. Será que os americanos insistiriam para inspecionar as bases de lançamento e verificar se tinham mesmo sido desativadas? Será que Fidel aceitaria essa inspeção? Será que ele prometeria não aceitar armas nucleares de nenhum outro país, como a China, por exemplo? Mesmo assim, na opinião de Dimka, aquilo representava a maior esperança de paz desde o início da crise.

Enquanto isso, ficou pensando em Nina e Natalya. Antes da conversa daquela manhã, pensava que caberia a ele se decidir entre as duas. Agora percebia que tinha se iludido ao pensar que a escolha seria sua.

Natalya não iria largar o marido.

Percebeu que era louco por ela de um jeito que nunca tinha sido por Nina. Sempre que alguém batia na porta da sua sala, torcia para que fosse Natalya. Na sua lembrança, rememorou vezes sem conta os momentos que haviam passado juntos, escutando obsessivamente tudo o que ela lhe dissera até as inesquecíveis palavras: "Ai, Dimka, eu adoro você."

Não era um *eu te amo*, mas era quase.

Só que ela não iria se divorciar.

Mesmo assim, era Natalya que ele queria.

Portanto, precisava dizer a Nina que estava tudo acabado entre eles. Não podia continuar tendo um caso com uma mulher que era sua segunda opção; seria desonesto. Na sua imaginação, pôde ouvir Valentin zombando de seus escrúpulos, mas não conseguia evitá-los.

Só que Natalya pretendia ficar com o marido. Então ele ficaria sozinho.

Falaria com Nina naquela mesma noite. Os quatro haviam combinado se encontrar no apartamento delas. Chamaria Nina num canto e lhe diria... o que exatamente? Quando tentava encontrar as palavras exatas, tudo parecia mais difícil. Vamos lá, pensou, você já escreveu discursos para Kruschev, pode muito bem escrever um para si mesmo.

Está tudo acabado entre nós... Não quero mais namorar você... Pensei que estivesse apaixonado, mas percebi que não... Foi divertido enquanto durou...

Tudo em que pensava lhe parecia cruel. Será que não havia nenhuma forma delicada de dizer aquilo? Talvez não. Que tal a verdade nua e crua? Conheci outra pessoa que amo de verdade...

Isso soava pior do que todo o resto.

No final da tarde, Kruschev decidiu que o Presidium deveria fazer uma demonstração pública de boa vontade internacional comparecendo em grupo ao Teatro Bolshoi, onde o americano Jerome Hines cantaria *Boris Godunov*, a mais popular das óperas russas. Os assessores também estavam convidados. Dimka achou aquilo uma ideia boba. Quem se deixaria enganar? Por outro lado, ficou aliviado por ter que desmarcar o encontro com Nina, que agora lhe causava imensa apreensão.

Telefonou para o sindicato e conseguiu pegá-la logo antes de ela sair.

– Não vou conseguir ir ao cinema hoje à noite. Preciso ir ao Bolshoi com meu chefe.

– Não dá para recusar? – perguntou ela.

– Está brincando?

Alguém que trabalhasse para o primeiro-secretário faltaria ao funeral da própria mãe antes de lhe desobedecer.

– Quero encontrar você.

– Não vai dar.

– Passe na minha casa depois da ópera.

– Vai ficar tarde.

– Por mais tarde que seja, passe lá. Vou ficar acordada, mesmo se tiver que esperar a noite inteira.

Ele ficou intrigado. Nina não costumava ser tão insistente. Estava soando quase carente, o que não era do seu feitio.

– Aconteceu alguma coisa?

– Temos que conversar sobre um assunto.

– Que assunto?

– Hoje à noite eu falo.

– Fale agora.

Ela desligou.

Dimka vestiu o sobretudo e foi a pé até o teatro, a poucos passos do Kremlin.

Jerome Hines tinha 1,98 metro e usava uma coroa com uma cruz no alto; sua presença era formidável. A voz de baixo incrivelmente portentosa enchia o teatro, fazendo seus espaçosos recintos parecerem pequenos. No entanto, Dimka assistiu à ópera de Mussorgsky sem ouvir muita coisa. Ignorou o espetáculo que acontecia no palco. Passou a noite preocupado ora com a reação dos americanos à proposta de paz de Kruschev, ora com a de Nina ao fim do relacionamento.

Por fim, Kruschev disse boa-noite e Dimka foi a pé até o apartamento das duas moças, a cerca de um quilômetro e meio do teatro. No caminho, tentou imaginar sobre o que Nina queria conversar. Talvez ela fosse terminar o namoro, o que seria um alívio. Talvez tivessem lhe oferecido uma promoção que exigisse uma mudança para Leningrado. Talvez até ela tivesse conhecido outra pessoa, como ele, e decidido que esse outro homem era o certo. Ou talvez estivesse doente: uma doença fatal, relacionada com as misteriosas razões que a impediam de engravidar. Todas essas possibilidades ofereciam uma saída fácil para Dimka, e ele percebeu que ficaria feliz com qualquer uma delas, quem sabe até – para a própria vergonha – a doença fatal.

Não, pensou, na verdade não quero que ela morra.

Como havia prometido, Nina estava à sua espera.

Usava um roupão de seda verde como se estivesse prestes a ir para a cama, mas seus cabelos estavam perfeitos e ela estava levemente maquiada. Deu-lhe um beijo na boca, e ele retribuiu com o coração repleto de vergonha. Estava traindo Natalya ao saborear aquele beijo, e traindo Nina ao pensar em Natalya. A dupla culpa o deixou com dor de barriga.

Nina lhe serviu um copo de cerveja e ele bebeu metade bem depressa, torcendo para o álcool lhe dar coragem.

Ela se acomodou ao lado dele no sofá. Dimka teve quase certeza de que ela estava nua por baixo do roupão, e a imagem de Natalya em sua mente começou a se apagar um pouco.

— Não estamos em guerra ainda — falou. — Minha notícia é essa. E a sua?

Nina pegou a cerveja da mão dele, pousou-a sobre a mesa de centro e segurou sua mão.

— Estou grávida — disse.

Dimka teve a sensação de ter levado um soco. Olhou para ela com uma expressão de choque e incompreensão.

— Grávida — repetiu, feito um bobo.

— De dois meses e pouquinho.

— Tem certeza?

— Já faz dois ciclos que não menstruo.

— Mas mesmo assim...

— Olhe. — Ela abriu o roupão e lhe mostrou os seios. — Estão maiores.

Ele constatou que estavam mesmo, e sentiu um misto de desejo e desânimo.

— E doloridos. — Ela fechou o roupão, mas não muito apertado. — E fumar tem me dado um enjoo danado. Caramba, estou *me sentindo* grávida.

Não podia ser verdade.

— Mas você falou...

— Que não podia ter filhos. — Ela olhou para o outro lado. — Foi o que o médico me disse.

— Já esteve com ele?

— Já. Está confirmado.

— E o que ele diz agora? — perguntou Dimka, incrédulo.

— Que é um milagre.

— Médicos não acreditam em milagres.

— Foi o que pensei também.

Ele tentou fazer o cômodo parar de girar à sua volta. Engoliu em seco e lutou para superar o choque. Precisava ser prático.

– Você não quer se casar, e eu também não quero, de jeito nenhum – falou. – O que vamos fazer?

– Você precisa me dar dinheiro para um aborto.

Ele engoliu em seco.

– Está bem.

Embora não fosse difícil fazer um aborto em Moscou, era caro. Dimka pensou em como poderia conseguir a quantia necessária. Vinha planejando vender a moto e comprar um carro usado. Se adiasse esse projeto, provavelmente conseguiria pagar. Também poderia pedir emprestado aos avós.

– Isso eu posso fazer.

Ela se corrigiu na mesma hora:

– Vamos pagar metade cada um. Fizemos esse bebê juntos.

De repente, a sensação de Dimka mudou. Foi o fato de ela ter dito *bebê*. Ele ficou dividido. Imaginou-se com um bebê no colo, vendo uma criança dar os primeiros passos, ensinando-a a ler, levando-a à escola.

– Tem certeza de que quer abortar?

– O que *você* está sentindo?

– Desconforto. – Perguntou-se por que tinha essa sensação. – Não acho que seja um pecado nem nada desse tipo. Só comecei a imaginar... um bebezinho, sabe? – Não soube muito bem de onde vinham esses sentimentos. – Não podemos dar a criança para adoção?

– Dar à luz e depois entregar o bebê para desconhecidos?

– Eu sei, também não gosto dessa ideia. Mas é difícil criar um filho sozinha.

Enfim, eu ajudaria você.

– Por quê?

– Porque o filho vai ser meu também.

Ela segurou a mão dele.

– Obrigada por dizer isso. – De repente, Nina lhe pareceu muito vulnerável, e ele sentiu um aperto no peito. – A gente se ama, não é? – perguntou ela.

– Sim.

Naquele instante, era verdade. Dimka pensou em Natalya, mas por algum motivo a imagem que teve dela foi vaga, distante, ao passo que Nina estava bem ali, em carne e osso, pensou, e essa expressão lhe pareceu mais vívida do que de costume.

– E nós dois vamos amar a criança, não vamos?

– Sim.

– Bom, nesse caso...

– Mas você não quer se casar.

– Eu não queria.

– Não queria?

– Era assim que eu pensava antes de ficar grávida.

– Mas mudou de ideia?

– Tudo parece diferente agora.

Dimka estava perplexo. Os dois estavam mesmo falando em casamento? Desesperado por dizer alguma coisa, tentou fazer piada:

– Se você está me pedindo em casamento, cadê o pão e o sal?

A cerimônia de noivado tradicional russa previa a troca de presentes simbolizados por pão e sal.

Para seu espanto, Nina desatou a chorar.

Seu coração derreteu. Ele a envolveu nos braços. No início, ela resistiu, mas depois de alguns instantes se soltou. Suas lágrimas molharam a camisa de Dimka. Ele afagou seus cabelos.

Ela então ergueu o rosto para um beijo, que interrompeu um minuto depois.

– Faz amor comigo antes de eu ficar toda gorda e horrorosa?

O roupão se entreabriu e ele viu um seio macio coberto por sardas encantadoras.

– Faço – respondeu, destemido, empurrando a imagem de Natalya ainda mais para o fundo da mente.

Nina o beijou outra vez. Ele segurou seu seio; estava mais pesado do que antes. Ela tornou a se afastar.

– Você não estava falando sério no começo, estava?

– Quando?

– Quando disse que não queria se casar de jeito nenhum.

Ainda segurando o seio dela, Dimka sorriu.

– Não – respondeu. – Não estava falando sério.

❦

Na tarde de quinta-feira, George Jakes estava levemente otimista.

Apesar de fervendo, a panela ainda estava tampada. A quarentena já tinha entrado em vigor, os navios soviéticos que transportavam mísseis tinham dado meia-volta e não houvera nenhum confronto em alto-mar. Os Estados Unidos não tinham invadido Cuba e ninguém havia disparado nenhuma arma nuclear. Talvez, no final das contas, a Terceira Guerra Mundial pudesse ser evitada.

A sensação durou apenas mais um pouco.

Os assessores de Bobby Kennedy tinham uma TV em sua sala no Departamento de Justiça, e às cinco da tarde assistiram a uma transmissão da sede da ONU, em Nova York. O Conselho de Segurança estava reunido, vinte cadeiras em volta de uma mesa em forma de ferradura. Do lado interno da ferradura ficavam sentados intérpretes com fones de ouvido. O restante da sala estava abarrotado de assessores e outros observadores, que assistiam ao confronto cara a cara entre as duas superpotências.

O embaixador americano junto à ONU chamava-se Adlai Stevenson, um intelectual careca que havia tentado ser candidato democrata à presidência em 1960 e sido derrotado por Jack Kennedy, que saía melhor no vídeo.

O representante soviético, o inexpressivo Valerian Zorin, negava em seu costumeiro tom monocórdio que houvesse qualquer arma nuclear em Cuba.

Diante da TV, em Washington, George comentou, irritado:

– Que mentiroso! Stevenson deveria mostrar as fotos e pronto.

– Foi o que o presidente o mandou fazer.

– Então por que ele não faz?

Wilson deu de ombros.

– Homens como Stevenson sempre acham que sabem decidir melhor.

Na tela, Stevenson se levantou.

– Vou fazer uma pergunta simples – falou. – Embaixador Zorin, o senhor nega que a União Soviética tenha instalado e continue instalando bases e mísseis de alcance médio e intermediário em Cuba? Sim ou não?

– Boa, Adlai – falou George, e ouviu-se um murmúrio quando os homens que assistiam com ele concordaram.

Em Nova York, Stevenson encarou Zorin, sentado a poucas cadeiras de distância dele na mesa em forma de ferradura. O russo continuou a fazer anotações em seu bloco.

– Não fique esperando a tradução – insistiu o americano, impaciente. – Sim ou não?

Os assessores em Washington riram.

Por fim, Zorin acabou respondendo em russo, e o intérprete traduziu:

– Sr. Stevenson, queira continuar sua declaração. Vai receber sua resposta no devido tempo, não se preocupe.

– Estou preparado para esperar minha resposta até o inferno congelar – rebateu Stevenson.

Os assessores de Bobby Kennedy comemoraram. Enfim os Estados Unidos estavam lhes dando uma dura!

Stevenson então falou:

– E também estou preparado para apresentar as provas aqui nesta sala.

– É isso aí! – exclamou George, dando um soco no ar.

– Se os senhores me derem um instante, vamos montar um cavalete aqui, no fundo da sala, onde espero que todos possam ver – continuou Stevenson.

A câmera se moveu para dar um close em meia dúzia de homens de terno que montavam rapidamente um suporte para fotografias ampliadas.

– Agora pegamos esses canalhas! – disse George.

Stevenson prosseguiu, em tom controlado e seco, mas de alguma forma também permeado de agressividade:

– A primeira série de imagens mostra uma área ao norte do vilarejo de Candelária, perto de San Cristóbal, a sudoeste de Havana. A primeira foto mostra a região em agosto de 1962, na época uma tranquila zona rural. – Delegados e outros presentes se aproximaram dos cavaletes para tentar ver a que Stevenson estava se referindo. – A segunda foto mostra a mesma região em um dia da semana passada. – Stevenson fez uma pausa, e o silêncio tomou conta da sala. Alguns veículos e barracas tinham aparecido, bem como novas estradas secundárias, e a estrada principal tinha sido melhorada. – A terceira foto, tirada apenas 24 horas depois, mostra as instalações de um batalhão de mísseis de médio alcance – disse ele.

As exclamações dos delegados se uniram para formar um burburinho de surpresa.

Stevenson prosseguiu. Novas fotografias foram mostradas. Até então, alguns líderes nacionais acreditavam no desmentido do embaixador soviético. Agora todo mundo sabia a verdade.

Impassível, Zorin não dizia nada.

George tirou os olhos da TV e viu Larry Mawhinney entrar no recinto. Encarou-o com desconfiança: da última vez em que os dois tinham se falado, Larry se zangara com ele. Agora, porém, parecia amigável.

– Oi, George – cumprimentou, como se os dois nunca tivessem trocado palavras ásperas.

George respondeu em tom neutro:

– Quais as notícias do Pentágono?

– Vim avisar que nós vamos abordar um navio soviético – respondeu Larry. – O presidente decidiu há poucos minutos.

O coração de George se acelerou.

– Que merda – comentou. – Logo quando eu achei que as coisas poderiam estar se acalmando.

– Parece que ele acha que a quarentena não significa nada a menos que interceptemos e inspecionemos pelo menos uma embarcação suspeita – continuou Mawhinney. – Ele já está reclamando por termos deixado passar um petroleiro.

– Que tipo de navio vamos interceptar?

– O *Marucla*, um cargueiro libanês com tripulação grega que está fazendo transporte para o governo soviético. Partiu de Riga, supostamente levando papel, enxofre e peças avulsas para caminhões soviéticos.

– Não consigo imaginar os soviéticos confiando em uma tripulação grega para transportar seus mísseis.

– Se você estiver certo, não vai haver problemas.

George olhou para o relógio.

– E quando vai ser isso?

– Agora está de noite no Atlântico. Eles vão ter que esperar até de manhã.

Larry se retirou, e George ficou pensando quão perigoso seria aquilo tudo. Difícil saber. Se o *Marucla* fosse tão inocente quanto fingia ser, talvez a abordagem corresse sem violência. Mas e se estivesse transportando armas nucleares? Kennedy havia tomado mais uma decisão arriscada.

E havia seduzido Maria Summers.

George não estava muito espantado com o fato de Kennedy estar tendo um caso com uma negra. Se metade das fofocas fosse verdade, ele não era nada difícil em se tratando de mulheres. Muito pelo contrário: gostava de quarentonas e de adolescentes, de louras e morenas, de socialites do mesmo nível social que o seu e de datilógrafas sem nada na cabeça.

George se perguntou por um instante se Maria ao menos desconfiava de que era uma entre muitas.

Kennedy não tinha nenhum sentimento forte em relação a raça, e sempre considerara isso uma questão puramente política. Embora não tivesse querido ser fotografado com Percy Marquand e Babe Lee temendo perder votos, George já o vira apertando alegremente a mão de muitos negros e negras, conversando e rindo, relaxado e à vontade. Também ficara sabendo que o presidente frequentava festas nas quais havia prostitutas de todas as cores, embora não soubesse quão verídicos eram esses boatos.

Mas a frieza de Kennedy o deixara chocado. Não tanto pelo procedimento pelo qual Maria tivera de passar – que já era suficientemente desagradável –, mas pelo fato de ela estar sozinha. O homem que a engravidara deveria ter ido buscá-la após a intervenção, tê-la levado para casa e ficado com ela até ter certeza de que estava tudo bem. Um telefonema só não bastava. O fato de ele ser presidente não era desculpa suficiente. Jack Kennedy caíra muito no conceito de George.

Bem na hora em que ele estava pensando em homens irresponsáveis que engravidavam moças, seu pai entrou na sala.

George ficou espantado: Greg nunca fora ao seu escritório antes.

– Oi, George – disse ele, e os dois apertaram-se as mãos como se não fossem pai e filho.

Greg estava usando um terno amarrotado feito de uma fazenda macia, azul com risca de giz, que parecia ter um pouco de cashmere na trama. Se eu pudesse pagar por um terno desses, pensou George, iria mantê-lo passado. Ele muitas vezes pensava isso ao olhar para Greg.

– Que surpresa inesperada – respondeu. – Como vai?

– Estava passando pela porta da sua sala. Quer tomar um café?

Foram juntos até a cafeteria. Greg pediu um chá e George, uma garrafa de Coca-Cola e um canudo. Quando se sentaram, George comentou:

– Uma pessoa me perguntou por você outro dia. Uma mulher que trabalha na assessoria de imprensa.

– Qual é o nome dela?

– Nell alguma coisa. Estou tentando me lembrar. Nelly Ford?

– Nelly Fordham.

O olhar de Greg se perdeu ao longe, e sua expressão revelou nostalgia por deleites já semiesquecidos. George achou graça.

– Uma namorada sua, pelo visto.

– Mais do que isso. Fomos noivos.

– Mas não se casaram.

– Ela terminou comigo.

George hesitou.

– Talvez isso não seja da minha conta, mas... por quê?

– Bom... se quer mesmo saber, ela descobriu sobre você, e disse que não queria se casar com um homem que já tinha família.

George estava fascinado; seu pai raramente se abria em relação a essa época. Greg tinha um ar pensativo.

– Nelly provavelmente estava certa. Você e sua mãe eram a minha família. Só que eu não podia me casar com a sua mãe... não podia ter uma carreira na política casado com uma negra. Então escolhi a carreira. Não posso dizer que ela me fez feliz.

– Você nunca me falou sobre isso.

– Eu sei. Foi preciso a ameaça da Terceira Guerra Mundial para me fazer lhe contar a verdade. Mas diga lá, como acha que as coisas estão caminhando?

– Espere aí. Algum dia existiu mesmo a possibilidade de você se casar com mamãe?

– Quando eu tinha 15 anos, queria isso mais do que qualquer outra coisa no mundo. Mas meu pai fez de tudo para garantir que não acontecesse. Eu tive outra chance, dez anos depois, mas a essa altura já tinha idade suficiente para ver como a ideia era maluca. Veja bem, casais inter-raciais ainda têm uma vida bem complicada hoje, nos anos 1960; imagine só como teria sido na década de 1940. Provavelmente nós três teríamos sido infelizes. – Ele parecia triste. – Além do mais, eu não tive colhão... a verdade é essa. Agora me fale sobre a crise.

Com esforço, George voltou sua atenção para os mísseis cubanos.

– Uma hora atrás, eu estava começando a acreditar que poderíamos sair dessa... mas agora o presidente mandou a Marinha interceptar um navio soviético amanhã de manhã. – Ele contou a Greg sobre o *Marucla*.

– Se o navio for mesmo o que estão dizendo, não deve haver problema nenhum – falou Greg.

– É. Nossos rapazes vão subir a bordo, inspecionar a carga, depois distribuir uns chocolates e ir embora.

– Chocolates?

– Cada navio de interceptação recebeu o equivalente a duzentos dólares em "material interpessoal", ou seja, barras de chocolate, revistas e isqueiros baratos.

– Viva os Estados Unidos! Mas...

– Mas se a tripulação for soviética e a carga, ogivas nucleares, o navio provavelmente não vai parar quando solicitado. E aí vai começar a troca de tiros.

– É melhor eu deixar você continuar a salvar o mundo.

Os dois se levantaram e saíram da cafeteria. No corredor, tornaram a se cumprimentar com outro aperto de mão.

– Mas na verdade eu passei aqui porque...

George aguardou.

– Pode ser que todos nós morramos neste fim de semana, e antes disso eu queria que você soubesse uma coisa.

– Está bem. – Ele se perguntou que diabos seu pai iria dizer.

– Você é a melhor coisa que já me aconteceu na vida.

– Nossa! – disse George, baixinho.

– Não tenho sido grande coisa como pai, não fui gentil com a sua mãe e...

bom, isso tudo você já sabe. Mas eu tenho orgulho de você, George. Sei que não mereço nenhum crédito, mas, meu Deus, como tenho orgulho...

Estava com os olhos marejados.

George não fazia ideia da força dos sentimentos de Greg. Ficou estarrecido. Não soube como reagir a emoções tão inesperadas. Acabou dizendo apenas:

– Obrigado.

– Tchau, George.

– Tchau.

– Que Deus o abençoe e proteja – disse Greg, e foi embora.

⁂

Bem cedo na manhã de sexta-feira, George foi para a Sala de Crise da Casa Branca.

Kennedy mandara criar aquele conjunto de cômodos no subsolo da Ala Oeste, onde antes ficava uma pista de boliche. Seu objetivo declarado era acelerar o processo de informação durante uma crise; na verdade, porém, achava que os militares tivessem sonegado informações dele durante a crise da Baía dos Porcos, e queria ter certeza de que eles nunca mais teriam outra chance de fazer isso.

Nessa manhã, as paredes estavam cobertas por mapas em grande escala de Cuba e seu entorno marítimo. Os teletipos zumbiam feito cigarras em uma noite de verão, gerando cópias dos telegramas do Pentágono. O presidente também podia ouvir as comunicações militares. As operações de quarentena estavam sendo comandadas de uma sala no Pentágono conhecida como Cabine de Controle da Marinha, mas as conversas de rádio entre a sala e os navios podiam ser interceptadas ali.

Os militares detestavam a Sala de Crise.

George se acomodou em uma moderna e desconfortável cadeira diante de uma mesa vagabunda e começou a escutar. Ainda estava pensando na conversa da noite anterior com Greg. Será que o senador esperava que George o abraçasse gritando "Papai!"? Provavelmente não; parecia à vontade com seu papel de tio. George não tinha qualquer desejo de mudar aquela situação. Aos 26 anos, não podia de repente começar a tratar Greg como um pai normal. Mesmo assim, estava bastante feliz com o que tinha escutado. Meu pai me ama, pensou; isso não pode ser de todo ruim.

O navio americano *Joseph P. Kennedy* interpelou o *Marucla* ao raiar do dia.

O *Kennedy* era um destróier de 2.400 toneladas armado com oito mísseis, um lança-foguetes antissubmarino, seis lança-torpedos e duas peças de artilharia de 12 centímetros. Tinha também capacidade para cargas nucleares de profundidade.

O *Marucla* desligou os motores na mesma hora, e George respirou mais aliviado.

O *Kennedy* soltou um bote e seis homens abordaram o *Marucla*. Apesar do mar bravio, a tripulação do cargueiro foi solícita e lançou uma escada de corda pelo costado. Mesmo assim, a água agitada dificultou a abordagem. O oficial encarregado não queria passar ridículo caindo na água, mas depois de algum tempo tentou, pulou para pegar a corda e subiu no cargueiro. Seus homens subiram atrás.

Os tripulantes gregos lhes ofereceram café.

Mostraram-se mais do que dispostos a abrir os compartimentos para os americanos poderem conferir a carga, que consistia mais ou menos do que fora informado. Houve um momento de tensão quando os americanos insistiram para abrir um caixote identificado como "Instrumentos Científicos", que no fim das contas estava cheio de material de laboratório bem pouco sofisticado, do tipo que se poderia encontrar em uma escola de ensino médio.

Os americanos foram embora, e o *Marucla* seguiu seu curso para Havana.

George deu a boa notícia a Bobby Kennedy por telefone, depois pegou um táxi.

Pediu ao motorista que o levasse até a esquina da Rua 5 com a K, em uma das piores zonas de favela da cidade. Ali, acima de uma concessionária de automóveis, ficava o Centro Nacional de Interpretação Fotográfica da CIA. George queria entender melhor aquele ofício e tinha solicitado uma aula especial; como trabalhava para Bobby, tinha conseguido. Caminhou por uma calçada cheia de garrafas de cerveja, entrou no prédio, passou por uma roleta de segurança e foi escoltado até o terceiro andar.

Quem lhe mostrou as instalações foi um perito em interpretação fotográfica grisalho chamado Claud Henry, que havia aprendido o ofício durante a Segunda Guerra Mundial analisando fotos aéreas de estragos causados por bombas alemãs.

– Ontem a Marinha mandou jatos Crusader sobrevoarem Cuba, então agora temos fotografias tiradas a baixa altitude, muito mais fáceis de analisar – explicou ele.

George não as achou tão fáceis assim. Para ele, as fotografias pregadas nas paredes da sala de Claud ainda pareciam arte abstrata, formas sem significado organizadas em um padrão aleatório.

– Isto aqui é uma base militar soviética – disse o perito, apontando para uma das imagens.

– Como o senhor sabe?

– Aqui tem um campo de futebol. Os cubanos não jogam futebol. Se a base fosse cubana, teria um campo de beisebol em formato de diamante.

George assentiu. Esperto, pensou.

– Isto aqui é uma fila de tanques T-54.

Para George, pareciam apenas quadrados pretos.

– E estas barracas são abrigos antimíssil – disse Claud. – Segundo nossos barracólogos.

– Barracólogos?

– Isso. Eu na verdade sou caixotólogo. Escrevi o manual da CIA sobre caixotes.

George sorriu.

– O senhor não está brincando, está?

– Quando os soviéticos transportam por mar objetos grandes como aviões de caça, tem que ser no convés. Eles os disfarçam pondo dentro de caixotes. Mas nós em geral conseguimos descobrir as dimensões do caixote. E o tamanho do caixote no qual um MiG-15 é transportado é diferente do tamanho do caixote de um MiG-21.

– Me diga uma coisa: os soviéticos têm esse tipo de conhecimento?

– Acreditamos que não. Pense bem: eles derrubaram um U-2, então sabem que temos aviões de grande altitude com câmeras. No entanto, pensaram que poderiam mandar mísseis para Cuba sem que descobríssemos. Continuaram negando a existência dos mísseis até ontem, quando lhes mostramos as fotos. Portanto, eles sabem sobre os aviões espiões e sobre as câmeras, mas até agora não sabiam que podíamos ver seus mísseis da estratosfera. Isso me leva a crer que estão atrasados em relação a nós no que diz respeito à interpretação de imagens.

– Faz sentido.

– Mas a grande revelação de ontem à noite é esta. – Claud apontou para um objeto com barbatanas em uma das fotos. – Meu chefe vai informar o presidente daqui a no máximo uma hora. Tem 10 metros de comprimento. Nós chamamos de FROG, a sigla em inglês para Foguete Livre Terra-Terra. É um míssil de curto alcance previsto para situações de combate.

– E vai ser usado contra soldados americanos em caso de invasão a Cuba.

– Isso. E o FROG foi projetado para transportar uma ogiva nuclear.

– Puta que pariu!

– Deve ser isso mesmo que o presidente vai dizer.

CAPÍTULO DEZOITO

Na noite de sexta-feira, o rádio estava ligado na cozinha da casa da Great Peter Street. Pelo mundo todo, as pessoas mantinham sempre o rádio ligado, amedrontadas, à espera das últimas notícias.

Era uma cozinha ampla, com uma mesa comprida de pinho encerado no centro. Jasper Murray estava preparando torradas e lendo os jornais. Lloyd e Daisy Williams recebiam todos os jornais de Londres e vários outros do continente. Desde que havia combatido na Guerra Civil da Espanha, o principal interesse de Lloyd como deputado era a política externa. Jasper passava os olhos pelas notícias em busca de algum motivo para ter esperança.

No dia seguinte, sábado, haveria uma passeata de protesto em Londres, isso se a cidade ainda estivesse de pé. Jasper faria a cobertura como repórter da gazeta estudantil *St. Julian's News*. Na verdade, não gostava muito de notícias de atualidade; preferia as matérias especiais, textos mais longos e reflexivos, nos quais o estilo podia ser um pouco mais refinado. Seu sonho era um dia trabalhar para uma revista, ou talvez até na televisão.

Primeiro, no entanto, queria virar editor do *St. Julian's News*. Muito cobiçado, o cargo praticamente garantia ao aluno um bom emprego como jornalista quando se formasse. Jasper tinha se candidatado, mas fora derrotado por Sam Cakebread. O sobrenome Cakebread era famoso no jornalismo britânico: o pai de Sam era editor assistente do *Times* londrino, e seu avô era um locutor de rádio extremamente popular. Sam tinha uma irmã mais nova que estudava em St. Julian's e fora estagiária da revista *Vogue*. Jasper desconfiava que Sam devia o emprego mais ao sobrenome do que à competência.

Mas ali na Grã-Bretanha a competência nunca bastava. O avô de Jasper tinha sido um grande general, e seu pai estava trilhando carreira semelhante até cometer o erro de se casar com uma judia; consequentemente, nunca havia ultrapassado a patente de coronel. O *establishment* britânico não perdoava quem violasse suas regras. Jasper ouvira dizer que nos Estados Unidos era diferente.

Evie Williams, sentada com ele à mesa da cozinha, fabricava um cartaz com os dizeres TIREM AS MÃOS DE CUBA.

Para alívio de Jasper, a paixonite de colegial que Evie tinha por ele era coisa do passado. Ela agora estava com 16 anos e tinha uma beleza pálida, etérea, mas era séria e intensa demais para o seu gosto. Qualquer rapaz que a namorasse precisaria compartilhar seu arrebatado comprometimento com uma ampla gama de campanhas contra a crueldade e a injustiça, do apartheid sul-africano às experiências com animais. Ele, por sua vez, não era comprometido com nada. Além disso, preferia garotas como a espevitada Beep Dewar, que, apesar de ter só 13 anos, enfiara a língua em sua boca e se esfregara nele quando seu pau estava duro.

Observou Evie desenhar, dentro do O de "mãos", o símbolo de quatro braços da Campanha pelo Desarmamento Nuclear.

– Quer dizer que o seu slogan apoia duas causas idealistas pelo preço de uma!

– Idealista nada – retrucou ela, ríspida. – Se a guerra estourar hoje à noite, sabe qual vai ser o primeiro alvo das bombas soviéticas? A Grã-Bretanha. Isso porque temos armas nucleares que eles precisam eliminar antes de atacar os Estados Unidos. Não vão bombardear Portugal, nem a Noruega, nem qualquer país sensato o bastante para ficar de fora da corrida nuclear. Qualquer um que use a lógica para pensar a defesa do nosso país sabe que armas nucleares não nos protegem... elas nos põem em perigo.

Jasper não tivera a intenção de que seu comentário fosse levado a sério, mas aquela garota levava tudo a sério.

Igualmente sentado à mesa, o irmão de 14 anos de Evie, Dave, fabricava miniaturas de bandeiras cubanas. Tinha usado um molde vazado para pintar as listras em folhas de papel grosso e agora prendia as folhas a pequenos palitos de madeira balsa com uma pistola de grampos que pegara emprestada. Apesar de invejar a vida de privilégios do adolescente, cujos pais eram ricos e pouco rigorosos, Jasper se esforçava para ser simpático.

– Quantas você vai fazer? – perguntou.

– Trezentas e sessenta – respondeu Dave.

– Imagino que não seja um número aleatório.

– Se não morrermos todos bombardeados hoje à noite, vou vendê-las na passeata de amanhã por seis *pence* cada. Trezentos e sessenta *pence* são 180 *shillings*, ou nove libras, o preço do amplificador de guitarra que quero comprar.

Dave tinha tino para negócios. Jasper se lembrou do bar que ele havia montado no intervalo da peça escolar, administrado por adolescentes que trabalhavam na velocidade máxima porque Dave lhes pagava uma comissão. No entanto, era um mau aluno, o último ou um dos últimos da turma em todas as matérias. Lloyd ficava louco com isso e acusava o filho de ser preguiçoso, pois sob outros aspectos Dave parecia inteligente. Mas Jasper achava que a situação era mais complicada. Dave tinha dificuldade para entender qualquer coisa escrita. Sua caligrafia sofrível, cheia de erros e até com letras invertidas, fazia Jasper pensar em seu melhor amigo do ensino fundamental, incapaz de cantar o hino da escola e para quem era difícil ouvir a diferença entre seu zumbido de uma nota só e a melodia que os outros meninos produziam. Da mesma forma, Dave tinha de fazer um esforço de concentração para ver a diferença entre o "d" e o "b". Ansiava por corresponder às expectativas dos pais muito bem-sucedidos, mas ficava sempre aquém.

Enquanto grampeava as bandeiras de seis *pence*, ele obviamente devia estar distraído pensando em outra coisa, pois falou, do nada:

– Sua mãe e a minha não deviam ter muita coisa em comum quando se conheceram.

– Não tinham mesmo – concordou Jasper. – Daisy Peshkov era filha de um gângster russo-americano. Eva Rothmann era filha de médico em uma família judia de classe média em Berlim, e foi para os Estados Unidos fugindo dos nazistas. Sua mãe acolheu a minha.

– Minha mãe tem um coração gigante – comentou Evie, batizada em homenagem a Eva.

– Queria que alguém me mandasse para os Estados Unidos – disse Jasper quase para si mesmo.

– Por que não vai para lá e pronto? – indagou Evie. – Aproveite e diga para eles deixarem os cubanos em paz.

Jasper não estava nem aí para os cubanos.

– Não tenho dinheiro.

Mesmo sem pagar aluguel, ele era duro demais para comprar uma passagem para os Estados Unidos.

Nessa hora, a mulher do coração gigante entrou na cozinha. Aos 46 anos, Daisy Williams ainda era bonita, com grandes olhos azuis e cabelos louros cacheados. Quando jovem, pensou Jasper, devia ser irresistível. Nessa noite, estava vestida com recato: saia em tom médio de azul, blazer combinando e nenhuma joia. Estava disfarçando a riqueza para poder representar melhor o papel de mulher de político, pensou Jasper, cínico. Ainda tinha um corpo esbelto, embora não tanto quanto antigamente. Ao imaginá-la nua, pensou que Daisy devia ser melhor de cama do que a filha. Devia ser igual a Beep, do tipo que topava tudo. Ficou espantado por se pegar fantasiando com uma mulher da mesma idade de sua mãe. Que bom que as mulheres não conseguiam ler os pensamentos dos homens.

– Que imagem bonita – comentou Daisy com afeto. – Três jovens estudando quietinhos. – Seu sotaque ainda era perceptivelmente americano, embora 25 anos morando em Londres o tivessem abrandado. Ela olhou espantada para as bandeiras do filho. – Que raro você se interessar pelas questões mundiais.

– Vou vender as bandeiras por seis *pence* cada.

– Eu deveria ter imaginado que os seus esforços não tinham nada a ver com a paz mundial.

– Deixo a paz mundial para Evie.

Bem-humorada, sua irmã respondeu:

– Alguém precisa se preocupar com isso. Talvez estejamos todos mortos antes de a passeata começar, vocês sabem... tudo por causa da hipocrisia dos americanos.

Jasper olhou para Daisy, mas ela não pareceu ofendida. Estava acostumada com os comentários éticos cáusticos da filha.

– Eu acho que os americanos ficaram bem assustados com os mísseis em Cuba.

– Nesse caso, deveriam tentar imaginar como os outros se sentem e tirar seus mísseis da Turquia.

– Concordo, e acho que Kennedy errou ao pôr aqueles mísseis lá. Mas existe uma diferença. Aqui na Europa as pessoas estão acostumadas a ter mísseis apontados para elas, de ambos os lados da Cortina de Ferro. Mas o fato de Kruschev mandar mísseis para Cuba em segredo foi uma mudança chocante do *status quo*.

– Nada mais justo.

– E a política na prática é diferente da teoria. Mas vejam só como a história se repete: meu filho é igualzinho ao meu pai, sempre atento à oportunidade de ganhar algum dinheiro, mesmo às portas da Terceira Guerra Mundial. E minha filha é igual a meu tio bolchevique Grigori, decidida a mudar o mundo.

Evie ergueu os olhos.

– Se ele foi bolchevique, mudou mesmo o mundo.

– Mas será que foi para melhor?

Lloyd entrou na cozinha. Como seus antepassados mineiros de carvão, tinha baixa estatura e ombros largos. Algo em seu jeito de andar sempre fazia Jasper pensar que ele já tinha sido campeão de boxe. Suas roupas tinham estilo, mas eram um pouco antiquadas: terno preto com trama espinha de peixe bem suave, lenço branco engomado no bolso da frente. O casal estava claramente a caminho de algum compromisso político.

– Se você estiver pronta, eu também estou, querida – disse ele para Daisy.

– Sobre o que vai ser a reunião? – quis saber Evie.

– Cuba – respondeu o pai. – Sobre o que mais poderia ser? – Ele reparou no cartaz. – Estou vendo que você já se decidiu em relação ao assunto.

– Não é muito complicado, é? O povo cubano deveria poder escolher o próprio destino... esse não é um princípio democrático básico?

Jasper sentiu que uma briga estava se armando. Naquela família, as brigas sempre tinham a ver com política. Entediado com o idealismo de Evie, interrompeu a conversa:

— Hank Remington vai cantar "Poison Rain" amanhã na Trafalgar Square.

Jovem irlandês que na verdade se chamava Harry Riley, Remington era líder de uma banda pop chamada The Kords. A música, cujo título significava "chuva venenosa", era sobre poeira radioativa.

— Ele é demais – comentou Evie. – Tem o pensamento tão claro!

Hank era um de seus heróis.

— Ele foi falar comigo – disse Lloyd.

A adolescente mudou de tom na mesma hora:

— Você não me contou!

— Foi hoje.

— E o que achou dele?

— Um verdadeiro gênio da classe operária.

— O que ele queria?

— Que eu me levantasse na Câmara dos Comuns e denunciasse Kennedy como instigador da guerra.

— E você deveria ter feito isso mesmo!

— E se o Partido Trabalhista ganhar as próximas eleições? Suponha que eu vire secretário das Relações Exteriores. Posso ter que ir à Casa Branca pedir apoio a Kennedy para algo que o governo trabalhista queira fazer; uma resolução na ONU contra a discriminação racial na África do Sul, talvez. Kennedy pode se lembrar de como eu o ofendi e me mandar pastar.

— Mesmo assim – insistiu Evie.

— Acusar alguém de instigar a guerra em geral não ajuda em nada. Se achasse que isso resolveria essa crise, eu o faria. Mas essa é uma carta que só se pode jogar uma vez, e prefiro guardá-la para quando tiver uma boa mão.

Lloyd era um político pragmático, pensou Jasper. Gostava disso.

Mas Evie, não.

— Eu acho que as pessoas devem se levantar e dizer a verdade – afirmou ela.

— Sinto orgulho de ter uma filha assim – comentou Lloyd, sorrindo. – Espero que você passe a vida inteira pensando desse jeito. Mas agora preciso ir explicar a crise para os meus eleitores do East End.

— Tchau, meninos. Até mais tarde – disse Daisy.

O casal saiu.

— Quem ganhou essa discussão? – perguntou Evie.

Seu pai, pensou Jasper, de lavada; mas ficou de bico calado.

Foi dominado por uma grande ansiedade que George retornou ao centro de Washington. Até então, todos vinham partindo do pressuposto de que uma invasão de Cuba estaria fadada ao sucesso. Os mísseis FROG de curto alcance mudavam tudo: os soldados americanos agora teriam de enfrentar armas nucleares de combate. Talvez os Estados Unidos vencessem mesmo assim, mas a guerra seria mais árdua e custaria mais vidas, e o desfecho já não era uma certeza.

Desceu do táxi na Casa Branca e deu uma passada na assessoria. Maria estava sentada à sua mesa. Ficou feliz ao constatar que ela tinha um aspecto bem melhor do que três dias antes.

– Estou bem, obrigada – foi a resposta dela à sua pergunta.

George sentiu o coração aliviado com uma pequena preocupação a menos, mas a maior de todas ainda lhe pesava. Ela estava se recuperando fisicamente, mas ele não sabia que danos emocionais poderiam estar sendo causados por seu caso de amor clandestino.

Não pôde lhe fazer perguntas mais íntimas, pois ela estava acompanhada por um rapaz negro de paletó de tweed.

– Este é Leopold Montgomery – apresentou. – Ele trabalha na Reuters. Veio buscar um release.

– Pode me chamar de Lee – disse o jornalista.

– Imagino que não haja muitos repórteres negros cobrindo Washington – comentou George.

– Eu sou o único.

– George Jakes trabalha com Bobby Kennedy – disse Maria.

De repente, Lee ficou mais interessado.

– Como ele é?

– O emprego é ótimo – respondeu George, esquivando-se da pergunta. – Eu o aconselho principalmente em relação aos direitos civis. Nós tomamos providências legais contra os estados do Sul que impedem negros de votar.

– Mas nós precisamos de uma nova Lei de Direitos Civis.

– Sem dúvida, irmão. – George se virou para Maria. – Não posso ficar muito tempo. Que bom que você melhorou.

– Se estiver indo para o prédio da Justiça, vou com você – disse Lee.

George costumava evitar a companhia de jornalistas, mas experimentou um sentimento de camaradagem com Lee. Assim como ele, o rapaz estava tentando conquistar seu lugar na branca Washington e por isso concordou.

– Obrigada por vir me ver – falou Maria. – Lee, me ligue se precisar de algum esclarecimento sobre o release, por favor.

– Claro.

Os dois rapazes saíram do prédio e seguiram pela Pensylvannia Avenue.

– O que tem no tal release? – quis saber George.

– Apesar de os navios terem revertido o curso, os soviéticos continuam construindo bases de lançamento de mísseis em Cuba, e a todo o vapor.

George pensou nas fotografias de reconhecimento aéreo que tinha acabado de ver. Sentiu-se tentado a contar a Lee sobre elas. No entanto, por mais que fosse gostar de entregar um furo de reportagem a um jovem jornalista negro, seria uma quebra de sigilo, e ele resistiu ao impulso.

– Acho que é isso mesmo – falou, evasivo.

– E o governo não parece estar fazendo nada.

– Como assim?

– É óbvio que a quarentena não está funcionando, e o presidente não está fazendo mais nada.

George ficou mordido. Embora não tivesse um cargo importante, fazia parte do governo, e sentiu-se injustamente acusado.

– No discurso que fez segunda-feira na TV, o presidente disse que a quarentena era só o começo.

– Quer dizer que ele vai fazer mais coisas?

– Obviamente foi isso que ele quis dizer.

– Mas o quê?

Ao perceber que estava sendo pressionado para dar informações, George sorriu.

– Preste atenção e verá – respondeu.

Quando voltou ao Departamento de Justiça, encontrou Bobby enfurecido. Gritar e atirar objetos pela sala não faziam o estilo do secretário. Sua fúria era fria e cruel, e as pessoas costumavam comentar sobre seu aterrorizante olhar azul.

– De quem ele está com tanta raiva? – perguntou George a Dennis Wilson.

– Tim Tedder. Ele despachou três equipes de infiltração para Cuba com seis homens cada uma. E há outras aguardando para partir.

– Hein? Por quê? Quem mandou a CIA fazer isso?

– Faz parte da Operação Mangusto e, aparentemente, ninguém os mandou *parar*.

– Mas eles sozinhos podem começar a Terceira Guerra Mundial!

– É por isso que Bobby está espumando pela boca. Além do mais, eles manda-

291

ram uma dupla de agentes explodir uma mina de cobre, e infelizmente perderam o contato com os dois.

– Ou seja, os caras a esta altura devem estar na cadeia, desenhando a planta baixa da estação da CIA em Miami para seus interrogadores soviéticos.

– Pois é.

– Que hora idiota para fazer uma coisa dessas... por vários motivos – continuou George. – Cuba está se preparando para uma guerra. A segurança de Fidel Castro, que já é sempre boa, agora deve estar em alerta máximo.

– Exatamente. Bobby vai participar de uma reunião da Mangusto no Pentágono daqui a alguns minutos, e imagino que vá crucificar Tedder.

George não foi com Bobby ao Pentágono. Para seu grande alívio, continuava não sendo incluído nas reuniões da Mangusto; a ida a La Isabela o convencera de que a operação toda era criminosa, e ele não queria ter mais nada a ver com aquilo.

Sentou-se à sua mesa de trabalho, mas não conseguiu se concentrar. De toda forma, os direitos civis tinham passado para o final da lista de prioridades: ninguém estava pensando na igualdade para os negros naquela semana.

George sentia que a crise estava fugindo ao controle do presidente. A contragosto, Kennedy ordenara a interceptação do *Marucla*. A operação tinha corrido bem, mas o que iria acontecer da próxima vez? E Cuba agora tinha armas nucleares de combate; os Estados Unidos ainda poderiam invadir o país, mas o preço seria alto. Além disso, só para acrescentar mais um elemento de risco, a CIA estava agindo por conta própria.

Embora todos estivessem loucos para esfriar os ânimos, o que estava acontecendo era justamente o contrário: uma escalada terrível na crise, algo que ninguém desejava.

Mais tarde no mesmo dia, Bobby voltou do Pentágono trazendo a matéria de uma agência de notícias.

– Que diabo é isto aqui? – perguntou a seus assessores. Começou a ler o texto: – "Em reação à aceleração da campanha de construção de bases de lançamento de mísseis em Cuba, esperam-se novas ações iminentes do presidente Kennedy..." – Ele ergueu a mão com o dedo apontado para cima. – "... segundo fontes próximas ao secretário da Justiça." – Correu os olhos pela sala. – Quem deu com a língua nos dentes?

– Puta que pariu... – xingou George.

Todos olharam para ele.

– George, tem alguma coisa para me dizer? – indagou Bobby.

George quis que um buraco no chão o engolisse.

– Lamento muito – falou. – Eu só citei o discurso do presidente, que disse que a quarentena era só o começo.

– Não se diz esse tipo de coisa a um jornalista! Você deu a ele uma nova matéria.

– Puxa, agora eu sei disso.

– E escalou a crise exatamente no momento em que estávamos todos tentando acalmar os ânimos. A próxima matéria vai especular sobre que ação o presidente tem em mente. Aí, se ele não fizer nada, vão chamá-lo de hesitante.

– Sim, secretário.

– Por que você falou com esse tal jornalista?

– Eu o conheci na Casa Branca, e ele me acompanhou pela Pensylvannia Avenue.

– Essa matéria é da Reuters? – perguntou Dennis Wilson.

– É, por quê?

– Então deve ter sido Lee Montgomery quem escreveu.

George grunhiu. Sabia o que estava prestes a acontecer. Wilson estava fazendo o incidente parecer pior de propósito.

– Por que acha isso, Dennis? – perguntou Bobby.

Como Wilson hesitou, o próprio George respondeu à pergunta:

– Montgomery é negro.

– Foi por isso que você falou com ele? – quis saber o secretário.

– Acho que eu não quis mandá-lo se catar.

– Da próxima vez, é exatamente isso que você vai dizer a ele e a qualquer outro jornalista que tentar arrancar alguma coisa de você. Independentemente da cor da pele.

As palavras "da próxima vez" deixaram George aliviado: queriam dizer que ele não seria demitido.

– Obrigado. Não vou esquecer.

– É melhor não esquecer mesmo.

Bobby entrou em sua sala.

– Você se safou – comentou Wilson. – Que sorte.

– É. Obrigado pela sua ajuda, Dennis – respondeu George, sarcástico.

Voltaram todos ao trabalho. George mal conseguia acreditar no que tinha feito. Sem querer, ele também tinha posto lenha na fogueira.

Ainda estava deprimido quando a telefonista lhe passou uma chamada interurbana de Atlanta.

– Oi, George. É Verena Marquand.

– Tudo bem? – disse ele, alegre por ouvir a voz dela.

– Estou preocupada.

– Você e o mundo todo.

– O Dr. King me pediu para ligar para você e perguntar o que está acontecendo.

– Vocês provavelmente sabem tanto quanto nós. – Ainda abalado com a bronca do chefe, ele não queria correr o risco de cometer outra indiscrição. – Quase tudo já saiu nos jornais.

– Nós vamos mesmo invadir Cuba?

– Só o presidente sabe.

– Vai haver uma guerra nuclear?

– Nem o presidente sabe.

– Estou com saudades, George. Queria poder sentar com você e ficar só conversando, sabe?

Isso o deixou espantado. Ele não a conhecia muito bem em Harvard, e fazia seis meses que os dois não se viam. Não sabia que ela gostava tanto dele a ponto de sentir saudades. Não soube o que responder.

– O que eu digo ao Dr. King?

– Diga que... – George não completou a frase.

Pensou em todas as pessoas que cercavam o presidente Kennedy: os generais de cabeça quente que desejavam uma guerra imediata, os homens da CIA sempre bancando James Bond, os jornalistas reclamando de inação quando o presidente se mostrava cauteloso.

– Diga a ele que o homem mais inteligente dos Estados Unidos está no comando, e que não podemos pedir nada melhor do que isso.

– Está bem – falou Verena, e desligou.

George se perguntou quanto acreditava no que acabara de dizer. Queria odiar Jack Kennedy pelo modo como ele tratara Maria, mas será que haveria alguém melhor para lidar com aquela crise? Não. Não conseguia pensar em mais ninguém que tivesse a combinação certa de coragem, sensatez, autocontrole e calma.

No final da tarde, depois de atender a um telefonema, Wilson avisou a todos na sala:

– Vamos receber uma carta de Kruschev. Vai chegar no Departamento de Justiça.

– O que diz a carta? – quis saber alguém.

– Não muito, até agora – respondeu Wilson. Olhou para seu bloco de anotações. – Ainda não recebemos tudo. "Vocês nos ameaçam com guerra, mas sabem muito bem que o mínimo que receberiam como resposta seria ter de enfrentar as mesmas consequências..." A carta foi entregue na nossa embaixada em Moscou logo antes das dez da manhã de hoje, no horário daqui.

– Dez da manhã?! – exclamou George. – Agora são seis da tarde! Por que tanta demora?

Wilson respondeu em um tom condescendente e cansado, como se estivesse farto de explicar procedimentos básicos a principiantes:

– Nosso pessoal em Moscou precisa traduzir a carta para o inglês, depois criptografá-la, depois transmiti-la. Quando ela é recebida aqui em Washington, os funcionários do Departamento de Estado precisam quebrar o código e, por fim, datilografá-la. E cada palavra precisa ser verificada três vezes antes de o presidente tomar qualquer atitude. É um processo demorado.

– Obrigado – agradeceu George.

Wilson podia ser um babaca convencido, mas era bem informado.

Apesar de ser sexta à noite, ninguém iria voltar para casa.

A mensagem de Kruschev chegou em pedaços. Como se podia prever, a parte mais importante ficou para o fim. Se os Estados Unidos prometessem não invadir Cuba, "a necessidade da presença de nossos especialistas militares deixaria de existir".

Aquilo era uma proposta de acordo, sem dúvida uma notícia boa. Mas o que significava exatamente?

Era de se presumir que os soviéticos retirariam suas armas nucleares de Cuba; nada menos do que isso teria qualquer significado.

Mas como os Estados Unidos poderiam prometer jamais invadir a ilha? Será que o presidente americano sequer cogitaria atar as próprias mãos dessa maneira? Kennedy relutaria em desistir por completo da esperança de se livrar de Fidel, pensou George.

E como o mundo iria reagir a um acordo assim? Será que iria considerá-lo uma vitória de política externa para Kruschev? Ou diria que Kennedy tinha forçado os soviéticos a recuarem?

Aquilo era uma boa notícia ou não? George não conseguia chegar a uma conclusão.

Larry Mawhinney passou pela quina da porta sua cabeça de cabelos à escovinha.

– Cuba agora tem armas nucleares de curto alcance – falou.

– Estamos sabendo. A CIA descobriu ontem.

– Isso significa que precisamos ter a mesma coisa – disse Larry.

– Como assim?

– A força de invasão a Cuba precisa estar equipada com armas nucleares de combate.

– Ah, é?

– Claro! O Estado-Maior Conjunto está prestes a exigi-las. Você mandaria nossos homens para a batalha menos bem armados do que o inimigo?

George entendeu que Larry tinha certa razão, mas a consequência era terrível.

– Quer dizer que agora qualquer guerra em Cuba vai ser um conflito nuclear desde o início?

– É isso aí – confirmou Larry, e foi embora.

⁂

No fim do dia, George passou na casa da mãe. Jacky fez café e lhe serviu um prato de biscoitos. Ele não pegou nenhum.

– Estive com Greg ontem – falou.

– Como ele está?

– Igualzinho. Só que... só que me disse que eu fui a melhor coisa que já aconteceu na vida dele.

– Vejam só! – exclamou Jacky em tom descrente. – De onde ele tirou isso?

– Queria que eu soubesse quanto se orgulha de mim.

– Ora, ora. Ainda existe algo de bom dentro daquele homem.

– Quanto tempo faz que você não vê Lev e Marga?

Ela estreitou os olhos, desconfiada.

– Por que está me perguntando isso?

– Você se dá bem com minha avó Marga.

– É porque ela ama você. Uma mãe sente carinho por quem ama seu filho. Quando você for pai, vai entender.

– Faz mais de um ano que vocês não se veem... desde a formatura em Harvard.

– É verdade.

– Você não trabalha nos fins de semana.

– O clube fecha aos sábados e domingos. Quando você era pequeno eu precisava do fim de semana livre, para ficar com você quando não estava na escola.

– A primeira-dama levou Caroline e John Junior para Glen Ora.

– Ah... e você acha que eu devo ir para a minha casa de campo na Virgínia passar uns dias montando meus cavalos, suponho.

– Você poderia ir visitar Marga e Lev em Buffalo.

– Passar o fim de semana em Buffalo? – estranhou Jacky. – Tenha dó, meu filho! Eu teria que passar o sábado inteiro no trem de ida e o domingo inteiro no de volta.

– Você poderia ir de avião.

– Não tenho dinheiro para isso.

– Eu pago a passagem.

– Ai, meu pai do céu... Você acha que os russos vão nos bombardear neste fim de semana, é isso?

– Essa possibilidade nunca esteve tão próxima. Vá a Buffalo.

Jacky terminou o café, levantou-se e foi até a pia lavar a xícara.

– E você? – perguntou depois de alguns instantes.

– Eu tenho que ficar aqui e fazer o que puder para evitar que isso aconteça.

Decidida, ela fez que não com a cabeça.

– Eu não vou a Buffalo.

– Eu ficaria muito aliviado se você fosse, mãe.

– Se quiser sentir alívio, reze a Deus.

– Você conhece aquele ditado árabe? "Confie em Alá, mas amarre o seu camelo." Se você for a Buffalo, eu rezo.

– Como é que você sabe que os russos não vão bombardear Buffalo?

– Não tenho como ter certeza, mas eu diria que a cidade é um alvo secundário. E pode ser que esteja fora do alcance dos mísseis de Cuba.

– Que defesa fraca para um advogado.

– Estou falando sério, mãe.

– Eu também. E você é um bom filho por se importar com sua mãe desse jeito. Mas agora me escute: desde os 16 anos, meu único propósito na vida foi criar você. Se tudo o que fiz for dizimado em uma explosão nuclear, não quero estar viva depois para ficar sabendo. Vou ficar onde você estiver.

– Ou nós dois vamos sobreviver, ou vamos morrer juntos.

– O Senhor dá e o Senhor toma– disse Jacky, citando a Bíblia. – Bendito seja o nome do Senhor.

⁓

Segundo Volodya, o tio de Dimka que trabalhava na Inteligência do Exército Vermelho, os Estados Unidos tinham mais de duzentos mísseis nucleares capazes de atingir a URSS. Os americanos achavam que a União Soviética tinha cerca da metade dessa quantidade de mísseis intercontinentais, dizia ele. Na verdade, o país tinha exatamente 42.

E alguns eram obsoletos.

Quando os Estados Unidos não responderam imediatamente a sua proposta de acordo, Kruschev ordenou que até os mísseis mais antigos e menos confiáveis fossem preparados para lançamento.

Nas primeiras horas da manhã de sábado, Dimka telefonou para a área de teste de mísseis em Baikonur, no Casaquistão. A base militar localizada ali tinha dois R-7 Semyorkas de cinco motores, foguetes obsoletos do mesmo tipo usado para lançar o Sputnik no espaço, cinco anos antes, que atualmente estavam sendo preparados para explorar o planeta Marte.

Dimka anulou a expedição a Marte. Os Semyorkas estavam incluídos nos 42 mísseis intercontinentais da URSS, sendo, portanto, necessários para a Terceira Guerra Mundial. Ele deu ordem aos cientistas para que equipassem os dois foguetes com ogivas nucleares e os abastecessem.

A preparação para o lançamento levaria vinte horas. Os Semyorkas usavam um propulsor líquido instável, e não podiam ser mantidos em alerta por mais de um dia. Ou seriam usados naquele fim de semana, ou nunca mais.

Os foguetes Semyorka muitas vezes explodiam na decolagem. Se isso não acontecesse, contudo, podiam alcançar Chicago.

Cada um seria equipado com uma bomba de 2,8 megatons.

Se uma dessas bombas acertasse o alvo, causaria destruição em um raio de 12 quilômetros a partir do centro de Chicago, das margens do lago até Oak Park, segundo o atlas de Dimka.

Após ter certeza que o oficial encarregado havia entendido as ordens, ele foi dormir.

CAPÍTULO DEZENOVE

O telefone acordou Dimka. Seu coração disparou: seria a guerra? Quantos minutos lhe restariam de vida? Ele arrancou o fone do gancho. Era Natalya. Sempre a primeira a par das notícias, como de hábito, ela disse:

– Chegou um despacho telegráfico de Pliyev.

O general Pliyev era o comandante das forças soviéticas em Cuba.

– Como assim? O que diz?

– Eles acham que os americanos vão atacar hoje ao raiar do dia, horário de lá.

Ainda estava escuro em Moscou. Dimka acendeu a luz da cabeceira e checou as horas. Eram oito da manhã; já deveria estar no Kremlin. No entanto, ainda faltavam cinco horas para o dia nascer em Cuba. Seu coração se acalmou um pouco.

– Como eles sabem?

– Não vem ao caso – retrucou Natalya.

– O que vem ao caso, então?

– Vou ler a última frase da mensagem para você. "Nós decidimos que, na eventualidade de um ataque norte-americano às nossas instalações, vamos empregar todas as formas disponíveis de defesa aérea." Eles vão usar armas nucleares.

– Não podem fazer isso sem a nossa permissão!

– Mas é exatamente o que estão propondo.

– Malinovski não vai deixar.

– Não aposte tanto nisso.

Dimka soltou um palavrão entre os dentes. Às vezes os militares pareciam de fato desejar um holocausto nuclear.

– Encontro você na cantina.

– Me dê meia hora.

Dimka tomou uma ducha rápida. Sua mãe lhe ofereceu café da manhã e, como ele não quis, lhe deu um pedaço de pão preto de centeio para levar.

– Não esqueça que hoje tem uma festa para o seu avô – lembrou-lhe ela.

Grigori estava fazendo 74 anos e haveria um grande almoço no seu apartamento. Dimka prometera levar Nina. Eles estavam planejando surpreender a todos com o anúncio de seu noivado.

Só que, se os americanos atacassem Cuba, não haveria festa.

Quando ele estava saindo, Anya o deteve:

– Fale a verdade. O que vai acontecer?

Ele lhe deu um abraço.

– Sinto muito, mãe. Eu não sei.

– Sua irmã está lá em Cuba.

– Eu sei.

– Ela está bem na linha de tiro.

– Mãe, os americanos têm mísseis intercontinentais. Todos nós estamos na linha de tiro.

Ela o abraçou, em seguida virou as costas.

Dimka foi de moto até o Kremlin. Quando chegou ao prédio do Presidium, Natalya o aguardava na cantina. Assim como ele, tinha se vestido às pressas e parecia um pouco desarrumada, mas seus cabelos desalinhados caíam sobre o rosto de um jeito que ele achou encantador. Preciso parar de pensar assim, ordenou a si mesmo; vou fazer a coisa certa: casar-me com Nina e criar nosso filho.

Perguntou-se o que Natalya diria caso lhe contasse a novidade.

Mas não era hora para isso. Tirou do bolso o pedaço de pão de centeio.

– Seria bom arrumar um pouco de chá – falou.

As portas da cantina estavam abertas, mas ninguém estava servindo ainda.

– Ouvi dizer que os restaurantes nos Estados Unidos ficam abertos quando as pessoas querem comer e beber, não quando os funcionários querem trabalhar – comentou Natalya. – Você acha que é verdade?

– Deve ser só propaganda – respondeu Dimka, sentando-se.

– Vamos redigir um rascunho de resposta para Pliyev – disse ela, abrindo um bloco de notas.

Enquanto mastigava, Dimka se concentrou na questão.

– O Presidium deveria proibir Pliyev de disparar armas nucleares sem ordens expressas de Moscou.

– Eu preferiria proibi-lo de sequer equipar os foguetes com ogivas. Aí as armas não poderiam ser disparadas por acidente.

– Bem pensado.

Yevgeny Filipov entrou. Estava usando um suéter marrom sob um paletó de terno cinza.

– Bom dia, Filipov. Veio me pedir desculpas? – perguntou Dimka.

– Desculpas por quê?

– Você me acusou de ter deixado vazar o segredo de nossos mísseis em Cuba. Disse inclusive que eu deveria ser preso. Agora sabemos que os mísseis foram fotografados por um avião espião da CIA. Você obviamente me deve profusas desculpas.

– Deixe de ser ridículo – disparou Filipov. – Não achávamos que as fotos de grande altitude tiradas por eles mostrariam algo tão pequeno quanto um míssil. O que vocês dois estão tramando?

Natalya respondeu a verdade:

– Estamos conversando sobre o despacho telegráfico que Pliyev mandou hoje de manhã.

– Já falei com Malinovski sobre isso. – Filipov trabalhava para o ministro da Defesa. – Ele concorda com Pliyev.

Dimka ficou horrorizado.

– Pliyev não pode ser autorizado a começar a Terceira Guerra Mundial por iniciativa própria!

– Ele não vai começar nada. Vai defender nossas tropas de uma agressão americana.

– O nível da resposta não pode ser uma decisão local.

– Talvez não haja tempo para nada além disso.

– Pliyev precisa ganhar tempo, não dar início a um confronto nuclear.

– Malinovski acha que precisamos proteger as armas que temos em Cuba. Se elas forem destruídas pelos americanos, isso enfraquecerá nossa capacidade de defender a URSS.

Nisso Dimka não tinha pensado. Uma parte significativa do arsenal nuclear soviético estava agora em Cuba. Os americanos poderiam aniquilar todas aquelas armas caras e deixar os soviéticos seriamente enfraquecidos.

– Nada disso – discordou Natalya. – Nossa estratégia deve se basear em *não* usar armas nucleares. Por quê? Porque nós temos poucas em comparação com os americanos. – Ela se inclinou para a frente por cima da mesa da cantina. – Escute aqui, Yevgeny. Se houver uma guerra nuclear de verdade, *são eles que vão ganhar*. – Tornou a se sentar. – Então nós podemos nos gabar, podemos esbravejar, podemos ameaçar, mas não podemos disparar nossas armas. Para nós, uma guerra nuclear é suicídio.

– Não é assim que o ministro da Defesa vê a situação.

Natalya hesitou.

– Você fala como se uma decisão já tivesse sido tomada.

– E foi. Malinovski aceitou a proposta de Pliyev.

– Kruschev não vai gostar – comentou Dimka.

– Pelo contrário, ele concordou – disse Filipov.

Dimka percebeu que o fato de ter ficado acordado até tão tarde na noite anterior o fizera perder as conversas do início da manhã. Isso o punha em situação de desvantagem. Levantou-se.

– Vamos – disse a Natalya.

Os dois saíram da cantina. Enquanto esperavam o elevador, ele tornou a falar:

– Que droga. Precisamos reverter essa decisão.

– Tenho certeza de que Kosygin vai querer discutir isso no Presidium de hoje.

– Por que não datilografa o rascunho da ordem que redigimos e sugere que Kosygin leve para a reunião? Vou tentar convencer Kruschev.

– Está bem.

Eles se separaram, e Dimka foi até a sala de Kruschev. O primeiro-secretário estava lendo as traduções de matérias de jornais ocidentais, cada qual grampeada ao texto original.

– Você já leu o artigo de Walter Lippmann?

Lippmann era um colunista americano sindicalizado, de opiniões liberais. Dizia-se que era próximo de Kennedy.

– Não. – Dimka ainda não tinha olhado os jornais.

– Ele está propondo uma troca: nós retiramos nossos mísseis de Cuba, e eles retiram os deles da Turquia. É uma mensagem de Kennedy para mim!

– Lippmann é só um jornalista...

– Não, nada disso. Ele é um porta-voz do presidente.

Dimka duvidava que a democracia americana funcionasse assim, mas não falou nada.

O premiê prosseguiu:

– Ou seja, se propusermos essa troca, Kennedy vai aceitar.

– Mas nós já pedimos outra coisa: que eles prometam não invadir Cuba.

– Então vamos deixar Kennedy na dúvida!

Com certeza vamos deixá-lo confuso, pensou Dimka, mas era esse o jeito de Kruschev. Para que ser coerente? Isso apenas facilitava a vida do inimigo.

Dimka mudou de assunto:

– Durante o Presidium, vai haver perguntas sobre a mensagem de Pliyev. Dar a ele o poder de disparar armas nucleares...

– Não se preocupe – disse Kruschev com um aceno desdenhoso. – Os americanos não vão atacar agora. Estão até conversando com o secretário-geral da ONU. Eles querem a paz.

– Claro – respondeu Dimka, deferente. – Contanto que o senhor saiba que o assunto vai surgir.

– Sim, sim, eu sei.

Minutos depois, os líderes soviéticos se reuniram entre as paredes revestidas de madeira da Sala do Presidium. Kruschev abriu a reunião com um longo discurso argumentando que a hora para um ataque americano havia passado. Então expôs o que chamou de Proposta de Lippmann, causando pouco entusiasmo ao redor da mesa, mas tampouco qualquer oposição. A maioria dos presentes percebia que o líder precisava conduzir a diplomacia à sua própria maneira.

Kruschev estava tão animado com a nova ideia que ditou sua carta para Kennedy ali mesmo, durante a reunião, enquanto os outros escutavam. Então ordenou que o texto fosse lido na Rádio Moscou. Assim, a embaixada americana poderia encaminhá-la para Washington sem a demorada obrigação de criptografá-la.

Por fim, Kosygin levantou a questão da mensagem de Pliyev. Seu argumento foi que o controle das armas nucleares deveria permanecer em Moscou, e ele leu em voz alta o rascunho da ordem ao general redigido por Dimka e Natalya.

– Sim, sim, podem mandar – falou Kruschev, impaciente, e Dimka respirou mais aliviado.

Uma hora depois, Dimka subia com Nina o elevador da Casa do Governo.

– Vamos tentar esquecer nossas preocupações por um instante – disse ele. – Nada de falar sobre Cuba. Estamos indo para uma festa, vamos nos divertir.

– Por mim está ótimo – concordou Nina.

Eles foram para o apartamento dos avós de Dimka. Katerina os recebeu na porta, de vestido vermelho. Dimka ficou espantado ao ver que a saia era na altura dos joelhos, como mandava a última moda ocidental, e que sua avó ainda tinha pernas esguias. Ela havia morado no Ocidente quando o marido trabalhava no circuito diplomático e aprendera a se vestir com mais estilo do que a maioria das soviéticas.

Com a curiosidade despudorada dos mais velhos, Katerina olhou Nina de cima a baixo.

– Você está ótima – falou, e Dimka se perguntou por que o tom de voz da avó soava um pouco estranho.

Nina interpretou aquilo como um elogio.

– Obrigada, a senhora também. Onde arrumou esse vestido?

Ela os conduziu até a sala. Dimka se lembrava de frequentar aquele apartamento quando criança. Sua avó sempre lhe oferecia um doce tradicional russo chamado *belev*, à base de maçã. Ficou com água na boca: bem que gostaria de comer um pedaço agora.

Katerina lhe pareceu um pouco instável sobre os sapatos de salto. Sentado na espreguiçadeira em frente à TV como era seu costume, apesar de o aparelho estar desligado, Grigori já tinha aberto uma garrafa de vodca. Talvez por isso sua mulher estivesse um pouco trôpega.

– Parabéns, vô – falou Dimka.

– Beba alguma coisa – disse Grigori.

Dimka precisava tomar cuidado. Bêbado, não teria serventia alguma para Kruschev. Esvaziou de uma talagada só o copo de vodca que o avô lhe entregou, em seguida pousou-o fora do seu alcance, para evitar que ele tornasse a enchê-lo.

Anya já tinha chegado para ajudar a mãe e veio da cozinha trazendo uma bandeja de biscoitos salgados com caviar vermelho. Não havia herdado o senso de estilo de Katerina, e sempre parecia roliça e à vontade, não importava o que estivesse vestindo.

Ela cumprimentou Nina com um beijo.

A campainha tocou, e Volodya entrou acompanhado pela família. Aos 48 anos, tinha os cabelos curtos já grisalhos. Estava de uniforme: podia ser convocado a qualquer momento. Sua mulher Zoya, que entrou logo atrás, beirava os 50, mas ainda era uma pálida deusa russa. Atrás do casal vieram seus dois filhos adolescentes, Kotya e Galina.

Ele apresentou Nina. Tanto Volodya quanto Zoya a cumprimentaram calorosamente.

Olhou em volta: para o casal de idade avançada que havia iniciado aquilo tudo; para a mãe sem graça e o belo tio de olhos azuis; para a linda tia e os primos adolescentes; e para a voluptuosa ruiva que estava prestes a desposar. Aquela era a sua família, a parte mais preciosa de tudo o que iria se perder naquele dia caso seus temores se concretizassem. Todas aquelas pessoas viviam a menos de um quilômetro e meio do Kremlin. Se os americanos disparassem armas nucleares contra Moscou naquela noite, estariam todas mortas pela manhã, com os miolos cozidos, os corpos esmagados, a pele estorricada. E seu único consolo era que não precisaria prunteá-los, pois também estaria morto.

Todos beberam em homenagem ao aniversário do patriarca.

– Queria que meu irmãozinho Lev estivesse aqui... – comentou Grigori.

– E Tanya – completou Anya.

– Lev Peshkov não é mais tão pequeno assim, pai – falou Volodya. – Ele tem 67 anos e é milionário nos Estados Unidos.

– Será que ele tem netos lá?

– Nos Estados Unidos, não – respondeu Volodya. Dimka sabia que era fácil para a Inteligência do Exército Vermelho descobrir aquele tipo de coisa. – Greg, o filho ilegítimo de Lev que é senador, continua solteiro. Mas sua filha legítima, Daisy, mora em Londres e tem dois filhos adolescentes, um menino e uma menina, mais ou menos da mesma idade de Kotya e Galina.

– Quer dizer então que eu tenho sobrinhos-netos britânicos – refletiu Grigori com um ar satisfeito. – Como eles se chamam?

– David e Evie – falou Volodya.

– Era eu que deveria ter ido para os Estados Unidos, sabiam? Mas na última hora dei minha passagem para Lev.

Ele começou a relembrar o passado. Todos já tinham ouvido aquela história, mas ouviram de novo, felizes em deixá-lo dizer o que quisesse no dia do seu aniversário.

Depois de alguns instantes, Volodya chamou Dimka de lado e perguntou:

– E o Presidium de hoje de manhã, como foi?

– Eles ordenaram a Pliyev que não disparasse nenhuma arma nuclear sem ordens expressas do Kremlin.

Volodya deu um grunhido desanimado.

– Que perda de tempo...

– Por quê? – perguntou Dimka, espantado.

– Não vai fazer diferença.

– Está dizendo que Pliyev vai desobedecer às ordens?

– Acho que qualquer comandante faria isso. Você nunca participou de nenhuma batalha, não é? – Volodya perscrutou o sobrinho com os penetrantes olhos azuis. – Quando está sendo atacado, lutando pela própria vida, você se defende com qualquer coisa que aparecer pela frente. É visceral, não dá para controlar. Se os americanos invadirem Cuba, nossas forças lá vão partir com tudo para cima deles, independentemente das ordens de Moscou.

– Puta merda!

Se o tio estivesse certo, todos os esforços daquela manhã teriam sido em vão.

A história de Grigori já havia terminado, e Nina tocou o braço de Dimka.

– Agora talvez seja uma boa hora.

Dimka tomou a palavra e se dirigiu aos parentes reunidos:

– Agora que já honramos o aniversário do meu avô, tenho um comunicado a fazer. Silêncio, por favor. – Ele esperou os adolescentes pararem de falar. – Pedi Nina em casamento, e ela disse sim.

Todos deram vivas.

Uma nova rodada de vodca foi servida, mas dessa vez ele conseguiu não beber.

Anya lhe deu um beijo.

– Muito bem, filho. Ela não queria se casar... até conhecer você!

– Quem sabe vou ter meus próprios bisnetos em breve? – brincou Grigori, e piscou o olho para Nina de forma exagerada.

– Pai, não constranja a pobre moça! – protestou Volodya.

– Constranger? Que bobagem. Nina e eu somos amigos.

– Não precisa se preocupar – comentou Katerina, a essa altura já embriagada. – Ela já está grávida.

– Mãe! – exclamou Volodya.

– Uma mulher sabe essas coisas – disse Katerina, dando de ombros.

Então era por isso que sua avó tinha olhado Nina de cima a baixo com tanta atenção quando eles haviam entrado, pensou Dimka. Viu Volodya e Zoya trocarem um olhar: seu tio arqueou uma sobrancelha, Zoya meneou a cabeça de leve, e Volodya formou um breve "ah!" com os lábios.

Anya exibia uma expressão chocada.

– Mas você me falou que... – começou a dizer para Nina.

– Eu sei – interrompeu Dimka. – Nós pensávamos que Nina não pudesse ter filhos. Mas os médicos estavam errados!

Grigori ergueu mais um brinde.

– Um viva aos médicos que erram! Eu quero um menino, Nina, um bisneto para perpetuar a dinastia dos Peshkov-Dvorkin!

Ela sorriu.

– Farei o possível, Grigori Sergueievitch.

Anya continuava com ar preocupado.

– Os médicos erraram?

– A senhora sabe como são os médicos, eles nunca admitem que erraram – falou Nina. – Disseram que é um milagre.

– Só espero estar vivo para conhecer meu bisneto – falou Grigori. – Os americanos que vão para o inferno! – E bebeu mais um pouco.

Kotya, adolescente de 16 anos, entrou na conversa:

– Por que os americanos têm mais mísseis do que nós?

Quem respondeu foi Zoya:

– Em 1940, quando nós, cientistas, começamos a trabalhar com energia nuclear e dissemos ao governo que ela poderia ser usada para criar uma bomba superpoderosa, Stalin não acreditou. Então o Ocidente passou na frente da URSS e continua na frente até hoje. É isso que acontece quando os governos não ouvem os cientistas.

– Mas não repita na escola o que a sua mãe está dizendo, ouviu bem? – acrescentou Volodya.

– Que importância tem isso? – indagou Anya. – Stalin matou metade de nós, e agora Kruschev vai matar a outra metade.

– Anya! – repreendeu Volodya. – Não na frente das crianças!

– Estou com pena de Tanya – continuou ela, ignorando as reprimendas do irmão. – Lá em Cuba, esperando os americanos atacarem... – Ela começou a chorar. – Queria ter visto minha linda menina de novo – falou, as lágrimas escorrendo subitamente pelas faces. – Mais uma vezinha só, antes de morrermos.

⁓

Na manhã de sábado, os Estados Unidos estavam prontos para atacar Cuba.

Larry Mawhinney deu os detalhes a George na Sala de Crise no subsolo da Casa Branca. Kennedy chamava aquilo lá de pocilga, pois achava o recinto apertado. Mas isso era porque tinha sido criado em casas espaçosas; o conjunto de salas era maior do que o apartamento de George.

Segundo Mawhinney, a Força Aérea tinha 576 aviões, em cinco bases diferentes, prontos para o ataque aéreo que transformaria Cuba em uma terra devastada e fumegante. O Exército havia mobilizado 150 mil soldados para a invasão que ocorreria em seguida. A Marinha tinha 26 destróieres e três porta-aviões rondando a ilha. Ele informou isso tudo com orgulho, como se fosse um feito pessoal seu.

Na opinião de George, Mawhinney estava falando com uma desenvoltura excessiva.

– Nenhuma dessas coisas vai adiantar nada contra mísseis nucleares – comentou.

– Felizmente, nós também temos os nossos mísseis – respondeu o outro.

Como se isso resolvesse a situação.

– E como exatamente eles são disparados? – quis saber George. – Quero dizer, o que o presidente precisa fazer, fisicamente?

– Ligar para a sala do Estado-Maior Conjunto, no Pentágono. O telefone dele no Salão Oval tem um botão vermelho que faz a ligação na hora.

– E o que ele precisa dizer?

– Ele tem uma pasta preta com uma série de códigos que deve usar. Carrega essa pasta por todo lado.

– E aí...

– É automático. Existe um programa chamado Plano Operacional Único Integrado. Nossos bombardeiros e mísseis decolam com cerca de três mil armas nucleares em direção a milhares de alvos no bloco comunista. – Mawhinney fez um gesto de quem amassa. – Riscados do mapa – falou, com deleite.

George não estava acreditando muito naquela atitude.

– E eles fazem a mesma coisa conosco.

Mawhinney fez cara de contrariado.

– Olhe aqui, se nós atacarmos primeiro, podemos destruir a maioria das armas nucleares deles antes que saiam do chão.

– Mas não é provável que ataquemos primeiro, porque não somos bárbaros e não queremos dar início a uma guerra nuclear que vai matar milhões de pessoas.

– É aí que vocês, políticos, erram. O jeito de ganhar é atacando primeiro.

– Mesmo que façamos o que vocês querem, nós só vamos destruir *a maioria* das armas deles, você disse.

– Obviamente não vamos conseguir dar cabo de todas.

– Então, aconteça o que acontecer, os Estados Unidos vão sofrer um ataque nuclear.

– Guerra não é um piquenique – disse Mawhinney, zangado.

– Se evitarmos a guerra, poderemos continuar a fazer piqueniques.

Larry olhou para o relógio.

– ComEx às dez – falou.

Os dois saíram da Sala de Crise e subiram para a Sala do Gabinete. Os conselheiros mais velhos do presidente estavam se reunindo ali com seus assessores. Kennedy chegou alguns minutos depois das dez. Era a primeira vez que George o via desde o aborto de Maria. Encarou o presidente com novos olhos: aquele homem de meia-idade, vestido com um terno escuro risca de giz, tinha trepado com uma jovem e a deixado ir ao médico fazer um aborto sozinha. George sentiu uma onda de raiva pura e corrosiva. Naquele momento, poderia ter matado Jack Kennedy.

Ao mesmo tempo, o presidente não parecia mau. Estava carregando nas costas as preocupações do mundo inteiro, e George, mesmo a contragosto, também sentiu uma pontada de empatia.

Como de hábito, McCone, diretor da CIA, iniciou a reunião com um resumo de inteligência. Com seu costumeiro tom soporífero, deu notícias assustadoras o bastante para manter todos bem acordados. Cinco bases de mísseis de médio alcance em Cuba estavam agora inteiramente operacionais. Cada uma tinha quatro mísseis, de modo que havia agora vinte armas nucleares apontadas para os Estados Unidos e prontas para serem disparadas.

Pelo menos uma delas devia ter por alvo aquele prédio, pensou George, sombrio, e sentiu a barriga se contrair de medo.

McCone sugeriu uma vigilância permanente das bases. Oito jatos da Marinha estavam prontos para decolar de Key West e sobrevoar as bases de lançamento em baixa altitude. Outros oito fariam o mesmo circuito à tarde. Quando escurecesse, voltariam e lançariam sobre o local sinais luminosos. Além disso, os voos de reconhecimento em grande altitude dos U-2 iriam continuar.

George se perguntou de que iria adiantar tudo aquilo. Os sobrevoos talvez conseguissem detectar alguma atividade pré-lançamento, mas o que os Estados Unidos poderiam fazer em relação a isso? Mesmo que os bombardeiros americanos decolassem imediatamente, não conseguiriam chegar a Cuba antes de os mísseis serem lançados.

Havia também outro problema. Além dos mísseis nucleares apontados para os Estados Unidos, o Exército Vermelho em Cuba tinha mísseis terra-ar destinados a abater aeronaves. Todas as 24 baterias desses mísseis estavam operacionais, informou McCone, e seu equipamento de radar já fora ligado. Ou seja: aviões americanos que sobrevoassem Cuba seriam agora identificados e selecionados como alvos.

Um assessor entrou na Sala do Gabinete com uma comprida folha de papel arrancada de um teletipo e a entregou a Kennedy.

– É da Associated Press em Moscou – falou o presidente, e começou a ler o texto em voz alta: – O premiê Kruschev disse ontem ao presidente Kennedy que vai retirar suas armas ofensivas de Cuba se os Estados Unidos retirarem seus foguetes da Turquia.

– Ele não disse isso – falou Mac Bundy, conselheiro de segurança nacional.

George ficou tão confuso quanto os outros. A carta de Kruschev na véspera exigia que os Estados Unidos prometessem não invadir Cuba; não falava nada sobre a Turquia. Será que a Associated Press tinha cometido algum erro? Ou seria aquele mais um dos truques habituais do premiê russo?

– Talvez ele esteja prestes a mandar outra carta – sugeriu Kennedy.

No fim das contas, foi isso que aconteceu, e nos minutos seguintes novas notícias deixaram a situação mais clara: Kruschev estava fazendo uma proposta inteiramente nova, que havia divulgado na Rádio Moscou.

– Ele nos colocou em situação delicada – disse Kennedy. – A maioria das pessoas consideraria essa proposta bem razoável.

A ideia não agradou a Mac Bundy.

– Quem é "a maioria das pessoas", presidente?

– Acho que vocês vão ter dificuldades para explicar por que nós queremos realizar ações militares hostis em Cuba quando eles estão dizendo: "Se vocês tirarem os seus da Turquia, nós tiramos os nossos de Cuba." Acho que esse é um ponto muito delicado.

Bundy defendeu que se voltasse à primeira proposta de Kruschev.

– Por que seguir por esse caminho se ele nos ofereceu aquele outro nas últimas 24 horas?

Impaciente, Kennedy falou:

– Porque essa é a posição nova e mais recente deles... além de ser pública.

A imprensa ainda não sabia sobre a carta de Kruschev, mas aquela nova proposta tinha sido por meio da mídia.

Bundy insistiu. Os aliados americanos na OTAN se sentiriam traídos se os Estados Unidos trocassem mísseis, afirmou.

Bob McNamara, secretário de Defesa, expressou o assombro e o medo que todos eles sentiam:

– Nós recebemos uma proposta na carta e agora temos outra diferente. Como podemos negociar com alguém que muda a proposta antes de termos tido uma chance de responder?

Ninguém soube dizer.

⌒

No sábado, os flamboyants das ruas de Havana desabrocharam com flores vermelho-vivo feito manchas de sangue no céu.

De manhã bem cedo, Tanya foi ao mercado e, desanimada, providenciou mantimentos para o fim do mundo: carne defumada, latas de leite, queijo processado, um pacote de cigarros, uma garrafa de rum e pilhas novas para sua lanterna. Embora o dia mal houvesse raiado, já havia uma fila, mas ela só precisou esperar quinze minutos, o que não era nada para alguém acostumado com as filas de Moscou.

Um ar de apocalipse pairava sobre as ruas estreitas da cidade antiga. Os *habaneros* já não brandiam machadinhas nem cantavam o hino nacional. Em vez disso, juntavam areia em baldes para apagar incêndios, colavam papel nas vidraças para minimizar os estilhaços, arrastavam sacos de farinha. Tinham feito a besteira de desafiar seu vizinho superpoderoso e agora seriam punidos. Deveriam ter pensado melhor.

Será que estavam certos? Seria a guerra inevitável? Tanya tinha certeza de que nenhum líder mundial desejava realmente isso, nem mesmo Fidel, que estava começando a soar quase como um maluco. Mas mesmo assim poderia haver guerra. Pensou com pessimismo nos acontecimentos de 1914. Na época, ninguém queria uma guerra também, mas aí o imperador austríaco tinha visto a independência da Sérvia como uma ameaça, da mesma forma que Kennedy agora via a independência de Cuba como ameaça. E, quando a Áustria declarou guerra à Sérvia, as peças de dominó foram caindo com uma inevitabilidade mortal até metade do planeta estar envolvida no conflito mais cruel e sangrento que o mundo já vira. Com certeza isso poderia ser evitado agora, ou não?

Pensou em Vasili Yenkov, confinado em um campo de prisioneiros na Sibéria. Ironicamente, ele tinha chances de sobreviver a um conflito nuclear. A punição talvez salvasse sua vida. Ela torceu por isso.

De volta ao apartamento, ligou o rádio, sintonizado em uma das estações americanas transmitidas da Flórida. A notícia era que Kruschev tinha feito uma proposta a Kennedy: iria retirar os mísseis de Cuba se Kennedy fizesse o mesmo na Turquia.

Tanya olhou para o leite enlatado com uma sensação de alívio avassaladora. Talvez no fim das contas não fosse precisar daqueles mantimentos de emergência.

Disse a si mesma que era cedo demais para se sentir segura. Será que Kennedy iria aceitar? Será que se mostraria mais sensato do que o ultraconservador imperador Francisco José, da Áustria?

Um carro buzinou lá fora. Tempos antes, ela havia combinado ir com Paz de avião até a ponta oriental de Cuba nesse dia, para escrever sobre uma bateria antiaérea soviética. Não esperava que ele fosse mesmo aparecer, mas ao olhar pela janela viu sua caminhonete Buick parada junto ao meio-fio, com os limpadores de para-brisa se esfalfando para dar conta de uma tempestade tropical. Pegou a capa de chuva e saiu.

– Você viu o que o nosso líder fez? – perguntou ele, zangado, assim que ela entrou no carro.

A raiva dele a espantou.

– Está falando sobre a proposta da Turquia?

– Ele nem sequer nos consultou!

Paz arrancou com o carro e pôs-se a dirigir depressa demais pelas ruas estreitas. Tanya nem pensara se os líderes cubanos deveriam participar ou não das negociações. Ao que tudo indicava, Kruschev tampouco achara essa cortesia necessária. O mundo via aquela crise como um conflito de superpotências, mas é claro que os cubanos ainda achavam que era tudo por causa deles. E aquela tênue proposta de paz lhes parecia uma traição.

Ela precisava acalmar Paz, nem que fosse para evitar um acidente na estrada.

– O que teria dito se Kruschev tivesse consultado você?

– Que não vamos trocar a nossa segurança pela da Turquia! – respondeu ele, batendo no volante.

As armas nucleares não tinham proporcionado segurança a Cuba, refletiu ela. Muito pelo contrário: a soberania do país estava agora mais ameaçada do que nunca. Mas decidiu não enfurecer ainda mais o general mencionando isso.

Ele guiou o Buick até uma pista de pouso nos arredores de Havana, onde o avião os aguardava: uma aeronave de transporte leve soviética Yakovlev modelo Yak-16, movida a hélice. Tanya a observou com interesse. Nunca tivera a intenção de se tornar correspondente de guerra, mas, para evitar parecer ignorante, tinha se esforçado bastante para aprender coisas que os homens sabiam, sobretudo a identificar aeronaves, tanques e navios. Aquela era a versão militar do Yak, constatou, com uma metralhadora instalada em uma torreta semiesférica no topo da fuselagem.

Os dois compartilharam a cabine de dez lugares com dois majores do 32º Regimento Aéreo de Caça, o GIAP; ambos trajavam as camisas quadriculadas chamativas e as calças largas de boca estreita fornecidas aos soldados soviéticos em uma canhestra tentativa de fazê-los passar por cubanos.

A decolagem foi excessivamente emocionante: era temporada de chuvas no Caribe, e os ventos também estavam fortes. Quando eles conseguiam vislumbrar a terra lá embaixo pelas brechas nas nuvens, tudo o que viam era uma colagem de retalhos marrons e verdes toda riscada por linhas tortas de estradas de terra. O aviãozinho passou duas horas sendo sacudido pela tempestade. Então o céu clareou, com a rapidez característica das mudanças de tempo nos trópicos, e eles aterrissaram sem sobressaltos perto da cidade de Banes.

Foram recebidos por um coronel do Exército Vermelho chamado Ivanov, que já estava informado sobre Tanya e a matéria que ela estava escrevendo. Ele os levou de carro até uma base de mísseis antiaéreos, aonde chegaram às dez da manhã, horário de Cuba.

A base tinha o formato de uma estrela de seis pontas, com o centro de comando no meio e os pontos de lançamento nas extremidades. Ao lado de cada lançador havia um reboque, em cima do qual estava montado um único míssil terra-ar. Os soldados tinham um ar desolado dentro de suas trincheiras alagadas. No posto de comando, oficiais observavam atentamente telas verdes de radar que emitiam bipes monótonos.

Ivanov os apresentou ao major responsável pela bateria, visivelmente tenso; sem dúvida teria preferido não receber a visita de VIPs em um dia como aquele.

Alguns minutos depois de chegarem, uma aeronave estrangeira foi localizada entrando no espaço aéreo cubano em grande altitude, uns 300 quilômetros a oeste, e foi identificada como Alvo Nº 33.

Como todos falavam russo, Tanya precisou traduzir para Paz.

– Deve ser um avião espião U-2 – comentou ele. – Nenhum outro voa tão alto.

Tanya ficou desconfiada.

– Isso é uma simulação? – perguntou a Ivanov.

– Estávamos planejando simular alguma coisa para vocês verem – respondeu ele. – Mas isso é para valer.

Ele parecia tão aflito que Tanya acreditou.

– Não vamos abater o avião, vamos? – indagou.

– Não sei.

– Que arrogância a desses americanos! – esbravejou Paz. – Sobrevoar nossas terras assim! O que eles diriam se um avião cubano sobrevoasse Fort Bragg? Imaginem como ficariam indignados!

O major ordenou um alerta de combate, e os soldados soviéticos começaram a transferir os mísseis dos reboques para os lança-mísseis e a conectar os cabos. Fizeram tudo de modo calmo, eficiente, e Tanya supôs que tivessem treinado muitas vezes.

Um capitão acompanhava em um mapa o curso do U-2. Cuba era uma ilha comprida e estreita, com 1.250 quilômetros de leste a oeste, mas apenas com 80 a 160 quilômetros de norte a sul. Tanya viu que a aeronave espiã já tinha avançado 80 quilômetros pelo espaço aéreo do país.

– A que velocidade esses aviões voam? – perguntou.

– Oitocentos quilômetros por hora – respondeu Ivanov.

– E a que altitude?

– Vinte e um mil metros, mais ou menos o dobro da altitude normal de um jato comercial.

– Podemos mesmo atingir a essa distância um alvo que esteja se movendo tão depressa?

– Não precisamos que o tiro seja certeiro. O míssil tem um fusível de proximidade. Quando chega perto, explode.

– Eu sei que selecionamos esse avião como um alvo, mas, por favor, me diga que não vamos mesmo atirar nele.

– O major está ligando para pedir instruções.

– Mas os americanos podem retaliar!

– A decisão não é minha.

O radar acompanhava o avião intruso, e um tenente leu em uma tela as informações de altitude, velocidade e distância. Do lado de fora do posto de comando, os artilheiros soviéticos ajustaram a mira dos lança-mísseis no curso do Alvo

Nº 33. O U-2 atravessou Cuba de norte a sul, em seguida virou para leste e passou a seguir o litoral, chegando cada vez mais perto de Banes. Do lado de fora, os lança-mísseis giraram devagar nas bases pivotantes para acompanhar o alvo, feito lobos farejando o ar.

– E se eles dispararem por acidente? – perguntou Tanya a Paz.

Não era nisso que ele estava pensando.

– Ele está fotografando as nossas bases! – falou. – Essas fotos vão ser usadas para guiar seu Exército quando nos invadirem... o que pode acontecer em poucas horas.

– É muito mais provável a invasão acontecer se vocês matarem um piloto americano!

Com o telefone colado à orelha, o major observava o radar que controlava os disparos. Ergueu os olhos para Ivanov e disse:

– Eles estão confirmando com Pliyev.

Tanya sabia que Pliyev era o comandante em chefe soviético em Cuba, mas com certeza ele não podia abater um avião americano sem autorização de Moscou, ou podia?

O U-2 chegou à ponta no extremo sul de Cuba e virou, seguindo agora o litoral norte. Banes ficava perto da costa. O curso do U-2 faria o avião passar bem em cima da cidade. A qualquer momento, porém, ele poderia virar para o norte, e a uma velocidade de cerca de seiscentos metros por segundo sairia rapidamente de alcance.

– Derrubem ele! – falou Paz. – Agora!

Todos o ignoraram.

O avião virou para o norte. Embora a 20 mil metros de altitude, estava quase exatamente acima da bateria antiaérea.

Só mais alguns segundos, por favor, pensou Tanya, rezando para não sabia que deus.

Ela, Paz e Ivanov encaravam o major, que encarava a tela. O único barulho no recinto eram os bipes do radar.

O major então disse:

– Sim, senhor.

Qual teria sido a ordem? Um adiamento ou a destruição?

Sem largar o telefone, o major disse a seus homens no recinto:

– Destruam o alvo Nº 33. Disparem dois mísseis.

– Não! – gritou Tanya.

Um rugido soou. Ela olhou pela janela. Um míssil se desprendeu do lança-

-mísseis e partiu em um piscar de olhos. Outro o seguiu instantes depois. Tanya levou uma das mãos à boca, com medo de vomitar de tanto medo.

Os mísseis levariam cerca de um minuto para alcançar uma altitude de vinte mil metros.

Algo poderia sair errado, pensou. Os mísseis poderiam apresentar algum defeito, desviar da trajetória e aterrissar no mar sem fazer mal a ninguém.

Na tela do radar, dois pontinhos foram se aproximando de um pontinho maior.

Tanya rezou para que errassem.

Os pontinhos avançaram depressa, e então os três convergiram.

Paz soltou um grito de triunfo.

Então uma chuva de pontinhos menores se espalhou pela tela.

Ao telefone, o major disse:

– Alvo Nº 33 destruído.

Tanya olhou pela janela como se esperasse ver o U-2 despencando até o chão.

– Na mosca. Parabéns a todos – disse o major, mais alto.

– E o que será que Kennedy vai fazer conosco agora? – indagou Tanya.

No sábado à tarde, George ainda estava cheio de esperança. As mensagens de Kruschev eram incoerentes e confusas, mas o líder soviético parecia estar buscando uma saída para a crise. E Kennedy certamente não queria a guerra. Com boa vontade de ambos os lados, um fracasso parecia inconcebível.

A caminho da Sala do Gabinete, George passou na assessoria de imprensa e encontrou Maria em sua mesa. Ela usava um vestido cinza elegante, mas tinha uma faixa rosa-choque na cabeça, como para anunciar ao mundo que estava feliz e bem. George resolveu não perguntar como estava de fato: era óbvio que ela não queria ser tratada como uma inválida.

– Muito ocupada? – indagou.

– Estamos esperando a resposta do presidente a Kruschev – disse ela. – Como a proposta soviética foi feita em público, partimos do princípio de que a resposta americana será divulgada para a imprensa.

– É essa a reunião da qual vou participar com Bobby – falou George. – Nós vamos redigir um rascunho da resposta.

– Trocar os mísseis de Cuba pelos da Turquia parece uma proposta razoável – observou ela. – Ainda mais se levarmos em conta que talvez salve a vida de todos nós.

– Amém.

– Quem fala assim é a sua mãe.

Ele riu e seguiu seu caminho. Na Sala do Gabinete, conselheiros e assessores já haviam começado a se reunir para o ComEx das quatro da tarde. No meio de um grupo de assessores militares junto à porta, Larry Mawhinney dizia:

– Não podemos aceitar que deem a Turquia de bandeja aos comunistas!

Em seu íntimo, George deu um grunhido. Os militares viam tudo como um combate de vida ou morte. Na verdade, ninguém iria entregar a Turquia de bandeja. A proposta era retirar de lá alguns mísseis que de toda forma já estavam obsoletos. Será que o Pentágono se oporia mesmo a um acordo de paz? Ele mal conseguia acreditar.

Kennedy entrou e foi ocupar seu lugar de sempre, no meio da mesa comprida, com as grandes janelas logo atrás. Todos tinham cópias de um rascunho de resposta, redigido um pouco mais cedo, dizendo que os Estados Unidos não podiam conversar sobre os mísseis da Turquia antes de a crise de Cuba estar resolvida. O presidente não tinha gostado dos termos usados na sua resposta a Kruschev.

– Estamos rejeitando a mensagem dele – reclamou. "Ele" sempre se referia ao premiê russo; Kennedy via aquela situação como um conflito pessoal. – Não vai dar certo. Ele vai anunciar que nós rejeitamos a proposta. Nossa posição deveria ser que estamos *muito dispostos* a discutir essa questão, contanto que tenhamos uma indicação firme de que eles cessaram suas operações em Cuba.

– Isso realmente apresenta a Turquia como uma moeda de troca – comentou alguém.

– É esse o meu medo – disse o conselheiro de segurança nacional, Mac Bundy. Com os cabelos já ralos embora tivesse apenas 49 anos, ele vinha de uma família republicana e tinha tendência a ser linha-dura. – Se dermos a entender à OTAN e nossos outros aliados que queremos fazer essa troca, aí estaremos mesmo encrencados.

George desanimou: Bundy estava se posicionando junto com o Pentágono e contra um acordo.

– Se dermos mostras de estar trocando a defesa da Turquia por uma ameaça a Cuba, vamos ter de enfrentar um declínio radical na eficácia da aliança – prosseguiu Bundy.

O problema era esse, percebeu George. Os mísseis Júpiter podiam até ser obsoletos, mas simbolizavam a determinação americana de resistir ao avanço do comunismo.

Kennedy não se deixou convencer pelas palavras de Bundy.

– É nesse sentido que a situação está avançando, Mac.

– A justificativa para essa mensagem é que esperamos que ela seja rejeitada – insistiu Bundy.

Sério?, pensou George. Tinha quase certeza de que o presidente e seu irmão não pensavam assim.

– Estamos prevendo uma ação contra Cuba para amanhã ou depois – continuou Bundy. – Qual é nosso plano militar?

Não era assim que George pensava que a reunião fosse correr. Eles deveriam estar falando sobre paz, não sobre guerra.

Quem respondeu à pergunta foi McNamara, o menino-prodígio da Ford:

– Um grande ataque aéreo que vai conduzir à invasão em si. – Ele então voltou a falar na Turquia: – Para minimizar a resposta soviética caso a OTAN apoie um ataque americano a Cuba, nós podemos tirar os mísseis Júpiter da Turquia antes do ataque a Cuba e avisar aos soviéticos. Desse modo, não acho que eles atacariam a Turquia.

Que ironia, pensou George: para proteger a Turquia, era preciso retirar suas armas nucleares.

O secretário de Estado Dean Rusk, que ele considerava um dos homens mais inteligentes naquela sala, alertou:

– Eles podem tentar alguma outra ação... em Berlim.

George ficou impressionado ao ver que o presidente americano não podia atacar uma ilha do Caribe sem calcular as repercussões na Europa Oriental, a 8 mil quilômetros de distância. O mundo era mesmo um tabuleiro de xadrez para as duas superpotências.

– Não estou preparado, neste momento, para recomendar ataques aéreos a Cuba – afirmou McNamara. – Só estou dizendo que agora precisamos começar a considerar a situação de modo mais realista.

O general Maxwell Taylor, que havia conversado com o Estado-Maior Conjunto, tomou a palavra:

– A recomendação deles é que o grande ataque, o Plano de Operação 312, ocorra o mais tardar na segunda-feira de manhã, a menos que até lá haja indícios irrefutáveis de que as armas ofensivas estão sendo desmanteladas...

Sentados atrás de Taylor, Mawhinney e seus amigos exibiam um ar satisfeito. Igualzinho aos militares, pensou George: eles mal podiam esperar para começar o combate, ainda que este talvez significasse o fim do mundo. Rezou para que os políticos ali presentes não se deixassem guiar pelos soldados.

– ... e que a execução desse plano de ataque seja seguida sete dias depois pela execução do 316, o plano de invasão – continuou Taylor.

– Ora, que surpresa! – comentou Bobby Kennedy, sarcástico.

Sonoras risadas soaram em volta da mesa. Todo mundo parecia achar as recomendações dos militares absurdamente previsíveis. George ficou aliviado.

Mas a atmosfera tornou a ficar séria quando McNamara, após ler um bilhete entregue por um assessor, falou de repente:

– O U-2 foi abatido.

George arquejou. Sabia que um avião espião da CIA tinha interrompido o contato durante uma missão em Cuba, mas todos esperavam que fosse apenas uma pane de rádio e ele estivesse a caminho de casa.

O presidente obviamente não fora informado sobre o avião desaparecido.

– Um U-2 foi abatido? – indagou, com um traço de medo na voz.

George sabia por que Kennedy estava tão consternado. Até então, as superpotências vinham se enfrentando de perto, mas haviam se atido a ameaças. Agora o primeiro tiro tinha sido disparado. Dali em diante, seria bem mais difícil evitar uma guerra.

– Wright acabou de me dizer que o avião foi encontrado abatido – disse McNamara.

O coronel John Wright trabalhava na Agência de Inteligência da Defesa.

– O piloto morreu? – perguntou Bobby.

Como muitas vezes acontecia, ele havia feito a pergunta mais importante.

– O corpo do piloto está dentro do avião – respondeu o general Taylor.

– Alguém viu o piloto? – quis saber Kennedy.

– Sim, presidente – retrucou Taylor. – Os destroços do avião estão no chão e o piloto morreu.

Fez-se silêncio na sala. Aquilo mudava tudo. Um americano tinha morrido, abatido em Cuba por armas soviéticas.

– Isso levanta a questão da retaliação – disse Taylor.

Sem dúvida. O povo americano pediria vingança. George sentia a mesma coisa. De repente, desejou que o presidente lançasse o ataque aéreo maciço solicitado pelo Pentágono. Imaginou centenas de bombardeiros em formação cerrada, sobrevoando o Estreito da Flórida e lançando suas cargas mortíferas sobre Cuba qual uma chuva de granizo. Quis ver todos os lança-mísseis explodidos, todos os soldados soviéticos massacrados, Fidel Castro morto. Se Cuba inteira precisasse sofrer, que assim fosse: isso lhes ensinaria a não matar americanos.

A reunião já durava duas horas e a sala estava enevoada de tanta fumaça de cigarro. O presidente anunciou um intervalo. Boa ideia, pensou George. Ele próprio com certeza precisava acalmar os nervos. Se os outros estivessem tão sedentos de sangue quanto ele, não estavam em condições de tomar nenhuma decisão racional.

O motivo mais importante para o intervalo era que o presidente precisava tomar seu remédio. A maioria das pessoas sabia que Kennedy tinha problemas nas costas, mas poucos entendiam que ele travava uma batalha constante contra toda uma gama de doenças, entre as quais o mal de Addison e uma colite. Duas vezes por dia, os médicos lhe injetavam um coquetel de anabolizantes e antibióticos que lhe permitia continuar cumprindo suas funções.

Com a ajuda do jovem e bem-disposto redator de discursos do presidente, Ted Sorensen, Bobby começou a refazer o rascunho da carta para Kruschev. Acompanhados por seus assessores, os dois foram para o escritório do presidente, uma sala abarrotada contígua ao Salão Oval. De caneta e bloco amarelo em punho, George ia anotando tudo o que Bobby lhe pedia. Com apenas duas pessoas debatendo o texto, o rascunho ficou pronto depressa.

Os parágrafos mais importantes eram:

1. O senhor concorda em retirar esses sistemas de armamentos de Cuba sob a devida observação e supervisão da ONU e proceder, com as garantias apropriadas, à cessação de novos transportes de tais sistemas de armamentos para Cuba.

2. Nós, de nossa parte, concordamos – mediante a tomada de providências adequadas pela ONU para garantir a execução e a continuidade desses compromissos – (a) em cessar de imediato todas as operações de quarentena atualmente em curso e (b) em garantir que não haverá invasão a Cuba, e temos plena confiança de que outras nações do hemisfério ocidental estariam dispostas a fazer o mesmo.

Os Estados Unidos estavam aceitando a primeira proposta de Kruschev. Mas e a segunda? Bobby e Sorensen decidiram dizer o seguinte:

O efeito de tal acordo para apaziguar a tensão mundial nos permitiria trabalhar no sentido de chegar a um arranjo mais geral relativo a "outros armamentos", conforme proposto em sua segunda carta.

Não era grande coisa, só uma sugestão de promessa de um debate futuro, mas decerto era o máximo que o ComEx iria permitir.

Em seu íntimo, George se perguntou como aquilo poderia bastar.

Entregou o rascunho manuscrito a uma das secretárias do presidente e lhe pediu que datilografasse o texto. Alguns minutos depois, Bobby foi convocado ao Salão Oval, onde um grupo menor estava se reunindo: o presidente, Dean Rusk, Mac Bundy e dois ou três outros, com seus assessores mais próximos. O vice-presidente Lyndon Johnson foi deixado de fora. Apesar de ser um político hábil, na opinião de George, seus modos grosseiros de texano incomodavam os refinados bostonianos que eram os irmãos Kennedy.

O presidente queria que Bobby entregasse a carta pessoalmente ao embaixador soviético em Washington, Anatoly Dobrynin. Bobby e Dobrynin haviam tido várias reuniões informais nos últimos dias. Apesar de não irem com a cara um do outro, conseguiam conversar com franqueza, e tinham criado um canal bem útil, que evitava a burocracia de Washington. Em uma reunião cara a cara, talvez Bobby conseguisse elaborar melhor a sugestão de promessa para conversar sobre os mísseis da Turquia sem aprovação prévia do ComEx.

Dean Rusk sugeriu que Bobby fosse um pouco mais longe com Dobrynin. Nas reuniões daquele dia, tinha ficado claro que na realidade ninguém fazia questão de que os mísseis Júpiter continuassem na Turquia. De um ponto de vista estritamente militar, eles eram inúteis. O problema era só de aparência: o governo turco e os outros aliados da OTAN ficariam bravos se os Estados Unidos trocassem aqueles mísseis em um acordo relacionado a Cuba. Rusk sugeriu uma solução que George julgou muito inteligente:

– Proponha retirar os Júpiter depois... daqui a uns cinco ou seis meses, digamos. Assim poderemos fazer tudo com discrição, sem precisar da anuência dos nossos aliados, e intensificar a atividade de nossos submarinos nucleares no Mediterrâneo para compensar. Mas os soviéticos precisam prometer manter estrito segredo em relação a esse acordo.

Apesar de surpreendente, era uma sugestão brilhante, pensou George.

Todos concordaram com uma velocidade espantosa. Durante a maior parte do dia, as conversas do ComEx tinham se dispersado pelo mundo inteiro, mas aquele grupo menor ali no Salão Oval de repente estava demonstrando grande decisão.

– Ligue para Dobrynin – pediu Bobby a George. Ele olhou para o relógio, e George fez o mesmo: eram 19h15. – Peça a ele para me encontrar no Departamento de Justiça daqui a meia hora.

– E soltem a carta para a imprensa quinze minutos depois – completou o presidente.

George entrou na sala das secretárias junto ao Salão Oval e tirou um fone do gancho.

– Embaixada soviética, por favor – pediu à telefonista.

O embaixador aceitou o encontro na mesma hora.

George levou a carta datilografada para Maria e lhe disse que o presidente a queria liberada para a imprensa às oito.

Ela conferiu o relógio, ansiosa, e disse:

– Certo, meninas, é melhor começarmos a trabalhar.

Bobby e George saíram da Casa Branca e foram levados de carro até o Departamento de Justiça, a poucos quarteirões de distância. Com a soturna iluminação de fim de semana, as estátuas do Grande Hall pareciam espiá-los, desconfiadas. George explicou aos seguranças que uma visita importante chegaria dali a pouco para falar com Bobby.

Subiram de elevador. George observou o chefe e pensou que ele estava com uma cara abatida; devia estar exausto, mesmo. Os ecos se propagavam pelos corredores vazios do imenso prédio. A cavernosa sala de Bobby estava mal iluminada, mas ele não se deu ao trabalho de acender outras luzes. Deixou-se afundar atrás da grande escrivaninha e esfregou os olhos.

George olhou pela janela para os postes da rua. O centro de Washington era um belo parque cheio de monumentos e palácios, mas o resto da cidade era uma metrópole densamente povoada de cinco milhões de habitantes, a maioria negra. Será que ainda estaria de pé àquela mesma hora no dia seguinte? Já tinha visto fotos de Hiroshima: quilômetros de construções transformadas em entulho e os arredores cheios de sobreviventes queimados e mutilados, encarando sem entender o mundo irreconhecível à sua volta. Será que a capital americana estaria assim pela manhã?

Dobrynin foi levado à sala de Bobby pontualmente às quinze para as oito. Aquele homem calvo de 40 e poucos anos obviamente adorava os encontros informais com o irmão do presidente.

– Quero apresentar a alarmante situação atual do modo como o presidente a vê – disse Bobby. – Um de nossos aviões foi abatido sobre Cuba, e o piloto morreu.

– Os seus aviões não têm o direito de sobrevoar Cuba – rebateu Dobrynin depressa.

As conversas entre os dois podiam ser combativas, mas nesse dia a disposição do secretário de Justiça era outra.

– Quero que o senhor entenda as realidades políticas da situação – disse ele. – O presidente está sofrendo agora uma forte pressão para reagir com um ataque. Não podemos pôr fim a esses sobrevoos; eles são nossa única maneira de acompanhar o estado de construção das suas bases de mísseis. Mas, se os cubanos abaterem nossos aviões, iremos revidar.

Bobby revelou ao embaixador o conteúdo da carta de Kennedy ao premiê Kruschev.

– E a Turquia? – indagou o embaixador, incisivo.

Bobby respondeu com cautela:

– Se esse for o único obstáculo para chegarmos ao acordo que acabo de mencionar, o presidente não vê nenhuma dificuldade intransponível. A maior dificuldade para o presidente é o debate público relativo a essa questão. Se essa decisão fosse anunciada, a OTAN viria abaixo. Precisamos de quatro a cinco meses para retirar os mísseis da Turquia. Mas é tudo estritamente confidencial: pouquíssimas pessoas sabem que estou lhe dizendo isso.

George observou com atenção a expressão de Dobrynin. Seria imaginação sua ou o diplomata estava disfarçando uma onda de animação?

– George, dê ao embaixador os números de telefone que usamos para falar diretamente com o presidente.

George pegou um bloquinho, anotou três números, rasgou a folha e a entregou a Dobrynin.

Bobby se levantou, e o russo fez o mesmo.

– Preciso de uma resposta amanhã – disse o secretário. – Não se trata de um ultimato; trata-se da realidade. Nossos generais estão loucos por uma briga. E não nos mandem uma daquelas cartas compridas do premiê que levam o dia inteiro para serem traduzidas. Precisamos de uma resposta clara e concisa de vocês, embaixador. E logo.

– Muito bem – disse Dobrynin, e se retirou.

⁓

No domingo de manhã, o chefe da estação da KGB em Havana informou ao Kremlin que os cubanos agora consideravam um ataque americano inevitável.

Dimka estava em uma dacha do governo em Novo-Ogaryevo, pitoresco vilarejo nos arredores de Moscou. Era uma construção pequena, cujas colunas brancas lhe conferiam certa semelhança com a Casa Branca de Washington. Estava se preparando para a reunião do Presidium que ocorreria dali a poucos minutos, ao meio-dia. Deu a volta na comprida mesa de carvalho com oito pastas informativas que deixara em frente a cada lugar. As pastas continham a tradução para o russo da última mensagem de Kennedy a Kruschev.

Estava esperançoso. O presidente americano havia concordado com todas as demandas iniciais do premiê. Se a carta tivesse milagrosamente chegado minutos depois de enviada a primeira mensagem de Kruschev, a crise teria terminado em segundos. O atraso, porém, permitira ao líder fazer novas exigências. Além disso, infelizmente a carta de Kennedy não mencionava a Turquia de forma direta. Dimka não sabia se aquilo seria um empecilho para seu chefe.

Os integrantes do Presidium já estavam se reunindo quando Natalya entrou. A primeira coisa em que Dimka reparou foi que seus cabelos encaracolados e compridos a deixavam mais sensual, e a segunda foi que ela parecia assustada. Vinha tentando conseguir alguns minutos a sós com ela para lhe contar sobre o noivado; sentia que não podia dar a notícia a ninguém no Kremlin antes que ela soubesse. Mais uma vez, no entanto, aquele não era um bom momento. Eles precisavam estar a sós.

Natalya veio na direção dele e disse:
– Aqueles imbecis abateram um avião americano.
– Ah, não!
Ela assentiu.
– Um U-2 espião. O piloto morreu.
– Puta merda! Quem foi? Nós ou os cubanos?
– Ninguém quer dizer, ou seja, provavelmente fomos nós.
– Mas não houve ordem nenhuma!
– Justamente.
Era o que ambos temiam: que alguém começasse a atirar sem autorização.
Os participantes estavam se acomodando com seus assessores logo atrás, como de hábito.
– Vou avisá-lo – falou Dimka, mas, bem na hora em que disse isso, Kruschev entrou.

Correu até o premiê e sussurrou a notícia em seu ouvido enquanto ele sentava. Kruschev não respondeu, mas não pareceu nada contente.

Começou a reunião com o que obviamente era um discurso ensaiado:
– Houve um tempo em que nós avançamos, como em outubro de 1917; mas em março de 1918, depois de assinar o tratado de Brest-Litovsk com os alemães, tivemos de recuar. Agora estamos diante do perigo de uma guerra e de uma catástrofe nuclear cujo possível desfecho é a destruição da raça humana. Para salvar o mundo, precisamos recuar.

Aquilo estava parecendo o início de um discurso em prol de um acordo, pensou Dimka.

Mas Kruschev logo começou a tecer considerações militares. O que a URSS deveria fazer se os americanos atacassem Cuba naquele mesmo dia, como os cubanos tinham certeza de que iria acontecer? O general Pliyev precisava ser instruído a defender as forças soviéticas em Cuba, mas deveria pedir permissão antes de usar armas nucleares.

Enquanto o Presidium debatia essa possibilidade, Dimka foi chamado para fora da sala por sua secretária, Vera Pletner. Queriam falar com ele ao telefone.

Natalya saiu também.

O Ministério das Relações Exteriores tinha notícias que precisavam ser transmitidas a Kruschev imediatamente; sim, no meio da reunião. O embaixador soviético em Washington acabara de mandar uma mensagem por cabo. Bobby Kennedy lhe dissera que os mísseis da Turquia seriam retirados em quatro ou cinco meses, mas isso precisava ser mantido no mais estrito sigilo.

– Que notícia boa! – exclamou Dimka, contente. – Vou avisá-lo agora mesmo.

– Mais uma coisa – disse o funcionário do ministério. – Bobby enfatizou muito a necessidade de agir rápido. Parece que Kennedy está sofrendo forte pressão do Pentágono para atacar Cuba.

– Foi o que pensamos.

– Ele disse várias vezes que resta pouco tempo. Eles precisam da resposta hoje.

– Vou dizer a ele.

Dimka desligou. A seu lado, Natalya parecia curiosa; tinha faro para notícias.

– Bobby Kennedy propôs retirar os mísseis da Turquia.

Ela abriu um largo sorriso.

– Acabou! Nós vencemos!

Então lhe deu um beijo na boca.

Dimka voltou à sala de reuniões animadíssimo. Quem estava falando agora era Malinovski, ministro da Defesa. Dimka chegou perto do premiê e disse, em voz baixa:

– Um cabo de Dobrynin. Ele recebeu uma proposta de Bobby Kennedy.

– Pode dizer a todo mundo – ordenou o premiê, interrompendo Malinovski.

Dimka repetiu o que havia escutado.

Os integrantes do Presidium raramente sorriam, mas ele viu vários sorrisos largos se abrirem ao redor da mesa. Kennedy lhes dera tudo o que estavam pedindo! Aquilo era um triunfo para a União Soviética e uma vitória pessoal para Kruschev.

– Precisamos aceitar quanto antes – disse o premiê. – Mandem chamar um estenógrafo. Vou ditar nossa carta de aceitação agora mesmo e ela deve ser lida na Rádio Moscou.

– Quando devo ordenar a Pliyev para começar a desmontar os lança-mísseis? – perguntou Malinovski.

Kruschev o encarou como se ele fosse estúpido.

– Agora mesmo – respondeu.

⌒

Depois do Presidium, Dimka finalmente conseguiu ficar a sós com Natalya. Sentada em uma antessala, ela relia as anotações feitas durante a reunião.

– Preciso lhe falar uma coisa – começou ele.

Por algum motivo, embora não tivesse razão nenhuma para estar nervoso, sentiu um desconforto na barriga.

– Pode falar. – Ela virou uma página do bloco.

Sentindo que não tinha sua atenção, ele hesitou.

Natalya pousou o bloco e sorriu.

Era agora ou nunca.

– Nina e eu ficamos noivos e vamos nos casar.

Ela empalideceu e seu queixo caiu, de tão chocada que ficou.

Dimka sentiu necessidade de dizer mais alguma coisa:

– Contamos para minha família ontem. Na festa de aniversário do meu avô. – Pare de tagarelar, pensou, cale essa boca. – Ele fez 74 anos.

Quando Natalya falou, as palavras dela o deixaram estarrecido:

– E eu?

Ele mal entendeu o que ela estava querendo dizer.

– Você?

A voz dela se transformou em um sussurro.

– Nós passamos uma noite juntos.

– E eu nunca vou me esquecer. – Dimka não estava entendendo nada. – Mas depois você me disse que era casada.

– Eu estava com medo.

– De quê?

Natalya parecia realmente abalada. Sua boca larga se contorceu em um esgar, quase como se ela estivesse sentindo alguma dor.

– Por favor, não se case!

– Por quê?

– Porque eu não quero.

Dimka estava atônito.

– Por que você não me disse nada?

– Eu não sabia o que fazer.

– Mas agora é tarde.

– Será? – Ela o encarou com um olhar de súplica. – Você pode romper o noivado... se quiser.

– Nina está grávida.

Natalya soltou um arquejo.

– Você deveria ter dito alguma coisa... antes – falou Dimka.

– E se eu tivesse dito?

Ele balançou a cabeça.

– Esta conversa não adianta nada.

– É – disse ela. – Estou vendo que não.

– Bom, pelo menos nós impedimos uma guerra nuclear.

– É. Estamos vivos. Já é alguma coisa.

CAPÍTULO VINTE

O cheiro de café acordou Maria. Ela abriu os olhos. Sentado ao seu lado na cama, com vários travesseiros para apoiar as costas, o presidente tomava o desjejum enquanto lia a edição dominical do *The New York Times*. Estava usando um camisolão azul-claro igual ao seu.

– Ué! – exclamou ela.

Kennedy sorriu.

– Você parece espantada.

– Estou mesmo – respondeu ela. – Por continuar viva. Pensei que fôssemos morrer durante a noite.

– Não foi desta vez.

Maria fora dormir meio torcendo para que isso acontecesse. Estava apavorada com o fim daquele caso de amor. Sabia que os dois não tinham futuro. Se ele largasse a mulher, seria destruído politicamente; era impensável que fizesse isso por causa de uma negra. De toda forma, Kennedy não queria largar Jackie: amava-a, assim como os filhos. Era feliz no casamento. Maria era sua amante e, quando ele se cansasse dela, iria abandoná-la. Às vezes ela sentia que preferiria morrer antes disso, sobretudo se a morte pudesse acontecer enquanto estivesse ao lado dele, na cama, em um clarão de destruição nuclear que terminaria antes de qualquer um dos dois entender o que estava ocorrendo.

Só que não falou nada disso: seu papel era deixá-lo feliz, não triste. Sentou-se na cama, beijou sua orelha, espiou o jornal por cima do seu ombro, pegou a xícara de café da mão dele e tomou um gole. Apesar de tudo, estava feliz por continuar viva.

Ele não fizera nenhum comentário sobre o aborto. Era quase como se tivesse esquecido. Maria nunca tocara no assunto com ele. Ligara para Dave Powers para avisar que estava grávida e Dave lhe dera um telefone dizendo que pagaria o médico. A única vez que o presidente havia falado com ela sobre isso fora ao telefone depois da intervenção. Ele tinha coisas mais graves com que se preocupar.

Pensou em puxar o assunto ela mesma, mas logo decidiu que era melhor não. Assim como Dave, queria proteger o presidente de qualquer aborrecimento, e não lhe dar novos fardos para suportar. Tinha certeza de que essa era a decisão correta, mas não podia evitar certa tristeza e até mesmo um pouco de mágoa pelo fato de não poder conversar com ele sobre algo tão importante.

Tivera medo de o sexo doer depois da intervenção. Na noite anterior, contudo, quando Dave lhe pedira para ir à residência presidencial, ficara tão relutante em recusar o convite que acabara decidindo se arriscar; e tudo havia corrido bem – maravilhosamente bem, para dizer a verdade.

– É melhor eu me apressar – falou Kennedy. – Vou à missa hoje.

Ele estava prestes a se levantar quando o telefone da cabeceira tocou. Ele atendeu.

– Bom dia, Mac.

Maria concluiu que ele estava falando com Mac Bundy, o conselheiro de segurança nacional. Pulou da cama e foi até o banheiro.

O presidente com frequência atendia ao telefone na cama de manhã. Maria imaginou que as pessoas que lhe telefonavam não sabiam ou não ligavam se ele estivesse acompanhado. Sempre lhe poupava constrangimento retirando-se durante essas conversas, só para o caso de serem assuntos ultrassecretos.

Espiou pela porta bem a tempo de vê-lo pôr o fone no gancho.

– Ótimas notícias! – disse ele. – A Rádio Moscou anunciou que Kruschev vai desmontar os mísseis de Cuba e mandá-los de volta para a URSS.

Maria teve de se controlar para não gritar de alegria. A crise tinha acabado!

– Sinto-me um novo homem – falou Kennedy.

Ela o abraçou e lhe deu um beijo.

– Johnny, você salvou o mundo!

Ele fez uma cara pensativa, e um minuto depois disse:

– É, acho que salvei mesmo.

⁓

Em pé na sacada de sua casa, apoiada no parapeito de ferro forjado, Tanya respirava profundamente o úmido ar matinal de Havana quando o Buick de Paz apareceu e bloqueou completamente a rua estreita. Ele pulou do carro, olhou para cima, viu-a e gritou:

– Você me traiu!

– Como assim? – estranhou ela. – Traí como?

– Você sabe.

Paz era um homem arrebatado, passional, mas ela nunca o vira tão enfurecido e ficou feliz por ele não ter subido a escada até seu apartamento. Só que desconhecia o motivo de tanta raiva.

– Não contei nenhum segredo nem fui para a cama com outro homem – falou. – Então tenho certeza de que não o traí!

– Nesse caso, por que estão desmontando os lança-mísseis?
– Estão mesmo? – Se fosse verdade, era o fim da crise. – Tem certeza?
– Não finja que não sabe.
– Não estou fingindo. Mas, se for verdade, estamos salvos.

Com o rabo do olho, ela reparou que vizinhos abriam as janelas e portas para assistir ao bate-boca com descarada curiosidade. Ignorou-os.

– Por que tanta raiva?
– Porque Kruschev fez um acordo com os ianques sem nem ao menos conversar com Fidel!

Os vizinhos emitiram ruídos de reprovação.

– É claro que eu não sabia – disse Tanya, irritada. – Você acha que Kruschev conversa comigo sobre essas coisas?
– Ele mandou você para cá.
– Não pessoalmente.
– Ele conversa com o seu irmão.
– Você acha mesmo que eu sou alguma espécie de emissária especial de Kruschev?
– Por que acha que tenho seguido você por toda parte há meses?
– Imaginei que fosse porque gostava de mim – disse ela, em tom mais baixo.

As mulheres que escutavam emitiram ruídos afetuosos de empatia.

– Você não é mais bem-vinda aqui – berrou ele. – Pode arrumar suas malas. Vai sair de Cuba agora mesmo. Hoje ainda!

Com isso, ele pulou de volta no carro e foi embora a toda a velocidade.

– Prazer em conhecê-lo – disse Tanya.

⌇

Dimka e Nina comemoraram naquela noite indo a um bar perto do apartamento dela.

Ele estava decidido a esquecer a perturbadora conversa com Natalya. O que fora dito não mudava nada. Afastou aquilo para o fundo da mente. Eles tiveram uma rápida aventura que estava terminada. Ele amava Nina, e ela seria sua esposa.

Comprou duas garrafas de cerveja russa fraca e sentou-se ao lado dela em um banco.

– Nós vamos nos casar – falou, com afeto. – Quero que você use um lindo vestido.

– Não quero muita mobilização – disse Nina.

– Eu também não, mas isso talvez seja um problema – retrucou Dimka com a testa franzida. – Sou o primeiro da minha geração a se casar. Minha mãe e meus avós vão querer dar um festão. E a sua família?

Sabia que o pai de Nina tinha morrido na guerra, mas sua mãe ainda era viva e havia um irmão uns dois anos mais novo.

– Espero que minha mãe esteja bem o bastante para vir.

A mãe dela morava em Perm, quase 1.500 quilômetros a leste de Moscou, mas algo dizia a Dimka que ela na verdade não desejava a sua presença.

– E seu irmão?

– Ele vai pedir uma licença, mas não sei se vai conseguir. – O rapaz estava no Exército Vermelho. – Não faço ideia de onde está alocado. Até onde sei, ele poderia estar em Cuba.

– Vou descobrir – falou Dimka. – Tio Volodya pode mexer uns pauzinhos.

– Não precisa ter trabalho.

– Faço questão. Esse provavelmente vai ser meu único casamento!

– O que quer dizer com isso? – disparou ela.

– Nada. – Ele tinha falado de brincadeira e ficou chateado por ter irritado a noiva. – Esqueça o que falei.

– Acha que eu vou me divorciar de você como fiz com meu primeiro marido?

– Eu disse justamente o contrário, não foi? O que deu em você? – Ele forçou um sorriso. – Nós deveríamos estar felizes hoje. Vamos nos casar, vamos ter um filho, e Kruschev salvou o mundo.

– Você não entende. Eu não sou virgem.

– Eu reparei.

– Quer falar sério?

– Está bem.

– Um casamento, em geral, é quando dois jovens prometem se amar para sempre. Não se pode dizer isso duas vezes. Será que você não entende que tenho vergonha de estar fazendo isso de novo porque já fracassei uma vez?

– Ah, sim. Agora que você explicou, eu entendi. – O comportamento de Nina era meio antiquado; afinal, várias pessoas se divorciavam nesses dias. Mas talvez fosse pelo fato de ela vir de uma cidade pequena. – Quer dizer que você quer uma comemoração adequada a um segundo casamento: sem promessas extravagantes, sem piadas de recém-casados, com uma compreensão adulta de que a vida nem sempre corre conforme o planejado.

– Exatamente.

– Bem, amada minha, se é isso que você quer, vou garantir que seja assim.

– Vai mesmo?

– O que faz você pensar que eu não iria?

– Não sei – respondeu ela. – Eu às vezes esqueço como você é um homem bom.

⁓

Naquela manhã, no último ComEx da crise, George ouviu Mac Bundy inventar uma nova forma de descrever a divisão entre os conselheiros do presidente:

– Todo mundo sabe quem foram os falcões e quem foram as pombas. – Pessoalmente, Bundy era um falcão. – Hoje foi o dia das pombas.

Mas havia poucos falcões presentes naquela manhã: todos eram só elogios para a forma como Kennedy soubera lidar com a crise, mesmo alguns que pouco antes o haviam acusado de estar sendo perigosamente fraco, e que o haviam pressionado para envolver os Estados Unidos numa guerra.

George reuniu coragem para brincar com o presidente:

– Talvez o senhor agora deva solucionar o conflito de fronteira entre a Índia e a China, presidente.

– Não acho que nenhum dos dois queira que eu faça isso, nem mais ninguém, aliás.

– Mas o senhor hoje pode tudo.

Kennedy riu.

– Vai durar uma semana, mais ou menos.

Bobby Kennedy estava feliz com a perspectiva de passar mais tempo com a família.

– Acho que até esqueci o caminho de casa – falou.

Os únicos infelizes eram os generais. O Estado-Maior Conjunto, reunido no Pentágono para finalizar os planos do ataque a Cuba, estava uma fera e mandou um recado urgente para o presidente dizendo que a aceitação de Kruschev era um truque para ganhar tempo. Curtis LeMay afirmou que aquela era a maior derrota da história do país. Ninguém deu bola.

George havia aprendido uma lição e sentia que levaria um tempo para digeri-la: as questões políticas estavam mais intimamente interligadas do que ele imaginara. Sempre pensara que problemas como Berlim e Cuba fossem distintos uns dos outros e tivessem pouco vínculo com questões como direitos civis ou o sistema público de saúde. Mas Kennedy não pudera lidar com a crise de Cuba sem pensar nas repercussões na Alemanha e, caso não tivesse conseguido contornar esse problema, as eleições legislativas iminentes teriam prejudicado seu programa doméstico e tornado impossível a aprovação de uma Lei de Direitos Civis. Tudo era conectado. Essa consciência tinha consequências para a carreira de George sobre as quais ele precisava refletir bastante.

Terminado o ComEx, continuou de paletó e foi à casa da mãe. Era um dia ensolarado de outono, e as folhas já estavam vermelhas e douradas. Como adorava fazer, Jacky lhe preparou o jantar: bife com purê de batatas. O bife passou do ponto; ele não conseguia convencer a mãe a servir a carne malpassada, à francesa. Mesmo assim, saboreou a comida por causa do amor com que tinha sido preparada.

Depois do jantar, ela lavou a louça, ele secou e os dois se aprontaram para ir ao culto noturno na Igreja Evangélica Betel.

– Precisamos agradecer ao Senhor por ter nos salvado – disse ela, enquanto punha o chapéu em pé diante do espelho junto à porta.

– Pode agradecer ao Senhor, mãe – retrucou George, bem-humorado. – Eu vou agradecer ao presidente Kennedy.

– Por que não combinamos agradecer aos dois?

– Aí tudo bem – disse ele, e os dois saíram.

Parte Quatro

ARMA
1963

CAPÍTULO VINTE E UM

O Conjunto Dançante de Joe Henry se apresentava regularmente nas noites de sábado no restaurante do Hotel Europa, em Berlim Oriental, onde tocava standards de jazz e canções de musical para os membros da elite da Alemanha Oriental e suas esposas. Apesar de não ser grande coisa como baterista, na opinião de Walli, Joe – cujo verdadeiro nome era Josef Heinried – sabia manter a batida, mesmo quando estava bêbado. Além disso, era alto funcionário do sindicato dos músicos, portanto não podia ser mandado embora.

Joe chegou à entrada de serviço do hotel às seis da tarde, ao volante de um velho furgão Framo V901 preto, com a preciosa bateria toda protegida por almofadas na traseira. Enquanto ele ficava sentado no bar tomando cerveja, Walli se encarregava de levar a bateria até o palco, retirar cada peça dos respectivos estojos de couro e montar o instrumento do jeito que Joe gostava. A bateria era composta por um bumbo com pedal, dois ton-tons, uma caixa, um chimbal, um prato de ataque e um *cowbell*. Walli manuseava cada peça com a mesma delicadeza com que pegaria em ovos: aquela era uma bateria americana Slingerland que Joe havia ganhado de um GI no carteado na década de 1940, e ele jamais conseguiria comprar outra igual.

O cachê era uma miséria, mas, como parte do acordo, Walli e Karolin tocavam no intervalo, durante vinte minutos, como a dupla Bobbsey Twins, e o mais importante de tudo: tinham carteirinhas de músicos sindicalizados, ainda que Walli, aos 17 anos, fosse jovem demais para entrar para o sindicato.

Sua avó inglesa, Maud, tinha dado um muxoxo quando ele lhe dissera o nome do dueto. "Quem são vocês, Flossie e Freddie ou Bert e Nan? Ah, Walli, como você me faz rir!" Na verdade, Walli descobriu que os Bobbsey Twins não tinham nada a ver com os Everly Brothers: eram protagonistas de uma coleção de livros infantis antigos sobre as aventuras dos Bobbsey, família perfeita que tinha dois lindos casais de gêmeos de faces rosadas. Mesmo assim, ele e Karolin decidiram manter o nome.

Joe era um idiota, mas Walli estava aprendendo mesmo assim. Ele sempre se certificava de que a banda tocasse alto o suficiente para não poder ser ignorada, mas não tão alto a ponto de as pessoas reclamarem que não conseguiam conversar. Deixava cada músico se destacar em um número, o que garantia profissionais felizes. Sempre abria com uma música conhecida, e gostava de terminar quando a pista de dança estava lotada, para deixar no público um gostinho de "quero mais".

Walli não sabia o que o futuro lhe reservava, mas estava bem certo do que queria: seria músico, líder de uma banda admirada e famosa, e iria tocar rock 'n' roll. Talvez os comunistas viessem a suavizar sua atitude em relação à cultura americana e permitir os grupos de pop. Talvez o comunismo caísse. Ou então, a melhor de todas as alternativas: talvez Walli arrumasse um jeito de ir para os Estados Unidos.

Mas tudo isso estava bem distante no futuro. No momento, sua ambição era que os Bobbsey Twins conquistassem sucesso suficiente para ele e Karolin virarem músicos em tempo integral.

Os integrantes da banda de Joe foram chegando enquanto ele montava a bateria, e começaram a tocar às sete em ponto.

Os comunistas viam o jazz com ambivalência. Desconfiavam de tudo o que fosse americano, mas o fato de os nazistas terem banido o jazz tornava o ritmo antifascista. No fim das contas, permitiam que fosse tocado por ser muito popular. Como a banda de Joe não tinha vocalista, não havia problema em relação a letras que celebravam valores burgueses como "Top Hat, White Tie and Tails" ou "Puttin' on the Ritz".

Karolin chegou logo depois, e a presença dela iluminou aqueles bastidores insalubres com um brilho semelhante ao de uma vela, que deu às paredes cinzentas um tom rosado e fez os cantos sujos desaparecerem nas sombras.

Pela primeira vez, Walli tinha em sua vida algo tão importante quanto a música. Já tivera outras namoradas. Na verdade, elas apareciam sem que ele precisasse fazer grande esforço. Além disso, em geral haviam se mostrado dispostas a transar, de modo que, para ele, o sexo não era o sonho inatingível que era para a maioria de seus colegas de escola. Mas ele nunca tinha experimentado nada parecido com o amor e a paixão avassaladores que sentia por Karolin.

– Nós pensamos igual, e às vezes até dizemos a mesma coisa – contara ele à avó.

E Maud comentara:

– Ah, sim. Almas gêmeas.

Ele e Karolin podiam falar sobre sexo com a mesma naturalidade com que falavam sobre música, confidenciando um ao outro aquilo de que gostavam e aquilo de que não gostavam, embora não houvesse muita coisa de que ela não gostasse.

A banda ainda iria tocar por mais uma hora. Walli e Karolin foram para a traseira do furgão de Joe e se deitaram. O bagageiro se transformou em um *bou-*

doir fracamente iluminado pelo brilho amarelado das luzes do estacionamento; as almofadas de Joe eram um divã de veludo, e Karolin, uma langorosa odalisca, abrindo as roupas para oferecer o corpo aos beijos de Walli.

Tinham tentado transar de camisinha, mas nenhum dos dois gostava muito daquilo. Às vezes iam sem camisinha mesmo e Walli tirava na hora H, mas, segundo Karolin, isso não era muito seguro. Nessa noite, usaram as mãos. Depois de ele gozar no lenço de Karolin, ela lhe mostrou como lhe dar prazer, guiando seus dedos, e gozou com um gemido discreto que mais pareceu de surpresa.

– Sexo com a pessoa amada é a segunda melhor coisa do mundo – dissera Maud ao neto.

Por algum motivo, uma avó podia dizer coisas que a mãe não podia.

– Se é a segunda, qual é a primeira? – perguntara ele.

– Ver nossos filhos felizes.

– Achei que você fosse dizer "tocar ragtime" – comentara ele, fazendo Maud rir.

Como sempre acontecia, ele e Karolin passaram do sexo à música sem intervalo, como se fossem uma coisa só. Walli lhe ensinou uma canção nova. Tinha um rádio no quarto de casa e costumava ouvir estações americanas que transmitiam de Berlim Ocidental, de modo que conhecia todas as canções mais famosas. Aquela se chamava "If I Had a Hammer", sucesso do trio americano Peter, Paul e Mary. A batida era contagiante, e ele tinha certeza de que o público iria amar.

Karolin tinha reservas quanto à letra, que falava sobre justiça e liberdade.

– Nos Estados Unidos, as pessoas consideram Pete Seeger comunista por ter escrito essa letra! – disse Walli. – Acho que ela incomoda as autoridades em qualquer lugar.

– E em quê isso ajuda a gente? – perguntou ela, prática e sem remorso.

– Ninguém aqui vai entender a letra em inglês.

– Está bem – cedeu ela, relutante. – Eu vou ter que parar com isso, mesmo – arrematou.

Walli ficou chocado.

– Como assim?

Karolin ficou séria. Walli percebeu que ela havia guardado a má notícia para não estragar o sexo; tinha um autocontrole impressionante.

– Meu pai foi interrogado pela Stasi – disse ela.

Seu pai era supervisor em uma rodoviária. Não parecia se interessar por política, e era um suspeito improvável para a polícia secreta.

– Por quê? – perguntou Walli. – Interrogado sobre o quê?

– Sobre você.

– Ai, cacete.
– Disseram a ele que você é ideologicamente suspeito.
– Qual é o nome do agente que interrogou seu pai? Hans Hoffmann, por acaso?
– Não sei.
– Aposto que sim.
Se Hans não tivesse conduzido o interrogatório, com certeza devia ser o responsável por ele.
– Eles disseram que, se eu continuar a ser vista em público cantando com você, papai vai perder o emprego.
– E você por acaso precisa fazer o que os seus pais dizem? Já tem 19 anos.
– Mas ainda moro com eles. – Karolin tinha terminado o ensino médio, mas estava fazendo um curso técnico de biblioteconomia. – De todo modo, não posso ser responsável pela demissão do meu pai.
Walli ficou arrasado. Aquilo estragava o seu sonho.
– Mas... mas nós somos ótimos! As pessoas adoram nossa música!
– Eu sei. Sinto muito.
– Como é que a Stasi sabe que você canta?
– Lembra aquele homem de boina que seguiu a gente na noite em que você me conheceu? Eu o vejo às vezes.
– Você acha que ele me segue o tempo todo?
– O tempo todo, não – respondeu ela, em voz mais baixa. As pessoas sempre baixavam a voz quando falavam na Stasi, mesmo que não houvesse ninguém por perto para escutar. – Talvez só de vez em quando. Mas acho que em algum momento ele deve ter reparado que eu estava com você e começado a me seguir até descobrir meu nome e endereço, e foi assim que chegaram ao meu pai.
Walli se recusou a aceitar o que estava acontecendo.
– Vamos para o Ocidente – falou.
Karolin fez uma cara aflita.
– Ai, meu Deus, quem me dera.
– As pessoas fogem o tempo todo.
Os dois já tinham conversado sobre isso muitas vezes. Os fugitivos atravessavam canais a nado, forjavam documentos, escondiam-se em caminhões de frutas e legumes ou simplesmente corriam até o outro lado da fronteira. Às vezes suas histórias eram contadas nas estações de rádio da Alemanha Ocidental; mais frequentemente, havia boatos de todo tipo.
– E morrem o tempo todo, também.
Apesar de ansioso para fugir, Walli também vivia atormentado pela possibili-

dade de Karolin se machucar durante a fuga, ou coisa pior. Os guardas de fronteira atiravam para matar. E o Muro não parava de mudar, tornando-se a cada dia mais intransponível. No início uma cerca de arame farpado, agora em muitos pontos era uma dupla barreira de placas de concreto com um largo espaço intermediário iluminado por refletores, patrulhado por cães e vigiado por torres. Havia até valas para tanques. Ninguém jamais tentara atravessar em um tanque, mas os guardas de fronteira com frequência fugiam para o outro lado.

– Minha irmã fugiu – disse Walli.

– Mas o marido dela ficou aleijado.

Agora casados, Rebecca e Bernd viviam em Hamburgo, onde eram professores. Mas Bernd, que nunca chegara a se recuperar totalmente da queda, andava de cadeira de rodas. Suas cartas para Carla e Werner eram sempre atrasadas pelos censores, mas acabavam chegando.

– De todo modo, aqui eu não quero ficar – disse Walli com decisão. – Vou passar a vida inteira cantando músicas aprovadas pelo Partido Comunista, e você vai virar bibliotecária para seu pai poder manter o emprego na rodoviária. Prefiro morrer.

– O comunismo não pode durar para sempre.

– Por que não? Já está durando desde 1917. E se tivermos filhos?

– Por que está falando nisso? – indagou ela, incisiva.

– Se ficarmos aqui, não seremos só nós que estaremos condenados a uma vida na prisão. Nossos filhos também vão sofrer.

– Você quer ter filhos?

Walli não pretendia abordar esse assunto. Não sabia se queria filhos. Primeiro precisava salvar a própria vida.

– Bom, aqui na Alemanha Oriental, não – respondeu.

Nunca pensara nisso, mas depois de pronunciar as palavras teve plena certeza. Karolin ficou séria.

– Então talvez a gente deva mesmo fugir. Mas como?

Walli já tinha pensado em muitas possibilidades, mas tinha uma favorita.

– Já viu o posto de controle perto da minha escola?

– Nunca prestei atenção.

– É usado por veículos que transportam mercadorias para Berlim Ocidental: carne, produtos de hortifrúti, essas coisas.

O governo da Alemanha Oriental não gostava de alimentar Berlim Ocidental, mas, segundo o pai de Walli, precisava do dinheiro.

– E daí?

Nas suas fantasias, Walli já havia pensado em alguns detalhes.

– A barreira naquele ponto é uma cancela de madeira com uns 15 centímetros de espessura. Você mostra os documentos e o guarda levanta a cancela para o seu caminhão passar. No pátio, eles inspecionam sua carga, e na saída tem outra cancela parecida.

– Sim, lembro como é.

Walli imprimiu à voz mais segurança do que de fato sentia:

– Eu acho que um motorista que tivesse problemas com os guardas provavelmente poderia derrubar as duas cancelas.

– Nossa, Walli! Que perigo!

– Não existe um jeito seguro de fugir.

– Você não tem caminhão.

– Podemos roubar este furgão.

Depois do espetáculo, Joe sempre ficava no bar enquanto Walli embalava a bateria e a guardava de volta no furgão. Quando ele terminava, Joe normalmente já estava bêbado, e o rapaz o levava para casa dirigindo. Não tinha carteira, mas Joe não sabia disso e nunca estivera sóbrio o suficiente para reparar na sua condução hesitante. Após ajudá-lo a entrar no apartamento onde morava, Walli tinha de transportar a bateria até o hall e depois estacionar o furgão na garagem.

– Eu poderia pegar hoje, depois do espetáculo. E a gente atravessa amanhã de manhã bem cedo, assim que o posto de controle abrir.

– Se eu demorar a chegar em casa, meu pai vai começar a me procurar.

– Volte para casa, vá dormir e acorde cedo. Espero você em frente à escola. Joe só vai acordar depois do meio-dia. Quando ele perceber que o furgão sumiu, já estaremos passeando pelo Tiergarten.

Karolin lhe deu um beijo.

– Estou com medo, mas amo você.

Walli ouviu a banda tocar "Avalon", última música do primeiro set, e percebeu que os dois estavam conversando havia bastante tempo.

– A gente vai entrar daqui a cinco minutos. Vamos lá.

A banda desceu do palco e a pista de dança se esvaziou. Walli demorou menos de um minuto para instalar os microfones e o pequeno amplificador de sua guitarra. A plateia retomou seus drinques e conversas. Então os Bobbsey Twins subiram ao palco. Alguns clientes nem repararam, outros os observaram com interesse: eles formavam um belo casal, o que era sempre um bom começo.

Como de costume, começaram tocando "Noch Einem Tanz", que prendeu a atenção das pessoas e as fez rir. Cantaram algumas músicas folclóricas, duas das

Everly Brothers e "Hey, Paula", sucesso de uma dupla americana bem parecida com eles, chamada Paul e Paula. Walli tinha uma voz mais para aguda, e cantava harmonias sobre a melodia de Karolin. Havia aperfeiçoado um dedilhado de guitarra ao mesmo tempo rítmico e melódico.

Terminaram a apresentação com "If I Had a Hammer". A maior parte da plateia adorou e bateu palmas no mesmo ritmo da batida, embora as palavras "justiça" e "liberdade" do refrão tenham provocado algumas expressões severas.

Desceram do palco sob fortes aplausos. Walli estava tonto com a euforia de saber que tinha agradado à plateia. Era melhor do que se embriagar. Teve a sensação de estar voando.

Ao passar por ele nas coxias, Joe disse:

– Se cantar essa música outra vez, está demitido.

A animação de Walli murchou; ele teve a sensação de haver levado um tapa. Furioso, disse para Karolin:

– Para mim, chega. Vou embora hoje mesmo.

Os dois voltaram para o furgão. Era comum transarem uma segunda vez, mas nessa noite ambos estavam tensos demais. Walli espumava de tanta raiva.

– Qual o horário mais cedo em que você poderia me encontrar amanhã? – perguntou a Karolin.

Ela pensou por alguns instantes.

– Vou para casa agora e digo a eles que preciso deitar cedo porque tenho de acordar cedo amanhã... para o ensaio do desfile de 1º de maio da faculdade.

– Ótimo.

– Poderia encontrar você às sete sem levantar suspeitas.

– Perfeito. Não vai ter muito tráfego no posto de controle a essa hora, em um domingo de manhã.

– Então me dê outro beijo.

Eles se beijaram demoradamente, com sofreguidão. Walli tocou seus seios, então se afastou.

– Da próxima vez que nós transarmos, estaremos livres.

Desceram do furgão.

– Às sete – repetiu ele.

Karolin acenou e desapareceu noite adentro.

Walli passou o resto da noite tomado por uma onda de esperança misturada com raiva. Sentia-se constantemente tentado a demonstrar o desprezo que sentia por Joe, mas também temia que, por algum motivo, não conseguisse roubar o furgão. Se demonstrou o que estava sentindo, porém, Joe não reparou, e à uma da manhã Walli estacionou o veículo na rua em frente à sua escola. O posto de controle ficava a duas esquinas dali e os guardas não podiam vê-lo, o que era uma coisa boa; não queria que o vissem e ficassem desconfiados.

Deitou-se sobre as almofadas na traseira e fechou os olhos, mas estava frio demais para dormir. Passou a maior parte da noite pensando na família. Fazia mais de um ano que seu pai estava com um humor terrível. Werner não era mais dono da fábrica em Berlim Ocidental; tinha transferido o negócio para o nome de Rebecca, para o governo da Alemanha Oriental não poder encontrar um jeito de tomá-lo da família. Embora não pudesse ir à fábrica pessoalmente, continuava tentando tocá-la, e contratara um contador dinamarquês para servir de intermediário. Como era estrangeiro, Enok Andersen podia passar de Berlim Ocidental a Berlim Oriental uma vez por semana para encontrar Werner. Mas isso não era jeito de administrar um negócio, e seu pai estava ficando maluco.

Walli tampouco pensava que a mãe estivesse feliz. Chefe da enfermagem em um grande hospital, Carla praticamente só pensava em trabalho. Odiava os comunistas tanto quanto os nazistas, mas não podia fazer nada em relação a isso.

Sua avó Maud exibia o mesmo estoicismo de sempre. Segundo ela, a Alemanha vinha brigando com a Rússia desde que ela se lembrava, e seu único desejo era viver o suficiente para ver quem iria ganhar. Ela achava que tocar guitarra era uma conquista, ao contrário de seus pais, que consideravam aquilo uma perda de tempo.

De todos eles, era de Lili que ele sentiria mais falta. Sua irmã agora tinha 14 anos, e ele gostava bem mais dela do que quando eram ambos crianças e ela, uma pestinha.

Tentou não pensar muito nos perigos que enfrentaria. Não queria perder a coragem. Durante a madrugada, ao sentir sua determinação enfraquecer, pensava nas palavras de Joe: "Se cantar essa música outra vez, está demitido." A lembrança atiçava sua raiva. Se ficasse na Alemanha Oriental, passaria o resto da vida ouvindo de imbecis como Joe o que deveria tocar. Não seria vida, seria um inferno; impossível de aguentar. Independentemente do que acontecesse, precisava ir embora dali. Qualquer alternativa era inconcebível.

Pensar assim lhe deu coragem.

Às seis, ele saiu do furgão e partiu em busca de uma bebida quente e de algo para comer. No entanto, não encontrou nada aberto, nem mesmo nas estações de trem, e voltou para o furgão mais faminto do que nunca. Mas a caminhada o havia aquecido.

A luz do dia tornou o ar menos gelado. Walli foi se sentar no banco do motorista para poder ver Karolin chegar. Ela não teria nenhuma dificuldade para encontrá-lo: conhecia o furgão, e de toda forma não havia mais nenhum veículo do mesmo tipo estacionado perto da escola.

Visualizou vezes sem conta o que estava prestes a fazer. Pegaria os guardas de surpresa. Eles levariam alguns segundos para entender o que estava acontecendo. Depois disso, provavelmente começariam a atirar.

Com sorte, quando começassem a atirar, Walli e Karolin já os teriam deixado para trás e eles teriam de mirar na traseira do furgão. Que perigo isso poderia representar? Ele realmente não fazia a menor ideia. Nunca tinha sido alvejado por tiros. Nunca sequer tinha visto alguém disparar uma arma de fogo, por qualquer motivo que fosse. Não sabia se balas atravessavam um veículo ou não. Lembrava-se de ouvir o pai dizer que acertar alguém com uma arma não era tão fácil quanto parecia nos filmes. Seu conhecimento parava por aí.

Teve alguns instantes de ansiedade quando um carro de polícia passou. O policial sentado no carona o encarou. Se pedissem para ver sua habilitação, ele estaria frito. Amaldiçoou a própria estupidez por não ter ficado na traseira do furgão. Mas a viatura não parou.

Na sua imaginação, se algo saísse errado, tanto ele quanto Karolin seriam mortos pelos guardas. Ocorreu-lhe porém, pela primeira vez, que um poderia ser baleado e o outro sobreviver. Era uma possibilidade terrível. Eles muitas vezes diziam "eu te amo" um para o outro, mas agora ele estava sentindo isso de outra forma. Amar alguém, percebeu, era ter algo tão precioso que não se podia suportar perdê-lo.

Uma possibilidade ainda pior lhe passou pela cabeça: um deles poderia ficar aleijado, como Bernd. Como ele se sentiria se Karolin ficasse paralisada por sua culpa? Iria querer se matar.

Seu relógio enfim indicou as sete da manhã. Pensou se alguma daquelas possibilidades teria ocorrido a Karolin. Quase certamente sim. Em que mais ela poderia ter passado a noite pensando? Será que iria aparecer andando pela rua, sentar ao seu lado no furgão e lhe dizer baixinho que não estava disposta a correr aquele risco? O que ele faria nesse caso? Não poderia desistir e passar o resto da vida atrás da Cortina de Ferro. Mas seria capaz de abandoná-la e ir sozinho?

Quando deu sete e quinze e ela não apareceu, ficou decepcionado.

Às sete e meia, a decepção virou preocupação e, às oito, se transformou em desespero.

O que tinha saído errado?

Será que o pai dela tinha descoberto que não havia ensaio do desfile de 1º de maio da faculdade nesse dia? Por que ele se daria ao trabalho de verificar uma informação dessas?

Será que Karolin ficara doente? Mas estava com a saúde perfeita na noite anterior.

Será que tinha mudado de ideia?

Talvez.

Ela nunca tivera tanta certeza quanto Walli da necessidade de fugir. Externava dúvidas, previa dificuldades. Quando haviam conversado sobre o assunto na noite anterior, ele desconfiara que ela fosse contra o plano todo até o momento em que mencionara criar os filhos na Alemanha Oriental. Fora nessa hora que ela havia se rendido ao seu raciocínio. Mas agora parecia ter repensado.

Ele decidiu lhe dar até as nove.

E depois? Iria sozinho?

Não sentia mais fome. Sua tensão era tanta que ele sabia que não conseguiria comer. Mas estava com sede. Teria quase trocado a guitarra por um café quentinho com creme.

Às quinze para as nove, uma moça esguia de cabelos louros veio caminhando pela rua em direção ao furgão e o coração de Walli acelerou, mas quando ela chegou perto ele viu que suas sobrancelhas eram escuras, a boca pequena e os dentes da frente saltados. Não era Karolin.

Às nove, Karolin ainda não tinha aparecido.

Ir ou ficar?

Se cantar essa música outra vez, está demitido.

Ele deu a partida no motor.

Avançou bem devagar e dobrou a primeira esquina.

Precisaria estar em alta velocidade para romper a cancela de madeira. Por outro lado, se chegasse a toda, os guardas perceberiam. Precisava começar em velocidade normal, diminuir um pouco para enganá-los e então pisar fundo no acelerador.

Infelizmente, quando se pisava fundo no acelerador daquele furgão, pouca coisa acontecia. O Framo tinha um motor de dois tempos com três cilindros de 900 cilindradas. Walli pensou que talvez devesse ter mantido a bateria no bagageiro, para que o peso do instrumento desse mais impulso ao furgão na hora do impacto.

Dobrou uma segunda esquina e viu o posto de controle surgir à sua frente. A uns 300 metros, a rua estava bloqueada por uma cancela que podia ser erguida para dar acesso a uma área aberta com uma guarita. O espaço tinha uns 50 metros de comprimento. Outra cancela de madeira bloqueava a saída. Depois disso, a rua era deserta por uns 30 metros antes de se transformar em uma rua normal de Berlim Ocidental.

Berlim Ocidental, pensou; depois a Alemanha Ocidental e então os Estados Unidos.

Um caminhão aguardava antes da primeira cancela. Walli parou o furgão depressa. Se entrasse em uma fila, estaria perdido, pois não teria muitas chances de ganhar velocidade.

Quando o caminhão passou pela cancela, um segundo veículo apareceu. Walli aguardou. No entanto, viu um guarda olhando na sua direção e percebeu que a sua presença tinha sido notada. Em uma tentativa de disfarçar, saltou do furgão, deu a volta e abriu a porta de trás. Dali podia ver através do para-brisa. Assim que o segundo veículo entrou no espaço entre as duas cancelas, retornou ao banco do motorista.

Engatou a marcha do furgão e hesitou. Ainda dava tempo de desistir. Poderia levar o furgão de volta à garagem de Joe, deixá-lo lá e voltar a pé para casa; seu único problema seria explicar aos pais onde havia passado a noite.

Vida ou morte.

Se esperasse agora, outro caminhão poderia surgir e entrar na sua frente, e depois disso um guarda poderia vir andando pela rua para lhe perguntar o que ele achava que estava fazendo, espreitando bem na frente de um posto de controle. E sua oportunidade estaria perdida.

Se você cantar essa música outra vez...

Soltou a alavanca de marchas e o furgão avançou.

Chegou a 50 quilômetros por hora, depois diminuiu um pouco. O guarda postado junto à cancela o observava. Ele pisou no freio. O guarda olhou para o outro lado.

Walli meteu o pé no acelerador até o fundo.

O guarda ouviu a mudança no barulho do motor e se virou, com a testa levemente franzida de incompreensão. Enquanto o furgão começava a acelerar, acenou para Walli com o gesto de quem manda diminuir. Walli pisou com mais força no pedal, mas não adiantou nada; o Framo foi ganhando velocidade devagar, feito um elefante. Walli viu a expressão do guarda mudar em câmera lenta: de curiosidade para reprovação e, por fim, alarme. Então o homem entrou em pânico. Embora não estivesse no caminho do furgão, deu três passos para trás e se colou a uma parede.

Walli deu um berro que foi parte grito de guerra, parte puro terror.

O furgão atingiu a cancela com um estrondo de metal se deformando. O impacto o projetou para a frente, contra o volante, que bateu dolorosamente em suas costelas. Isso ele não havia previsto. De repente, ficou difícil recuperar o fôlego. Mas a cancela de madeira se partiu com um estalo igual a um tiro e o furgão seguiu em frente, com a velocidade só um pouco reduzida pelo impacto.

Ele engatou a primeira e acelerou. Os dois veículos à sua frente tinham encostado para serem inspecionados, deixando o caminho livre até a saída. As outras pessoas presentes na área aberta, três guardas e dois motoristas, se viraram para ver o que era aquele barulho. O Framo ganhou velocidade.

Walli sentiu uma onda de confiança. Iria conseguir! Então um guarda com presença de espírito acima da média se ajoelhou e mirou nele a submetralhadora. Estava de um dos lados do caminho que Walli teria de usar para sair. De repente, o rapaz se deu conta de que iria passar bem perto dele. Com certeza seria alvejado e morto.

Sem pensar, girou o volante e partiu direto para cima do guarda.

O guarda disparou uma rajada. O para-brisa se espatifou, mas, para seu próprio espanto, Walli não foi atingido. Estava quase em cima do sujeito. De repente, foi acometido pelo horror de passar com um veículo por cima de um homem vivo, e deu uma guinada no volante para desviar. Mas já era tarde, e a frente do furgão acertou o homem com um baque nauseante e o derrubou no chão.

– Não! – gritou Walli. O furgão se inclinou quando a roda dianteira passou por cima do guarda. – Ai, meu Deus! – gemeu.

Nunca quisera machucar ninguém.

À medida que Walli era dominado pelo desespero, o furgão diminuía a velocidade. Ele quis saltar, ver se o guarda ainda estava vivo e, caso estivesse, ajudá-lo. Então os tiros recomeçaram e ele percebeu que, se pudessem, os guardas agora iriam matá-lo. Atrás de si, ouviu balas acertarem a carroceria do furgão.

Pressionou o pedal para baixo e deu outra guinada no volante para tentar acertar a trajetória. Tinha perdido o impulso. Conseguiu virar o volante na direção da cancela de saída. Não sabia se estava rápido o suficiente para quebrá-la. Resistindo ao impulso para trocar de marcha, deixou o motor guinchar na primeira.

Sentiu uma dor súbita, como se alguém tivesse cravado uma faca em sua perna. O susto e a dor o fizeram gritar. Seu pé soltou o pedal e o furgão perdeu velocidade na hora. Ele teve de se forçar a pisar novamente, apesar de estar com muita dor. Chegou a gritar de tanta agonia, e sentiu o sangue quente escorrer pela canela até o sapato.

O furgão atingiu a segunda cancela de madeira. Walli foi novamente projetado para a frente; o volante o acertou nas costelas; a cancela de madeira se partiu como a primeira e desapareceu da sua frente; e de novo o furgão seguiu adiante.

O Framo cruzou um trecho de concreto. O tiroteio cessou. Walli viu uma rua com lojas, anúncios de Lucky Strike e de Coca-Cola, carros novos e lustrosos, e o melhor de tudo: um pequeno grupo de soldados atônitos usando uniformes americanos. Tirou o pé do acelerador e tentou frear. De repente, a dor foi demais: sua perna parecia paralisada, e ele não conseguiu pisar no pedal do freio. Desesperado, guiou o veículo para cima de um poste.

Os soldados correram até o furgão e um deles abriu a porta.

– Aí, garoto! Você conseguiu! – falou.

Consegui, pensou Walli. Estou vivo e livre. Mas sem Karolin.

– Foi uma fuga e tanto – comentou o soldado, admirado.

Não era muito mais velho do que ele.

Quando Walli relaxou, a dor ficou insuportável.

– Minha perna está doendo – conseguiu dizer.

O soldado olhou para baixo.

– Jesus, olha só quanto sangue... – Virou-se e falou com alguém mais atrás: – Ei, chame uma ambulância!

Walli desmaiou.

⌒

O ferimento a bala de Walli foi costurado e ele recebeu alta do hospital no dia seguinte, com hematomas nas costelas e uma atadura em volta da canela esquerda.

Segundo os jornais, o guarda de fronteira que ele havia atropelado tinha morrido.

Mancando, foi até a fábrica de televisores Franck e contou sua história a Enok Andersen, o contador dinamarquês, que tomou providências para avisar a Werner e Carla que seu filho estava bem. Deu-lhe alguns marcos alemães, e Walli alugou um quarto na Associação Cristã de Moços.

Suas costelas doíam toda vez que ele se virava na cama, e ele dormiu mal.

No dia seguinte, foi buscar sua guitarra no furgão. Ao contrário dele próprio, o instrumento sobrevivera intacto à travessia. O furgão, no entanto, estava irrecuperável.

Walli deu entrada em um pedido de passaporte da Alemanha Ocidental, que era concedido aos fugitivos de forma quase automática.

Estava livre. Tinha escapado do puritanismo sufocante do regime comunista de Walter Ulbricht. Podia tocar e cantar tudo o que quisesse.

E estava desconsolado.

Morria de saudades de Karolin. Sentia como se uma de suas mãos tivesse sido amputada. Não parava de pensar em coisas que lhe diria ou perguntaria naquela noite ou no dia seguinte, para de repente se lembrar que não podia falar com ela, e todas as vezes essa lembrança terrível o atingia como um chute no estômago. Quando via uma garota bonita na rua, pensava no que ele e Karolin poderiam fazer no sábado seguinte na traseira do furgão de Joe, então se dava conta de que não haveria mais noites na traseira do furgão, então a tristeza o dominava. Quando passava em frente a clubes nos quais poderia tocar, pensava se conseguiria suportar se apresentar sem Karolin ao seu lado.

Falou ao telefone com sua irmã Rebecca, que insistiu para ele ir morar em Hamburgo com ela e o marido, mas agradeceu e disse não. Não conseguia sair de Berlim com Karolin ainda morando na parte oriental.

Uma semana depois, louco de saudades, pegou a guitarra e foi até o clube de *folk* Minnesänger, onde havia conhecido a namorada dois anos antes. Um cartaz do lado de fora dizia que o local estava fechado às segundas, mas, como a porta estava entreaberta, entrou mesmo assim.

Sentado em frente ao bar, fazendo contas em um livro-caixa, estava o jovem apresentador e proprietário da casa, Danni Hausmann.

– Eu me lembro de você – disse ele. – Da dupla Bobbsey Twins. Vocês eram ótimos. Por que nunca voltaram?

– Os Vopos destruíram meu violão – explicou Walli.

– Mas estou vendo que você já arrumou outro instrumento.

Walli assentiu.

– Mas perdi Karolin.

– Que mancada. Ela era bem bonita.

– Nós dois morávamos no lado oriental. Ela continua lá, mas eu fugi.

– Como?

– Arrebentei a cancela com um furgão.

– Foi você?! Li no jornal sobre isso. Nossa, cara, que demais! Mas por que não trouxe a garota?

– Ela marcou comigo e não apareceu.

– Que droga... Quer beber alguma coisa?

Ele foi para trás do bar.

– Aceito, obrigado. Queria voltar para buscá-la, mas agora estou sendo procurando por assassinato lá.

Danni serviu duas canecas de chope.

– Os comunistas fizeram um escarcéu por causa disso. Estão dizendo que você é um criminoso violento.

Eles também tinham pedido a extradição de Walli. O governo da Alemanha Ocidental recusara dizendo que o guarda havia atirado em um cidadão alemão que só queria passar de uma rua de Berlim para outra, e que a responsabilidade pela sua morte era do regime oriental, que governava sem ter sido eleito e aprisionava de forma ilegal seus habitantes.

Racionalmente, Walli não achava que tivesse feito nada de errado, mas em seu coração não conseguia se acostumar com a ideia de ter matado um homem.

– Se eu atravessar a fronteira, eles vão me prender.
– Cara, você está fodido.
– E até agora não sei por que Karolin não apareceu.
– E não pode voltar lá e perguntar a ela. A menos que...

Walli apurou os ouvidos.

– A menos que o quê?

Danni hesitou.

– Nada.

Walli pousou a caneca. Não podia deixar passar um comentário daqueles.

– Vamos lá, cara... a menos que o quê?
– De todas as pessoas em Berlim, acho que posso confiar no cara que matou um guarda de fronteira da Alemanha Oriental – disse Danni, pensando em voz alta.

Aquela conversa estava deixando Walli maluco.

– Que história é essa?

Danni se decidiu.

– Ah, é só uma coisa da qual ouvi falar.

Se fosse só uma coisa da qual ele tivesse ouvido falar, não faria tanto segredo, pensou Walli.

– Do que você ouviu falar?
– Que talvez tenha um jeito de voltar sem passar por um posto de controle.
– Como?
– Não posso dizer.

Walli ficou bravo; o rapaz parecia estar brincando com ele.

– Então por que tocou nesse assunto, porra?
– Calma, ok? Não posso dizer, mas poderia apresentar você a uma pessoa.
– Quando?

Depois de pensar um pouco, Danni respondeu à pergunta com outra pergunta:

– Está disposto a voltar hoje? Tipo agora?

Apesar do medo que sentia, Walli não hesitou:

– Estou. Mas por que a pressa?

– Para você não ter oportunidade de contar a ninguém. Eles não são exatamente profissionais em relação à segurança, mas também não são completamente estúpidos.

Danni estava se referindo a um grupo organizado. Aquilo soava promissor. Walli se levantou do banco.

– Posso deixar minha guitarra aqui?

– Vou guardar no depósito. – Ele pegou o estojo do instrumento e o trancou dentro de um armário junto com vários outros e alguns amplificadores. – Vamos lá.

O Minnesänger ficava bem perto da Ku'damm. Danni fechou o clube e eles foram a pé até a estação de metrô mais próxima. Reparou que Walli estava mancando.

– Os jornais disseram que você tomou um tiro na perna.

– É. Está doendo para caralho.

– Acho que posso confiar em você. Um agente da Stasi disfarçado não iria se ferir.

Walli não sabia se ficava empolgado ou apavorado. Será que conseguiria realmente voltar a Berlim Oriental naquele mesmo dia? Isso parecia superar suas expectativas. No entanto, também lhe causava grande temor. Na Alemanha Oriental ainda havia pena de morte. Se fosse preso, provavelmente seria executado na guilhotina.

Os dois atravessaram a cidade de metrô. Ocorreu a Walli que aquilo poderia ser uma cilada. A Stasi com certeza devia ter agentes em Berlim Ocidental, e o dono do Minnesänger poderia muito bem ser um deles. Será que teriam tanto trabalho assim para pegá-lo? Era um pouco excessivo, mas, sabendo como Hans Hoffmann era vingativo, Walli achava possível.

Ficou observando Danni discretamente durante o trajeto no metrô. *Será* que ele poderia ser um agente da Stasi? Era difícil de imaginar. Devia ter 25 anos e usava os cabelos meio compridos penteados para a frente, como estava na moda. Calçava botas com elásticos nas laterais e bicos pontudos. Administrava uma casa noturna de sucesso. Era bacana demais para ser da polícia.

Por outro lado, ele ocupava uma posição perfeita para espionar os jovens anticomunistas de Berlim Ocidental; a maioria devia frequentar seu clube. Danni devia conhecer quase todos os líderes estudantis do lado ocidental. Será que a Stasi se importava com o que esses jovens faziam?

É claro que sim. Seus agentes tinham a mesma obsessão de padres medievais caçadores de bruxas.

Mas, se aquela oportunidade significava falar com Karolin só mais uma vez, Walli não podia deixá-la passar.

Prometeu a si mesmo ficar atento.

O sol já estava se pondo quando saíram do metrô no bairro de Wedding. Caminharam em direção ao sul, e Walli logo percebeu que estavam rumando para a Bernauer Strasse, por onde Rebecca tinha fugido.

À luz cada vez mais fraca, pôde ver como a rua estava diferente. Do lado sul, um muro de concreto havia substituído a cerca de arame farpado; os prédios do lado comunista estavam em plena demolição. Do lado livre, onde ele e Danni estavam, a rua tinha um aspecto malcuidado, e as lojas no andar térreo dos prédios de apartamentos pareciam abandonadas. Imaginou que ninguém quisesse morar tão perto do Muro, que aviltava os olhos e o coração.

Danni o conduziu até os fundos de um dos prédios, onde entraram pela porta de serviço de uma loja abandonada que parecia ter sido uma mercearia, pois nas paredes se viam reclames de azulejo anunciando salmão e chocolate em pó. Só que pilhas altas de terra ocupavam a loja e os cômodos em volta, deixando apenas uma estreita passagem, e Walli começou a desconfiar do que estava acontecendo ali.

Danni abriu uma porta e desceu uma escada de concreto iluminada por uma lâmpada elétrica. Walli foi atrás. O dono do clube disse bem alto uma frase que talvez fosse em código: "Submarinos a caminho!" No pé da escada ficava um grande porão, decerto usado como estoque pelo dono da mercearia. No piso agora se abria um poço quadrado de um metro de largura, encimado por um guincho de aspecto surpreendentemente profissional.

Eles tinham cavado um túnel.

– Há quanto tempo isso existe? – perguntou Walli.

Se sua irmã tivesse sabido sobre o túnel no ano anterior, poderia ter fugido por ali, evitando assim o acidente responsável pela paralisia de Bernd.

– Tempo demais – respondeu Danni. – Terminamos faz uma semana.

– Ah. – O túnel era recente demais para ter tido alguma serventia para Rebecca.

– O túnel só é usado ao entardecer. De dia, seria muito visível, e à noite teríamos de usar lanternas, o que poderia chamar atenção. Mesmo assim, o risco de sermos descobertos aumenta toda vez que fazemos alguém atravessar.

Um rapaz de jeans emergiu do poço por uma escada; devia ser um dos estudantes que haviam escavado o túnel. Encarou Walli com firmeza e perguntou:

– Quem é esse, Danni?

– Pode deixar que eu garanto, Becker. Conheço o garoto desde antes do Muro.

– O que ele está fazendo aqui? – Becker se mostrava hostil, desconfiado.

– Ele quer atravessar.

– Para o lado oriental?!

– Eu fugi na semana passada, mas preciso voltar por causa da minha namorada – explicou Walli. – Não posso atravessar por um posto de controle normal porque matei um guarda de fronteira, então estou sendo procurado por assassinato.

– Aquele cara é você? – Becker o examinou outra vez. – É, estou reconhecendo pela foto no jornal. – Seu comportamento mudou. – Pode passar, mas não tem muito tempo. – Ele olhou para o relógio. – Eles vão começar a passar do lado oriental daqui a exatamente dez minutos. No túnel mal cabe uma pessoa, e não quero que você provoque um engarrafamento e atrapalhe os fugitivos.

Apesar do medo, Walli não quis perder a oportunidade.

– Vou passar agora – falou, disfarçando a ansiedade.

– Tá bom, pode ir.

Walli apertou a mão de Danni.

– Obrigado. Volto para buscar minha guitarra.

– Boa sorte com a garota.

Walli desceu depressa pela escada.

O poço tinha três metros de profundidade. No fundo ficava a entrada de um túnel com cerca de um metro de altura. Ele logo viu que a construção era sólida. O chão estava coberto por tábuas de madeira, e o teto tinha escoras a intervalos regulares. Ficou de quatro e começou a engatinhar.

Depois de alguns segundos, percebeu que não havia luz. Continuou engatinhando até o túnel ficar totalmente escuro. Foi dominado por um medo visceral. Sabia que o perigo de verdade seria quando saísse na Alemanha Oriental, do outro lado, mas seu instinto animal lhe dizia para sentir medo ali, enquanto engatinhava sem conseguir ver nem um centímetro à frente do nariz.

Para se distrair, tentou visualizar a paisagem urbana lá em cima. Devia estar passando por baixo de uma rua, depois do Muro, depois das casas semidestruídas do lado comunista; mas não fazia ideia de qual era o comprimento do túnel nem de onde terminava.

O esforço o deixara ofegante, suas mãos e joelhos doíam de tanto roçar na madeira, e o ferimento a bala na canela ardia de tanta dor, mas tudo o que ele pôde fazer foi cerrar os dentes e prosseguir.

O túnel não podia ser infinito; tinha de acabar em algum lugar. Ele só precisava continuar engatinhando. A sensação de estar perdido em uma escuridão sem fim não passava de um pânico infantil. Ele precisava manter a calma. Era capaz disso. No final daquele túnel estava Karolin – não no sentido literal, mas pensar no sorriso sensual de sua boca larga lhe deu coragem.

Uma réstia de luz surgiu mais à frente, ou teria sido sua imaginação? Por muito tempo, a luz permaneceu débil demais para que ele pudesse ter certeza, mas por fim ficou mais forte e, alguns segundos depois, ele adentrou um espaço com iluminação elétrica.

Viu outro poço acima da cabeça. Subiu uma escada e percebeu que estava em outro porão. Três pessoas o encaravam. Duas carregavam bagagens; supôs que fossem fugitivos. A terceira, provavelmente um dos estudantes responsáveis pelo túnel, olhou para ele e disse:

– Eu não conheço você!

– Foi Danni quem me trouxe. Meu nome é Walli Franck.

– Tem gente demais sabendo sobre este túnel! – disse o sujeito com uma voz tensa e aguda.

Bom, é claro que tem, pensou Walli: todo mundo que foge obviamente conhece o segredo. Entendeu por que Danni tinha dito que o perigo aumentava sempre que o túnel era usado. Pensou se continuaria aberto quando ele quisesse voltar. A possibilidade de ficar preso outra vez na Alemanha Oriental quase o fez querer dar meia-volta e engatinhar de novo até o outro lado.

O homem se virou para os outros dois que carregavam as bagagens.

– Podem ir – instruiu. Os dois desceram pelo poço. Tornando a se virar para Walli, apontou para um lance de degraus de pedra. – Suba lá e espere. Quando a barra estiver limpa, Cristina vai abrir o alçapão do lado de fora. Aí você sai. Depois disso, vai estar por sua conta.

– Obrigado. – Walli subiu a escada até a cabeça encostar em um alçapão de ferro no teto. Imaginou que aquilo antigamente devia ser usado para entregas de algum tipo. Agachou-se nos degraus e forçou-se a ter paciência. Para sua sorte, tinha alguém vigiando o lado de fora, caso contrário ele poderia ser visto saindo.

Alguns minutos depois, o alçapão foi aberto. À luz do início da noite, ele viu uma moça de lenço cinza na cabeça. Saiu rapidamente, e duas outras pessoas com bagagens desceram apressadas pelos degraus. A moça chamada Cristina fechou o alçapão. Walli constatou, surpreso, que havia uma pistola presa em seu cinto.

Olhou em volta. Estava dentro de um pequeno pátio murado nos fundos de um prédio de apartamentos abandonado. Cristina apontou para uma porta de madeira na parede.

– Por ali – falou.

– Obrigado.

– Suma daqui. Rápido.

Estavam todos tensos demais para serem educados.

Walli abriu a porta e saiu para a rua. À sua esquerda, a poucos metros, erguia-se o Muro. Ele dobrou à direita e começou a andar.

No início, não parou de olhar em volta, imaginando que um carro da polícia fosse aparecer cantando pneus. Depois tentou agir normalmente e caminhar saltitando pela calçada como costumava fazer. Por mais que tentasse, porém, não conseguiu parar de mancar; a dor na perna era demais.

Seu primeiro impulso foi ir direto para a casa de Karolin, mas não podia bater à sua porta. O pai dela chamaria a polícia.

Não tinha pensado direito naquilo.

Talvez fosse melhor ir encontrá-la na tarde seguinte, depois das aulas. Não havia nada suspeito no fato de um rapaz esperar a namorada na saída da faculdade, e ele já tinha feito isso muitas vezes. Precisava dar um jeito de nenhuma das colegas dela ver seu rosto. Estava louco de impaciência para vê-la, mas seria loucura não tomar cuidado.

Até lá, o que poderia fazer?

A saída do túnel ficava na Strelitzer Strasse, que avançava na direção sul até entrar no centro antigo da cidade, Berlin-Mitte, onde sua família morava. Ele estava a poucos quarteirões da casa dos pais. Poderia ir para casa.

Talvez eles até ficassem felizes em vê-lo.

Quando chegou perto de sua rua, imaginou se a casa poderia estar sendo vigiada. Caso estivesse, não poderia ir para lá. Pensou outra vez em mudar a própria aparência, mas não tinha nada com que se disfarçar: naquela manhã, ao sair de seu quarto na Associação Cristã de Moços, nem sequer sonhava que ao cair da noite estaria de volta a Berlim Oriental. Na casa de sua família haveria chapéus, cachecóis e outras peças úteis de vestuário, mas primeiro ele precisava chegar lá a salvo.

Felizmente, já estava escuro. Seguiu pela rua dos pais na calçada oposta, vasculhando os arredores em busca de pessoas que pudessem ser espiões da Stasi. Não viu ninguém à espreita, nem sentado em algum carro estacionado, nem parado junto a uma janela. Mesmo assim, foi até o final da rua e contornou o quarteirão. Na volta, esgueirou-se para dentro do beco que conduzia aos quintais dos fundos. Abriu um portão, atravessou o quintal dos pais e chegou à porta da cozinha. Eram nove e meia: seu pai ainda não tinha trancado a casa. Walli abriu a porta e entrou.

A luz estava acesa, mas não tinha ninguém na cozinha. O jantar terminara havia tempo e seus parentes deviam estar na sala íntima do andar de cima. Ele cruzou o hall de entrada e subiu a escada. A porta da sala estava aberta, e ele entrou. Sua mãe, seu pai, sua irmã e sua avó assistiam à TV.

– Oi, gente – falou.

Lili deu um grito.

– Meu Deus do céu! – exclamou sua avó Maud, em inglês.

Carla empalideceu e tapou a boca com as duas mãos.

Werner se levantou.

– Filho – falou. Com dois passos, atravessou a sala e tomou Walli nos braços.

– Meu filho, graças a Deus!

Uma represa de sentimentos se rompeu no coração de Walli, e ele chorou.

Sua mãe o abraçou em seguida, chorando copiosamente. Então foi a vez de Lili e de Maud. Walli enxugou os olhos com a manga da camisa de brim, mas as lágrimas não paravam de brotar. Aquela forte emoção o pegara de surpresa. Aos 17 anos, ele se considerava preparado para ficar sozinho e longe da família, mas agora percebia que estava apenas adiando as lágrimas.

Por fim, todos se acalmaram e secaram os olhos. Carla refez o curativo do ferimento de Walli, que havia sangrado durante a travessia do túnel, em seguida preparou um café e trouxe um pedaço de bolo; ele se deu conta de que estava faminto. Depois de comer e beber até ficar satisfeito, contou-lhes a história toda. Então, quando eles esgotaram as perguntas, foi se deitar.

No dia seguinte, às três e meia da tarde, de boina e óculos escuros, estava encostado em um muro do outro lado da rua em frente à faculdade de Karolin. Tinha chegado cedo: as moças só saíam às quatro.

Um sol otimista brilhava sobre Berlim. A cidade era um misto de prédios antigos imponentes, concreto moderno em ângulos retos e terrenos baldios que iam desaparecendo aos poucos nos pontos bombardeados durante a guerra.

Walli estava muito ansioso. Dali a poucos minutos veria o rosto de Karolin, emoldurado por longas cortinas de cabelos louros, com a boca larga sorridente. Iria beijá-la e sentir a textura carnuda e macia dos lábios dela sob os seus. Quem sabe até, antes do fim daquela noite, eles se deitassem juntos para transar.

Também estava louco de curiosidade. Por que ela não aparecera para fugir com ele, nove dias antes? Tinha quase certeza de que algo havia acontecido para atrapalhar seus planos: o pai de alguma forma podia ter adivinhado o que ela estava tramando e trancado a filha no quarto, ou algum outro revés. Mas também estava com medo – um medo leve, mas não desprezível – de ela ter mudado de ideia em relação a ir com ele. Mal podia conceber os motivos possíveis para uma coisa dessas. Será que ela ainda o amava? As pessoas mudavam. A mídia na Alemanha Oriental o havia retratado como um assassino impiedoso. Será que isso tinha afetado Karolin?

Logo iria descobrir.

Apesar de arrasados com o que acontecera, seus pais não tinham tentado fazê-lo mudar de ideia. Consideravam-no jovem demais para sair de casa, mas sabiam que ele não podia ficar na parte oriental sem ir para a prisão. Tinham lhe perguntado o que ele iria fazer no Ocidente, estudar ou trabalhar, e ele respondera que não poderia tomar decisão nenhuma sem antes ter falado com Karolin. Werner e Carla tinham aceitado essa resposta, e pela primeira vez seu pai não tentara lhe dizer o que fazer. Eles o estavam tratando como adulto. Fazia anos que ele vinha exigindo isso, mas agora que estava acontecendo sentia-se perdido e assustado.

As alunas começaram a sair da faculdade.

O prédio era um antigo banco convertido em salas de aula. As alunas, todas adolescentes do sexo feminino, estudavam para ser datilógrafas, bibliotecárias e agentes de viagem. Carregavam bolsas, livros e pastas. Usavam conjuntos de suéter e saia adequados à primavera, um pouco fora de moda: candidatas a secretária precisavam se vestir com modéstia.

Karolin finalmente apareceu, usando um twin set verde e carregando os livros dentro de uma velha pasta de couro.

Ela estava diferente, pensou Walli, com o rosto um pouco mais redondo. Não podia ter engordado tanto em uma semana, ou podia? Vinha acompanhada por duas outras moças, conversando, embora não risse quando as colegas riam. Walli temeu que, se fosse falar com ela agora, as outras o notariam. Seria perigoso: mesmo estando disfarçado, elas talvez soubessem que o notório assassino e fugitivo Walli Franck namorava Karolin, e poderiam desconfiar que aquele rapaz de óculos escuros era ele.

Sentiu um pânico brotar dentro de si: será que os seus objetivos poderiam ser frustrados com tanta facilidade agora, no último instante, depois de tudo por que ele havia passado? Então as duas amigas dobraram à esquerda e se despediram com um aceno, e Karolin atravessou a rua sozinha.

Quando ela se aproximou, ele tirou os óculos e disse:

– Oi, amor.

Ela o encarou, reconheceu-o e estacou com um gritinho de susto. Walli viu em sua expressão surpresa, medo e alguma outra coisa... culpa, talvez? Ela então correu até ele, largou a pasta no chão e se jogou em seus braços. Beijaram-se e abraçaram-se, e Walli se sentiu inundado de alívio e felicidade. Sua primeira pergunta estava respondida: ela ainda o amava.

Um minuto depois, percebeu que transeuntes os encaravam, alguns sorrindo, outros com um ar reprovador. Tornou a pôr os óculos escuros.

– Vamos – falou. – Não quero que ninguém me reconheça.

Recolheu do chão a pasta que ela havia largado.

Os dois se afastaram da faculdade de mãos dadas.

– Como você conseguiu voltar? – perguntou ela. – É seguro? O que vai fazer? Alguém sabe que você está aqui?

– Temos muito o que conversar – respondeu ele. – Precisamos de um lugar para sentar onde ninguém nos incomode.

Do outro lado da rua, viu uma igreja. Talvez estivesse aberta para quem buscasse a calma espiritual. Levou Karolin até a porta.

– Você está mancando – comentou ela.

– O guarda de fronteira me deu um tiro na perna.

– Está doendo?

– Você nem imagina quanto.

A porta da igreja estava destrancada, e eles entraram.

Era um templo protestante simples, mal iluminado, com filas de bancos duros. Bem lá no fundo, uma mulher de lenço na cabeça espanava o púlpito. Walli e Karolin foram se sentar na última fila e começaram a conversar baixinho.

– Eu te amo – disse Walli.

– Eu também te amo.

– O que aconteceu domingo de manhã? Você deveria ter ido me encontrar.

– Fiquei com medo – respondeu ela.

Não era a resposta que Walli esperava, e ele achou difícil de entender.

– Eu também fiquei com medo – falou. – Mas nós tínhamos prometido um ao outro.

– Eu sei.

Viu que ela estava aflita de tanto remorso, mas não era só isso. Não queria torturá-la, mas precisava saber a verdade.

– Eu corri um risco terrível. Você não deveria ter dado para trás sem me avisar.

– Desculpe.

– Eu não teria feito a mesma coisa com você – continuou ele. – Amo você demais para isso – acrescentou, em tom acusador.

Ela recuou, como se ele tivesse lhe dado um tapa. Sua resposta, porém, foi enérgica.

– Eu não sou covarde – falou.

– Se você me ama, como pôde me deixar na mão?

– Eu daria minha vida por você.
– Se fosse mesmo verdade, teria ido comigo. Como pode dizer isso agora?
– Por que não é só a minha vida que está em risco.
– A minha também está.
– E a de outra pessoa.
Walli não entendeu.
– De quem, pelo amor de Deus?
– Estou falando da vida do nosso filho.
– Hein?!
– Nós vamos ter um filho, Walli. Eu estou grávida.

A boca de Walli se escancarou. Ele não conseguiu dizer nada. Em um segundo, seu mundo virou de cabeça para baixo. Karolin estava grávida. Um bebê iria entrar em suas vidas.

Um filho seu.

– Deus do céu – falou, por fim.
– Fiquei tão dividida, Walli... – retomou ela, angustiada. – Você tem que tentar entender. Eu queria ir com você, mas não podia pôr o bebê em risco. Não podia entrar naquele furgão sabendo que você passaria direto pela cancela. Não me importaria de me machucar, mas não podia machucar a criança. – Seu tom era de súplica. – Diga que me entende.
– Eu entendo – disse ele. – Acho que entendo.
– Obrigada.

Ele segurou sua mão.

– Então tá, vamos decidir o que fazer.
– Eu sei o que eu vou fazer – disse ela, com firmeza. – Eu já amo esse bebê. Não quero tirar.

Ela já devia saber que estava grávida havia algumas semanas, calculou ele, e tinha pensado muito bem no assunto. Mesmo assim, ficou espantado com a firmeza daquela decisão.

– Você fala como se a situação não tivesse nada a ver comigo – reclamou.
– O corpo é meu! – retrucou ela, arrebatada. A faxineira olhou para trás e Karolin baixou a voz, mas seu tom continuou firme: – Nenhum homem vai me dizer o que fazer com o meu corpo, nem você nem meu pai!

Walli imaginou que o pai devia ter tentado convencê-la a abortar.

– Eu não sou o seu pai – falou. – Não vou lhe dizer o que fazer nem quero convencê-la a abortar.
– Desculpe.

– Mas esse filho é nosso, ou só seu?

Ela começou a chorar.

– Nosso – respondeu.

– Então que tal a gente conversar sobre o que fazer... juntos?

Ela apertou sua mão.

– Como você é maduro – comentou. – É bom que seja assim... vai ser pai antes dos 18 anos.

Essa perspectiva era um choque para Walli. Pensou no próprio pai, com seus cabelos curtos e seus coletes. Ele agora seria obrigado a desempenhar aquele papel: firme, autoritário, confiável, sempre capaz de ser o provedor da família. Karolin podia dizer o que quisesse, mas ele não estava pronto para isso.

Só que não tinha outra saída.

– Para quando é? – perguntou.

– Novembro.

– Você quer se casar?

Sem parar de chorar, ela sorriu.

– Você quer se casar comigo?

– Mais do que tudo neste mundo.

– Obrigada. – Ela o abraçou.

A faxineira deu uma tossida de reprovação. Conversar podia, mas contato físico, não.

– Você sabe que eu não posso ficar aqui do lado oriental – disse Walli.

– Seu pai não consegue arrumar um advogado? Ou fazer alguma pressão política? Se todas as circunstâncias forem esclarecidas, o governo talvez conceda um indulto.

A família de Karolin não era envolvida com política. A de Walli, sim, e ele sabia, com toda a certeza, que jamais seria perdoado por ter matado um guarda de fronteira.

– Impossível – falou. – Se eu ficar aqui, vou ser executado por assassinato.

– Então o que pode fazer?

– Preciso voltar para o Ocidente e ficar lá, a não ser que o comunismo caia, e não acho que isso vá acontecer enquanto eu estiver vivo.

– Não.

– Você tem que ir comigo para Berlim Ocidental.

– Como?

– Do mesmo jeito que eu vim para cá. Uns universitários cavaram um túnel debaixo da Bernauer Strasse. – Ele olhou para o relógio. O tempo estava passando depressa. – Temos que estar lá por volta da hora do pôr do sol.

Ela fez uma cara horrorizada.

– Hoje?

– É, agora.

– Ai, meu Deus.

– Não prefere que o nosso filho cresça em um país livre?

O conflito interior provocou nela uma careta semelhante à de dor.

– Eu preferiria não correr riscos terríveis.

– Eu também. Mas a gente não tem escolha.

Ela desviou os olhos dele para as filas de bancos, a faxineira caprichosa, e uma placa na parede que dizia EU SOU O CAMINHO, A VERDADE E A VIDA. Walli pensou que aquilo não ajudava em nada, mas Karolin tomou sua decisão.

– Então vamos – disse ela, e se levantou.

Saíram da igreja. Walli seguiu na direção norte. Karolin estava cabisbaixa, e ele tentou animá-la.

– Os Bobbsey Twins estão vivendo uma aventura – falou.

Ela deu um sorriso rápido.

Walli pensou se os dois poderiam estar sendo vigiados. Tinha quase certeza de que ninguém o vira deixar a casa dos pais pela manhã: saíra pelos fundos, e não fora seguido por ninguém. Mas será que Karolin estava sendo vigiada? Talvez houvesse outro homem esperando que ela saísse da faculdade, um especialista em passar despercebido.

Começou a olhar por cima do ombro a cada minuto ou algo assim, para verificar se alguém se mantinha constantemente visível. Não viu nada suspeito, mas conseguiu amedrontar Karolin.

– O que está fazendo? – indagou ela, assustada.

– Vendo se tem alguém seguindo a gente.

– O cara de boina, você quer dizer?

– Pode ser. Vamos pegar um ônibus. – Estavam passando por um ponto, e Walli empurrou a namorada para o final da fila.

– Por quê?

– Para ver se alguém embarca e salta junto.

Infelizmente, era horário de pico, e milhares de berlinenses estavam pegando ônibus e trens de volta para casa. Quando o ônibus chegou, a fila atrás deles já tinha várias pessoas, e ele examinou bem cada uma delas ao embarcarem. Havia uma mulher de capa de chuva, uma garota bonita, um homem de macacão azul, outro de terno e chapéu de feltro, e dois adolescentes.

Eles deixaram passar três pontos antes de saltar. A mulher de capa de chuva e o sujeito de macacão saltaram também. Walli seguiu rumo ao oeste, de volta na direção da qual tinham vindo, calculando que, se alguém os seguisse em um trajeto tão fora de propósito, com certeza isso seria suspeito.

Mas ninguém o fez.

– Tenho quase certeza de que não estamos sendo seguidos – disse ele para Karolin.

– Estou com muito medo – confessou ela.

O sol estava se pondo; eles não tinham tempo a perder. Viraram para o norte, em direção a Wedding. Walli olhou para trás outra vez. Viu um homem de meia--idade usando o casaco de lona marrom de um operário de armazém, mas não tinha reparado nele antes.

– Acho que está tudo bem – falou.

– Eu nunca mais vou ver minha família, não é?

– Não por algum tempo. A menos que eles também fujam.

– Meu pai jamais iria embora daqui. Ele ama aqueles ônibus.

– No Ocidente também há ônibus.

– Você não conhece meu pai.

De fato, Walli não o conhecia, e Karolin tinha razão: seu pai não poderia ser mais diferente do inteligente e decidido Werner Franck. Não tinha qualquer ideal político ou religioso, e não dava a mínima para a liberdade de opinião. Se vivesse em uma democracia, provavelmente nem sequer se daria ao trabalho de votar. Gostava do trabalho, da família e do seu bar preferido. Sua comida predileta era pão. O comunismo supria todas as suas necessidades. Ele jamais fugiria para o Ocidente.

Quando chegaram à Strelitzer Strasse, o sol já havia baixado.

Conforme avançavam pela rua em direção ao final sem saída, rente ao Muro, Karolin ia ficando cada vez mais tensa.

Mais à frente, Walli reparou em um casal jovem com uma criança. Pensou se eles também estariam fugindo. Sim, estavam: abriram a porta que dava para o pátio interno e sumiram por ali.

Walli e Karolin chegaram lá, e ele disse:

– É por ali que temos de entrar.

– Quero minha mãe comigo na hora do parto – disse Karolin.

– A gente está quase lá! – exclamou Walli. – Depois daquela porta tem um pátio com um alçapão. Basta descer pelo poço e atravessar o túnel rumo à liberdade!

– Estou com medo de fugir – falou ela. – Estou com medo de dar à luz.

– Vai correr tudo bem – garantiu Walli, em desespero. – No Ocidente, os hospitais são ótimos. Você vai estar cercada por médicos e enfermeiras.

– Eu quero a minha mãe – insistiu ela.

Por cima de seu ombro, a 400 metros de distância, Walli viu, na esquina da rua, o homem de casaco marrom falando com um policial.

– Que merda! A gente *estava* sendo seguido. – Olhou para a porta, depois para Karolin. – É agora ou nunca. Eu não tenho escolha. Preciso ir. Você vem ou não?

Ela estava aos prantos.

– Eu quero, mas não consigo.

Um carro dobrou a esquina em alta velocidade. Parou junto ao policial e o homem do casaco marrom. Uma silhueta conhecida saltou do carro, um homem alto, de costas curvas: Hans Hoffmann. Ele disse alguma coisa ao homem do casaco marrom.

– Ou você vem junto, ou vai embora daqui depressa. As coisas vão desandar – disse Walli para Karolin. Encarou-a. – Eu te amo.

Então passou correndo pela porta.

Em pé junto ao alçapão estava Cristina, ainda usando o mesmo lenço na cabeça e com a mesma pistola no cinto. Ao ver Walli, ela abriu as portas de ferro.

– Talvez você precise dessa pistola – avisou ele. – A polícia está vindo.

Olhou para trás uma única vez. A porta de madeira na parede permaneceu fechada. Karolin não o havia seguido. Sua barriga se contraiu de dor: era o fim.

Desceu a escada às pressas.

No subsolo, o jovem casal com a criança estava em pé com um dos estudantes.

– Rápido! – gritou Walli. – A polícia está vindo!

Eles desceram pelo poço, primeiro a mãe, depois a criança, e por último o pai. A criança demorou a descer a escada.

Cristina também desceu e fechou o alçapão de ferro atrás de si com um baque.

– Como a polícia nos achou? – perguntou ela.

– A Stasi estava seguindo minha namorada.

– Seu idiota imbecil, você traiu todos nós!

– Então eu desço por último.

O estudante desceu pelo poço, e Cristina fez menção de ir atrás.

– Me dê a pistola – pediu Walli.

Ela hesitou.

– Se eu estiver atrás de você, não vai conseguir atirar.

Ela lhe entregou a arma.

Walli segurou a pistola com delicadeza: era igualzinha àquela que seu pai tinha pegado no esconderijo da cozinha no dia em que Rebecca e Bernd fugiram.

Cristina reparou na sua hesitação.

– Já atirou alguma vez na vida? – perguntou.

– Nunca.

Ela tornou a pegar a pistola e acionou uma alavanca perto do cão.

– Assim a trava de segurança está solta. Aí é só mirar e apertar o gatilho.

Ela tornou a prender a trava de segurança e lhe entregou a pistola outra vez. Então desceu a escada do poço.

Walli agora podia ouvir gritos e motores de carro do lado de fora. Não conseguia adivinhar o que a polícia estava fazendo, mas obviamente o seu tempo estava se esgotando.

Entendeu como as coisas tinham saído errado: Hans Hoffmann mandara seguir Karolin, sem dúvida na esperança de que Walli voltasse para buscá-la. O homem que a seguia a vira encontrar um rapaz e ir embora com ele. Alguém decidira não prendê-los na hora, mas ver se poderiam conduzir quem os seguia até um grupo de cúmplices. Houvera uma discreta troca da guarda na hora em que eles saltaram do ônibus, e outra pessoa começara a segui-los: o homem do casaco marrom. Em determinado momento, ele percebera que os dois estavam indo na direção do Muro e dera o alarme.

Agora a polícia e a Stasi estavam lá fora, revistando a parte dos fundos daqueles prédios abandonados para tentar entender onde ele e Karolin tinham ido parar. A qualquer momento iriam encontrar o alçapão.

Com a pistola em punho, Walli desceu pelo poço atrás dos outros.

Chegando lá embaixo, ouviu o baque do alçapão de ferro: a polícia tinha encontrado a entrada do túnel. Instantes depois, ouviu gritos roucos de surpresa e triunfo quando eles viram o buraco no chão.

Na boca do túnel, teve de aguardar vários instantes, agoniado, até Cristina desaparecer lá dentro. Então foi atrás, mas logo parou. Era magro, e quase conseguia se virar na passagem estreita. Espiou para fora e viu a larga silhueta de um policial pisando a escada do poço.

Não tinha jeito; a polícia estava perto demais. Tudo o que os agentes precisavam fazer era apontar as armas para dentro do túnel e disparar. Walli seria baleado, e quando caísse as balas passariam por cima dele e atingiriam a pessoa seguinte, e assim por diante: um banho de sangue. Ele sabia que a polícia não hesitaria em atirar, pois não havia misericórdia com fugitivos, nunca. Seria uma verdadeira carnificina.

Precisava impedir que eles entrassem no poço.

Mas não queria matar outro homem.

Ajoelhado logo após a entrada do túnel, soltou a trava de segurança da Walther. Esticou para fora do túnel a mão que segurava a pistola, apontou-a para cima e puxou o gatilho.

A arma deu um coice em sua mão. O estrondo ecoou bem alto dentro do espaço confinado. Imediatamente depois, ele ouviu gritos de consternação e medo, mas não de dor, e calculou que devia ter assustado os policiais sem chegar a acertar ninguém. Espiou para fora e viu o homem subir depressa a escada e sair do poço.

Aguardou. Sabia que os fugitivos na sua frente iram devagar por causa da criança. Pôde ouvir os policiais discutindo em tom raivoso o que fazer. Nenhum deles estava disposto a descer pelo poço; era suicídio, afirmou alguém. Mas não podiam simplesmente deixar as pessoas fugirem!

Para reforçar o perigo que a polícia corria, Walli deu um segundo tiro. Ouviu uma súbita movimentação de pânico, como se todos houvessem se afastado do poço. Pensou que tivesse conseguido afugentá-los. Virou-se para começar a engatinhar.

Então ouviu uma voz bem conhecida.

– Precisamos de granadas – disse Hans Hoffmann.

– Ai, caralho! – praguejou Walli.

Enfiou a pistola no cinto e começou a engatinhar túnel adentro. Não podia fazer nada agora a não ser se afastar o máximo possível. Em pouco tempo, sentiu os sapatos de Cristina à sua frente.

– Rápido! – gritou. – A polícia foi buscar granadas!

– Não consigo ir mais rápido do que o cara na minha frente! – gritou ela de volta.

Só lhe restava segui-la. Estava escuro agora. Nenhum ruído vinha do porão lá atrás. Policiais normais em geral não deviam portar granadas, supôs, mas Hans poderia conseguir algumas com guardas de fronteira ali perto em poucos minutos.

Apesar de não conseguir ver nada, podia escutar a respiração ofegante dos outros fugitivos e o roçar de seus joelhos nas tábuas de madeira. A criança começou a chorar. Na véspera, Walli a teria amaldiçoado por ser um estorvo perigoso, mas agora que seria pai tudo o que conseguiu sentir por aquela criança assustada foi pena.

O que a polícia iria fazer com as granadas? Será que os agentes prefeririam ficar em segurança e soltar uma delas dentro do poço, onde os danos seriam pequenos? Ou um deles teria coragem para descer e atirar uma dentro do túnel, com consequências mais letais? Isso poderia matar todos os fugitivos.

Walli decidiu que precisava fazer mais alguma coisa para tentar conter a polícia. Deitou-se, rolou para o outro lado, sacou a pistola e se apoiou no cotovelo esquerdo. Não conseguia ver nada, mas apontou na direção da entrada do túnel e apertou o gatilho.

Várias pessoas gritaram.

– O que foi isso? – perguntou Cristina.

Walli guardou a pistola e recomeçou a engatinhar.

– Foi só para desencorajar a polícia.

– Da próxima vez, avise, pelo amor de Deus.

Ele viu uma luz à frente. O túnel estava parecendo mais curto na volta. Ouviu gritos de alívio quando os outros perceberam que estavam chegando ao fim. Pegou-se engatinhando mais depressa, empurrando os sapatos de Cristina.

Atrás dele, houve uma explosão.

A onda de choque foi perceptível, mas fraca, e ele soube na hora que a polícia tinha jogado a primeira granada no poço. Nunca tinha prestado atenção suficiente nas aulas de física da escola, mas supôs que, naquelas circunstâncias, toda a força da explosão fosse direcionada para cima.

No entanto, pôde prever o que Hans faria em seguida. Uma vez certo de que não havia mais ninguém à espreita logo na entrada do túnel, mandaria um policial descer o poço e lançar uma granada lá dentro.

À sua frente, o grupo já estava saindo para o porão da mercearia abandonada.

– Rápido! – gritou. – Subam a escada depressa!

Cristina saiu do túnel e ficou em pé no poço, com um sorriso no rosto.

– Relaxe – falou. – Aqui é o Ocidente. Nós saímos... estamos livres!

– Granadas! – gritou Walli. – Subam o mais depressa que conseguirem!

O casal com a criança subia a escada do poço com uma lentidão excruciante. O estudante e Cristina foram atrás. Parado ao pé da escada, Walli tremia de impaciência e medo. Subiu logo depois de Cristina, com o rosto colado nos joelhos dela. Ao chegar lá em cima, viu todos em pé por ali, rindo e se abraçando.

– No chão, no chão! – gritou. – Granadas! – Ele se jogou no chão.

Um estrondo terrível ecoou. A onda de choque pareceu sacudir o subsolo. Ouviu-se então o ruído de algo sendo sugado, como um chafariz, e Walli imaginou que a terra estivesse esguichando pela boca do túnel. Dito e feito: uma chuva de lama e pedras se abateu sobre ele. O guincho acima do poço desabou e caiu dentro do buraco.

O barulho se extinguiu. Não se ouvia nada no porão exceto os soluços da criança. Walli olhou em volta. O nariz da criança sangrava, mas ela parecia ilesa, e ninguém mais aparentava estar ferido. Ele olhou pela borda do poço e viu que o túnel tinha desabado.

Endireitou-se, tremendo. Tinha conseguido. Estava vivo e livre. E sozinho.

Rebecca havia gastado grande parte do dinheiro do pai naquele apartamento em Hamburgo, o térreo do antigo casarão de um comerciante. Todos os cômodos, até o banheiro, eram grandes o bastante para Bernd poder virar a cadeira de rodas. Ela mandara instalar todos os equipamentos disponíveis para uma pessoa paraplégica. Paredes e tetos eram coalhados de cordas e barras para ele poder tomar banho, se vestir e subir e descer da cama. Bernd podia até cozinhar se quisesse, mas, assim como a maioria dos homens, era incapaz de preparar qualquer coisa mais complexa do que ovos.

Ela estava decidida – furiosamente decidida – a ter a vida mais normal possível com o marido, apesar da sua condição. Os dois iriam aproveitar seu casamento, seus empregos e sua liberdade. Teriam uma vida plena e recompensadora. Qualquer outra coisa equivaleria a conceder a vitória aos tiranos do outro lado do Muro.

A situação de Bernd não havia mudado desde que ele saíra do hospital. Segundo os médicos, havia uma chance de melhora, e ele precisava manter as esperanças. Um dia, insistiam eles, talvez pudesse até gerar filhos. Rebecca nunca deveria parar de tentar.

Ela sentia que tinha muito com que se alegrar. Estava dando aulas de novo, fazendo aquilo que sabia fazer, abrindo a mente dos jovens para os tesouros intelectuais do mundo em que viviam. Amava Bernd, cuja gentileza e bom humor tornavam todos os dias prazerosos. Os dois eram livres para ler o que quisessem, pensar o que bem entendessem e dizer o que melhor lhes aprouvesse, sem ter de se preocupar com espiões da polícia.

Rebecca também tinha um objetivo a longo prazo. Ansiava por tornar a ver a família algum dia. Não sua família original; a lembrança dos pais biológicos, apesar de emocionalmente forte, era distante e vaga. Mas Carla a resgatara dos horrores da guerra e a fizera se sentir segura e amada, mesmo quando todos passavam fome, frio e medo. Ao longo dos anos, a casa em Mitte tinha se enchido com pessoas que a amavam e que ela também amava: o bebê Walli, depois seu novo pai, Werner, e em seguida uma nenenzinha, Lili. Até mesmo a avó Maud, aquela velha senhora inglesa extremamente digna, tinha amado e cuidado de Rebecca.

Iria reencontrá-los quando todos os alemães ocidentais pudessem se reunir a todos os alemães-orientais. Muitas pessoas achavam que esse dia jamais iria chegar, e talvez tivessem razão. Mas Carla e Werner haviam lhe ensinado que, se você quisesse mudanças, precisava tomar atitudes políticas para conquistá-las.

– Na minha família, apatia não é uma opção – dissera ela a Bernd.

Assim, os dois haviam se filiado ao Partido Democrático Livre, que, apesar de liberal, não era tão socialista quando o Partido Social Democrata de Willy Brandt. Rebecca era secretária de divisão, e Bernd, tesoureiro.

Na Alemanha Ocidental, as pessoas podiam ser do partido que quisessem, com exceção do Partido Comunista, que era ilegal. Rebecca era contra essa proibição. Apesar de odiar o comunismo, achava que bani-lo era um gesto tipicamente comunista, não democrático.

Todos os dias, ela e Bernd iam juntos para o trabalho, de carro. Voltavam depois das aulas, e Bernd punha a mesa enquanto ela preparava o jantar. Em alguns dias, depois de comerem, o massagista de Bernd aparecia. Como ele não podia mexer as pernas, elas precisavam ser massageadas com regularidade para melhorar a circulação e evitar, ou pelo menos adiar, que nervos e músculos definhassem. Rebecca tirava a mesa enquanto o marido ia para o quarto com Heinz.

Nessa noite, ela se sentou com uma pilha de cadernos de exercícios e começou a corrigi-los. Pedira aos alunos que escrevessem um anúncio imaginário sobre as atrações de Moscou como destino turístico. Eles gostavam de trabalhos bem-humorados.

Uma hora depois, Heinz foi embora e ela entrou no quarto.

Bernd estava deitado na cama, nu. A parte superior de seu corpo era bem musculosa, pois ele precisava usar os braços constantemente para se movimentar. Já as pernas, finas e brancas, pareciam as de um velho.

Em geral, a massagem lhe proporcionava um bem-estar tanto físico quanto mental. Rebecca se inclinou por cima dele e o beijou na boca, um beijo lento, demorado.

– Eu te amo – falou. – Estou tão feliz por ser casada com você...

Dizia isso com frequência, primeiro porque era verdade, mas também porque ele precisava ouvir: sabia que de vez em quando ele se perguntava como ela podia amar um aleijado.

Em pé na sua frente, tirou a roupa. Ele gostava de vê-la fazer isso, dizia, ainda que nunca ficasse excitado. Ela havia aprendido que os paraplégicos raramente tinham ereções psicogênicas, do tipo provocado por imagens ou pensamentos sensuais. Mesmo assim, seus olhos a observaram com evidente satisfação enquanto ela abria o sutiã, tirava as meias finas e a calcinha.

– Você está linda.

– E sou toda sua.

– Que sorte eu tenho.

Ela se deitou ao seu lado e os dois começaram a se acariciar langorosamente. Antes e depois do acidente, o sexo com Bernd sempre fora baseado em beijos suaves e carinhos sussurrados, não apenas na penetração. Nisso ele era bem diferente do seu primeiro marido. Hans seguia sempre o mesmo esquema: beijar, tirar a roupa, ficar de pau duro, gozar. A filosofia de Bernd era o que você quiser, na ordem que preferir.

Depois de algum tempo, ela montou nele e se posicionou para ele poder beijar seus seios e chupar os mamilos. Ele havia adorado aqueles seios desde o início, e agora os saboreava com a mesma intensidade e deleite de antes do acidente; isso a excitava mais do que tudo.

Quando se sentiu pronta, ela perguntou:

– Você quer tentar?

– Claro. A gente deve tentar sempre.

Ela chegou um pouco para trás até ficar sentada em cima das pernas murchas de Bernd e curvou-se sobre o seu sexo, começando a manipulá-lo. O órgão cresceu um pouco, e ele teve o que se chama de ereção por reflexo. Durante alguns instantes, ficou duro o suficiente para penetrá-la, mas logo tornou a amolecer.

– Não faz mal – disse ela.

– Eu não ligo – falou ele, mas Rebecca sabia que não era verdade.

Bernd adoraria ter um orgasmo. E queria ter filhos, também.

Ela se deitou ao seu lado, segurou sua mão e a guiou até sua vagina. Ele posicionou os dedos do jeito que ela havia lhe ensinado, e ela então pressionou a mão dele com a sua e começou a movê-la em um ritmo constante. Era como se masturbar, só que usando a mão dele. Com a outra mão, Bernd acariciava seus cabelos. Funcionou, como sempre funcionava, e Rebecca teve um orgasmo delicioso.

Depois de gozar, deitada ao lado dele, falou:

– Obrigada.

– De nada.

– Não só por isso.

– Por que mais, então?

– Por ter vindo comigo. Por ter fugido. Nunca vou ser capaz de dizer quanto sou grata a você.

– Que bom.

A campainha tocou. Eles se entreolharam, intrigados: não estavam esperando ninguém.

– Vai ver Heinz esqueceu alguma coisa – disse Bernd.

Rebecca sentiu uma leve irritação. Seu prazer tinha evaporado. Vestiu um roupão e foi até a porta, mal-humorada.

Deu de cara com Walli. Seu irmão estava magro e cheirava mal. Vestia uma calça jeans, tênis americanos e uma camiseta encardida, e estava sem casaco. Segurava uma guitarra e mais nada.

– Oi, Rebecca.

O mau humor dela desapareceu num passe de mágica. Ela abriu um largo sorriso.

– Walli! Que surpresa maravilhosa! Como estou feliz por ver você!

Recuou um passo para deixá-lo entrar no hall.

– O que está fazendo aqui? – perguntou.

– Vim morar com vocês – respondeu ele.

CAPÍTULO VINTE E DOIS

A cidade mais racista dos Estados Unidos devia ser Birmingham, no Alabama. Em abril de 1963, George Jakes pegou um avião para lá.

A lembrança estava muito viva na sua mente: da última vez que estivera no Alabama, tinham tentado matá-lo.

Birmingham era uma cidade industrial suja que, do avião, exibia uma delicada aura cor-de-rosa por causa da poluição, como um lenço de chifon em volta do pescoço de uma velha prostituta.

George sentiu a hostilidade assim que atravessou o saguão do aeroporto. Era o único negro de terno. Lembrou-se do ataque sofrido por ele, Maria e os outros Viajantes da Liberdade em Anniston, a apenas 100 quilômetros dali: as bombas, os tacos de beisebol, os pedaços de corrente girando no ar, e sobretudo os rostos contorcidos e deformados até virarem máscaras de ódio e loucura.

Saiu do aeroporto, localizou o ponto de táxi e entrou no primeiro carro da fila.

– Fora deste carro, garoto – disse o motorista.

– Como é?

– Não dirijo para crioulo nenhum.

George suspirou. Relutou em descer do táxi. Teve vontade de ficar sentado ali, em protesto. Não gostava de facilitar a vida dos racistas. Mas tinha um trabalho a fazer em Birmingham, e não poderia fazê-lo na prisão. Por isso, desceu.

Em pé junto à porta aberta do táxi, olhou para o resto da fila. O carro seguinte tinha um motorista branco, e ele supôs que fosse receber o mesmo tratamento. Então, três carros adiante, um braço marrom-escuro esticou-se pela janela e lhe acenou.

Ele se afastou do primeiro táxi.

– Feche a porta! – berrou o motorista.

Depois de hesitar um instante, George respondeu:

– Não fecho a porta para segregacionista nenhum.

Não era uma resposta muito boa, mas mesmo assim lhe proporcionou uma pequena satisfação, e ele foi embora deixando a porta escancarada.

Entrou no carro do taxista negro.

– Até já sei para onde o senhor vai – disse o sujeito. – Para a Igreja Batista da Rua 16.

Era lá que ficava o quartel-general do veemente pregador Fred Shuttlesworth, que havia fundado o Movimento Cristão do Alabama pelos Direitos Civis depois que os tribunais do estado tornaram ilegal a moderada NAACP. Obviamente, partia-se do princípio de que qualquer negro que chegasse ao aeroporto era um ativista de direitos civis.

Mas George não estava indo à igreja.

– Motel Gaston, por gentileza.

– Sei onde fica o Gaston – disse o motorista. – Assisti ao Little Stevie Wonder no saguão de lá. Fica só a um quarteirão da igreja.

O dia estava quente e o táxi não tinha ar-condicionado. George abaixou a janela e deixou o vento refrescar sua pele suada.

Tinha sido mandado a Birmingham por Bobby Kennedy com um recado para Martin Luther King: pare de fazer pressão, esfrie a situação, acabe com os protestos; as coisas estão mudando. Tinha a sensação de que o Dr. King não iria gostar.

O Gaston era um hotel moderno, com poucos andares. O dono, A. G. Gaston, era um ex-mineiro de carvão que havia se transformado no principal homem de negócios negro da cidade. George sabia que ele estava nervoso com as perturbações que a campanha de King causavam em Birmingham, mas ainda assim apoiava o reverendo. O táxi de George passou pela entrada e entrou no estacionamento.

Martin Luther King estava no quarto 30, a única suíte do hotel, mas, antes de se encontrar com ele, George foi almoçar com Verena Marquand no restaurante Jockey Boy, ali perto. Quando pediu seu hambúrguer ao ponto para malpassado, a garçonete o olhou como se ele estivesse falando uma língua estrangeira.

Verena pediu uma salada. Estava mais atraente do que nunca, de calça e blusa pretas. Será que está namorando?, pensou George.

– Você está indo ladeira abaixo – comentou enquanto esperavam a comida. – Primeiro Atlanta, agora Birmingham. Vá para Washington, senão vai acabar indo parar em Mudslide, Mississippi.

Ele estava brincando, mas de fato achava que, se ela fosse para Washington, talvez a chamasse para sair.

– Eu vou aonde o movimento me leva – respondeu ela, séria.

Seus pratos chegaram.

– Por que King decidiu escolher esta cidade como alvo? – perguntou George enquanto comiam.

– O comissário de Segurança Pública, que na prática manda na polícia, é um branco racista e cruel chamado Eugene Connor. O apelido dele é Bull, "touro".

– Já vi o nome dele no jornal.

— O apelido diz tudo o que você precisa saber sobre o cara. Como se não bastasse, Birmingham também tem a divisão mais violenta da Ku Klux Klan.

— Algum palpite sobre o motivo?

— Esta cidade vive da produção do aço, e essa indústria está em declínio. Os empregos qualificados e mais bem remunerados sempre foram reservados para os brancos, enquanto os negros realizavam serviços mal pagos, como faxinas, por exemplo. Agora os brancos estão desesperados tentando manter sua prosperidade e seus privilégios, bem na hora em que os negros estão exigindo seu justo quinhão.

Era uma análise certeira, e o respeito de George por Verena cresceu um pouco mais.

— E como isso se manifesta?

— Integrantes da Ku Klux Klan jogam bombas caseiras nas casas de negros ricos em bairros mistos. Há quem chame a cidade de Bombingham. Nem é preciso dizer que a polícia nunca prende ninguém e que, por algum motivo, o FBI é incapaz de descobrir quem pode estar fazendo isso.

— Não é nenhuma surpresa. J. Edgar Hoover também não consegue encontrar a Máfia. Mas ele sabe o nome de todos os comunistas do país.

— Só que o poder dos brancos aqui está em declínio. Algumas pessoas estão começando a perceber que ele não faz nenhum bem à cidade. Bull Connor acabou de perder uma eleição para prefeito.

— Eu sei. A opinião da Casa Branca é que os negros vão conseguir o que querem oportunamente, se tiverem paciência.

— Já o Dr. King pensa que agora é a hora de aumentar a pressão.

— E que resultado isso está tendo?

— Para ser sincera, estamos decepcionados. Quando nos sentamos no balcão de alguma lanchonete, as garçonetes apagam as luzes e dizem que lamentam, mas estão fechando.

— Estratégia esperta. Algumas cidades agiram de forma parecida com os Viajantes da Liberdade: em vez de criar confusão, simplesmente ignoraram o que estava acontecendo. Só que a maioria dos segregacionistas é incapaz de tanto autocontrole, e eles logo voltaram a espancar as pessoas.

— Bull Connor não quer nos autorizar a fazer passeatas, então nossos protestos são ilegais e, em geral, os manifestantes são presos, mas não em número tão grande a ponto de chegar ao noticiário nacional.

— Então talvez esteja na hora de mudar de tática.

Uma jovem negra entrou no café e foi até sua mesa.

– O reverendo está livre para recebê-lo agora, Sr. Jakes.

George e Verena largaram os pratos pela metade. Como no caso do presidente, ninguém deixava o Dr. King esperando enquanto terminava o que fazia.

Voltaram para o Gaston e subiram a escada até a suíte do reverendo. Como sempre, ele estava de terno escuro; parecia indiferente ao calor. Mais uma vez, George ficou impressionado com sua baixa estatura e com sua beleza. Dessa vez King se mostrou menos ressabiado e mais hospitaleiro.

– Sente-se, por favor – falou, acenando para um sofá. Mesmo quando as palavras eram ferinas, sua voz se mantinha suave. – O que o secretário de Justiça tem para me dizer que não pode falar ao telefone?

– Ele quer que o senhor considere a possibilidade de adiar sua campanha aqui no Alabama.

– Por algum motivo, isso não me espanta.

– Ele apoia o que o senhor está tentando alcançar, mas teme que os protestos sejam inoportunos.

– Por quê?

– Bull Connor acaba de perder a eleição para prefeito para Albert Boutwell. O governo da cidade foi renovado. Boutwell é reformista.

– Há quem pense que Boutwell é apenas uma versão mais digna de Bull Connor.

– Reverendo, pode até ser, mas Bobby gostaria que o senhor desse a Boutwell uma chance de mostrar a que veio... para o bem ou para o mal.

– Entendo. Então o recado é: espere.

– Sim, reverendo.

King olhou para Verena, como se a estivesse convidando a se pronunciar, mas ela não disse nada. Após alguns instantes, ele falou:

– Em setembro passado, os comerciantes de Birmingham prometeram retirar de suas lojas os humilhantes cartazes de "Somente brancos", e em troca Fred Shuttlesworth concordou em suspender os protestos. Nós mantivemos nossa promessa, mas os comerciantes não cumpriram a sua parte. Como tantas vezes acontece, nossas esperanças foram destroçadas.

– Lamento – disse George. – Mas...

King ignorou a interrupção:

– A ação direta não violenta busca criar tamanha tensão e sentimento de crise que uma comunidade é forçada a enfrentar a questão e entabular uma negociação sincera. O senhor está me pedindo que dê a Boutwell tempo de mostrar qual é a sua verdadeira postura. Ele pode até ser menos brutal do que Connor, mas é um segregacionista decidido a manter o status quo. Precisa ser instigado a agir.

A argumentação era tão racional que George não conseguiu nem fingir discordar, embora a probabilidade de conseguir fazer King mudar de ideia estivesse diminuindo rapidamente.

– Nós nunca obtivemos nada no campo dos direitos civis sem pressão – continuou o reverendo. – Para falar francamente, George, eu nunca realizei nenhuma campanha que fosse "oportuna" para homens como Bobby Kennedy. Faz muitos anos que ouço a mesma coisa: "Espere." A palavra ecoa em meus ouvidos com uma familiaridade estridente. Esse "Espere" significa "Nunca". Já faz 340 anos que estamos esperando nossos direitos. As nações africanas estão avançando rumo à independência na mesma velocidade de um jato, mas nós ainda nos arrastamos a passo de mula para conseguir tomar uma xícara de café em um balcão de lanchonete.

George percebeu que estava escutando o ensaio de um sermão, mas nem por isso seu fascínio diminuiu. Já tinha abandonado qualquer esperança de cumprir a missão que Bobby lhe confiara.

– Nosso grande obstáculo na marcha rumo à liberdade não é o Conselho de Cidadãos Brancos nem o integrante da Ku Klux Klan. É, antes, o branco moderado para quem a ordem é mais importante do que a justiça e que vive dizendo, como Bobby Kennedy: "Eu concordo com o objetivo que vocês estão buscando, mas não posso aprovar seus métodos." Com uma visão paternalista, ele acredita poder criar um cronograma para a liberdade alheia.

George então sentiu vergonha por estar ali como mensageiro de Bobby.

– Nossa geração vai ter de se arrepender não apenas das palavras de ódio e das ações dos maus, mas do silêncio devastador dos bons – disse King, e George teve de conter as lágrimas. – A hora é sempre oportuna para fazer o que é certo. "Que a justiça flua feito água, e a retidão feito um riacho que nunca seca", disse o profeta Amós. Pode dizer isso a Bobby Kennedy, George.

– Direi, reverendo.

⸺

De volta a Washington, George ligou para Cindy Bell, a moça pela qual sua mãe havia tentado fazê-lo se interessar, e a convidou para sair.

– Por que não? – respondeu ela.

Seria seu primeiro encontro desde que terminara com Norine Latimer na esperança frustrada de namorar Maria Summers.

No sábado seguinte, à tarde, pegou um táxi até a casa de Cindy. Ela ainda morava com os pais em uma pequena casa da classe operária. O pai veio abrir a porta. Tinha a barba cerrada, e George pensou que decerto um chefe de cozinha não precisava ter um aspecto lá muito asseado.

– Prazer em conhecê-lo, George – disse ele. – Sua mãe é uma das melhores pessoas que já conheci. Espero que não se importe por eu fazer um comentário tão pessoal.

– Obrigado, Sr. Bell. Eu concordo com o senhor.

– Pode entrar, Cindy está quase pronta.

George reparou em um pequeno crucifixo na parede do corredor e lembrou que a família Bell era católica. Recordou ter ouvido dizer, quando adolescente, que as garotas de escolas religiosas eram as mais safadas.

Cindy apareceu usando um suéter justo e uma saia curta que fizeram seu pai franzir um pouco a testa, embora não tenha comentado nada. George teve de reprimir um sorriso. A moça tinha curvas e não queria escondê-las. Uma cruzinha de prata pendia de uma corrente entre seus seios fartos – para proteção, quem sabe?

Ele lhe entregou uma pequena caixa de chocolates amarrada com uma fita azul.

Fora da casa, ela arqueou as sobrancelhas ao ver o táxi.

– Vou comprar um carro – disse ele. – Só não tive tempo ainda.

A caminho do centro, Cindy falou:

– Meu pai admira sua mãe por ter criado você sozinha tão bem.

– E eles emprestam livros um ao outro. Sua mãe não acha ruim?

Ela riu. Naturalmente, pensar que a geração de seus pais pudesse sentir ciúmes era cômico.

– Você é esperto. Mamãe sabe que não há nada entre eles, mas mesmo assim está atenta.

George ficou feliz por ter chamado Cindy para sair. Ela era inteligente e simpática, e ele estava começando a imaginar como seria agradável beijá-la. A lembrança de Maria se apagou de sua mente.

Foram a um restaurante italiano. Cindy confessou que adorava todo tipo de massa. Pediram um *tagliatelle* com cogumelos, depois escalopes de vitela ao molho de xerez.

Apesar de ser formada na Universidade de Georgetown, ela lhe disse que estava trabalhando como secretária para um corretor de seguros negro.

– Mesmo as garotas que fizeram faculdade continuam sendo contratadas como secretárias – comentou. – Eu gostaria de trabalhar para o governo. Sei que as pessoas acham isso chato, mas é Washington que comanda este país todo. Infelizmente, o governo em geral contrata brancos para os cargos mais importantes.

– Verdade.

– Como você conseguiu chegar aonde está?

– Bobby Kennedy queria um rosto negro na equipe, para lhe dar credibilidade em relação aos direitos civis.

– Quer dizer que você é um símbolo?

– No começo era. Agora melhorou.

Depois do jantar, foram assistir ao último filme de Hitchcock com Tippi Hedren e Rod Taylor, *Os pássaros*. Durante as cenas mais assustadoras, Cindy se agarrou a George de um jeito que ele achou delicioso.

Na saída, eles discordaram amigavelmente sobre o final do filme. Cindy detestou.

– Fiquei tão decepcionada! – disse ela. – Estava esperando uma explicação.

– Nem tudo na vida tem explicação – comentou George, dando de ombros.

– Tem, sim, mas às vezes a gente não sabe.

Foram tomar uma saideira no bar do Hotel Fairfax. Ele pediu um uísque, ela, um daiquiri. O crucifixo de prata chamou a atenção de George.

– É só uma joia ou algo mais? – perguntou ele.

– Algo mais. Ele faz com que eu me sinta segura.

– Segura... de alguma coisa específica?

– Não. Só me protege de modo geral.

George estranhou.

– Você não acredita nisso, acredita?

– Qual o problema?

– Ahn... não quero ofender se estiver sendo sincera, mas me parece superstição.

– Pensei que você fosse religioso. Você vai à igreja, não vai?

– Acompanho minha mãe porque é importante para ela e eu a amo. Para deixá-la feliz, sou capaz de cantar hinos, ouvir rezas e escutar um sermão, mas tudo isso me parece apenas... uma bobagem.

– Você não acredita em Deus?

– Acho que provavelmente deve existir alguma inteligência que controla o universo, um ser que decide as regras, como $E=MC^2$ ou o valor de pi. Mas esse ser provavelmente não liga se nós o louvamos ou não. Duvido que as suas decisões possam ser manipuladas rezando para uma estátua da Virgem Maria, e não acredito que ele vá lhe dar algum tratamento especial só pelo que você usa pendurado no pescoço.

– Ah.

Ele viu que a havia chocado. Percebeu que tinha argumentado como durante uma reunião na Casa Branca, onde as questões eram importantes demais para alguém se importar com os sentimentos alheios.

– Eu provavelmente não deveria ter sido tão direto – falou. – Está ofendida?

– Não – respondeu ela. – Que bom que você me disse. – Ela terminou o drinque.

George pôs o dinheiro sobre o balcão e desceu do banco.

– Gostei de conversar com você – falou.

– Bom filme, final decepcionante – comentou ela.

Era um bom resumo da noite. Ela era simpática e bonita, mas ele não se via caindo de amores por uma mulher cujas crenças em relação ao universo eram tão diferentes das suas.

Saíram e pegaram um táxi.

No caminho de volta, George percebeu que no fundo não estava triste pelo fato de o encontro não ter dado certo. Ainda não tinha esquecido Maria por completo. Perguntou-se quanto tempo ainda precisaria para isso.

Quando chegaram à casa de Cindy, ela falou:

– Obrigada pela ótima noite. – Deu-lhe um beijo na bochecha e desceu.

No dia seguinte, Bobby mandou George de volta ao Alabama.

⁓

Ao meio-dia de sexta-feira, 3 de maio de 1963, George e Verena estavam no Parque Kelly Ingram, no coração da parte negra de Birmingham. Do outro lado da rua ficava a famosa Igreja Batista da Rua 16, magnífico prédio bizantino de tijolos vermelhos projetado por um arquiteto negro. O parque estava coalhado de ativistas de direitos civis, observadores e pais ansiosos.

Dava para ouvir a música dentro da igreja: "Ain't Gonna Let Nobody Turn Me Round". Mil secundaristas negros se preparavam para marchar.

A leste do parque, as avenidas que conduziam ao centro estavam interditadas por centenas de policiais. Bull Connor havia requisitado ônibus escolares para levar os manifestantes até a prisão, e havia cães bravos para o caso de alguém resistir. Além da polícia, estavam presentes também bombeiros munidos de mangueiras.

Não havia nenhum negro na polícia nem nos bombeiros.

Os ativistas de direitos civis sempre pediam permissão para as passeatas, como mandava a lei, mas a permissão era sempre negada. Quando faziam a passeata mesmo assim, eram detidos e presos.

Por esse motivo, a maioria dos negros de Birmingham relutava em participar dos protestos, o que permitia ao governo integralmente branco da cidade alegar que o movimento de Martin Luther King tinha pouco apoio.

O próprio King tinha sido preso exatamente três semanas antes, na Sexta-feira da Paixão. George ficara impressionado com a ignorância dos segregacionistas: será que eles por acaso não sabiam quem mais tinha sido preso naquela mesma sexta-feira? Por pura maldade, King fora posto na solitária.

Só que a prisão do reverendo quase não saíra nos jornais. Um negro maltratado por exigir seus direitos de cidadão americano não era notícia. Em uma carta amplamente divulgada pela imprensa, ele foi criticado por religiosos brancos. Da prisão, escreveu uma resposta que chegava a fumegar de tanta retidão moral. Nenhum jornal noticiou a resposta, embora talvez ainda viesse a fazê-lo. De modo geral, a campanha tinha sido pouco noticiada.

Os adolescentes negros de Birmingham estavam loucos para participar dos protestos e King acabara permitindo a participação dos secundaristas, mas nada mudara: Bull Connor simplesmente prendia as crianças e ninguém ligava.

O som do canto dentro da igreja era emocionante, mas não bastava. Assim como a vida amorosa de George, a campanha de Martin Luther King em Birmingham não estava indo a lugar algum.

Ele observou os bombeiros nas ruas a leste do parque. Eles agora tinham um novo tipo de arma, um implemento no qual a água parecia entrar por duas mangueiras e sair por uma só. Aquilo devia gerar um jato superpotente. O fato de estar montado sobre um tripé dava a entender que era potente demais para um homem segurar. George ficou feliz por ser apenas um observador, e não um participante do protesto. Desconfiava que aquele jato faria mais do que encharcar as pessoas.

As portas da igreja se abriram de supetão e um grupo de secundaristas irrompeu pelos três arcos ainda cantando. Eles estavam vestidos com suas melhores roupas de domingo. Desceram o comprido e largo lance de escada até a rua. Eram uns sessenta, mas George sabia que constituíam apenas a primeira parte: centenas de outros aguardavam lá dentro. A maioria estava no último ano do ginásio, e havia alguns alunos mais novos.

George e Verena os seguiram de longe. A multidão que assistia do parque assobiou e aplaudiu ao vê-los desfilar pela Rua 16, passando diante de lojas e empresas cujos donos eram, em sua maioria, negros. Viraram na Quinta Avenida e chegaram à esquina da Rua 17, onde seu caminho foi interrompido pelas barricadas da polícia.

Um capitão falou em um megafone:

– Dispersem, saiam da rua! – Apontou para os bombeiros mais atrás. – Senão vão se molhar!

Em ocasiões anteriores, a polícia simplesmente reunira os manifestantes em caminhonetes e ônibus e os levara para a prisão. Mas agora George sabia que as cadeias estavam superlotadas e que Bull Connor queria minimizar as prisões; preferiria que voltassem todos para casa.

Só que isso era a última coisa que aqueles estudantes iriam fazer. Os sessenta jovens ficaram em pé no meio da rua, em frente às autoridades brancas reunidas, cantando a plenos pulmões.

O capitão de polícia fez um gesto para os bombeiros, que ligaram a mangueira. George reparou que estavam usando mangueiras normais, não o canhão d'água montado no tripé. Mesmo assim, o jato empurrou a maior parte dos manifestantes para trás, e fez observadores saírem correndo pelo parque para se abrigarem em vãos de porta. Pelo alto-falante, o capitão repetia:

– Evacuem a área! Evacuem a área!

A maioria dos manifestantes recuou, mas não todos. Dez simplesmente sentaram no chão. Já encharcados até os ossos, ignoraram as mangueiras e continuaram cantando.

Foi então que os bombeiros acionaram o canhão d'água.

O efeito foi instantâneo. Em vez de um jorro desagradável, porém inofensivo, os estudantes sentados foram atingidos por um jato de alta potência. Jogados para trás, gritaram de dor. Seu canto se transformou em berros de medo.

A menor do grupo era uma garotinha, que a água levantou do chão e arremessou para trás. Ela rolou pela rua feito uma folha soprada, impotente, agitando braços e pernas. As pessoas em volta começaram a gritar e xingar.

George soltou um palavrão e correu para a rua.

Os bombeiros insistiram em mirar na menina a mangueira montada no tripé, impedindo-a de escapar de sua força. Estavam tentando levá-la para longe, como se ela fosse lixo. George foi o primeiro de vários homens a alcançá-la. Postou-se entre ela e a mangueira, de costas para o jato.

Foi como levar um soco.

A água o fez cair de joelhos, mas a menina, agora protegida, levantou-se e saiu correndo em direção ao parque. Só que a mangueira foi atrás e a derrubou no chão outra vez.

George ficou furioso. Os bombeiros pareciam cães de caça derrubando um filhote de cervo. Gritos de protesto dos observadores lhe informaram que eles também estavam indignados.

Ele saiu correndo atrás da menina e tornou a protegê-la. Dessa vez estava preparado para o impacto do jato, e conseguiu manter o equilíbrio. Ajoelhou-se para pegá-la no colo. Seu vestido de missa cor-de-rosa estava todo encharcado. Carregando-a nos braços, George cambaleou em direção à calçada. Os bombeiros o perseguiram com o jato, tentando derrubá-lo outra vez, mas ele conseguiu se manter em pé por tempo suficiente para chegar ao outro lado de um carro estacionado.

Pôs a menina no chão. Aterrorizada, ela não parava de gritar.

– Tudo bem, você está segura agora – falou, mas ela não se deixou consolar.

Então uma mulher aflitíssima chegou correndo e a pegou no colo. A menina se agarrou à mulher, e George calculou que fosse sua mãe. Aos prantos, a mulher a levou embora.

Ferido e ensopado, George se virou para ver o que estava acontecendo. Todos os manifestantes eram treinados em protestos não violentos, mas os observadores furiosos, não, e ele viu que estes agora retaliavam jogando pedras nos bombeiros. Aquilo estava se transformando em um motim.

Ele não conseguiu localizar Verena.

Policiais e bombeiros avançavam pela Quinta Avenida tentando dispersar a multidão, mas seu avanço era impedido pelos objetos atirados. Vários homens entraram nos prédios do lado sul da rua e começaram a bombardear a polícia das janelas dos andares superiores com pedras, garrafas e lixo. George se afastou da confusão depressa. Parou na esquina seguinte, em frente ao restaurante Jack Boy, e ficou ali junto com um pequeno grupo de jornalistas e observadores, tanto negros quanto brancos.

Ao olhar para o norte, viu outros jovens manifestantes saírem da igreja e pegarem ruas diferentes em direção ao sul para evitar a violência. Aquilo criaria um problema para Bull Connor, pois o obrigaria a dividir suas forças.

Connor reagiu mandando soltar os cachorros.

Os bichos saíram das caminhonetes rosnando, mostrando os dentes, puxando as guias de couro. Os homens que os conduziam pareciam igualmente cruéis: brancos parrudos, com quepes da polícia e óculos escuros. Tanto os cães quanto eles eram animais loucos para atacar.

Policiais e cachorros avançaram em bando. Manifestantes e observadores tentaram fugir, mas a multidão na rua agora estava compacta e muitas pessoas não conseguiram se afastar. Histéricos de tanta excitação, os cães abocanhavam, mordiam e tiravam sangue das pernas e dos braços das pessoas.

Algumas, perseguidas pela polícia, fugiram para oeste em direção às profundezas do bairro negro. Outras buscaram abrigo na igreja. George viu que nenhum outro manifestante emergia mais dos três arcos: o protesto ia chegando ao fim.

Mas a polícia ainda não estava satisfeita.

Surgidos do nada, dois policiais com cães apareceram ao lado de George. Um deles agarrou um adolescente negro alto, no qual George havia reparado por estar usando um cardigã de aspecto caro. O rapaz devia ter uns 15 anos, e sua única participação no protesto fora como observador. Mesmo assim, os policiais o fizeram se virar, e o cachorro deu um pulo e cravou os dentes no tronco do rapaz, que soltou um grito de medo e de dor. Um dos jornalistas tirou uma foto.

George estava prestes a intervir quando o policial puxou o cachorro, depois prendeu o rapaz por desfilar sem autorização.

George reparou em um branco barrigudo de camisa e sem paletó assistindo à prisão. Reconheceu Bull Connor das fotos que vira nos jornais.

– Por que você não trouxe um cachorro mais bravo? – perguntou Connor ao policial que efetuava a prisão.

George teve ganas de repreendê-lo. Ele teoricamente era o comissário de Segurança Pública, mas estava agindo como um arruaceiro.

Entendeu, porém, que ele próprio corria o risco de ser preso, sobretudo agora que seu terno elegante havia se transformando em um trapo encharcado. Bobby Kennedy não ficaria nada contente se ele fosse parar na cadeia.

Com esforço, reprimiu a raiva que sentia, fechou a boca, virou-se e voltou a pé depressa para o Gaston.

Felizmente, tinha levado outra calça na mala. Tomou uma chuveirada, vestiu roupas secas e mandou o terno para a tinturaria. Ligou para o Departamento de Justiça e ditou a uma secretária seu relatório sobre os acontecimentos do dia para o chefe. Fez um relato seco, sem emoção, e omitiu o fato de ter sido atingido pela mangueira.

Tornou a encontrar Verena no lobby do hotel. Ela havia escapado ilesa, mas parecia abalada.

– Eles podem fazer o que quiserem conosco! – exclamou, e sua voz tinha um quê de histeria.

George pensava a mesma coisa, mas para ela era pior. Ao contrário dele, Verena não tinha participado da Viagem da Liberdade, e ele calculou que aquela fosse a primeira vez que via o ódio racial manifestado em todo seu horror e crueza.

– Me deixe pagar um drinque para você – falou, e os dois foram até o bar.

George passou a hora seguinte tentando acalmá-la. O que mais fez foi escutar; de vez em quando, fazia algum comentário compreensivo ou reconfortante e, acalmando a si mesmo, ajudou-a a se acalmar. O esforço serviu para controlar seu próprio arrebatamento.

Os dois jantaram juntos tranquilamente no restaurante do hotel. Quando subiram, havia acabado de escurecer, e no corredor Verena disse:

– Quer ir para o meu quarto?

George ficou surpreso. A noite não tinha sido sensual nem romântica, e ele não havia considerado aquilo um encontro. Eles eram só dois ativistas consolando um ao outro.

A moça percebeu sua hesitação.

– Só queria alguém para me abraçar. Tudo bem?

Apesar de não ter certeza se tinha entendido, ele assentiu.

A imagem de Maria surgiu em sua mente. Ele a reprimiu. Estava na hora de esquecê-la.

Uma vez no quarto, Verena fechou a porta e lhe deu um abraço. Ele apertou o corpo dela junto ao seu e a beijou na testa. Ela virou o rosto e encostou a bochecha no seu ombro. Está bem, pensou ele; você quer abraçar, mas não quer beijar. Decidiu simplesmente deixá-la tomar a iniciativa. O que ela quisesse por ele estaria bom.

Um minuto depois, ela disse:

– Não quero dormir sozinha.

– Ok – respondeu ele, neutro.

– A gente pode ficar só abraçado?

– Pode – disse ele, embora não acreditasse que era isso que iria acontecer.

Ela se afastou do abraço. Então, com gestos rápidos, tirou os sapatos e puxou o vestido por cima da cabeça. Estava de calcinha e sutiã brancos. George ficou encarando aquela pele perfeita, lisinha. Ela tirou a roupa de baixo em poucos segundos. Tinha seios pequenos e firmes, com mamilos pequeninos. Seus pelos pubianos tinham reflexos ruivos. Era de longe a mulher mais linda que George já vira nua.

Ele viu isso tudo de relance, porque ela entrou na cama imediatamente.

George se virou e tirou a camisa.

– Suas costas! – exclamou ela. – Ai, meu Deus! Que horror!

Ele estava dolorido nos pontos em que fora atingido pela mangueira, mas não lhe ocorrera que o estrago pudesse ser visível. Ficou de costas para o espelho ao lado da porta e olhou por cima do ombro. Então entendeu a reação de Verena: suas costas estavam cobertas de hematomas roxos.

Tirou os sapatos e as meias devagar. Seu pau ficou duro e ele torceu para a ereção ir embora, mas não foi; era mais forte do que ele. Levantou-se, tirou a calça e a cueca e entrou na cama tão depressa quanto ela havia entrado.

Abraçaram-se. Seu pau duro encostou na barriga de Verena, mas ela não reagiu. Ele podia sentir os cabelos dela fazerem cócegas em seu pescoço e os seios espremidos contra seu peito. Apesar de muito excitado, seu instinto lhe disse para não fazer nada, e ele obedeceu.

Verena começou a chorar. No início foram só uns gemidinhos, que George não soube ao certo se tinham conotação sexual. Então sentiu no peito as lágrimas mornas, e os soluços começaram a sacudir o corpo dela. Ele afagou suas costas com o gesto universal de quem reconforta.

Parte de sua mente se maravilhou com o que estava acontecendo. Ali estava ele na cama com uma mulher linda, nu, e tudo o que conseguia fazer era afagar suas costas. Em um nível mais profundo, porém, aquilo fazia sentido. George teve a vaga mas segura sensação de que os dois estavam compartilhando um tipo de reconforto mais forte do que o sexo. Estavam ambos tomados por uma intensa emoção, muito embora ele não soubesse que nome lhe dar.

Aos poucos, os soluços de Verena foram diminuindo. Depois de algum tempo, seu corpo relaxou, a respiração se tornou regular e rasa, e ela se entregou ao sono.

A ereção de George passou. Ele fechou os olhos e se concentrou no calor do corpo dela junto ao seu e no leve aroma feminino irradiado por sua pele e seus cabelos. Com uma mulher daquela nos braços, tinha certeza de que não conseguiria dormir.

Mas conseguiu.

De manhã, quando acordou, ela já tinha ido embora.

⁓

Naquele sábado de manhã, Maria Summers foi trabalhar tomada pelo pessimismo.

Enquanto Martin Luther King estava preso no Alabama, a Comissão de Direitos Civis tinha elaborado um relatório chocante sobre os abusos perpetrados contra os negros no Mississippi. Espertamente, porém, o governo Kennedy minimizou o relatório. Um advogado do Departamento de Justiça chamado Burke Marshall escreveu um memorando contrariando as afirmações do relatório; Pierre Salinger, chefe de Maria, tachou suas propostas de extremistas; e a imprensa americana se deixou enganar.

E quem estava no comando de tudo aquilo era o homem que Maria amava. Ela acreditava que Jack Kennedy tinha bom coração, mas ele não tirava o olho da próxima eleição. Saíra-se bem nas legislativas do ano anterior: sua forma tranquila de lidar com a crise dos mísseis em Cuba lhe valera popularidade e a lavada republicana prevista fora evitada. Agora, porém, ele estava preocupado com a reeleição no ano seguinte. Não gostava dos segregacionistas do Sul, mas não estava disposto a se sacrificar brigando com eles.

Assim, a campanha pelos direitos civis estava perdendo fôlego.

O irmão de Maria tinha quatro filhos dos quais ela gostava muito. Quando crescessem, esses sobrinhos, bem como os filhos que ela ainda pudesse vir a ter, virariam cidadãos americanos de segunda categoria. Se fossem ao Sul, teriam dificuldade para encontrar um hotel que os aceitasse. Se entrassem em uma igreja de brancos, seriam convidados a se retirar, a não ser que o pastor fosse liberal e os direcionasse aos bancos somente para negros, numa área especial e isolada. Veriam placas de SÓ BRANCOS nos banheiros públicos, e outras instruindo quem fosse NEGRO a usar um balde no quintal. Perguntariam por que não havia nenhum negro na televisão, e seus pais não saberiam responder.

Chegando ao escritório, ela viu os jornais.

A manchete do *The New York Times* estampava uma foto de Birmingham que a fez arquejar, horrorizada. Na imagem, um policial branco segurava na coleira um pastor alemão feroz que mordia um adolescente negro de aspecto inofensivo, enquanto com a outra mão agarrava o menino pelo cardigã. O homem tinha os dentes arreganhados em um esgar ávido e mau, como se também quisesse morder alguém.

Nelly Fordham ouviu Maria arquejar e ergueu os olhos do *Washington Post*.

– Horrível, né? – comentou.

Muitos outros jornais dos Estados Unidos estampavam a mesma foto na capa, bem como as edições dos jornais estrangeiros que chegavam por via aérea.

Maria sentou-se à sua mesa e começou a ler. Constatou com uma centelha de esperança que o tom havia mudado. Não era mais possível para a imprensa apontar o dedo para Martin Luther King e dizer que a sua campanha era inoportuna e que os negros deveriam ter paciência. A história havia mudado graças à química irrefreável da cobertura midiática, processo misterioso que ela aprendera a respeitar e temer.

Sua animação aumentou quando começou a desconfiar que os sulistas brancos tinham ido longe demais. A imprensa agora falava em violência contra crianças nas ruas do país. Ainda citavam pessoas para quem tudo era culpa de King e de seus agitadores, mas o costumeiro tom desdenhoso e confiante dos segregacionistas tinha desaparecido, substituído por um certo quê de negação desesperada. Será que uma foto era capaz de mudar tudo?

Salinger entrou na sala.

– Pessoal – disse ele. – O presidente leu os jornais de hoje, viu as fotos de Birmingham e ficou nauseado. Ele quer que a imprensa saiba disso. Não é um pronunciamento oficial, só uma declaração informal. A palavra-chave é "nauseado". Por favor, comecem a divulgar agora mesmo.

Maria olhou para Nelly, e ambas ergueram as sobrancelhas. Aquilo era uma mudança.

Maria pegou o telefone.

⁓

Na segunda-feira de manhã, George se movimentava feito um velho, cautelosamente, tentando minimizar as pontadas de dor. Segundo os jornais, o canhão d'água do Corpo de Bombeiros de Birmingham tinha uma pressão de 18 quilos por centímetro quadrado, e ele estava sentindo todos esses quilos em cada centímetro das próprias costas.

Não era o único ferido nessa segunda de manhã. Centenas de manifestantes estavam machucados. Alguns tinham levado mordidas tão feias que precisaram de pontos. Milhares de secundaristas continuavam na prisão.

George torceu para que o seu sofrimento se mostrasse útil.

Agora havia esperança. Os ricos negociantes brancos de Birmingham queriam o fim do conflito. Ninguém comprava mais nada: a eficácia do boicote às lojas do centro pelos negros fora intensificada pelo temor dos brancos de que eles se envolvessem em algum motim. Mesmo os irredutíveis donos de usinas siderúrgicas sentiam que seus negócios estavam sendo prejudicados pela reputação da cidade como capital mundial do racismo violento.

A Casa Branca, por sua vez, estava detestando as manchetes que não paravam de ser publicadas mundo afora. Os jornais estrangeiros, que consideravam o direito dos negros à justiça e à democracia uma coisa natural, não entendiam por que o presidente americano parecia incapaz de aplicar suas próprias leis.

Bobby Kennedy despachou Burke Marshall para tentar fazer um acordo com as principais lideranças dos moradores de Birmingham. O assessor de Marshall era Dennis Wilson. George não confiava em nenhum dos dois. Marshall havia minado o relatório da Comissão de Direitos Civis com contestações jurídicas, e Dennis sempre tivera inveja de George.

Como a elite branca de Birmingham se recusava a negociar diretamente com Martin Luther King, Dennis e George precisavam agir como intermediários, e Verena representaria King.

Burke Marshall queria que o reverendo cancelasse o protesto de segunda-feira.

– E reduzir a pressão justo quando estamos conquistando a vantagem? – indagou Verena a Wilson, incrédula, no luxuoso lobby do Motel Gaston. George concordou com um meneio de cabeça.

– De todo modo, a administração municipal não pode fazer nada agora – reagiu Dennis.

A prefeitura estava passando por uma crise distinta, embora relacionada: Bull Connor havia recorrido juridicamente contestando sua derrota na eleição, de modo que havia dois homens alegando ser o prefeito.

– Quer dizer então que eles estão divididos e enfraquecidos... Ótimo! Se esperarmos até resolverem suas diferenças, eles vão voltar mais fortes e mais determinados. Vocês na Casa Branca não entendem nada de política?

Dennis tentou fazer parecer que os ativistas de direitos civis eram confusos em relação às próprias demandas, o que também deixou Verena furiosa.

– Temos quatro demandas simples – disse ela. – Um: fim imediato da segregação em lanchonetes, banheiros, bebedouros, e todos os equipamentos dos estabelecimentos comerciais. Dois: contratação e promoção não discriminatória de funcionários negros nas lojas. Três: todos os manifestantes devem ser soltos, e as acusações contra eles, retiradas. Quatro: no futuro, será formado um comitê birracial para negociar o fim da segregação na polícia, nas escolas, nos parques, cinemas e hotéis. – Ela olhou para um Dennis irado. – O que há de confuso nisso?

King estava pedindo coisas que deveriam ter sido naturais, mas mesmo assim eram demais para os brancos. Nessa noite, Dennis voltou ao Gaston para comunicar as contrapropostas a George e Verena. Os donos das lojas estavam dispostos a acabar com a segregação nos provadores e em outros equipamentos após um prazo determinado. Cinco ou seis funcionários negros poderiam ser promovidos a "cargos de gravata" assim que as manifestações terminassem. Quanto às pessoas presas, os comerciantes nada podiam fazer, pois aquela era uma questão para os tribunais. A segregação nas escolas e em outros equipamentos municipais deveria ser negociada com o prefeito e o conselho municipal.

George ficou contente. Pela primeira vez, os brancos estavam negociando!

Verena, porém, desdenhou a proposta:

– Isso não é nada. Eles nunca pedem para duas mulheres dividirem o mesmo provador, de modo que os provadores não chegam a ser segregados. E Birmingham tem mais de cinco negros que sabem dar nó em uma gravata. Quanto ao resto...

– Eles disseram que não têm poder para reverter as decisões dos tribunais ou mudar as leis.

– Por acaso você é ingênuo? – rebateu ela. – Nesta cidade, os tribunais e o conselho municipal são teleguiados pelos negociantes.

Bobby Kennedy pediu a George para elaborar uma lista com os nomes e telefones dos mais influentes negociantes da cidade. O presidente lhes telefonaria pessoalmente e diria que eles precisavam ceder e chegar a um meio-termo.

George constatou outros sinais animadores. Grandes reuniões realizadas nas igrejas de Birmingham na segunda-feira arrecadaram espantosos 40 mil dólares em doações para a campanha; o pessoal de King passou a maior parte da noite contando o dinheiro em um quarto de hotel alugado para esse fim. Mais dinheiro ainda estava chegando pelo correio. O movimento em geral vivia com dinheiro contado, mas Bull Connor e seus cachorros tinham causado uma senhora bonança.

Verena e o resto do pessoal de King se acomodaram para uma reunião noturna na saleta da suíte do reverendo, para debater como manter a pressão. Como não fora convidado – e não queria ouvir coisas que pudesse se sentir na obrigação de contar a Bobby –, George se recolheu.

Pela manhã, às dez, vestiu o terno e desceu para a coletiva de imprensa de King. Encontrou o pátio do hotel abarrotado com mais de uma centena de jornalistas do mundo inteiro, suando sob o sol do Alabama. A campanha de King em Birmingham era uma notícia quente, novamente graças a Bull Connor.

– Os acontecimentos em Birmingham nos últimos dias assinalam a maturidade do movimento de não violência – afirmou King. – É a realização de um sonho.

George não viu Verena em lugar nenhum, e começou a desconfiar que o mais importante estava acontecendo em algum outro lugar. Saiu do motel e dobrou a esquina até a igreja. Não achou Verena, mas reparou em alunos de escola saindo do subsolo e entrando em carros estacionados na Quinta Avenida. Sentiu que os adultos que os supervisionavam exibiam uma descontração fingida.

Esbarrou em Dennis Wilson, que trazia novidades:

– O Comitê de Cidadãos Seniores está fazendo uma reunião de emergência na Câmara de Comércio.

George já tinha ouvido falar nesse grupo extraoficial, cujo apelido era Grandes Mulas. Eram os homens que detinham o verdadeiro poder na cidade. Se eles estavam entrando em pânico, algo teria de mudar.

– O que o pessoal de King está planejando? – indagou Dennis.

George ficou aliviado por não saber.

– Não fui convidado para a reunião – respondeu. – Mas eles bolaram alguma coisa.

Separou-se de Dennis e foi a pé até o centro. Mesmo passeando sozinho, sabia que poderia ser preso por desfilar sem autorização, mas tinha de correr esse risco: não teria utilidade nenhuma para Bobby se ficasse entocado no Gaston.

Em dez minutos, chegou ao bairro comercial tipicamente sulista de Birmingham: lojas de departamentos, cinemas, prédios administrativos e uma via férrea correndo pelo meio.

Só entendeu qual era o plano de King quando o viu ser posto em ação.

De repente, negros que caminhavam sozinhos ou em grupos de dois ou três começaram a se reunir e a brandir cartazes que até então tinham mantido escondidos. Alguns se sentaram, interditando a calçada, enquanto outros se ajoelharam para rezar nos degraus da imensa sede art déco da prefeitura. Filas de adolescentes entravam e saíam cantando de lojas segregadas. O tráfego parou quase por completo.

Os policiais foram pegos desprevenidos: estavam concentrados em volta do Parque Kelly Ingram, a quase um quilômetro dali, e os manifestantes os haviam surpreendido. Mas George teve certeza de que aquela atmosfera de manifestação bem-humorada só iria durar enquanto Bull Connor permanecesse desestabilizado.

Quando a manhã foi se transformando em tarde, ele voltou ao Gaston. Encontrou Verena com uma cara preocupada.

– Isso que está acontecendo é ótimo, mas está fora de controle – disse ela. – Nosso pessoal tem treinamento em protestos não violentos, mas milhares de outras pessoas estão simplesmente se juntando às manifestações, e não têm a menor disciplina.

– A pressão nas Grandes Mulas está aumentando – comentou George.

– Mas não queremos que o governo baixe uma lei marcial.

O Alabama era governado por George Wallace, um segregacionista ferrenho.

– Lei marcial significa controle federal – assinalou George. – E nesse caso o presidente teria de ordenar uma integração ao menos parcial.

– Se as Grandes Mulas forem forçadas a tomar essa decisão por alguém de fora, vão dar um jeito de não acatá-la. É melhor a decisão ser deles.

George estava vendo que Verena tinha um raciocínio político sutil; sem dúvida devia ter aprendido muito com King. Mas ficou em dúvida se ela estava certa em relação àquela questão.

Comeu um sanduíche de presunto e tornou a sair. A atmosfera ao redor do Parque Kelly Ingram estava mais tensa agora. Lá dentro, centenas de policiais balançavam cassetetes e seguravam cães nervosos. Bombeiros usavam mangueiras em qualquer um que estivesse indo para o centro. Atacados pelos jatos, os negros começaram a jogar pedras e garrafas de Coca-Cola na polícia. Verena e outros integrantes da equipe de King percorriam a multidão implorando para as pessoas manterem a calma e evitarem a violência, mas não adiantou quase nada. Um estranho veículo branco conhecido como Tanque subia e descia a Rua 16, e Bull Connor gritava em um megafone:

– Dispersem! Saiam das ruas!

George ficara sabendo que aquilo não era um tanque, e sim um blindado do Exército comprado por Connor.

Viu Fred Shuttlesworth, rival de King na liderança da campanha, um homem nervoso de 41 anos que exibia um aspecto duro, roupas elegantes e um bigode bem aparado. Shuttlesworth havia sobrevivido a dois atentados a bomba e sua mulher fora esfaqueada por um membro da Ku Klux Klan, mas ele parecia não ter medo algum e se recusava a sair da cidade. "Não fui salvo para fugir", gostava de dizer. Embora fosse um lutador nato, estava agora tentando reunir alguns dos jovens.

– Não provoquem a polícia – orientava ele. – Não ajam como se estivessem pretendendo atacá-la.

Um bom conselho, pensou George.

Crianças se reuniram em volta de Shuttlesworth e, qual o Flautista de Hamelin, ele as conduziu de volta até sua igreja, acenando no ar com um lencinho branco na tentativa de mostrar à polícia que sua intenção era pacífica.

Quase funcionou.

Shuttlesworth fez as crianças passarem em frente aos caminhões de bombeiros diante da igreja até chegarem à entrada do subsolo, que ficava no mesmo nível da rua, e por ali as fez entrar e descer a escada. Quando todas já tinham entrado, virou-se para segui-las. Foi nessa hora que George ouviu uma voz gritar:

– Vamos jogar uma água no reverendo.

Com a testa franzida, Shuttlesworth se virou. O jato de um canhão d'água o atingiu em cheio no peito. Ele cambaleou e caiu para trás, despencando escada abaixo com alarde e um urro de dor.

– Ai, meu Deus! – gritou alguém. – Acertaram Shuttlesworth!

George entrou correndo. O reverendo estava ao pé da escada, arquejando.

– Está tudo bem?! – gritou George, mas o outro não conseguiu responder. – Alguém chame uma ambulância, depressa!

Ficou pasmo que as autoridades tivessem sido tão burras. Shuttlesworth era um homem muito popular. Será que eles *queriam* provocar um motim?

Havia ambulâncias por perto e foi preciso apenas um ou dois minutos para dois homens entrarem com uma maca e levarem o reverendo embora.

George subiu atrás deles até a calçada. Observadores negros e policiais brancos se aglomeravam perigosamente. Jornalistas também haviam se juntado, e fotógrafos de imprensa tiravam fotos enquanto a maca era colocada na ambulância. Todos observaram o veículo ir embora.

Instantes depois, Bull Connor apareceu.

– Esperei uma semana para ver Shuttlesworth ser atingido por uma mangueira – disse ele, animado. – Que pena ter perdido essa cena.

George ficou uma fera. Torceu para um dos observadores dar um soco na cara gorda de Connor.

– Ele foi embora de ambulância – falou um jornalista branco.

– Quem dera tivesse sido de rabecão – comentou Connor.

George teve de virar as costas para conter a própria fúria. Foi salvo por Dennis Wilson, que surgiu do nada e o segurou pelo braço.

– Boas notícias! – exclamou ele. – As Grandes Mulas cederam!

George se virou.

– Como assim, cederam?

– Formaram um comitê para negociar com os ativistas!

Era *mesmo* uma boa notícia. Algo os tinha feito mudar de ideia: as manifestações, os telefonemas do presidente, ou então a ameaça de lei marcial. Fosse qual fosse o motivo, eles estavam agora desesperados o suficiente para se sentar com os negros e conversar sobre uma trégua. Talvez esta pudesse ser negociada antes de os motins se tornarem seriamente violentos.

– Mas eles precisam de um lugar para se reunir – acrescentou Dennis.

– Verena deve saber de algum. Vamos procurá-la.

George se virou para ir embora, então parou, girou nos calcanhares e olhou para Bull Connor. Viu que ele estava se tornando irrelevante. Connor estava nas ruas, vaiando os ativistas de direitos civis, mas na Câmara de Comércio os figurões mais poderosos da cidade haviam modificado o curso – e sem consultá-lo. Talvez o dia em que os brancos truculentos não mais governariam o Sul estivesse chegando.

Ou talvez não.

⁂

O acordo foi anunciado na coletiva de imprensa de sexta-feira. Fred Shuttlesworth compareceu, com algumas costelas quebradas por causa do canhão d'água, e anunciou:

– Birmingham hoje chegou a um acordo com sua consciência!

Pouco depois, desmaiou e teve de ser levado embora carregado. Martin Luther King declarou vitória e pegou um avião de volta para Atlanta.

A elite branca de Birmingham finalmente havia concordado com certo nível de dessegregação. Verena reclamou que não era grande coisa, e de certa forma tinha razão: as concessões eram mínimas. Na opinião de George, contudo, houvera uma grande mudança de princípios: os brancos tinham aceitado que precisavam negociar com os negros sobre segregação. Não podiam mais simplesmente impor a lei. As negociações iriam prosseguir, e só poderiam avançar em uma direção.

Quer aquilo fosse um pequeno avanço ou um importante divisor de águas, todas as pessoas de cor de Birmingham comemoraram no domingo à noite, e Verena convidou George para ir ao seu quarto de hotel.

Ele logo descobriu que ela não era uma daquelas moças que gostava que o homem assumisse o comando na cama. Sabia o que queria, e não tinha vergonha de pedir. Para George, não havia problema algum.

Quase qualquer coisa o teria deixado contente. Ele estava encantado com aquele corpo lindo de pele clara e aqueles olhos verdes sedutores. Ela falou bastante durante a transa, dizendo-lhe o que estava sentindo, perguntando se tal coisa lhe agradava ou o deixava constrangido, e as palavras intensificaram sua intimidade. Ele percebeu, com mais força do que nunca, como o sexo podia ser um jeito de conhecer o temperamento da outra pessoa tanto quanto seu corpo.

Perto do fim, ela quis ficar por cima. Mais uma novidade: nenhuma mulher tinha feito aquilo com ele antes. Ela se ajoelhou com uma perna de cada lado de seu corpo, ele a segurou pelos quadris, e os dois começaram a se movimentar no mesmo ritmo. Ela fechou os olhos, mas ele, não. Ficou olhando para seu rosto, fascinado, vidrado, e quando ela finalmente chegou ao clímax ele também gozou.

Alguns minutos antes da meia-noite, enquanto Verena estava no banheiro, George se postou junto à janela, de roupão, e ficou olhando as luzes da Quinta Avenida. Tornou a pensar no acordo de direitos civis que King tinha feito com os brancos de Birmingham. Se aquilo era um triunfo para o movimento em defesa dos direitos civis, os segregacionistas aguerridos jamais aceitariam uma derrota, supunha ele. Mas como será que iriam reagir? Bull Connor sem dúvida devia ter um plano para sabotar o acordo. Provavelmente o governador racista George Wallace também tinha o seu.

Naquele dia, a Ku Klux Klan tinha feito um comício em Bessemer, pequena cidade a 30 quilômetros de Birmingham. Segundo as informações de inteligência obtidas por Bobby Kennedy, o encontro reunira segregacionistas da Geórgia, do

Tennessee, da Carolina do Sul e do Mississippi. Sem dúvida os oradores tinham passado a noite inteira instigando aquelas pessoas a um frenesi de indignação pelo fato de Birmingham ter capitulado diante dos negros. Àquela altura, mulheres e crianças já deviam ter ido para casa, mas os homens deviam ter começado a beber e a se gabar uns com os outros em relação ao que iriam fazer.

O dia seguinte, 12 de maio, era Dia das Mães. George se lembrou da mesma data dois anos antes, quando os brancos tinham tentado matar a ele e a outros Viajantes da Liberdade jogando bombas caseiras em seu ônibus em Anniston, a 100 quilômetros dali.

Verena saiu do banheiro.

– Volte para a cama – falou, enfiando-se sob os lençóis.

Vontade não faltava a George; esperava que os dois transassem no mínimo mais uma vez antes de o dia amanhecer. No entanto, bem na hora em que ia virar as costas para a janela, alguma coisa atraiu seu olhar. Os faróis de dois carros vieram chegando pela Quinta Avenida. O primeiro era uma viatura branca do Departamento de Polícia de Birmingham na qual se podia distinguir claramente o número 25. Logo atrás vinha um velho Chevrolet de frente arredondada do início dos anos 1950. Ambos diminuíram a velocidade ao chegarem à altura do Gaston.

De repente, George reparou que os policiais e agentes da polícia estadual que antes patrulhavam as ruas em torno do motel tinham sumido. A calçada estava deserta.

O que estava acontecendo ali?

Um segundo depois, algo foi atirado na calçada da janela traseira aberta do Chevrolet, indo parar junto à parede do motel. O objeto aterrissou bem debaixo das janelas do quarto 300, a suíte no canto que fora ocupada por Martin Luther King até ele deixar a cidade mais cedo.

Então os dois carros aceleraram.

George virou as costas para a janela, atravessou o quarto em dois passos largos e se jogou em cima de Verena.

Ela estava começando a protestar quando seu grito foi engolido por um imenso estrondo. O prédio inteiro sacudiu, como se estivesse havendo um terremoto. O ar foi tomado pelo barulho de vidro estilhaçando e pelo rumor de alvenaria desabando. A janela do quarto se espatifou com um tilintar que parecia as sinetas da morte. Fez-se um sinistro instante de silêncio. Enquanto o barulho dos dois carros ia diminuindo, George ouviu gritos e lamentos vindos de dentro do prédio.

– Tudo bem com você? – perguntou a Verena.

– Que porra foi essa?

– Alguém atirou uma bomba de um carro. – Ele franziu a testa. – O carro estava escoltado por uma viatura da polícia. Dá para acreditar?

– Nesta porcaria de cidade? Dá, sim. Fácil.

George rolou para sair de cima dela e olhou para o quarto em volta. O chão estava totalmente tomado por vidro quebrado. Um pedaço de tecido verde cobria o pé da cama, e após alguns instantes ele percebeu que era a cortina. Um retrato de Roosevelt arrancado da parede pela força da explosão estava caído no tapete, com a foto virada para cima e o sorriso do presidente coberto por vidro quebrado.

– Temos que descer – disse Verena. – Talvez tenha gente ferida.

– Espere um instante. Vou pegar seus sapatos. – George pousou o pé sobre um pedaço limpo do carpete. Para atravessar o quarto, teve de ir catando cacos de vidro e jogando para o lado. Seus sapatos e os de Verena estavam lado a lado no armário: ele gostou de ver isso. Calçou seus oxfords de couro preto, depois pegou os sapatos brancos de salto gatinha de Verena e os levou até ela.

A energia caiu.

Ambos se vestiram depressa, no escuro. Descobriram que o banheiro estava sem água. Desceram até o térreo.

O lobby às escuras estava cheio de funcionários e hóspedes, todos em pânico. Várias pessoas sangravam, mas não parecia haver vítimas fatais. George abriu caminho até lá fora. À luz dos postes de rua, viu um rombo de um metro e meio na parede do prédio e um monte de entulho na calçada. Trailers estacionados no terreno ao lado tinham sido destruídos pela força da bomba, mas por milagre ninguém ficara ferido.

Um policial chegou com um cachorro, seguido logo depois por uma ambulância e outros policiais. Ameaçadoramente, grupos de negros começaram a se reunir em frente ao motel e no Parque Kelly Ingram, no quarteirão seguinte. Aqueles não eram os cristãos não violentos que tinham saído em marcha alegremente da Igreja Batista da Rua 16 cantando hinos, observou George, aflito. Eram homens que tinham passado a noite de sábado bebendo em bares, casas de sinuca e arrasta-pés, e que não abraçavam a filosofia gandhiana de resistência passiva defendida pelo reverendo King.

Alguém disse que houvera outra bomba, a alguns quarteirões dali, na residência paroquial ocupada pelo irmão de Martin Luther King, Alfred, conhecido como A. D. King. Uma testemunha ocular tinha visto um policial uniformizado depositar um embrulho em frente à porta da casa poucos segundos antes da explosão. Obviamente, a polícia de Birmingham havia tentado matar os dois irmãos King ao mesmo tempo.

A raiva da multidão aumentou.

As pessoas logo começaram a jogar garrafas e pedras. Cachorros e canhões d'água eram os alvos preferidos. George voltou para dentro do motel. À luz de lanternas, Verena ajudava a resgatar uma senhora negra idosa de um quarto em ruínas no térreo.

– A coisa lá fora está ficando feia – disse-lhe George. – Estão tacando pedras na polícia.

– E deveriam tacar, mesmo! Foi a polícia quem jogou as bombas.

– Pense um pouco – pediu ele, com urgência. – Por que os brancos querem um motim hoje à noite? Para sabotar o acordo.

Ela limpou um pouco de poeira de gesso da testa. George observou sua expressão e viu a raiva ser substituída pelo raciocínio.

– Caramba, você tem razão! – exclamou ela.

– Não podemos deixar que façam isso.

– Mas como vamos impedir?

– Temos de mandar todos os líderes do movimento lá para a rua acalmar as pessoas.

Ela concordou.

– Caramba, é. Vou começar a reunir todo mundo.

George tornou a sair para a rua. O motim tinha se intensificado depressa. Um táxi virado e incendiado ardia no meio da rua. A um quarteirão dali, uma mercearia também estava pegando fogo. Viaturas de polícia que chegavam do centro eram paradas na Rua 17 por uma chuva de projéteis.

George pegou um megafone e começou a falar com a multidão:

– Calma, pessoal! Não ponham nosso acordo em risco! Os segregacionistas estão tentando começar um motim... não vamos dar o que eles querem! Vão para casa dormir!

Um negro em pé ali perto disse:

– Por que é que *nós* temos de ir para casa toda vez que *eles* começam a violência?

George subiu no capô de um carro estacionado e ficou em pé no teto.

– Isso não está nos ajudando! Nosso movimento é não violento! Vão para casa, todo mundo!

– Nós somos não violentos, mas eles, não! – gritou alguém.

Então uma garrafa de uísque vazia voou pelo ar e acertou George na testa. Ele desceu do teto do carro. Levou a mão à cabeça: estava doendo, mas não havia sangue.

Outras pessoas assumiram seu lugar. Verena apareceu com vários líderes e pastores do movimento, e eles se misturaram à multidão para tentar acalmar as pessoas. A. D. King subiu em um carro.

– Nossa casa acabou de ser bombardeada – gritou. – Nós dizemos: perdoai-os, ó Pai, pois eles não sabem o que fazem. Mas vocês não estão ajudando... estão nos prejudicando! Por favor, vão embora deste parque!

Aos poucos, a estratégia começou a dar certo. George reparou que Bull Connor tinha sumido; o responsável agora era um profissional de segurança pública, o comandante da polícia Jamie Moore, e não um detentor de cargo político. Isso ajudou. A atitude da polícia parecia ter mudado. Os bombeiros e os homens que seguravam os cachorros não pareciam mais ávidos por briga. George ouviu um policial dizer para um grupo de negros:

– Nós somos seus amigos! – Era mentira, mas um novo tipo de mentira.

Percebeu que entre os segregacionistas também havia pombas e falcões. Martin Luther King tinha se aliado às pombas e assim conseguira contornar os falcões. Agora os falcões estavam tentando reacender as fogueiras do ódio. Era preciso impedi-los.

Sem o estímulo da truculência policial, a multidão perdeu o ímpeto de se amotinar. George começou a ouvir comentários diferentes. Quando a mercearia incendiada ruiu, as pessoas pareceram contritas. "Que pena", comentou um homem, e outro disse: "Nós fomos longe demais."

Por fim, os pastores fizeram a multidão começar a cantar, e George relaxou. Sentiu que estava tudo acabado.

Encontrou o comandante Moore na esquina da Quinta Avenida com a Rua 17.

– Precisamos de equipes de reparos lá no motel, comandante – falou, educado. – O Gaston está sem energia e sem água, e não vai demorar a ficar insalubre.

– Vou ver o que posso fazer – disse Moore, e levou o walkie-talkie à orelha.

Antes que ele conseguisse falar qualquer coisa, porém, a polícia estadual chegou.

De capacete azul, os agentes portavam carabinas e espingardas de cano duplo. Chegaram em bando, a maioria de carro, alguns a cavalo. Em poucos segundos, já eram duzentos ou mais. George encarou a cena, horrorizado. Aquilo era uma catástrofe... eles iriam recomeçar o motim. Percebeu, contudo, que era essa a intenção do governador George Wallace. Assim como Bull Connor e os responsáveis pelas bombas, Wallace agora achava que a única esperança dos segregacionistas era uma ruptura completa da lei e da ordem.

Um carro se aproximou e o diretor de Segurança Pública de Wallace, coronel Al Lingo, saltou carregando uma espingarda. Dois homens que o acompanhavam, guarda-costas pelo visto, portavam submetralhadoras Thompson.

O comandante Moore guardou o walkie-talkie. Falou em tom suave, mas tomou cuidado para não se dirigir a Lingo pela patente militar:

– Eu gostaria que o senhor fosse embora, Sr. Lingo.

Lingo dispensou a cortesia.

– Vá sentar essa bunda mole de covarde lá na sua sala. Quem manda aqui agora sou eu, e minha ordem é fazer esses pretos malditos irem para a cama.

George imaginou que eles fossem mandá-lo sair dali, mas estavam entretidos demais na discussão para prestar atenção nele.

– Essas armas não são necessárias – falou Moore. – Pode, por favor, apontá-las para o alto? Alguém vai acabar morrendo.

– Vai mesmo, caramba! – retrucou Lingo.

George se afastou rapidamente em direção ao motel.

Logo antes de entrar, virou-se bem a tempo de ver a polícia estadual atacar a multidão.

E o motim recomeçou.

Ele encontrou Verena no pátio do motel.

– Preciso voltar para Washington – falou.

Não queria ir embora. Queria passar mais tempo com ela, conversando e aprofundando sua recém-descoberta intimidade. Queria fazê-la se apaixonar por ele. Mas isso teria que esperar.

– O que vai fazer em Washington? – perguntou ela.

– Garantir que os irmãos Kennedy entendam o que está acontecendo. Eles precisam saber que o governador Wallace está provocando violência para prejudicar o acordo.

– São três horas da manhã.

– Eu gostaria de chegar ao aeroporto o mais cedo possível e pegar o primeiro avião. Talvez tenha de voar por Atlanta.

– Como vai chegar ao aeroporto?

– Vou procurar um táxi.

– Nenhum táxi vai pegar um passageiro negro na noite de hoje, principalmente se ele estiver com um galo na testa.

Com delicadeza, George levou a mão ao próprio rosto e encontrou um galo bem no lugar em que ela dissera.

– Como isso aconteceu? – perguntou.

– Acho que vi uma garrafa acertar você.

– Ah, é. Bom, talvez seja uma bobagem, mas preciso chegar ao aeroporto.

– E a sua bagagem?

– Não vou conseguir fazer a mala no escuro. Além disso, não tenho muita coisa. Vou embora e pronto.

– Tome cuidado – disse ela.

Ele a beijou. Ela o abraçou pelo pescoço e apertou o corpo esguio contra o seu.

– Foi ótimo – sussurrou, antes de soltá-lo.

Ele saiu do motel. As avenidas que conduziam diretamente ao centro da cidade estavam interditadas a leste; ele teria de dar uma volta. Seguiu para oeste, depois para o norte, e finalmente dobrou para leste quando sentiu que havia ultrapassado a área do motim. Não viu táxi nenhum. Talvez tivesse de esperar o primeiro ônibus de domingo de manhã.

Uma luz tênue já surgia no céu a leste quando um carro parou cantando pneus ao seu lado. Ele se preparou para correr, temendo milicianos brancos, mas em seguida mudou de ideia quando três policiais estaduais saltaram do carro, com as espingardas em punho.

Eles não vão precisar de muitas desculpas para me matar, pensou, assustado.

O líder era um baixote com trejeitos arrogantes. George reparou nas divisas de sargento em sua manga.

– Está indo para onde, garoto? – perguntou ele.

– Estou tentando chegar ao aeroporto, sargento. Talvez o senhor consiga me dizer onde posso encontrar um táxi.

O líder se virou para os outros com um sorriso de ironia.

– Ele está tentando chegar ao aeroporto – repetiu, como se aquilo fosse cômico. – E acha que podemos ajudá-lo a encontrar um táxi!

Seus subordinados deram risadas incentivadoras.

– O que vai fazer no aeroporto? – perguntou-lhe o sargento. – Limpar os banheiros?

– Pegar um avião para Washington. Eu trabalho no Departamento de Justiça. Sou advogado.

– É mesmo? Bom, eu trabalho para George Wallace, governador do Alabama, e nós aqui não ligamos muito para Washington. Então entre na droga do carro antes que eu quebre essa sua cabeça pixaim.

– Estão me prendendo por quê?

– Não banque o atrevido comigo, garoto.

– Se me prender sem motivo, o senhor é um criminoso, não um policial.

Com um movimento súbito e rápido, o sargento desferiu um golpe com a coronha da espingarda. Por instinto, George se esquivou e ergueu a mão para proteger o rosto. A coronha de madeira da arma o acertou no pulso esquerdo, causando uma forte dor. Os outros dois policiais o seguraram pelos braços. Ele não resistiu, mas eles o arrastaram como se ele estivesse se debatendo. O sargento abriu a porta traseira do carro, e eles o jogaram no banco de trás. Fecharam a porta antes de ele entrar direito e esta prendeu sua perna, fazendo-o gritar. Eles tornaram a abrir a porta, enfiaram sua perna machucada lá dentro e a fecharam outra vez.

Ele ficou afundado no banco de trás. Sua perna doía, mas o pulso era pior. Eles podem fazer o que quiserem conosco, pensou, porque somos negros. Nessa hora, desejou ter atirado pedras e garrafas na polícia, em vez de ficar pedindo para as pessoas se acalmarem e voltarem para casa.

Os agentes foram com o carro até o Gaston. Lá chegando, abriram a porta traseira e empurraram George para fora. Segurando o pulso esquerdo com a mão direita, ele voltou mancando para o pátio do hotel.

⁓

Mais tarde, no domingo de manhã, George finalmente encontrou um táxi circulando com um motorista negro e foi para o aeroporto, onde pegou um voo para Washington. Seu pulso esquerdo doía tanto que ele não conseguia usar o braço, e manteve a mão no bolso para sustentá-lo. O pulso estava inchado, e para aliviar a dor ele tirou o relógio e soltou a abotoadura.

De um telefone público no aeroporto, ligou para o Departamento de Justiça e soube que haveria uma reunião de emergência na Casa Branca às seis horas. O presidente estava a caminho, vindo de Camp David, e Burke Marshall viera de helicóptero da Virgínia Ocidental. Bobby estava a caminho do departamento e queria uma atualização urgente, e não, George não tinha tempo de passar em casa e trocar de roupa.

Prometendo a si mesmo guardar uma camisa sobressalente na gaveta de sua mesa dali em diante, pegou um táxi até o Departamento de Justiça e foi direto para a sala do chefe.

Embora fizesse uma careta sempre que tentava mover o braço esquerdo, insistiu que seus ferimentos eram leves e não precisavam de tratamento médico. Resumiu os acontecimentos da noite para o secretário de Justiça e um grupo de conselheiros que incluía Marshall. Por algum motivo, Brumus, o imenso Terranova preto de Bobby, também estava na sala.

— A trégua acordada esta semana a duras penas está agora ameaçada — disse-lhe George, em conclusão. — As bombas e a brutalidade da polícia estadual enfraqueceram o compromisso dos negros com a não violência. Além disso, os motins ameaçam prejudicar a posição dos brancos que negociaram com Martin Luther King. George Wallace e Bull Connor, os inimigos da integração, estão torcendo para um dos lados, ou ambos, desistir do acordo. Precisamos dar um jeito de impedir isso.

– Está tudo bem claro – disse Bobby.

Entraram todos no carro do secretário, um Ford Galaxie 500. Como era verão, a capota estava arriada. Percorreram a curta distância até a Casa Branca. Brumus adorou o passeio.

Milhares de manifestantes em frente à Casa Branca, visivelmente brancos e negros misturados, seguravam cartazes dizendo SALVEM OS ESTUDANTES DE BIRMINGHAM.

O presidente estava no Salão Oval sentado em sua cadeira favorita, uma cadeira de balanço, à espera do grupo do Departamento de Justiça. Ao seu lado havia um trio de militares poderosos: Bob McNamara, o Menino-Prodígio Secretário de Defesa, o Secretário do Exército e o chefe do Estado-Maior do Exército.

O grupo estava reunido ali naquele dia, entendeu George, porque os negros de Birmingham tinham causado incêndios e atirado garrafas na noite anterior. Nenhuma reunião de emergência daquele tipo jamais fora convocada em todos os anos de protestos não violentos em defesa dos direitos civis, nem mesmo quando a Ku Klux Klan tinha bombardeado casas de negros. Motins davam resultado.

Os militares estavam ali para debater o envio de tropas a Birmingham. Como sempre, Bobby se concentrou na realidade política:

– As pessoas vão exigir uma ação do presidente. Mas há um problema: não podemos admitir que estamos despachando tropas federais para conter a polícia estadual... Seria como se a Casa Branca declarasse guerra ao estado do Alabama. Então precisamos dizer que foi para controlar os amotinados... e seria como se a Casa Branca declarasse guerra aos negros.

O presidente entendeu na hora:

– Quando tiverem a proteção das tropas federais, os brancos podem simplesmente rasgar o acordo que acabaram de fazer.

Em outras palavras, pensou George, a ameaça dos motins de negros estava mantendo vivo o acordo. Embora a conclusão não lhe agradasse, era difícil de evitar.

Burke Marshall tomou a palavra; considerava o acordo uma conquista sua.

– O acordo não pode ruir – falou, em tom cansado. – Senão os negros vão ficar, ahn...

– Incontroláveis – completou o presidente.

– E não só em Birmingham – acrescentou Marshall.

A sala silenciou enquanto todos refletiam sobre a perspectiva de motins semelhantes em outras cidades do país.

– O que King vai fazer hoje? – perguntou o presidente Kennedy.

– Pegar um avião de volta para Birmingham – respondeu George. Ficara sabendo disso pouco antes de sair do Gaston. – A esta hora, não tenho dúvidas de que ele já está fazendo a ronda de todas as grandes igrejas, pedindo às pessoas que voltem para casa de forma pacífica e não saiam mais hoje.

– E elas vão obedecer?

– Vão, contanto que não haja mais bombas e que a polícia estadual seja controlada.

– E como podemos garantir isso?

– Será que não poderiam mandar as tropas para *perto* de Birmingham, mas não propriamente para *dentro* da cidade? Assim o apoio ao acordo ficaria claro. Connor e Wallace saberiam que, caso se comportem mal, vão perder o poder. Mas isso não daria aos brancos uma oportunidade de renegar o acordo.

O assunto foi debatido por algum tempo, e no final foi assim que decidiram agir.

George e um pequeno subgrupo foram para a Sala do Gabinete redigir uma declaração para a imprensa, que a secretária do presidente datilografou. As coletivas em geral aconteciam na sala de Pierre Salinger, mas nesse dia os jornalistas e câmeras eram numerosos demais e a noite de verão estava amena, de modo que a declaração foi feita no Roseiral. George viu o presidente sair da Casa Branca, postar-se diante da imprensa internacional e dizer:

– O acordo de Birmingham foi e continua sendo um acordo justo. O governo federal não vai permitir que seja sabotado por uns poucos extremistas de ambos os lados.

Dois passos para a frente, um para trás e mais dois para a frente, pensou George, mas estamos avançando.

CAPÍTULO VINTE E TRÊS

Dave Williams tinha planos para o sábado à noite. Três meninas da sua sala no colégio iriam ao Jump Club, no Soho, e Dave e dois outros meninos tinham dito casualmente que talvez as encontrassem lá. Uma das meninas era Linda Robertson. Dave achava que ela gostava dele. A maioria das pessoas o julgava burro, uma vez que era o último da turma nas provas, mas Linda tinha conversas inteligentes com ele sobre política, assunto que ele conhecia bem por causa de sua família.

Usaria uma camisa nova com o colarinho extremamente pontudo. Sabia dançar bem; até seus amigos homens admitiam que ele dançava o twist com estilo. Na sua opinião, suas chances de engatar um romance com Linda eram boas.

Dave estava com 15 anos, mas, para sua grande irritação, a maioria das meninas da sua idade preferia garotos mais velhos. Ainda lhe causava certa dor lembrar como, mais de um ano antes, havia seguido a encantadora Beep Dewar na esperança de lhe roubar um beijo e a encontrara presa em um abraço apaixonado com Jasper Murray, de 18 anos.

Todo sábado de manhã, os filhos da família Williams iam ao escritório do pai receber a mesada semanal. Evie, de 17 anos, recebia uma libra; Dave recebia dez *shillings*. Qual pedintes vitorianos, eles primeiro tinham de ouvir um sermão. Nesse dia, Evie recebeu a mesada e foi dispensada, mas Lloyd pediu a Dave que esperasse. Quando a porta se fechou, ele disse:

– Seus resultados nas provas foram muito ruins.

Isso Dave já sabia. Em dez anos de escola, nunca havia passado em nenhuma prova escrita.

– Desculpe – falou.

Não queria criar caso; só queria pegar seu dinheiro e sair dali.

Lloyd estava de camisa quadriculada e cardigã, sua roupa de sábado de manhã.

– Mas você não é burro – falou.

– Os professores acham que eu sou.

– Eu não acho isso. Você é inteligente, mas é preguiçoso.

– Não sou, não.

– Então qual é o problema?

Dave não tinha resposta. Era um leitor vagaroso, mas o pior de tudo era que sempre esquecia o que acabara de ler assim que virava a página. Tampouco escrevia muito bem: quando queria escrever "prato", a caneta escrevia "parto" e ele não notava a diferença. Sua ortografia era péssima.

– Tirei a nota máxima em francês e alemão oral – falou.

– Isso mostra que, quando tenta, você consegue.

Não era nada disso, mas Dave não soube explicar.

– Pensei muito no que fazer, e sua mãe e eu tivemos conversas intermináveis sobre esse assunto.

Dave pensou que aquilo não estava soando nada bem. Que diabos iria acontecer agora?

– Você está velho demais para apanhar, e, de toda forma, nós nunca acreditamos muito em castigo físico.

Era verdade. A maioria dos adolescentes da sua idade apanhava quando se comportava mal, mas fazia anos que a mãe de Dave não batia nele; e o pai nunca o fizera. O que o incomodou naquela conversa, porém, foi a palavra "castigo". Estava claro que ele iria receber algum.

– A única coisa em que consigo pensar para fazer você se concentrar nos estudos é suspender sua mesada.

Dave não conseguiu acreditar no que estava ouvindo.

– Como assim, suspender?

– Não vou lhe dar mais nenhum dinheiro até você melhorar no colégio.

Por essa Dave não esperava.

– Mas como vou fazer para me locomover por Londres?

E comprar cigarros e ir ao Jump Club?, pensou, em pânico.

– Você já vai para o colégio a pé, mesmo. Se quiser ir a algum outro lugar, vai ter que se sair melhor nos estudos.

– Não posso viver assim!

– Você come de graça e tem um armário cheio de roupas, então não vai lhe faltar grande coisa. Basta lembrar que, se não estudar, nunca vai ter dinheiro para se movimentar.

Dave ficou indignado. Seus planos para a noite estavam arruinados! Sentiu-se impotente e infantil.

– Então é isso?

– É.

– Quer dizer que estou perdendo meu tempo aqui.

– Você está aqui ouvindo seu pai tentar orientá-lo da melhor forma que pode.

– É a mesma coisa, droga – resmungou Dave, e saiu batendo o pé.

Tirou a jaqueta de couro do gancho no hall e saiu de casa. A manhã de primavera estava amena. O que iria fazer? Seus planos para o dia eram encontrar amigos em Piccadilly Circus, passear pela Denmark Street para olhar as guitarras, tomar um chope em algum pub, depois voltar para casa e vestir a camisa de colarinho pontudo.

Tinha uns trocados no bolso – o suficiente para um chope grande. Como conseguir o dinheiro para a entrada do Jump Club? Talvez pudesse trabalhar. Quem lhe daria um emprego com tão pouca antecedência? Alguns amigos seus trabalhavam aos sábados ou domingos em lojas e restaurantes que precisavam de mão de obra extra no fim de semana. Cogitou entrar em um café e se oferecer para lavar louça na cozinha. Valia a pena tentar. Virou em direção ao West End.

Então lhe ocorreu outra ideia.

Tinha parentes que talvez lhe dessem um emprego. Millie, irmã de seu pai, trabalhava com moda e tinha três butiques em subúrbios abastados de Londres: Harrow, Golders Green e Hampstead. Talvez a tia pudesse lhe arrumar um emprego aos sábados, embora ele não soubesse quão bom seria em vender vestidos para senhoras. Millie era casada com um atacadista de couro chamado Abie Avery, cujo armazém no leste de Londres talvez fosse uma aposta mais segura. Tanto ela quanto Abie, porém, decerto pediriam permissão a Lloyd, que lhes diria que o filho deveria estar estudando, não trabalhando. Mas Millie e Abie tinham um filho, Lenny, de 23 anos, que vivia de pequenos negócios e falcatruas. Aos sábados, Lenny tinha uma barraca no mercado de Aldgate, no East End, onde vendia Chanel Nº 5 e outros perfumes caros a preços ridiculamente baixos. Sussurrava para os clientes que eram roubados, mas na verdade eram apenas imitações, fragrâncias baratas em frascos de aspecto caro.

Lenny talvez lhe conseguisse um dia de trabalho.

Ele tinha o dinheiro exato para uma viagem de metrô. Entrou na estação mais próxima e comprou a passagem. Se o primo recusasse, não sabia como iria voltar. Calculou que poderia caminhar alguns quilômetros se fosse preciso.

O trem o levou por baixo de Londres da rica parte oeste até o leste operário. O mercado já estava lotado de clientes ávidos para comprar a preços mais baixos do que os das lojas normais. Algumas das mercadorias eram *mesmo* roubadas, supôs Dave: chaleiras elétricas, barbeadores, ferros de passar e rádios surrupiados pela porta dos fundos das fábricas. Outras eram excedentes de produção vendidas barato pelos fabricantes: discos que ninguém queria, livros que não tinham conseguido se tornar sucessos de venda, porta-retratos feios, cinzeiros em forma de conchas do mar. Mas a maioria tinha algum defeito. Havia caixas de chocolate rançoso, cachecóis listrados com falhas na trama, botas de couro bicolores com tingimento irregular, pratos de porcelana decorados com meia flor.

Lenny era parecido com o avô de Dave, o finado Bernie Leckwith, de quem herdara os cabelos pretos fartos e os olhos castanhos. Seus cabelos estavam besuntados de brilhantina e penteados em um topete à la Elvis. Ele recebeu o primo calorosamente.

– Olá, jovem Dave! Que tal um perfuminho para a namorada? Experimente o Fleur Sauvage. – Sua pronúncia do nome em francês era gozada. – Calcinha no chão garantida, por apenas dois *shillings* e seis *pence*.

– Preciso de um emprego, Lenny – disse Dave. – Posso trabalhar para você?

– Emprego? Sua mãe não é milionária? – perguntou Lenny, evasivo.

– Meu pai cortou minha mesada.

– Por quê?

– Porque minhas notas são ruins. Ou seja, estou duro. Só quero ganhar dinheiro suficiente para sair hoje.

Pela terceira vez, Lenny respondeu com uma pergunta:

– E eu lá tenho cara de bolsa de empregos?

– Me dê uma chance. Aposto que eu saberia vender perfume.

Lenny se virou para uma cliente.

– Muito bom gosto, senhora. Os perfumes da Yardley são os mais classudos do mercado... mas esse frasco aí na sua mão custa só três *shillings*, e tive de pagar dois *shillings* e seis *pence* ao cara que roubou, digo, que me forneceu o produto.

A mulher riu e comprou o perfume.

– Não posso lhe pagar um salário – disse Lenny para Dave. – Mas vamos fazer o seguinte: vou lhe dar dez por cento de tudo o que conseguir vender.

– Fechado – retrucou Dave, e foi se juntar ao primo atrás das mercadorias.

– Guarde o dinheiro no bolso e mais tarde a gente acerta.

Ele lhe entregou uma libra em moedas para servir de troco.

Dave pegou um frasco de Yardley, hesitou, sorriu para uma mulher que passava e disse:

– O perfume mais classudo do mercado!

Ela sorriu de volta e continuou andando.

Dave continuou tentando, imitando o discurso de Lenny, e depois de alguns minutos conseguiu vender um vidro de Joy, da casa Patou, por dois *shillings* e seis *pence*. Não demorou a aprender todas as frases do primo. "Nem toda mulher tem personalidade suficiente para usar esse daí, mas a senhora... Só compre isso se houver um homem a quem *realmente* queira agradar... Está fora de linha, o governo proibiu o cheiro por ser excessivamente sensual..."

Os clientes se mostravam alegres e sempre dispostos a rir. Vestiam-se para ir ao mercado: aquilo era um acontecimento social. Dave aprendeu inúmeras gírias para dinheiro: a moeda de seis *pence* era um tílburi, cinco *shillings* eram um dólar, e uma nota de dez *shillings* era meia calcinha.

O tempo passou depressa. A garçonete de um café próximo lhes levou dois sanduíches de pão branco grosso recheado com bacon frito e ketchup, e Lenny lhe pagou e entregou um dos sanduíches a Dave, que se espantou ao saber que era hora do almoço. Os bolsos de seu jeans justo ficaram pesados de tantas moedas, e ele se lembrou com grande prazer que dez por cento do dinheiro era seu. No meio da tarde, notou que praticamente não havia mais homens na rua, e Lenny lhe explicou que todos tinham ido a um jogo de futebol.

Por volta do final da tarde, o movimento praticamente acabou. Dave pensava que o dinheiro em seu bolso devia chegar a umas cinco libras, o que significava que ele ganharia dez *shillings*, mesmo valor de sua mesada normal, e poderia ir ao Jump Club.

Às cinco, Lenny começou a desmontar a barraca, Dave o ajudou a guardar a mercadoria que não tinha sido vendida em caixas de papelão e eles carregaram tudo em seu furgão amarelo da Bedford.

Quando contaram o dinheiro de Dave, ele havia feito pouco mais de nove libras. Lenny lhe deu uma libra, um pouco mais do que os dez por cento combinados, "porque você me ajudou a embalar". Dave ficou radiante: tinha ganhado o dobro da quantia que o pai deveria ter lhe dado naquela manhã. Faria aquilo todos os sábados, de bom grado, pensou, sobretudo se dessa forma conseguisse evitar os sermões de Lloyd.

Os primos foram até o pub mais próximo e pediram dois chopes grandes.

– Você toca um pouco de guitarra, não toca? – perguntou Lenny enquanto sentavam diante de uma mesa com um cinzeiro abarrotado em cima.

– Toco.

– Como é o seu instrumento?

– É uma Eko. Uma cópia barata de uma Gibson.

– É elétrica?

– É semiacústica.

Lenny fez cara de impaciente; talvez não soubesse grande coisa sobre guitarras.

– Dá para plugar ou não?

– Dá... por quê?

– Porque estou precisando de uma guitarra base para o meu grupo.

Que incrível! Dave nunca tinha pensado em entrar para uma banda, mas a ideia lhe agradou na hora.

– Não sabia que você tinha um grupo.
– Os Guardsmen. Eu toco piano e canto a maioria das músicas.
– Que tipo de música?
– Rock 'n' roll... o único tipo que existe.
– Ou seja...
– Elvis, Chuck Berry, Johnny Cash... Todos os feras.

Dave conseguia tocar músicas de três acordes sem dificuldade.
– E os Beatles? – Os acordes deles eram mais difíceis.
– Quem?
– Um grupo novo. Eles são demais.
– Nunca ouvi falar.
– Bom, seja como for, eu consigo fazer a guitarra base de rocks antigos.

A frase pareceu deixar Lenny levemente ofendido, mas ele disse:
– Gostaria de fazer um teste para os Guardsmen, então?
– Adoraria!

Lenny olhou para o relógio.
– Quanto tempo você leva para ir em casa pegar a guitarra?
– Meia hora, e mais meia para voltar.
– Me encontre no Clube dos Trabalhadores de Aldgate às sete. Vamos estar montando o equipamento. Podemos fazer seu teste antes de tocar. Você tem amplificador?
– Tenho um pequeno.
– Vai ter que servir.

Dave pegou o metrô. Seu sucesso como vendedor e o chope o tinham deixado animado. Saboreando a vitória contra o pai, ele fumou um cigarro no vagão. Imaginou-se dizendo casualmente a Linda Robertson: "Eu toco guitarra em um grupo de *beat*." Ela com certeza ficaria impressionada.

Ao chegar em casa, entrou pela porta dos fundos. Conseguiu subir até o quarto sem ver nem o pai nem a mãe, e levou só alguns segundos para pôr a guitarra no estojo e pegar seu amplificador.

Estava de saída quando a irmã, Evie, entrou no seu quarto vestida para um sábado à noite. De saia curta e botas até os joelhos, tinha os cabelos arrumados em um penteado tipo colmeia e os olhos muito maquiados no estilo panda popularizado por Dusty Springfield. Parecia ter mais do que os seus 17 anos.

– Aonde você vai? – quis saber Dave.

– A uma festa. Parece que Hank Remington vai estar lá.

Líder e cantor do The Kords, Remington simpatizava com algumas das causas de Evie, e já afirmara isso em entrevistas.

– Você causou bastante confusão hoje – comentou ela.

Não era uma acusação: a irmã sempre tomava seu partido nas brigas com os pais, e ele fazia o mesmo por ela.

– Por que está dizendo isso?

– Papai ficou muito chateado.

– Chateado? – Dave não soube muito bem como interpretar isso. Seu pai podia se mostrar bravo, decepcionado, severo, autoritário ou tirano, e em todos esses casos ele sabia como reagir; mas chateado? – Por quê?

– Vocês brigaram, imagino.

– Ele não quis me dar a mesada porque não passei em nenhuma prova.

– E o que você fez?

– Nada. Fui embora. Devo ter batido a porta.

– E onde passou o dia?

– Fui trabalhar na barraca de Lenny Avery no mercado e ganhei uma libra.

– Que ótimo! E agora, aonde vai com a guitarra?

– Lenny tem um grupo de *beat*. Ele quer que eu seja a guitarra base.

Era um exagero: Dave ainda não tinha sido oficialmente aceito.

– Boa sorte!

– Imagino que você vá dizer à mamãe e ao papai aonde eu fui.

– Só se você quiser.

– Pode dizer, não ligo. – Dave foi até a porta, então hesitou. – Ele está mesmo chateado?

– Está.

O adolescente deu de ombros e saiu.

Conseguiu deixar a casa sem ser visto.

Estava ansioso com o teste. Tocava e cantava bastante com Evie, mas nunca tinha tocado com um grupo de verdade, que tivesse um baterista. Torceu para ser bom o bastante – embora não fosse difícil fazer a guitarra base.

No metrô, pensou várias vezes no pai. Estava um pouco chocado com a constatação de que podia deixar Lloyd chateado. Pais eram pessoas supostamente invulneráveis, mas ele agora via que pensar assim era infantil. Por mais irritante que fosse, talvez precisasse mudar de atitude. Não podia continuar se mostrando apenas indignado e ressentido. Não era o único a estar sofrendo. Lloyd o magoara, mas ele também tinha magoado o pai e os dois eram responsáveis. Sentir-se responsável não era tão confortável quanto sentir-se indignado.

Encontrou o Clube dos Trabalhadores de Aldgate e lá entrou com sua guitarra e seu amplificador. Era um lugar feio no qual compridas lâmpadas de neon lançavam uma luz dura sobre mesas de fórmica e cadeiras tubulares enfileiradas de um jeito que o fez pensar na cantina de uma fábrica; não parecia um lugar adequado para o rock 'n' roll.

No palco, os Guardsmen estavam afinando os instrumentos. Além de Lenny no piano, o grupo era formado por Lew na bateria, Buzz no baixo e Geoffrey na guitarra solo. A julgar pelo microfone na sua frente, Geoffrey também devia cantar um pouco. Todos os três eram mais velhos do que Dave, deviam ter 20 e poucos anos, e ele temeu que fossem músicos muito melhores do que ele. De repente, a guitarra base não lhe pareceu tão simples assim.

Ele afinou sua guitarra com o piano e a plugou no amplificador.

– Você conhece "Mess of Blues"? – perguntou Lenny.

Dave conhecia, e ficou aliviado. Era uma música de *rocksteady* em clave de dó conduzida por um piano animado, fácil de acompanhar na guitarra. Ele a tocou sem esforço, e o fato de acompanhar um grupo o fez sentir uma animação especial que nunca tinha experimentado sozinho.

Lenny cantava bem, pensou. Buzz e Lew produziam uma base sólida, bem regular. Geoff tirava alguns *licks* estilosos da guitarra solo. O grupo era competente, ainda que sem grande imaginação.

No final da música, Lenny falou:

– Os acordes complementam bem o som do grupo, mas será que você consegue tocar de maneira mais rítmica?

Ser criticado deixou Dave surpreso. Ele achava que tivesse se saído bem.

– Tudo bem.

A música seguinte foi "Shake, Rattle and Roll", de Jerry Lee Lewis, também conduzida pelo piano. Geoffrey cantou junto com Lenny. Dave tocou acordes sincopados no contratempo, e Lenny pareceu gostar mais.

O líder então anunciou "Johnny B. Goode", e sem que ninguém precisasse pedir Dave tocou com animação a introdução de Chuck Berry. Quando chegou ao quinto compasso, imaginou que o grupo fosse entrar, como acontecia no disco, mas os Guardsmen ficaram em silêncio. Dave parou, e Lenny disse:

– Eu em geral toco a introdução no piano.

– Desculpe – disse Dave, e Lenny recomeçou.

Dave desanimou; não estava se saindo bem.

A música seguinte foi "Wake Up, Little Susie". Para surpresa de Dave, Geoffrey não cantou a harmonia dos Everly Brothers. Depois da primeira estrofe, ele se aproximou do microfone de Geoffrey e começou a cantar com Lenny. Logo duas jovens garçonetes que tiravam cinzeiros das mesas pararam o que estavam fazendo para escutar. Ao final, bateram palmas. Dave sorriu, satisfeito. Era a primeira vez que alguém fora da sua família o aplaudia.

– Qual é o nome do seu grupo? – perguntou uma das moças.

Dave apontou para Lenny.

– O grupo é dele e se chama Guardsmen.

– Ah. – Ela pareceu levemente decepcionada.

A última música escolhida por Lenny foi "Take Good Care of My Baby", e outra vez Dave cantou a harmonia. As garçonetes dançaram nos corredores entre as fileiras de mesas.

Depois do teste, Lenny se levantou do piano.

– Bom, como guitarrista você não é lá grande coisa – falou para Dave. – Mas canta bem, e aquelas garotas gostaram muito.

– Então, estou dentro ou não?

– Consegue tocar hoje à noite?

– Hoje?!

Apesar de contente, Dave não imaginava começar tão cedo. Estava ansioso para encontrar Linda Robertson mais tarde.

– Tem outra coisa melhor para fazer?

Lenny parecia um pouco ofendido por Dave não ter aceitado de imediato.

– Bom, eu ia encontrar uma garota, mas ela vai ter que esperar. A que horas a gente termina?

– Isto aqui é um clube de trabalhadores. Eles não ficam acordados até tarde. A gente sai do palco às dez e meia.

Dave calculou que poderia estar no Jump Club às onze.

– Tudo bem – falou.

– Ótimo. Bem-vindo ao grupo.

⁓

Jasper Murray continuava sem dinheiro para ir para os Estados Unidos. No *college* londrino em que estudava, o St. Julian's, havia um grupo chamado Clube Norte-Americano que organizava voos charter com passagens baratas. Certo dia, no final da tarde, ele entrou em sua salinha no grêmio estudantil e perguntou sobre preços. Descobriu que poderia chegar a Nova York por 90 libras. Era muito, e saiu de lá desconsolado.

Viu Sam Cakebread na cafeteria do *college*. Passara vários dias tentando encontrar uma oportunidade de conversar com Sam fora da redação da gazeta estudantil *St. Julian's News*. Sam era editor-chefe da publicação, e Jasper, editor de notícias.

Sam estava acompanhado pela irmã mais nova, Valerie, que também estudava no St. Julian's e estava usando uma boina de tweed e um minivestido. Ela escrevia matérias de moda para a gazeta. Era bonita; em outras circunstâncias, Jasper a teria paquerado, mas nesse dia estava com outras preocupações. Teria preferido falar com Sam sozinho, mas decidiu que a presença de Valerie não era um problema tão grande assim.

Levou seu café até a mesa do outro rapaz.

– Queria um conselho seu – começou.

Na realidade queria informações, não conselhos, mas as pessoas às vezes relutavam em compartilhar informações, ao passo que sempre ficavam lisonjeadas quando alguém lhes pedia conselhos.

De paletó espinha de peixe e gravata, Sam fumava um charuto; talvez quisesse parecer mais velho.

– Sente-se – falou, dobrando o jornal que estava lendo.

Jasper se acomodou. Sua relação com Sam era canhestra. Eles haviam competido pelo cargo de editor, e o escolhido fora Sam. Jasper escondera seu recalque e o outro rapaz o nomeara editor de notícias. Tinham virado colegas, mas não amigos.

– Quero ser editor no ano que vem – disse Jasper.

Esperava que Sam o ajudasse, ou por ele ser a pessoa certa para o cargo, coisa que era mesmo, ou então por culpa.

– Quem decide isso é Lorde Jane – respondeu Sam, evasivo.

Jane era o diretor do *college*.

– Ele vai pedir a sua opinião.

– Existe um comitê de nomeação.

– Mas você e o diretor são os membros que contam.

Sam não negou essa afirmação.

– Quer dizer que você quer o meu conselho?

– Quem mais está concorrendo?

– Toby, claro.

– Sério?

Toby Jenkins era editor de matérias especiais, um jornalista esforçado que havia produzido uma série sem graça de matérias louváveis sobre o trabalho de funcionários como o chefe do registro acadêmico e o tesoureiro.

– Ele vai se candidatar.

O próprio Sam havia conseguido o emprego em parte por causa dos renomados jornalistas em sua família. Lorde Jane se deixava impressionar por esse tipo de contato, o que irritava Jasper, mas ele não comentou nada.

– As matérias de Toby são banais – falou.

– Ele pode não ter imaginação, mas é um repórter meticuloso.

Jasper viu nesse comentário uma alfinetada a si próprio. Ele era o oposto de Toby. Entre o efeito e a precisão, preferia o efeito. Em suas matérias, qualquer altercação virava sempre uma briga, todo plano, uma conspiração, e um ato falho nunca era nada menos do que uma mentira deslavada. Ele sabia que as pessoas liam jornais para sentir emoção, não para se informar.

– E ele escreveu aquele artigo sobre os ratos no refeitório.

– Foi mesmo. – Jasper tinha esquecido.

A matéria causara indignação. Na realidade, fora pura sorte: o pai de Toby trabalhava para o conselho municipal e sabia sobre o esforço do departamento de controle de pestes para erradicar os roedores nas adegas setecentistas de St. Julian's. Apesar disso, a matéria valera a Toby o cargo de editor de matérias especiais, e ele nunca mais tinha escrito nada que sequer chegasse perto de ser tão bom.

– Então eu preciso de um furo – falou, pensativo.

– Pode ser.

– Um furo tipo revelar que o diretor está usando recursos da universidade para pagar dívidas de jogo.

– Duvido que Lorde Gamble jogue. – Sam não tinha muito senso de humor.

Jasper pensou em Lorde Williams. Será que Lloyd poderia lhe dar alguma dica? Infelizmente, ele era muito discreto.

Então pensou em Evie. Ela havia se candidatado à Escola de Arte Dramática, que fazia parte do mesmo *college*, portanto era um personagem interessante para a gazeta estudantil. Acabara de arrumar seu primeiro papel como atriz em um filme chamado *Miranda está cercada*. E estava saindo com Hank Remington, do The Kords. Quem sabe...

Jasper se levantou.

– Obrigado pela sua ajuda, Sam. Estou muito agradecido mesmo.

– Disponha.

410

Jasper voltou para casa de metrô. Quanto mais pensava em entrevistar Evie, mais animado ficava.

Conhecia a verdade sobre Evie e Hank. Os dois não estavam só saindo, mas tendo um tórrido caso de amor. Seus pais sabiam que ela saía com Hank duas ou três noites por semana e chegava em casa à meia-noite aos sábados, mas Jasper e Dave também sabiam que, na maior parte dos dias de semana, depois do colégio, Evie ia para o apartamento dele, em Chelsea, onde transavam. Hank já tinha escrito uma música sobre ela, "Too Young to Smoke", ou seja, "jovem demais para fumar".

Mas será que ela daria uma entrevista para Jasper?

Ao chegar à casa da Great Peter Street, encontrou-a na cozinha de lajotas vermelhas decorando um texto. Seus cabelos estavam presos de qualquer maneira e ela usava uma camiseta velha e desbotada, mas mesmo assim estava deslumbrante. O relacionamento de Jasper com ela era caloroso. Durante todo o tempo que havia durado sua paixonite juvenil por ele, Jasper sempre se mostrara gentil, embora jamais a tivesse encorajado. Seu motivo para tamanha cautela era não querer uma crise que pudesse abrir uma distância entre ele e os generosos e hospitaleiros pais da moça. Agora, estava ainda mais satisfeito por ter mantido boas relações com ela.

– Como está indo? – indagou, meneando a cabeça para o roteiro.

Ela deu de ombros.

– O papel não é difícil, mas o filme vai ser um novo desafio.

– Talvez eu devesse entrevistar você.

Ela fez uma cara preocupada.

– Só posso fazer publicidade se for organizada pelo estúdio.

Jasper sentiu um leve pânico. Que espécie de jornalista ele daria se não conseguisse uma entrevista com Evie, mesmo morando na mesma casa que ela?

– É só para a gazeta estudantil – falou.

– Acho que isso não conta.

A esperança dele aumentou.

– Com certeza não. E talvez ajude você a ser aceita na Escola Irving de Arte Dramática.

Evie largou o roteiro.

– Está bem. O que você quer saber?

Jasper reprimiu a sensação de triunfo. Com uma voz controlada, perguntou:

– Como conseguiu o papel no filme?

– Fiz um teste.

411

– Me conte como foi. – Ele sacou um bloquinho e começou a anotar.

Tomou cuidado para não fazer referência à sua cena de nu em *Hamlet*. Teve medo de ela lhe dizer para não mencionar isso na entrevista. Felizmente, não precisava lhe fazer nenhuma pergunta a respeito, uma vez que vira com os próprios olhos. Perguntou-lhe, isso sim, sobre os astros do filme e outras pessoas famosas que ela havia conhecido, e aos poucos foi chegando em Hank Remington.

Quando ele pronunciou o nome de Hank, os olhos de Evie se acenderam com uma intensidade reveladora.

– Hank é a pessoa mais dedicada e corajosa que eu conheço – disse ela. – Eu o admiro muito.

– Mas não é só admiração.

– Eu o adoro.

– E vocês estão namorando.

– Sim, mas não quero falar muito sobre isso.

– Claro, sem problemas. – Ela já tinha dito "sim", e isso bastava.

Dave chegou do colégio e preparou um café solúvel com leite fervendo.

– Achei que você não pudesse fazer publicidade – comentou com a irmã.

Cale essa boca, seu merdinha privilegiado, pensou Jasper.

– É só para o *St. Julian's News* – respondeu ela a Dave.

Jasper escreveu a matéria naquela mesma noite.

Assim que a viu datilografada, entendeu que aquilo poderia ser mais do que um texto para a gazeta estudantil. Hank era um astro; Evie, uma atriz em ascensão; e Lloyd, deputado: aquilo poderia ser uma grande notícia, pensou, cada vez mais animado. Se conseguisse publicar o texto em um jornal de circulação nacional, suas perspectivas de carreira ganhariam um fôlego considerável.

E ele também poderia ter problemas com a família Williams.

Entregou a matéria a Sam Cakebread no dia seguinte.

Então, com grande ansiedade, ligou para o tabloide *Daily Echo*.

Pediu para falar com o editor de notícias. Não conseguiu, mas passaram-no para um repórter chamado Barry Pugh.

– Sou estudante de jornalismo e tenho uma notícia para o senhor – falou.

– Ok, pode falar.

Jasper hesitou apenas um instante. Sabia que estava traindo Evie e a família Williams inteira, mas mesmo assim foi em frente:

– É sobre a filha de um membro do Parlamento que está transando com um astro pop.

– Muito bom – disse Pugh. – Quem são?

– Podemos nos encontrar?

– Imagino que o senhor queira dinheiro.

– Sim, mas não é só isso.

– O que mais, então?

– Quero assinar o texto quando ele for publicado.

– Primeiro me passe a matéria, depois veremos.

Pugh estava tentando usar as mesmas bajulações que Jasper tinha usado com Evie.

– Não, obrigado – respondeu ele, firme. – Se vocês não gostarem da matéria, não precisam publicar, mas, se a publicarem, têm que pôr meu nome.

– Certo. Quando podemos nos encontrar?

⁂

Dois dias mais tarde, durante o café da manhã na Great Peter Street, Jasper leu no *Guardian* que Martin Luther King estava planejando uma imensa manifestação de desobediência civil em Washington, em apoio a uma Lei de Direitos civis. O reverendo previa a participação de cem mil manifestantes.

– Rapaz, eu adoraria ver isso – comentou.

– Eu também – falou Evie.

O evento seria em agosto, durante as férias universitárias, de modo que Jasper estaria livre. Só que não tinha as 90 libras necessárias para a passagem para os Estados Unidos.

Daisy Williams abriu um envelope e exclamou:

– Meu Deus! Lloyd, uma carta da sua prima alemã, Rebecca!

Dave, que era o caçula, engoliu um punhado de cereal com açúcar e perguntou:

– Quem diabo é Rebecca?

Seu pai, que folheava os jornais com a velocidade de um político profissional, ergueu os olhos e disse:

– Ela não é minha prima de verdade. Foi adotada por uns parentes distantes meus depois que os pais dela morreram na guerra.

– Eu nem lembrava que tínhamos parentes alemães – disse Dave. – *Gott in Himmel!*

Jasper já tinha percebido que Lloyd sempre se mostrava suspeitamente vago em relação aos parentes. O finado Bernie Leckwith era seu padrasto, mas ninguém nunca mencionava seu verdadeiro pai. Jasper tinha certeza de que Lloyd era filho ilegítimo. Aquilo não chegava a dar matéria para um tabloide; a ilegitimidade não era uma desgraça tão grande quanto já fora. Mesmo assim, Lloyd nunca dava detalhes.

Ele retomou:

– A última vez que vi Rebecca foi em 1948. Ela devia ter uns 17 anos. A essa altura, já tinha sido adotada pela minha parente, Carla Franck. Eles moravam em Berlim-Mitte, então sua casa deve estar do lado errado do muro. O que ela conta?

– Está óbvio que ela deu um jeito de sair da Alemanha Oriental e se mudar para Hamburgo. Ah... o marido dela se feriu na fuga, e agora anda de cadeira de rodas.

– Por que ela nos escreveu?

– Está tentando encontrar Hannelore Rothmann. – Daisy olhou para Jasper. – Era a sua avó. Parece que ela foi bondosa com Rebecca durante a guerra, no dia em que seus pais morreram.

Jasper não conhecera a família da mãe.

– Nós não sabemos exatamente o que aconteceu com meus avós alemães, mas mamãe tem certeza de que eles morreram – falou.

– Vou mostrar esta carta à sua mãe – disse Daisy. – Ela deveria escrever para Rebecca.

Lloyd abriu o *Daily Echo* e exclamou:

– Que diabo é isso?!

Jasper estava esperando esse momento. Uniu as mãos no colo para impedir que tremessem.

Lloyd abriu o jornal em cima da mesa. Na página três havia uma foto de Evie saindo de uma boate com Hank Remington e o título:

ASTRO DO KORDS HANK & FILHA DE DEPUTADO
TRABALHISTA, 17 ANOS, QUE JÁ APARECEU NUA NO PALCO

Por Barry Pugh & Jasper Murray

– Eu não escrevi isso! – mentiu Jasper.

Sua indignação lhe soou forçada; o que ele estava sentindo na realidade era júbilo por ver o próprio nome na matéria de um jornal de circulação nacional. Os outros não pareceram notar suas emoções contraditórias.

Lloyd leu em voz alta:

– "A mais recente paixão do astro pop Hank Remington é a filha de apenas 17 anos de Lloyd Williams, membro do Parlamento por Hoxton. Estrela do cinema em ascensão, Evie Williams é famosa por ter aparecido nua em um palco da chique escola de ensino fundamental de Lambeth, onde estudam os filhos dos ricos."

– Ai, que vergonha – comentou Daisy.

Lloyd prosseguiu a leitura:

– "Segundo Evie, 'Hank é a pessoa mais corajosa e dedicada que eu já conheci'. Tanto a moça quanto o namorado apoiam a Campanha pelo Desarmamento Nuclear, apesar da reprovação do pai dela, que é o porta-voz trabalhista para assuntos militares." – Lloyd olhou para Evie com um ar severo. – Você conhece muita gente corajosa e dedicada, a começar pela sua mãe, que dirigiu uma ambulância durante a Blitz, e pelo seu tio-avô Billy Williams, que lutou na Batalha do Somme. Hank deve ser mesmo notável para ofuscar essas pessoas.

– Deixe isso para lá – disse Daisy. – Evie, achei que você não pudesse dar entrevistas sem autorização do estúdio.

– Ai, meu Deus, a culpa é minha – disse Jasper. Todos olharam para ele. O rapaz sabia que haveria uma cena como aquela, e estava preparado. Não teve a menor dificuldade em fingir que estava abalado: sentia mesmo uma culpa tremenda. – Eu entrevistei Evie para a gazeta estudantil. O *Echo* deve ter pegado a minha matéria e reescrito para torná-la sensacionalista.

Ele havia preparado essa história de antemão.

– Primeira lição da vida pública – disse Lloyd. – Jornalistas são traiçoeiros.

Eu sou mesmo traiçoeiro, pensou Jasper. Mas a família Williams pareceu aceitar o fato de ele não ter tido a intenção de fazer o *Echo* publicar a matéria.

Evie estava à beira das lágrimas.

– Pode ser que eu perca o papel.

– Não posso imaginar que isso vá prejudicar o filme de alguma forma... muito pelo contrário – disse Daisy.

– Espero que você esteja certa.

– Eu sinto muito, Evie, muito mesmo – falou Jasper, com toda a sinceridade de que foi capaz. – Sinto que decepcionei você de verdade.

– Não foi por querer – retrucou Evie.

Ele tinha conseguido se safar. Em volta da mesa, ninguém o encarava com ar acusador. Todos consideravam que a matéria do *Echo* não era culpa de ninguém. A única pessoa em relação à qual ele não tinha certeza era Daisy, que mantinha a testa levemente franzida e evitava encará-lo. Mas ela amava Jasper por causa de sua mãe, e não iria acusá-lo de duplicidade.

Ele se levantou.

– Vou à redação do *Daily Echo* – falou. – Quero conhecer esse patife chamado Pugh e ver que explicação ele tem para me dar.

Sentiu-se aliviado ao sair de casa. Acabara de dar conta de uma cena difícil graças à sua capacidade de mentir, e sentiu um alívio colossal.

Uma hora mais tarde, chegou à redação do *Echo*. Estar ali o deixou entusiasmado. Era aquilo que ele queria: a redação, as máquinas de escrever, os telefones tocando, os tubos pneumáticos para transportar textos de um lado para outro da sala, a atmosfera de animação.

Barry Pugh tinha uns 25 anos, era baixo e tinha uns olhinhos apertados; estava usando um terno amarfanhado e sapatos de camurça gastos.

– O senhor se saiu bem – comentou.

– Evie ainda não sabe que fui eu que passei a matéria.

Pugh não deu a menor atenção aos escrúpulos de Jasper:

– Se pedíssemos permissão toda vez, pouquíssimas matérias seriam publicadas.

– Ela deveria ter recusado todas as entrevistas, menos as organizadas pelo relações-públicas do estúdio.

– Os relações-públicas são seus inimigos. Tenha orgulho por ter sido mais esperto do que um deles.

– Eu tenho.

Pugh lhe entregou um envelope, que Jasper abriu com um rasgão. Lá dentro encontrou um cheque.

– Seu pagamento – disse Pugh. – É isso que se ganha pela matéria principal da página três.

Observou a quantia: 90 libras.

Lembrou-se da passeata em Washington. Noventa libras era o preço da passagem para os Estados Unidos. Ele agora podia ir.

Ficou animado.

Guardou o cheque no bolso e disse:

– Muito obrigado.

Barry meneou a cabeça.

– Avise se tiver mais matérias desse tipo.

⁂

Dave Williams estava nervoso por tocar no Jump Club, casa de espetáculos extremamente bacana no centro de Londres, bem ao lado da Oxford Street. O estabelecimento tinha reputação de lançar novos astros e havia apresentado ao público vários grupos agora nas paradas de sucesso. Músicos famosos frequentavam o lugar para ouvir novos talentos.

Não que o clube tivesse algo de especial. Havia um pequeno palco em um dos cantos, um balcão de bar no outro e, no meio, um espaço onde as pessoas podiam dançar umas coladas às outras. O chão mais parecia um cinzeiro. A única decoração consistia em alguns cartazes rasgados de músicos famosos que haviam se apresentado ali um dia, menos no camarim, onde as paredes exibiam os desenhos mais obscenos que Dave já vira na vida.

Seu desempenho com os Guardsmen tinha melhorado, em parte graças aos úteis conselhos do primo. Lenny tinha um carinho especial por Dave e falava com ele como um tio, embora fosse apenas oito anos mais velho. "Escute o baterista", dizia-lhe Lenny. "Assim você nunca vai sair do ritmo." E: "Aprenda a tocar sem olhar para a guitarra, para poder encarar o público." Dave agradecia qualquer dica que lhe dessem, mas sabia que ainda estava longe de parecer um profissional. Mesmo assim, estar no palco lhe proporcionava uma sensação maravilhosa. Como não era preciso ler nem escrever nada, ele não era mais um idiota; na verdade, era competente e estava melhorando. Começara até a ter fantasias sobre virar músico e nunca mais ter de estudar, embora soubesse que as chances eram pequenas.

Mas o grupo estava melhorando. Quando Dave cantava em harmonia com Lenny, eles soavam modernos, parecidos com os Beatles. E Dave convencera Lenny a tentar batidas diferentes, autênticos blues de Chicago e música soul de Detroit, boa para dançar, o tipo de coisa que os grupos mais jovens estavam tocando. Consequentemente, estavam conseguindo mais apresentações e, em vez de uma vez a cada duas semanas, agora tocavam toda sexta e todo sábado à noite.

Mas Dave tinha outro motivo para estar nervoso. Conseguira aquela apresentação pedindo a Hank Remington, namorado de Evie, que recomendasse o grupo. Mas Hank havia torcido o nariz para o nome.

– Guardsmen soa antiquado, como os Four Aces ou os Jordanaires.

– A gente talvez mude o nome – retrucara Dave, disposto a qualquer coisa por um show no Jump Club.

– A última moda é o nome de algum blues antigo, como os Rolling Stones.

Dave se lembrou da faixa de um disco de Booker T. & The MG's que havia escutado alguns dias antes. O nome esquisito lhe chamara a atenção.

– Que tal Plum Nellie? – sugeriu.

Hank gostou e disse ao pessoal do clube que eles deveriam testar um grupo novo chamado Plum Nellie. A sugestão de alguém famoso como Hank era como uma ordem, e eles conseguiram a data.

Quando Dave sugeriu a mudança de nome, porém, Lenny foi terminantemente contra.

– O nosso nome é Guardsmen e vai continuar sendo Guardsmen – disse ele, teimoso, e começou a falar de outra coisa.

Dave não se atrevera a lhe avisar que o Jump Club já pensava que o nome do grupo fosse Plum Nellie.

E agora o momento da crise estava se aproximando.

Na passagem de som, eles tocaram "Lucille". Depois da primeira estrofe, Dave parou e se virou para Geoffrey, o guitarrista solo.

– Que porra foi essa?

– O quê?

– Você tocou alguma coisa esquisita no meio.

Geoffrey abriu um sorriso experiente.

– Não foi nada. Só um acorde de passagem.

– Não está no disco.

– E daí? Por acaso não sabe tocar um dó sustenido diminuto?

Dave sabia exatamente o que estava acontecendo: Geoffrey tentava fazê-lo passar por novato. Infelizmente, porém, nunca tinha ouvido falar em acorde diminuto.

– Os pianistas de bar chamam de acorde menor com a quinta diminuta, Dave – explicou Lenny.

– Me mostre – pediu ele a Geoffrey, engolindo o próprio orgulho.

Geoffrey revirou os olhos e suspirou, mas demonstrou como se formava o acorde.

– Assim, ok? – falou, como se estivesse farto de lidar com amadores.

Dave imitou o acorde. Não era difícil.

– Da próxima vez, me avise antes de a gente tocar a porra da música.

Depois disso, tudo correu bem. Phil Burleigh, dono do clube, apareceu e ficou escutando. Por ter perdido os cabelos muito cedo, era conhecido naturalmente como Phil Cabeleira. No final, meneou a cabeça para mostrar que tinha gostado.

– Obrigado, Plum Nellie – falou.

Lenny lançou um olhar irado para Dave.

– O grupo se chama Guardsmen – disse, firme.

– Nós falamos em mudar o nome.

– Quem falou foi você. Eu disse não.

– The Guardsmen é péssimo, cara – falou Curly.

– Mas é o nosso nome.

– Escutem, Byron Chesterfield vai vir aqui hoje à noite. – Curly disse isso com um traço de desespero na voz. – Ele é o promotor mais importante de Londres, e provavelmente da Europa. Vocês podem conseguir trabalho com ele... mas não com esse nome.

– Byron Chesterfield? – disse Lenny, rindo. – Eu o conheço desde que somos crianças. Ele na verdade se chama Brian Chesnowitz. O irmão dele tem uma barraca no mercado de Aldgate.

– Não é com o nome dele que eu estou preocupado, mas com o de vocês.

– Não tem nada de errado com o nosso nome.

– Não posso apresentar um grupo chamado Guardsmen. Tenho uma reputação a zelar. – Curly se levantou. – Foi mal, rapazes. Podem embalar seu equipamento.

– Ah, Curly, vamos lá, você não vai querer deixar Hank Remington puto – disse Dave.

– Hank é um velho amigo – retrucou Curly. – Nós tocamos *skiffle* no café 2i's nos anos 1950. Só que ele me recomendou um grupo chamado Plum Nellie, não Guardsmen.

Dave começou a se desesperar.

– Todos os meus amigos vêm!

Estava pensando particularmente em Linda Robertson.

– Eu sinto muito – falou Curly.

Dave se virou para o primo.

– Pense bem. Que importância tem um nome?

– O grupo é meu, não seu – argumentou Lenny, teimoso.

Então o problema era esse.

– É claro que o grupo é seu – rebateu. – Mas você me ensinou que o cliente tem sempre razão. – Ele teve uma inspiração: – E pode mudar o nome de volta para Guardsmen amanhã de manhã, se quiser.

– Não – insistiu Lenny, mas estava começando a ceder.

– É melhor do que não tocar – continuou Dave, aproveitando sua vantagem. – Voltar para casa agora seria uma baita decepção.

– Ah, então tá, que se foda – disse Lenny.

E a crise acabou, para intenso alívio e satisfação de Dave.

Eles ficaram no bar tomando cerveja enquanto os primeiros clientes iam chegando. Dave se ateve a um chope grande: o suficiente para deixá-lo relaxado, mas não para fazê-lo se enrolar nos acordes. Lenny tomou dois chopes, e Geoffrey, três.

Para deleite de Dave, Linda Robertson apareceu usando um minivestido roxo e botas brancas até os joelhos. Pela lei, ela e todos os outros amigos de Dave eram jovens demais para beber em bares, mas se esforçavam muito para parecer mais velhos e, de todo modo, a aplicação da lei não era muito rígida.

O comportamento de Linda com ele havia mudado. Antigamente, embora tivessem a mesma idade, ela o tratava como um irmão mais novo inteligente. O fato de ele estar tocando no Jump Club o tornava uma pessoa diferente aos seus olhos. Ela agora o considerava um adulto sofisticado e lhe fez várias perguntas sobre o grupo. Se aquilo era o que acontecia quando ele usava aquela roupa vagabunda de Lenny, qual seria a sensação de ser um verdadeiro astro pop?, pensou.

Junto com os outros músicos, foi para o camarim se trocar. Grupos profissionais em geral se apresentavam usando ternos idênticos, mas isso custava caro. Lenny conseguiu emplacar um meio-termo: camisas vermelhas para todos. Para Dave, os uniformes estavam saindo de moda; os anárquicos Rolling Stones já se vestiam cada um de um jeito.

Como era o grupo menos importante da noite, o Plum Nellie tocou primeiro. Lenny, por ser o líder, apresentou as músicas sentado na beira do palco, com o piano vertical posicionado de modo a permitir-lhe ver o público. Dave ficou no meio, tocando e cantando, e atraiu a maior parte da atenção. Agora que a preocupação com o nome da banda havia passado, pelo menos por enquanto, podia relaxar. Movimentou-se enquanto tocava, balançando a guitarra como se fosse uma parceira de dança e, ao cantar, imaginou estar falando com o público e enfatizou as palavras com expressões faciais e movimentos da cabeça. Como sempre, as garotas reagiram e começaram a olhar para ele e sorrir enquanto dançavam ao ritmo da música.

Depois da apresentação, Byron Chesterfield foi ao camarim.

Tinha cerca de 40 anos e estava usando um lindo terno azul-claro de três peças. A gravata era florida, cheia de margaridas. Seus cabelos já rareavam de ambos os lados de um antiquado topete besuntado de brilhantina. Junto com ele, entrou uma onda de água-de-colônia.

– Seu grupo não é nada mau – falou, dirigindo-se a Dave.

Dave apontou para o primo.

– Obrigado, Sr. Chesterfield, mas o grupo é do Lenny.

– Oi, Brian. Não se lembra de mim?

Depois de hesitar por alguns instantes, Byron respondeu:

– Nossa! Lenny Avery! – Seu sotaque londrino se acentuou: – Jamais teria reconhecido você! Como vai a barraca?

– Vai bem, melhor do que nunca.

– Seu grupo é bom, Lenny: baixo e bateria sólidos, boas guitarras e piano. Gostei das harmonias vocais. – Ele apontou para Dave com o polegar. – E as moças adoraram o garoto ali. Vocês têm tocado bastante?

Dave ficou animado. Byron Chesterfield tinha gostado do grupo!

– Todos os fins de semana – respondeu Lenny.

– Eu poderia conseguir seis semanas de shows para vocês no verão, fora de Londres, se estiverem interessados – disse Byron. – Cinco noites por semana, de terça a sábado.

– Não sei – respondeu Lenny com indiferença. – Eu teria de pedir para minha irmã cuidar da barraca enquanto estivesse fora.

– Noventa libras por semana na sua mão, sem descontos.

Era mais do que eles jamais haviam recebido, calculou Dave. E com sorte as datas cairiam durante as férias escolares.

Irritou-se ao ver que Lenny ainda parecia em dúvida.

– E quanto à hospedagem e à comida? – perguntou Lenny.

Então Dave percebeu que o primo não estava desinteressado, mas negociando.

– Hospedagem incluída; comida, não – respondeu Byron.

Dave pensou se as apresentações seriam em um balneário à beira-mar, onde havia trabalho temporário para artistas.

– Eu não poderia largar a barraca por essa quantia, Brian – disse Lenny. – Pena que não sejam 120 libras por mês. Aí eu poderia pensar no assunto.

– A casa talvez chegue a 95 como um favor pessoal a mim.

– Cento e dez, então.

– Se eu abrir mão do meu cachê, posso chegar a 100.

Lenny olhou para o restante do grupo.

– O que acham, rapazes?

Todos queriam aceitar.

– Onde vai ser? – quis saber Lenny.

– Em um clube chamado The Dive.

Lenny balançou a cabeça.

– Nunca ouvi falar. Onde fica?

– Eu já não falei? – indagou Byron Chesterfield. – Em Hamburgo.

⁓

Dave mal conseguia se conter de tanta animação. Seis semanas de apresentação – e na Alemanha! Legalmente, tinha idade suficiente para largar a escola. Será que havia uma chance de se tornar músico profissional?

Empolgadíssimo, levou sua guitarra, seu amplificador e Linda Robertson para a casa da Great Peter Street, com a intenção de deixar o equipamento lá antes de acompanhá-la a pé até em casa, em Chelsea. Infelizmente, seus pais ainda estavam acordados, e Daisy o abordou no hall.

– Como foi? – quis saber, animada.

– Foi ótimo. Só vim deixar meu equipamento e vou levar Linda.

– Oi, Linda – cumprimentou Daisy. – Que prazer revê-la.

– Como vai? – respondeu Linda, educada, fazendo-se passar por uma colegial recatada; mas Dave pôde ver a mãe reparando no vestido curto e nas botas provocantes.

– O clube vai chamar vocês de novo?

– Bom, um promotor chamado Byron Chesterfield nos ofereceu um emprego de verão em outro clube. É ótimo, porque vai ser bem durante as férias.

Seu pai saiu da sala íntima ainda usando o terno da reunião política de sábado à noite da qual devia ter participado.

– O que vai ser bem durante as férias?

– Nosso grupo foi contratado para seis semanas de apresentações.

Lloyd franziu a testa.

– Você precisa estudar nas férias. Ano que vem vai ter que fazer as importantíssimas provas do fim do ginásio. Até agora, suas notas não estão nem de longe boas o suficiente para permitir que você passe o verão sem fazer nada.

– Eu posso estudar de dia. Só vamos tocar à noite.

– Hum. Você obviamente não liga se perder as férias anuais com a família em Tenby.

– Ligo, sim – mentiu Dave. – Adoro Tenby. Mas é uma oportunidade incrível.

– Bom, não vejo como vamos poder deixar você sozinho nesta casa durante semanas enquanto estivermos no País de Gales. Você só tem 15 anos.

– Ahn, o clube não fica em Londres – disse Dave.

– Onde fica?

– Hamburgo.

– O quê?! – exclamou Daisy.

– Deixe de ser ridículo – falou Lloyd. – Acha que vamos deixar você fazer isso na sua idade? Para começar, pelas leis trabalhistas da Alemanha, isso deve ser ilegal.

– Nem todas as leis são aplicadas com rigidez – argumentou Dave. – Aposto que você comprava bebida ilegalmente em pubs antes dos 18.

– Eu fui à Alemanha com minha mãe quando tinha 18 anos. Com certeza nunca passei um mês e meio em um país estrangeiro aos 15, sem ninguém para me vigiar.

– Eu não vou estar sem ninguém para me vigiar. Lenny vai comigo.

– Não acho que seu primo seja um acompanhante confiável.

– Acompanhante? – repetiu Dave, indignado. – E por acaso eu sou o quê, uma donzela vitoriana?

– Pela lei, você é uma criança, um adolescente, na verdade. Certamente não é um adulto.

– Você tem uma prima em Hamburgo – implorou Dave. – Rebecca. Ela escreveu para mamãe. Poderia pedir a ela para cuidar de mim.

– Rebecca é uma prima distante que não vejo há dezesseis anos. Não é um vínculo próximo o suficiente para eu despejar um adolescente indisciplinado na casa dela durante todo o verão. Até com minha irmã eu hesitaria em fazer isso.

Daisy adotou um tom conciliatório:

– Pela carta, tive a impressão de que Rebecca é uma boa pessoa, Lloyd. E não acho que tenha filhos. Ela talvez não se importe se pedirmos.

Lloyd adotou uma expressão irritada.

– Você quer mesmo que Dave faça isso?

– Não, claro que não. Se tudo corresse como eu quero, ele iria para Tenby conosco. Mas ele está crescendo e talvez seja hora de soltarmos um pouco as rédeas. – Ela olhou para o filho. – Ele vai ver que é mais trabalho e menos diversão do que imagina, mas talvez aprenda algumas lições de vida.

– Não – disse Lloyd, como quem encerra o assunto. – Se ele tivesse 18 anos, talvez eu deixasse. Mas ele é muito jovem ainda. Jovem demais.

A vontade de Dave era ao mesmo tempo dar um grito de raiva e cair em prantos. Será que seus pais iriam mesmo estragar aquela oportunidade?

– Está tarde – falou Daisy. – Amanhã nós conversamos sobre isso. Dave precisa levar Linda em casa antes que os pais dela comecem a ficar preocupados.

Dave hesitou; não queria deixar o assunto sem solução.

Lloyd foi até o pé da escada.

– Nem adianta se animar – disse ao filho. – Não vai acontecer.

Dave abriu a porta da frente. Se saísse agora, sem dizer mais nada, deixaria os pais com a impressão errada. Precisava fazê-los entender que não seria fácil impedi-lo de ir a Hamburgo.

– Escute aqui, pai – falou, e Lloyd fez cara de espantado. Dave tomou coragem:

– Pela primeira vez na vida estou tendo sucesso em alguma coisa. Escute bem o que vou dizer: se você tentar tirar isso de mim, eu saio de casa. E juro que, se sair, nunca, nunca mais vou voltar.

Conduziu Linda para fora de casa e bateu a porta com força.

CAPÍTULO VINTE E QUATRO

Tanya Dvorkin estava de volta a Moscou, mas Vasili Yenkov, não.
Depois de os dois serem presos durante a leitura de poemas na Praça Maiakovski, Vasili havia sido condenado por "atividades e propaganda antissoviéticas" e recebido uma pena de dois anos em um campo de trabalho na Sibéria. Tanya sentia-se culpada: fora parceira de Vasili no crime, mas conseguira se safar.

Imaginou que ele devesse ter sido espancado e interrogado. Ela, porém, continuava livre e trabalhando como jornalista, ou seja, ele não a denunciara. Talvez tivesse se recusado a falar. O mais provável era que tivesse citado colaboradores fictícios plausíveis, que a KGB acreditava serem apenas difíceis de encontrar.

No verão de 1963, a pena de Vasili chegou ao fim. Se estivesse vivo – se houvesse sobrevivido ao frio, à fome e às doenças que matavam tantos prisioneiros nos campos de trabalho –, já deveria ter reaparecido. Mas não reaparecera, o que era mau sinal.

Os prisioneiros em geral tinham autorização para enviar e receber por mês uma única carta, fortemente censurada, mas Vasili não podia escrever para Tanya, pois isso a denunciaria à KGB. Portanto, ela estava sem notícias e decerto a maioria dos amigos dele tampouco sabia de nada. Talvez ele escrevesse para a mãe, que Tanya não chegara a conhecer, em Leningrado; a colaboração entre os dois era segredo até para a mãe dele.

Vasili era seu amigo mais próximo. Ela perdia o sono preocupada com ele. Será que ele estava doente ou mesmo morto? Talvez tivesse sido condenado por outro crime e tido a sentença prorrogada. Aquela incerteza a torturava. Chegava a lhe dar dor de cabeça.

Certa tarde, arriscou-se a mencionar o nome de Vasili a seu chefe, Daniil Antonov. A editoria de matérias especiais da TASS ficava em uma sala grande, barulhenta, com vários jornalistas datilografando, falando ao telefone, lendo jornais e entrando e saindo da biblioteca de referência. Se ela falasse baixo, ninguém a escutaria. Começou dizendo:

– O que aconteceu com Ustin Bodian, no fim das contas?

Os maus-tratos ao cantor de ópera eram o assunto da edição do *Dissidência* escrita por Tanya que Vasili estivera distribuindo ao ser preso.

– Morreu de pneumonia – respondeu Daniil.

Isso Tanya já sabia. Só estava fingindo ignorância para conduzir a conversa até Vasili.

– Um escritor foi preso junto comigo naquele dia... Vasili Yenkov – falou, em tom pensativo. – Alguma ideia do que aconteceu com ele?

– O roteirista? Ele pegou dois anos.

– Então já deve ter sido solto.

– Pode ser. Não ouvi nenhuma notícia. Ele não vai conseguir o antigo emprego de volta, então não sei muito bem para onde poderia ir.

Ele voltaria para Moscou, Tanya tinha certeza. Apesar disso, deu de ombros para fingir indiferença e voltou a datilografar a matéria que estava escrevendo sobre uma mulher que trabalhava como pedreira.

Já fizera várias perguntas discretas a pessoas que teriam sabido se Vasili houvesse voltado. Em todos os casos, a resposta havia sido a mesma: ninguém ouvira nada.

Então, naquela mesma tarde, teve notícias.

Terminado o trabalho, quando estava saindo do prédio da TASS, foi abordada por um desconhecido.

– Tanya Dvorkin? – indagou uma voz, e ao se virar ela deparou com um homem pálido e magro vestido com roupas sujas.

– Pois não? – falou, um pouco nervosa; não conseguia imaginar o que um homem daqueles poderia querer com ela.

– Vasili Yenkov salvou minha vida.

A frase foi tão inesperada que, por alguns segundos, ela não soube como responder. Perguntas demais lhe passaram pela cabeça: como o senhor conhece Vasili? Onde e quando ele salvou sua vida? Por que veio me procurar?

Ele enfiou na sua mão um envelope sujo do tamanho de uma folha de papel normal e logo em seguida virou as costas.

Tanya levou alguns instantes para conseguir voltar a raciocinar. Por fim, entendeu que havia uma pergunta mais importante do que todas as outras. Enquanto o homem ainda estava no raio de alcance de sua voz, perguntou:

– Vasili está vivo?

O desconhecido estacou e olhou para trás. A demora na resposta encheu de medo o coração de Tanya. Ele então disse:

– Está.

E ela sentiu a súbita leveza do alívio.

O homem se afastou.

– Espere! – chamou ela, mas ele apressou o passo e sumiu numa esquina.

O envelope não estava lacrado. Tanya espiou lá dentro. Viu várias folhas de papel cobertas por uma caligrafia que reconheceu: era a de Vasili. Puxou-as para fora até a metade. A primeira trazia o título:

ENREGELAMENTO
POR IVAN KUZNETSOV

Tornou a enfiar as folhas no envelope e andou até o ponto de ônibus. Estava ao mesmo tempo assustada e animada. "Ivan Kuznetsov" era obviamente um pseudônimo, o nome mais comum que se poderia imaginar, como Hans Schmidt em alemão ou Jean Lefèvre em francês. Vasili tinha escrito alguma coisa, um artigo ou uma notícia. Ela mal podia esperar para ler, mas também precisou resistir ao impulso de jogar aquilo para longe como se fosse algo contaminado, pois com certeza devia ser subversivo.

Enfiou o envelope na bolsa. Como o ônibus chegou lotado – era fim do dia, horário de pico –, não pôde ler o manuscrito a caminho de casa sem o risco de alguém espiar por cima do seu ombro. Precisou conter a impaciência.

Pensou no homem que havia lhe entregado os papéis. Estava malvestido, com cara de faminto e mal de saúde, e tinha uma expressão permanente de temor e atenção: igualzinho a alguém recém-saído da cadeia, pensou ela. Parecera aliviado por se livrar do envelope e relutara em lhe dizer mais do que o necessário. Mas pelo menos lhe explicara por que tinha aceitado aquela perigosa incumbência: estava pagando uma dívida. "Vasili Yenkov salvou minha vida", tinha dito o homem. Mais uma vez, Tanya se perguntou como.

Desceu do ônibus e foi a pé até a Casa do Governo. Ao retornar de Cuba, voltara a morar na casa da mãe. Não tinha motivo para arrumar o próprio apartamento e, caso tivesse, este seria bem menos luxuoso.

Falou rapidamente com Anya, foi para o quarto e sentou-se na cama para ler o que Vasili tinha escrito.

A caligrafia dele estava diferente. As letras agora eram menores, as ascendentes mais curtas, as caudas menos exuberantes. Será que aquilo refletia uma mudança de personalidade ou apenas uma escassez de papel?, perguntou-se.

Começou a ler.

Josef Ivanovich Maslov, conhecido como Soso, ficava radiante quando a comida chegava estragada.

Em geral, os guardas roubavam a maior parte do carregamento para revender. Para os prisioneiros sobrava um mingau insosso de manhã e sopa de nabo à noite.

Como na Sibéria a temperatura ambiente costuma ficar abaixo de zero, a comida raramente estragava, mas o comunismo fazia milagres. Assim, quando a carne às vezes ficava repleta de vermes e a gordura rançosa, o cozinheiro jogava tudo na panela e os prisioneiros comemoravam. Soso devorou uma kasha *gordurosa feita com banha fedida, e ansiou por mais.*

Apesar de nauseada, Tanya não conseguiu parar de ler.

A cada página, ia ficando mais impressionada. O texto falava sobre o relacionamento peculiar entre dois prisioneiros, o primeiro um dissidente intelectual, o segundo um gângster sem instrução. O estilo simples e direto de Vasili, surpreendentemente eficaz, descrevia a vida no campo com uma linguagem vívida e brutal. Mas havia mais do que apenas descrições. Talvez por causa da experiência em peças de teatro para o rádio, Vasili sabia como fazer uma história evoluir e Tanya constatou que seu interesse se mantinha constante.

O campo fictício ficava dentro de uma floresta de alerces na Sibéria, e o trabalho dos prisioneiros era derrubar essas árvores coníferas. Como não havia regulamento de segurança nem roupas ou equipamento de proteção, os acidentes eram frequentes. Tanya prestou especial atenção em um episódio no qual o gângster rompeu uma artéria do próprio braço com uma serra e foi salvo pelo intelectual, que fez um torniquete em seu braço. Seria assim que Vasili tinha salvado a vida do mensageiro que trouxera aquele manuscrito da Sibéria até Moscou?

Tanya leu a história duas vezes. Era quase como se estivesse conversando com o amigo: o texto tinha a mesma estrutura de centenas de conversas e discussões que os dois tiveram, e ela reconheceu o tipo de coisa que Vasili considerava engraçada, dramática ou irônica. Seu coração doeu de tanta saudade.

Agora que sabia que Vasili estava vivo, precisava descobrir por que ele não tinha voltado para Moscou. O texto não dava nenhuma pista sobre isso. Mas ela conhecia alguém capaz de descobrir quase qualquer coisa: seu irmão.

Guardou o manuscrito na gaveta da mesinha de cabeceira. Saiu do quarto e disse à mãe:

– Preciso falar com Dimka. Não demoro.

Ela desceu de elevador até o andar em que o irmão morava.

Sua cunhada Nina, grávida de nove meses, veio abrir a porta.

– Você está com uma cara boa! – falou Tanya.

Não era verdade. Nina já passara havia muito do estágio em que se diz que uma grávida está "resplandecente". Estava imensa, com os seios dependurados e a barriga esticada feito um tambor. A pele clara estava pálida sob as sardas, e os cabelos castanho-arruivados estavam sebosos. Ela parecia ter bem mais do que seus 29 anos.

– Pode entrar – falou, com voz cansada.

Dimka estava assistindo ao noticiário na TV. Desligou o aparelho, deu um beijo na irmã e lhe ofereceu uma cerveja.

No apartamento, estava também Masha, mãe de Nina, que viera de Perm de trem para ajudar a filha com o bebê. Camponesa baixinha e prematuramente enrugada, vestida toda de preto, estava visivelmente orgulhosa da filha instalada naquele luxuoso apartamento na cidade. Tanya ficara surpresa quando a conhecera, pois achava que a mãe de Nina fosse professora primária. No fim das contas, porém, ela só trabalhava na escola da aldeia como faxineira. Nina fingira que os pais tinham um status mais importante do que de fato tinham, prática tão comum, na opinião de Tanya, que chegava a ser quase universal.

As três conversaram sobre a gestação. Tanya se perguntou como poderia conseguir falar a sós com o irmão. Não havia a menor chance de mencionar Vasili na frente de Nina ou de Masha. Por instinto, não confiava na cunhada.

Por que tinha esse sentimento tão forte?, perguntou-se, culpada. Devia ser por causa da gravidez, pensou. Apesar de não ser nenhuma intelectual, Nina era inteligente, e não o tipo de mulher que engravidava por acidente. Embora nunca tivesse falado sobre isso com ninguém, Tanya desconfiava de que ela havia manipulado Dimka para fazê-lo se casar. Sabia que o irmão era sofisticado e experiente em relação a quase tudo, mas, em se tratando de mulheres, era ingênuo e romântico. Por que Nina tinha querido fazê-lo cair em uma armadilha? Porque os Dvorkin eram uma família de elite e ela era ambiciosa?

Deixe de ser má, pensou.

Passou meia hora jogando conversa fora, então se levantou para ir embora.

Não havia nada de sobrenatural no relacionamento dos irmãos gêmeos, mas os dois se conheciam tão bem que um geralmente conseguia adivinhar o que o outro estava pensando, e Dimka intuiu que Tanya não tinha ido lá conversar sobre a gravidez de Nina. Então se levantou também.

– Preciso tirar o lixo – falou. – Você me ajuda, Tanya?

Desceram de elevador, cada um com um balde de lixo na mão. Quando saíram para a rua atrás do prédio e não havia ninguém por perto, Dimka perguntou:

– O que houve?

– A sentença de Vasili Yenkov terminou, mas ele não voltou para Moscou.

O semblante de Dimka ficou rígido. Tanya sabia que o irmão a amava, mas discordava de suas opiniões políticas.

– Yenkov fez o possível para prejudicar o governo para o qual eu trabalho. Por que eu me importaria com o que acontece com ele?
– Assim como você, ele acredita em liberdade e justiça.
– O único resultado desse tipo de atividade subversiva é dar aos linhas-duras um pretexto para resistir às reformas.

Tanya sabia que estava defendendo tanto Vasili quanto a si mesma.

– Se não fosse por gente como ele, os linhas-duras diriam que está tudo bem e não haveria pressão alguma por mudanças. Como alguém ficaria sabendo que eles mataram Ustin Bodian, por exemplo?
– Bodian morreu de pneumonia.
– Dimka, você é melhor do que isso. Ele morreu de negligência e você sabe muito bem.
– Tem razão. – Ele assumiu um ar contrito. – Você está apaixonada por Vasili Yenkov? – perguntou, com a voz mais branda.
– Não. Eu *gosto* dele. Ele é divertido, inteligente, corajoso. Mas é o tipo de homem que precisa de uma sucessão de meninas novas.
– Ou *era*. Não existem ninfetas em um campo de prisioneiros.
– Enfim, ele é meu amigo e já cumpriu sua pena.
– O mundo está repleto de injustiças.
– Eu quero saber o que aconteceu com ele, e você pode descobrir para mim. Se quiser.

Dimka suspirou.

– E a minha carreira? No Kremlin, a compaixão por dissidentes injustiçados não é considerada uma virtude.

Tanya sentiu a esperança aumentar. Ele estava cedendo.

– Por favor. É muito importante para mim.
– Não posso prometer nada.
– Se fizer o melhor que puder, já está bom.
– Tudo bem.

Tomada pela gratidão, Tanya lhe deu um beijo na bochecha.

– Você é um bom irmão. Obrigada.

⌒

Da mesma forma que os esquimós são conhecidos por ter várias palavras para se referir à neve, os cidadãos de Moscou tinham várias expressões para o mercado negro. Tirando as necessidades mais básicas da vida, todo o resto precisava ser comprado "à esquerda". Muitas dessas transações eram claramente criminosas: você encontrava um sujeito que contrabandeava calças jeans do Ocidente e lhe pagava um preço exorbitante. Outras não eram nem legais nem ilegais. Para comprar um rádio ou um tapete, podia ser preciso colocar o nome em uma lista de espera; mas era possível subir para o topo da lista "por empurrão", caso você fosse uma pessoa influente ou tivesse a possibilidade de retribuir o favor, ou então "por amigos", caso tivesse algum parente ou amigo em condição de manipular a lista. Furar a fila era uma prática tão disseminada que a maioria dos moscovitas acreditava que ninguém *nunca* chegava ao topo de uma lista simplesmente esperando.

Certo dia, Natalya Smotrov pediu a Dimka para ir com ela comprar uma coisa no mercado negro.

– Em geral eu pediria ao Nik – falou, referindo-se ao marido, Nikolai. – Só que é o presente de aniversário dele, e quero fazer surpresa.

Dimka agora sabia um pouco sobre a vida de Natalya fora do Kremlin. Ela era casada e não tinha filhos; seu conhecimento parava mais ou menos por aí. Os *apparatchiks* do Kremlin faziam parte da elite soviética, mas o Mercedes de Natalya e seu perfume importado indicavam alguma outra fonte de privilégio e dinheiro. Se havia algum Nikolai Smotrov nos altos escalões da hierarquia comunista, porém, Dimka nunca ouvira falar nele.

– O que vai dar a ele?

– Um gravador. Ele quer um Grundig... é uma marca alemã.

Só no mercado negro um cidadão soviético conseguia comprar um gravador alemão. Dimka se perguntou como Natalya podia pagar um presente tão caro.

– E onde vai encontrar um? – indagou.

– No Mercado Central tem um cara chamado Max.

Esse mercado, que ficava na Rua Sadovaya Samotyochnaya, era uma alternativa legal às lojas estatais onde produtos cultivados em jardins particulares eram vendidos a preços mais altos. Em vez de longas filas e gôndolas pouco atraentes, havia montanhas de legumes e verduras coloridos para quem pudesse comprar. E em muitas das barracas a venda de artigos legítimos ocultava negócios ilegais ainda mais lucrativos.

Dimka entendia por que Natalya queria companhia. Alguns dos homens que faziam aquele tipo de trabalho eram truculentos, e uma mulher tinha motivos para ser cautelosa.

Torceu para aquele ser o único motivo. Não queria cair em tentação. Sentia-se próximo de Nina agora que ela estava perto de dar à luz. Fazia alguns meses que os dois não transavam, o que o tornava mais vulnerável aos encantos de Natalya, mas isso não tinha a menor importância comparado à intensa experiência de uma gestação. A última coisa que Dimka queria era um caso com Natalya, mas não podia lhe recusar aquele simples favor.

Seu horário de almoço chegou. Natalya levou Dimka até o mercado em seu Mercedes antigo. Apesar da idade, o carro era veloz e confortável. Como será que ela consegue as peças de reposição?, perguntou-se.

No caminho, ela lhe perguntou sobre Nina.

– O bebê pode chegar a qualquer momento – disse ele.

– Me avise se precisar de alguma coisa para bebês. A irmã de Nik tem um de 3 anos que não precisa mais das mamadeiras e coisas assim.

Dimka se espantou. Mamadeiras eram um luxo ainda mais raro do que gravadores.

– Obrigado. Aviso, sim.

Eles estacionaram e atravessaram o mercado até uma loja que vendia móveis de segunda mão. Era um negócio semilegal. As pessoas podiam vender os próprios objetos, mas ser intermediário era ilegal, o que tornava o comércio engessado e ineficiente. Para Dimka, as dificuldades de impor regras comunistas desse tipo ilustravam a necessidade prática de muitas atividades capitalistas, ou seja, a necessidade de liberalização.

Max era um homem pesado de 30 e poucos anos, vestido ao estilo americano: calça jeans e camiseta branca. Sentado diante de uma mesa de cozinha feita de pinho, bebia chá e fumava. Estava cercado por sofás e camas baratos, de segunda mão, em sua maioria velhos e danificados.

– O que vocês querem? – perguntou ele em tom brusco.

– Falei com o senhor na quarta passada sobre um gravador da Grundig – respondeu Natalya. – O senhor me disse para voltar em uma semana.

– Gravadores são difíceis de conseguir – falou ele.

– Sem rodeios, Max – interveio Dimka, falando com uma voz tão áspera e cheia de desprezo quanto o outro homem. – Você tem um gravador ou não tem?

Homens como Max consideravam sinal de fraqueza dar uma resposta direta a uma pergunta simples.

– Vocês vão ter que pagar em dólares americanos.

– Eu aceitei o seu preço – argumentou Natalya. – Trouxe a quantia exata. Não mais do que isso.

– Me deixe ver o dinheiro.

Natalya tirou do bolso do vestido um maço de notas americanas.

Max estendeu a mão.

Dimka segurou Natalya pelo pulso para impedi-la de entregar o dinheiro antes da hora.

– Cadê o gravador? – perguntou.

– Josef! – gritou Max por cima do ombro.

Houve uma movimentação na sala dos fundos.

– O quê?

– Gravador.

– Certo.

Josef apareceu trazendo uma caixa de papelão sem nada escrito. Mais jovem do que Max, devia ter uns 19 anos, e trazia um cigarro pendurado nos lábios. Apesar de baixo, era musculoso. Pôs a caixa em cima de uma mesa.

– É pesada. Vocês estão de carro?

– Estamos parados depois da esquina.

Natalya contou o dinheiro.

– Custou mais do que eu imaginava – disse Max.

– Não tenho mais dinheiro nenhum – respondeu Natalya.

Max pegou as notas e contou.

– Tudo bem – falou, ressentido. – É seu. – Levantando-se, enfiou o maço de notas no bolso da calça. – Josef vai levar a caixa até o seu carro. – Ele entrou na sala dos fundos.

Josef segurou a caixa para levantá-la.

– Só um instante – falou Dimka.

– O que foi? Eu não tenho tempo a perder – disse Josef.

– Abra a caixa.

Josef o ignorou e levantou a caixa da mesa, mas Dimka apoiou a mão em cima e fez pressão, tornando impossível que ele a levantasse. Josef o encarou com um olhar furioso e, por alguns segundos, Dimka se perguntou se haveria violência. Então Josef recuou e disse:

– Abra você essa porcaria.

A tampa estava grampeada e presa com fita adesiva. Dimka e Natalya tiveram alguma dificuldade para abri-la. Dentro da caixa havia um gravador de rolo. A marca era Magic Tone.

– Isto aqui não é um Grundig – falou Natalya.

– Esses gravadores são melhores do que os Grundig – retrucou Josef. – O som é mais agradável.

432

– Eu paguei por um Grundig – reclamou ela. – Este é uma imitação japonesa barata.

– Hoje em dia é impossível conseguir um Grundig.

– Então quero meu dinheiro de volta.

– Não dá, vocês já abriram a caixa.

– Antes de abrir a caixa, não sabíamos que vocês estavam tentando nos enganar.

– Ninguém enganou ninguém. A senhora queria um gravador.

– Ah, que se dane – falou Dimka, e entrou pela porta da sala dos fundos.

– Você não pode entrar aí! – exclamou Josef.

Dimka o ignorou e entrou. A sala estava cheia de caixas de papelão. Algumas, abertas, continham aparelhos de TV, toca-discos e rádios, todos de marcas estrangeiras. Mas Max não estava ali. Dimka viu uma porta nos fundos.

Voltou à sala da frente.

– Max fugiu com o seu dinheiro – falou para Natalya.

– Ele é um homem ocupado – disse Josef. – Tem muitos clientes.

– Deixe de ser burro, porra! – disparou Dimka. – Max é um ladrão, e você, outro.

Josef meteu o dedo bem na cara dele.

– Não me chame de burro! – exclamou, em tom de ameaça.

– Devolva o dinheiro dela. Antes que comece a ter problemas de verdade.

Josef deu uma risada sarcástica.

– O que você vai fazer? Chamar a polícia?

Eles não podiam fazer isso: estavam envolvidos em uma transação ilegal. E a polícia provavelmente prenderia Dimka e Natalya, mas não Josef e Max, que decerto deviam estar pagando subornos para proteger suas atividades.

– Não podemos fazer nada – disse Natalya. – Vamos embora daqui.

– Levem seu gravador – falou Josef.

– Não, obrigada. Não era isso que eu queria.

Ela foi até a porta.

– Nós vamos voltar... para buscar o dinheiro – falou Dimka.

Josef riu.

– E como vão fazer isso?

– Você vai ver – respondeu Dimka com voz fraca, e saiu atrás de Natalya.

Enquanto ela dirigia para o Kremlin, ele sentiu a frustração ferver dentro de si.

– Vou conseguir seu dinheiro de volta – prometeu.

– Por favor, não faça isso. Aqueles homens são perigosos. Não quero que você se machuque. Esqueça essa história e pronto.

Ele não iria esquecer, mas não disse nada.

433

Quando chegou à sua sala, a pasta da KGB sobre Vasili Yenkov estava em cima da sua mesa.

Não era muito grossa. Yenkov era um editor de roteiros que nunca fora suspeito de nada até o dia, em maio de 1961, em que fora preso portando cinco exemplares de uma folha de notícias subversiva chamada *Dissidência*. Ao ser interrogado, alegou ter recebido uma dúzia de exemplares minutos antes e começado a distribuí-los por causa de um súbito impulso de compaixão pelo cantor de ópera acometido de pneumonia. Uma busca minuciosa de seu apartamento não revelara nada que o contradissesse. Sua máquina de escrever não batia com aquela usada para produzir a publicação. Com terminais elétricos presos aos lábios e às pontas dos dedos, ele dera o nome de outros subversivos, mas, sob tortura, tanto os inocentes quanto os culpados faziam isso. Como sempre, algumas das pessoas nomeadas por ele eram membros irrepreensíveis do Partido Comunista, enquanto outras a KGB não conseguira localizar. De modo geral, a polícia secreta estava inclinada a acreditar que Yenkov não era o editor ilegal do *Dissidência*.

Dimka precisava admirar a coragem de um homem capaz de sustentar uma mentira durante um interrogatório da KGB. Mesmo submetido a torturas atrozes, Yenkov tinha protegido Tanya. Talvez merecesse a liberdade.

Ele conhecia a verdade que Yenkov não tinha revelado: na noite da sua prisão, levara a irmã de moto até seu apartamento, onde ela havia pegado uma máquina de escrever, sem dúvida a mesma usada para produzir o *Dissidência*. Meia hora depois, Dimka havia jogado a máquina no rio Moscou. Máquinas de escrever não boiavam. Ele e Tanya tinham salvado Yenkov de uma pena ainda maior.

Segundo aquela pasta, o editor não estava mais no campo da floresta de alerces derrubando árvores. Alguém descobrira que ele tinha certa capacitação técnica. Como seu primeiro emprego na Rádio Moscou fora como assistente de produção de estúdio, ele entendia de microfones e conexões elétricas. A escassez de técnicos na Sibéria era tão crônica que aquilo lhe bastara para conseguir um trabalho de eletricista em uma usina de energia.

Ele decerto tinha ficado contente, no início, por conseguir trabalhar num local coberto, onde não precisava correr o risco de perder um braço ou uma perna em um descuido com o machado. Mas havia um lado ruim: as autoridades relutavam em deixar um técnico competente ir embora da Sibéria. Ao final da sentença, ele havia solicitado pelos trâmites legais um visto de viagem para retornar a Moscou, mas o pedido fora negado. Agora, não tinha alternativa a não ser continuar no emprego. Estava preso lá.

Era injusto, mas havia injustiça por toda parte, como Dimka comentara com Tanya.

Ele estudou a fotografia que estava na pasta. Yenkov lembrava um astro de cinema: rosto sensual, lábios carnudos, sobrancelhas pretas e fartos cabelos escuros. No entanto, parecia ser mais do que isso. Uma leve expressão de ironia bem-humorada nos cantos dos olhos sugeria que ele não se levava demasiado a sério. Não seria de espantar se, apesar de ter dito que não, Tanya estivesse apaixonada por ele.

Fosse como fosse, Dimka tentaria libertá-lo como um favor à irmã.

Falaria com Kruschev sobre o caso, mas precisava esperar um momento em que o chefe estivesse de bom humor. Guardou a pasta na gaveta da mesa.

Naquela tarde, não teve oportunidade de falar com o premiê. Kruschev foi embora cedo e Dimka estava se preparando para ir para casa quando Natalya espichou a cabeça pelo vão da porta.

– Vamos tomar um drinque – sugeriu. – Depois daquela nossa experiência horrível no Mercado Central, eu bem que estou precisando.

Dimka hesitou.

– Preciso ir para casa ficar com Nina. Ela está quase tendo o bebê.

– Só um drinque rápido.

– Está bem. – Ele atarraxou a tampa da caneta tinteiro e se dirigiu à sua eficiente secretária de meia-idade: – Podemos ir, Vera.

– Ainda tenho umas coisas para fazer – disse ela. Era uma profissional meticulosa.

Como era frequentado pela jovem elite do Kremlin, o bar Beira-Rio não tinha um aspecto tão soturno quanto a maioria dos outros estabelecimentos de Moscou. Possuía cadeiras confortáveis, petiscos comestíveis e, para os *apparatchiks* com os salários melhores e um gosto por coisas exóticas, tinha também garrafas de uísque escocês e de bourbon atrás do balcão. Nessa noite, o bar estava lotado de conhecidos de Dimka e Natalya, quase todos assessores como eles. Alguém pôs um copo de cerveja na sua mão e ele bebeu, agradecido. O lugar estava animado e ruidoso. Boris Kozlov, assessor de Kruschev como Dimka, contou uma piada arriscada:

– Ei, pessoal! O que vai acontecer quando o comunismo chegar à Arábia Saudita?

Todos assobiaram e lhe pediram para dizer o quê.

– Depois de algum tempo, vai faltar areia!

Todos riram. Assim como Dimka, aquelas pessoas trabalhavam duro para o comunismo soviético, mas não eram cegas em relação aos seus defeitos. A distância entre as aspirações do partido e a realidade da URSS incomodava todos eles, e as piadas ajudavam a aliviar a tensão.

Dimka terminou a cerveja e alguém lhe deu outra.

Natalya ergueu o copo como se fosse fazer um brinde.

– A maior esperança para a revolução mundial é uma empresa americana chamada United Fruit – falou. As pessoas à sua volta riram. – Estou falando sério – continuou, embora estivesse sorrindo. – É ela que convence o governo americano a apoiar ditaduras de direita brutais por toda a América Central e do Sul. Se a United Fruit tivesse alguma coisa na cabeça, promoveria um progresso gradual em direção às liberdades burguesas: respeito às leis, liberdade de opinião, sindicatos. Mas, felizmente para o comunismo mundial, eles são burros demais para ver isso. Reprimem de modo implacável os movimentos de reforma, fazendo com que as pessoas não tenham outra opção que não o comunismo, justamente como previu Karl Marx. – Ela brindou com a pessoa mais próxima: – Vida longa à United Fruit!

Dimka riu. Além de ser a mais bonita, Natalya era uma das pessoas mais inteligentes do Kremlin. Corada por causa da animação, com a boca larga aberta em um sorriso, ela era irresistível. Dimka não pôde evitar compará-la à mulher exausta, inchada e avessa a sexo que o esperava em casa, embora soubesse que isso era uma injustiça cruel.

Natalya foi ao bar pedir uns petiscos. Dimka se deu conta de que fazia mais de uma hora que estava ali. Foi até ela com a intenção de se despedir, mas a cerveja bastou para deixá-lo incauto e, quando ela lhe sorriu calorosamente, ele a beijou.

Ela retribuiu o beijo com vontade.

Dimka não entendia aquela mulher. Ela passara uma noite com ele; depois gritara dizendo que era casada; depois o convidara para tomar um drinque; e por fim o beijara. O que iria acontecer depois? Mas com aquela boca quentinha sobre a sua e a ponta da língua dela acariciando seus lábios, a última coisa que lhe importava era sua falta de coerência.

Natalya interrompeu o abraço e Dimka viu sua secretária em pé bem ao seu lado.

Vera ostentava uma expressão severa, julgadora.

– Eu estava à sua procura – falou, em tom acusador. – Telefonaram procurando o senhor logo depois que saiu.

– Sinto muito – retrucou Dimka, sem saber muito bem se estava se desculpando por ela ter achado difícil encontrá-lo ou por causa do beijo.

Natalya pegou um prato de picles da mão do barman e voltou para junto do grupo.

– Sua sogra ligou – continuou Vera.

A euforia de Dimka desapareceu na hora.

– Sua mulher entrou em trabalho de parto. Está tudo bem, mas o senhor deve ir ficar com ela no hospital.

– Obrigado – disse ele, sentindo-se o pior tipo de marido infiel.

– Boa noite – falou Vera, e saiu do bar.

Dimka a acompanhou até o lado de fora. Passou algum tempo parado, respirando o ar fresco da noite. Então subiu na moto e tomou o caminho do hospital. Que hora para ser pego beijando uma colega. Ele merecia se sentir humilhado: tinha agido mal.

Parou a moto no estacionamento do hospital e entrou. Encontrou Nina na ala da maternidade, sentada na cama. Em uma cadeira logo ao lado, Masha segurava um bebê enrolado em um xale branco.

– Parabéns – disse-lhe a sogra. – É um menino.

– Um menino – repetiu Dimka.

Olhou para Nina. Ela lhe abriu um sorriso cansado, mas triunfante.

Ele olhou para o filho. O bebê tinha fartos cabelos escuros, que estavam úmidos. Seus olhos eram de um tom de azul que o fez pensar no avô Grigori. Mas todos os bebês tinham olhos azuis, lembrou. Seria sua imaginação, ou aquele bebê já parecia mesmo fitar o mundo com o olhar intenso de seu avô?

Masha lhe estendeu o menino. Ele pegou aquela trouxinha como quem segura uma casca de ovo gigante. Na presença daquele milagre, os dramas do dia se dissolveram por completo.

Eu tenho um filho, pensou ele, e seus olhos se encheram de lágrimas.

– Ele é lindo – falou. – O nome dele vai ser Grigor.

⁂

Nessa noite, duas coisas mantiveram Dimka acordado. Uma foi a culpa: enquanto sua mulher dava à luz em meio ao sangue e à dor, ele beijava Natalya. A outra foi a raiva pela maneira como fora enganado e humilhado por Max e Josef. Não fora ele quem tinha sido roubado, e sim Natalya, mas isso em nada diminuía sua indignação e seu ressentimento.

Na manhã seguinte, a caminho do trabalho, ele passou de moto no Mercado Central. Ficara metade da noite ensaiando o que diria a Max. "Meu nome é Dmitri Ilich Dvorkin. Vá verificar quem eu sou. Veja para quem eu trabalho. Descubra quem é meu tio e quem foi meu pai. Depois me encontre aqui, amanhã, com o dinheiro de Natalya, e implore para eu não me vingar como você merece." Pensou se teria coragem de dizer tudo isso, se Max reagiria com assombro ou com desprezo, e se o discurso seria ameaçador o bastante para recuperar os dólares de Natalya e o seu próprio orgulho.

Max não estava sentado à mesa de pinho. Não estava sequer na sala. Dimka não soube se devia ficar desapontado ou aliviado.

Encontrou Josef em pé junto à porta da sala dos fundos. Pensou se valeria a pena fazer seu discurso para o rapaz. Ele decerto não tinha poder para reaver o dinheiro, mas talvez falar com ele aliviasse a raiva que estava sentindo. Enquanto hesitava, reparou que Josef tinha perdido a arrogância ameaçadora da véspera. Para seu espanto, antes que conseguisse ao menos abrir a boca, o rapaz recuou para longe dele com ar amedrontado e disse:

– Eu sinto muito! Sinto muito!

Dimka não soube explicar aquela transformação. Se Josef tivesse descoberto, da noite para o dia, que ele trabalhava no Kremlin e vinha de uma família politicamente poderosa, talvez se mostrasse contrito e conciliatório, e quem sabe até devolvesse o dinheiro, mas não ficaria com cara de quem teme pela própria vida.

– Eu só quero o dinheiro de Natalya – falou.

– Nós devolvemos! Já devolvemos!

Dimka não entendeu. Será que Natalya estivera ali antes dele?

– Devolveram para quem?

– Para aqueles dois homens.

Dimka não conseguiu entender.

– E Max, onde está? – perguntou.

– No hospital. Eles quebraram os dois braços dele. Isso não basta para você?

Dimka refletiu por alguns segundos. A menos que tudo aquilo fosse algum tipo de enigma, parecia que dois homens haviam espancado brutalmente Max e o forçado a lhes devolver o dinheiro de Natalya. Quem poderiam ser? E por que tinham agido assim?

Era óbvio que Josef não sabia mais nada. Intrigado, Dimka virou as costas e saiu da loja.

Não tinha sido a polícia que fizera aquilo, raciocinou enquanto caminhava de volta até a motocicleta. Nem o Exército, tampouco a KGB. Qualquer alto funcionário teria prendido Max, levado-o e quebrado seus braços com toda a discrição. Ou seja, aquilo fora obra de alguém extraoficial.

Extraoficial significava alguma gangue. Ou seja, algum dos amigos ou parentes de Natalya era um bandido perigoso.

Não era de espantar que ela nunca tivesse revelado grande coisa sobre sua vida particular.

Dimka dirigiu depressa até o Kremlin, mas mesmo assim ficou consternado ao constatar que Kruschev havia chegado antes dele. Porém seu chefe estava de bom humor: ele pôde ouvir sua risada. Talvez fosse a hora de mencionar Vasili Yenkov. Abriu a gaveta de sua mesa e pegou o dossiê da KGB sobre o editor preso. Em seguida pegou uma pasta de documentos para o premiê assinar e hesitou. Seria uma tolice fazer aquilo, mesmo para sua amada irmã. No entanto, reprimiu a ansiedade e entrou no escritório principal.

Sentado atrás de uma grande escrivaninha, o primeiro-secretário falava ao telefone. Não gostava muito de telefones e preferia contatos cara a cara; segundo ele, assim podia perceber quando as pessoas estavam mentindo. Mas aquela conversa estava alegre. Dimka pôs as cartas na frente de Kruschev, que começou a cantar enquanto continuava a falar e rir ao telefone.

Quando desligou, perguntou a Dimka:

– O que é isso aí na sua mão? Parece um dossiê da KGB.

– Vasili Yenkov. Ele foi condenado a dois anos em um campo de prisioneiros por estar portando um panfleto sobre Ustin Bodian, o cantor de ópera dissidente. Já cumpriu a pena, mas eles não o deixam sair de lá.

Kruschev parou de assinar e ergueu os olhos.

– Algum interesse pessoal da sua parte?

Dimka sentiu um calafrio de medo.

– Absolutamente nenhum – mentiu, dando um jeito de não deixar transparecer a ansiedade.

Se revelasse a relação da irmã com um subversivo condenado, poderia ser o fim de sua carreira e da dela.

Kruschev estreitou os olhos.

– Então por que deveríamos deixá-lo voltar para casa?

Dimka desejou ter recusado o pedido de Tanya. Deveria ter sabido que Kruschev perceberia a verdade: um homem não se tornava líder da URSS sem ser dotado de uma desconfiança que beirava a paranoia. Desesperado, tentou recuar.

– Não estou dizendo que devemos trazê-lo para casa – falou, com a maior calma de que foi capaz. – Só pensei que o senhor talvez quisesse saber sobre ele. O crime foi banal, ele já foi punido e, se o senhor concedesse justiça a um dissidente sem importância, estaria sendo condizente com a sua política geral de liberalização cautelosa.

Kruschev não se deixou enganar.

– Alguém lhe pediu um favor. – Dimka abriu a boca para protestar inocência, mas o premiê ergueu uma das mãos para silenciá-lo. – Não negue, eu não me importo. A influência é a sua recompensa por trabalhar duro.

Dimka sentiu como se uma sentença de morte houvesse acabado de ser revogada.

– Obrigado – falou, com um tom de gratidão mais patético do que pretendia.

– Que trabalho Yenkov está fazendo na Sibéria?

Dimka percebeu que sua mão que segurava o dossiê estava tremendo. Pressionou o braço contra a lateral do corpo para fazê-la parar.

– Ele é eletricista em uma usina de energia. Não é qualificado, mas antes trabalhava na rádio.

– E o que ele fazia em Moscou?

– Era editor de roteiros.

– Ah, porra, que história é essa? – Kruschev largou a caneta. – Editor de roteiros? Que utilidade tem um editor de roteiros? Eles estão desesperados atrás de eletricistas na Sibéria. Deixe o homem lá. Ele está fazendo algo de útil.

Dimka o encarou, consternado. Não soube o que dizer.

Kruschev tornou a pegar a caneta e voltou a assinar os papéis.

– Editor de roteiros – resmungou. – Que piada.

⁓

Tanya datilografou o conto de Vasili, *Enregelamento*, com duas cópias em papel carbono.

Mas aquilo era bom demais para uma simples publicação *samizdat*. Vasili evocava de maneira vívida e brutal a realidade dos campos de prisioneiros, mas não era só isso. Ao copiar o texto, ela entendeu, com dor no coração, que aquele campo representava a URSS, que o texto era uma crítica feroz à sociedade soviética. Vasili dizia a verdade de uma forma que Tanya seria incapaz, e ela se sentiu corroída pelo remorso. Todos os dias, escrevia matérias que saíam em jornais e revistas por toda a União Soviética; todos os dias, evitava cuidadosamente a realidade. Não chegava a mentir diretamente, mas sempre se esquivava da pobreza, da injustiça, da repressão e do desperdício que eram as verdadeiras características do seu país. O texto de Vasili lhe mostrava que sua vida era uma fraude.

Ela levou a cópia datilografada para seu editor.

– Isto aqui chegou pelo correio, sem remetente – falou. Ele poderia muito bem adivinhar que ela estava mentindo, mas não a trairia. – É um conto ambientado em um campo de prisioneiros.

– Não podemos publicar – disse Daniil depressa.
– Eu sei. Mas o texto é muito bom... obra de um grande escritor, eu acho.
– Por que está me mostrando isso?
– Você conhece o editor da revista *New World*.
Daniil ficou pensativo.
– Ele às vezes publica coisas pouco ortodoxas.
Tanya baixou a voz:
– Não sei até onde a liberalização de Kruschev pretende ir.
– A política tem vacilado, mas a instrução geral é que os excessos do passado devem ser discutidos e condenados.
– Você daria uma lida e, se gostar, mostraria para o editor?
– Claro. – Daniil leu algumas linhas. – Por que acha que mandaram para *você*?
– Deve ter sido escrito por alguém que conheci na Sibéria quando estive lá há dois anos.
– Ah. – Ele assentiu. – É uma explicação. – O que ele quis dizer foi: *nada mau como justificativa*.
– O autor provavelmente vai revelar sua identidade se o texto for aceito para publicação.
– Está bem. Vou fazer o possível.

CAPÍTULO VINTE E CINCO

A Universidade do Alabama era a última universidade estadual só para brancos dos Estados Unidos. Na terça-feira, 11 de junho, dois jovens negros chegaram ao campus de Tuscaloosa para se matricular. George Wallace, o baixote governador do estado, postou-se diante das portas da universidade, de braços cruzados e com as pernas bem plantadas, e jurou não deixá-los entrar.

No Departamento de Justiça, em Washington, George Jakes estava sentado com Bobby Kennedy e outros escutando por telefone os relatos de pessoas na universidade. A televisão estava ligada, mas por enquanto nenhuma rede nacional exibia a cena ao vivo.

Menos de um ano antes, duas pessoas tinham sido mortas a tiros em um motim na Universidade do Mississippi após a matrícula do primeiro aluno negro. Os irmãos Kennedy estavam decididos a impedir uma repetição.

George estivera em Tuscaloosa e visitara o arborizado campus da universidade. Ao percorrer os gramados verdejantes, tinha deparado com testas franzidas: era o único rosto negro entre as belas garotas de meias soquete e os elegantes rapazes de blazer. Havia feito para Bobby um esboço do grande pórtico do Auditório Foster, com suas três portas, diante do qual Wallace estava agora postado, em frente a um púlpito portátil, cercado por agentes da polícia estadual. A temperatura de junho na cidade se aproximava dos 38ºC. George podia visualizar os repórteres e fotógrafos aglomerados diante do governador, suando sob o sol, esperando a violência começar.

Aquele confronto vinha sendo antecipado e planejado por ambos os lados havia tempos.

George Wallace era um democrata sulista. Abraham Lincoln, que libertara os escravos, era republicano, enquanto os sulistas pró-escravatura eram democratas. Esses mesmos sulistas continuavam no partido, ajudando a eleger presidentes democratas e depois prejudicando seu mandato.

Wallace era um homem pequeno, feio e careca, a não ser por um tufo de cabelos na frente da cabeça que besuntava de brilhantina e penteava para transformar em um ridículo topete. No entanto, ele era astuto, e George não conseguia entender o que pretendia naquele dia. Que resultado Wallace esperava? O caos ou algo mais sutil?

O movimento em defesa dos direitos civis, que dois meses antes parecia agonizante, ganhara fôlego depois dos motins de Birmingham. O dinheiro fluía aos borbotões: durante um evento beneficente em Hollywood, estrelas de cinema como Paul Newman e Tony Franciosa tinham assinado cheques de mil dólares cada um. Apavorada com a ideia de mais desordem, a Casa Branca estava desesperada para apaziguar os manifestantes.

Bobby Kennedy enfim havia se rendido à opinião de que uma nova Lei de Direitos Civis era necessária. Agora admitia que estava na hora de o Congresso banir a discriminação em todos os espaços públicos – hotéis, restaurantes, ônibus, sanitários – e proteger o direito dos negros ao voto. Só que ainda não conseguira convencer seu irmão presidente.

Nessa manhã, o secretário de Justiça tentava dar a impressão de estar calmo e no controle da situação. Uma equipe de TV o filmava, e três de seus sete filhos corriam pela sala. Mas George sabia com que rapidez a descontraída afabilidade de Bobby podia se transformar em fúria gelada quando as coisas davam errado.

Bobby estava decidido a impedir novos motins, mas estava igualmente decidido a conseguir que os dois alunos se matriculassem. Um juiz emitira um mandado a favor da matrícula, e Bobby, como secretário de Justiça, não podia se deixar derrotar por um governador estadual determinado a desconsiderar a lei. Estava pronto para mandar o Exército tirar Wallace à força da frente do auditório, embora isso também fosse ser um final infeliz, com Washington intimidando o Sul.

Em mangas de camisa, curvado sobre o aparelho de telefone em sua espaçosa mesa, Bobby exibia marcas de suor debaixo dos braços. O Exército tinha montado um sistema de comunicação móvel, e alguém no meio da multidão ia relatando ao secretário o que estava acontecendo.

– Nick chegou – disse a voz que saiu do aparelho. Nicholas Katzenbach era o subsecretário de Justiça e estava no Alabama representando Bobby. – Ele está indo falar com Wallace... está entregando a ele a ordem para sair. – Katzenbach estava munido de uma ordem presidencial que mandava Wallace parar de desafiar um mandado judicial. – Agora Wallace está fazendo um discurso.

O braço esquerdo de George Jakes estava sustentado por uma discreta tipoia de seda preta. A polícia estadual do Alabama tinha rachado um osso de seu pulso em Birmingham. Dois anos antes, um arruaceiro racista tinha quebrado aquele mesmo braço em Anniston, também no Alabama. George esperava nunca mais ter de voltar a esse estado.

– Wallace não está falando em segregação – disse a voz no aparelho. – Está falando sobre direitos do estado. Diz que Washington não tem o direito de interferir nas instituições de ensino do Alabama. Vou tentar me aproximar para o senhor poder escutá-lo.

George franziu a testa. Em seu discurso de posse como governador, Wallace tinha dito: "Segregação agora, amanhã e para sempre." Na ocasião, porém, estava falando com a população branca do Alabama. Quem estaria tentando impressionar agora? Algo estava acontecendo ali que os irmãos Kennedy e seus conselheiros ainda não tinham entendido.

O discurso de Wallace foi longo. Quando ele enfim terminou de falar, Katzenbach exigiu novamente que o governador obedecesse à lei, e Wallace recusou. Impasse.

O subsecretário então saiu do local, mas o drama não havia acabado. Os dois alunos, Vivian Malone e James Hood, aguardavam dentro de um carro. Ficara combinado que Katzenbach acompanharia Vivian até seu alojamento, enquanto outro advogado do Departamento de Justiça faria o mesmo com James. Mas isso era apenas temporário. Para se matricular oficialmente, eles tinham de entrar no Auditório Foster.

O noticiário do meio-dia começou na TV, e na sala de Bobby Kennedy alguém aumentou o volume. Em pé diante do púlpito, Wallace parecia mais alto do que era de fato. Não disse nada sobre pessoas de cor, segregação ou direitos civis. Falou, isso sim, no poder do governo central que estava oprimindo a soberania do estado do Alabama. Indignado, discorreu sobre liberdade e democracia, como se não houvesse nenhum negro a quem o direito de voto estivesse sendo negado. Citou a Constituição como se não a desdenhasse diariamente. Foi um espetáculo de grande virtuosismo, que deixou George preocupado.

Burke Marshall, o advogado branco que chefiava a divisão de direitos civis, estava na sala de Bobby. George ainda não confiava nele, mas Marshall havia se tornado mais radical depois de Birmingham, e nesse dia sugeriu pôr fim ao impasse de Tuscaloosa mandando o Exército.

– Por que não fazemos logo isso? – perguntou ao secretário.

Bobby concordou.

Levou tempo. Os assessores do secretário pediram sanduíches e café. No campus, todos mantiveram suas posições.

A TV começou a transmitir notícias do Vietnã. Em um cruzamento de Saigon, um monge budista chamado Thic Quang Duc, encharcado com 20 litros de gasolina, tinha calmamente acendido um fósforo e tocado fogo em si mesmo. O suicídio era um protesto contra a perseguição da maioria budista pelo presidente Ngo Dinh Diem, um católico apoiado pelos americanos.

O trabalho do presidente Kennedy não acabava nunca.

Por fim, alguém disse no viva-voz do presidente:

– O general Graham chegou... com quatro soldados.

– Quatro? – estranhou George. – É essa a nossa demonstração de força?

Eles ouviram uma nova voz, provavelmente do general, falar com Wallace:

– Governador, é meu triste dever pedir ao senhor que saia da frente. Ordens do presidente dos Estados Unidos.

Graham era comandante da Guarda Nacional do Alabama, e claramente cumpria ordens que iam contra as próprias inclinações.

Mas a voz no aparelho então disse:

– Wallace está se afastando... Wallace está indo embora! Ele está indo embora! Acabou!

Houve vivas e apertos de mão no escritório.

Dali a um minuto, os outros repararam que George não estava comemorando.

– O que houve com você? – quis saber Dennis Wilson.

Na opinião de George, as pessoas ao seu redor não estavam raciocinando direito.

– Wallace planejou isso – falou. – Desde o início ele pretendia ceder assim que chamássemos o Exército.

– Mas por quê?

– É essa a pergunta que está me incomodando. Passei a manhã inteira com a impressão de que estamos sendo usados.

– Mas o que Wallace ganhou com essa farsa?

– Exposição. Ele acabou de aparecer na TV, posando como o homem comum que enfrenta um governo truculento.

– O governador Wallace vai reclamar de ter sido alvo de truculência? – falou Wilson. – Que piada!

Bobby, que vinha acompanhando o debate, interveio:

– Escutem George. Ele está fazendo as perguntas certas.

– Piada para você e para mim – disse George. – Mas muitos americanos da classe trabalhadora sentem que a integração está sendo empurrada pela sua goela abaixo por gente bem-intencionada de Washington como todos nós aqui nesta sala.

– Eu sei – disse Wilson. – Embora seja pouco usual ouvir isso de... – Ele estava prestes a dizer "de um negro", mas mudou de ideia. – ... de alguém que faz campanha pelos direitos civis. Aonde você quer chegar?

– O que Wallace fez hoje foi falar para esses eleitores brancos da classe trabalhadora. Eles vão se lembrar dele ali em pé, desafiando Nick Katzenbach, que todos dirão ser um típico liberal da Costa Leste, e vão se lembrar dos soldados que o obrigaram a se retirar.

– Wallace é governador do Alabama. Por que ele precisaria falar para a nação?

– Desconfio que ele vá desafiar Jack Kennedy nas primárias democratas do ano que vem. Esse cara vai se candidatar à Presidência, gente. E a campanha dele começou hoje, em rede nacional de televisão... com a nossa ajuda.

Alguns segundos de silêncio recaíram sobre a sala enquanto os presentes digeriam esse fato. George pôde ver que estavam todos convencidos pela sua argumentação e preocupados com o que aquilo acarretava.

– No presente momento, Wallace é a notícia mais importante, e ele parece um herói – concluiu George. – Talvez o presidente precise tomar a iniciativa de novo.

Bobby apertou um botão do interfone sobre sua mesa e pediu:

– Me ligue com o presidente.

Acendeu um charuto.

Dennis Wilson atendeu um telefonema em outro aparelho.

– Os dois alunos entraram no auditório e se matricularam – falou.

Pouco depois, Bobby pegou o telefone para falar com o irmão. Disse que eles tinham conseguido uma vitória sem violência. Então começou a escutar.

– É! – falou, em determinado momento. – George Jakes disse a mesma coisa... – Houve outra pausa demorada. – Hoje à noite? Mas nós não temos discurso... É claro que podemos escrever um. Não, acho que você tomou a decisão certa. Vamos em frente. – Desligou e correu os olhos pela sala. – O presidente vai apresentar uma nova Lei de Direitos Civis.

George sentiu o coração dar um pinote. Era o que ele, Martin Luther King e todos os outros integrantes do movimento estavam pedindo.

– E vai fazer o anúncio ao vivo na televisão... hoje à noite – completou Bobby.

– Hoje? – estranhou George.

– Daqui a algumas horas.

Fazia sentido, pensou George, ainda que fosse meio apressado. Assim o presidente voltaria a ser a notícia mais importante, exatamente como deveria ser – mais do que George Wallace e mais do que Thich Quang Duc.

– E ele quer que você vá lá ajudar Ted a escrever o discurso – completou Bobby.

– Pois não, secretário.

George saiu do Departamento de Justiça muito animado. Caminhou tão depressa que chegou ofegante à Casa Branca, e se demorou um minuto no térreo da Ala Oeste para recuperar o fôlego antes de subir. Encontrou Ted Sorensen em sua sala com um grupo de colegas. Tirou o paletó e sentou-se.

Entre os papéis espalhados sobre a mesa havia um telegrama de Martin Luther King para o presidente. Em Danville, Virgínia, quando 65 negros haviam protestado contra a segregação, 48 deles tinham apanhado tanto da polícia que foram parar no hospital. "A resistência dos negros talvez esteja chegando ao fim", dizia a mensagem de King. George sublinhou essa frase.

O grupo trabalhou com afinco na redação do discurso. O texto começaria fazendo referência aos acontecimentos daquele dia no Alabama, e destacaria que os soldados estavam fazendo cumprir um mandado judicial. Mas o presidente não se demoraria nos detalhes dessa rixa específica, e passaria rapidamente para um forte apelo aos valores morais de todos os americanos decentes. De tempos em tempos, Sorensen levava páginas manuscritas para a secretária datilografar.

George estava frustrado pelo fato de algo tão importante estar sendo feito às pressas, na última hora, mas entendia o motivo. A redação de uma lei era um processo racional; a política, por sua vez, era um jogo intuitivo. Jack Kennedy tinha um instinto aguçado, e seu sexto sentido lhe dizia que precisava tomar a iniciativa naquele dia.

O tempo passou depressa demais. O discurso ainda estava sendo escrito quando as equipes de TV entraram no Salão Oval e começaram a instalar seus equipamentos de iluminação. O presidente andou pelo corredor até a sala de Sorensen para perguntar a quantas andava o discurso. Sorensen lhe mostrou algumas páginas, e Kennedy não gostou. Os dois foram para a sala das secretárias, e o presidente começou a ditar as mudanças para que fossem datilografadas. Quando deu oito horas, o discurso ainda não estava terminado, mas Kennedy entrou em cadeia nacional mesmo assim.

George assistiu ao pronunciamento na sala de Sorensen, roendo as unhas.

E Kennedy se saiu melhor do que nunca.

Começou com uma formalidade um tanto excessiva, mas pegou ritmo ao falar sobre as perspectivas de vida de um bebê negro: metade das chances de completar o ensino médio, um terço das chances de se formar no ensino superior, duas vezes mais chances de ficar desempregado, e uma expectativa de vida sete anos menor do que a de um bebê branco.

– Acima de tudo, trata-se de uma questão moral – disse ele. – Uma questão mais antiga do que as Escrituras e tão clara quanto a Constituição dos Estados Unidos.

George ficou maravilhado. Grande parte daquele discurso era improvisada e mostrava um novo Jack Kennedy. O presidente elegante e moderno tinha descoberto o poder de falar como um profeta. Talvez tivesse aprendido com o reverendo Martin Luther King.

– Quem de nós aceitaria trocar a cor da própria pele? – indagou, tornando a usar palavras curtas, simples. – Quem de nós aceitaria as recomendações de paciência e espera?

Quem havia aconselhado paciência e espera tinham sido justamente Jack Kennedy e seu irmão Bobby, pensou George. Alegrou-se ao constatar que eles agora tinham percebido a dolorosa inadequação desse conselho.

– Nós pregamos a paz mundo afora – prosseguiu Kennedy. George sabia que ele estava prestes a viajar para a Europa. – Mas será que poderemos dizer ao mundo, e sobretudo uns aos outros, que esta é a terra dos livres, exceto para os negros? Que não temos cidadãos de segunda classe, exceto os negros? Que não temos sistema de classes ou de castas, nem guetos, nem raça superior, exceto em relação aos negros?

George exultava. Eram palavras fortes, sobretudo a referência à raça superior, que lembrava os nazistas. Aquele era o tipo de discurso que ele sempre quisera que o presidente fizesse.

– A fogueira da frustração está ardendo em todas as cidades, de norte a sul, onde os recursos legais não estão disponíveis – continuou Kennedy. – Na semana que vem, pedirei ao Congresso dos Estados Unidos para agir, para assumir um compromisso que ainda não assumiu totalmente neste século, com o conceito de que... – Ele havia tornado a ficar formal, mas então voltou a usar uma linguagem simples: – ... a raça não tem lugar nem na vida nem na lei americanas.

Aquilo era uma frase para os jornais, pensou George na mesma hora: a raça não tem lugar nem na vida nem na lei americanas. Mal conseguiu conter a empolgação. Seu país estava mudando, ali mesmo, a cada minuto, e ele fazia parte dessa transformação.

– Aqueles que não fizerem nada estarão instigando, além da violência, a vergonha – prosseguiu o presidente, e George pensou que ele estava sendo sincero, embora não fazer nada tivesse sido a sua política até poucas horas antes. – Peço o apoio de todos os nossos cidadãos – concluiu Kennedy.

A transmissão terminou. No corredor, os equipamentos de iluminação da TV foram desligados e a equipe começou a guardar tudo. Sorensen parabenizou o presidente.

Apesar da euforia, George estava exausto. Foi para seu apartamento, comeu ovos mexidos e assistiu ao noticiário. Como esperava, o pronunciamento do presidente era a notícia principal. Então foi para a cama e adormeceu.

Acordou com o telefone. Era Verena Marquand. Aos prantos, ela quase não conseguia falar.

– O que houve? – perguntou-lhe George.

– Medgar – respondeu ela, e então disse algo que ele não conseguiu entender.

– Medgar Evers, você quer dizer?

George o conhecia: era um ativista negro de Jackson, Mississippi, funcionário em tempo integral da NAACP, o mais moderado dos grupos defensores dos direitos civis. Fora ele quem havia investigado o assassinato de Emmett Till e organizado um boicote às lojas de brancos. Seu trabalho o transformara em uma figura nacional.

– Ele levou um tiro. – Verena soluçava. – Bem na frente de casa!

– Ele morreu?

– Morreu. George, ele tinha três filhos... três! As crianças ouviram o tiro, saíram e encontraram o pai se esvaindo em sangue na entrada da garagem.

– Jesus...

– O que é que esses brancos têm na cabeça? Por que eles fazem isso com a gente, George? Por quê?

– Não sei, princesa. Não sei mesmo.

 ∽

Pela segunda vez, Bobby Kennedy mandou George para Atlanta com um recado para Martin Luther King.

Ao ligar para Verena e marcar o encontro, ele falou:

– Adoraria conhecer seu apartamento.

Não conseguia entendê-la. Naquela noite, em Birmingham, eles tinham ido para a cama e sobrevivido a uma bomba racista, e ele se sentira muito próximo dela. Mas dias, depois semanas, haviam se passado sem que surgisse outra oportunidade para o sexo, e a intimidade entre os dois tinha evaporado. Apesar disso, quando ficou abalada com a notícia da morte de Medgar Evers, Verena não telefonara para Martin Luther King nem para o pai, mas para George. Agora ele não sabia qual era a natureza de seu relacionamento.

– Claro – disse ela. – Por que não?

– Vou levar uma garrafa de vodca.

Tinha descoberto que vodca era a bebida alcoólica preferida dela.

– Eu divido o apartamento com outra moça.

– Levo duas garrafas, então?

Ela riu.

– Calma, garotão. Laura não vai se importar em sair à noite. Já fiz a mesma coisa por ela muitas vezes.

– Isso quer dizer que você vai fazer o jantar?

– Não sou grande coisa na cozinha.

– Que tal você fritar uns bifes e eu fazer uma salada?

– Você gosta de coisa fina.

– Por isso eu gosto de *você*.

– Que lábia!

Ele pegou o avião para lá no dia seguinte. Esperava passar a noite com Verena, mas não queria fazê-la sentir que dava isso por certo, portanto fez o check-in em um hotel e foi de táxi até seu apartamento.

Seduzi-la não era o único assunto que ocupava sua mente. Da última vez que levara um recado de Bobby para King, sua opinião sobre o teor da mensagem era ambivalente. Dessa vez, quem tinha razão era Bobby, e George estava decidido a fazer o reverendo mudar de ideia. Assim, tentaria primeiro convencer Verena.

Fazia calor em Atlanta em junho, e ela o recebeu usando um vestido curto sem mangas, que deixava à mostra seus longos braços levemente bronzeados. Estava descalça, o que o fez se perguntar se estaria usando alguma coisa por baixo do vestido. Cumprimentou-o com um beijo na boca, mas tão rápido que ele não soube bem o que significava.

O apartamento era moderno, classudo, mobiliado com peças contemporâneas. Não poderia pagar aquilo com o salário que recebia de King, calculou George. Deviam ser os royalties dos discos de Percy Marquand que bancavam o aluguel.

Ele pôs a vodca sobre a bancada da cozinha, e ela lhe passou uma garrafa de vermute e uma coqueteleira. Antes de preparar os drinques, ele falou:

– Quero ter certeza de que você entende o seguinte: o presidente está na situação mais difícil de toda sua carreira política. O que está acontecendo agora é muito mais grave do que a Baía dos Porcos.

Como era sua intenção, conseguiu deixá-la chocada.

– Me explique por quê – pediu ela.

– Por causa da Lei de Direitos Civis. Na manhã seguinte ao seu pronunciamento na TV, ou seja, na manhã depois de você me ligar para dizer que Medgar tinha sido assassinado, o líder da maioria na Câmara ligou para ele. Disse que seria impossível aprovar o projeto de lei agrícola, os financiamentos para transportes de massa, as ajudas a países estrangeiros e o orçamento espacial. O programa legislativo de Kennedy saiu completamente dos trilhos. Justamente como temíamos, os democratas sulistas estão se vingando. E a aprovação do presidente nas pesquisas caiu dez pontos da noite para o dia.

– Mas a imagem internacional dele melhorou – assinalou Verena. – Talvez vocês tenham de segurar as pontas até a situação doméstica melhorar.

– Estamos segurando, acredite. Lyndon Johnson está mostrando a que veio.

– Johnson? Está brincando?

– Não estou, não. – George era amigo de Skip Dickerson, um dos assessores do vice-presidente. – Sabia que a cidade de Houston desligou a energia nas docas para protestar contra a nova política de integração da Marinha durante as licenças em terra?

– Sabia. Filhos da mãe.

– Quem resolveu a questão foi Johnson.

– Como?

– A NASA está planejando construir em Houston uma estação de rastreamento no valor de milhões de dólares. Ele ameaçou cancelar o projeto. Segundos depois, a cidade religou a energia. Nunca subestime Lyndon Johnson.

– Quem dera tivéssemos mais atitudes como essa no governo!

– É verdade.

Mas os irmãos Kennedy eram muito detalhistas. Não queriam sujar as mãos. Prefeririam ganhar a discussão pelo raciocínio. Consequentemente, não usavam muito Johnson; na verdade, desprezavam-no por causa do seu talento para a manipulação.

George encheu a coqueteleira de gelo, despejou um pouco de vodca por cima e sacudiu. Verena abriu a geladeira e pegou dois copos de martíni. George serviu uma colherada de vermute em cada copo gelado, girou os copos para untar as laterais, em seguida despejou a vodca gelada. Verena completou cada drinque com uma azeitona.

George gostou da sensação de fazerem algo juntos.

– A gente forma uma boa equipe, não acha? – perguntou.

Verena ergueu o copo e bebeu.

– Você faz um bom martíni.

Ele sorriu, meio decepcionado. Esperava uma resposta diferente, algo que afirmasse o seu relacionamento. Bebeu e disse:

– É, faço mesmo.

Verena tirou da geladeira alface, tomate e dois bifes de contra-filé. George começou a lavar a alface. Enquanto isso, direcionou a conversa para o verdadeiro objetivo da sua visita:

– Eu sei que já conversamos sobre isso antes, mas o fato de o Dr. King se relacionar com comunistas não ajuda a Casa Branca.

– E quem disse que ele se relaciona?

– O FBI.

Verena deu um muxoxo de desprezo.

– Sei, aquela famosa e confiável fonte de informação sobre o movimento dos direitos civis... Pare com isso, George. Você sabe muito bem que, para J. Edgar Hoover, qualquer um que discorde dele é comunista, inclusive Bobby Kennedy. Cadê as provas?

– Parece que o FBI tem provas.

– Parece? Ou seja, você não viu. Bobby viu?

George ficou envergonhado.

– Hoover disse que a fonte é segura.

– Hoover se recusou a mostrar as provas para o secretário de Justiça? Para quem ele acha que trabalha? – Pensativa, ela tomou um gole de martíni. – O *presidente* viu as provas?

George não respondeu.

Verena ficou ainda mais incrédula.

– Hoover não pode dizer não ao presidente.

– Acho que o presidente decidiu evitar um confronto nessa questão.

– Vocês são ingênuos, por acaso? George, escute o que eu vou dizer: *não existem provas*.

Ele decidiu dar o braço a torcer.

– Você provavelmente tem razão. Eu não acredito que Jack O'Dell e Stanley Levison sejam comunistas, embora sem dúvida já tenham sido um dia; mas será que você não vê que a verdade não importa? Há base para suspeita, e isso basta para prejudicar a credibilidade do movimento pelos direitos civis. E agora que o presidente propôs uma nova lei, ele também sai prejudicado. – George envolveu a alface lavada com um pano de prato e sacudiu os braços para secar as folhas. A irritação tornou seus gestos mais enérgicos do que o necessário. – Jack Kennedy pôs a carreira política em risco por causa dos direitos civis, e não podemos deixá-lo ser derrubado por causa de acusações de relacionamentos com comunistas. – Ele pôs a alface dentro de uma saladeira. – Livrem-se desses dois caras e pronto, problema resolvido!

Verena falou em tom paciente:

– O'Dell é funcionário da organização de Martin Luther King, assim como eu, mas Levison não está nem na folha de pagamento. É só um amigo e conselheiro de Martin. Você quer mesmo dar a J. Edgar Hoover o poder de escolher os amigos de Martin?

– Verena, eles estão no caminho da proposta de Lei de Direitos Civis. Peça ao Dr. King para se livrar deles... por favor.

Verena suspirou.

– Acho que ele vai fazer isso. Sua consciência cristã está demorando um pouco para se acostumar com a ideia de rejeitar dois aliados de longa data, mas no final ele vai ceder.

– O Senhor seja louvado.

George ficou mais animado: pelo menos dessa vez poderia voltar a Bobby com boas notícias.

Verena salgou os bifes e os pôs na frigideira.

– E agora vou lhe dizer uma coisa: não vai fazer a menor diferença. Hoover vai continuar a vazar para a imprensa que o movimento pelos direitos civis é um disfarce para os comunistas. Ele faria isso mesmo que fôssemos republicanos desde criancinhas. J. Edgar Hoover é um mentiroso patológico que odeia os negros, e é uma pena que o seu chefe não tenha colhão para mandá-lo embora.

George quis protestar, mas infelizmente a acusação era verdadeira. Ele fatiou um tomate para pôr na salada.

– Você gosta do bife bem passado? – perguntou Verena.

– Não muito.

– Prefere mal? Eu também.

Ele preparou mais dois martínis e eles se sentaram diante da pequena mesa para comer. George passou para a segunda parte do recado:

– Ajudaria o presidente se o Dr. King cancelasse aquela maldita manifestação em Washington.

– Sem chance.

King havia convocado um "imenso, militante e monumental protesto sentado" na capital, que ocorreria ao mesmo tempo que vários outros atos de desobediência civil país afora. Os irmãos Kennedy estavam consternados.

– Pense no seguinte – disse George. – No Congresso, existem aqueles que sempre vão votar a favor dos direitos civis e aqueles que jamais farão isso. Quem importa são os que podem votar de um jeito ou de outro.

– Os votos incertos – falou Verena, usando uma expressão em voga.

– Exato. Eles sabem que a lei é moralmente correta, mas politicamente impopular, e estão atrás de desculpas para votar contra ela. A sua manifestação vai lhes

dar a chance de dizer: "Eu sou a favor dos direitos civis, mas não sob a mira de uma arma." Não é hora para isso.
– Como diz Martin, para os brancos nunca é hora.
George sorriu.
– Você é mais branca do que eu.
Ela deu uma viradinha na cabeça e arrematou:
– E mais bonita.
– É verdade. Você é praticamente a coisa mais bonita que já vi.
– Obrigada. Coma.
George empunhou garfo e faca. Os dois jantaram quase em silêncio. Ele elogiou Verena pelos bifes, e ela disse que, para um homem, ele sabia fazer uma boa salada.
Quando terminaram, levaram os drinques para a sala, sentaram-se no sofá e George retomou sua argumentação:
– Será que você não entende que agora é diferente? O governo está do nosso lado. O presidente está dando o melhor de si para aprovar a lei que estamos pedindo há anos.
Ela balançou a cabeça.
– Se nós aprendemos algo, é que as coisas mudam mais depressa quando mantemos a pressão. Você sabia que nos restaurantes de Birmingham os negros agora estão sendo servidos por garçonetes brancas?
– Sabia, sim. Que reviravolta incrível.
– E isso não foi conquistado com uma espera paciente. Isso aconteceu porque eles jogaram pedras e acenderam fogueiras.
– A situação mudou.
– Martin não vai cancelar o protesto.
– Mas ele o modificaria?
– Como assim?
Esse era o plano B de George.
– Será que a manifestação poderia ser uma simples passeata dentro da lei, em vez de um protesto? Os membros do Congresso talvez se sintam menos ameaçados.
– Não sei. Pode ser que Martin considere essa possibilidade.
– Façam numa quarta-feira, para que as pessoas não queiram passar o fim de semana inteiro na cidade, e deixem o encerramento bem claro para os manifestantes irem embora bem antes de a noite cair.
– Você está tentando diminuir o efeito da manifestação.
– Se precisamos protestar, devemos fazer todo o possível para garantir que tudo corra sem violência e cause boa impressão, especialmente na TV.

— Nesse caso, que tal colocar banheiros portáteis no trajeto da passeata? Bobby deve conseguir isso, mesmo que não consiga demitir Hoover.

— Ótima ideia.

— E que tal reunir alguns defensores brancos da causa? O protesto vai sair melhor na TV se houver manifestantes brancos entre os negros.

George pensou um pouco.

— Aposto que Bobby conseguiria fazer os sindicatos mandarem gente.

— Se você conseguir prometer essas duas coisas como atrativos, acho que temos uma chance de fazer Martin mudar de ideia.

George viu que Verena havia concordado com ele e estava agora falando em como convencer King. Já era meio caminho andado.

— E, se você conseguir convencer o Dr. King a transformar o protesto em um desfile, acho que talvez consigamos o apoio do presidente.

Ele estava esticando um pouco a corda, mas era possível.

— Vou me esforçar ao máximo – disse ela.

George passou o braço em volta dela.

— Está vendo, nós *somos* uma boa equipe. – Ela sorriu e não disse nada. – Você não concorda? – insistiu ele.

Verena o beijou. Foi igual ao seu último beijo: mais do que amigável sem chegar a ser sensual.

— Depois que aquela bomba estourou a janela do meu quarto de hotel, você atravessou o quarto descalço para pegar meus sapatos – disse ela, em tom de reflexão.

— Eu lembro – retrucou ele. – O chão estava coberto de cacos.

— Foi por isso. Foi esse o seu erro.

George franziu a testa.

— Não estou entendendo. Achei que estivesse sendo gentil.

— Exatamente. Você é bom demais para mim, George.

— Como assim? Que maluquice!

Mas ela estava séria.

— Já fui para a cama com vários homens, George. Eu bebo. Sou infiel. Já transei com Martin uma vez.

Ele arqueou a sobrancelha, mas não disse nada.

— Você merece coisa melhor – continuou Verena. – Vai ter uma carreira maravilhosa. Talvez seja o primeiro presidente negro. Precisa de uma esposa que seja fiel e trabalhe ao seu lado, que o apoie e fortaleça. Eu não sou essa mulher.

George estava confuso.

– Eu não estava olhando tão para o futuro. Só estava torcendo para conseguir beijá-la mais um pouco.

Ela sorriu.

– Isso eu posso fazer – falou.

Ele a beijou lenta e demoradamente. Depois de algum tempo, acariciou a lateral de sua coxa e foi subindo por baixo da saia do vestido curto. Chegou com a mão até o quadril. Tinha razão: nada por baixo.

Ela entendeu o que ele estava pensando.

– Viu só? Menina malvada.

– Eu sei. Sou louco por você mesmo assim.

CAPÍTULO VINTE E SEIS

Fora difícil para Walli ir embora de Berlim. Era a cidade onde Karolin morava e ele queria ficar perto dela. Só que isso não fazia sentido se os dois estivessem separados pelo Muro. Embora estivessem a menos de dois quilômetros de distância, ele nunca poderia vê-la. Não podia arriscar uma nova travessia da fronteira: da última vez, só não tinha morrido por pura sorte. Mesmo assim, achara difícil se mudar para Hamburgo.

Dizia a si mesmo que entendia por que Karolin decidira ficar com a família para ter o bebê. Quem estava mais preparado para ajudá-la quando ela desse à luz, sua mãe ou um guitarrista de 17 anos? Mas a lógica daquela decisão era um parco consolo.

Ele pensava nela à noite quando ia se deitar e assim que acordava pela manhã. Quando via uma garota bonita na rua, tudo o que conseguia sentir era tristeza por causa de Karolin. Ficava pensando em como ela estaria. Será que a gravidez estava lhe causando desconforto e enjoo ou será que ela estava esplendorosa? Será que os pais estavam bravos com ela ou animados com a ideia de ser avós?

Eles trocavam cartas, e ambos sempre escreviam "eu te amo". No entanto, hesitavam em esmiuçar as próprias emoções, pois sabiam que cada palavra seria examinada em detalhes por algum agente da polícia secreta no escritório da censura, talvez alguém que os dois conhecessem, como Hans Hoffmann. Era como declarar os sentimentos na frente de uma plateia desdenhosa.

Eles estavam de lados opostos do Muro, e era como se estivessem a 2 mil quilômetros um do outro.

Assim, Walli se mudara para o espaçoso apartamento da irmã em Hamburgo.

Rebecca nunca o pressionava. Nas cartas que lhe escreviam, seus pais viviam lhe dizendo para voltar à escola, ou quem sabe começar um curso superior. Suas sugestões idiotas incluíam estudar para virar eletricista, advogado ou professor, como Rebecca e Bernd. A própria Rebecca, no entanto, nada dizia. Se ele passasse o dia inteiro no quarto tocando guitarra, ela não reclamava, só lhe pedia para lavar a xícara de café em vez de largá-la suja dentro da pia. Quando falava com ela sobre o futuro, a irmã perguntava: "Por que a pressa? Você tem 17 anos. Faça o que quiser e veja o que acontece." Bernd se mostrava igualmente tolerante. Walli adorava Rebecca, e a cada dia que passava gostava mais de Bernd.

Ainda não havia se acostumado com a Alemanha Ocidental. As pessoas lá tinham carros maiores, roupas mais novas e casas mais bonitas. O governo era criticado abertamente nos jornais e até na TV. Sempre que lia algum texto que atacava o envelhecido chanceler Adenauer, Walli se pegava olhando por cima do ombro, culpado, com medo de alguém flagrá-lo lendo material subversivo, e precisava lembrar a si mesmo que aquilo era o Ocidente, onde havia liberdade de opinião.

Apesar da tristeza de sair de Berlim, descobriu, para sua alegria, que Hamburgo era o centro da cena musical alemã. A cidade portuária recebia marinheiros do mundo inteiro. Uma rua chamada Reeperbahn era o centro do bairro da luz vermelha, cheia de bares, casas de strip-tease, clubes homossexuais meio secretos e muitos estabelecimentos de música ao vivo.

Walli tinha dois desejos na vida: viver com Karolin e ser músico profissional.

Um dia, pouco depois de se mudar para a cidade, percorreu a Reeperbahn com a guitarra pendurada no ombro e entrou em todos os bares para perguntar se eles precisavam de um cantor-guitarrista para divertir a clientela. Considerava-se um bom músico. Sabia cantar, tocar e agradar à plateia. Só precisava que alguém lhe desse uma chance.

Depois de uns dez nãos, deu sorte em uma cervejaria chamada El Paso, que ficava em um porão. A decoração obviamente pretendia passar por americana: acima da porta pendia a cabeça de um boi da raça *longhorn* e as paredes exibiam cartazes de filmes de faroeste. O dono do lugar usava botas Stetson, mas chamava-se Dieter e falava alemão com sotaque do norte.

– Você sabe tocar música americana? – perguntou ele.

– Pode apostar – respondeu Walli, em inglês.

– Se voltar às sete e meia eu faço um teste com você.

– E quanto o senhor me pagaria?

Embora ainda recebesse mesada de Enok Andersen, contador da fábrica de seu pai, Walli estava desesperado para provar que podia ser financeiramente independente e assim justificar sua recusa em seguir os conselhos de carreira dos pais.

Mas Dieter fez uma cara levemente ofendida, como se ele tivesse dito algo mal-educado.

– Toque por cerca de meia hora – falou, vago. – Se eu gostar de você, aí podemos falar em dinheiro.

Apesar de inexperiente, Walli não era burro, e teve certeza de que aquela resposta evasiva significava que o dinheiro seria pouco. No entanto, como era a única proposta que tinha recebido em duas horas, aceitou.

Foi para casa e passou a tarde montando uma apresentação de meia hora de músicas americanas. Decidiu começar com "If I Had a Hammer", pois o público do Hotel Europa tinha gostado. Depois tocaria "This Land Is Your Land" e "Mess of Blues". Embora não precisasse muito, ensaiou várias vezes todas as músicas escolhidas.

Quando Rebecca e Bernd chegaram em casa depois do trabalho e ficaram sabendo da novidade, Rebecca disse que iria com ele.

– Nunca vi você tocar para uma plateia. Só o vi brincando com o instrumento em casa sem nunca terminar a música que começava.

Sua proposta de ir vê-lo tocar era muito simpática, sobretudo nessa noite em que ela e Bernd estavam muito animados com outra coisa: a visita de Kennedy à Alemanha.

Para os pais de Walli e Rebecca, somente a firmeza americana havia impedido a União Soviética de ocupar Berlim Ocidental e incorporá-la à Alemanha Oriental. Para eles, Kennedy era um herói. Walli, por sua vez, gostava de qualquer um que criasse dificuldade para o tirânico governo da Alemanha Oriental.

Ele pôs a mesa enquanto sua irmã preparava o jantar.

– Mamãe sempre nos ensinou que, se quiser alguma coisa, você tem de entrar para um partido político e fazer campanha por isso – disse ela. – Bernd e eu queremos que as duas Alemanhas se reunifiquem, para que nós e milhares de outros alemães possamos nos juntar outra vez a nossas famílias. Foi por isso que entramos para o Partido Democrático Livre.

Walli queria a mesma coisa, de todo o coração, mas não imaginava como aquilo poderia acontecer.

– O que você acha que Kennedy vai fazer? – perguntou.

– Ele talvez diga que precisamos conviver com a Alemanha Oriental, pelo menos por enquanto. É verdade, mas não é o que queremos escutar. Se quer saber mesmo o que eu penso, espero que a visita dele seja bem desagradável para os comunistas.

Depois de comer, eles assistiram ao noticiário. A imagem de seu televisor de última geração da Franck era em tons distintos de cinza, não borrada e verde como nos aparelhos antigos.

Nesse dia, Kennedy tinha visitado Berlim Ocidental.

O presidente americano fizera um discurso nos degraus da prefeitura, em Schönenberg. Em frente ao prédio havia uma grande esplanada, que ficou abarrotada de espectadores. Segundo o apresentador, a multidão era de 450 mil pessoas.

O jovem e bem-apessoado presidente discursou ao ar livre, em frente a uma imensa bandeira dos Estados Unidos, com a brisa arrepiando seus fartos cabelos. Já começou em tom combativo:

– Há quem diga que o comunismo é a onda do futuro. Eles que venham a Berlim!

A plateia aprovou com um rugido estrondoso, que ficou ainda mais alto quando ele repetiu a mesma frase em alemão:

– *Lass' Sie nach Berlin kommen!*

Walli viu que Rebecca e Bernd estavam felicíssimos com o discurso.

– Ele não está falando em normalização nem aceitando de modo realista o status quo – comentou ela em tom de aprovação.

Kennedy foi desafiador:

– A liberdade tem muitos obstáculos, e a democracia não é perfeita.

– Ele está se referindo aos negros – comentou Bernd.

– Mas nós nunca tivemos de erguer um muro para impedir as pessoas de fugirem! – exclamou Kennedy com desdém.

– É isso aí! – gritou Walli.

O sol do mês de junho batia na cabeça do americano.

– Todos os homens livres, onde quer que morem, são cidadãos de Berlim. Assim, como homem livre, tenho orgulho de dizer: *Ich bin ein Berliner!*

A multidão foi à loucura. Kennedy se afastou do microfone e guardou as anotações no bolso do paletó.

Bernd exibia um largo sorriso.

– Acho que os soviéticos vão entender o recado – comentou.

– Kruschev vai ficar louco de raiva – disse Rebecca.

– Quanto mais, melhor – opinou Walli.

Ele e Rebecca estavam animados quando foram até a Reeperbahn no furgão que ela havia adaptado para Bernd e sua cadeira de rodas. O El Paso passara a tarde vazio, e agora tinha apenas uns poucos clientes. Dieter, o das botas Stetson, já não tinha sido muito simpático à tarde, e à noite se mostrou ainda mais mal-humorado. Fingiu ter esquecido de pedir para Walli voltar, e o rapaz temeu que ele fosse retirar a proposta de um teste, mas o dono do bar então apontou com o polegar para um diminuto palquinho em um canto.

Além de Dieter, uma mulher de meia-idade e busto grande servia atrás do balcão, usando uma camisa quadriculada e uma bandana na cabeça: sua mulher, supôs Walli. Eles obviamente queriam imprimir ao seu estabelecimento uma atmosfera singular, mas nenhum dos dois tinha muito charme e o lugar não atraía muitos clientes, fossem eles americanos ou não.

Walli torceu para talvez ser o ingrediente mágico que fosse atrair as multidões.

Rebecca comprou duas cervejas. Walli plugou o amplificador e ligou o microfone. Estava animado. Aquilo era o que ele amava e sabia fazer. Olhou para Dieter e a mulher, perguntando-se quando eles queriam que começasse, mas, como nenhum dos dois demonstrou qualquer interesse nele, tocou um acorde e começou a cantar "If I Had a Hammer".

Os poucos clientes olharam para ele por um segundo, curiosos, em seguida voltaram às suas conversas. Rebecca bateu palmas animadas ao mesmo ritmo da música, mas ninguém a acompanhou. Mesmo assim, Walli deu tudo de si, dedilhando as cordas ritmadamente e cantando bem alto. Talvez fosse preciso duas ou três músicas, mas ele conseguiria conquistar aquela plateia, pensou.

Na metade da canção, o microfone ficou mudo. O amplificador de Walli também. Era óbvio que a energia no palco tinha caído. Walli terminou a música sem amplificador, calculando que seria um pouco menos constrangedor do que parar no meio.

Largou a guitarra e foi até o balcão.

– A energia no palco caiu – falou para Dieter.

– Eu sei – retrucou o dono da cervejaria. – Fui eu que desliguei.

Walli ficou pasmo.

– Por quê?

– Não quero escutar aquela porcaria.

Walli teve a sensação de ter levado um tapa. Sempre que se apresentara em público, as pessoas tinham gostado. Ninguém nunca lhe dissera que sua música era uma porcaria. O choque foi tão grande que ele sentiu um frio na barriga. Mal sabia o que dizer ou como se comportar.

– Eu pedi música americana – acrescentou Dieter.

Não fazia o menor sentido.

– Aquela música chegou ao topo das paradas nos Estados Unidos! – disse Walli, indignado.

– O nome desta cervejaria é uma homenagem a "El Paso", de Marty Robbins, a melhor música que já foi escrita. Pensei que você fosse tocar esse tipo de coisa. "Tennessee Waltz" ou "On Top of Old Smoky", músicas de Johnny Cash, Hank Williams ou Jim Reeves.

Jim Reeves era o músico mais chato da face da Terra.

– Música country, o senhor quer dizer.

Dieter não achou que precisasse de explicação.

– Eu quero dizer música americana – falou, com a segurança dos ignorantes.

De nada adiantava discutir com um bobo daqueles. Mesmo se tivesse entendido o que ele queria, Walli não teria tocado. Não queria ser músico para tocar "On Top of Old Smoky".

Voltou ao palco e guardou a guitarra no estojo.

Rebecca tinha um ar atônito.

– O que houve? – perguntou.

– O dono do bar não gostou do meu repertório.

– Mas ele não escutou nem uma música até o fim!

– Ele acha que entende muito de música.

– Pobre Walli!

O desprezo cabeça-dura de Dieter, Walli podia aguentar, mas a pena de Rebecca lhe deu vontade de chorar.

– Não faz mal – garantiu. – Eu não iria querer mesmo trabalhar para um babaca desses.

– Vou dizer umas verdades para ele – falou Rebecca.

– Não, por favor, não faça isso. Não vai ajudar em nada se minha irmã der uma bronca nele.

– É, acho que não mesmo.

– Vamos. – Ele pegou a guitarra e o amplificador. – Vamos para casa.

⁓

Dave Williams e o Plum Nellie chegaram a Hamburgo cheios de expectativa. Estavam vivendo uma ótima fase. Eram cada vez mais conhecidos em Londres, e agora iriam maravilhar a Alemanha.

O gerente do The Dive se chamava Herr Fluck, nome que os integrantes do grupo acharam hilário. Um pouco menos engraçado foi o fato de ele não gostar muito do Plum Nellie. Pior ainda: depois de algumas noites, Dave começou a achar que ele estava certo. O grupo não estava dando aos clientes o que eles queriam.

– Façam dançar! – dizia Herr Fluck, em inglês. – Façam dançar!

O principal interesse dos clientes do clube, todos adolescentes ou com 20 e poucos anos, era dançar. As músicas que tinham mais sucesso eram as que faziam as meninas irem para a pista dançar umas com as outras, para que os rapazes pudessem então chegar e formar os pares.

De modo geral, no entanto, o grupo não conseguia gerar o tipo de animação que lotava a pista. Dave ficou arrasado. Aquela era sua grande chance, e eles a estavam estragando. Se não melhorassem, teriam de voltar para casa. "Pela primeira vez na minha vida eu sou bom em alguma coisa", tinha dito ele ao pai cético, que no final das contas o deixara ir para Hamburgo. Será que teria de voltar para casa e reconhecer que havia fracassado naquilo também?

Não conseguiu descobrir qual era o problema, mas Lenny, sim.

– É o Geoff. – Geoffrey era o guitarrista solo. – Ele está com saudades de casa.

– E por isso está tocando mal?

– Não, por isso está bebendo, e a bebida o faz tocar mal.

Dave começou a ficar mais perto da bateria e a dedilhar as cordas de sua guitarra com mais força e de modo mais ritmado, mas não adiantou muito. Percebeu que, quando um dos músicos não tocava bem, o grupo inteiro saía prejudicado.

No quarto dia em Hamburgo, foi visitar Rebecca.

Ficou encantado ao descobrir que tinha não só um, mas dois parentes na cidade, e que o segundo era um rapaz de 17 anos que tocava guitarra. Dave aprendera alemão na escola e Walli um pouco de inglês com sua avó Maud, mas ambos falavam a língua da música, e passaram a tarde trocando acordes e licks de guitarra. Nessa noite, Dave levou Walli até o The Dive e sugeriu que o clube o contratasse para tocar nos intervalos entre os sets do Plum Nellie. Walli tocou um novo sucesso americano chamado "Blowin' in the Wind", o gerente gostou e lhe deu o emprego.

Uma semana depois, Rebecca e Bernd convidaram o grupo para comer em sua casa. Walli explicou à irmã que os rapazes trabalhavam até tarde da noite e acordavam ao meio-dia, então gostavam de comer por volta das seis, antes de subir ao palco. Rebecca não viu problema nenhum nisso.

Quatro dos cinco aceitaram o convite; Geoff não iria.

Rebecca havia preparado uma montanha de costeletas de porco regadas com um molho encorpado e acompanhadas por grandes tigelas de batatas fritas, cogumelos e repolho. Dave pensou que, de um jeito maternal, ela decerto queria garantir que eles fizessem pelo menos uma boa refeição na semana. Tinha razão em se preocupar: estavam todos sobrevivendo praticamente à base de cerveja e cigarros.

Bernd ajudou a cozinhar e servir à mesa, movimentando-se com uma agilidade surpreendente. Dave ficou espantado ao constatar como Rebecca era feliz e apaixonada pelo marido.

O grupo atacou a comida com vontade. Falavam uma mistura de alemão e inglês e, apesar de nem todo mundo entender tudo o que era dito, o clima foi descontraído.

Depois de comer, todos agradeceram profusamente a Rebecca e pegaram um ônibus para a Reeperbahn.

O bairro da luz vermelha de Hamburgo se parecia com o Soho londrino, mas era mais escancarado, menos discreto. Antes de ir lá, Dave não sabia que, além das mulheres, os homens também se prostituíam.

O The Dive ficava em um porão sujo. Em comparação com ele, o Jump Club era chique. O The Dive tinha móveis quebrados, nenhuma calefação ou ventilação, e os banheiros ficavam no pátio dos fundos.

Ao chegarem, ainda de barriga cheia com a comida de Rebecca, encontraram Geoff no bar tomando cerveja.

O grupo subiu ao palco às oito. Contando os intervalos, tocariam até as três da manhã. A cada noite, faziam todas as músicas que conheciam pelo menos uma vez, e as preferidas, três. Herr Fluck os obrigava a trabalhar duro.

Nessa noite, tocaram pior do que nunca.

No primeiro set, Geoff errou várias vezes, trocou notas e se saiu mal nos solos, o que atrapalhou todo mundo. Em vez de se concentrar em animar a plateia, os músicos ficavam se esforçando para consertar os erros de Geoff. Ao final do set, Lenny estava uma fera.

No intervalo, Walli se sentou em um banquinho na boca de cena e cantou e tocou músicas de Bob Dylan na guitarra. Dave ficou sentado assistindo. Walli havia montado uma gaita barata em um suporte que usava em volta do pescoço para poder tocar os dois instrumentos ao mesmo tempo, igualzinho a Dylan. Era um bom músico, pensou Dave, e esperto o suficiente para perceber que Dylan estava na crista da onda. Os clientes do The Dive em geral preferiam rock 'n' roll, mas alguns escutaram Walli, e quando ele desceu do palco recebeu uma enérgica salva de palmas de uma mesa de meninas no canto.

Dave o acompanhou até o camarim, onde os dois depararam com uma crise de verdade.

Caído no chão, completamente embriagado, Geoff não conseguia ficar em pé sem ajuda. Ajoelhado junto a ele, Lenny de vez em quando lhe dava um tapa na cara, o que com certeza devia aliviar sua raiva, mas não fazia Geoff acordar. Dave foi buscar no bar uma caneca de café preto e eles forçaram Geoff a beber um pouco, o que também não fez diferença nenhuma.

– Vamos ter que continuar sem a porra do guitarrista solo – praguejou Lenny. – A não ser que você consiga tocar os solos dele, Dave.

– Eu consigo fazer os do Chuck Berry, mas só – respondeu Dave.

– Então vamos ter que deixar o resto de fora. E essa porra de plateia com certeza não vai nem perceber.

Dave não tinha tanta certeza assim. Os solos de guitarra faziam parte da dinâmica de uma boa música dançante, criavam variedade e impediam as repetitivas melodias pop de se tornarem maçantes.

– Eu posso tocar a parte do Geoff – disse Walli.

Lenny o encarou com desdém.

– Você nunca tocou com a gente.

– Ouvi o show inteiro de vocês três vezes. Sei tocar todas aquelas músicas.

Dave olhou para Walli e viu em sua expressão uma ânsia comovente. O garoto estava claramente louco por aquela chance.

– Sério? – perguntou Lenny, cético.

– Eu sei tocar. Não é difícil.

– Ah, não? – Lenny estava um pouco melindrado.

Dave, por sua vez, estava disposto a dar uma chance a Walli.

– Ele toca melhor do que eu, Lenny.

– Isso não quer dizer grande coisa.

– E melhor do que Geoff, também.

– Ele já tocou com um grupo?

Walli entendeu a pergunta.

– Em dupla. Com uma cantora.

– Quer dizer que nunca trabalhou com um baterista.

Dave sabia que aquilo era importante. Lembrou-se de como ficara surpreso, na primeira vez em que havia tocado com os Guarsdmen, ao descobrir a rígida disciplina que a batida da bateria impunha à sua guitarra. Mas ele tinha conseguido, e Walli certamente poderia conseguir também.

– Deixe ele tentar, Lenny – pediu. – Se não gostar de como ele toca, pode mandá-lo sair depois da primeira música.

Herr Fluck pôs a cabeça para dentro do camarim e falou:

– *Raus! Raus!* Hora do espetáculo!

– Certo, certo, *wir kommen* – respondeu Lenny. Levantou-se. – Walli, pegue sua guitarra e suba lá.

Walli obedeceu.

A música de abertura do segundo set era "Dizzy Miss Lizzy", conduzida pela guitarra.

– Quer aquecer com outra mais fácil? – perguntou Dave a Walli.

– Não, obrigado – respondeu ele.

Dave torceu para que a segurança do rapaz se justificasse.

O baterista Lew começou a contar:

– Um, dois, *três*.

Na hora certa, Walli entrou com o riff.

O resto do grupo entrou no compasso seguinte, e eles tocaram a introdução. Lenny começou a cantar, Dave cruzou olhares com ele, e seu primo meneou a cabeça em um gesto de aprovação.

Walli fez a guitarra solo de forma perfeita e sem esforço aparente.

No final da música, Dave piscou o olho para ele.

Tocaram o set inteiro. Walli executou bem todas as músicas e chegou até a fazer alguns dos backing vocals. Sua performance aumentou a energia do grupo inteiro, e eles conseguiram botar as garotas na pista.

Foi seu melhor show desde que haviam chegado à Alemanha.

Quando estavam saindo do palco, Lenny passou o braço em volta de Walli e falou:

– Bem-vindo ao grupo.

⁓

Walli mal dormiu nessa noite. Ao tocar com o Plum Nellie, sentira-se totalmente à vontade musicalmente e tivera a sensação de contribuir para o grupo. A apresentação o deixou tão feliz que ele começou a temer que aquilo não fosse durar. Será que Lenny estava falando sério ao dizer "bem-vindo ao grupo"?

No dia seguinte, foi até a pensão barata no bairro de St. Pauli onde o grupo estava hospedado. Chegou ao meio-dia, bem na hora em que todos estavam acordando.

Passou umas duas horas com Dave e o baixista Buzz, repassando o repertório do grupo, melhorando o início e o fim das músicas. Os dois pareciam certos de que ele tocaria com o grupo outra vez. Já Walli queria uma confirmação.

Lenny e o baterista Lew apareceram por volta das três da tarde, e Lenny foi bem direto:

– Você quer mesmo entrar para o grupo?

– Quero – respondeu Walli.

– Então é isso. Está dentro.

Mas Walli não se convenceu.

– E o Geoff?

– Converso com ele quando ele acordar.

Foram os cinco para um café chamado Grosse Freiheit, onde passaram uma hora tomando café e fumando antes de voltar para acordar Geoff. O guitarrista estava com uma cara de doente, o que não era de espantar depois de ter bebido tanto a ponto de perder os sentidos. Sentado na beira da cama, ouviu o que Lenny tinha a lhe dizer, enquanto os outros escutavam da porta.

– Você está fora do grupo. Eu sinto muito, mas ontem à noite você deixou a gente na mão. Estava tão bêbado que não conseguia nem ficar em pé, quanto mais tocar guitarra. Walli tocou no seu lugar e vai ficar no grupo.

– Ele é só um garoto novato – conseguiu protestar Geoff.

– Ele não só não bebe como toca melhor do que você.

– Preciso de um café.

– Vá tomar um no Harald's.

Nenhum deles tornou a ver Geoff antes de saírem para ir se apresentar.

Estavam arrumando o palco pouco antes das oito quando ele apareceu, sóbrio, com a guitarra na mão.

Walli o encarou, consternado. Mais cedo, tivera a impressão de que Geoff havia aceitado o fato de estar fora. Mas talvez ele estivesse apenas com uma ressaca forte demais para discutir.

Fosse qual fosse o motivo, não tinha feito as malas e ido embora, e Walli ficou nervoso. Já tinha enfrentado muitos obstáculos: quando a polícia destruíra seu violão para impedi-lo de se apresentar no Minnesänger, quando Karolin desistira de tocar no Hotel Europa, e quando o dono do El Paso desligara a energia bem no meio da sua primeira música. Será que aquilo iria virar mais uma decepção?

Todos pararam o que estavam fazendo para ver Geoff subir no palco e abrir o estojo da guitarra.

Foi nessa hora que Lenny perguntou:

– O que está fazendo, Geoff?

– Vou mostrar a vocês que eu sou o melhor guitarrista que já ouviram.

– Pelo amor de Deus! Você está demitido. Ponto final. Se mande para a porra da estação e pegue um trem para Hook.

Geoff mudou de tom e começou a apelar para os sentimentos:

– Faz seis anos que a gente toca junto, Lenny. Você tem que me dar outra chance.

Walli achou o pedido tão razoável que ficou alarmado, certo de que Lenny iria concordar. Mas este fez que não com a cabeça.

– Você até toca bem, mas não é nenhum gênio, além de ser um cara muito esquisito. Desde que a gente chegou aqui, tem tocado tão mal que ontem à noite quase nos mandaram embora antes de Walli assumir o seu lugar.

Geoff olhou em volta.

– O que os outros acham? – indagou.

– Quem disse que o grupo é uma democracia?

– E quem disse que não é? – Geoff se virou para Lew, que estava arrumando um pedal. – O que você acha disso?

Lew era primo de Geoff.

– Dê mais uma chance a ele – respondeu Lew.

Geoff se virou para Buzz.

– E você?

O baixista era um cara tranquilo, que concordava com quem falasse mais alto.

– Eu daria outra chance a ele.

Geoff exibiu uma expressão de triunfo.

– Somos três contra um, Lenny.

– Não são, não – interpôs Dave. – Em uma democracia é preciso saber contar. São vocês três contra Lenny, eu e Walli. Ou seja, empatou.

– Nem precisa contar os votos – disse Lenny. – O grupo é meu e quem toma as decisões sou eu. Geoff está demitido. Pode guardar isso aí, cara, senão vou jogar essa guitarra pela porra da porta afora.

Foi nessa altura que o guitarrista pareceu aceitar que Lenny estava falando sério. Guardou a guitarra de novo no estojo e fechou a tampa. Pegou o instrumento do chão e disse:

– Vou prometer uma coisa, seus filhos da mãe. Se eu for embora, vocês todos também vão.

Walli se perguntou o que aquilo poderia significar, só que não houve tempo para pensar no assunto. Minutos depois, eles começaram a tocar.

Todos os seus medos sumiram. Ele viu que estava se saindo bem e que o grupo tocava bem com ele. O tempo passou depressa. No intervalo, tornou a subir ao palco sozinho e cantou músicas de Bob Dylan. Cantou também uma de sua autoria chamada "Karolin". O público pareceu gostar. Em seguida, voltou para abrir o segundo set do grupo com "Dizzy Miss Lizzy".

Quando estava tocando "You Can't Catch Me", viu dois policiais uniformizados nos fundos do clube falando com Herr Fluck, o dono, mas não deu importância.

À meia-noite, quando o show acabou, Herr Fluck estava esperando no camarim. Sem preâmbulo algum, perguntou a Dave:

– Quantos anos você tem?

– Vinte e um – respondeu ele.

– Não me venha com essa.

– Que importância tem isso?

– Na Alemanha existem leis sobre o trabalho de menores em bares.

– Eu tenho 18 anos.

– Segundo a polícia, você tem 15.

– E o que a polícia sabe sobre isso?

– Eles conversaram com o guitarrista que vocês acabaram de mandar embora... Geoff.

– Filho da mãe... – xingou Lenny. – Ele dedurou a gente.

– Eu administro uma casa noturna – falou Herr Fluck. – Este lugar é frequentado por prostitutas, traficantes, criminosos de todos os tipos. Preciso provar constantemente à polícia que faço o possível para obedecer à lei. Eles estão dizendo que tenho que mandar você de volta para casa... todos vocês. Portanto, adeus.

– Quando temos que sair? – perguntou Lenny.

– Do clube, agora. Da Alemanha, amanhã.

– Que absurdo! – protestou ele.

– Quem administra uma casa noturna faz o que a polícia manda. – Herr Fluck apontou para Walli. – Ele, por ser alemão, não precisa sair do país.

– Puta que pariu – praguejou Lenny. – Perdi dois guitarristas em um só dia.

– Não perdeu, não – disse Walli. – Eu vou com vocês.

CAPÍTULO VINTE E SETE

Jasper Murray caiu de amores pelos Estados Unidos. As rádios lá tocavam dia e noite, a televisão tinha três canais e cada cidade possuía o seu jornal matutino. As pessoas eram generosas, moravam em casas espaçosas e tinham modos relaxados e informais. Na Inglaterra, todos agiam o tempo todo como se estivessem tomando chá em um salão vitoriano, mesmo quando estavam conduzindo negócios, dando entrevistas para a TV ou praticando esportes. O pai de Jasper, oficial do Exército, era incapaz de ver isso, mas sua mãe judia alemã via. Ali nos Estados Unidos todo mundo era direto. Nos restaurantes, os garçons eram eficientes e prestativos sem se rebaixarem. Ninguém era servil.

Jasper estava planejando uma série de matérias sobre suas viagens para o *St. Julian's News*, mas também tinha outras ambições. Antes de ir embora de Londres, falara com Barry Pugh e lhe perguntara se o *Daily Echo* estaria interessado em ler seus textos. "Claro, se você encontrar alguma pauta... especial, entende?", respondera Pugh sem grande entusiasmo. Na semana anterior, Jasper conseguira em Detroit uma entrevista com Smokey Robinson, líder e vocalista do The Miracles, e mandara o texto para o *Echo* por correio expresso. Calculava que já deveria ter chegado. Tinha dado o número da casa dos Dewar, mas Pugh não lhe telefonara. Entretanto, continuava esperançoso e pretendia ligar para o jornalista naquele dia mesmo.

Estava hospedado com os Dewar em Washington. A família morava em um apartamento grande, num prédio chique, a poucos quarteirões da Casa Branca.

– Meu avô, Cameron Dewar, comprou este imóvel antes da Primeira Guerra – explicou-lhe Woody Dewar à mesa do café da manhã. – Ele e meu pai eram senadores.

Uma empregada negra chamada Srta. Betsy serviu-lhe um suco de laranja e perguntou se ele queria ovos.

– Não, obrigado. Só um café, mesmo. Vou encontrar um amigo da família daqui a uma hora para comer alguma coisa.

Jasper tinha conhecido os Dewar na casa da Great Peter Street durante o ano que a família passara em Londres. Não ficara muito próximo deles, com exceção de Beep, e apenas por um curto período. Mas ainda assim, mais de um ano depois, eles o acolheram em sua casa com generosa hospitalidade. Assim como a família Williams, tinham uma generosidade fácil, sobretudo em relação aos jovens.

Lloyd e Daisy sempre se mostravam dispostos a hospedar adolescentes perdidos por uma noite, uma semana ou, no caso de Jasper, vários anos. Os Dewar pareciam ser iguaizinhos.

– É muita gentileza sua me deixar ficar aqui – disse ele para Bella.

– Ah, disponha, não é incômodo nenhum – respondeu ela com sinceridade.

Jasper se virou para Woody.

– Imagino que o senhor vá fotografar a passeata de direitos civis hoje para a *Life*.

– Vou, sim. Pretendo me misturar à multidão e tirar fotos discretas e espontâneas com uma câmera pequena, de lente 35mm. Outro fotógrafo vai fazer as imagens formais e essenciais das celebridades no palanque.

Apesar de ele estar vestido com trajes informais – calça de veludo cotelê e camisa de manga curta –, devia ser difícil para um homem alto como Woody passar despercebido. No entanto, suas reveladoras fotografias jornalísticas eram famosas no mundo inteiro.

– Como qualquer um que se interesse por jornalismo, conheço o seu trabalho.

– E você tem interesse por algum tema específico? – quis saber Woody. – Crime, política, guerra?

– Não... Eu ficaria feliz em cobrir qualquer assunto, como aparentemente é o seu caso.

– Eu me interesso por rostos. Seja qual for a matéria: um funeral, uma partida de futebol, uma investigação policial... eu fotografo rostos.

– E hoje, o que está esperando?

– Ninguém sabe o que vai acontecer. Martin Luther King prevê cem mil pessoas na manifestação. Se for tanta gente assim, vai ser a maior passeata pelos direitos civis de todos os tempos. Estamos todos torcendo por um evento feliz e pacífico, mas não contamos com isso. Veja só o que aconteceu em Birmingham.

– Mas Washington é diferente – interveio Bella. – Nós aqui temos policiais negros.

– Não muitos – rebateu Woody. – Mas pode apostar que eles hoje vão estar na linha de frente.

Beep Dewar entrou na sala. Tinha 15 anos e era do tipo mignon.

– Quem vai estar na linha de frente?

– Não você, espero – comentou sua mãe. – Por favor, não se meta em encrenca.

– Claro, mãe.

Jasper reparou que, desde que a vira pela última vez, dois anos antes, Beep havia aprendido a ser um pouco mais discreta. Nesse dia, estava bonita, mas não especialmente provocante: usava uma calça de brim bege e uma camisa de caubói folgada, roupa adequada para um dia que poderia acabar em tumulto.

Comportava-se com Jasper como se houvesse esquecido completamente o flerte deles em Londres. Estava lhe assinalando que ele não deveria pensar que iriam recomeçar de onde haviam parado. Sem dúvida devia ter tido namorados desde então. Ele, por sua parte, estava aliviado por Beep não considerá-lo sua propriedade.

O último membro da família Dewar a aparecer para o café foi Cameron, irmão de Beep, dois anos mais velho do que ela. Estava vestido como um senhor de meia-idade: paletó de linho, camisa branca e gravata.

– Você também, Cam. Não se meta em confusão – pediu Bella.

– Não tenho a menor intenção de chegar nem perto dessa passeata – retrucou o rapaz com fastio. – Tenho planos de ir ao Smithsonian.

– Você não acha que os negros deveriam ter direito a voto? – perguntou-lhe a irmã.

– Eu acho que eles não deveriam criar confusão.

– Se eles pudessem votar, não precisariam tentar conseguir o que querem de outras formas.

– Chega, vocês dois – ralhou Bella.

Jasper terminou seu café.

– Preciso dar um telefonema transatlântico – falou. – Vou pagar, claro – sentiu-se obrigado a acrescentar, embora não tivesse certeza de ter dinheiro suficiente.

– Fique à vontade – disse Bella. – Pode usar o aparelho do escritório. E, por favor, não se preocupe com ter de pagar.

– A senhora é muito gentil – falou Jasper, aliviado.

Bella fez um gesto casual.

– Acho que a revista *Life* paga nossa conta, mesmo – comentou vagamente.

Ele foi até o escritório. Ligou para o *Daily Echo* em Londres e conseguiu falar com Barry Pugh, que lhe disse:

– Oi, Jasper. Que tal os Estados Unidos?

– Incríveis. – Ele engoliu em seco, nervoso. – Recebeu meu texto sobre Smokey Robinson?

– Recebi, obrigado. Está bem escrito, Jasper, mas não combina com a linha do *Echo*. Tente no *New Musical Express*.

Jasper ficou desanimado. Não tinha o menor interesse em escrever para a imprensa pop.

– Tudo bem – falou. Mas ainda não estava pronto para desistir. – Pensei que o fato de Smokey ser o cantor favorito dos Beatles poderia aumentar o interesse da entrevista.

– Não o suficiente. Mas valeu a tentativa.

Jasper se esforçou para não deixar a decepção transparecer na voz:

– Obrigado.

– Não vai ter algum tipo de protesto aí em Washington hoje? – indagou Pugh.

– Vai. Pelos direitos civis. – A esperança de Jasper se reacendeu. – Eu vou... quer que eu escreva alguma coisa?

– Hum... Dê uma ligada para cá se as coisas ficarem violentas.

E só nesse caso, inferiu Jasper. Decepcionado, falou:

– Certo, farei isso.

Sem largar o telefone, ficou encarando o aparelho, pensativo. Havia trabalhado duro na entrevista com Smokey Robinson e sentira que a conexão com os Beatles a tornava especial. No entanto, se enganara e tudo o que podia fazer era tentar outra vez.

Voltou para a sala.

– Preciso ir – falou. – Vou encontrar o senador Peshkov no Willard.

– É o hotel em que Martin Luther King se hospeda.

Jasper ficou animado.

– Quem sabe consigo uma entrevista?

Por isso o *Echo* com certeza se interessaria.

Woody sorriu.

– Hoje deve haver várias centenas de repórteres tentando uma entrevista com o reverendo.

Jasper se virou para Beep.

– Vejo você mais tarde?

– Vamos nos encontrar no Monumento a Washington às dez – disse ela. – Corre um boato de que Joan Baez vai cantar.

– Procuro você lá.

– Você disse que vai encontrar Greg Peshkov? – indagou Woody.

– Isso. Ele é meio-irmão de Daisy Williams.

– Eu sei. A vida doméstica de Lev Peshkov, pai de Greg, era uma fofoca quentíssima quando sua mãe e eu éramos adolescentes em Buffalo. Por favor, mande lembranças a Greg.

– Pode deixar – disse Jasper, e saiu da casa.

473

George Jakes entrou no café do Hotel Willard e olhou em volta à procura de Verena, mas ela ainda não tinha chegado. No entanto, viu o pai, Greg Peshkov, tomando café com um rapaz bem-apessoado de 20 e poucos anos, com os cabelos louros cortados à la Beatles. Sentou-se à mesma mesa que eles e disse:

– Bom dia.

– Este é Jasper Murray, estudante londrino – apresentou Greg. – Ele é filho de um velho amigo. Jasper, este é George Jakes.

Os dois rapazes se cumprimentaram com um aperto de mão. Jasper ficou levemente espantado, como muitas vezes acontecia com quem via Greg e George juntos, mas, como a maioria das pessoas, era educado demais para pedir explicações.

– A mãe de Jasper foi refugiada da Alemanha nazista – disse Greg para George.

– Minha mãe nunca esqueceu como o povo daqui a acolheu naquele verão – falou Jasper.

– Quer dizer que você tem familiaridade com o tema da discriminação racial? – perguntou-lhe George.

– Não exatamente. Minha mãe não gosta muito de falar sobre o passado. – Ele deu um sorriso simpático. – Na Inglaterra, os meninos da escola me chamaram de Jasper Judeu por um tempo, mas o apelido não pegou. Você vai participar da passeata hoje?

– Mais ou menos. Eu trabalho com Bobby Kennedy. Nossa preocupação é que tudo corra sem percalços.

Jasper se interessou.

– E como vão conseguir isso?

– O Mall está cheio de bebedouros temporários, estações de primeiros socorros, banheiros portáteis, e até uma máquina de compensar cheques. Uma igreja de Nova York preparou 80 mil sanduíches para os organizadores distribuírem de graça. Todos os discursos estão limitados a sete minutos, para o protesto terminar na hora e os visitantes saírem da cidade bem antes de escurecer. E Washington proibiu a venda de álcool durante todo o dia de hoje.

– Vai dar certo?

George não sabia.

– Para ser sincero, tudo depende dos brancos. Bastam uns poucos policiais truculentos com cassetetes ou cachorros para transformar um encontro de oração em motim.

– Washington não é o Sul – comentou Greg.

– Mas também não é o Norte – retrucou George. – Então não há como saber o que vai acontecer.

Jasper insistiu com as perguntas:

– E se houver um motim?

Quem respondeu foi Greg:

– Há quatro mil soldados a postos nos subúrbios, e quinze mil paramilitares aqui perto, na Carolina do Norte. Os hospitais da cidade cancelaram todas as cirurgias eletivas para dar lugar aos feridos.

– Caramba! Vocês não brincam em serviço – comentou Jasper.

George franziu a testa. Aquelas precauções não eram de conhecimento geral. Greg fora informado por ser senador, mas não deveria ter contado ao rapaz.

Verena chegou e foi até sua mesa. Os três homens se levantaram.

– Bom dia, senador – disse ela a Greg. – Prazer em revê-lo.

Greg a apresentou a Jasper, cujos olhos quase saltavam das órbitas. Verena tinha esse efeito nos homens, fossem eles brancos ou negros.

– Verena trabalha para Martin Luther King – explicou Greg.

Jasper virou para ela um sorriso de um milhão de dólares.

– A senhorita me conseguiria uma entrevista com ele?

– Por quê? – disparou George.

– Eu estudo jornalismo. Não mencionei isso?

– Não mencionou, não – respondeu George, irritado.

– Sinto muito.

Verena não ficou imune ao charme de Jasper.

– Sinto muitíssimo – falou, sorrindo. – Entrevistar o reverendo hoje está fora de cogitação.

George ficou contrariado. Greg deveria ter lhe avisado que Jasper era jornalista. Da última vez que falara com um repórter, havia constrangido Bobby Kennedy. Torceu para não ter cometido nenhuma indiscrição dessa vez.

Verena se virou para George e disse, em tom irritado:

– Acabei de falar com Charlton Heston. Os agentes do FBI estão ligando para as celebridades que nos apoiam e lhes dizendo para passarem o dia no quarto de hotel porque vai haver violência.

George deu um muxoxo revoltado.

– O FBI não está nem aí se a passeata for violenta... Eles estão com medo de que seja um sucesso, isso sim.

Verena não se deu por satisfeita.

– Vocês não podem impedir que eles tentem sabotar o protesto?

– Vou falar com Bobby, mas não acho que ele vá querer enfrentar J. Edgar

Hoover por causa de algo de tão pouca importância. – Ele tocou no braço de Greg. – Verena e eu precisamos conversar. Com licença.

– Minha mesa é aquela ali – indicou ela.

Eles atravessaram o salão. George esqueceu o dissimulado Jasper Murray. Assim que se sentaram, perguntou a Verena:

– Qual é a situação?

Ela se inclinou por cima da mesa e começou a falar em voz baixa, mas mal cabia em si de tanta animação.

– Vai ser maior do que pensávamos – respondeu, com os olhos brilhando. – Cem mil pessoas, no mínimo.

– Como vocês sabem?

– Todos os ônibus, trens e aviões com destino a Washington estão cheios hoje. Pelo menos vinte trens fretados chegaram pela manhã. Na Union Station, não dá para escutar nem os próprios pensamentos de tão alto que as pessoas cantam "We Shall Not Be Moved". Uns cem ônibus especiais estão chegando por hora pelo túnel de Baltimore. Meu pai fretou um avião em Los Angeles para todas as estrelas do cinema. Marlon Brando já está aqui, James Garner também. A CBS vai transmitir tudo ao vivo.

– Quantas pessoas você acha que vão aparecer no total?

– No momento o nosso palpite é o dobro da estimativa inicial.

George ficou embasbacado.

– Duzentas mil pessoas?

– Por enquanto é o que estamos calculando. Mas o número pode subir.

– Não sei se isso é bom ou ruim.

Ela franziu a testa, irritada.

– Como poderia ser ruim?

– É que nós não nos planejamos para tanta gente. Não quero confusão.

– George, isso é um movimento de protesto... é *natural* haver confusão.

– Queria mostrar que cem mil negros podiam estar em um parque sem começar uma droga de uma briga.

– Nós já entramos na briga, e quem começou foram os brancos. Caramba, George! Eles quebraram o seu pulso por tentar chegar ao aeroporto.

Por reflexo, ele tocou o braço esquerdo. Segundo o médico, estava curado, mas ele ainda sentia uma pontada de vez em quando.

– Você assistiu ao *Meet the Press*? – perguntou a ela.

O Dr. King tinha sido entrevistado por um painel de jornalistas no programa de notícias da NBC.

– É claro que assisti.

– Todas as perguntas foram sobre violência dos negros ou dos comunistas durante o movimento pelos direitos civis. Não podemos deixar que a questão seja essa!

– Não podemos deixar nossa estratégia ser ditada pelo *Meet the Press*. Sobre o que você acha que aqueles jornalistas brancos vão falar? Não adianta esperar que eles perguntem a Martin sobre policiais brancos truculentos, júris sulistas desonestos, juízes brancos corruptos ou a Ku Klux Klan!

– Vou formular a questão de outra forma – disse George, calmo. – Suponhamos que tudo corra em paz hoje, mas que o Congresso rejeite a proposta da nova Lei de Direitos Civis, e *então* haja motins. O Dr. King vai poder dizer: "Cem mil negros vieram aqui em paz, entoaram hinos e lhes deram a chance de fazer a coisa certa... mas vocês desperdiçaram a oportunidade que oferecemos e agora estão vendo as consequências dessa teimosia. Se está havendo motins, a culpa é exclusivamente de vocês." Que tal?

Verena sorriu, relutante, e assentiu.

– Sabia que você é bem esperto?

⁓

O National Mall é um parque comprido e estreito, com 121 hectares, que vai do Capitólio até o Memorial a Lincoln. Os manifestantes se reuniram no meio, perto do Monumento a Washington, um obelisco com mais de 150 metros de altura. Um palco havia sido montado e, quando Jasper chegou, Joan Baez estava cantando "Oh, Freedom" com sua voz pura e emocionante.

Olhou em volta à procura de Beep Dewar, mas já havia pelo menos 50 mil pessoas ali, e não foi de espantar que não conseguisse encontrá-la.

Estava tendo o dia mais interessante da sua vida, e não eram nem onze horas da manhã. Greg Peshkov e George Jakes, dois homens que conheciam Washington como a palma da mão, casualmente haviam lhe dado informações exclusivas; seria ótimo se o *Echo* demonstrasse interesse. E Verena Marquand, com seus olhos verdes, era a mulher mais linda que ele já tinha visto na vida. Será que George estava transando com ela? Se sim, que homem de sorte!

Depois de Joan Baez vieram Odetta e Josh White, mas a multidão foi à loucura mesmo quando Peter, Paul e Mary subiram ao palco. Jasper mal podia acreditar que estava vendo aquelas grandes estrelas ao vivo sem ter comprado ingresso. O trio cantou seu último sucesso: "Blowin' in the Wind", canção escrita por Bob

Dylan. A letra parecia falar sobre o movimento pelos direitos civis, e uma das estrofes dizia: "Por quantos anos algumas pessoas poderão existir antes que lhes permitam ser livres?"

O entusiasmo do público aumentou ainda mais quando o próprio Dylan começou a se apresentar. Ele cantou uma música nova sobre o assassinato de Medgar Evers chamada "Only a Pawn in Their Game". Para Jasper, a canção soou enigmática, mas o público nem ligou para a ambiguidade e comemorou o fato de a mais nova e popular estrela da música americana parecer estar do seu lado.

A multidão crescia a cada minuto. Jasper, que era alto, podia ver por cima da maioria das cabeças, mas não conseguia mais distinguir onde terminava a aglomeração. A oeste, o famoso espelho d'água comprido ia dar no templo grego em homenagem a Abraham Lincoln. A ideia era os manifestantes marcharem em direção ao Memorial a Lincoln depois, mas Jasper viu que muitos já estavam migrando para a extremidade oeste do parque, decerto com a intenção de garantir os melhores lugares para os discursos.

Até ali, apesar do pessimismo da mídia, não havia qualquer sinal de violência... ou será que no fundo a mídia desejava que houvesse?

Os fotógrafos e câmeras de TV pareciam estar por toda parte. Muitos apontaram suas lentes para Jasper, talvez por causa de seu penteado de popstar.

Ele começou a redigir um texto mentalmente. Aquilo era um piquenique na floresta, pensou, cujos convivas almoçavam em uma clareira ensolarada enquanto predadores sedentos de sangue espreitavam nas profundezas sombrias da mata ao redor.

Caminhou pelo meio da multidão na direção oeste. Reparou que os negros usavam suas melhores roupas de domingo: homens de gravata e chapéu de palha, mulheres de vestido com estampas chamativas e lenço na cabeça; os brancos, por sua vez, estavam vestidos de modo informal. A segregação já não era a única pauta, e os cartazes pediam votos, empregos e moradia. Havia delegações de sindicatos, igrejas, sinagogas.

Perto do Memorial a Lincoln, ele topou com Beep. Ela estava acompanhada por um grupo de meninas que seguia na mesma direção. Encontraram um ponto do qual se tinha uma boa visão do palco montado sobre os degraus.

As meninas passavam de mão em mão uma grande garrafa de Coca-Cola quente. Jasper descobriu que algumas eram amigas de Beep, enquanto outras haviam apenas se juntado ao grupo. Como ele era um estrangeiro exótico, elas ficaram interessadas. Reclinado sob o sol de agosto, ele ficou batendo papo com as meninas até os discursos começarem. A essa altura, a multidão já se estendia até onde sua vista alcançava. Ele teve certeza de que havia mais do que as cem mil pessoas esperadas.

O púlpito estava montado em frente à estátua gigante do sisudo presidente Lincoln sentado em um gigantesco trono de mármore, com as mãos imensas apoiadas nos braços da cadeira e as fartas sobrancelhas unidas em uma expressão severa.

A maioria dos oradores era negra, mas houve também alguns brancos, entre eles um rabino. Marlon Brando subiu ao palanque brandindo uma pistola elétrica para gado daquelas que a polícia de Gadsden, no Alabama, usava nos negros. Jasper gostou do líder sindical Walter Reither, que, com sua língua ferina, falou, em tom crítico:

– Não podemos defender a liberdade em Berlim enquanto a negarmos em Birmingham.

Mas a multidão começou a ficar impaciente e a gritar por Martin Luther King. Ele foi quase o último a discursar.

Jasper logo viu que King era um pregador, e dos bons. Tinha uma dicção bem marcada, e sua voz era um barítono vibrante. Ele sabia mexer com as emoções do público, habilidade valiosa que Jasper admirava.

Mas King provavelmente jamais tinha feito um sermão para tanta gente. Poucos homens tinham.

Ele deu um alerta: a manifestação, por mais triunfante que fosse, nada significaria se não conduzisse a uma mudança real.

– Aqueles que acreditam que os negros precisavam apenas desabafar e que agora vão se dar por satisfeitos terão um rude despertar para a realidade caso o país volte a ser como sempre foi. – O público assobiava e gritava a cada frase. – Não haverá nem descanso nem tranquilidade nos Estados Unidos até que os negros tenham seus direitos de cidadãos – alertou o reverendo. – O turbilhão da revolta continuará a balançar os alicerces de nossa nação até que raie o claro dia da justiça.

Já perto do fim de seus sete minutos, King se tornou mais bíblico:

– Nós jamais poderemos ficar satisfeitos enquanto nossos filhos forem privados de sua identidade e pilhados de sua dignidade por placas de "Só brancos". Não ficaremos satisfeitos até a justiça fluir como água, e a retidão como um rio caudaloso.

No palanque atrás dele, a cantora gospel Mahalia Jackson gritou:

– Ó, Senhor! Ó, Senhor!

– Embora enfrentemos as dificuldades de hoje e de amanhã, eu ainda tenho um sonho – continuou King.

Jasper sentiu que o reverendo tinha deixado de lado o discurso ensaiado, pois já não estava manipulando as emoções do público. Ele agora parecia estar buscando as palavras em um poço frio e fundo de sofrimento e dor, um poço escavado por séculos de crueldade. Jasper reparou que os negros descreviam seu sofrimento nos mesmos termos dos profetas do Antigo Testamento, e que suportavam sua dor graças ao consolo do evangelho de esperança de Jesus.

A voz de King vibrou de emoção quando ele disse:

– Eu tenho um sonho de que um dia esta nação se erga para vivenciar o verdadeiro significado de seu credo: consideramos evidentes as seguintes verdades, que todos os homens nascem iguais. Eu tenho um sonho de que um dia, nas montanhas vermelhas da Geórgia, os filhos de ex-escravos e os filhos de ex-senhores de escravos possam sentar juntos à mesa da irmandade... Eu tenho um sonho de que um dia até mesmo o Mississippi, estado sufocado pelo calor da injustiça, sufocado pelo calor da opressão, se transforme em um oásis de liberdade e justiça. Eu tenho um sonho.

Ele havia encontrado um ritmo, e duzentas mil pessoas sentiam suas almas sacudidas por aquela cadência. Era mais do que um discurso: era um poema, um cântico, uma prece profunda como um túmulo. A comovente expressão "Eu tenho um sonho" se repetia feito um amém ao final de cada frase ressonante.

– Que meus quatro filhos pequenos um dia possam viver em um país onde não serão julgados pela cor da sua pele, mas pelo conteúdo de seu caráter... Eu tenho um sonho hoje. De que um dia, lá no Alabama, com seus racistas cruéis, com seu governador de cujos lábios escorrem as palavras da interposição e da anulação, de que um dia, lá mesmo no Alabama, meninos e meninas negros possam dar as mãos a meninos e meninas brancos como irmãs e irmãos... Eu tenho um sonho hoje. Com essa fé conseguiremos extrair, da montanha do desespero, uma pedra de esperança. Com essa fé conseguiremos transformar os confusos desacordes de nossa nação em uma linda sinfonia de irmandade. Com essa fé poderemos trabalhar juntos, rezar juntos, lutar juntos, ser presos juntos, defender juntos a liberdade, sabendo que um dia seremos livres.

Jasper olhou em volta e viu que tanto os rostos negros quanto os brancos estavam molhados. Até ele estava emocionado, ele que pensava ser imune àquele tipo de coisa.

– E quando isso acontecer, quando permitirmos que a liberdade ecoe, quando a deixarmos ecoar de cada vilarejo, cada aldeia, cada estado e cada cidade, poderemos apressar a chegada do dia em que *todos* os filhos de Deus, negros e brancos, judeus e gentios, protestantes e católicos, poderão se dar as mãos...

Ele passou a falar mais devagar; a multidão estava praticamente em silêncio.

Então a voz do reverendo retumbou qual um terremoto com a força da sua paixão.

– ... e cantar, como na letra do antigo *spiritual*: Livres, enfim! Livres, enfim! Graças a Deus Todo-Poderoso, estamos livres enfim!

Ele se afastou do microfone.

A multidão deu um urro como Jasper jamais havia escutado. Todos se levantaram em uma onda de esperança arrebatada. Os aplausos não cessavam, parecendo tão intermináveis quanto as ondas do mar.

O público só parou de aplaudir quando o distinto mentor de cabelos brancos do reverendo King, Benjamin May, foi até o microfone dar uma bênção. Nessa hora todos entenderam que havia acabado e finalmente, relutantes, deram as costas ao palanque a fim de voltar para casa.

Jasper teve a sensação de ter passado por uma tempestade, uma batalha ou um caso de amor: estava exausto, mas exultante.

Foi caminhando com Beep em direção ao apartamento dos Dewar; mal se falaram. Com certeza o *Echo* se interessaria por aquela matéria, pensou. Centenas de milhares de pessoas tinham escutado um veemente apelo por justiça. Com certeza a política britânica, com seus lamentáveis escândalos sexuais, não poderia competir com aquilo por espaço na manchete de um jornal.

Ele estava certo.

Bella partia ervilhas sentada à mesa da cozinha, enquanto a Srta. Betsy descascava batatas. Assim que Jasper entrou, Bella lhe disse:

– O *Daily Echo* de Londres ligou duas vezes atrás de você. Um tal de Sr. Pugh.

– Obrigado – falou Jasper, sentindo o coração acelerar. – A senhora se importa se eu retornar?

– Claro que não, fique à vontade.

Ele foi até o escritório e ligou para Pugh.

– Você participou do protesto? – perguntou o jornalista. – Ouviu o discurso?

– Participei e ouvi, sim. Foi incrível...

– Eu sei. Vamos dar destaque máximo a isso. Pode nos escrever um testemunho de quem estava lá? Tão pessoal e impressionista quanto quiser. Não se preocupe muito com fatos e números, isso tudo vai estar na matéria principal.

– Com prazer – respondeu Jasper.

Era um eufemismo: ele estava eufórico.

– Pode ser longo. Umas mil palavras. Se houver necessidade, cortamos aqui.

– Certo.

– Me ligue daqui a meia hora, aí transfiro você para alguém que vai anotar o texto.

– Não dá para eu ter mais tempo? – perguntou Jasper, mas Pugh já tinha desligado. – Caramba... – falou para a parede.

Sobre a escrivaninha de Woody Dewar havia um bloco de anotações amarelo daqueles tipicamente americanos. Jasper o puxou mais para perto e pegou um lápis. Passou um minuto pensando, então escreveu:

"Hoje fiz parte de uma multidão de duzentas mil pessoas e ouvi Martin Luther King redefinir o que significa ser americano."

Maria Summers tinha a sensação de estar embriagada.

A TV na assessoria estava ligada e, assim como quase todas as pessoas na Casa Branca, inclusive o presidente, ela havia parado de trabalhar para assistir a Martin Luther King.

Quando o discurso terminou, estava nas nuvens. Mal podia esperar para saber o que Kennedy tinha achado. Alguns minutos depois, foi chamada ao Salão Oval. Foi mais difícil que de costume resistir à tentação de abraçá-lo.

– Ele é muito bom – foi o comentário levemente casual do presidente. – Está vindo para cá agora – acrescentou, e Maria quase transbordou de felicidade.

Jack Kennedy havia mudado. Quando Maria se apaixonara, ele era a favor dos direitos civis de um ponto de vista intelectual, mas não emocional. A mudança não se devia ao seu caso com ela. Devia-se, isso sim, à incansável brutalidade e ao desrespeito dos segregacionistas para com a lei. Eles o haviam chocado a ponto de fazer brotar dentro do presidente um compromisso pessoal e sincero. E ele havia arriscado tudo ao propor a nova Lei de Direitos Civis. Maria sabia melhor do que ninguém quanto esse assunto o preocupava.

George Jakes entrou, vestido de maneira impecável como sempre: terno azul-escuro, camisa cinza-clara e gravata listrada. Ele lhe abriu um sorriso caloroso. Maria gostava de George, que soubera ser seu amigo na hora em que ela mais havia precisado. Ele era o segundo homem mais bonito que já conhecera.

Sabia que tanto ela quanto George estavam ali por uma questão de imagem, por serem dois dos poucos negros a trabalhar no governo. Nenhum deles se importava em ser usado como símbolo. Não era uma atitude desonesta: embora eles fossem poucos, Kennedy havia nomeado mais negros para cargos de alto nível do que qualquer outro presidente.

Quando Martin Luther King entrou, Kennedy apertou sua mão e disse:

– Eu tenho um sonho!

A intenção era boa, Maria sabia, mas sentiu que a frase tinha sido equivocada. O sonho de King saíra das profundezas de uma repressão cruel. Jack Kennedy, por sua vez, era um rico e poderoso filho da elite privilegiada dos Estados Unidos. Como poderia ter um sonho de liberdade e igualdade? O Dr. King claramente também pensava assim, pois pareceu constrangido e mudou de assunto. Maria sabia que mais tarde, na cama, o presidente lhe perguntaria se tinha cometido uma gafe, e ela teria de encontrar um jeito amoroso e reconfortante de lhe dizer que sim e explicar por quê.

O reverendo e os outros líderes de direitos civis não comiam nada desde o café da manhã. Quando Kennedy percebeu isso, mandou trazer café e sanduíches da cozinha da Casa Branca.

Maria pediu a todos que posassem para uma fotografia oficial, e em seguida começaram as conversas.

King e os outros líderes estavam surfando uma onda de intensa alegria. Depois do protesto daquele dia, disseram ao presidente, a Lei de Direitos Civis poderia ser reforçada. Era preciso incluir uma seção sobre a proibição da discriminação racial no mercado de trabalho. Uma porcentagem alarmante de jovens negros largava a escola por não ver nenhum futuro.

Kennedy sugeriu que os negros deveriam imitar os judeus, que valorizavam o ensino e faziam seus filhos estudarem. Maria vinha de uma família negra que agia exatamente assim, e concordou com ele. Se as crianças negras largavam a escola, por acaso era problema do governo? Mas ela também via como Kennedy tinha astutamente desviado a conversa da verdadeira questão, que era o fato de milhões de empregos serem reservados apenas para brancos.

Os ativistas pediram a Kennedy que liderasse a cruzada pelos direitos civis. Maria sabia que ele estava pensando algo que não podia dizer: caso se identificasse demais com a causa negra, todos os brancos votariam nos republicanos.

O sagaz Walter Reuther deu outro conselho: identificar os homens de negócios que apoiavam o Partido Republicano e dividi-los em pequenos grupos. Dizer que, se eles não cooperassem, seu lucro iria diminuir. Maria conhecia aquilo como abordagem Lyndon Johnson, uma combinação de lisonja e ameaça. O conselho entrou por um ouvido de Kennedy e saiu pelo outro: aquele não era o seu estilo.

O presidente passou em revista as intenções de voto de deputados e senadores, e foi contando nos dedos aqueles que provavelmente se oporiam ao projeto da nova Lei de Direitos Civis. A lista foi um lamentável registro de preconceito, apatia e timidez. Ele deixou claro que teria problemas para aprovar até mesmo uma versão diluída da lei; qualquer coisa mais firme estaria condenada.

Maria sentiu o pessimismo se abater sobre ela como um manto fúnebre. Sentiu-se cansada, deprimida, sem esperanças. Ficou com dor de cabeça e quis ir para casa.

A reunião durou mais de uma hora. No final, toda a euforia havia desaparecido. Os líderes de direitos civis saíram em fila indiana com expressões que denotavam desencanto e frustração. O reverendo King podia até ter um sonho, mas o povo americano não parecia compartilhá-lo.

Maria quase não conseguiu acreditar, mas, ao que tudo indicava, apesar do que havia acontecido naquele dia, a grandiosa causa da igualdade e da liberdade não tinha avançado em nada.

CAPÍTULO VINTE E OITO

Jasper Murray estava confiante de que conseguiria o cargo de editor do *St. Julian's News*. Tinha anexado à candidatura um recorte de sua matéria no *Daily Echo* sobre o discurso do "Eu tenho um sonho" de Martin Luther King. Todos diziam que era um belo texto. Havia recebido 25 libras, menos do que pela entrevista com Evie: a política não era tão lucrativa quanto os escândalos envolvendo celebridades.

— Toby Jenkins nunca teve sequer um parágrafo publicado em qualquer outro veículo que não fosse estudantil — disse ele para Daisy Williams na cozinha da Great Peter Street.

— Ele é seu único concorrente? — perguntou ela.

— Até onde eu sei, sim.

— E quando vai sair a resposta?

Embora já soubesse que horas eram, ele olhou para o relógio.

— O comitê está reunido agora. Vão pregar um anúncio em frente à sala de Lorde Jane quando fizerem o intervalo para o almoço, ao meio-dia e meia. Meu amigo Pete Donegan está lá; ele vai ser meu subeditor. Vai me ligar assim que souber.

— Por que você quer tanto esse cargo?

Porque sei que sou muito bom, pensou Jasper; duas vezes melhor do que Cakebread e dez vezes melhor do que Toby Jenkins. Eu mereço esse emprego. Mas não abriu o coração para Daisy Williams. Tratava-a com certa cautela. Ela amava sua mãe, não ele. Quando a entrevista com Evie saíra no *Echo* e Jasper fingira consternação, parecera-lhe que Daisy não tinha se deixado enganar por completo. Ele temia que ela conseguisse ver suas verdadeiras intenções, embora sempre o tratasse com gentileza por causa da mãe.

Contou-lhe então uma versão atenuada da verdade:

— Eu posso transformar o *St. Julian's News* em um jornal melhor. No momento, aquilo lá parece uma revista de paróquia. Relata o que está acontecendo, mas tem medo de conflito e controvérsia. — Ele pensou em algo que pudesse agradar aos ideais de Daisy. — Por exemplo, o *college* tem um conselho de diretores, e alguns deles têm investimentos na África do Sul do apartheid. Eu publicaria isso e perguntaria o que esses sujeitos estão fazendo no conselho de um famoso *college* liberal.

— Boa ideia — falou Daisy, encantada. — Eles vão ficar se coçando.

Walli Franck entrou na cozinha. Apesar de já ser meio-dia, claramente acabara de acordar: vivia segundo os horários do rock 'n' roll.

– Agora que Dave voltou para o colégio, o que você vai fazer? – perguntou-lhe Daisy.

Walli se serviu uma xícara de café solúvel.

– Praticar guitarra – respondeu.

Daisy sorriu.

– Se a sua mãe estivesse aqui, acho que ela perguntaria se você não deveria tentar ganhar algum dinheiro.

– Eu não quero ganhar dinheiro. Mas preciso. É por isso que já tenho um emprego.

De tão correta, a gramática de Walli às vezes era difícil de entender.

– Você não quer dinheiro, mas já tem um emprego?

– Eu lavo copos de cerveja no Jump Club.

– Muito bem!

A campainha tocou, e instantes depois uma empregada trouxe Hank Remington até a cozinha. Dono de um charme irlandês clássico, ele era um ruivo jovial que tinha sempre um largo sorriso para todos.

– Olá, Sra. Williams – falou. – Vim levar sua filha pra almoçar... a menos que a senhora esteja livre!

As mulheres gostavam dos galanteios de Hank.

– Oi, Hank – falou Daisy, calorosa. – Avise a Evie que o Sr. Remington chegou – pediu à empregada.

– Agora eu sou *senhor*? – estranhou Hank. – Não vá fazer as pessoas acharem que eu sou respeitável... minha reputação iria por água abaixo. – Ele apertou a mão de Jasper. – Evie me mostrou sua matéria sobre Martin Luther King... estava ótima, parabéns. – Então virou-se para Walli. – Oi. Meu nome é Hank Remington.

Apesar de atônito, o rapaz conseguiu se apresentar:

– Eu sou primo do Dave e guitarrista no Plum Nellie.

– Como foi lá em Hamburgo?

– Muito bem, até a gente ser expulso porque Dave era menor de idade.

– O The Kords já tocou muito em Hamburgo – falou Hank. – Era incrível. Eu nasci em Dublin, mas cresci na Reeperbahn, se é que você me entende.

Jasper achava Hank fascinante. Ele era rico, famoso, um dos maiores astros pop do mundo, mas estava se esforçando para conquistar a simpatia de todos naquele recinto. Será que tinha um desejo insaciável de ser amado, e esse era o segredo de seu sucesso?

Evie entrou, maravilhosa. Tinha agora os cabelos curtos em um corte que imitava os Beatles, e estava usando um vestido simples em formato trapézio da Mary Quant que deixava as pernas de fora. Hank se fez de impressionado.

– Meu Deus, agora vou ter que levar você a algum lugar chique, vestida desse jeito. Estava planejando uma lanchonete.

– Seja onde for, vai ter que ser rápido – retrucou Evie. – Tenho um teste às três e meia.

– Para quê?

– Uma peça nova chamada *O julgamento de uma mulher*. Um drama de tribunal.

– Você vai estrear nos palcos! – exclamou ele, animado.

– Se for escolhida.

– Ah, vai ser, sim. Vamos, é melhor irmos andando, estacionei o Mini em cima de uma faixa amarela.

O casal saiu e Walli voltou para o quarto. Jasper conferiu o relógio de pulso: era meio-dia e meia. O novo editor seria anunciado a qualquer momento.

Para puxar assunto, comentou:

– Adorei os Estados Unidos.

– Você gostaria de morar lá? – quis saber Daisy.

– É meu maior sonho. E quero trabalhar na televisão. O *St. Julian's News* vai ser um ótimo primeiro passo, mas os jornais já são praticamente obsoletos. O negócio agora é noticiário na TV.

– Os Estados Unidos são meu lar, mas foi em Londres que encontrei o amor – refletiu Daisy.

O telefone tocou. O editor tinha sido escolhido; seria Jasper ou Toby Jenkins?

Foi Daisy quem atendeu.

– Ele está aqui do meu lado – falou antes de passar o fone para Jasper, cujo coração batia forte.

Era Pete Donegan.

– Valerie Cakebread foi a escolhida.

No início, Jasper não entendeu.

– O quê? Quem?

– Valerie Cakebread é a nova editora do *St. Julian's News*. Sam Cakebread arrumou o cargo para a irmã.

– Valerie? – Quando entendeu, Jasper ficou embasbacado. – Ela nunca escreveu nada a não ser críticas de moda elogiosas!

– E fez chá na revista *Vogue*.

– Como eles puderam fazer uma coisa dessas?
– Vai saber.
– Eu sabia que Lorde Jane era um babaca, mas isso...
– Quer que eu vá para a sua casa?
– Para quê?
– Para a gente sair e afogar as mágoas.
– Tudo bem.
Jasper desligou.
– Más notícias, pelo visto – comentou Daisy. – Sinto muito.
Jasper estava chocado.
– Eles deram o cargo para a irmã do atual editor! Por essa eu não esperava.
Recordou a conversa que tivera com Sam e Valerie na cafeteria do grêmio estudantil. Aqueles dois traidores não tinham dado indício algum de que Valerie iria se candidatar.
Compreendeu com amargura que fora manipulado por alguém mais astuto do que ele.
– Que pena – disse Daisy.
Aquele era o jeito britânico de fazer as coisas, pensou Jasper, ressentido: as relações familiares tinham mais importância do que o talento. Seu pai fora vítima da mesma síndrome, e por isso até hoje era coronel.
– O que você vai fazer? – perguntou Daisy.
– Emigrar – respondeu ele.
Sua decisão estava agora mais firme do que nunca.
– Termine o *college* primeiro – disse Daisy. – Os americanos valorizam a educação.
– Acho que a senhora tem razão. – Mas os seus estudos sempre haviam ocupado o segundo lugar em relação ao jornalismo. – Não posso trabalhar no *St. Julian's News* respondendo a Valerie. No ano passado, aceitei com elegância quando Sam conseguiu o cargo, mas não consigo fazer isso outra vez.
– Concordo – falou Daisy. – Se aceitasse, ficaria parecendo que é inferior a eles.
Um pensamento ocorreu a Jasper, e um plano começou a se formar em sua mente.
– O pior de tudo é que agora não vai haver nenhum jornal para denunciar coisas como o escândalo dos diretores do *college* que têm investimentos na África do Sul.
Daisy mordeu a isca:
– Talvez alguém crie um jornal concorrente.

Jasper se fez de cético.

– Duvido.

– Foi o que as avós de Dave e Walli fizeram em 1916. O jornal se chamava *A esposa do soldado*. Se elas conseguiram...

Jasper exibiu uma expressão inocente e fez a pergunta mais importante:

– Onde elas arrumaram dinheiro?

– Maud era de família rica. Mas rodar uns dois mil exemplares não deve custar grande coisa. Aí você paga a segunda edição com a renda da primeira.

– Recebi 25 libras do *Echo* pela matéria sobre Martin Luther King. Mas não acho que seja suficiente...

– Eu poderia ajudar.

Jasper fingiu relutância:

– Talvez nunca recupere o seu dinheiro.

– Monte um orçamento.

– Jack está vindo para cá agora. Podemos dar uns telefonemas.

– Se você investir seu dinheiro, eu invisto a mesma quantia.

– Obrigado!

Jasper não tinha a menor intenção de gastar o próprio dinheiro. Mas um orçamento era como a coluna de fofocas de um jornal: a maior parte podia ser inventada, porque ninguém conhecia a verdade.

– Se formos rápidos, podemos preparar a primeira edição para o início do semestre.

– Você deveria pôr essa matéria sobre os investimentos na África do Sul na primeira página.

Jasper estava novamente esperançoso. Talvez aquilo fosse ainda melhor do que o cargo de editor.

– É... O *St. Julian's News* vai dar uma primeira página insossa dizendo "Bem-vindos a Londres", ou algo do tipo, e a nossa vai ser jornalismo de verdade.

Começou a se animar.

– Me mostre o orçamento assim que puder – disse Daisy. – Tenho certeza de que vamos conseguir dar um jeito.

– Obrigado – repetiu ele.

CAPÍTULO VINTE E NOVE

No outono de 1963, George Jakes comprou um carro. Tinha dinheiro para isso e gostava da ideia, muito embora fosse fácil se locomover em Washington usando o transporte público. Preferia os carros importados, que achava mais estilosos. Encontrou um Mercedes-Benz 220Z conversível de duas portas, azul-escuro, que tinha um ar classudo. No terceiro domingo de setembro, foi dirigindo até o condado de Prince George, em Maryland, subúrbio em que sua mãe morava. Jacky poderia lhe preparar o jantar, e então os dois iriam ao culto noturno na Igreja Evangélica Betel. Ultimamente, era raro ele ter tempo para visitar a mãe, mesmo aos domingos.

Enquanto seguia pela Suitland Parkway com a capota arriada sob o sol ameno de setembro, pensou em todas as perguntas que a mãe lhe faria e nas respostas que daria. Em primeiro lugar, ela iria querer saber sobre Verena. "Ela diz que não é boa o bastante para mim, mãe", diria ele. "O que você acha disso?"

"Acho que ela tem razão", diria Jacky, provavelmente. Na sua opinião, poucas moças eram boas o bastante para o seu filho.

Ela então lhe perguntaria como estavam as coisas com Bobby Kennedy. A verdade era que o secretário era um homem de extremos. Algumas pessoas nutriam por ele um ódio implacável; J. Edgar Hoover era uma delas. Por George, tudo bem: Hoover era um sujeitinho desprezível. Mas Lyndon Johnson também fazia parte desse time. George achava uma pena Bobby detestar Johnson, que poderia ter sido um poderoso aliado. Infelizmente, os dois eram como óleo e água. George ficava tentando imaginar o grandalhão e espalhafatoso vice-presidente velejando com a superchique família Kennedy em um iate em Hyannis Port. A imagem o fazia sorrir: Lyndon ficaria parecendo um rinoceronte em uma aula de balé.

Bobby gostava com a mesma intensidade com que odiava e felizmente George estava no primeiro time. O rapaz fazia parte de um pequeno e seleto grupo tão de confiança que, mesmo quando cometia erros, partia-se do pressuposto de que os erros eram intencionais, portanto perdoáveis. O que poderia dizer à mãe sobre Bobby? "Ele é um homem inteligente que sinceramente deseja fazer dos Estados Unidos um país melhor."

Ela iria querer saber por que os irmãos Kennedy estavam sendo tão lentos em relação aos direitos civis. George diria: "Se eles forçarem demais, haverá um retrocesso, e isso terá dois resultados. Primeiro, a proposta da nova Lei de Direitos Civis não vai passar no Congresso. Segundo, Jack Kennedy vai perder a eleição presidencial de 1964. E, se ele perder, quem ganha? Dick Nixon? Barry Goldwater? Talvez até George Wallace, que Deus não permita."

Era o que ele refletia ao estacionar em frente à agradável casinha em estilo rural de Jacky Jakes e abrir a porta da frente com a própria chave.

Todos esses pensamentos desapareceram de sua mente assim que ouviu a mãe chorando.

Teve um instante de medo infantil. Não tinha visto a mãe chorar muitas vezes; durante toda sua infância, Jacky sempre fora um baluarte. No entanto, nas poucas ocasiões em que ela cedera e manifestara sem freios sua dor e seus temores, o pequeno Georgy tinha ficado atônito e aterrorizado. E agora, por um breve instante, teve de reprimir o ressurgimento desse terror infantil e lembrar a si mesmo que era um homem adulto, que não podia ter medo das lágrimas da mãe.

Bateu a porta e atravessou o pequeno hall de entrada até a sala. Sentada no sofá de veludo bege em frente à TV, Jacky tinha as mãos coladas às bochechas, como para segurar a cabeça no lugar. Lágrimas escorriam por seu rosto. Com a boca aberta, ela gemia. Encarava a televisão com olhos arregalados.

– Mãe, pelo amor de Deus, o que houve? – perguntou George.

– Quatro menininhas! – respondeu ela, aos soluços.

Ele olhou para a imagem monocromática na tela. Viu dois carros que pareciam ter tido um acidente. A câmera então se moveu na direção de um prédio para mostrar paredes danificadas e janelas quebradas. Quando a imagem abriu, ele reconheceu o edifício e seu coração deu um pinote.

– Meu Deus! É a Igreja Batista da Rua 16, em Birmingham! O que foi que fizeram?

– Os brancos jogaram uma bomba na escola de catecismo!

– Não! Não!

A mente de George se recusava a aceitar aquilo. Nem no Alabama alguém jogaria uma bomba em uma escola de catecismo.

– Mataram quatro menininhas – falou Jacky. – Como Deus foi deixar isso acontecer?

Na TV, um narrador informou:

"As vítimas foram identificadas como Denise McNair, 11 anos..."

– Onze anos! – repetiu George. – Não pode ser verdade!

"... Addie Mae Collins, 14 anos; Carole Robertson, 14 anos; e Cynthia Wesley, 14 anos."

– Mas... são crianças! – exclamou ele.

"Mais de vinte outras pessoas ficaram feridas na explosão", entoou o repórter com uma voz desprovida de emoção, enquanto a imagem mostrava uma ambulância deixando o local.

George sentou-se ao lado de Jacky e a abraçou.

– O que vamos fazer? – perguntou.

– Rezar – respondeu ela.

O repórter prosseguiu sem dó: "Foi o 21º atentado a bomba contra negros em Birmingham nos últimos oito anos. A polícia da cidade nunca condenou nenhum dos responsáveis."

– Rezar? – repetiu George com a voz tremendo de tristeza.

Naquele momento, sua vontade era matar alguém.

⁓

O atentado à escola de catecismo deixou o mundo inteiro horrorizado. Até mesmo no distante País de Gales, operários das minas de carvão iniciaram uma vaquinha para pagar um vitral novo a ser instalado na Igreja Batista da Rua 16, para substituir o que fora destruído.

No enterro, Martin Luther King falou:

– Apesar desta hora sombria, não devemos perder a fé em nossos irmãos brancos.

George tentou seguir esse conselho, mas foi difícil.

Por algum tempo, sentiu que a opinião pública pendia a favor dos direitos civis. Um comitê do Congresso encorpou a proposta de lei de Kennedy, acrescentando a proibição de discriminação no mercado de trabalho que os ativistas tanto queriam.

Algumas semanas depois, contudo, os segregacionistas voltaram para o meio do ringue brigando.

Em meados de outubro, um envelope foi entregue no Departamento de Justiça e encaminhado para George. Dentro dele havia um fino relatório encadernado do FBI intitulado:

O COMUNISMO E O MOVIMENTO NEGRO

ANÁLISE ATUAL

– Que porra é essa? – murmurou George para si mesmo.

Leu depressa. O relatório tinha onze páginas e era devastador. Chamava Martin Luther King de "homem sem princípios". Afirmava que ele aceitava conselhos de comunistas "consciente, voluntária e regularmente". Com um tom seguro de quem sabia do que estava falando, o texto dizia: "Altos funcionários do Partido Comunista já veem a possibilidade de criar uma situação na qual se poderia dizer que Martin Luther King e o Partido agem da mesma forma."

Essas afirmações seguras não eram sustentadas por uma prova sequer.

George pegou o telefone e ligou para Joe Hugo, na sede do FBI, localizada em outro andar no mesmo prédio do Departamento de Justiça.

– Que merda de relatório é esse? – perguntou.

Joe entendeu na hora a que ele estava se referindo e nem se deu ao trabalho de fingir que não.

– Não tenho culpa se os seus amigos são comunas – falou. – Não mate o mensageiro.

– Este negócio não é um relatório. É um apanhado de alegações sem provas.

– Nós temos provas.

– Provas que não podem ser mostradas não são provas, Joe, são boatos... por acaso você não aprendeu isso na faculdade de Direito?

– As fontes de inteligência precisam ser protegidas.

– Para quem vocês mandaram essa merda?

– Vou verificar aqui. Ah... Casa Branca, secretário de Estado, secretário de Defesa, CIA, Exército, Marinha e Aeronáutica.

– Quer dizer que espalharam isso por toda Washington, seu babaca?

– Naturalmente nós não tentamos *ocultar* informações sobre os inimigos da nossa nação.

– Isso é uma tentativa deliberada de sabotar a proposta de Lei de Direitos Civis do presidente.

– George, nós nunca faríamos uma coisa dessas. Somos apenas uma agência de segurança pública.

Joe desligou.

George levou alguns minutos para se acalmar. Em seguida, releu o relatório e sublinhou as alegações mais absurdas. Datilografou uma lista dos departamentos do governo para os quais, segundo Joe, o relatório tinha sido enviado. Então levou o documento para Bobby.

Como sempre, o secretário de Justiça estava sentado diante de sua mesa sem paletó, com a gravata afrouxada e de óculos. Fumava um charuto.

– O senhor não vai gostar disto aqui – falou George.

Entregou o relatório ao chefe e fez um resumo do conteúdo.

– Aquele veadinho do Hoover... – comentou Bobby.

Era a segunda vez que George ouvia o secretário chamar Hoover de veado.

– Não está falando no sentido literal, está?

– Ah, não?

– Hoover é homossexual? – perguntou George, espantado.

Era difícil de imaginar. O diretor do FBI era um homem baixinho, de cabelos ralos, nariz chato, traços tortos e pescoço grosso. Era o oposto de um gay.

– Ouvi dizer que a Máfia tem fotos dele fantasiado de mulher – disse Bobby.

– É por isso que ele vive dizendo por aí que a Máfia não existe?

– Tem quem afirme que sim.

– Meu Deus.

– Marque uma hora para eu falar com ele amanhã.

– Está bem. Enquanto isso, vou dar uma escutada nos grampos de Levison. Se ele estiver influenciando King na direção do comunismo, deve haver provas disso nos telefonemas entre os dois. Levison teria de falar sobre burguesia, as massas, luta de classes, revolução, ditadura do proletariado, Lênin, Marx, União Soviética, essas coisas. Vou anotar todas as referências desse tipo e ver o que descubro.

– Não é má ideia. Quero que me entregue um memorando antes da minha reunião com Hoover.

De volta à sua sala, George mandou buscar as transcrições dos grampos no telefone de Stanley Levison, fielmente copiadas pelo FBI de Hoover para o Departamento de Justiça. Meia hora depois, um funcionário dos arquivos entrou na sala empurrando um carrinho.

George começou a trabalhar. Só tornou a levantar o rosto quando uma faxineira abriu sua porta e perguntou se ele queria que varresse a sala. Continuou sentado enquanto ela trabalhava à sua volta. Lembrou-se das noites em claro durante os estudos de Direito, em Harvard, sobretudo no absurdamente difícil primeiro ano.

Muito antes de terminar, ficou claro para ele que as conversas de Levison com King nada tinham a ver com comunismo. Os dois não haviam usado nenhuma das palavras-chave de George, do a de alienação ao z de Zapata. Falaram sobre um livro que King estava escrevendo, conversaram sobre financiamento, planejaram o protesto de Washington. King admitiu para o amigo seus medos e dúvidas: embora pregasse a não violência, seria culpado pelos motins e bombas provocados pelas demonstrações pacíficas? Eles raramente mencionavam questões políticas mais amplas, e nunca falavam sobre os conflitos da Guerra Fria que obcecavam os comunistas: Berlim, Cuba, Vietnã.

Às quatro da manhã, George recostou a cabeça na mesa e tirou um cochilo. Às oito, pegou uma camisa limpa na gaveta da mesa, ainda no plástico da tinturaria, e foi lavar o rosto no banheiro masculino. Então datilografou a nota que Bobby lhe pedira, na qual dizia que, em dois anos de telefonemas, Stanley Levison e Martin Luther King nunca haviam falado sobre comunismo nem qualquer outro assunto remotamente relacionado a isso. "Se Levison é um propagandista de Moscou, deve ser o pior da história", concluiu.

Mais tarde nesse dia, Bobby se reuniu com Hoover no FBI. Ao voltar, disse a George:

– Ele aceitou recolher o relatório. Amanhã seus representantes vão procurar todos os destinatários e pegar de volta os exemplares dizendo que precisam ser revisados.

– Que bom. Mas agora é tarde demais, não é?

– É – respondeu Bobby. – O mal já está feito.

⁓

Como se o presidente Kennedy já não tivesse preocupações suficientes no outono de 1963, a crise no Vietnã chegou ao auge no primeiro sábado de novembro.

Incentivados por Kennedy, os militares do Vietnã do Sul depuseram seu impopular presidente, Ngo Dinh Diem. Em Washington, o conselheiro de Segurança Nacional McGeorge Bundy acordou o presidente às três da manhã para lhe dizer que o golpe autorizado por ele havia acontecido. Diem e o irmão, Nhu, estavam presos. Kennedy ordenou que Diem e sua família fossem conduzidos em segurança para fora do país.

Bobby convocou George para ir com ele a uma reunião na Sala do Gabinete às dez.

Antes do final, um assessor entrou trazendo um cabo que anunciava o suicídio dos dois irmãos Ngo Dinh.

Kennedy ficou mais abalado do que George jamais o vira. Parecia arrasado. Sua pele bronzeada empalideceu, e ele se levantou com um pulo e saiu da sala às pressas.

– Eles não se mataram – disse Bobby a George depois da reunião. – Eram católicos praticantes.

George sabia que Tim Tedder estava em Saigon fazendo a ponte entre a CIA e o Exército da República do Vietnã, o ARNV, sigla cuja pronúncia era Arvin. Ninguém ficaria espantado se viesse à tona que Tedder havia sujado as mãos.

Por volta do meio-dia, um cabograma da CIA revelou que os irmãos Ngo Dinh tinham sido executados na traseira de um veículo de transporte de soldados do Exército americano.

– Não podemos controlar nada do que acontece lá – comentou George com o chefe, frustrado. – Estamos tentando ajudar aquele povo a encontrar o caminho da liberdade e da democracia, mas nada do que fazemos dá certo.

– Aguente só mais um ano – disse Bobby. – Não podemos perder o Vietnã para os comunistas agora... meu irmão perderia a eleição presidencial de novembro. Mas assim que for reeleito ele vai tirar nosso pessoal de lá num piscar de olhos. Você vai ver.

⁓

Em uma noite daquele mês de novembro, um grupo de assessores desanimados se reuniu na sala ao lado da de Bobby. A intervenção de Hoover tinha dado frutos, e a Lei de Direitos Civis enfrentava problemas. Os membros do Congresso que tinham vergonha de ser racistas estavam atrás de um pretexto para votar contra a lei, e Hoover lhes proporcionara um.

Como mandava o regimento, a proposta de lei fora encaminhada para o Comitê de Tramitação, cujo diretor, Howard W. Smith, da Virgínia, era um dos mais ferrenhos democratas conservadores do Sul. Encorajado pelas acusações de comunismo feitas pelo FBI ao movimento pelos direitos civis, Smith havia anunciado que seu comitê sentaria em cima da proposta por tempo indeterminado.

Isso deixou George uma fera. Será que aqueles homens não viam que suas atitudes tinham levado ao assassinato das meninas na escola de catecismo? Enquanto pessoas respeitáveis dissessem que não havia problema em tratar os negros como se eles não fossem exatamente humanos, trogloditas ignorantes pensariam que tinham permissão para matar crianças.

E isso não era o pior. Faltando um ano para a eleição presidencial, Jack Kennedy estava perdendo popularidade. Ele e Bobby estavam particularmente preocupados com o Texas. Kennedy havia conquistado o Texas em 1960 porque seu vice era um texano apreciado, Lyndon Johnson. Infelizmente, três anos de associação com a liberal administração Kennedy haviam destruído quase por completo a credibilidade de Johnson junto à elite profissional conservadora.

– Não são só os direitos civis – argumentou George. – Nós estamos propondo abolir a compensação pelo esgotamento das reservas de petróleo. Há décadas os donos das petroleiras texanas não pagam os impostos devidos, e eles nos detestam por acabar com seu privilégio.

– Seja por que motivo for, milhares de conservadores texanos abandonaram os democratas e se uniram aos republicanos – disse Dennis Wilson. – E eles amam o senador Goldwater. – O republicano de direita Barry Goldwater queria abolir a previdência social e lançar bombas nucleares sobre o Vietnã. – Se Barry concorrer à presidência, vai ganhar no Texas.

– Precisamos que o presidente vá lá fazer um chamego nesses jecas – disse outro assessor.

– Já está organizado – retrucou Dennis. – E Jackie vai com ele.

– Quando?

– Eles vão para Houston no dia 21 de novembro – respondeu Dennis. – E, no dia seguinte, seguem para Dallas.

CAPÍTULO TRINTA

Na assessoria de imprensa da Casa Branca, Maria Summers viu pela TV o avião presidencial aterrissar no aeroporto de Love Field, em Dallas, sob um sol forte.

Uma rampa foi posicionada junto à porta traseira. O vice Lyndon Johnson e sua esposa, Lady Bird Johnson, assumiram sua posição ao pé da rampa, esperando para receber o presidente. Um alambrado continha uma multidão de cerca de duas mil pessoas.

A porta da aeronave se abriu. Após alguns instantes de suspense, Jackie Kennedy apareceu, usando um terninho Chanel e um chapéu *pillbox* no mesmo tecido. Logo atrás dela veio seu marido, o amante de Maria, presidente John F. Kennedy. Em seu íntimo, Maria pensava nele como Johnny, nome que os irmãos dele usavam de vez em quando.

O comentarista da TV, um texano, falou: "Dá para ver o bronzeado dele daqui do estúdio!" Era um novato, supôs Maria: embora a imagem fosse monocromática, não tinha informado aos telespectadores a cor das coisas. Todas as mulheres que assistiam teriam se interessado em saber que o terninho de Jackie era rosa.

Perguntou a si mesma se, caso tivesse oportunidade, trocaria de lugar com Jackie. No fundo de seu coração, queria muito poder tê-lo só para si, dizer às pessoas que o amava, apontar na rua e falar: "Aquele ali é o meu marido." Mas, além do prazer, esse casamento também traria tristeza. As traições conjugais do presidente eram constantes, e não só com ela. Embora ele nunca tivesse admitido, Maria fora percebendo aos poucos que era apenas uma entre várias namoradas, talvez dezenas. Já era difícil ser sua amante e ter que dividi-lo; muito mais doloroso com certeza era ser sua esposa e saber que ele tinha intimidade com outras mulheres, que as beijava, tocava suas partes íntimas e botava o pau na boca delas sempre que tinha oportunidade. Maria precisava se dar por satisfeita: tinha tudo o que era devido a uma amante. Jackie, por sua vez, *não* tinha tudo o que era devido a uma esposa. Maria não sabia qual das duas coisas era pior.

O casal presidencial desceu a rampa e começou a apertar as mãos dos magnatas texanos que estavam à sua espera. Maria se perguntou quantas daquelas pessoas tão felizes em ver Kennedy nesse dia o apoiariam na eleição seguinte – e quantas, por trás dos sorrisos, já estavam planejando traí-lo.

A imprensa do Texas foi hostil. O *Dallas Morning News*, cujo proprietário era um conservador feroz, passara os dois últimos anos chamando Kennedy de charlatão, simpatizante comunista, ladrão e "cinquenta vezes tolo". Nessa manhã, o jornal se esforçou para encontrar algo negativo a dizer sobre a turnê triunfal de Jack e Jackie. Acabara se contentando com a fraca manchete CHUVA DE CONTROVÉRSIA POLÍTICA FUSTIGA KENNEDY DURANTE VISITA. Dentro, contudo, havia um belicoso anúncio de página inteira pago pelo "Comitê Americano de Investigação da Verdade" listando uma série de sinistras perguntas endereçadas ao presidente, tais como: "Por que Gus Hall, presidente do Partido Comunista dos Estados Unidos, elogiou quase todas as suas decisões?" As ideias políticas não poderiam ser mais estúpidas, pensou Maria. Na sua opinião, qualquer um que achasse que o presidente Kennedy era secretamente comunista devia estar maluco. Mas o tom profundamente desagradável do anúncio lhe deu um calafrio.

Um assessor de imprensa interrompeu seus devaneios:

– Maria, se não estiver ocupada...

Não era o caso, é claro, uma vez que ela estava assistindo à TV.

– Pois não? – falou.

– Quero que você dê um pulo no arquivo. – O prédio do Arquivo Nacional ficava a pouco mais de um quilômetro da Casa Branca. – Preciso disto aqui. – Ele lhe entregou uma folha de papel.

Maria estava acostumada a escrever releases de imprensa, ou pelo menos a fazer o rascunho, mas ainda não fora promovida a assessora; nenhuma mulher jamais ocupara esse cargo. Após mais de dois anos na assessoria, ainda era pesquisadora. Se não fosse o caso de anos com o presidente, teria arrumado outro emprego havia muito tempo. Olhou para a lista e disse:

– Vou ver isso agora mesmo.

– Obrigado.

Ela deu uma última olhada na televisão. Kennedy se afastou da comitiva oficial, foi até a multidão e estendeu a mão por cima do alambrado para cumprimentar as pessoas, com Jackie mais atrás usando seu chapéu *pillbox*. O público urrou de animação diante daquela chance de tocar o casal de ouro. Maria pôde ver os agentes do Serviço Secreto que conhecia muito bem tentando ficar perto do presidente e vasculhando a multidão com olhares duros, atentos a qualquer perigo.

Fez um pedido silencioso: "Por favor, cuidem bem do meu Johnny."

Então saiu.

Naquela manhã, George Jakes dirigiu seu Mercedes conversível até McLean, na Virgínia, a 13 quilômetros da Casa Branca. Era ali que Bobby Kennedy morava com sua numerosa família em uma casa de tijolos pintada de branco com treze cômodos, chamada Hickory Hill. O secretário de Justiça havia agendado uma reunião na hora do almoço para conversar sobre o crime organizado. O assunto saía da esfera de competências de George, mas, à medida que fora ficando mais próximo de Bobby, começara a ser convidado para uma gama mais ampla de reuniões.

Em pé na sala de estar ao lado de seu rival Dennis Wilson, ficou assistindo à cobertura televisiva de Dallas. O presidente e Jackie estavam fazendo o que George e todos no governo queriam que eles fizessem: seduzir descaradamente os texanos, conversar com eles e tocá-los, enquanto Jackie abria seu célebre sorriso irresistível e estendia a mão enluvada para cumprimentá-los.

George viu de relance o amigo Skip Dickerson ao fundo, perto do vice-presidente.

Por fim, os Kennedy voltaram para sua limusine. Era uma Lincoln Continental estendida de quatro portas, conversível, e a capota estava arriada. O povo veria seu presidente em carne e osso, sem nem mesmo uma janela a separá-los. John Conally, governador do estado, estava em pé diante da porta aberta usando um chapéu de texano. O casal entrou no banco traseiro. Kennedy apoiou o cotovelo direito na janela com um ar relaxado e feliz. O carro se afastou devagar e o comboio foi atrás. Três ônibus de jornalistas encerravam o cortejo.

Os veículos saíram do aeroporto e pegaram a rua, e a cobertura televisiva terminou. George desligou a TV.

Como o dia estava bonito em Washington também, Bobby decidira fazer a reunião ao ar livre, de modo que todos saíram pela porta dos fundos e atravessaram o gramado até o terraço da piscina, onde mesas e cadeiras tinham sido dispostas. George olhou para trás na direção da casa e viu uma nova ala em construção, ainda inacabada, a julgar pelos operários que faziam a pintura e de cujo rádio transistor ligado se podia ouvir um mero zumbido por causa da distância.

George admirava o que o chefe tinha realizado em relação ao crime organizado. Bobby fizera vários departamentos do governo trabalharem juntos para se concentrar em chefes específicos de famílias criminosas. A Divisão Federal de Narcóticos havia sido incrementada, e a de Álcool, Tabaco e Armas de Fogo também fora recrutada. Bobby tinha ordenado ao Fisco que investigasse as declarações de renda dos mafiosos. Conseguira, enfim, que o Serviço de Imigração e Naturalização deportasse aqueles que não tinham cidadania. Tudo somado, era o ataque mais eficaz que o crime já sofrera nos Estados Unidos.

O único órgão que o havia decepcionado era o FBI. O homem que deveria ter sido seu mais sólido aliado naquela luta, J. Edgar Hoover, manteve-se alheio, alegando que a Máfia não existia – talvez, como George agora sabia, porque a Máfia o estivesse chantageando com sua homossexualidade.

Assim como tantas coisas que o governo Kennedy fazia, a cruzada de Bobby era desdenhada no Texas. Jogo ilegal, prostituição e uso de drogas eram apreciados por muitos cidadãos importantes do estado. O *Dallas Morning News* havia atacado Bobby por ter aumentado excessivamente o poder do governo federal e argumentara que o crime deveria permanecer sob responsabilidade das autoridades de segurança pública locais – em sua maioria incompetentes ou corruptas, como todos sabiam.

A reunião foi interrompida quando Ethel, mulher de Bobby, chegou trazendo o almoço: sanduíches de atum e sopa. George a observou com admiração. Era difícil acreditar que, quatro meses antes, aquela esguia e atraente mulher de 35 anos dera à luz o oitavo filho. Ela estava vestida no estilo chique e discreto que George agora reconhecia como a marca registrada das mulheres da família Kennedy.

Um telefone ao lado da piscina tocou e Ethel atendeu.

– Sim – falou, e levou até Bobby o telefone provido de um fio comprido. – Edgar J. Hoover.

George ficou espantado. Seria possível que Hoover *soubesse* que eles estavam conversando sobre o crime organizado e estivesse ligando para repreendê-los? Será que ele havia grampeado o terraço de Bobby?

Bobby pegou o telefone da mão da mulher.

– Alô?

Para além do gramado, George reparou que um dos pintores estava se comportando de modo estranho: pegou o radinho do chão, girou nos calcanhares e começou a correr em direção a Bobby e ao grupo reunido no terraço.

George tornou a olhar para o secretário de Justiça. Uma expressão horrorizada tomou conta do semblante de Bobby, e de repente George sentiu medo. Virando as costas para o grupo, Bobby levou a mão até a frente da boca. *O que aquele filho da mãe do Hoover está dizendo para ele?*, perguntou-se George.

Bobby então se virou outra vez para o grupo que almoçava e gritou:

– Jack levou um tiro! Talvez seja fatal!

Os pensamentos de George se moveram com uma lentidão submarina. Jack, ou seja, o presidente do país. Levou um tiro: em Dallas, só podia ser. Talvez seja fatal: ele podia estar morto.

O presidente do país podia estar morto.

Ethel correu até o marido. Todos os homens se puseram de pé. O pintor chegou à beira da piscina com o rádio erguido no ar, incapaz de dizer qualquer coisa.

Então todos começaram a falar ao mesmo tempo.

George ainda se sentia atropelado pela notícia. Pensou nas pessoas importantes de sua vida. Verena estava em Atlanta e ouviria no rádio. Sua mãe estava no trabalho, no Clube Universitário Feminino; ficaria sabendo em poucos minutos. O Congresso estava reunido, e Greg devia estar lá. Maria...

Maria Summers. Seu amante secreto tinha levado um tiro. Ela devia estar arrasada, e não teria ninguém para consolá-la.

George precisava encontrá-la.

Atravessou correndo o gramado, passou pela casa até chegar ao estacionamento na frente, pulou para dentro do Mercedes conversível e saiu a toda a velocidade.

∽

Faltavam poucos minutos para as duas da tarde em Washington, para a uma em Dallas, e para as onze da manhã em São Francisco, onde Cam Dewar estava estudando equações diferenciais em uma aula de matemática e achando aquilo difícil de entender – experiência nova para ele, para quem até então todos os trabalhos escolares tinham sido fáceis.

O ano que passara estudando em um colégio londrino não lhe fizera mal nenhum. Na verdade, os alunos ingleses eram um pouco adiantados, pois começavam a escola mais cedo. A única coisa prejudicada tinha sido seu orgulho, pela rejeição desdenhosa de Evie Williams.

Cameron tinha pouco respeito pelo jovem e estiloso professor de matemática, Mark Fanshore, conhecido como Fabian, com seu cabelo à escovinha e suas gravatas de malha. Ele vivia querendo ser amigo dos alunos. Para Cameron, um professor precisava ter autoridade.

O Dr. Douglas, diretor do colégio, entrou na sala. Dele, Cameron gostava mais. O líder da instituição era um acadêmico seco e distante, que pouco se importava em agradar ou não às pessoas, desde que elas fizessem o que ele dizia.

"Fabian" ergueu os olhos, surpreso: o Dr. Douglas raramente ia às salas de aula. Douglas lhe disse alguma coisa em voz baixa. Deve ter sido algo chocante, pois o belo rosto do rapaz empalideceu sob o bronzeado. Os dois conversaram por um minuto, então Fabian meneou a cabeça e Douglas saiu.

O sinal tocou anunciando o intervalo da manhã, mas o professor falou, firme:

– Fiquem sentados, por favor, e escutem o que vou dizer em silêncio, certo?

— Ele tinha o hábito esquisito de murmurar "certo" e "ok" com frequência excessiva. — Tenho uma notícia ruim para dar a vocês. Péssima, na verdade, ok? Aconteceu uma coisa horrível lá em Dallas, no Texas.

— O presidente está em Dallas hoje — disse Cameron.

— Sim, mas não me interrompam, ok? A notícia chocante é que o nosso presidente levou um tiro. Ainda não sabemos se ele morreu, certo?

Alguém exclamou "Caralho!" bem alto, mas surpreendentemente o professor ignorou.

— Quero que vocês mantenham a calma. Algumas das meninas do colégio talvez estejam muito abaladas. — Não havia meninas na aula de matemática. — Os alunos mais novos vão precisar ser reconfortados. Espero que vocês se comportem como os rapazes que são e ajudem outros que possam estar mais vulneráveis, ok? Vão para o recreio agora, normalmente, e vejam depois se a programação do colégio vai ser alterada. Estão dispensados.

Cameron recolheu os livros e saiu para o corredor, onde qualquer esperança de silêncio e ordem se evaporou em segundos. As vozes de crianças e adolescentes saindo das salas aumentaram de volume até virar um rugido. Algumas corriam, outras não se mexiam, catatônicas, outras ainda choravam, a maioria gritava.

Todos queriam saber se o presidente tinha morrido.

Cam não gostava da política liberal de Jack Kennedy, mas de repente isso perdeu toda a importância. Se tivesse idade suficiente, teria votado em Nixon, mas mesmo assim sentiu-se pessoalmente ultrajado. Kennedy era presidente dos Estados Unidos, eleito pelo povo americano, e um ataque a ele era um ataque a toda a nação.

Quem atirou no meu presidente?, perguntou-se. Terão sido os russos? Fidel Castro? A Máfia? A Ku Klux Klan?

Viu Beep, sua irmã caçula.

— O presidente morreu? — perguntou ela.

— Ninguém sabe — respondeu Cam. — Quem tem um rádio?

Ela pensou por alguns instantes.

— O diretor tem um.

Era verdade: havia um antiquado rádio de mogno na sala do diretor.

— Vou lá — falou Cam.

Ele avançou pelos corredores até a sala do diretor e bateu à porta. "Pode entrar!", exclamou o Dr. Douglas, e Cameron entrou. Acompanhado por três outros professores, o diretor escutava o rádio.

— O que foi, Dewar? — perguntou Douglas em seu tom irritado de costume.

— Diretor, todo mundo no colégio gostaria de ouvir o rádio.

– Bem, menino, eles não cabem todos aqui.
– Pensei que o senhor pudesse pôr o rádio no saguão e aumentar o volume.
– Ah, pensou, é? – Douglas parecia prestes a proferir uma dispensa desdenhosa. Mas a subdiretora, Sra. Elscot, murmurou:
– Não é má ideia.
Douglas hesitou por um instante, então assentiu.
– Certo, Dewar. Bem pensado. Vão para o saguão e eu levo o rádio.
– Obrigado, diretor.

⁓

Jasper Murray foi convidado para a estreia de *O julgamento de uma mulher* no King's Theatre, no West End londrino. Estudantes de jornalismo em geral não recebiam convites assim, mas Evie Williams estava no elenco e fizera questão de pôr seu nome na lista.

O jornal publicado por ele, *The Real Thing*, estava indo bem, tão bem que ele havia largado os estudos para ficar um ano só administrando a publicação. A primeira edição esgotara depois de Lorde Jane atacá-la, durante uma demonstração incontida e pouco característica na semana dos calouros, por caluniar membros da diretoria. Jasper ficou felicíssimo por enfurecer Lorde Jane, um pilar do establishment britânico que desfavorecia pessoas como ele e o pai. A segunda edição, com novas revelações sobre os figurões do *college* e seus investimentos duvidosos, conseguira recuperar o dinheiro investido, e a terceira dera lucro. Jasper fora obrigado a esconder a escala desse sucesso de Daisy Williams, que poderia querer que ele quitasse o empréstimo.

A quarta edição iria para a gráfica no dia seguinte. Ele não estava tão contente dessa vez, pois não havia nenhuma grande controvérsia.

Tirou isso da cabeça por alguns instantes e se acomodou na cadeira. A carreira de Evie havia ultrapassado sua instrução formal: não fazia sentido frequentar aulas de arte dramática quando já se estava conseguindo papéis em filmes e peças do West End. A menina que antes nutria uma paixonite adolescente por Jasper era agora uma adulta muito segura, que ainda precisava descobrir os próprios poderes, mas sabia muito bem para onde estava indo.

Seu distinto namorado estava sentado ao lado de Jasper. Ele e Hank Remington tinham a mesma idade. Embora Hank fosse milionário e famoso no mundo inteiro, não desprezava um reles estudante universitário. Na verdade, como havia largado os estudos aos 15 anos, tendia a se mostrar deferente com pessoas que julgava instruídas. Isso agradava Jasper, que não dizia o que sabia ser verdade: que a genialidade bruta de Hank valia muito mais que diplomas de universidade.

Os pais de Evie estavam sentados na mesma fila, assim como sua avó Eth Leckwith. A principal ausência era o irmão, Dave, cujo grupo tinha um show nessa noite.

A cortina subiu. A peça era um drama jurídico. Jasper tinha ouvido Evie decorar as falas e sabia que o terceiro ato acontecia em um tribunal, mas a ação começava na sala do promotor. Evie, que fazia a filha deste, entrou na metade do primeiro ato e teve um bate-boca com o pai.

Jasper ficou pasmo com a segurança da moça e com a solidez de sua representação. Teve de lembrar a si mesmo várias vezes que aquela era a menina que morava na mesma casa que ele. Pegou-se ressentido com a condescendência arrogante do pai e compartilhando a indignação e a frustração da filha. A raiva de Evie aumentou e, conforme o final do ato foi se aproximando, ela iniciou um arrebatado apelo por clemência que deixou a plateia silenciosa e enfeitiçada.

Então alguma coisa aconteceu.

As pessoas começaram a murmurar na plateia.

No início, os atores no palco não perceberam nada. Jasper olhou em volta e imaginou que alguém teria desmaiado ou vomitado, mas não viu nada que explicasse tanta falação. Do outro lado do auditório, duas pessoas se levantaram e saíram acompanhadas por um terceiro homem que parecia ter vindo buscá-las. Hank sussurrou:

– Por que esses idiotas não calam a boca?

Um minuto depois, a performance magistral de Evie tropeçou, e Jasper entendeu que a moça havia percebido algo acontecendo. Ainda tentou ganhar de volta a atenção do público, tornando-se mais histriônica: começou a falar mais alto, sua voz se alterou de emoção, e ela percorreu o palco fazendo amplos gestos com as mãos. Foi um esforço digno, e a admiração de Jasper aumentou mais ainda; só que não deu certo. O murmúrio de conversas se transformou em zumbido, depois em estrondo.

Hank se levantou, olhou em volta e disse às pessoas sentadas atrás dele:

– Dá para calar a boca?

No palco, Evie tropeçou.

– Pense no que aquela mulher... – Ela hesitou. – Pense em como aquela mulher viveu... sofreu... tudo por que passou... – Ela se calou.

O ator veterano que fazia o papel do promotor pai da moça se levantou de trás da escrivaninha dizendo "Ora, ora, meu bem", fala que podia ou não fazer parte da peça. Atravessou o palco até onde Evie estava e passou o braço em volta dos ombros dela. Então se virou, estreitando os olhos por causa dos canhões de luz, e se dirigiu à plateia.

– Por favor, senhoras e senhores – falou, no profundo barítono pelo qual era famoso. – Alguém por gentileza pode nos dizer que diabo aconteceu?

⁓

Rebecca Held estava com pressa. Chegou em casa do trabalho com Bernd, preparou o jantar para ambos e foi se arrumar para uma reunião enquanto ele tirava a mesa. Fora eleita recentemente para o Parlamento que governava a cidade-estado de Hamburgo; era uma das cada vez mais frequentes representantes do sexo feminino.

– Tem certeza de que não se importa se eu sair correndo? – perguntou ao marido.

Bernd girou a cadeira de rodas para ficar de frente para ela.

– Nunca desista de nada por minha causa – falou. – Nunca sacrifique nada. Nunca diga que não pode ir a algum lugar ou fazer alguma coisa porque precisa cuidar do seu marido aleijado. Quero que você tenha uma vida plena, que tenha tudo o que sempre sonhou. Assim você ficará feliz, ficará comigo e continuará me amando.

A pergunta de Rebecca fora mera cortesia, mas era óbvio que Bernd havia pensado bastante no assunto. O discurso dele a comoveu.

– Como você é bom... – disse ela. – Parece Werner, meu padrasto. Um homem forte. E deve ter razão, porque eu o amo mesmo, mais do que nunca.

– Por falar em Werner, o que você achou da carta de Carla?

Toda a correspondência vinda da Alemanha Oriental corria o risco de ser lida pela polícia secreta. O remetente podia ser preso se dissesse o que não devia, particularmente nas cartas para o Ocidente. Qualquer menção a dificuldades, desemprego ou os próprios serviços de polícia secreta era problema na certa. Assim, Carla fizera apenas alusões.

– Ela disse que Karolin está morando com eles – falou Rebecca. – Então acho que devo supor que a pobre garota foi expulsa de casa pelos pais... provavelmente pressionados pela Stasi, talvez pelo próprio Hans.

– Será que a sede de vingança desse homem nunca termina? – perguntou Bernd.

– Seja como for, Lili gostou de Karolin. Ela está com quase 15 anos, idade perfeita para ficar fascinada com uma gestação. E a futura mamãe vai receber vários bons conselhos de vovó Maud. Aquela casa vai ser um porto seguro para Karolin, como foi para mim quando meus pais morreram.

Bernd assentiu.

– Você não tem vontade de retomar contato com suas raízes? – perguntou ele. – Nunca se refere ao fato de ser judia.

Rebecca fez que não com a cabeça.

– Meus pais não eram praticantes. Sei que Walter e Maud frequentavam a igreja, mas Carla perdeu o hábito, e para mim a religião nunca teve significado algum. Quanto à raça, é melhor esquecer. Quero homenagear a memória dos meus pais trabalhando pela democracia e pela liberdade em toda a Alemanha, tanto na parte oriental quanto na ocidental. – Ela sorriu, marota. – Desculpe o discurso. Deveria ter guardado para o Parlamento.

Ela pegou a pasta com os documentos para a reunião.

Bernd checou as horas.

– Dê uma olhada no noticiário antes de ir, caso tenha acontecido algo que precise saber.

Rebecca ligou a TV. O boletim de notícias estava apenas começando. "O presidente dos Estados Unidos John F. Kennedy foi baleado e morto hoje em Dallas, no Texas", disse o apresentador.

– Não! – A exclamação de Rebecca foi quase um grito.

"O jovem presidente e sua esposa, Jackie, estavam percorrendo a cidade em um carro aberto quando um atirador fez vários disparos e acertou o presidente, cuja morte foi constatada minutos depois em um hospital."

– Coitada dessa mulher! – falou Rebecca. – E dos filhos!

"O vice-presidente Lyndon Johnson, que participava do cortejo, deve estar agora a caminho de Washington, onde assumirá a presidência."

– Kennedy era um defensor de Berlim Ocidental – disse Rebecca, aflita. – Foi ele quem falou "Eu sou berlinense". Ele era nosso paladino.

– Era, mesmo – concordou Bernd.

– O que vai acontecer com a gente agora?

⤺

– Eu cometi um erro terrível – disse Karolin a Lili, sentada na cozinha da casa em Mitte. – Devia ter ido com Walli. Pode encher uma bolsa de água quente para mim? Estou com dor nas costas outra vez.

Lili pegou uma bolsa de borracha no armário e a encheu com água quente da torneira. Achava Karolin dura demais consigo mesma.

– Você fez o que achou melhor para o seu filho.

– Fui covarde – disse Karolin.

Lili ajeitou a bolsa de água quente atrás da moça grávida.

– Quer um pouco de leite morno?

– Quero, por favor.

Lili despejou leite em uma panela e pôs para aquecer.

– Eu agi por medo – continuou Karolin. – Pensei que Walli fosse jovem demais para eu poder confiar nele. Pensei que meus pais fossem me apoiar. E aconteceu justamente o contrário.

O pai de Karolin a pusera para fora de casa depois que a Stasi ameaçara demiti-lo do emprego de supervisor em uma rodoviária. Lili ficara chocada. Não sabia que pais podiam fazer uma coisa dessas.

– Não consigo imaginar meus pais se virando contra mim – comentou.

– Eles jamais fariam isso – disse Karolin. – E quando eu apareci na sua porta, sem casa, sem um tostão e grávida de seis meses, eles me acolheram sem hesitar nem por um segundo.

Uma nova pontada de dor lhe provocou outra careta.

Lili serviu o leite em uma xícara e lhe entregou.

Karolin tomou um golinho e disse:

– Estou muito agradecida a você e à sua família. Mas a verdade é que nunca mais vou confiar em ninguém. A única pessoa em quem se pode confiar nesta vida é em si mesmo. Foi isso que aprendi. – Ela franziu a testa. – Ai, meu Deus! – falou.

– O que houve?

– Fiz xixi na calça. – Uma mancha úmida se espalhou pela frente de sua saia.

– Sua bolsa estourou – disse Lili. – O bebê está chegando.

– Preciso me limpar. – Karolin se levantou e deu um gemido. – Acho que não vou conseguir chegar ao banheiro.

Lili ouviu a porta da frente se abrir e fechar.

– Mamãe chegou – disse ela. – Graças a Deus!

Instantes depois, Carla entrou na cozinha. Bastou uma olhada rápida na cena para ela perguntar:

– Com que frequência as dores estão vindo?

– Um ou dois minutos – respondeu Karolin.

– Meu Deus, não temos muito tempo – disse Carla. – Não vou nem tentar fazer você subir a escada. – Ela começou rapidamente a forrar o chão com toalhas. – Deite aqui mesmo. Eu tive Walli no chão desta cozinha, então acho que vai servir para você também – acrescentou, animada.

Karolin se deitou e Carla tirou sua roupa de baixo encharcada.

Apesar da presença de sua competente mãe, Lili estava com medo. Não podia imaginar como um bebê inteiro conseguiria sair por uma abertura tão pequena. Em vez de melhorar, seu medo piorou alguns minutos depois, quando ela viu a abertura começar a aumentar de tamanho.

– Ótimo, vai ser bem rápido – disse Carla, calma. – Que sorte a sua.

Os gemidos de Karolin pareciam contidos; Lili pensou que ela deveria estar se esgoelando de dor.

– Ponha a mão aqui e segure a cabecinha quando sair – disse Carla à filha. – Pode pôr, está tudo bem – falou, ao vê-la hesitar.

A porta da cozinha se abriu e o pai de Lili apareceu.

– Vocês ouviram a notícia? – perguntou ele.

– Isto aqui não é lugar para homem – disse Carla sem olhar para o marido. – Vá até o quarto, abra a gaveta de baixo da cômoda e me traga o xale de cashmere azul-claro.

– Tudo bem – disse Werner. – Deram um tiro no presidente Kennedy. Ele morreu.

– Depois você me conta – retrucou Carla. – Vá buscar o xale.

Werner desapareceu.

– O que foi que ele disse sobre Kennedy? – perguntou Carla dali a um minuto.

– Acho que o bebê está saindo – disse Lili, amedrontada.

Com um forte gemido de dor e esforço, Karolin espremeu a cabeça do bebê para fora. Lili a segurou com uma das mãos: estava molhada, escorregadia e quente.

– Está vivo! – exclamou.

Sentiu-se engolfada por um forte sentimento de amor e proteção em relação àquela nova e diminuta vida.

E seu medo passou.

⁂

O jornal de Jasper era editado em uma salinha no prédio do grêmio estudantil mobiliada com uma mesa, dois telefones e três cadeiras. Meia hora depois de sair do teatro, ele encontrou Pete Donegan lá.

– Este *college* tem cinco mil alunos, os outros *colleges* de Londres têm outros vinte mil ou mais, e muitos são americanos – disse ele assim que Pete entrou. – Precisamos ligar para os nossos redatores e fazê-los começar a trabalhar agora mesmo. Eles precisam conversar com todos os alunos americanos em que conseguirem pensar, de preferência hoje à noite, no máximo amanhã de manhã. Se fizermos tudo certinho, podemos conseguir um lucro enorme.

– Qual vai ser a manchete?

– Provavelmente ESTUDANTES AMERICANOS DE LUTO. Faça uma foto de qualquer um que diga algo interessante. Eu cuido dos professores americanos: Heslop, do Departamento de Inglês, Rawlings, da Engenharia... Cooper, da Filosofia, vai dizer alguma coisa de impacto, ele sempre diz.

– Deveríamos pôr uma biografia do Kennedy em uma coluna lateral – disse Donegan. – E quem sabe uma página com fotos da sua vida: Harvard, a Marinha, o casamento com Jackie...

– Espere um instante – falou Jasper. – Ele não estudou em Londres em algum momento? O pai dele foi embaixador americano aqui... um filho da mãe de direita que apoiava Hitler, ao que parece. Mas, se não me falha a memória, o filho estudou na London School of Economics.

– Isso mesmo, agora estou me lembrando. Mas ele interrompeu os estudos depois de poucas semanas.

– Não faz mal – disse Jasper, animado. – Alguém aqui deve ter conhecido Jack Kennedy. Pouco importa se eles conversaram por menos de cinco minutos. Só precisamos de uma citação, não ligo se for apenas: "Ele era muito alto." Nossa manchete vai ser O ALUNO JFK QUE EU CONHECI, POR UM PROFESSOR DA LSE.

– Vou começar a apurar agora mesmo – disse Donegan.

Quando George Jakes estava a um quilômetro e meio da Casa Branca, o tráfego parou sem nenhum motivo aparente. Frustrado, ele bateu no volante. Imaginou Maria chorando sozinha em algum lugar.

Os motoristas começaram a buzinar. Um deles, que estava vários carros à frente, saltou para falar com alguém na calçada. Na esquina, meia dúzia de transeuntes reunidos em volta de um carro com as janelas abertas escutavam o que devia ser um rádio. George viu uma mulher bem vestida levar a mão à boca, horrorizada.

Na frente do seu Mercedes estava um Impala novo da Chevrolet. A porta se abriu e o motorista saltou. De terno e chapéu, podia muito bem ser um vendedor itinerante. Olhou em volta, viu George em seu conversível e perguntou:

– É verdade?

– É. O presidente levou um tiro.

– Ele morreu?

– Não sei. – O carro de George não tinha rádio.

O vendedor foi até a janela aberta de um Buick.

– O presidente morreu?

George não ouviu a resposta.

O tráfego estava parado.

Desligou o motor, saltou do carro e começou a correr.

Ficou arrasado ao constatar que estava fora de forma. Vivia sempre ocupado demais para fazer exercícios. Tentou pensar em quando fora a última vez que havia se exercitado para valer, mas não conseguiu. Pegou-se suando em bicas, ofegante. Apesar da impaciência, teve de alternar a corrida com uma marcha acelerada.

Chegou à Casa Branca com a camisa empapada de suor. Maria não estava na assessoria.

– Ela foi ao prédio do Arquivo Nacional fazer uma pesquisa – informou Nelly Fordham, cujo rosto estava banhado em lágrimas. – Não deve nem ter escutado a notícia ainda.

– Já sabemos se o presidente morreu?

– Ele morreu, sim – respondeu Nelly, e soluçou de novo.

– Não quero que Maria fique sabendo por um desconhecido – disse George.

Então saiu do prédio e correu pela Pennsylvania Avenue em direção ao Arquivo Nacional.

⁓

Dimka estava casado com Nina havia um ano, e seu filho Grigor tinha seis meses de idade quando ele finalmente admitiu para si mesmo que estava apaixonado por Natalya.

Ela e os amigos com frequência iam beber no bar Beira-Mar depois do trabalho, e Dimka adquiriu o hábito de se juntar ao grupo quando Kruschev não precisava dele até tarde. Às vezes era mais de um drinque, e em muitas ocasiões ele e Natalya eram os últimos a sair.

Descobriu que tinha o dom de fazê-la rir. Em geral não era considerado um sujeito engraçado, mas deliciava-se com as muitas ironias da vida na União Soviética, e ela também.

– Um operário mostrou como uma fábrica de bicicletas podia fazer para-lamas mais depressa moldando uma longa tira de latão para depois cortar, em vez de cortá-la primeiro e depois dobrar as peças uma a uma. E o que aconteceu? Foi repreendido e punido por colocar em risco o plano quinquenal.

Natalya riu, abrindo a boca larga e mostrando todos os dentes. O modo como ela riu sugeria potencial para uma entrega total que fez o coração de Dimka bater mais depressa. Imaginou-a jogando a cabeça para trás daquele jeito quando os dois estivessem transando. Então se imaginou vendo-a rir daquele jeito pelos cinquenta anos seguintes e percebeu que era essa a vida que desejava.

Só que não lhe disse nada. Ela era casada e parecia feliz com o marido; pelo menos não se queixava dele, embora nunca demonstrasse pressa para voltar para casa. Mais importante, porém, Dimka tinha mulher e filho a quem devia lealdade.

Sua vontade era dizer: "Amo você. Vou largar minha família. Você quer largar o seu marido, ir morar comigo e ser minha amiga e minha amante pelo resto de nossas vidas?"

Mas o que disse foi:

– Está tarde, é melhor eu ir andando.

– Eu levo você de carro – disse Natalya. – Está frio demais para andar de moto.

Ela parou o carro na esquina perto da Casa do Governo. Ele se inclinou para lhe dar um beijo de boa-noite. Ela deixou que ele a beijasse na boca, um beijo rápido, e em seguida recuou. Dimka desceu do carro e andou até seu prédio.

Enquanto estava subindo no elevador, pensou na desculpa que daria para Nina por chegar tarde. Havia uma crise de verdade no Kremlin: a safra de trigo daquele ano tinha sido uma catástrofe, e o governo da URSS estava tentando desesperadamente comprar trigo estrangeiro para alimentar a população.

Quando ele entrou no apartamento, Grigor dormia e Nina estava em frente à TV. Ele lhe deu um beijo na testa e disse:

– Desculpe, tive de fazer serão. Tivemos de terminar um relatório sobre a safra ruim.

– Seu mentiroso cara de pau – retrucou ela. – Estão ligando do seu trabalho de dez em dez minutos atrás de você para avisar que o presidente Kennedy foi assassinado.

⁓

A barriga de Maria roncou. Ao olhar para o relógio, ela percebeu que tinha esquecido de almoçar. Estava muito entretida no trabalho, e fazia duas ou três horas que ninguém entrava naquela parte do arquivo para incomodá-la.

Abaixou a cabeça acima do antiquado livro-caixa que estava examinando, então tornou a erguê-la ao ouvir um barulho. Ficou espantada ao ver George Jakes, ofegante, com o paletó do terno molhado de suor e uma expressão atarantada.

– George! Como assim, o que... – Ela se levantou.

– Maria. Eu sinto muito.

Ele deu a volta na mesa e pousou as mãos nos ombros dela, gesto um pouco íntimo demais para sua amizade estritamente platônica.

– Sente por quê? O que você fez?

– Nada. – Ela tentou se desvencilhar, mas ele a segurou mais firme. – Ele levou um tiro – falou.

Maria viu que ele estava segurando o choro. Parou de resistir e chegou mais perto.

– Ele quem?

– Em Dallas – disse George.

Ela então começou a entender, e um medo terrível brotou dentro de seu corpo.

– Não.

George assentiu.

– O presidente morreu – contou ele, baixinho. – Eu sinto muito.

– Morreu – repetiu Maria. – Ele não pode ter morrido. – Sentiu uma fraqueza nas pernas e caiu de joelhos no chão. George se ajoelhou com ela e a abraçou. – Não, meu Johnny, não – disse ela, e um enorme soluço lhe escapou da garganta. Ela começou a gemer. – Johnny, meu Johnny. Por favor, não me deixe. Por favor, Johnny. Por favor, não vá embora.

O mundo escureceu à sua frente, ela desabou sem conseguir se sustentar, então fechou os olhos e perdeu os sentidos.

⁓

No palco do Jump Club, em Londres, o Plum Nellie tocou uma versão arrasadora de "Dizzy Miss Lizzy" e saiu de cena aos gritos de "Mais um!".

– Excelente, pessoal! Foi nosso melhor show! – disse Lenny na coxia.

Dave olhou para Walli e ambos sorriram. O grupo estava evoluindo depressa, e cada apresentação era melhor do que a anterior.

Dave ficou surpreso ao deparar com a irmã no camarim.

– Como foi a peça? – perguntou. – Sinto muito não ter conseguido ir.

– Interrompemos no primeiro ato – respondeu ela. – O presidente Kennedy foi assassinado com um tiro.

– O presidente? Quando foi isso?

– Há umas duas horas.

Dave pensou na mãe americana.

– Mamãe está chateada?

– Muito.

– Quem atirou nele?

– Ninguém sabe. Ele estava no Texas, em uma cidade chamada Dallas.

– Nunca ouvi falar.

O baixista Buzz perguntou:

– Que música a gente vai tocar no bis?

– A gente não pode fazer bis, seria um desrespeito. Kennedy foi assassinado. Precisamos fazer um minuto de silêncio ou algo assim.

– Ou então tocar uma música triste – sugeriu Walli.

– Dave, você sabe o que a gente deveria fazer – disse Evie.

– Sei? – Ele pensou por alguns segundos antes de arrematar: – Ah, é.

– Então vamos.

Os irmãos subiram no palco, e Dave plugou a guitarra. Postaram-se juntos diante do microfone. O resto do grupo ficou assistindo das coxias.

– Minha irmã e eu somos metade britânicos, metade americanos, mas hoje estamos nos sentindo muito americanos – disse Dave ao microfone. – A maioria de vocês já deve estar sabendo que o presidente Kennedy foi assassinado com um tiro.

Os vários arquejos ouvidos na plateia indicaram que algumas pessoas não sabiam, e a casa silenciou.

– Gostaríamos agora de tocar uma música especial, uma música para todos nós, mas especialmente para os americanos.

Ele tocou um acorde de sol.

Evie cantou:

Ó, digam se podem ver, à luz nascente da aurora,
O que com tanto orgulho anunciamos ao último brilho do entardecer,

Não se ouvia um barulho no recinto.

Cujas largas listras e radiantes estrelas, durante a perigosa luta,
Por cima das muralhas bastiões nós vimos, tremulando valorosa

A voz de Evie se ergueu, trêmula de emoção:

E o clarão vermelho do foguete, as bombas a explodir no ar
Demonstraram noite adentro que nossa bandeira lá estava

Dave viu que várias pessoas da plateia agora choravam.

Ó, digam se a bandeira estrelada ainda tremula
Acima da terra dos livres e do lar dos bravos.

– Obrigado por escutarem – agradeceu ele. – E que Deus abençoe os Estados Unidos.

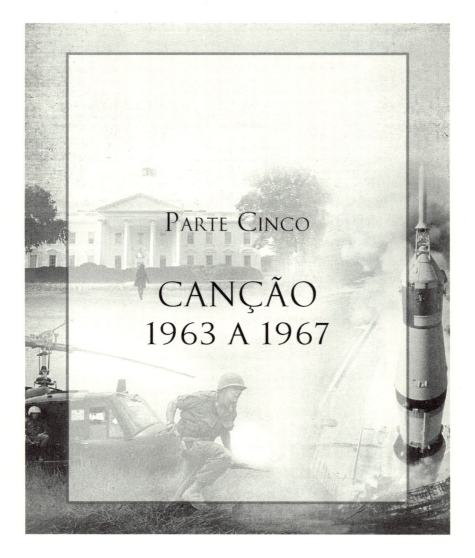

PARTE CINCO

CANÇÃO
1963 A 1967

CAPÍTULO TRINTA E UM

Maria não pôde ir ao enterro.
Apesar de o dia seguinte ao assassinato ter sido um sábado, ela foi trabalhar, como quase todos os funcionários da Casa Branca, e cumpriu suas funções na assessoria de imprensa com lágrimas escorrendo pelo rosto. Ninguém reparou: metade das pessoas também estava chorando.

Estava melhor ali do que sozinha em casa. O trabalho a distraía um pouco da dor, e não terminava nunca: a imprensa do mundo inteiro queria saber todos os detalhes sobre o enterro do presidente.

A televisão transmitiu tudo. Milhões de famílias americanas passaram o fim de semana inteiro sentadas em frente a seus aparelhos. O noticiário foi totalmente dedicado a matérias relacionadas ao assassinato e, entre um boletim e outro, eram passados documentários sobre John F. Kennedy, sua vida, sua família, sua carreira e seu mandato como presidente. Sem medo de parecer piegas, a TV retransmitiu as imagens felizes de Jack e Jackie cumprimentando a multidão na sexta de manhã no aeroporto de Love Field, uma hora antes do assassinato. Maria se lembrou de ter devaneado e pensado se gostaria de trocar de lugar com Jackie. Agora ambas o haviam perdido.

Ao meio-dia de domingo, no subsolo da delegacia de Dallas, o principal suspeito, Lee Harvey Oswald, foi assassinado, ao vivo na televisão, por um mafioso de segundo escalão chamado Jack Ruby, e um sinistro mistério veio se somar a uma tragédia insuportável.

No domingo à tarde, Maria perguntou a Nelly Fordham se elas precisavam de ingressos para o enterro.

– Ai, querida, desculpe, mas ninguém da assessoria está convidado – respondeu a secretária, em tom gentil. – Só Pierre Salinger.

Maria entrou em pânico. Seu coração palpitou. Como assim, não estaria presente quando baixassem o caixão do homem que amava?

– Mas eu tenho que ir! – falou. – Vou falar com Pierre.

– Maria, você não pode ir – disse Nelly. – De jeito nenhum.

Algo em seu tom de voz fez soar um alarme. Nelly não estava apenas dando um conselho. Soava quase assustada.

– Por que não? – perguntou Maria.

Nelly baixou a voz:

– Jackie sabe sobre você.

Era a primeira vez que alguém da assessoria reconhecia o fato de Maria ter um relacionamento com o presidente, mas, de tão abalada, ela mal notou isso.

– Ela não tem como saber! Eu sempre tomei cuidado.

– Não me pergunte como. Não faço ideia.

– Eu não acredito em você.

Nelly poderia ter ficado ofendida, mas apenas balançou a cabeça tristemente.

– Pelo pouco que entendo desse tipo de coisa, acho que a esposa sempre sabe.

Maria quis negar, indignada, mas então pensou nas secretárias Jenny e Jerry, nas socialites Mary Meyer e Judith Campbell, sem falar em outras. Tinha certeza de que todas elas transavam com o presidente. Não tinha provas, mas, quando as via, de alguma forma sabia. E Jackie também tinha intuição feminina.

Ou seja, ela não poderia comparecer ao enterro. Agora entendia isso. A viúva não podia ser obrigada a encarar a amante do marido em um momento como aquele. Maria compreendeu isso com plena e devastadora certeza.

Assim, passou a segunda-feira em casa e assistiu a tudo pela TV.

O corpo tinha sido velado na rotunda do Capitólio. Às dez e meia, o caixão envolto na bandeira americana foi carregado para fora do prédio e depositado em cima de uma espécie de carreta feita para transportar munição puxada por seis cavalos brancos. O cortejo então seguiu em direção à Casa Branca.

Dois homens vários centímetros mais altos do que os outros se destacavam na procissão fúnebre: Charles de Gaulle, presidente da França, e Lyndon Johnson, o novo presidente dos Estados Unidos.

Maria já não tinha mais lágrimas para chorar. Fazia quase três dias que soluçava sem parar. Ao olhar para a TV, tudo o que viu foi um desfile, um espetáculo organizado para o mundo assistir. Para ela, aquilo nada tinha a ver com tambores, bandeiras e uniformes. Ela perdera um homem caloroso, sorridente, sensual; um homem com problemas nas costas e leves rugas nos cantos dos olhos cor de avelã, que tinha uma coleção de patinhos de borracha na borda da banheira. Nunca mais o veria. A vida sem ele se estendia à sua frente, longa e vazia.

Quando as câmeras deram um close em Jackie, cujo lindo rosto era visível por baixo do véu, Maria achou que a ex-primeira-dama também parecia catatônica.

– Eu fiz mal a você – falou para a imagem na tela. – Que Deus me perdoe.

Levou um susto ao ouvir a campainha tocar. Era George Jakes.

– Você precisa de companhia para ver isso.

Ela sentiu uma onda de gratidão irrefreável. Sempre que precisava realmente de um amigo, George aparecia.

– Entre – falou. – Desculpe estar assim mal-arrumada.

Ela estava de camisola, com um roupão velho por cima.

– Para mim você está ótima. – George já a vira em situação bem mais deplorável.

Levara-lhe uns doces dinamarqueses dentro de um saco de papel. Maria os serviu num prato. Apesar de não ter tomado café, não comeu nenhum doce. Estava sem fome.

Segundo o comentário na TV, um milhão de pessoas margeava o trajeto do cortejo. O caixão foi levado da Casa Branca para a catedral de São Mateus, onde haveria uma missa.

Ao meio-dia, fizeram-se cinco minutos de silêncio e o tráfego no país inteiro parou. As câmeras mostraram multidões em pé nas ruas das cidades, imóveis. Era estranho estar em Washington sem ouvir carros lá fora. Em frente à TV do pequeno apartamento de Maria, os dois baixaram a cabeça. George segurou sua mão e ela sentiu por ele uma onda de afeto.

Terminado o silêncio de cinco minutos, ela passou um café. Seu apetite voltou e eles comeram os doces. Como não eram permitidas câmeras dentro da igreja, durante algum tempo não houve nada para assistir. Para distraí-la, George ficou falando, e ela gostou disso.

– Você vai ficar na assessoria? – perguntou ele.

Ela mal havia pensado no assunto, mas já sabia a resposta.

– Não. Vou sair da Casa Branca.

– Boa ideia.

– Tirando todo o resto, não vejo futuro para mim lá. Eles nunca promovem mulheres e não vou passar o resto da vida como pesquisadora. Trabalho no governo porque quero pôr a mão na massa.

– Tem uma vaga no Departamento de Justiça na qual talvez você se encaixe. – Ele falou como se esse pensamento houvesse acabado de lhe ocorrer, mas Maria desconfiou que ele já planejava dizer aquilo. – Para lidar com empresas que descumprem regulamentos do governo. Estão chamando o setor de conformidade. Pode ser interessante.

– Você acha que eu teria chance?

– Com diploma de Direito da Universidade de Chicago e dois anos de experiência na Casa Branca? Sem dúvida.

– Mas eles não contratam muitos negros.

– Sabe de uma coisa? Acho que talvez Lyndon Johnson mude isso.

– Sério? Mas ele é do Sul!

– Não julgue o homem pelas aparências. Para ser sincero, nosso pessoal o tratou muito mal. Bobby não o suporta, não me pergunte por quê. Vai ver é porque ele chama o próprio pinto de Jumbo.

Maria riu pela primeira vez em três dias.

— Está de brincadeira...

— Parece que é imenso. Quando ele quer intimidar alguém, puxa o pinto para fora e fala: "Este aqui é o Jumbo." É o que dizem.

Maria sabia que homens contavam histórias assim. Talvez fosse verdade, talvez não. Ficou séria outra vez.

— Todo mundo na Casa Branca acha que o comportamento de Johnson tem sido insensível, principalmente com os irmãos Kennedy.

— Eu não compro essa versão. Olhe aqui, quando o presidente tinha acabado de morrer e ninguém sabia o que fazer, o país ficou extremamente vulnerável. E se os soviéticos tivessem escolhido essa hora para tomar Berlim Ocidental? Nós somos o governo da nação mais poderosa do mundo e temos de fazer nosso trabalho sem parar um segundo sequer, por maior que seja a nossa dor. Lyndon segurou as rédeas na mesma hora, e foi ótimo ele ter feito isso, porque ninguém mais estava pensando em fazer.

— Nem Bobby?

— Muito menos Bobby. Você sabe que eu amo aquele homem, mas ele se rendeu completamente ao sofrimento. Está ocupado em consolar Jackie e planejar o enterro do irmão, não em governar os Estados Unidos. Para ser honesto, a maioria do nosso pessoal está agindo da mesma forma. Eles até podem achar que Lyndon está se comportando de modo insensível, mas eu acho que ele está agindo como um presidente.

Terminada a missa, o caixão foi levado para fora da igreja e recolocado sobre a carreta para o trajeto até o Cemitério Nacional de Arlington. Dessa vez, o cortejo formou uma longa fila de limusines pretas. A procissão passou pelo Memorial a Lincoln e atravessou o rio Potomac.

— E o que Johnson vai fazer em relação à proposta da Lei de Direitos Civis?

— É essa a grande questão. No momento, a proposta está condenada: ficou travada no Comitê de Tramitação, e o diretor, Howard Smith, se recusa até mesmo a dizer quando ela vai entrar em pauta.

Maria pensou no atentado à escola de catecismo. Como alguém podia tomar o partido daqueles racistas do Sul?

— O comitê não pode passar por cima dele?

— Em teoria, pode, mas os republicanos aliados aos democratas do Sul têm a maioria e eles sempre derrubam os direitos civis, pouco importa o que a população pense. Não entendo como essa gente pode fingir que acredita na democracia.

Na televisão, Jackie acendeu uma chama eterna que ficaria para sempre tremulando sobre o túmulo. George segurou a mão de Maria outra vez, e ela viu lágrimas em seus olhos. Os dois ficaram assistindo em silêncio enquanto o caixão era baixado devagar para dentro da cova.

Jack Kennedy se foi.

– Ai, meu Deus, o que vai acontecer com a gente agora? – perguntou Maria.

– Não sei – respondeu George.

⁂

Foi com relutância que George saiu do apartamento de Maria. A moça estava mais sensual do que imaginava com aquela camisola de algodão e aquele velho roupão de veludo, os cabelos soltos e crespos, em vez de alisados com esmero. Mas ela não precisava mais dele: naquela noite, tinha combinado encontrar Nelly Fordham e algumas outras funcionárias da Casa Branca em um restaurante chinês para um velório particular, de modo que não ficaria sozinha.

George foi jantar com Greg. Foram ao Occidental Grill, a poucos metros da Casa Branca. A aparência do pai o fez sorrir: como sempre, Greg estava usando roupas caras como se fossem andrajos. Sua gravata fininha de cetim preto estava torta, os punhos desabotoados, e o terno preto exibia uma marca branca na lapela. Por sorte, George não havia herdado o seu desleixo.

– Achei que a gente fosse precisar de um agrado – disse Greg.

Ele adorava restaurantes chiques e culinária refinada, e *esse* traço seu filho havia herdado. Pediram lagosta e Chablis.

George se sentia mais próximo do pai desde a crise dos mísseis em Cuba, quando o risco de aniquilação iminente fizera Greg abrir seu coração. Como filho ilegítimo, sempre tivera a sensação de ser um constrangimento e de que, quando Greg fazia o papel de pai, era por obrigação, sem entusiasmo. Depois daquela surpreendente conversa, porém, entendera que o pai o amava de verdade. Sua relação continuava pouco usual e um tanto distante, mas George agora acreditava que fosse fundamentada em sentimentos genuínos e duradouros.

Enquanto esperavam a comida, seu amigo Skip Dickerson se aproximou da mesa. Vestido para o enterro, usava um terno escuro e uma gravata preta que faziam forte contraste com os cabelos louros muito claros e a pele branca. Em seu sotaque arrastado do Sul, disse:

– Oi, George. Boa noite, senador. Posso me sentar um instante?
– Este é Skip Dickerson. Ele trabalha para Lyndon. Digo, para o presidente.
– Puxe uma cadeira – falou Greg.

Skip aproximou da mesa uma cadeira de couro vermelho, inclinou-se para a frente e se dirigiu a Greg em tom veemente:
– O presidente sabe que o senhor é cientista.

Ué, pensou George, que história é essa? Skip nunca perdia tempo com papo-furado.

Greg sorriu.
– Minha matéria principal na faculdade foi física, sim.
– O senhor se formou *summa cum laude* em Harvard.
– Lyndon se impressiona mais do que deveria com esse tipo de coisa.
– Mas o senhor foi um dos cientistas que desenvolveram a bomba atômica.
– É verdade, trabalhei no Projeto Manhattan.
– O presidente Johnson quer ter certeza de que o senhor aprova os planos para o estudo do Lago Erie.

George sabia a que Skip estava se referindo. O governo federal estava financiando um estudo para a orla da cidade de Buffalo que sem dúvida conduziria a um importante projeto de construção portuária, que poderia render milhões de dólares para várias empresas do norte do estado de Nova York.

– Bem, Skip, nós gostaríamos de ter certeza de que o estudo não vai ser podado no orçamento – rebateu Greg.
– Não vai, senador. O presidente considera esse projeto de alta prioridade.
– Folgo muito em ouvir isso, obrigado.

George tinha certeza de que aquela conversa não tinha nada a ver com ciência. Tinha a ver com o que os membros do Congresso chamavam de "carne de porco": a alocação de recursos federais para projetos em determinados estados favorecidos.

– Disponha, senador. Bom jantar para o senhor. Ah, antes de eu ir embora: podemos contar com seu apoio ao presidente naquele raio de Projeto de Lei do Trigo?

Os soviéticos tinham tido uma safra ruim e estavam desesperados para comprar trigo. Como parte do processo de tentar melhorar um pouco as relações com a URSS, o presidente Kennedy tinha lhes vendido o trigo excedente dos Estados Unidos a crédito.

Greg se recostou na cadeira e falou em tom reflexivo:
– Os membros do Congresso acham que, se os comunistas não conseguem

alimentar sua população, não cabe a nós ajudá-los. O Projeto de Lei do Trigo do senador Mundt cancelaria o acordo de Kennedy, e de certa forma eu acho que Mundt tem razão.

– E o presidente Johnson concorda com vocês! – falou Skip. – Ele com certeza não quer ajudar comunistas. Mas essa vai ser a primeira votação depois do enterro. Queremos mesmo que ela seja um tapa na cara do falecido presidente?

– É com isso mesmo que Johnson está preocupado? – interveio George. – Ou está querendo mandar um recado de que agora é ele quem manda na política externa e não vai aceitar que o Congresso questione cada centavo de cada decisão sua?

Greg deu uma risadinha.

– George, às vezes eu esqueço como você é inteligente. É exatamente isso que Lyndon está querendo.

– O presidente quer trabalhar muito próximo do Congresso em matéria de política externa – falou Skip. – Mas ele gostaria muito de poder contar com o seu apoio amanhã. Na opinião dele, seria um terrível acinte à memória de Kennedy se o Projeto de Lei do Trigo fosse aprovado.

Nenhum dos dois se sentia disposto a dizer o que realmente estava acontecendo ali, observou George. A verdade era que Johnson estava ameaçando cancelar o projeto do porto de Buffalo se Greg votasse a favor do Projeto de Lei do Trigo.

E Greg cedeu à pressão.

– Por favor, diga ao presidente que entendo a sua preocupação e que ele pode contar com meu voto – falou.

Skip se levantou.

– Obrigado, senador. Ele vai ficar muito satisfeito.

– Espere um instante, Skip... – disse George. – Sei que o presidente está ocupadíssimo, mas em algum momento dos próximos dias ele vai começar a pensar no Projeto de Lei dos Direitos Civis. Por favor, me ligue se achar que posso ajudar de alguma forma.

– Obrigado, George. Muito agradecido. – Skip se afastou.

– Você foi hábil – comentou Greg.

– Só queria ter certeza de que ele sabe que a porta está aberta.

– Esse tipo de coisa é muito importante em política.

A comida chegou. Depois que os garçons se retiraram, George pegou o garfo e a faca.

– Eu visto a camisa de Bobby Kennedy, sejam quais forem as circunstâncias – falou enquanto começava a retirar a carne da lagosta. – Mas Johnson não deve ser subestimado.

– Tem razão, mas também não o superestime.
– Como assim?
– Lyndon tem duas falhas. É intelectualmente fraco. Ah, sim, ele é astuto feito uma raposa, mas não é a mesma coisa. Ele fez magistério, nunca aprendeu raciocínio abstrato. Sente-se inferior a nós, que estudamos em Harvard, e tem razão em se sentir assim. A compreensão que ele tem de política internacional é fraca. Chineses, budistas, cubanos, bolcheviques... essas pessoas têm formas diferentes de pensar que ele nunca vai entender.
– E a segunda falha?
– Ele é moralmente fraco. Não tem princípios. O apoio dele aos direitos civis é genuíno, mas não é ético. Ele simpatiza com as pessoas de cor por serem subalternas, e considera-se ele próprio um subalterno por vir de uma família pobre do Texas. É uma reação instintiva.
George sorriu.
– Ele acabou de conseguir que você fizesse exatamente o que ele queria.
– Isso mesmo. Lyndon Johnson sabe manipular as pessoas, uma de cada vez. É o político parlamentar mais talentoso que já conheci. Mas não é um estadista. Jack Kennedy era o contrário: de uma incompetência lamentável ao lidar com o Congresso, mas espetacular no cenário internacional. Lyndon vai lidar com o Congresso de modo magistral, mas como líder do mundo livre? Tenho minhas dúvidas.
– Você acha que ele tem alguma chance de fazer o Projeto de Lei dos Direitos Civis passar pelo comitê de Howard Smith?
Greg abriu um sorriso.
– Mal posso esperar para ver o que Lyndon vai fazer. Coma sua lagosta.
No dia seguinte, a proposta de lei do senador Mundt sobre o trigo foi derrotada por 57 votos a 36.
A manchete da manhã subsequente foi:

PROJETO DE LEI DO TRIGO – PRIMEIRA VITÓRIA DE JOHNSON

⁓

O enterro havia terminado. Kennedy estava morto e Johnson era presidente. O mundo tinha mudado, mas George não sabia o que isso significava. Nem ele, nem ninguém. Que tipo de presidente Johnson daria? Em que ele seria diferente? Um homem que a maioria das pessoas não conhecia acabara de se tornar líder do mundo livre e chefe de sua mais poderosa nação. O que o novo presidente iria fazer?

Ele mesmo estava prestes a dizer.

O plenário da Câmara dos Representantes estava abarrotado. Holofotes de TV ofuscavam os deputados e senadores reunidos. Os juízes da Suprema Corte trajavam suas becas pretas, e os integrantes do Estado-Maior Conjunto reluziam de tantas medalhas.

George estava sentado ao lado de Skip Dickerson na galeria igualmente lotada, onde até os degraus dos corredores estavam ocupados. Observou Bobby Kennedy lá embaixo, em uma das pontas da fileira ocupada pelos membros do Gabinete, de cabeça baixa, fitando o chão. O secretário de Justiça havia emagrecido nos cinco dias desde o assassinato. Além disso, dera para usar as roupas do irmão morto, que não lhe serviam direito, o que aumentava a impressão de que havia encolhido.

No camarote presidencial estava sentada Lady Bird Johnson com as duas filhas, uma feia, a outra bonita; as três exibiam penteados fora de moda. No camarote junto com elas viam-se várias figuras importantes do Partido Democrata: o prefeito Daley, de Chicago; o governador Lawrence, da Pensilvânia; e Arthur Schlesinger, intelectual de estimação dos Kennedy, que, como George por acaso sabia, já estava planejando derrotar Johnson na próxima corrida presidencial. Surpreendentemente, havia também dois rostos negros no camarote. George sabia quem eram: Zephyr e Sammy Wright, cozinheira e chofer da família Johnson. Seria aquilo um bom sinal?

As grandes portas duplas se abriram. Um porteiro que atendia pelo cômico nome de Fishbait Miller, ou seja, "isca de peixe Miller", bradou:

– Sr. Presidente! O presidente dos Estados Unidos!

Então Lyndon Johnson entrou, e todos se levantaram e aplaudiram.

Duas perguntas preocupavam George em relação a Johnson, e ambas seriam respondidas nesse dia. A primeira era: será que ele iria abandonar a controversa Proposta de Lei de Direitos Civis? Os pragmáticos do Partido Democrata o pressionavam exatamente para isso. Se quisesse, Johnson teria uma bela desculpa: Kennedy não conseguira apoio para o projeto de lei no Congresso, e este estava fadado ao fracasso. O novo presidente tinha o direito de desistir por considerar o projeto ruim. Johnson poderia dizer que a legislação sobre a espinhosa e controversa questão da segregação precisava esperar até depois das eleições.

Se ele dissesse isso, o movimento pelos direitos civis retrocederia muitos anos. Os racistas cantariam vitória, a Ku Klux Klan sentiria que todos os seus atos se justificavam, e os corruptos policiais, juízes, religiosos e políticos brancos do Sul saberiam que podiam continuar perseguindo, espancando, torturando e assassinando negros sem temer a justiça.

Entretanto, se Johnson não dissesse isso e afirmasse seu apoio aos direitos civis, havia outra questão: será que ele teria autoridade para assumir o lugar de Kennedy? Essa pergunta também seria respondida na próxima hora, e as perspectivas eram ruins. Lyndon era um bom negociador individual, mas seu pior desempenho era quando se dirigia a grupos grandes em ocasiões formais – justamente o que teria de fazer dali a alguns minutos. Para o povo americano, aquela sua primeira aparição como líder o definiria, para o bem ou para o mal.

Skip Dickerson roía as unhas.

– Foi você quem escreveu o discurso?

– Algumas linhas. Foi um trabalho de grupo.

– O que ele vai dizer?

Nervoso, Skip balançou a cabeça.

– Espere e verá.

As pessoas que tinham experiência no universo da capital imaginavam que Johnson fosse se sair mal no discurso. Ele falava mal em público e era tedioso, duro. Às vezes atropelava palavras, outras vezes soava excessivamente solene. Quando queria enfatizar alguma coisa, gritava. Tinha gestos tão canhestros que chegava a ser constrangedor: erguia uma das mãos e esticava um dos dedos no ar, ou então levantava os dois braços para acenar com os punhos cerrados. Em geral, os pronunciamentos revelavam sua pior faceta.

George não conseguiu ler nada no comportamento do novo presidente quando este passou pela multidão que aplaudia, subiu no palanque, postou-se diante do púlpito e abriu um bloco de anotações preto de folhas soltas. Não demonstrou nem segurança nem nervosismo enquanto punha no nariz uns óculos sem armação e aguardava as palmas arrefecerem e a plateia se acalmar em seus lugares.

Por fim, começou o discurso. Em tom regular e contido, falou:

– Eu teria dado tudo o que tenho, de bom grado, para não estar em pé aqui hoje.

O plenário silenciou. Johnson havia tocado no ponto exato de humildade e tristeza. Bom começo, pensou George.

O presidente então prosseguiu na mesma linha, falando de modo lento e digno. Caso estivesse sentindo algum impulso para se afobar, controlava-o com firmeza. Usava terno e gravata azul-escuros e uma camisa de colarinho com presilha, estilo considerado formal no Sul. De vez em quando, olhava para um lado e outro, dirigindo-se ao plenário inteiro e parecendo ao mesmo tempo dominá-lo.

Em um eco às palavras de Martin Luther King, falou sobre sonhos: o sonho de Kennedy de conquistar o espaço, de proporcionar educação a todas as crianças, de criar uma força de paz.

– Esse é o nosso desafio. Não hesitar, não parar no meio, não ficar dando voltas nem nos demorar neste momento horrível, mas seguir nosso caminho para podermos cumprir o destino que a história nos determinou.

Os aplausos foram tantos que ele teve de parar.

Então disse:

– Nossas tarefas mais urgentes são aqui nesta colina.

Aquele era o ponto crucial. A colina do Capitólio, onde ficava o Congresso, havia travado uma guerra com o presidente durante a maior parte do ano de 1963. O Congresso tinha o poder de atrasar as leis e lançava mão dele com frequência, mesmo o presidente tendo feito campanha e angariado o apoio do público para seus planos. Desde que John Kennedy anunciara seu Projeto de Lei de Direitos Civis, o Congresso havia entrado em greve qual uma fábrica cheia de operários militantes, atrasando tudo, recusando-se obstinadamente a aprovar até mesmo os projetos de lei rotineiros, desdenhando a opinião pública e o processo democrático.

– Em primeiro lugar – disse Johnson, e George prendeu a respiração enquanto esperava para ouvir o que o novo presidente apresentaria como prioridade –, nenhuma prece comemorativa ou elegia poderia honrar de modo mais eloquente a memória de Kennedy do que a aprovação, quanto antes, do Projeto de Lei de Direitos Civis pelo qual ele lutou por tanto tempo.

George pulou da cadeira, batendo palmas de alegria. E ele não foi o único: os aplausos tornaram a encher o plenário, dessa vez por mais tempo do que antes.

Johnson esperou o barulho cessar, então retomou:

– Estamos falando sobre direitos civis neste país há tempo demais. Uns cem anos, no mínimo. Chegou a hora, *agora*, de escrever o próximo capítulo... e de escrevê-lo nos livros da lei.

Mais aplausos.

Eufórico, George olhou para os poucos rostos negros presentes no plenário: cinco deputados, entre eles Guy Hawkins, da Califórnia, que na realidade tinha cara de branco; o casal Wright, no camarote presidencial, que batia palmas; alguns outros espalhados pelos espectadores na galeria. Todos exibiam alívio, esperança e satisfação.

Seu olhar então recaiu nas fileiras de assentos atrás dos membros do Gabinete, onde os senadores mais antigos, a maioria do Sul, exibiam semblantes sérios e ressentidos.

Nenhum deles estava aplaudindo.

∽

Seis dias depois, na pequena sala ao lado do Salão Oval, Skip Dickerson explicou a George o que estava acontecendo:
– Nossa única chance é um abaixo-assinado de desencargo.
– O que é isso?
O rapaz louro afastou dos olhos uma mecha de cabelos.
– Uma resolução aprovada pelo Congresso que retira do Comitê de Tramitação o controle do projeto de lei e o força a ser debatido em sessão plenária.
George ficou frustrado por aqueles procedimentos arcaicos precisarem ser respeitados para impedir o avô de Maria de ser jogado na prisão por tentar tirar o título de eleitor.
– Nunca ouvi falar – comentou.
– Precisamos da maioria dos votos. Os democratas do Sul vão votar contra, então pelos nossos cálculos faltam 58 votos.
– Que merda... Precisamos do apoio de 58 republicanos para podermos fazer a coisa certa?
– Isso mesmo. E é aí que você entra na jogada.
– Eu?
– Vários republicanos alegam apoiar os direitos civis. Afinal de contas, o partido deles é o mesmo de Abraham Lincoln, que aboliu a escravatura. Queremos que Martin Luther King e todos os líderes negros liguem para seus aliados republicanos, expliquem a situação e lhes digam para votar no abaixo-assinado. O recado é: ninguém pode ser a favor dos direitos civis sem ser a favor do abaixo-assinado.
George assentiu.
– Ótimo.
– Alguns vão dizer que são a favor dos direitos civis, mas não gostam desse atalho burocrático. Eles precisam entender que o senador Howard Smith é um segregacionista linha-dura, que vai garantir que o seu comitê fique debatendo a tramitação até ser tarde demais para aprovar o projeto. O que ele está fazendo não é *atraso*, é *sabotagem*.
– Ok.

Uma secretária espichou a cabeça para dentro da sala e disse:

– Ele vai recebê-los agora.

Os dois se levantaram e entraram no Salão Oval.

Como sempre, George levou um susto com o tamanho de Lyndon Johnson. O novo presidente tinha 1,90 metro, mas a altura era só parte da questão. Sua cabeça era grande; o nariz, comprido; os lóbulos de suas orelhas pareciam duas panquecas. Ele apertou a mão de George e a manteve assim enquanto segurava seu ombro com a outra mão, examinando-o de perto o suficiente para deixá-lo constrangido com tanta intimidade.

– George, pedi a todo o pessoal de Kennedy que ficasse na Casa Branca e me ajudasse – disse o novo presidente. – Você estudou em Harvard, e eu na Escola Normal Estadual do Sudoeste do Texas. Preciso mais de vocês do que ele, entende?

George não soube o que responder. Aquele nível de humildade era constrangedor. Após hesitar por alguns instantes, falou:

– Estou aqui para ajudá-lo de todas as formas que puder, presidente.

A essa altura, mil pessoas já deviam ter dito a mesma coisa ou algo parecido, mas Johnson reagiu como se fosse a primeira vez que ouvia aquelas palavras.

– Fico muito agradecido por você dizer isso, George – falou, com fervor. – Obrigado. – Então entrou direto no assunto: – Muitas pessoas me pediram para suavizar o Projeto de Lei de Direitos Civis e torná-lo mais fácil para os sulistas engolirem. Sugeriram que eu retirasse a proibição de segregação em estabelecimentos públicos de hospedagem. Não estou disposto a fazer isso por dois motivos. Um: eles vão odiar o projeto de lei quer ele seja firme ou suave, e não acho que vão apoiá-lo, por mais que eu apare as arestas.

George achou aquilo bem sensato.

– Se vai haver briga, o senhor prefere brigar pelo que realmente quer.

– Exatamente. E agora vou lhe dizer o meu segundo motivo. Eu tenho uma amiga e funcionária chamada Zephyr Wright.

George se lembrava do casal Wright, sentado no camarote presidencial da Câmara dos Representantes.

– Uma vez, quando ela estava indo para o Texas de carro, pedi que levasse meu cachorro. Ela respondeu: "Por favor, não me peça uma coisa dessas." Tive de perguntar por quê. "Passar pelo Sul já é difícil o suficiente pelo simples fato de a pessoa ser negra", respondeu ela. "É difícil encontrar um lugar para comer, dormir, e até para ir ao banheiro. Com um cachorro, vai ser impossível." Fiquei chateado, George; quase chorei. A Sra. Wright se formou na faculdade, sabia? Foi aí que percebi como os estabelecimentos públicos de hospedagem são importantes quando o assunto é segregação. Sei o que é ser tratado como inferior, George, e com certeza não desejo esse tratamento para mais ninguém.

– É bom ouvir isso.

George sabia que estava sendo seduzido. Johnson continuava segurando sua mão e seu ombro e ainda estava um pouco perto demais; seus olhos escuros o fitavam com uma intensidade impressionante. Ainda que George percebesse, a estratégia do presidente estava dando certo. Ficou comovido com a história da cozinheira e acreditou em Johnson quando ele afirmou saber o que era ser tratado como inferior. Sentiu uma onda de admiração e afeto por aquele homem grande, desengonçado e emotivo que parecia estar do lado dos negros.

– Vai ser dureza, mas acho que podemos ganhar – disse o presidente. – Dê o melhor de si, George.

– Sim, presidente. Darei.

↬

George explicou a estratégia do presidente Johnson a Verena Marquand pouco antes de Martin Luther King entrar no Salão Oval. Verena estava lindíssima com uma capa de chuva de PVC vermelho-vivo, mas pela primeira vez George não se distraiu com sua beleza.

– Temos que dedicar força total a essa tentativa – disse ele com urgência. – Se o abaixo-assinado não der certo, o projeto de lei já era, e os negros do Sul vão voltar à estaca zero.

Ele lhe entregou uma lista de membros republicanos do Congresso que ainda não tinham assinado.

Ela ficou impressionada.

– Kennedy costumava nos falar sobre votos, mas nunca apresentou uma lista como esta.

– Lyndon é assim – explicou George. – Se os vice-líderes do partido lhe dizem quantos votos acham que têm, ele responde: "Achar não basta, eu quero saber!" Ele precisa dos nomes. E tem toda razão. É um assunto importante demais para meras suposições.

Ele lhe disse que os líderes do movimento pelos direitos civis precisavam pressionar os republicanos liberais.

– Cada um desses nomes tem que receber uma ligação de alguém cuja aprovação seja importante para eles.

– É isso que o presidente vai dizer ao Dr. King agora?

– Exatamente.

Johnson tinha falado com todos os líderes mais importantes do movimento, um por um. Jack Kennedy os teria chamado todos juntos para uma sala, mas o novo presidente não conseguia fazer sua magia funcionar tão bem com grupos grandes.

– Johnson acha que os líderes do movimento vão conseguir fazer todos esses republicanos mudarem de ideia? – perguntou Verena, cética.

– Não sozinhos, mas ele está recrutando outras pessoas para ajudar. Está falando com todos os líderes sindicalistas. Hoje de manhã tomou café com George Meany.

Admirada, Verena balançou a cabeça.

– Energia ele tem, não se pode negar. – Ela adotou um ar pensativo. – Por que Kennedy não podia ter feito isso tudo?

– Pelo mesmo motivo que Lyndon não veleja: ele não sabia como.

A reunião de Johnson com King correu bem, mas na manhã seguinte o otimismo de George foi prejudicado por um revés segregacionista.

Republicanos importantes denunciaram o abaixo-assinado. McCullough, de Ohio, disse que o documento irritava pessoas que de outra forma teriam apoiado o projeto de lei. Gerald Ford declarou à imprensa que o Comitê de Tramitação devia ter tempo para conduzir audiências, o que era uma baboseira: todos sabiam que Smith queria matar o projeto, não debatê-lo. Mesmo assim, os jornalistas foram informados de que o abaixo-assinado havia fracassado.

Mas Johnson não se deixou abater. Na quarta-feira de manhã, conversou com o Conselho Consultivo Profissional, composto por 89 dos mais importantes donos de empresas do país, e disse:

– Eu sou o único presidente que vocês têm; se me fizerem fracassar, vocês também vão fracassar, porque o país inteiro vai fracassar.

Então discursou para o conselho executivo da AFL-CIO, a maior federação sindicalista:

– Eu preciso de vocês, quero vocês e acho que vocês devem ficar do meu lado.

Foi aplaudido de pé e os 33 lobistas da indústria do aço invadiram a colina do Capitólio.

George estava se sentando com Verena para jantar em um dos restaurantes ali perto quando Skip Dickerson passou por sua mesa e cochichou:

– Clarence Brown foi falar com Howard Smith.

– Brown é o republicano mais antigo do comitê de Smith – explicou George a Verena. – Ou ele vai dizer ao colega para aguentar firme e ignorar os lobistas, ou então... vai dizer que os republicanos não podem segurar essa pressão por muito mais tempo. Se duas pessoas do comitê se virarem contra Smith, as decisões dele podem ser derrotadas pelo voto da maioria.

– Será que tudo vai se resolver tão depressa? – indagou ela, maravilhada.
– Smith talvez saia do comitê antes de ser tirado. Vai parecer mais digno.
George empurrou o prato para longe. A tensão havia lhe tirado o apetite.
Meia hora mais tarde, Dickerson tornou a aparecer.
– Smith desistiu – anunciou. – Vai fazer uma declaração formal amanhã.
E ele seguiu em frente para espalhar a notícia.
George e Verena sorriram um para o outro.
– Bom, que Deus abençoe Lyndon Johnson – disse ela.
– Amém. Precisamos comemorar.
– O que você quer fazer?
– Vamos lá para casa. Eu penso em alguma coisa.

CAPÍTULO TRINTA E DOIS

O colégio de Dave não tinha uniforme, mas os alunos que se vestiam com exagero eram motivo de chacota. Dave teve de aguentar algumas zombarias no dia em que apareceu usando um paletó jaquetão, camisa de gola comprida e pontuda, gravata de estampa *paisley* e uma calça azul de cintura baixa com cinto de plástico branco. Nem ligou para as provocações. Tinha uma missão a cumprir.

Já fazia anos que o grupo de Lenny orbitava na periferia da cena musical. Se nada mudasse, eles poderiam passar mais dez anos tocando rock 'n' roll em casas de show e pubs. Mas em 1964 Dave queria mais do que isso, e o jeito de avançar era gravando um disco.

Depois das aulas, pegou o metrô até Tottenham Court Road e foi a pé da estação até um endereço na Denmark Street. No térreo do edifício ficava uma loja de guitarras, mas uma porta ao lado desta ocultava uma escada que levava a um escritório, cuja plaquinha na porta informava: CLASSIC RECORDS.

Dave tinha conversado com Lenny sobre conseguir um contrato para gravar um disco, mas seu primo se mostrara pessimista.

– Já tentei – dissera ele. – Não dá nem para passar pela porta. É um círculo fechado.

Não fazia sentido. Tinha de haver um jeito de entrar, do contrário ninguém jamais gravaria discos. No entanto, Dave sabia que não adiantava ficar argumentando com Lenny, então decidiu fazer tudo sozinho.

Começou estudando os nomes das gravadoras das paradas de sucessos, exercício complicado, já que havia muitos selos, porém todos pertenciam a poucas gravadoras. A lista telefônica o ajudou a listá-las, e ele escolheu a Classic como alvo.

Ligou para o telefone da gravadora e disse:

– Aqui é do setor de Achados e Perdidos da British Airways. Encontramos uma fita em uma caixa em que estava escrito "Diretor Artístico e de Gravação, Classic Records". Para quem devemos mandá-la?

A moça que atendeu lhe deu um nome e aquele endereço na Denmark Street.

No alto da escada estava sentada uma recepcionista, provavelmente a mesma com quem ele havia falado ao telefone. Adotando uma atitude confiante, ele usou o nome que ela lhe dera.

– Vim falar com Eric Chapman.

– Qual é o seu nome?

– Dave Williams. Diga que Byron Chesterfield me mandou.

Era mentira, mas ele não tinha nada a perder.

A recepcionista sumiu por uma porta. Dave olhou em volta. A recepção estava decorada com discos de ouro e de prata enquadrados. Uma foto assinada de Percy Marquand, o Bing Crosby negro, dizia: "Para Eric, obrigado por tudo." Ele reparou que todos os discos tinham pelo menos cinco anos. Eric precisava de novos talentos.

Começou a ficar nervoso. Não estava acostumado a enganar os outros. Disse a si mesmo para não ser tímido. Não estava burlando a lei. Se fosse pego, o pior que poderia acontecer era lhe dizerem para ir embora e parar de fazer os outros perderem tempo. Valia a pena correr o risco.

A secretária reapareceu e um homem de meia-idade surgiu no vão da porta. Usava um cardigã verde por cima de uma camisa branca e de uma gravata sem graça. Tinha os cabelos ralos e grisalhos. Apoiado no batente, olhou Dave de cima a baixo, e depois de alguns instantes falou:

– Quer dizer que Byron mandou você?

Seu tom era cético: estava claro que não acreditava nessa história. Dave evitou repetir a mentira contando outra:

– Ele disse: "A EMI tem os Beatles, a Decca tem os Rolling Stones, a Classic precisa do Plum Nellie."

Byron não dissera nada disso; Dave tinha entendido sozinho lendo a imprensa especializada.

– Plum o quê?

Ele entregou a Chapman uma foto do grupo.

– Fizemos uma temporada no The Dive de Hamburgo, igual aos Beatles, e também já tocamos no Jump Club de Londres, igual aos Stones.

Espantou-se por ainda não ter sido posto para fora e se perguntou quanto tempo ainda duraria sua sorte.

– De onde você conhece Byron?

– Ele é nosso agente. – Outra mentira.

– Que música vocês tocam?

– Rock 'n' roll, mas com muitas harmonias vocais.

– Igual a todas as outras bandas pop do momento.

– Só que somos melhores.

Houve um longo intervalo. Dave estava feliz pelo simples fato de Chapman conversar com ele. "Não dá nem para passar pela porta", dissera Lenny. Bem, nisso ele havia provado que o primo estava errado.

Então Chapman falou:

– Você é um cascateiro sem-vergonha.

Dave abriu a boca para protestar, mas o executivo ergueu uma das mãos para silenciá-lo.

– Chega de mentiras. Byron não é seu agente nem mandou você aqui. Vocês podem até ter se encontrado, mas ele não disse que a Classic Records precisa do Plum Nellie.

Dave não respondeu. Tinha sido desmascarado. Que humilhação! Havia tentado entrar em uma gravadora com um blefe e fracassara.

– Qual é o seu nome, mesmo?

– Dave Williams.

– E o que você quer de mim, Dave?

– Um contrato de gravação.

– Que surpresa!

– Faça um teste com a gente. Juro que não vai se arrepender.

– Vou lhe contar um segredo, Dave. Quando eu tinha 18 anos, consegui meu primeiro emprego em um estúdio dizendo que era eletricista qualificado. A única qualificação que eu tinha era o piano aprendido na escola.

O coração de Dave se encheu de esperança.

– Gostei da sua ousadia – continuou Chapman. – Se pudesse voltar os ponteiros do relógio, eu bem que gostaria de virar outra vez um jovem que não deixa passar as oportunidades – acrescentou, com certa tristeza.

Dave prendeu a respiração.

– Eu faço um teste com vocês.

– Obrigado!

– Apareçam no estúdio depois do Natal. – Ele indicou a recepcionista com um gesto do polegar. – Cherry vai marcar uma hora para vocês.

Então voltou para a sala e fechou a porta.

Dave mal conseguia acreditar na própria sorte. Suas mentiras bobas tinham sido desmascaradas, mas ainda assim ele conseguira um teste!

Marcou uma hora provisória com Cherry e disse que telefonaria para confirmar depois de checar com os outros músicos. Então voltou para casa pisando em nuvens.

Assim que chegou à Great Peter Street, pegou o telefone do hall e ligou para Lenny.

– Consegui um teste para a gente na Classic Records! – falou, exultante.

O primo não se mostrou tão animado quanto ele esperava.

– Quem mandou você fazer isso?

Lenny estava mordido porque fora Dave quem tomara a iniciativa. Mas o rapaz se recusou a deixar que o primo o desanimasse.

– O que a gente tem a perder?

– Como você conseguiu?

– Blefando. Falei com Eric Chapman e ele concordou.

– Que sorte... Às vezes acontece.

– É – disse Dave, mas o que pensou foi: nem sorte eu teria tido se tivesse ficado com a bunda sentada.

– A Classic na verdade não é um selo de pop – falou Lenny.

– É por isso que ela precisa da gente. – Dave estava perdendo a paciência. – Lenny, como é que uma coisa dessas pode ser ruim?

– Não, tudo bem, vamos ver se dá em alguma coisa.

– Agora a gente precisa decidir o que tocar no teste. A secretária me disse que podemos gravar duas músicas.

– Bom, a gente deveria tocar "Shake, Rattle and Roll", claro.

O coração de Dave murchou.

– Por quê?

– É nosso melhor número. Sempre cai bem.

– Você não acha meio antiquada?

– É um clássico.

Dave sabia que não podia brigar com Lenny por causa daquilo, pelo menos não agora. Seu primo já tinha engolido o orgulho uma vez. Podia ser pressionado, mas não demais. Eles teriam a chance de tocar duas músicas; quem sabe a segunda pudesse ser mais especial.

– Que tal um blues? – sugeriu, desesperado. – Para contrastar. Mostrar o nosso leque.

– É. "Hoochie Coochie Man".

Essa era um pouco melhor, mais parecida com o repertório que os Rolling Stones andavam tocando.

– Certo – concordou Dave.

Foi até a sala, onde encontrou Walli com uma guitarra sobre os joelhos. O rapaz alemão estava morando com a família Williams desde que viera de Hamburgo com o grupo. Ele e Dave muitas vezes tocavam e cantavam naquela mesma sala, entre as aulas e o jantar.

Dave lhe contou a novidade. Walli ficou feliz, mas preocupado com a escolha de repertório de Lenny.

– Duas músicas que foram hits nos anos 1950 – falou.

Seu inglês estava melhorando depressa.

– Lenny é o líder do grupo – disse Dave, impotente. – Se achar que pode fazê-lo mudar de ideia, por favor, tente.

Walli deu de ombros. Apesar de ótimo músico, era um pouco passivo, na opinião de Dave. Evie dizia que todo mundo era passivo em comparação com a família Williams.

Estavam os dois debatendo o gosto de Dave quando sua irmã entrou com Hank Remington. Apesar da estreia catastrófica no dia do assassinato de Kennedy, *O julgamento de uma mulher* era um sucesso. Hank estava gravando um disco novo com os Kords. O casal passava as tardes juntos, depois cada um ia cuidar da sua vida.

Hank estava usando uma calça de veludo molhado de cintura baixa e uma camisa de bolinhas. Enquanto Evie subia para se trocar, ele se sentou com Dave e Walli. Como sempre, mostrou-se simpático e divertido, e contou histórias sobre a turnê dos Kords.

Pegou a guitarra de Walli, dedilhou distraidamente alguns acordes e perguntou:

– Querem ouvir uma música nova?

É claro que eles queriam.

Era uma balada sentimental chamada "Love Is It", "o amor é tudo", que agradou na hora. Uma bela melodia, com um pouco de *shuffle* na batida. Os rapazes lhe pediram para tocar de novo e ele tocou.

– Que acorde foi esse no começo do *bridge*? – quis saber Walli.

– Dó sustenido menor.

Hank lhe mostrou como fazer, em seguida lhe passou a guitarra. Walli tocou os acordes, e Hank cantou a balada pela terceira vez. Dave improvisou uma harmonia.

– Ficou legal – comentou Hank. – Pena que a gente não vai gravar.

– Como assim? – indagou Dave, sem acreditar. – Essa música é linda!

– Os Kords acham piegas. Segundo eles, a gente toca rock, não vai querer ficar parecendo Peter, Paul e Mary.

– Pois eu acho essa música um sucesso – insistiu Dave.

Sua mãe pôs a cabeça para dentro da sala.

– Walli, telefone. Da Alemanha.

Devia ser Rebecca, pensou Dave, a irmã de Walli que morava em Hamburgo. Sua família em Berlim Oriental não podia lhe telefonar: o regime comunista não permitia telefonemas para o Ocidente.

Enquanto Walli estava fora da sala, Evie desceu. Tinha prendido os cabelos e estava de calça jeans e camiseta, pronta para os maquiadores e figurinistas começarem seu trabalho. Hank a deixaria no teatro a caminho do estúdio.

Dave estava distraído pensando em "Love Is It", uma excelente música que os Kords não queriam.

Walli voltou, seguido por Daisy.

– Era Rebecca – falou.

– Gostei de Rebecca – comentou Dave, lembrando-se das costeletas de porco e das batatas fritas.

– Ela acabou de receber uma carta de Berlim Oriental, muito atrasada, escrita por Karolin. – Walli fez uma pausa. Parecia estar tomado pela emoção. Por fim, conseguiu recuperar a voz: – Ela teve o bebê. É uma menina.

Todos pularam da cadeira para lhe dar os parabéns. Daisy e Evie lhe deram um beijo.

– Quando foi isso? – quis saber Daisy.

– Dia 22 de novembro. É fácil lembrar: foi no dia do assassinato de Kennedy.

– E qual o peso da menina?

– O peso? – repetiu Walli, como se fosse uma pergunta incompreensível.

Daisy riu.

– É uma informação que sempre se dá sobre os recém-nascidos.

– Não perguntei.

– Deixe para lá. E o nome dela?

– Karolin sugeriu Alice.

– Lindo nome – disse Daisy.

– Ela vai me mandar uma foto. Da minha filha – acrescentou, meio tonto. – Mas vai mandar por Rebecca, porque as cartas para a Inglaterra ficam retidas mais tempo ainda na censura.

– Mal posso esperar para ver a foto! – exclamou Daisy.

Hank chacoalhou as chaves do carro, impaciente. Talvez achasse chato aquele papo sobre bebês. Ou então, pensou Dave, talvez não gostasse do fato de a neném roubar as atenções dele.

– Ai, meu Deus, perdi a hora! – exclamou Evie. – Tchau, todo mundo. E parabéns de novo, Walli.

Quando o casal estava de saída, Dave perguntou:

– Hank, o Kords não vai mesmo gravar "Love Is It"?

– Não. Quando aqueles caras são contra alguma coisa, eles sabem ser teimosos.

– Nesse caso... será que Walli e eu poderíamos ficar com ela para o Plum Nellie? Vamos fazer um teste na Classic Records em janeiro.

– Claro – disse Hank, dando de ombros. – Por que não?

⁓

No sábado de manhã, Lloyd Williams chamou o filho para ir ao seu escritório.

Dave estava de saída. Vestia um suéter com listras horizontais azuis e brancas, calça jeans e jaqueta de couro.

– Para quê? – perguntou, belicoso. – Você não está mais me dando mesada.

O dinheiro que ele ganhava tocando com o Plum Nellie não era grande coisa, mas bastava para pagar suas passagens de metrô, suas bebidas e, de vez em quando, uma camisa ou um novo par de botas.

– O dinheiro é o único motivo para falar com seu pai?

Dave deu de ombros e o seguiu para dentro do escritório, mobiliado com uma escrivaninha antiga e algumas cadeiras de couro. Um fogo ardia na lareira. Uma foto de Lloyd em Cambridge nos anos 1930 enfeitava a parede. Aquele cômodo era um santuário de tudo o que estava fora de moda. Um cheiro de coisa ultrapassada pairava no ar.

– Encontrei Will Furbelow no Reform Club ontem – disse Lloyd.

Era o diretor da escola de Dave. Por ser careca e se chamar Furbelow, que significava "pelo embaixo", era naturalmente conhecido como Nada em Cima.

– Segundo ele, você corre o risco de ser reprovado em todas as provas.

– Ele nunca foi um grande fã meu.

– Se for reprovado, não vai poder continuar estudando lá. Vai ser o fim da sua instrução formal.

– Graças a Deus.

Lloyd não se deixou provocar.

– Você não vai poder exercer nenhuma profissão, de contador a zoólogo. Todas elas exigem que se passe em provas. A outra possibilidade é você aprender um ofício. Poderia aprender a fazer alguma coisa útil e seria bom pensar no que poderia agradá-lo: pedreiro, cozinheiro, mecânico de automóveis...

Dave achou que o pai estivesse maluco.

– Pedreiro? – repetiu. – Ei, você sabe quem eu sou? Meu nome é Dave.

– Não faça essa voz de incrédulo. São trabalhos que as pessoas fazem quando não conseguem passar em provas. Abaixo desse nível, você poderia ser vendedor de loja ou operário de fábrica.

– Não acredito que estou ouvindo isso.

– Eu estava com medo de você reagir assim, fechando os olhos para a realidade.

Quem estava fechando os olhos era Lloyd, pensou Dave.

– Entendo que você esteja passando da idade em que posso esperar que me obedeça. – Isso o deixou espantado; era uma abordagem nova. Ele não disse nada. – Mas quero que entenda bem a situação em que estamos. Quando você sair do colégio, espero que arrume um trabalho.

– Eu já trabalho, e bastante, por sinal. Toco três noites por semana, e Walli e eu começamos a tentar compor.

– O que eu quero dizer é que espero que você se sustente. Apesar de a sua mãe ter herdado dinheiro, nós dois concordamos tempos atrás que nunca iríamos sustentar filhos ociosos.

– Eu não sou ocioso.

– Você acha que o que faz é trabalho, mas o mundo talvez não veja as coisas assim. De toda forma, se quiser continuar morando aqui, vai ter que pagar a sua parte.

– Um aluguel, você quer dizer?

– Pode chamar assim, se quiser.

– Jasper nunca pagou aluguel. E mora aqui há anos!

– Ele ainda está na universidade. E passa nas provas.

– E Walli?

– Walli é um caso especial por causa da situação pela qual passou, mas em algum momento vai ter que pagar a parte dele, também.

Dave estava refletindo sobre as implicações daquilo.

– Quer dizer que, se eu não virar pedreiro ou atendente de loja, nem ganhar dinheiro suficiente com o grupo para pagar aluguel...

– Vai ter que procurar outro lugar para morar.

– Você vai me pôr na rua.

Lloyd exibia uma expressão sofrida.

– A vida inteira você teve tudo de bandeja: uma casa linda, uma escola excelente, a melhor comida, aulas de piano, férias para esquiar. Mas isso foi quando era criança. Agora já é quase adulto e precisa encarar a realidade.

– A minha realidade, não a sua.

– Você desdenha o trabalho que as pessoas normais fazem. É diferente, um rebelde. Tudo bem. Rebeldes pagam um preço. É algo que mais cedo ou mais tarde você vai ter que aprender. Só isso.

Dave passou alguns instantes sentado, pensativo. Então se levantou.

– Muito bem. Recado recebido. – Ele andou até a porta.

Quando estava saindo, olhou para trás e viu o pai olhando para ele com uma expressão esquisita.

Ficou pensando nisso enquanto saía de casa e batia a porta da frente com força. Que olhar era aquele? O que significava?

Ainda estava pensando nisso ao comprar a passagem de metrô. Ao descer pela escada rolante, viu o anúncio de uma peça chamada *Casa dos corações partidos*. Era isso, pensou. Era essa a expressão de seu pai.

Lloyd estava com o coração partido.

⁓

Walli recebeu pelo correio uma pequena foto colorida de Alice e a examinou com grande interesse. Era a imagem de um bebê como qualquer outro: rostinho cor-de-rosa minúsculo, olhos azuis alertas, um capacete de cabelos castanho-escuros, pescoço todo vermelho. O restante estava envolto em uma manta azul-clara. Mesmo assim, Walli foi dominado por um sentimento de amor e por uma súbita necessidade de proteger e cuidar daquela criaturinha indefesa que ajudara a conceber.

Imaginou se algum dia iria vê-la.

Junto com a foto da bebê havia um recado de Karolin. Ela dizia que o amava, que estava com saudades e que pediria permissão ao governo da Alemanha Oriental para emigrar para o Ocidente.

Na foto, ela encarava a câmera com a menina no colo. Tinha engordado um pouco e seu rosto agora estava mais redondo. Em vez de o emoldurarem como duas cortinas, seus cabelos estavam presos. Ela não se parecia mais com todas as outras meninas bonitas do clube de *folk* Minnesänger. Agora era mãe. E aos olhos de Walli isso a tornava ainda mais desejável.

Ele mostrou a foto para Daisy.

– Que bebê mais linda! – exclamou ela.

Walli sorriu, embora na sua opinião nenhum bebê fosse lindo, nem mesmo sua filha.

– Acho que ela tem os seus olhos, Walli – continuou Daisy.

Os olhos de Walli tinham um leve aspecto oriental. Ele imaginava que algum antepassado distante devesse ter sido chinês. Não sabia dizer se os olhos de Alice eram parecidos.

– E esta é Karolin – prosseguiu Daisy, embevecida. Era a primeira vez que a via, pois Walli não tinha outras fotos. – Que moça bonita.

– Espere só até vê-la arrumada – disse Walli, orgulhoso. – As pessoas param para olhar.

– Espero que um dia possamos vê-la.

Uma sombra recaiu sobre a felicidade do rapaz, como se uma nuvem houvesse escondido o sol.

– Eu também – disse ele.

Walli acompanhava as notícias de Berlim Oriental lendo os jornais alemães na biblioteca pública, e muitas vezes questionava Lloyd Williams, cuja especialidade era a política externa. Sabia que sair da Alemanha Oriental estava se tornando cada vez mais difícil: o Muro estava ficando maior e mais formidável, com mais guardas e mais torres. Karolin jamais tentaria fugir, sobretudo agora, com a filha. Mas talvez houvesse outro jeito. Oficialmente, o governo alemão-oriental não dizia se a emigração legal era possível; na verdade, não dizia nem que departamento processava os pedidos. Mas Lloyd ficara sabendo pela embaixada britânica em Bonn que umas dez mil pessoas por ano recebiam autorização para emigrar. Talvez Karolin pudesse ser uma delas.

– Um dia, tenho certeza – disse Daisy, mas estava apenas sendo simpática.

Walli mostrou a foto para Evie e Hank Remington, que liam um roteiro sentados na sala. Os Kords estavam planejando fazer um filme, e Hank queria que Evie o estrelasse. Eles largaram os papéis para se embevecer com a neném.

– É hoje o nosso teste na Classic Records – disse Walli para Hank. – Vou encontrar Dave depois do colégio.

– Boa sorte – desejou Hank. – Vão tocar "Love Is It"?

– Espero que sim. Lenny quer tocar "Shake, Rattle and Roll".

Hank balançou a cabeça, fazendo os cabelos ruivos compridos ondularem de um jeito que já tinha arrancado gritos de alegria de milhões de adolescentes.

– Que antiquado!

– Eu sei.

Pessoas viviam entrando e saindo da casa da Great Peter Street, e nessa hora Jasper entrou com uma mulher que Walli nunca tinha visto antes.

– Esta é Anna, minha irmã – apresentou.

Anna era uma bela moça de 20 e poucos anos e olhos escuros. Jasper também era bonito; a família devia ser atraente, pensou Walli. Anna tinha o corpo cheio de curvas, um tipo fora de moda agora que todas as modelos tinham o peito chato como Jean Shrimpton, cujo apelido era "the Shrimp", "Camarão".

Jasper apresentou os outros à irmã. Hank se levantou para apertar a mão dela e disse:

– Estava ansioso para conhecer você. Jasper me disse que você é editora de livros.

– Isso.

– Estou pensando em escrever a história da minha vida.

Hank tinha só 20 anos, o que Walli achava um pouco jovem para escrever uma autobiografia, mas Anna não pensava assim.

– Que ótima ideia! Milhões de pessoas iriam querer ler.

– Você acha mesmo?

– Tenho certeza, apesar de o meu ramo não ser o de biografias... sou especializada em traduções de literatura alemã e da Europa Oriental.

– Eu tive um tio polonês, será que ajuda?

Anna riu, uma risada grave, e Walli simpatizou com ela. Hank também, e eles se sentaram para conversar sobre o livro. Walli queria lhes mostrar a foto da filha, mas concluiu que aquele não era o momento adequado. De toda forma, precisava ir andando.

Levando duas guitarras, ele saiu de casa.

Tinha achado Hamburgo um grande contraste em relação à Alemanha Oriental, mas Londres era tão diferente que chegava a assustar, um verdadeiro motim anarquista. As pessoas usavam todo tipo de roupa, de chapéus-coco a minissaias. Rapazes de cabelos compridos eram tão comuns que nem chamavam atenção. As opiniões políticas não só eram livres como escandalosas: ele ficara chocado ao ver um homem na TV fantasiado como o primeiro-ministro Harold Macmillan, imitando sua voz, usando um bigodinho grisalho e fazendo pronunciamentos sem sentido, mas a família Williams morrera de rir.

Também se espantara com a quantidade de rostos escuros. A Alemanha tinha alguns imigrantes turcos de pele cor de café com leite, mas em Londres viviam milhares de pessoas das ilhas do Caribe e do subcontinente indiano. Iam para lá trabalhar em hospitais, fábricas, ônibus e trens. Walli reparou que as moças caribenhas tinham muito estilo e sensualidade no vestir.

Encontrou Dave em frente ao colégio, e os dois pegaram o metrô em direção ao norte de Londres.

Pôde perceber que Dave estava nervoso. Ele não; sabia que era bom músico. Como trabalhava no Jump Club todas as noites, tinha ouvido dezenas de guitarristas, e era raro encontrar algum que tocasse melhor do que ele. A maioria se virava com alguns acordes e uma boa dose de energia. Quando ele escutava alguém bom, parava de lavar os copos para ouvir o grupo tocar e estudar a técnica do guitarrista até o chefe lhe mandar voltar ao trabalho; então, ao chegar em casa, ficava sentado no quarto imitando o que tinha escutado até conseguir tocar com perfeição.

Infelizmente, virtuosismo sozinho não transformava ninguém em astro pop. Era preciso mais: charme, beleza, as roupas certas, publicidade, um agente esperto e, acima de tudo, músicas boas.

E o Plum Nellie tinha uma música boa. Walli e Dave tinham tocado "Love Is It" para o restante do grupo e incluído o número em várias apresentações na movimentada temporada de Natal. A música agradava, embora – como Lenny fazia questão de ressaltar – não se prestasse à dança.

Só que Lenny não queria tocá-la no teste.

– Não combina com nosso repertório – dissera.

Era a mesma opinião dos Kords: a canção era bela e piegas demais para um grupo de rock.

Do metrô, Walli e Dave foram a pé até um casarão que havia recebido tratamento acústico para se transformar em estúdio de gravação. Ficaram aguardando no hall. Os outros músicos chegaram alguns minutos depois. Uma recepcionista pediu a todos que assinassem um papel que alegou ser "para o seguro". Walli achou que aquilo mais parecia um contrato. Dave franziu a testa ao ler o documento, mas todos assinaram.

Alguns minutos depois, uma porta interna se abriu e um rapaz feioso e curvado apareceu. Estava usando um suéter de gola em V com camisa e gravata, e fumava um cigarro enrolado à mão.

– Muito bem – falou, em vez de se apresentar, e tirou os cabelos da frente dos olhos. – Estamos quase prontos para vocês. É sua primeira vez em um estúdio de gravação?

Eles admitiram que sim.

– Bom, nosso trabalho é deixar o som de vocês o melhor possível, então basta seguir as nossas instruções, ok? – Ele parecia sentir que estava lhes fazendo um enorme favor. – Entrem no estúdio, pluguem os instrumentos e vamos começar.

– Qual é o seu nome? – quis saber Dave.

– Laurence Grant.

Ele não explicou exatamente qual era o seu papel, e Walli supôs que fosse um assistente sem importância tentando se fazer passar por importante.

Dave se apresentou e aos outros, o que fez Laurence se remexer no lugar, impaciente; eles entraram.

O estúdio era um recinto amplo iluminado por luzes baixas. Em um dos cantos havia um piano Steinway de cauda muito parecido com o da casa de Walli em Berlim Oriental. O instrumento estava coberto por uma capa acolchoada e parcialmente escondido por um biombo envolto em cobertores. Lenny se sentou na banqueta e tocou alguns acordes em toda a extensão do teclado. O piano tinha o tom encorpado típico dos Steinway. Lenny pareceu impressionado.

Havia uma bateria montada. Lew tinha levado sua própria caixa, e começou a trocá-la pela que já estava instalada.

– A nossa é mais adequada para gravar.
– Ah, tudo bem.

Lew removeu sua caixa e tornou a montar a do estúdio no suporte.

No chão, três amplificadores com as luzes acesas estavam ligados e prontos. Walli e Dave plugaram seus instrumentos nos dois Vox AC-30, e Buzz ficou com o amplificador de baixo Ampeg, que era maior.

– Não consigo ver o restante do grupo – reclamou Lenny. – Precisamos deste biombo?
– Sim, precisamos – respondeu Laurence.
– Para que serve?
– É um abafador.

Pela expressão de Lenny, Walli pôde ver que ele tinha ficado na mesma, mas não insistiu.

Um homem de meia-idade usando um cardigã entrou por outra porta. Estava fumando. Apertou a mão de Dave, que evidentemente já conhecia, em seguida se apresentou para os outros:

– Meu nome é Eric Chapman, sou eu que vou produzir seu teste.

Esse é o homem que está segurando nosso futuro nas mãos, pensou Walli. Se ele nos achar bons, vamos gravar um disco. Caso contrário, não haverá recurso possível. Do que será que ele gosta? Não parece um cara que curte rock 'n' roll. Parece estar mais para Frank Sinatra.

– Imagino que vocês nunca tenham gravado antes, mas na verdade não tem mistério – disse Eric. – No início, a melhor coisa é ignorar o equipamento, tentar relaxar e tocar como se fosse uma apresentação normal. Se cometerem algum erro sem importância, sigam em frente e pronto. – Ele apontou para Laurence. – Larry é o nosso pau para toda obra, então podem pedir a ele tudo o que quiserem: chá, café, ouvir alguma outra faixa, qualquer coisa.

Era a primeira vez que Walli ouvia a expressão "pau para toda obra", mas foi fácil entender o que ela significava.

– Só uma coisa, Eric – disse Dave. – Lew, nosso baterista, trouxe a própria caixa porque se sente mais à vontade com ela.

– Que caixa é?

– Uma Ludwig Oyster Black Pearl – respondeu Lew.

– Não deve ter problema – disse Eric. – Pode trocar.

– Precisamos deste abafador aqui? – perguntou Lenny.

– Infelizmente, sim – respondeu Eric. – Ele impede o microfone do piano de captar som demais da bateria.

Quer dizer que Eric sabe do que está falando e Larry é um bosta, pensou Walli.

– Se eu gostar do seu som, podemos conversar sobre os próximos passos – disse o produtor. – Se não, não vou fazer rodeios: direi bem claramente que vocês não são o que estou procurando. Todos de acordo?

Todos responderam que sim.

– Então vamos lá.

Eric e Larry se retiraram por uma porta isolante e reapareceram atrás de uma vidraça interna. Eric pôs fones de ouvido e falou em um microfone, e os músicos ouviram sua voz sair de um pequeno alto-falante na parede.

– Prontos?

Eles estavam prontos.

– Gravando. Teste Plum Nellie, tomada um. Quando quiserem, rapazes.

Lenny começou a tocar um boogie-woogie no piano. O som no Steinway ficou maravilhoso. Depois de quatro compassos, o grupo entrou na hora exata. Eles tocavam aquela música em todos os shows, e seriam capazes de executá-la dormindo. Lenny deu tudo de si, fazendo até os floreios vocais à la Jerry Lee Lewis. Quando terminaram, Eric ouviu a gravação sem comentar nada.

Walli achou que tinha ficado bom. Mas e Eric, o que teria achado?

– Vocês tocam bem – disse o produtor pelo alto-falante depois de escutar a gravação. – Mas será que têm alguma coisa mais moderna?

Eles tocaram "Hoochie Coochie Man". Mais uma vez, Walli achou o som do piano maravilhoso; os acordes menores soaram estrondosos.

Eric lhes pediu para tocar as duas músicas de novo, e eles obedeceram. O produtor então saiu da cabine, sentou-se em cima de um dos amplificadores e acendeu um cigarro.

– Eu disse que seria direto com vocês e vou ser – falou, e Walli soube que ele iria rejeitá-los. – Vocês tocam bem, mas são antiquados. O mundo não precisa de outro Jerry Lee Lewis nem de outro Muddy Waters. Estou procurando o próximo grande sucesso, e isso vocês não são. Sinto muito. – Ele tragou fundo no cigarro e soprou a fumaça. – Podem ficar com a fita e fazer o que quiserem com ela. Obrigado por terem vindo. – Então se levantou.

Os músicos se entreolharam. A decepção era patente no rosto de cada um.

Eric voltou para dentro da cabine e, pelo vidro, Walli o viu tirar a fita de dentro do aparelho.

Levantou-se, pronto para embalar sua guitarra.

Foi então que Dave soprou no microfone, e o som saiu amplificado: o equipamento ainda estava ligado. Ele dedilhou um acorde. Walli hesitou. O que Dave pretendia fazer?

Ele começou a cantar "Love Is it".

Walli entrou na mesma hora, e os dois cantaram em harmonia. Lew então entrou com uma batida suave de percussão, e Buzz com um baixo simples, cadenciado. Por fim, Lenny se juntou ao grupo no piano.

Passaram dois minutos tocando, e então Larry desligou tudo e a música silenciou.

Era o fim, e eles tinham fracassado. Walli ficou mais decepcionado do que imaginava. Tinha certeza de que o grupo era bom. Por que Eric não via isso? Soltou a bandoleira da guitarra.

Eric tornou a aparecer.

– Que porra foi essa?

– Uma música nova que acabamos de aprender – respondeu Dave. – Gostou?

– É totalmente diferente – disse o produtor. – Por que pararam?

– Larry desligou o equipamento.

– Larry, seu imbecil! Ligue os caras outra vez. – Eric se virou para Dave. – Onde arrumaram essa música?

– Hank Remington escreveu para a gente – respondeu o rapaz.

– Dos Kords? – O produtor parecia não estar acreditando. – Por que ele escreveria uma música para vocês?

Dave respondeu com a mesma franqueza:

– Porque ele namora a minha irmã.

– Ah. Então está explicado.

Antes de entrar de novo na cabine, Eric falou em voz baixa com Larry:

– Ligue para Paulo Conti. Ele mora bem aqui pertinho. Se ele estiver em casa, diga para vir aqui agora mesmo.

Larry saiu do estúdio.

Eric tornou a entrar na cabine.

– Gravando – anunciou pelo alto-falante. – Quando quiserem.

Eles tocaram a música outra vez.

– Mais uma vez, por favor – pediu Eric.

Depois da segunda vez, ele tornou a sair da cabine. Walli temeu que fosse dizer que, no fim das contas, a música não era boa o bastante. Mas em vez disso ele falou:

– Vamos fazer outra vez. Agora vamos gravar os backing vocals primeiro, e a letra depois.

– Por quê? – quis saber Dave.

– Porque você toca melhor quando não precisa cantar, e canta melhor quando não precisa tocar.

Eles gravaram os instrumentos, em seguida cantaram a música enquanto escutavam a gravação pelos fones. No final, Eric saiu da cabine para escutar com eles. Então um rapaz com os cabelos cortados à la Beatles apareceu: Paulo Conti, supôs Walli. O que ele estaria fazendo ali?

Todos escutaram a música mixada. Eric fumava sentado em cima de um dos amplificadores.

No fim, Paulo comentou, com seu sotaque londrino:

– Gostei. Bela música.

Embora tivesse apenas uns 20 anos, falava com segurança e autoridade. Walli se perguntou por que a opinião daquele rapaz era tão importante.

Eric tragou o cigarro.

– Pode ser que dê pé – falou. – Mas temos um problema. O piano está errado. Sem querer ofender, Lenny, esse estilo Jerry Lee Lewis está meio pesadão. Paulo veio aqui mostrar o que estou querendo dizer. Vamos gravar de novo com Paulo no piano.

Walli olhou para Lenny: pôde ver que ele estava zangado, mas que controlava a raiva. Continuou sentado na banqueta e disse:

– Vamos deixar uma coisa bem clara, Eric. Este grupo é meu. Você não pode me chutar para escanteio e pôr Paulo no meu lugar.

– Eu não me preocuparia muito com isso se fosse você, Lenny – retrucou o produtor. – Paulo toca com a Orquestra Sinfônica Nacional do Reino Unido e já lançou três discos de sonatas de Beethoven. Ele não tem o menor interesse em entrar para um grupo pop. Quem dera tivesse: conheço uma meia dúzia que o aceitaria sem pestanejar.

Lenny ficou com cara de bobo e retrucou, agressivo:

– Tudo bem, desde que a gente se entenda.

Eles tocaram a música outra vez e Walli entendeu na hora do que Eric estava falando. Paulo produzia leves trinados com a mão direita e acordes simples com a esquerda, o que se adequava bem melhor à música.

Gravaram de novo com Lenny, que tentou tocar como Paulo e conseguiu um resultado bem decente, mas na verdade não tinha o mesmo talento.

Ainda gravaram os backing vocals mais duas vezes, uma com Paulo, outra com Lenny; então fizeram os vocais três vezes. Por fim, Eric se deu por satisfeito.

– Agora precisamos de um lado B – falou. – O que vocês têm de parecido?

– Espere aí – disse Dave. – Quer dizer que passamos no teste?

– É claro que sim – respondeu Eric. – Vocês acham que tenho esse trabalho todo com grupos que vou rejeitar?

– Então... "Love Is It" do Plum Nellie vai ser lançada em disco?

– Espero que sim, caramba. Se o meu chefe disser não, eu me demito.

Walli ficou espantado ao saber que Eric tinha chefe. Até ali, sua impressão era que o chefe era *ele*. Uma farsa sem importância, mas mesmo assim Walli tomou nota.

– Você acha que vai ser um sucesso? – quis saber Dave.

– Eu não faço previsões... estou há tempo demais neste ramo. Mas se eu achasse que fosse ser um fracasso não estaria aqui conversando com vocês. Estaria no pub.

Dave olhou em volta para os outros músicos, sorrindo.

– Passamos no teste!

– É, vocês passaram – disse Eric, impaciente. – Agora o que vocês têm para o lado B?

⌇

– Estão preparados para uma boa notícia? – perguntou Eric Chapman a Dave Williams no telefone um mês depois. – Vocês vão para Birmingham.

No início, Dave não entendeu do que ele estava falando.

– Por quê? – indagou. Birmingham era uma cidade industrial a quase 200 quilômetros de Londres. – O que tem lá?

– O estúdio de TV onde gravam *It's Fab!*, seu idiota.

– Ah! – Dave ficou sem ar de tanta animação. O produtor estava se referindo a um programa de sucesso que apresentava grupos pop tocando playback. – A gente vai ser convidado?

– Claro que vai! "Love Is It" vai ser a "Dica Quente da Semana" do programa.

Fazia cinco dias que o disco fora lançado. A música já tinha tocado uma vez na Programação Leve da BBC e várias vezes na rádio Luxembourg. Para surpresa de Dave, Eric não sabia quantas cópias tinham sido vendidas: a indústria fonográfica não era muito boa em acompanhamento das vendas.

Eric havia lançado a versão com Paulo no piano. Lenny fingia não notar.

Apesar do que Lenny tinha lhe dito, o produtor tratava Dave como líder do grupo.

– Vocês têm roupas decentes para usar?
– Em geral tocamos de camisa vermelha e jeans preto.
– A imagem é em preto e branco, então deve ficar bom. Não se esqueçam de lavar os cabelos.
– Quando vai ser?
– Depois de amanhã.
– Vou ter que pedir dispensa no colégio – falou Dave, preocupado.
Isso talvez fosse um problema.
– Você talvez tenha que *largar* o colégio, Dave.
Ele engoliu em seco. Pensou se teria mesmo.
– Quero que me encontrem na estação de Euston amanhã, às dez da manhã. Vou estar com suas passagens – concluiu Eric.
Dave desligou e ficou encarando o telefone. Iria participar do *It's Fab!*
Estava começando a parecer que talvez conseguisse mesmo ganhar a vida cantando e tocando guitarra. À medida que essa perspectiva se tornava mais real, sua aversão pelas alternativas aumentava. Que decepção seria agora se ele de fato precisasse arrumar um emprego normal.
Ligou imediatamente para o restante do grupo, mas decidiu esperar para contar à família. O risco de Lloyd tentar impedi-lo de ir era grande demais.
Guardou o empolgante segredo para si durante a tarde inteira. No dia seguinte, na hora do almoço, pediu para falar com o diretor da escola, o velho Nada em Cima.
Sentia-se intimidado na sala do diretor. Nos primeiros tempos naquela escola, havia apanhado várias vezes naquela sala por ofensas como correr nos corredores.
Explicou a situação e fingiu que não tivera tempo de pedir uma autorização por escrito ao pai.
– Parece que você vai ter que escolher entre receber uma instrução decente e virar cantor pop – disse o Sr. Furbelow, pronunciando as palavras "cantor pop" com uma careta de desagrado. Parecia que haviam lhe pedido para comer uma lata de comida para cachorro fria.
Dave pensou em dizer *Na verdade minha ambição é virar cafetão*, mas o senso de humor do diretor era tão escasso quanto seus cabelos.
– O senhor disse ao meu pai que eu seria reprovado em todas as provas e expulso do colégio.
– Se as suas notas não melhorarem logo e se, consequentemente, você não conseguir nenhuma das qualificações exigidas para o exame do final do ensino médio, não vai ser aceito no ano suplementar – disse Furbelow com uma exati-

dão meticulosa. – Mais um motivo para não faltar às aulas só para aparecer em programas de TV de baixa qualidade.

Dave pensou em debater o conceito de "baixa qualidade", mas decidiu que era uma causa perdida.

– Pensei que o senhor pudesse considerar uma ida a um estúdio de televisão uma experiência educativa – falou, ponderado.

– Não. Hoje em dia fala-se muito em "experiências" educativas. A educação acontece em sala de aula.

Apesar da obstinação cabeça-dura do diretor, Dave continuou a tentar argumentar com ele:

– Eu gostaria de seguir na música.

– Mas você não participa nem da orquestra da escola.

– Eles não usam nenhum instrumento inventado nos últimos cem anos.

– E têm toda a razão.

Dave estava achando cada vez mais difícil manter a calma.

– Eu toco guitarra elétrica bastante bem.

– Não considero isso um instrumento musical.

Mesmo sem querer, Dave deixou a voz aumentar de tom, desafiador:

– E o que é, então?

Furbelow ergueu o queixo e adotou um ar de superioridade:

– Está mais para um chocalho de crioulo.

Por alguns instantes, Dave ficou sem reação. Então perdeu a calma:

– Isso é ignorância deliberada, pura e simples!

– Não se atreva a falar comigo desse jeito.

– O senhor não só é ignorante como também é racista!

O diretor se levantou.

– Saia daqui agora.

– O senhor se acha no direito de soltar esses preconceitos vergonhosos só porque é o diretor estressado de uma escola para meninos ricos!

– Cale-se!

– Não vou me calar nunca – retrucou Dave, e saiu da sala.

No corredor, ocorreu-lhe que agora não poderia mais ir à aula.

Momentos depois, percebeu que não poderia mais ficar na escola.

Não planejara aquilo, mas, em um instante de loucura, ele na realidade havia abandonado a escola.

Que seja, pensou, e saiu para a rua.

Foi a um café ali perto e pediu ovos com batatas chips. Agora não tinha mais volta. Depois de ele chamar o diretor de ignorante, estressado e racista, a escola não o aceitaria de volta de jeito nenhum. Sentiu-se ao mesmo tempo livre e amedrontado.

Mas não se arrependia do que havia feito. Tinha a chance de se tornar um astro pop, e a escola queria fazê-lo deixar essa chance passar!

Por ironia, não soube o que fazer com aquela liberdade recém-conquistada. Passou algumas horas zanzando pelas ruas, depois voltou ao portão da escola para esperar Linda Robertson sair.

Acompanhou-a até em casa depois das aulas. Naturalmente, a turma inteira havia reparado na sua ausência, mas os professores não tinham comentado nada. Quando Dave contou a Linda o que havia acontecido, ela ficou estarrecida.

– Então você vai para Birmingham mesmo assim?
– Claro.
– Vai ter que sair do colégio.
– Eu já saí.
– E o que vai fazer agora?
– Se o disco fizer sucesso, vou poder alugar um apartamento com Walli.
– Uau! E se não fizer?
– Aí vou estar encrencado.

Ela o convidou para entrar. Como os pais dela tinham saído, os dois foram para o seu quarto, como já tinham feito outras vezes. Ficaram se beijando e ela o deixou apalpar seus seios, mas ele sentiu que ela estava preocupada.

– O que foi? – perguntou.
– Você vai ser um astro. Eu sei que vai.
– E não está feliz com isso?
– Vai ser soterrado por meninas bonitas que vão deixar você ir até o fim.
– Tomara!

Linda desatou a chorar.

– Eu estava brincando – disse Dave. – Desculpe.

– Você antes era só um menino bonitinho com quem eu gostava de conversar. Nenhuma das meninas queria nem te beijar. Aí você entrou para um grupo e virou o cara mais bacana do colégio, e todas elas ficaram com inveja de mim. Agora vai ficar famoso e eu vou perdê-lo.

Ele pensou que ela queria ouvi-lo dizer que seria fiel a ela em quaisquer circunstâncias e sentiu-se tentado a jurar amor eterno, mas se conteve. Gostava muito de Linda, mas ainda não tinha nem 16 anos e sabia que era jovem demais para se prender. Como não queria magoá-la, porém, falou:

– Vamos esperar e ver o que acontece, ok?
Viu a decepção se estampar em seu rosto, mas ela logo disfarçou.
– Boa ideia – falou.
Secou as lágrimas, e os dois desceram até a cozinha para tomar chá e comer biscoitos de chocolate até a mãe dela chegar.

De volta à Great Peter Street, como não viu sinal de nada estranho, Dave deduziu que a escola não havia ligado para seus pais. Sem dúvida o diretor preferiria escrever uma carta. Isso lhe proporcionaria um dia de trégua.

Não comentou nada com os pais até o dia seguinte de manhã. Lloyd saiu para o trabalho às oito, e Dave então foi conversar com Daisy.

– Não vou à escola hoje.
Ela não perdeu as estribeiras.
– Tente entender a trajetória de vida do seu pai – falou. – Como você sabe, ele foi filho ilegítimo. A mãe dele trabalhou em uma fábrica clandestina do East End antes de entrar na política. O avô dele era mineiro. Mas mesmo assim seu pai estudou em uma das melhores universidades do mundo e, ao completar 31 anos, já era ministro do governo.

– Mas eu sou diferente.
– É claro que é, mas para ele parece que você quer jogar fora tudo o que ele, os pais e os avós conquistaram.
– Preciso viver minha própria vida.
– Eu sei.
– Eu larguei o colégio. Briguei com o Nada em Cima. Vocês provavelmente vão receber uma carta dele hoje.
– Ai, Dave. Seu pai vai achar isso difícil de perdoar...
– Eu sei. Vou sair de casa, também.
Daisy começou a chorar.
– Para onde você vai?
Ele também estava com vontade de chorar, mas se conteve.
– Vou passar uns dias na Associação Cristã de Moços, depois alugar um apartamento com Walli.
Ela pousou uma das mãos no seu braço.
– Só não fique com raiva do seu pai. Ele ama muito você.
– Não estou com raiva. – Na verdade, estava sim. – Só que não vou aceitar que ele me segure.
– Ai, meu Deus. Você é indomável igualzinho a mim, e igualmente cabeça-dura.

Dave se espantou. Sabia que a mãe tinha sido infeliz em um primeiro casamento, mas nem assim conseguia imaginar Daisy sendo indomável.

– Espero que os seus erros não sejam tão graves quanto os meus – acrescentou ela.

Quando ele estava de saída, Daisy lhe deu todo o dinheiro que tinha na bolsa. Walli o esperava no hall. Eles saíram levando suas guitarras. Assim que pisaram na rua, todo o arrependimento de Dave desapareceu e ele começou a se sentir ao mesmo tempo animado e apreensivo. Iria aparecer na televisão! Mas para isso tinha apostado todas as suas fichas. Sempre que se lembrava de que havia saído de casa e largado a escola, ficava um pouco tonto.

Os dois pegaram o metrô até Euston. Dave precisava garantir que a participação na TV fosse um sucesso. Isso era crucial. E se o disco não vendesse e o Plum Nellie fosse um fracasso?, pensou. Ele talvez tivesse de ir lavar copos no Jump Club feito Walli.

O que poderia fazer para levar as pessoas a comprarem o disco?

Não tinha a menor ideia.

Eric Chapman estava à sua espera na estação de trem, usando um terno risca de giz. Buzz, Lew e Lenny já tinham chegado. Eles embarcaram suas guitarras no trem; a bateria e os amplificadores iriam separadamente, em um furgão dirigido por Larry Grant, mas ninguém confiava nele para transportar as preciosas guitarras.

No trem, Dave disse a Eric:

– Obrigado por ter comprado as nossas passagens.

– Não precisa agradecer. O custo vai ser descontado do seu cachê.

– Quer dizer que... a emissora vai pagar nosso cachê para você?

– Isso. E eu vou deduzir 25% mais as despesas e dar o restante para vocês.

– Por quê?

– Porque eu sou seu agente, só por isso.

– Ah, é? Eu não sabia.

– Bom, você assinou o contrato.

– Assinei?

– Assinou, sim. Caso contrário eu não teria gravado vocês. Está me achando com cara de entidade beneficente?

– Ah... aquele papel que a gente assinou antes do teste?

– Isso.

– A secretária disse que era para o seguro.

– Entre outras coisas.

Dave teve a sensação de ter sido enganado.

– O programa passa no sábado, Eric – disse Lenny. – Por que estamos viajando na quinta?

– A maior parte do programa é gravada com antecedência. Só uma ou duas atrações tocam ao vivo no dia.

Dave ficou surpreso. O programa dava a impressão de ser uma festa divertida, cheia de jovens dançando e aproveitando a vida.

– Vai ter plateia? – perguntou.

– Hoje não. Vocês vão fingir que estão tocando para mil meninas histéricas, todas molhando a calcinha por sua causa.

– Isso é fácil – disse Buzz. – Eu toco para meninas imaginárias desde os 13 anos.

Era uma piada, mas Eric falou:

– Não, ele tem razão. É só olhar para a câmera e imaginar a menina mais bonita que vocês conhecem na sua frente, tirando o sutiã. Prometo que isso vai estampar o sorriso certo na sua cara.

Dave percebeu que já estava sorrindo. Talvez o truque de Eric funcionasse mesmo.

Chegaram ao estúdio à uma hora. O lugar não tinha muito estilo. A maior parte era imunda, feito uma fábrica. As partes que apareciam no vídeo tinham um glamour cafona, mas tudo o que ficava fora do quadro era gasto e encardido. Pessoas atarefadas passavam para lá e para cá, ignorando os músicos. Dave teve a sensação de que todos sabiam que ele era um novato.

Um grupo chamado Billy and the Kids estava no palco quando eles chegaram. Um disco tocava bem alto enquanto os músicos cantavam e tocavam junto, mas sem microfone e com as guitarras desplugadas. Graças aos amigos, Dave sabia que a maior parte dos telespectadores não percebia que as apresentações eram em playback, e se perguntou como as pessoas podiam ser tão burras.

Lenny demonstrou desprezo pelo som alegre de Billy and the Kids, mas Dave ficou impressionado. Os integrantes do grupo sorriam e gesticulavam para a plateia inexistente, e quando a música acabou curvaram-se e acenaram como se estivessem agradecendo sonoros aplausos. Então, com a mesma energia e o mesmo charme, repetiram tudo outra vez. Era assim que os profissionais faziam, percebeu Dave.

O camarim do Plum Nellie era amplo e limpo, com grandes espelhos cercados por lâmpadas do tipo que se via em Hollywood e uma geladeira abarrotada de refrigerante.

– É melhor do que aquilo com que estamos acostumados – comentou Lenny. – Tem até papel higiênico!

Dave vestiu a camisa vermelha e tornou a sair para assistir à gravação. Quem estava se apresentando agora era Mickie McFee, que tivera uma série de sucessos nos anos 1950 e estava voltando à ativa. Tinha uns 30 anos, no mínimo, calculou Dave, mas estava muito sexy com um suéter rosa bem esticado por cima dos seios. Sua voz era excelente. Quando ela cantou uma balada soul chamada "It Hurts Too Much", soou igualzinha a uma cantora negra. Como seria ter aquela segurança?, pensou Dave. Estava tão nervoso que sua barriga parecia estar repleta de vermes.

Os câmeras e técnicos todos gostavam de Mickie – a maioria era da geração mais velha – e aplaudiram ao final da sua apresentação.

A cantora desceu do palco e viu Dave.

– Oi, menino – falou.

– Você estava ótima – disse ele, e se apresentou.

Ela lhe perguntou sobre o grupo. Ele estava lhe contando sobre Hamburgo quando foram interrompidos por um sujeito de suéter com estampa de losangos.

– Plum Nellie, no palco, por favor – disse ele com uma voz suave. – Desculpe interromper, Mickie meu bem. – Ele se virou para Dave. – Oi, meu nome é Kelly Jones. Eu sou o produtor do programa. – Ele examinou o rapaz de alto a baixo. – Você está bacana. Vá pegar sua guitarra. – E virou-se de volta para Mickie antes de completar: – Pode devorar o menino depois.

Ela protestou.

– Não estrague a chance de uma garota bancar a difícil!

– Isso nunca vai acontecer, querida.

Mickie acenou um adeusinho e se foi.

Dave se perguntou se deveria levar a sério uma palavra sequer do que os dois tinham dito.

Teve pouco tempo para pensar no assunto. O grupo subiu no palco e o lugar de cada um foi indicado. Como sempre, Lenny pôs a gola da camisa para cima, como Elvis fazia. Dave se esforçou para conter o nervosismo: eles iriam gravar em playback, portanto ele nem precisava tocar direito! Então começaram, e Walli estava dedilhando a introdução quando a gravação foi iniciada.

Dave olhou para as fileiras de cadeiras vazias e imaginou Mickie McFee tirando o suéter cor de rosa pela cabeça e revelando um sutiã preto. Abriu um sorriso radiante para a câmera e cantou a harmonia.

A gravação levou dois minutos, mas pareceu acabar em cinco segundos.

Ele pensou que lhes pediriam para repetir; ficaram todos aguardando no palco. Kelly Jones conversava animadamente com Eric. Dali a um minuto, os dois se aproximaram do grupo.

– Probleminha técnico, rapazes – disse Eric.

Dave temeu que houvesse alguma coisa errada com a sua apresentação e que a participação na TV fosse cancelada.

– Que probleminha técnico? – quis saber Lenny.

– Você, Lenny – respondeu Eric. – Eu sinto muito.

– Que papo é esse?

Eric olhou para Kelly, e o produtor disse:

– Este programa é para jovens com roupas bacanas e cortes de cabelo à la Beatles se divertirem com os últimos sucessos. Sinto muito, Lenny, mas você não é mais jovem, e o seu corte de cabelo é de cinco anos atrás.

– Bom, lamento muito – retrucou Lenny, zangado.

– Eles querem que o grupo se apresente sem você – disse Eric.

– Nem pensar. O grupo é meu.

Dave ficou apavorado. Tinha sacrificado tudo por causa daquilo! Resolveu intervir:

– Escutem, e se Lenny pentear os cabelos para a frente e baixar o colarinho da camisa?

– Não vou fazer isso – protestou Lenny.

– Ainda assim ele ficaria velho demais.

– Não estou nem aí – rebateu Lenny. – Ou somos todos, ou nenhum. – Ele olhou em volta para os outros. – Não é, rapazes?

Ninguém disse nada.

– Não é? – repetiu Lenny.

Apesar do medo que sentia, Dave se forçou a falar:

– Desculpe, Lenny, mas a gente não pode perder esta chance.

– Seus filhos da mãe – disse ele, furioso. – Eu nunca deveria ter deixado vocês mudarem o nome do grupo. Os Guardsmen eram uma ótima banda de rock. Agora viraram um grupo de colegiais chamado Plum Nellie, porra!

– Então – falou Kelly, impaciente. – Podem voltar para o palco sem Lenny e repetir a música.

– Estou sendo expulso do meu próprio grupo? – perguntou Lenny.

Dave se sentiu um traidor.

– É só por hoje – falou.

– Não é, mesmo. Como vou dizer aos meus amigos que o meu grupo apareceu na TV sem mim? Vão se foder. É tudo ou nada. Se eu sair agora, vai ser para sempre.

Ninguém disse nada.

– Certo, então – falou Lenny, e foi embora do estúdio.

Todos pareciam cheios de vergonha.

– Que brutalidade – comentou Buzz.

– O show business é assim mesmo – retrucou Eric.

– Vamos fazer outra tomada, por favor – pediu Kelly.

Dave teve medo de não conseguir saltitar alegremente depois de uma briga tão traumática, mas para sua surpresa isso aconteceu sem problemas.

Eles refizeram a música duas vezes, e Kelly disse que adorou a apresentação. Agradeceu-lhes pela compreensão e disse esperar que voltassem logo ao programa.

Quando o grupo voltou para o camarim, Dave ainda se demorou alguns minutos no estúdio, sentado na plateia vazia. Estava emocionalmente exausto. Tinha feito sua estreia na TV e traído o próprio primo. Não pôde evitar recordar todos os conselhos úteis que Lenny tinha lhe dado. Eu sou um ingrato mau--caráter, pensou.

Quando estava indo encontrar os outros, olhou por uma porta aberta e viu Mickie McFee dentro de seu camarim, com um copo na mão.

– Você gosta de vodca? – perguntou ela.

– Não sei que gosto tem – respondeu ele.

– Eu lhe mostro.

Ela fechou a porta com um chute, passou os braços pelo pescoço dele e lhe deu um beijo com a boca aberta. Sua língua tinha um gosto de álcool meio parecido com gim. Dave retribuiu o beijo com grande afã.

Ela se afastou do abraço, serviu mais vodca no copo e lhe ofereceu.

– Não, beba você – disse ele. – Eu prefiro assim.

Ela esvaziou o copo e tornou a beijá-lo. Dali a um minuto, comentou:

– Ai, nossa, você parece um boneco que ganhou vida.

Ela então deu um passo para trás e, para espanto e deleite de Dave, tirou o suéter rosa justo por cima da cabeça e o jogou para o lado.

Seu sutiã era preto.

CAPÍTULO TRINTA E TRÊS

Katerina, avó de Dimka, morreu de ataque cardíaco aos 70 anos. Foi enterrada no cemitério de Novodevichy, pequeno parque cheio de monumentos e capelinhas. As lápides encimadas de neve estavam bonitas; pareciam fatias de bolo com glacê.

Aquele prestigioso local de repouso era reservado aos cidadãos proeminentes; Katerina estava ali porque um dia seu marido Grigori, herói da Revolução de Outubro, seria sepultado no mesmo túmulo. Os dois haviam passado quase cinquenta anos casados. Ao ver o caixão de sua companheira da vida toda ser baixado no chão gelado, o avô de Dimka parecia atordoado, sem entender nada.

Dimka se perguntou como seria amar uma mulher por meio século e depois perdê-la, de repente, entre uma batida do coração e outra. Seu avô não parava de repetir:

– Que sorte a minha ter tido uma mulher como ela. Que sorte a minha!

Um casamento assim devia ser a melhor coisa do mundo, pensou Dimka. Os dois haviam se amado e sido felizes juntos. Seu amor sobrevivera a duas guerras mundiais e uma revolução. Eles tiveram filhos e netos.

O que as pessoas diriam sobre o seu casamento quando seu caixão fosse baixado para a terra de Moscou, quem sabe dali a cinquenta anos?, pensou. "Não chame nenhum homem de feliz antes da morte", dizia o dramaturgo Ésquilo; Dimka lera essa citação na universidade e sempre se lembrava dela. Uma juventude promissora podia ser prejudicada por alguma tragédia posterior; o sofrimento muitas vezes era recompensado com sabedoria. Segundo a lenda familiar, a jovem Katerina tinha preferido o irmão gângster de Grigori, Lev, que fugira para os Estados Unidos deixando-a grávida. Grigori havia se casado com ela e criado Volodya como se fosse seu filho. A felicidade do casal tivera um começo bem pouco auspicioso, provando a premissa de Ésquilo.

Outra gravidez inesperada precipitara o casamento de Dimka. Talvez ele e Nina pudessem acabar felizes como seus avós. Era por isso que ele ansiava, apesar dos sentimentos que nutria por Natalya. Desejava conseguir esquecê-la.

Olhou para o tio Volodya, para a tia Zoya e para os dois primos adolescentes do outro lado do túmulo. Aos 50 anos, Zoya era dona de uma beleza serena. Ali estava outro casamento que parecia ter proporcionado uma felicidade duradoura.

Não tinha tanta certeza em relação aos próprios pais. Seu finado pai era um homem frio, talvez por trabalhar na polícia secreta: como pessoas que faziam um trabalho tão cruel podiam ser amorosas e compreensivas? Olhou para a mãe, Anya, que chorava a perda da mãe. Ela lhe parecera mais feliz depois de ficar viúva.

Com o canto do olho, observou Nina. A expressão de sua mulher era solene, mas ela não estava chorando. Estaria feliz casada com ele? Já tinha se divorciado uma vez e, quando Dimka a conhecera, ela dizia que nunca mais queria se casar e que não podia ter filhos. Agora era sua esposa e segurava no colo Grigor, seu filho de nove meses, envolto em um cobertor de pelo de urso. Dimka às vezes tinha a impressão de não fazer a menor ideia do que se passava pela cabeça daquela mulher.

Como seu avô Grigori tinha invadido o Palácio de Inverno, em 1917, muitas pessoas apareceram para dizer um último adeus à sua esposa. Alguns eram importantes dignitários soviéticos. Com suas fartas sobrancelhas, Leonid Brejnev, secretário do Comitê Central, acolhia os enlutados, e estava presente também o marechal Mikhail Pushnoy, que fora um jovem protegido de Grigori durante a Segunda Guerra. Um Don Juan acima do peso, o marechal alisava seu luxuriante bigode grisalho e tentava exercer seu charme sobre a tia Zoya.

Prevendo o grande número de pessoas, tio Volodya havia pagado uma recepção em um restaurante bem perto da Praça Vermelha. Em Moscou, restaurantes eram lugares soturnos, com garçons emburrados e comida ruim. Tanto Grigori quanto Volodya tinham dito a Dimka que no Ocidente era diferente. Aquele restaurante ali, porém, era tipicamente soviético. Os cinzeiros transbordavam quando eles chegaram, e os tira-gostos estavam rançosos: blinis secos, pedaços velhos e retorcidos de torrada com finíssimas fatias de ovo cozido e peixe defumado. Felizmente, nem mesmo os russos conseguiam estragar vodca, e esta fluía à vontade.

A crise alimentar da URSS havia terminado. Kruschev conseguira comprar trigo dos Estados Unidos e de outros países, e não haveria fome naquele inverno. No entanto, a emergência havia exposto uma decepção de longo prazo. Kruschev depositara suas esperanças na transformação da agricultura soviética em uma atividade moderna e produtiva, e nisso havia fracassado. Tachava-a de ineficiente, ignorante e desajeitada, mas não avançara em nada no combate a esses problemas. E a agricultura simbolizava o fracasso generalizado de suas reformas: apesar de todas as suas ideias inovadoras e mudanças súbitas e radicais, a URSS continuava muitas décadas atrás do Ocidente em todos os quesitos, à exceção do poderio militar.

O pior de tudo era que a oposição a Kruschev dentro do Kremlin era feita por homens que não desejavam mais reformas, e sim menos: conservadores empedernidos como o exibido marechal Pushnoy e o fingido Brejnev, ambos agora morrendo de rir com alguma das histórias de guerra de Grigori. Dimka nunca estivera tão preocupado com o futuro da URSS, do líder soviético e da própria carreira.

Nina entregou o bebê a Dimka e foi pegar uma bebida. Um minuto depois, já estava conversando e rindo com Brejnev e o marechal Pushnoy. Dimka já havia reparado que as pessoas sempre riam muito nas recepções fúnebres, sem dúvida como reação à solenidade do enterro.

Nina tinha o direito de se divertir, pensou: havia carregado Grigor na barriga, dado à luz e amamentado o menino, de modo que não se divertia havia um ano.

A raiva que ela sentira de Dimka por ter mentido na noite do assassinato de Kennedy já tinha passado. Ele a acalmara com outra mentira. "Eu trabalhei mesmo até mais tarde, mas depois fui tomar um drinque com alguns colegas." Ela ainda continuara zangada por um tempo, mas menos, e agora parecia ter esquecido o incidente. Ele tinha quase certeza de que a mulher não desconfiava de seus sentimentos ilícitos por Natalya.

Orgulhoso com o primeiro dentinho do filho, levou o bebê para mostrar aos parentes. O restaurante ficava em uma casa antiga, com mesas espalhadas por vários salões de diferentes tamanhos no térreo. Ele chegou ao mais afastado, onde estavam seu tio e sua tia.

Foi ali que a irmã o encurralou.

– Você viu como Nina está se comportando? – perguntou Tanya.

Dimka riu.

– Ela está ficando bêbada?

– E está flertando.

Dimka não se perturbou. De todo modo, não estava em condições de condenar a mulher: ele fazia o mesmo quando ia ao Beira-Rio com Natalya.

– Isto aqui é uma festa – argumentou.

Tanya não tinha papas na língua quando falava com o irmão gêmeo:

– Reparei que ela foi direto para os homens mais graduados do recinto. Brejnev acabou de ir embora, mas ela continua espichando o olho para o marechal Pushnoy... que deve ter uns vinte anos a mais do que ela.

– Tem mulher que sente atração pelo poder.

– Sabia que o primeiro marido dela a trouxe de Perm para Moscou e lhe conseguiu o emprego no sindicato dos metalúrgicos?

– Não.

– E então ela o largou.

– Como é que você sabe?

– A mãe dela me contou.

– A única coisa que dei para Nina em toda a vida foi um filho.

– E um apartamento na Casa do Governo.

– Você acha que ela é alguma espécie de alpinista social?

– Estou preocupada, irmão. Você é tão inteligente em relação a tudo... menos às mulheres.

– Nina é um pouco materialista. Não é o pior dos pecados.

– Quer dizer que você não liga?

– Não.

– Tudo bem. Mas, se ela magoar meu irmão, eu arranco os olhos dela.

⁓

Daniil chegou e se sentou em frente a Tanya na cantina do prédio da TASS. Pousou a bandeja e enfiou um lenço no colarinho da camisa para proteger a gravata. Então disse:

– O pessoal da *Novo Mundo* gostou de *Enregelamento*.

Tanya ficou animadíssima.

– Que ótimo! Eles levaram um tempão para ler... deve fazer pelo menos seis meses. Mas é uma excelente notícia!

Daniil serviu água em um copo de plástico.

– Vai ser uma das coisas mais ousadas que eles já publicaram.

– Quer dizer que eles vão publicar?

– Vão.

Ela desejou poder avisar a Vasili, mas ele teria que descobrir sozinho. Perguntou-se se ele conseguiria arrumar a revista. Devia ser possível encontrá-la nas bibliotecas da Sibéria.

– Quando?

– Eles ainda não decidiram. Mas não fazem nada com pressa.

– Vou ter paciência.

⁓

Dimka foi acordado pelo telefone. Uma voz de mulher falou:

– Você não me conhece, mas tenho informações para você.

Ele não entendeu. Era a voz de Natalya. Lançou um olhar culpado na direção da esposa deitada ao seu lado. Nina ainda estava de olhos fechados. Olhou para o relógio: cinco e meia da manhã.

– Não faça perguntas – disse Natalya.

O cérebro de Dimka começou a funcionar. Por que ela estava fingindo ser uma desconhecida? Obviamente queria que ele fizesse a mesma coisa. Seria por medo de que o seu tom de voz revelasse o afeto que sentia por ela para a esposa deitada ao seu lado na cama?

– Quem fala? – indagou, entrando na brincadeira.

– Estão conspirando contra o seu chefe – disse ela.

Dimka percebeu que sua primeira interpretação estava errada. O que Natalya temia era que o telefone estivesse grampeado. Queria garantir que ele não dissesse nada capaz de revelar sua identidade à KGB.

Sentiu um calafrio de medo. Fosse verdade ou não, aquilo significava problemas para ele.

– Quem está conspirando?

Ao seu lado, Nina abriu os olhos.

Ele deu de ombros, um gesto de impotência que significava: "Não faço ideia do que está acontecendo."

– Leonid Brejnev está conversando com outros integrantes do Presidium sobre um golpe.

– Cacete!

Brejnev estava entre a meia dúzia de homens mais poderosos abaixo de Kruschev. Ele era também conservador e pouco imaginativo.

– Já conseguiu o apoio de Podgorny e de Shelepin.

– Quando? – perguntou Dimka, desobedecendo à instrução de não fazer perguntas. – Quando vai ser?

– Eles vão prender o camarada Kruschev quando ele voltar da Suécia.

O premiê tinha uma viagem à Escandinávia marcada para junho.

– Mas por quê?

– Eles acham que ele está enlouquecendo – respondeu Natalya, e a ligação caiu.

Dimka desligou e tornou a dizer:

– Cacete!

– O que foi? – quis saber Nina, sonolenta.

– Nada, problemas de trabalho. Volte a dormir.

Kruschev não estava enlouquecendo, mas estava deprimido, e alternava períodos de alegria eufórica com uma tristeza profunda. No cerne de sua preocupação estava a crise agrícola. Infelizmente, ele se deixava seduzir com facilidade por soluções rápidas: fertilizantes milagrosos, polinização especial, novas cepas. A única proposta que se recusava a considerar era relaxar o controle central. Mesmo assim, ele ainda representava a melhor esperança da URSS. Brejnev não era reformista: se ele subisse ao poder, o país andaria para trás.

Não era só o futuro de Kruschev que preocupava Dimka agora, mas também o seu próprio. Teria de falar com o premiê sobre aquele telefonema. Pensando bem, era menos perigoso do que esconder o fato. Mas a veia de camponês do líder ainda era forte o suficiente para fazê-lo punir o arauto de más notícias.

Dimka pensou se aquele seria o momento de abandonar o navio e largar o trabalho com Kruschev. Não seria fácil: os *apparatchiks* em geral iam para onde os mandavam ir. Mas sempre se podia dar um jeito. Outra figura importante poderia ser solicitada a pedir a transferência de um jovem assessor para o seu escritório, talvez porque as habilidades específicas do assessor fossem necessárias. Era possível organizar algo assim. Dimka poderia tentar um emprego com um dos conspiradores, quem sabe o próprio Brejnev. Mas de que adiantaria? Talvez isso salvasse sua carreira, mas seria inútil. Ele não iria passar a vida ajudando Brejnev a deter o progresso.

No entanto, se quisesse sobreviver, ele e Kruschev precisavam se manter à frente daquela conspiração. O pior que poderiam fazer seria esperar para ver o que aconteceria.

Era dia 17 de abril de 1964, septuagésimo aniversário de Kruschev. Dimka seria o primeiro a lhe dar os parabéns.

No quarto ao lado, Grigor começou a chorar.

– Ele acordou com o telefone – disse Dimka.

Nina deu um suspiro e se levantou.

Dimka tomou banho e se vestiu depressa, depois tirou a moto da garagem e foi apressado até a residência do premiê, no subúrbio chamado Colinas de Lênin.

Chegou ao mesmo tempo que um furgão trazendo um presente de aniversário. Observou os seguranças carregarem até a sala um imenso aparelho novo de rádio e TV com uma plaquinha de metal na qual se lia:

DE SEUS CAMARADAS DE TRABALHO
NO COMITÊ CENTRAL
E NO CONSELHO DE MINISTROS

Kruschev vivia dizendo às pessoas em tom mal-humorado para não gastarem dinheiro público lhe comprando presentes, mas todos sabiam que em seu íntimo gostava de recebê-los.

Ivan Tepper, o mordomo, acompanhou Dimka até o quarto de vestir do premiê no andar de cima. Um terno escuro e novo pendia de um cabide, pronto para ser usado naquele dia de cerimônias congratulatórias. As três estrelas de Herói do Trabalho Socialista de Kruschev já estavam pregadas no peito do paletó. Sentado de roupão, o líder tomava chá e lia os jornais.

Dimka lhe contou sobre o telefonema enquanto Ivan o ajudava com a camisa e a gravata. O grampo da KGB em seu telefone, se é que existia mesmo, confirmaria sua versão de que o telefonema tinha sido anônimo, para o caso de Kruschev verificar. Como sempre, Natalya fora esperta.

– Não sei se é importante ou não, e não achei que coubesse a mim decidir – falou, cauteloso.

Kruschev não pareceu dar muita importância àquilo.

– Alexsandr Shelepin não está preparado para ser líder. – Shelepin era vice-primeiro-ministro e ex-diretor da KGB. – Nikolai Podgorny é limitado. E Brejnev também não serve. Sabia que as pessoas costumavam chamá-lo de bailarina?

– Não – respondeu Dimka.

Era difícil imaginar alguém menos parecido com um dançarino do que o desengonçado e atarracado Brejnev.

– Antes da guerra, quando ele era secretário da província de Dnepropetrovsk.

– Por quê? – Dimka se sentiu obrigado a perguntar.

– Porque todo mundo conseguia fazê-lo dar piruetas! – respondeu Kruschev.

Com uma gostosa risada, ele vestiu o paletó.

A ameaça de golpe foi desdenhada como uma piada. Dimka sentiu alívio ao ver que não fora condenado por acreditar em informações idiotas. No entanto, uma preocupação foi substituída por outra: será que a intuição do premiê estava certa? Seus instintos já tinham se mostrado confiáveis antes. Mas Natalya sempre sabia das notícias primeiro, e Dimka não se lembrava de nenhuma vez em que ela estivesse enganada.

Então Kruschev adotou outra estratégia. Seus astutos olhos de camponês se estreitaram, e ele disse:

– Esses conspiradores mesquinhos têm algum motivo para estarem descontentes? A pessoa que fez a ligação anônima deve ter dito.

Era uma pergunta constrangedora. Dimka não tinha coragem de dizer ao premiê que as pessoas o julgavam louco. Em uma improvisação desesperada, falou:

– A safra. Elas culpam o senhor pela seca do ano passado.

Torceu para isso ser tão implausível a ponto de se tornar inofensivo.

Só que Kruschev não ficou ofendido, mas irritado.

– Precisamos de novos métodos! – zangou-se. – Eles têm que escutar Lysenko!

Ele tateou atabalhoadamente os botões do paletó, e acabou deixando Tepper fechá-los.

Dimka manteve a expressão impassível. Trofim Lysenko era um cientista charlatão, um astuto praticante da autopromoção que havia conquistado as graças de Kruschev apesar de a sua pesquisa ser inútil. Vivia prometendo safras melhores que nunca aconteciam, mas conseguia convencer os líderes políticos de que seus opositores eram "antiprogressistas", acusação tão fatal na URSS quanto "comunista" nos Estados Unidos.

– Lysenko faz experiências com vacas – prosseguiu Kruschev. – Os rivais dele usam mosquinhas-das-frutas! Quem se importa com mosquinhas-das-frutas?

Dimka se lembrou de sua tia Zoya falando sobre pesquisas científicas.

– Eu acho que os genes evoluem mais depressa nas moscas-das-frutas...

– Genes? – disparou o premiê. – Que baboseira! Ninguém nunca viu um gene.

– Ninguém tampouco viu um átomo, mas aquela bomba arrasou Hiroshima.

Dimka se arrependeu das palavras assim que elas saíram de sua boca.

– O que você sabe sobre isso? – esbravejou Kruschev. – Está só repetindo o que ouviu, feito um papagaio! Pessoas inescrupulosas usam inocentes como você para espalhar suas mentiras. – Ele brandiu o punho. – Nossas safras vão melhorar! Você vai ver! Saia da minha frente.

Empurrou Dimka do caminho e saiu do recinto.

Ivan Tepper pediu desculpas ao rapaz com um dar de ombros.

– Não se preocupe – disse Dimka. – Não é a primeira vez que ele fica bravo comigo. Amanhã não vai nem se lembrar. – Torceu para que isso fosse verdade.

A ira de Kruschev não era tão preocupante quanto seus erros de julgamento. Ele estava enganado em relação à agricultura. Andrei Kosygin, que era o economista do Presidium, tinha planos de reforma que incluíam afrouxar o controle dos ministros sobre a agricultura e outras atividades. Na opinião de Dimka, essa era a estratégia certa, não curas milagrosas.

Será que Kruschev estava errado em relação aos conspiradores? Ele não sabia. Tinha feito o possível para alertar o chefe. Não podia dar início a um contragolpe sozinho.

Ao descer a escada, ouviu aplausos vindos da porta aberta da sala de jantar. Kruschev estava recebendo os parabéns do Presidium. Dimka se deteve no hall. Quando as palmas silenciaram, ouviu a vagarosa voz de baixo de Brejnev:

– Caro Nikita Sergueievitch! Nós, seus mais próximos camaradas de armas, integrantes e candidatos a integrantes do Presidium e secretários do Comitê Geral, lhe damos especiais parabéns e o congratulamos fervorosamente, nosso mais próximo amigo pessoal e camarada, em seu septuagésimo aniversário.

Aquilo era bajulador até mesmo pelos padrões soviéticos.
Um mau sinal.

⌇

Alguns dias depois, Dimka ganhou uma dacha.

Teve de pagar, mas o aluguel era simbólico. Como acontecia com a maioria dos luxos na URSS, a dificuldade não era o preço, mas sim chegar à frente da fila.

A dacha – uma residência secundária ou casa de veraneio – era a primeira das ambições dos casais soviéticos em ascensão. (A segunda era um automóvel.) Em geral, é claro, apenas os membros do Partido Comunista ganhavam dachas.

– Como será que conseguimos isso? – refletiu Dimka em voz alta depois de receber a carta.

Para Nina não havia mistério:

– Você trabalha para Kruschev. Deveria ter ganhado uma dacha há muito tempo.

– Não necessariamente. Em geral é preciso mais alguns anos de serviço. Não consigo pensar em nada que eu tenha feito nos últimos tempos que o tenha deixado especialmente satisfeito. – Lembrou-se da discussão sobre genes. – Muito pelo contrário, aliás.

– Ele gosta de você. Alguém lhe deu uma lista de dachas vazias e ele pôs seu nome ao lado de uma delas. Não pensou no assunto por mais de cinco segundos.

– Você provavelmente tem razão.

Uma dacha podia ser qualquer coisa, de um palácio à beira-mar até uma cabana no meio de um descampado. No domingo seguinte, Dimka e Nina foram descobrir como era a sua. Prepararam um piquenique, pegaram o filho e foram de trem até um vilarejo a uns 50 quilômetros da capital. Estavam ansiosos de tanta curiosidade. Um funcionário da estação lhes indicou o caminho até a dacha, conhecida como A Estalagem. Eles levaram quinze minutos para chegar lá a pé.

A casa era um chalé de madeira de um andar só. Tinha uma ampla sala-cozinha e dois quartos de dormir. Ficava no meio de um pequeno jardim que descia até um regato. Dimka achou o lugar um paraíso. Perguntou-se mais uma vez o que tinha feito para ter tanta sorte.

Nina também gostou. Animada, ia de cômodo em cômodo, abrindo armários. Fazia meses que Dimka não a via tão feliz.

Grigor, que mais cambaleava do que andava, parecia encantado por ter um novo lugar para cambalear e cair.

Dimka se encheu de otimismo. Imaginou um futuro em que ele e Nina passassem os fins de semana de verão naquela casa, ano após ano. A cada estação, ficariam maravilhados ao ver como Grigor estava diferente em relação ao ano anterior. O crescimento do filho seria medido em verões: no verão seguinte ele estaria falando, no outro já saberia contar, depois pegar uma bola, ler, nadar. Seria um nenenzinho ali na dacha, depois um menino grande que subiria em árvores no jardim, em seguida um adolescente cheio de espinhas, e por fim um rapaz que seduziria as moças do vilarejo.

Fazia um ano ou mais que a casa não era usada, e eles abriram todas as janelas, depois começaram a espanar as superfícies e a varrer o chão. Havia alguns móveis, e eles começaram uma lista de coisas que levariam da próxima vez: um rádio, um samovar, um balde.

– No verão, eu poderia vir para cá com Grigor na sexta de manhã – disse Nina. Ela estava lavando tigelas de cerâmica na pia. – E você poderia vir na sexta à noite, ou no sábado de manhã, se tiver que trabalhar até tarde.

– Você não se importaria em passar a noite aqui sozinha? – perguntou Dimka enquanto limpava a gordura velha do fogão. – É meio isolado.

– Não sou medrosa, você sabe disso.

Grigor chorou pedindo para almoçar, e Nina sentou-se para lhe dar de comer. Dimka saiu para examinar os arredores. Teria de construir uma cerca no final do jardim lá embaixo, constatou, para impedir que Grigor caísse no regato. A água não era funda, mas Dimka tinha lido em algum lugar que uma criança podia se afogar em menos de 8 centímetros de profundidade.

Um portão em um muro conduzia a um jardim maior. Dimka se perguntou quem seriam os vizinhos. Como o portão não estava trancado, abriu-o e passou. Chegou a um pequeno bosque. Seguiu explorando até encontrar uma casa grande. Pensou que sua dacha talvez fosse antigamente a residência de um jardineiro da casa grande.

Sem querer invadir a privacidade alheia, virou-se para voltar... e deu de cara com um soldado de uniforme.

– Quem é o senhor? – quis saber o sujeito.

– Meu nome é Dmitri Dvorkin. Estou me mudando para a casa ali ao lado.

– Que sorte a sua... aquela casa é uma joia.

– Eu estava só explorando. Espero não ter invadido.

– É melhor ficar do seu lado do muro. Esta casa pertence ao marechal Pushnoy.

– Ah! Pushnoy? Ele é amigo do meu avô.

– Então foi por isso que o senhor conseguiu a dacha – disse o soldado.

– É – concordou Dimka, e sentiu-se um pouco perturbado. – Deve ter sido mesmo.

CAPÍTULO TRINTA E QUATRO

O apartamento de George ficava no último andar de uma casa vitoriana alta e estreita no bairro de Capitol Hill. Ele preferia aquele tipo de imóvel a um edifício moderno; gostava das proporções dos cômodos novecentistas. A decoração incluía cadeiras de couro, um toca-discos de alta fidelidade, várias estantes e cortinas de lona simples em vez de tecidos rebuscados.

Tudo ficava ainda mais bonito com a presença de Verena.

Ele adorava vê-la fazendo coisas cotidianas na sua casa: sentada no sofá tirando os sapatos, fazendo café de calcinha e sutiã, pelada em pé no banheiro escovando os dentes perfeitos. Melhor de tudo: gostava de vê-la dormindo na sua cama, como agora, com os lábios macios levemente entreabertos, o lindo rosto relaxado, e um braço comprido e esguio jogado para trás, deixando à mostra uma axila estranhamente sensual. Inclinou-se para beijá-la ali. Ela produziu um ruído no fundo da garganta, mas não acordou.

Verena se hospedava na casa dele sempre que ia a Washington, o que acontecia cerca de uma vez por mês. Aquilo estava deixando George maluco. Ele a queria o tempo todo. Só que ela não estava disposta a largar o emprego com Martin Luther King em Atlanta, e ele não podia abandonar Bobby Kennedy. Ou seja, estavam os dois presos.

Ele se levantou e foi nu até a cozinha. Começou a preparar um bule de café e pensou em Bobby, que agora usava as roupas do irmão, passava tempo demais diante do túmulo, de mãos dadas com Jackie, e estava deixando a carreira política escorrer pelo ralo.

Bobby era a opção preferida pela população para o cargo de vice-presidente. Johnson não o convidara para concorrer com ele na eleição de outubro, mas tampouco o excluíra. Os dois não se davam, mas isso não os impedia de se unir para garantir uma vitória democrata.

De toda forma, bastava a Bobby um pequeno esforço para se tornar amigo de Johnson. Com Lyndon, um pouco de bajulação rendia muito. George tinha planejado isso com o amigo Skip Dickerson, que era próximo do presidente. Um jantar para Johnson na mansão de Bobby e Ethel na Virgínia, chamada Hickory Hill; alguns apertos de mãos calorosos diante de todos nos corredores do Capitólio; um discurso no qual Bobby diria que Lyndon era um sucessor digno do irmão: seria fácil.

George torceu para aquilo acontecer. Uma campanha talvez conseguisse tirar Bobby de seu luto entorpecido. E o próprio George adorava a possibilidade de trabalhar em uma campanha eleitoral.

Bobby poderia transformar o cargo normalmente insignificante de vice-presidente em algo especial, da mesma forma que havia revolucionado o papel de secretário de Justiça. Ele iria se tornar um importante defensor das causas nas quais acreditava, como os direitos civis.

Antes, porém, precisava ser reanimado de alguma forma.

George serviu duas canecas de café e voltou para o quarto. Antes de se enfiar outra vez debaixo das cobertas, ligou a TV. Tinha um aparelho em cada cômodo, como Elvis: ficava nervoso quando passava tempo demais sem assistir ao noticiário.

– Vamos ver quem ganhou a primária republicana na Califórnia – falou.

– Quanto romantismo, amor – comentou Verena, sonolenta. – Assim eu não aguento.

Ele riu. Verena muitas vezes o fazia rir. Era uma das melhores coisas em relação a ela.

– Está tentando enganar quem? – retrucou. – Você também quer assistir.

– Está certo, tem razão.

Ela se sentou e tomou um golinho de café. O lençol escorregou, e George teve de arrancar os olhos dela para encarar a TV.

Os principais candidatos à indicação republicana eram Barry Goldwater, senador de direita do Arizona, e Nelson Rockefeller, governador liberal de Nova York. Goldwater era um extremista que odiava os sindicatos, o estado de bem-estar social, a URSS e, acima de tudo, os direitos civis. Já Rockefeller era integracionista e admirava Martin Luther King.

A disputa entre os dois até então fora acirrada, mas o resultado da primária da Califórnia no dia anterior seria decisivo. O vencedor levaria todos os delegados do estado, cerca de 15% do total que iria se reunir na Convenção Republicana. Quem tivesse ganhado na véspera quase certamente seria o candidato republicano à Presidência.

O intervalo comercial terminou, o noticiário começou e a primária era a matéria principal. Goldwater tinha vencido. Uma vitória apertada – 52% a 48% –, mas que lhe valera todos os delegados da Califórnia.

– Que droga – comentou George.

– Nem me fale – concordou Verena.

– Que péssima notícia. Um racista de primeira linha vai ser um dos dois candidatos à Presidência.

– Talvez seja uma boa notícia – argumentou Verena. – Quem sabe todos os republicanos sensatos votem nos democratas para não deixar Goldwater ser eleito.
– Vale a pena torcer por isso.
O telefone tocou e George atendeu na extensão da cabeceira. Reconheceu na hora o sotaque sulista arrastado de Skip Dickerson, que perguntou:
– Você viu o resultado?
– O bosta do Goldwater ganhou.
– A gente acha que isso é bom – disse Skip. – Rockefeller talvez pudesse ter derrotado o nosso candidato, mas Goldwater é conservador demais. Johnson vai ganhar dele de lavada em novembro.
– É isso que o pessoal de Martin Luther King acha.
– Como é que você sabe?
Ele sabia porque Verena lhe dissera.
– Conversei com... alguns deles.
– *Já?* O resultado acabou de ser anunciado. Você não está na cama com o Dr. King, está?
George riu.
– Não importa com quem estou na cama. O que Johnson disse quando soube do resultado?
Skip hesitou.
– Você não vai gostar.
– Agora eu *preciso* saber.
– Bom, ele disse: "Agora vou poder ganhar sem a ajuda daquele nanico." Desculpe, mas você perguntou.
– Que droga.
O nanico era Bobby. George entendeu na hora o cálculo político feito por Johnson. Se Rockefeller tivesse sido o seu adversário, Johnson seria obrigado a dar duro para conseguir os votos dos liberais, e ter Bobby na chapa o ajudaria nisso. Contra Goldwater, porém, podia contar automaticamente com todos os democratas liberais, e com muitos dos republicanos liberais também. Seu problema agora seria garantir os votos dos brancos da classe trabalhadora, muitos racistas. Assim sendo, não precisava mais de Bobby; na verdade, Bobby agora iria prejudicá-lo.
– Sinto muito, George, mas você sabe... é a *realpolitik* – disse Skip.
– É. Vou falar com Bobby. Mas ele já deve ter adivinhado. Obrigado por me avisar.
– De nada.

George desligou e disse a Verena:
– Johnson não quer mais Bobby como vice na sua chapa.
– Faz sentido. Ele não gosta de Bobby, e agora não precisa dele. Quem será que vai escolher?
– Gene McCarthy, Hubert Humphrey ou Thomas Dodd.
– E Bobby, como fica?
– O problema é esse. – Ele se levantou, abaixou o volume da TV até um fraco murmúrio, então voltou para a cama. – Desde o assassinato, Bobby tem sido inútil como secretário de Justiça. Eu continuo forçando a barra com processos contra os estados do Sul que impedem negros de votar, mas ele na verdade não está interessado. Também esqueceu o crime organizado... e estava indo tão bem! Nós conseguimos condenar Jimmy Hoffa, mas Bobby mal reparou.
Sagaz, Verena então perguntou:
– E *você*, como fica?
Ela era uma das poucas pessoas que pensavam tão depressa quanto o próprio George.
– Talvez eu peça demissão.
– Caramba!
– Faz seis meses que estou dando duro sem conseguir nenhum resultado, e não vou passar muito mais tempo fazendo isso. Se Bobby estiver mesmo no fim da linha, vou partir para outra. Eu o admiro mais do que a qualquer outro homem que conheço, mas não vou sacrificar a vida por ele.
– E o que vai fazer, então?
– Devo conseguir um ótimo emprego em algum escritório de advocacia de Washington. Tive três anos de experiência no Departamento de Justiça, e isso vale muito.
– Esses escritórios não contratam muitos negros.
– É verdade, e vários deles nem me entrevistariam. Mas outros talvez me contratem só para mostrar que são liberais.
– Sério?
– As coisas estão mudando. Lyndon é um grande defensor da igualdade de oportunidades. Ele mandou um bilhete para Bobby reclamando que o Departamento de Justiça contrata poucas advogadas mulheres.
– Dá-lhe, Johnson!
– Bobby ficou furioso.
– Quer dizer que você vai trabalhar em um escritório de advocacia.
– Se ficar em Washington.

– Para onde mais você iria?

– Para Atlanta. Se o Dr. King ainda me quiser.

– Você se mudaria para Atlanta... – disse Verena, pensativa.

– É uma possibilidade.

Houve um silêncio. Ficaram ambos encarando a TV. Ringo Star estava com amigdalite, informou-lhes o apresentador.

– Se eu me mudasse para Atlanta, poderíamos ficar juntos o tempo todo.

Ela parecia estar refletindo sobre o assunto.

– Você gostaria?

Ela continuou sem dizer nada.

George sabia por quê. Ele não tinha dito *como* eles ficariam juntos. Não havia planejado aquilo, mas eles tinham chegado a um ponto em que precisavam decidir ou não se casar.

Verena estava esperando que ele a pedisse em casamento.

Uma imagem de Maria Summers surgiu na sua cabeça, involuntária, indesejada. Ele hesitou.

O telefone tocou.

George atendeu; era Bobby.

– Oi, vamos acordar – disse o secretário, bem-humorado.

George se concentrou, tentando tirar da cabeça por um minuto a ideia de casamento. A voz de Bobby soava mais feliz do que em muito tempo.

– Você viu o resultado da Califórnia? – perguntou George.

– Vi. Isso significa que Lyndon não precisa de mim. Assim sendo, vou me candidatar a senador. O que você acha?

George levou um susto.

– Senador?! Por que estado?

– Nova York.

Então Bobby iria entrar para o Senado. Talvez conseguisse sacudir aqueles conservadores enferrujados, com suas obstruções e suas táticas para atrasar as votações.

– Excelente! – exclamou George.

– Quero que você faça parte da minha equipe de campanha. O que me diz?

George olhou para Verena. Estava prestes a pedi-la em casamento. Agora, porém, não iria se mudar para Atlanta. Iria começar uma campanha eleitoral e, se Bobby ganhasse, voltaria para Washington e trabalharia para o senador Kennedy. Tudo havia mudado outra vez.

– Eu digo sim – falou. – Quando começamos?

CAPÍTULO TRINTA E CINCO

Na segunda-feira, 12 de outubro de 1964, Dimka estava com Kruschev no balneário de Pitsunda, no Mar Negro, quando Brejnev ligou.

O premiê não estava em sua melhor forma. Sem energia, não parava de falar na necessidade de os velhos se aposentarem para dar lugar à nova geração. Dimka sentia falta do antigo Kruschev, o gnomo gorducho cheio de ideias mirabolantes, e se perguntou se um dia ele iria voltar.

O escritório era um cômodo com paredes revestidas de madeira, um tapete oriental e uma série de telefones dispostos sobre uma escrivaninha de madeira. O telefone que tocou era um instrumento especial, de alta frequência, que interligava os escritórios do Partido e do governo. Dimka atendeu, ouviu o ronco cavernoso da voz de Brejnev e passou o fone para Kruschev.

Só conseguiu ouvir um lado da conversa. Fosse o que fosse que Brejnev estivesse dizendo, fez o líder retrucar:

– Por quê? Sobre que assunto? Estou de férias! O que poderia ser tão urgente? Como assim, vocês se reuniram? Amanhã? Está bem!

Após desligar, ele explicou. O Presidium queria que ele voltasse a Moscou para conversar sobre problemas agrícolas urgentes. Brejnev tinha insistido.

O premiê passou um tempão sentado, pensando, sem dispensar Dimka. Depois de algum tempo, tornou a falar:

– Eles não têm problema agrícola urgente nenhum. Está acontecendo aquilo sobre o que você me alertou seis meses atrás, no meu aniversário. Eles vão me expulsar.

Dimka ficou chocado. Então Natalya tinha razão.

Ele havia acreditado nas garantias de Kruschev, e sua fé parecera se justificar em junho, quando o premiê voltara da Escandinávia e a prisão ameaçada não ocorrera. Na ocasião, Natalya havia admitido não saber mais o que estava acontecendo. Dimka pensou que o complô não tivesse dado em nada.

Mas agora parecia ter sido apenas adiado.

Kruschev sempre fora um lutador.

– O que o senhor vai fazer? – perguntou-lhe Dimka.

– Nada – respondeu o premiê.

Isso lhe causou um choque ainda maior.

– Se Brejnev acha que pode se sair melhor que eu, ele que tente, aquele cagalhão!

– Mas o que vai acontecer quando ele estiver no comando? Ele não tem imaginação nem energia para conduzir as reformas por meio da burocracia.

– Ele nem sequer vê muita necessidade de mudança – disse Kruschev. – Quem sabe tenha razão.

Dimka estava estarrecido.

Em abril, havia cogitado deixar Kruschev e tentar um emprego com algum outro figurão do Kremlin, mas acabara decidindo não fazê-lo. Agora isso estava começando a lhe parecer um erro.

Kruschev se tornou prático:

– Vamos embora daqui amanhã. Cancele meu almoço com o primeiro-ministro da França.

Sob uma escura nuvem de pessimismo, Dimka começou a tomar as providências: pedir para a delegação francesa chegar antes, garantir que o avião e o piloto particulares de Kruschev estivessem prontos e mudar a agenda do dia seguinte. No entanto, agiu como se estivesse em transe. Como o fim podia chegar tão depressa?

Nenhum líder soviético jamais havia se aposentado. Tanto Lênin quanto Stalin tinham morrido no poder. Será que Kruschev seria assassinado? E seus assessores?

Dimka se perguntou quanto tempo de vida lhe restava.

Perguntou-se se eles ao menos o deixariam ver o pequeno Grigori outra vez.

Empurrou esse pensamento para o fundo da mente. Se ficasse paralisado de medo, não conseguiria fazer o que precisava ser feito.

Eles partiram à uma da tarde do dia seguinte.

O voo até Moscou levou duas horas e meia, sem mudança de fuso horário. Dimka não fazia ideia do que os aguardava ao fim da viagem.

Pousaram no aeroporto de Vnukovo-2, ao sul da capital, reservado para os voos oficiais. Quando Dimka desceu do avião atrás do premiê, um pequeno grupo de funcionários menores os recebeu, em vez da multidão habitual de ministros de alto escalão do governo. Foi então que Dimka teve certeza de que estava tudo acabado.

Havia dois carros parados na pista: uma limusine ZIL-111 e um Moskvich 403 de cinco lugares. Kruschev andou até a limusine e Dimka foi escoltado até o modesto sedã.

O premiê percebeu que os dois estavam sendo separados. Antes de entrar no carro, virou-se e disse:

– Dimka.

O rapaz estava quase chorando.

– Sim, camarada primeiro-secretário.

– Talvez eu não o veja mais.

– Não pode ser!
– Preciso lhe contar uma coisa.
– O quê, camarada?
– Sua mulher está trepando com Pushnoy.
Dimka o encarou, sem reação.
– É melhor você saber – disse Kruschev. – Adeus.
Ele embarcou e a limusine foi embora.
Dimka ficou sentado no banco de trás do Moskvich, atarantado. Talvez nunca mais voltasse a ver o travesso Nikita Kruschev. E Nina estava transando com um corpulento marechal de meia-idade e bigode grisalho. Era informação demais para digerir.
Um minuto depois, o motorista perguntou:
– Casa ou escritório?
Dimka ficou espantado por ter escolha. Isso significava que não estava sendo levado para a prisão no subsolo da Lubyanka. Pelo menos não hoje. Tinha sido poupado, por enquanto.
Considerou suas alternativas. Não podia trabalhar. Não fazia sentido algum marcar reuniões e preparar relatórios para um líder prestes a cair.
– Para casa – pediu.
Chegando lá, pegou-se extremamente relutante para confrontar Nina. Estava constrangido, isso sim, como se fosse ele quem tivesse dado o mau passo.
E tinha *mesmo* dado um mau passo. Uma noite de sexo oral com Natalya não era a mesma coisa que o caso sugerido pelas palavras de Kruschev, mas era ruim o bastante.
Não disse nada enquanto Nina dava de comer para Grigor. Então deu banho no filho e o pôs para dormir enquanto Nina preparava seu jantar. Durante a refeição, contou a ela que Kruschev iria renunciar naquela noite ou no dia seguinte. A notícia deveria sair nos jornais dali a uns dois dias, supunha ele.
Nina ficou alarmada.
– Mas e o seu emprego?
– Não sei o que vai acontecer – respondeu ele, ansioso. – No momento ninguém está preocupado com assessores. Eles devem estar decidindo se matam ou não Kruschev. Só depois vão cuidar dos peixes pequenos.
– Você vai ficar bem – disse ela após pensar alguns instantes. – Sua família é influente.
Dimka não tinha tanta certeza disso.
Tiraram a mesa. Ela reparou que ele não havia comido muito.

– Não gostou do guisado?

– Estou nervoso – respondeu ele. Então não se conteve: – Você é amante do marechal Pushnoy?

– Deixe de ser idiota.

– Não, estou falando sério. É ou não é?

Ela pôs os pratos dentro da pia com alarde.

– De onde você tirou essa ideia estapafúrdia?

– O camarada Kruschev me contou. Imagino que tenha recebido a informação da KGB.

– E como a KGB saberia?

Dimka percebeu que ela estava respondendo a perguntas com outras perguntas, em geral um sinal de mentira.

– Eles vigiam os movimentos de todas as figuras importantes do governo à procura de algum comportamento não conformista.

– Deixe de ser ridículo – disse ela outra vez. Sentou-se e pegou os cigarros.

– Você flertou com ele no funeral da minha avó.

– Flertar é uma coisa...

– E aí nós ganhamos uma dacha ao lado da dele.

Ela pôs um cigarro na boca e acendeu um fósforo, mas este apagou.

– Pareceu mesmo coincidência...

– Nina, você é bem dissimulada, mas suas mãos estão tremendo.

Ela jogou o fósforo apagado no chão.

– Bem, e como você acha que eu me sinto? – indagou, zangada. – Passo o dia inteiro neste apartamento sem ter ninguém com quem conversar a não ser um bebê e a sua mãe. Eu queria uma dacha, e você não ia nos arrumar uma!

Dimka ficou pasmo.

– Então está admitindo que se prostituiu?

– Ah, seja realista. De que outro jeito as pessoas conseguem coisas em Moscou? – Ela conseguiu acender o cigarro e tragou fundo. – Você trabalha para um secretário-geral louco. Eu abro as pernas para um marechal com tesão. Não tem muita diferença.

– Nesse caso, por que abriu as pernas para mim?

Ela não disse nada, mas involuntariamente olhou para a sala em volta.

Ele entendeu na hora.

– Por um apartamento na Casa do Governo?

Ela não negou.

– Achei que você me amasse.

– Ah, eu gostava de você, mas desde quando isso basta? Não seja criança. Isto aqui é o mundo real. Se você quer alguma coisa, tem que pagar o preço.

Dimka se sentiu um hipócrita por acusá-la, então confessou:

– Bom, talvez seja melhor eu contar logo que também fui infiel.

– Ah! Não achei que fosse ter coragem. Com quem?

– Prefiro não dizer.

– Alguma datilografazinha lá do Kremlin, aposto.

– Foi só uma noite e não chegamos a ter relação, mas não sinto que isso melhore muito a situação.

– Ah, pelo amor de Deus, e você acha que eu estou ligando? Vá em frente... aproveite!

Será que Nina estava delirando de raiva ou revelando seus verdadeiros sentimentos? Dimka estava atarantado.

– Nunca imaginei que fôssemos ter esse tipo de casamento.

– Acredite em mim, não existe outro tipo.

– Existe, sim.

– Fique com seus sonhos que eu fico com os meus.

Ela ligou a TV.

Dimka passou um tempo sentado, encarando a tela sem escutar o programa. Depois de alguns minutos, foi se deitar, mas não dormiu. Mais tarde, Nina entrou na cama ao seu lado, mas os dois não se tocaram.

No dia seguinte, Nikita Kruschev foi embora do Kremlin para sempre.

Dimka continuou a ir ao trabalho todos os dias de manhã. Yevgeny Filipov andava para lá e para cá ostentando um terno azul novo; tinha sido promovido. Estava claro que havia participado do complô contra Kruschev e conquistado sua recompensa.

Dois dias depois, na sexta-feira, o jornal *Pravda* anunciou a renúncia do premiê.

Sentado em sua sala, sem muito o que fazer, Dimka reparou que os jornais ocidentais do mesmo dia anunciavam que o primeiro-ministro britânico também fora deposto. Sir Alec Douglas-Home, um aristocrata conservador, fora substituído em uma eleição nacional por Howard Wilson, líder do Partido Trabalhista.

Para Dimka, cuja visão agora estava bem cínica, havia algo de errado quando um país capitalista selvagem podia demitir seu premiê aristocrata e pôr um social-democrata no poder, de acordo com a vontade do povo, enquanto no maior país comunista do mundo esses acontecimentos eram tramados em segredo por uma pequena elite governante e então anunciados, dias depois, para uma população dócil e impotente.

E o comunismo nem era proibido na Grã-Bretanha. Trinta e seis candidatos comunistas haviam se candidatado ao Parlamento. Nenhum fora eleito.

Uma semana antes, Dimka teria contrabalançado esses pensamentos com a superioridade avassaladora do sistema comunista, sobretudo como este ficaria quando fosse reformado. Agora, contudo, as esperanças de reforma haviam morrido e a URSS fora preservada, com todas as suas falhas, até onde se podia prever. Sabia o que Tanya diria: as barreiras impostas às mudanças eram parte integrante do sistema, só mais um de seus defeitos. Mas não conseguia se forçar a acreditar nisso.

No dia seguinte, o *Pravda* condenou o subjetivismo e a deriva, as maquinações intelectualmente restritas, as bravatas e os esbravejamentos, além de vários outros pecados cometidos por Kruschev. Para Dimka, aquilo era tudo bobagem. O que estava acontecendo era um retrocesso. A elite soviética estava rejeitando o progresso e optando pelo que melhor sabia fazer: rígido controle da economia, repressão das vozes dissidentes, evitação de experiências. Aquilo os deixaria à vontade – e manteria a URSS a reboque do Ocidente em matéria de riqueza, poder e influência global.

Dimka foi incumbido de executar tarefas menores para Brejnev. Em poucos dias, já estava dividindo sua salinha com um dos assessores do novo premiê. Era uma questão de tempo até ser dispensado. No entanto, como Kruschev continuava em sua residência nas Colinas de Lênin, começou a pensar que o chefe e ele próprio talvez pudessem continuar vivos.

Uma semana depois, Dimka foi realocado.

Vera Pletner lhe trouxe as ordens dentro de um envelope lacrado, mas estava com uma cara tão triste que, antes mesmo de abri-lo, ele soube que o envelope continha más notícias. Leu a mensagem na hora. A carta o parabenizava por ter sido nomeado secretário-assistente do Partido Comunista em Carcóvia.

– Carcóvia. Puta que pariu!

A associação com o líder caído em desgraça obviamente falara mais alto do que a influência de sua célebre família. Aquilo era um grave rebaixamento. Seu salário iria aumentar, mas dinheiro não valia muito na URSS. Ele ganharia um apartamento e um carro, mas estaria na Ucrânia, bem longe do centro de poder e dos privilégios.

E o pior de tudo: iria morar a quase 750 quilômetros de Natalya.

Sentado à sua mesa, entregou-se à depressão. Kruschev estava acabado, sua carreira dera para trás, a URSS estava indo ladeira abaixo, seu casamento com Nina era um desastre, e ele seria despachado para longe de Natalya, o único ponto de luz em sua vida. Onde será que havia errado?

Ninguém andava bebendo muito no Beira-Rio ultimamente, mas nessa noite ele encontrou Natalya ali pela primeira vez desde que voltara de Pitsunda. O chefe dela, Andrei Gromyko, não fora afetado pelo golpe e permanecia ministro das Relações Exteriores, de modo que seu emprego fora mantido.

– Kruschev me deu um presente de despedida – disse-lhe Dimka.
– Qual?
– Ele me disse que Nina estava tendo um caso com o marechal Pushnoy.
– E você acreditou?
– Imagino que a informação seja da KGB.
– Mesmo assim, pode ser um erro.

Dimka balançou a cabeça.

– Ela confessou. A maravilhosa dacha que ganhamos fica bem ao lado da casa de Pushnoy.
– Ai, Dimka, eu sinto muito.
– Quem será que cuida de Grigor quando eles estão na cama?
– O que você vai fazer?
– Não posso me indignar muito. Se eu tivesse coragem, estaria tendo um caso com você.

Natalya pareceu abalada.

– Não fale assim.

Seu rosto exibiu várias emoções em rápida sucessão: empatia, tristeza, anseio, medo, incerteza. Com um gesto nervoso, ela afastou os cabelos revoltos.

– Mas agora é tarde, mesmo – continuou Dimka. – Fui transferido para Carcóvia.
– O quê?!
– Fiquei sabendo hoje. Secretário-assistente do Partido Comunista de Carcóvia.
– Mas quando vou ver você de novo?
– Nunca mais, imagino.

Os olhos dela ficaram marejados.

– Não posso viver sem você.

Dimka levou um susto. Sabia que Natalya gostava dele, mas ela nunca tinha falado daquele jeito, nem mesmo durante sua única noite juntos.

– Como assim? – perguntou, feito um idiota.
– Eu amo você. Não sabia?
– Não, não sabia – respondeu ele, atordoado.
– Faz tempo que amo você.
– E por que nunca me disse nada?
– Estou com medo.

– De quê?
– Do meu marido.

Dimka já desconfiava de algo desse tipo. Embora não tivesse provas, imaginava que fosse Nik o responsável pelo bárbaro espancamento do vendedor do mercado negro que tentara enganar Natalya. Não era de espantar que ela tivesse pânico de declarar seu amor por outro homem. Era esse o motivo de sua volubilidade: em um dia calorosa e sensual, no outro, fria e distante.

– Acho que também tenho medo dele – confessou.
– Quando você vai?
– O caminhão dos móveis vem na sexta.
– Já?
– Eu sou uma arma fora de controle lá no escritório. Eles não sabem do que eu sou capaz. Querem me tirar do caminho.

Ela pegou um lenço branco e o levou aos olhos. Então se inclinou mais para perto dele por cima da mesa.

– Lembra daquela sala com a mobília tzarista antiga?
Ele sorriu.
– Nunca vou me esquecer.
– E da cama de baldaquino?
– Claro.
– Quanta poeira.
– E que frio.

Ela havia mudado de comportamento outra vez e estava agora brincalhona, provocante.

– Qual é a sua lembrança mais viva?

Uma resposta lhe ocorreu na hora: os pequenos seios de Natalya, de mamilos grandes e pontudos. Mas ele a reprimiu.

– Vamos, pode falar – insistiu ela.

O que ele tinha a perder?
– Seus mamilos – respondeu.

Estava dividido entre o constrangimento e o desejo.

Ela deu uma risadinha.
– Quer ver de novo?

Dimka engoliu em seco. Tentando manter a mesma leveza que ela, respondeu:
– Adivinha.

Ela se levantou; parecia subitamente decidida.
– Então me encontre lá às sete – falou. E saiu do bar.

Nina ficou uma fera.

– Carcóvia! – berrou ela. – O que vou fazer naquela porra de cidade?

Em geral ela não falava palavrão; achava vulgar. Não podia se rebaixar a hábitos tão rasteiros. Aquele lapso era um sinal de quanto estava abalada.

Mas Dimka não se comoveu.

– Tenho certeza de que o sindicato de metalurgia de lá pode arrumar um emprego para você.

De todo modo, já estava na hora de ela pôr Grigor na creche e voltar a trabalhar, como se esperava que fizessem todas as mães soviéticas.

– Não quero ser exilada em uma cidade provinciana.

– Nem eu. Acha que pedi para ser mandado para lá?

– Você não previu que isso ia acontecer?

– Previ, e pensei até em mudar de cargo, mas achei que o golpe tivesse sido abortado quando na verdade fora apenas adiado. Naturalmente, os conspiradores fizeram o possível para eu não descobrir nada.

Ela o encarou com um olhar calculista.

– Imagino que tenha passado a noite de ontem se despedindo da sua datilógrafa.

– Você me disse que não ligava.

– Está bem, espertinho. Quando temos que ir?

– Na sexta.

– Que droga.

Com ar furioso, ela começou a fazer as malas.

Na quarta, Dimka falou com seu tio Volodya sobre a mudança:

– Não é só por causa da minha carreira. Eu não estou no governo só por minha causa. Quero mostrar que o comunismo pode dar certo. Mas isso significa que o regime tem que mudar, melhorar. Agora estou com medo de andarmos para trás.

– Vamos trazer você de volta para Moscou assim que possível – disse Volodya.

– Obrigado – agradeceu ele com fervor.

– Você merece – arrematou seu tio, caloroso. – É inteligente e faz as coisas acontecerem, e não temos grande fartura de pessoas assim. Queria ter você no meu escritório.

– Eu nunca fui do tipo militar.

– Mas escute aqui: quando uma coisa dessas acontece, você precisa demonstrar sua lealdade trabalhando duro e sem reclamar, e principalmente não ficar

581

implorando o tempo inteiro para voltar a Moscou. Se fizer isso durante cinco anos, posso começar a trabalhar na sua volta.

– Cinco anos?

– Para eu poder *começar*. Não conte com menos de dez. Na verdade, não conte com nada. Não sabemos como Brejnev vai se sair.

Dali a dez anos, a URSS talvez tivesse regredido de volta para a pobreza e o subdesenvolvimento, pensou Dimka. Mas de nada adiantava dizer isso. Tio Volodya não era apenas sua melhor chance; era a única.

Tornou a ver Natalya na quinta-feira. Ela estava com o lábio partido.

– Foi Nik que fez isso? – indagou, zangado.

– Escorreguei no gelo da escada e caí de cara no chão – explicou ela.

– Não acredito.

– É verdade – disse ela, mas não quis tornar a encontrá-lo no depósito de móveis.

Na sexta de manhã, um furgão ZIL-130 chegou, estacionou em frente à Casa do Governo e dois homens de macacão começaram a descer no elevador com as coisas de Dimka e Nina.

Quando o furgão estava quase cheio, os trabalhadores pararam para descansar. Nina lhes preparou sanduíches e chá. O telefone tocou, e o porteiro disse:

– Correspondência do Kremlin, tem que ser entregue em mãos.

– Pode mandar subir – disse Dimka.

Dois minutos mais tarde, Natalya apareceu na porta do apartamento usando um casaco de mink cor de champanhe. Com a boca machucada, parecia uma deusa violentada.

Dimka a encarou sem entender. Então olhou para Nina.

Ela percebeu o olhar de culpa do marido e encarou Natalya com ódio. Dimka imaginou que as duas mulheres poderiam sair no tapa. Preparou-se para intervir.

Nina cruzou os braços na frente do peito.

– Então, Dimka. Imagino que essa seja a sua datilografazinha.

O que ele poderia dizer? Que sim? Que não? Ela era sua amante?

Natalya exibia um ar desafiador.

– Eu não sou datilógrafa – falou.

– Não se preocupe – disse Nina. – Eu sei exatamente o que você é.

Belo discurso, pensou Dimka, vindo de uma mulher que tinha ido para a cama com um velho marechal gordo em troca de uma dacha. Mas não falou nada.

Com ar superior, Natalya lhe entregou um envelope que parecia oficial.

Ele o abriu com um rasgão. Era de Alexei Kosygin, o economista que defendia reformas no regime. Mesmo com suas ideias radicais, ele fora nomeado diretor do Conselho de Ministros do governo Brejnev, pois dispunha de uma forte base de poder.

O coração de Dimka deu um pulo. A carta lhe oferecia um emprego como assessor de Kosygin, ali mesmo em Moscou.

– Como você conseguiu? – perguntou ele a Natalya.

– É uma longa história.

– Bem, obrigado. – Sua vontade era abraçá-la e beijá-la, mas ele se conteve. Virou-se para Nina: – Fui salvo. Vou poder ficar em Moscou. Natalya me arrumou um emprego com Kosygin.

As duas mulheres se encararam com um ódio recíproco. Nenhum dos três soube o que dizer.

Depois de um longo intervalo, um dos carregadores perguntou:

– Nesse caso, é para descarregar o furgão?

⤺

Tanya pegou um voo da Aeroflot até a Sibéria e fez escala em Omsk a caminho de Irkutsk. O avião era um jato confortável, um Tupolev Tu-104, e o voo noturno durou oito horas, as quais ela passou quase todas dormindo.

Oficialmente, estava a serviço da TASS. Sem ninguém saber, contudo, estava indo procurar Vasili.

Duas semanas antes, Daniil Antonov fora até sua mesa lhe entregar discretamente o manuscrito de *Enregelamento*.

– A *Novo Mundo* no fim das contas não vai poder publicar – falou. – Brejnev está apertando o cerco. A palavra de ordem agora é ortodoxia.

Tanya enfiara os papéis dentro de uma gaveta. Ficara decepcionada, mas já estava meio preparada para aquilo.

– Lembra aquelas matérias que escrevi há três anos sobre a vida na Sibéria? – perguntou.

– Claro – respondeu seu chefe. – Foi uma das séries de maior sucesso que já publicamos... e o governo recebeu inúmeros pedidos de famílias querendo se mudar para lá.

– Talvez fosse bom eu fazer uma suíte. Conversar com algumas das mesmas pessoas e perguntar como elas estão. E entrevistar alguns dos recém-chegados.

– Ótima ideia. – Daniil baixou a voz: – Você sabe onde ele está?

Então ele tinha adivinhado. Não era de espantar.

– Não – respondeu ela. – Mas posso descobrir.

Tanya continuava morando na Casa do Governo. Depois da morte de Katerina, ela e Anya tinham subido um andar e se mudado para o amplo apartamento dos avós para poderem cuidar do velho Grigori. Este alegava não precisar de cuidados: quando ele e seu irmão menor Lev eram operários de fábrica, antes da Primeira Guerra Mundial, e moravam em um cômodo só em uma favela de São Petersburgo, ele cozinhava e limpava para os dois, dizia, orgulhoso. Mas a verdade era que agora estava com 76 anos e não preparava uma refeição nem varria um piso desde a Revolução.

Nessa noite, Tanya desceu no elevador e foi bater na porta do apartamento do irmão.

Quem abriu foi Nina.

– Ah – disse a cunhada, grosseira.

Deixando a porta aberta, retirou-se para dentro do apartamento. Ela e Tanya nunca tinham se gostado.

Tanya entrou no pequeno hall. Dimka veio do quarto e sorriu, satisfeito em vê-la.

– Podemos conversar em particular? – pediu ela.

Ele pegou as chaves em cima de uma mesinha e a conduziu para fora do apartamento. Desceram de elevador e foram se sentar em um banco no espaçoso saguão de entrada.

– Preciso que você descubra onde Vasili está.

Dimka balançou a cabeça.

– Não.

Tanya quase começou a chorar.

– Por quê?

– Acabei de escapar por um triz de ser exilado para Carcóvia. Estou em um emprego novo. O que as pessoas vão pensar se eu começar a fazer perguntas sobre um criminoso dissidente?

– Eu preciso falar com Vasili!

– Não entendo por quê.

– Pense como ele deve estar se sentindo. Faz mais de um ano que a pena dele terminou, mas ele continua na Sibéria. Deve estar com medo de ter que passar o resto da vida lá! Preciso mostrar que ele não foi esquecido.

Dimka segurou sua mão.

– Sinto muito, Tanya. Sei que você gosta dele. Mas de que vai adiantar eu correr esse risco?

– Do jeito que *Enregelamento* é bom, ele poderia se tornar um grande escritor. E ele escreve sobre o nosso país de um jeito que simboliza tudo o que existe de errado aqui. Preciso lhe dizer para escrever mais.

– E daí?

– Você trabalha no Kremlin: nunca vai poder mudar nada. Brejnev jamais vai reformar o comunismo.

– Eu sei. Estou desesperado.

– A política neste país acabou. Talvez agora nossa única esperança seja a literatura.

– Será que um conto vai fazer alguma diferença?

– Quem sabe? E o que mais nós podemos fazer? Por favor, Dimka. Nós sempre discordamos sobre se o comunismo deve ser reformado ou extinto, mas nenhum de nós simplesmente cruzou os braços.

– Não sei...

– Descubra onde Vasili Yenkov mora e onde trabalha. Diga que é uma investigação política secreta para um relatório em que está trabalhando.

Dimka suspirou.

– Tem razão, não podemos simplesmente cruzar os braços.

– Obrigada.

Ele conseguiu a informação dois dias depois. Vasili fora solto do campo de prisioneiros, mas por algum motivo não havia nenhum endereço novo em sua ficha. No entanto, ele trabalhava em uma usina de energia elétrica a alguns quilômetros de Irkutsk. A recomendação das autoridades era que seu visto de viagem fosse recusado até ordem contrária.

Tanya foi recebida no aeroporto por uma representante da agência de recrutamento siberiana, uma mulher de 30 e poucos anos chamada Irina. Teria preferido um homem. Mulheres tinham intuição, e Irina poderia desconfiar de sua verdadeira missão.

– Pensei que poderíamos começar pela Loja Central de Departamentos – disse Irina, animada. – Temos várias coisas que não se pode comprar com facilidade em Moscou, sabia?

Tanya se forçou a parecer animada.

– Ótimo!

Irina a levou até a cidade em um Moskvitch 410 com tração nas quatro rodas. Tanya largou a mala no Hotel Central e se deixou levar para conhecer a loja. Refreando a própria impaciência, entrevistou o gerente e uma assistente de balcão.

Então disse:

– Quero visitar a usina de energia elétrica de Chenkov.

– Ah, é? – estranhou Irina. – Por quê?

– Estive lá da última vez. – Era mentira, mas a outra não tinha como saber. – Um dos meus temas vai ser como as coisas mudaram. Além do mais, estou planejando entrevistar pessoas com quem falei da última vez.

– Mas a usina não foi avisada sobre a sua visita.

– Não faz mal. Prefiro não atrapalhar o trabalho deles. Vamos só dar uma olhada, e posso conversar com os funcionários durante o horário de almoço.

– Como quiser. – Irina não gostou, mas era obrigada a fazer todo o possível para agradar aquela jornalista importante. – Vou ligar avisando.

Chenkov era uma velha usina de geração de energia a carvão construída nos anos 1930, quando a limpeza não era uma questão importante. Um cheiro de carvão pairava no ar e o pó recobria todas as superfícies, transformando o branco em cinza e o cinza em preto. Elas foram recebidas por um gerente de terno e camisa suja, obviamente surpreso com aquela visita.

Enquanto visitava a fábrica, Tanya ficou procurando Vasili. Não deveria ser difícil encontrá-lo: um homem alto, de fartos cabelos escuros e bonito como um astro de cinema. Só que ela não poderia deixar transparecer, nem para Irina nem para qualquer outra pessoa que estivesse por perto, que o conhecia bem e que tinha ido à Sibéria procurá-lo. "O senhor parece conhecido", diria ela. "Acho que devo tê-lo entrevistado na última vez em que estive aqui." Vasili tinha o raciocínio rápido e entenderia na hora o que estava acontecendo, mas ela continuaria falando pelo máximo de tempo que conseguisse, de modo a lhe dar tempo para se recuperar do choque de vê-la.

Um eletricista decerto devia trabalhar na sala de comando ou então no andar das caldeiras, calculou ela, mas depois se deu conta de que Vasili poderia estar consertando alguma tomada ou circuito de iluminação em qualquer lugar do complexo.

Perguntou-se quanto ele poderia ter mudado naqueles anos. Provavelmente ainda a considerava uma amiga, já que havia mandado o conto para ela. Sem dúvida devia ter uma namorada na Sibéria, ou mesmo várias, sendo como era. Será que ele tinha uma visão filosófica do longo tempo na prisão, ou sentia raiva da injustiça que sofrera? Será que despertaria pena em Tanya, ou a xingaria por não conseguir tirá-lo dali?

Fez seu trabalho de forma meticulosa, perguntando aos operários o que eles e suas famílias achavam da vida na Sibéria. Todos mencionaram os altos salários e as promoções rápidas devidas à escassez de mão de obra qualificada. Muitos falavam sobre as agruras com alegria, e reinava na usina uma atmosfera de camaradagem e pioneirismo.

Ao meio-dia, ela ainda não tinha visto Vasili. Que frustração! Ele não podia estar muito longe.

Irina a levou ao refeitório dos gerentes, mas ela insistiu em almoçar na cantina, junto com os operários. As pessoas relaxavam quando estavam comendo, e seus relatos eram mais sinceros e interessantes. Enquanto anotava suas palavras, Tanya olhava em volta para escolher o entrevistado seguinte sem deixar de prestar atenção para ver se encontrava Vasili.

Mas a hora do almoço passou e ele não apareceu. A cantina começou a esvaziar. Irina sugeriu que elas passassem ao compromisso seguinte: visitar uma escola onde Tanya poderia conversar com jovens mães. Ela não conseguiu pensar em nenhum motivo para recusar.

Teria de perguntar por ele nominalmente. Imaginou-se dizendo: *Acho que me lembro de um homem interessante que encontrei da última vez... um eletricista, eu acho, chamado Vasili... Vasili Yenkov, pode ser? Será que poderia descobrir se ele ainda trabalha aqui?* Era quase implausível. Irina poderia até perguntar, mas não era burra, e com certeza ficaria pensando no motivo do interesse especial de Tanya pelo tal homem. Não levaria muito tempo para descobrir que Vasili fora mandado para a Sibéria como preso político. Depois disso, a questão seria saber se ela preferiria ficar de boca fechada e cuidar da própria vida – muitas vezes a estratégia preferida na União Soviética – ou tentar obter algum favorecimento comentando sobre a curiosidade de Tanya com algum superior seu na hierarquia do Partido.

Durante anos, ninguém soubera da amizade entre Tanya e Vasili. Era essa a sua proteção. Por isso eles não tinham sido condenados à prisão perpétua por publicar uma revista subversiva. Depois da prisão de Vasili, Tanya só revelara o segredo a uma única pessoa: seu irmão gêmeo. E Daniil tinha adivinhado. Agora, no entanto, ela corria o risco de despertar as suspeitas de uma desconhecida.

Tomou coragem para falar, mas nessa hora ele apareceu.

Ela tapou a boca com a mão para conter um grito.

Vasili parecia um velho. Estava magro e curvado, com os cabelos compridos desgrenhados e cheios de fios grisalhos. O rosto outrora viçoso e sensual estava emaciado e enrugado. Ele usava um macacão imundo cheio de chaves de fenda nos bolsos. Caminhava arrastando os pés.

– Algum problema, camarada Tanya? – perguntou Irina.

– Dor de dente – respondeu ela, de improviso.

– Sinto muito.

Ela não soube dizer se Irina acreditou.

Seu coração batia disparado. Ela estava louca de felicidade por ter encontrado Vasili, mas horrorizada com sua aparência arruinada. E precisava esconder de Irina essa avalanche de emoções.

Levantou-se para que ele a visse. Como havia poucas pessoas na cantina agora, seria impossível não vê-la. Para evitar as suspeitas de Irina, virou o rosto de lado, sem encará-lo, e pegou a bolsa como se estivesse de saída.

– Preciso ir ao dentista assim que voltar para casa – comentou.

Com o rabo do olho, viu Vasili parar de repente e encará-la. Para Irina não desconfiar, pediu:

– Mas me fale sobre a escola que vamos visitar. Que idade têm os alunos?

As duas começaram a andar na direção da porta enquanto Irina respondia à pergunta. Tanya tentou observar Vasili sem olhar diretamente para ele, que passou algum tempo paralisado, sem desgrudar os olhos dela. Quando as duas passaram por ele, Irina lhe lançou um olhar curioso.

Então Tanya tornou a olhar diretamente para Vasili.

Seu rosto encovado agora exibia uma expressão atordoada. Com a boca escancarada, ele a encarava sem piscar. Mas havia no seu olhar algo além do choque, e ela percebeu que era esperança – uma esperança surpresa, incrédula, ávida. Vasili ainda não estava totalmente derrotado: alguma coisa dera àquela ruína de homem forças para escrever uma história maravilhosa.

Ela se lembrou das palavras que tinha preparado:

– O senhor me parece conhecido... não conversamos da última vez que estive aqui, três anos atrás? Meu nome é Tanya Dvorkin, eu trabalho para a TASS.

Vasili fechou a boca e começou a recuperar o autocontrole, mas sem deixar de parecer embasbacado. Tanya seguiu falando:

– Estou escrevendo uma continuação para a minha série sobre os emigrantes que vieram para a Sibéria. Mas acho que não me lembro do seu nome... entrevistei centenas de pessoas nos últimos três anos!

– Yenkov – disse ele por fim. – Vasili Yenkov.

– Tivemos uma conversa muito interessante. Agora me lembro. Preciso entrevistá-lo de novo.

Irina olhou para o relógio.

– Nosso tempo está curto. As escolas aqui fecham cedo.

Tanya assentiu e falou para Vasili:

– Podemos nos encontrar hoje no final do dia? O senhor se importaria em ir até o Hotel Central? Quem sabe tomamos alguma coisa?

– No Hotel Central – repetiu Vasili.
– Às seis, pode ser?
– Às seis no Hotel Central.
– Até lá, então – disse ela, e saiu.

⁘

Tanya queria assegurar a Vasili que ele não fora esquecido e tinha feito isso. Mas seria suficiente? Será que conseguiria lhe proporcionar alguma esperança? Queria também lhe dizer que sua história era maravilhosa e que ele deveria escrever mais, porém nesse aspecto tampouco tinha qualquer incentivo a lhe oferecer: *Enregelamento* não podia ser publicado, e o mesmo provavelmente se aplicaria a qualquer outra coisa que ele produzisse. Teve medo de fazê-lo se sentir pior, em vez de melhor.

Esperou-o no bar. O hotel não era mau. Como ninguém ia à Sibéria de férias, todos os visitantes eram VIPs, e o estabelecimento tinha o nível de luxo esperado pela elite comunista.

Vasili entrou com um aspecto um pouco melhor que o de antes. Tinha penteado os cabelos e vestido uma camisa limpa. Ainda parecia estar convalescendo de alguma doença, mas em seus olhos brilhava a luz da inteligência.

Ele segurou as duas mãos de Tanya.

– Obrigado por ter vindo – falou, com a voz trêmula de emoção. – Você não imagina o que isso significa para mim. Você é uma amiga, boa e confiável.

Ela o beijou na bochecha.

Eles pediram cerveja. Vasili comeu os amendoins de cortesia como se fosse um esfomeado.

– Sua história é maravilhosa – disse Tanya. – Não é só boa; é extraordinária.

Ele sorriu.

– Obrigado. Quem sabe alguma coisa que valha a pena possa sair deste lugar horrível.

– Não sou a única admiradora. Os editores da *Novo Mundo* aceitaram publicá-la. – Ele se animou, grato, mas ela teve que trazê-lo mais uma vez de volta à realidade: – Mas mudaram de ideia depois que Kruschev foi deposto.

Vasili fez uma cara de arrasado, então pegou outro punhado de amendoins.

– Não estou surpreso – falou, voltando ao seu comedimento. – Pelo menos eles gostaram... é isso que importa. Valeu a pena ter escrito.

– Fiz umas cópias e mandei pelo correio, sem remetente, claro, para algumas das pessoas que recebiam o *Dissidência*. – Ela hesitou. O que planejava dizer em seguida era ousado. Depois que dissesse, não poderia voltar atrás. Ela arriscou: – A única outra coisa que eu poderia tentar seria mandar uma cópia para o Ocidente.

Ela viu uma centelha de otimismo nos olhos de Vasili, mas ele fingiu estar em dúvida.

– Poderia ser perigoso para você.

– E para você.

Vasili deu de ombros.

– O que eles vão fazer comigo, me mandar para a Sibéria? Mas você pode perder tudo.

– Você conseguiria escrever outros contos?

Ele tirou do casaco um grande envelope usado.

– Já escrevi – falou, entregando-lhe o envelope.

Tomou uns goles da cerveja e esvaziou o copo.

Tanya espiou dentro do envelope. As páginas estavam cobertas com a caligrafia miúda e bem-feita de Vasili.

– Mas é o suficiente para um livro!

Então ela se deu conta de que, caso fosse pega com aquele material, também poderia acabar presa na Sibéria. Guardou o envelope depressa na bolsa a tiracolo.

– O que vai fazer com ele? – quis saber Vasili.

Tanya tinha pensado um pouco no assunto.

– Todo ano tem uma Feira do Livro em Leipzig, na Alemanha Oriental. Eu poderia tentar cobrir o evento para a TASS... falo alemão, de certa forma. A feira é frequentada por editores ocidentais, de Paris, Londres e Nova York. Talvez eu consiga fazer seu trabalho ser traduzido para outro idioma e publicado.

O semblante dele se acendeu.

– Você acha mesmo possível?

– O que eu acho é que *Enregelamento* é bom o suficiente.

– Seria maravilhoso! Mas você estaria correndo um risco enorme.

Ela assentiu.

– Você também. Se as autoridades soviéticas derem um jeito de descobrir quem é o autor, estaria seriamente encrencado.

Ele riu.

– Olhe só para mim: faminto, vestido com andrajos, morando sozinho em uma pensão para homens onde sempre faz frio... Não estou preocupado.

Nunca ocorrera a Tanya que ele pudesse não ter comida suficiente.

– O hotel tem um restaurante – falou. – Você quer jantar?

– Quero, por favor.

Vasili pediu um estrogonofe com batatas cozidas. A garçonete pôs um pequeno cesto de pães sobre a mesa, como se fazia nos banquetes. Vasili comeu todos os pães. Depois do estrogonofe, pediu um *pirozhki*, bolinho frito recheado com ameixas cozidas. Também comeu tudo o que Tanya deixou no prato.

– Pensei que os trabalhadores qualificados fossem bem remunerados aqui – comentou ela.

– Os voluntários, sim, mas os ex-prisioneiros, não. As autoridades só se submetem ao mecanismo de preços quando forçadas.

– Posso mandar comida para você?

Ele fez que não com a cabeça.

– A KGB rouba tudo. Os embrulhos chegam rasgados, marcados com as palavras "Pacote suspeito, inspecionado pelas autoridades", e tudo minimamente decente some. O cara do quarto ao lado do meu recebeu seis vidros de geleia, todos vazios.

Tanya assinou a conta do jantar.

– Seu quarto tem banheiro privativo? – perguntou Vasili.

– Tem.

– Com água quente?

– Claro.

– Posso tomar uma chuveirada? Na pensão só tem água quente uma vez por semana, e temos que correr antes que acabe.

Eles subiram.

Vasili demorou muito tempo no banheiro. Sentada na cama, Tanya ficou olhando para a neve encardida lá fora. Estava anestesiada. Sabia vagamente como eram os campos de prisioneiros, mas estar com Vasili lhe mostrara isso de maneira real e devastadora. Antes a sua imaginação não alcançava a extensão do sofrimento dos prisioneiros. Ainda assim, apesar de tudo, ele não se rendera ao desespero. Na verdade, conseguira encontrar força e coragem para escrever sobre aquelas experiências com arrebatamento e humor. A admiração de Tanya por ele estava maior do que nunca.

Quando ele enfim saiu do banheiro, os dois se despediram. Em outros tempos, ele teria lhe passado uma cantada, mas nesse dia a ideia nem sequer pareceu lhe ocorrer.

Ela lhe deu todo o dinheiro que tinha na bolsa, uma barra de chocolate e duas ceroulas compridas que ficariam curtas, mas deveriam servir.

– Talvez sejam melhores do que as que você tem – falou.

– Com certeza – retrucou ele. – Eu não tenho roupa de baixo.

Depois que ele saiu, Tanya chorou.

CAPÍTULO TRINTA E SEIS

Sempre que tocava "Love Is It" na rádio Luxembourg, Karolin chorava.
Lili, agora com 16 anos, acreditava que sabia como a moça mais velha se sentia. Era como ter Walli de volta em casa, cantando e tocando no cômodo ao lado, só que elas não podiam entrar lá e vê-lo, nem lhe dizer quanto a música era boa.

Quando Alice estava acordada, elas a punham sentada perto do rádio e diziam:
– É o papai!

A menina não entendia, mas sabia que era algo emocionante. Às vezes Karolin cantava a música para a filha, e Lili a acompanhava no violão e cantava a harmonia.

A missão de vida de Lili era ajudar Karolin e Alice a emigrar para o Ocidente e reencontrar Walli.

Karolin continuava morando na casa dos Franck em Mitte. Seus pais não queriam nem ouvir falar dela. Segundo eles, a jovem os havia desgraçado dando à luz uma filha ilegítima. A verdade, porém, era que a Stasi tinha dito ao seu pai que ele perderia o emprego de supervisor na rodoviária por causa do envolvimento da filha com Walli. Eles então a haviam expulsado de casa, e ela fora morar com a família do namorado.

Lili adorava ter Karolin em casa; era como uma irmã mais velha para substituir Rebecca. Além do mais, era louca pela neném. Todos os dias, ao chegar da escola, ela passava umas duas horas cuidando de Alice para dar um descanso à jovem mãe.

Nesse dia, Alice estava completando um ano, e Lili tinha feito um bolo. Sentada na cadeirinha alta, a menina batia alegremente em uma tigela com uma colher de pau enquanto sua tia preparava a massa de um bolo levinho que ela pudesse comer.

Lá em cima, no quarto, Karolin escutava a rádio Luxembourg.

O aniversário de Alice era também o aniversário do assassinato de Kennedy, e o rádio e a TV da Alemanha Ocidental estavam transmitindo programas sobre o presidente americano e o impacto de sua morte. Já as estações orientais tentavam minimizar o assunto.

Lyndon Johnson havia passado quase um ano como presidente interino, mas três semanas antes vencera de lavada a eleição contra o ultraconservador republicano Goldwater. Lili estava contente. Embora Hitler tivesse morrido antes de ela nascer, conhecia a história de seu país e tinha medo de políticos que arrumavam justificativas para o ódio racial.

Johnson não era tão carismático quanto Kennedy, mas parecia igualmente decidido a defender Berlim Ocidental, e era isso que importava para a maioria dos alemães de ambos os lados do Muro.

Quando Lili estava tirando o bolo do forno, sua mãe chegou do trabalho. Apesar de todos saberem que ela havia sido social-democrata, Carla conseguira manter o emprego de chefe da enfermagem em um grande hospital. Certa vez, quando circulara o boato de que ela seria demitida, as enfermeiras haviam ameaçado entrar em greve, e o diretor do hospital fora obrigado a evitar problemas, garantindo a elas que Carla continuaria a ser sua chefe.

O pai de Lili, por sua vez, fora forçado a arrumar um emprego, embora ainda tentasse administrar de longe a fábrica que tinha em Berlim Ocidental. Agora precisava trabalhar como engenheiro em uma fábrica estatal de Berlim Oriental que produzia televisores muito inferiores aos da Alemanha Ocidental. No início, chegara a fazer sugestões para melhorar o produto, mas, como isso foi considerado uma forma de crítica a seus superiores, parou. Nessa noite, assim que chegou em casa, ele foi à cozinha e todos cantaram "Hoch Soll Sie Leben", a tradicional canção de aniversário alemã, cujo título significava "Que ela tenha vida longa".

Então sentaram-se em volta da mesa da cozinha e ficaram debatendo se Alice um dia iria ver o pai.

Karolin tinha pedido permissão para emigrar. Fugir se tornava mais difícil a cada ano; mesmo assim, ela poderia ter tentado atravessar se estivesse sozinha, mas não estava disposta a arriscar a vida de Alice. Todo ano, umas poucas pessoas podiam sair legalmente do país. Ninguém conseguia descobrir quais eram os critérios usados para avaliar os pedidos, mas parecia que a maioria dos que tinham permissão para sair eram dependentes não produtivos, crianças e idosos.

Karolin e Alice eram dependentes não produtivos, mas mesmo assim seu pedido havia sido negado.

Como sempre, nenhum motivo fora dado.

O governo naturalmente não informava se cabia recurso. Mais uma vez, boatos preenchiam a falta de informação. Segundo diziam, era possível fazer um pedido pessoal ao líder da Alemanha Oriental, Walter Ulbricht.

Aquele homem baixinho, com uma barba que imitava a de Lênin e servilmente ortodoxo em tudo, parecia um salvador improvável. Diziam que ele estava contente com o golpe em Moscou, pois achava que Kruschev não era ortodoxo o bastante. Mesmo assim, Karolin tinha lhe escrito pessoalmente uma carta na qual explicava que precisava emigrar para se casar com o pai de sua filha.

– Dizem que ele acredita na moralidade familiar do tipo tradicional – falou Karolin. – Se for verdade, deveria ajudar uma mulher que só quer que a filha tenha um pai.

A população da Alemanha Oriental passava a vida tentando adivinhar o que o governo estava planejando, querendo ou pensando. O regime era imprevisível. Permitia-se que alguns discos de rock tocassem nos clubes para jovens, até que de repente todos eram proibidos. Por algum tempo, as autoridades se mostravam tolerantes em matéria de vestuário, depois começavam a prender rapazes de calça jeans. A Constituição nacional assegurava o direito de viajar, mas poucas pessoas tinham permissão para visitar os parentes na Alemanha Ocidental.

A avó Maud entrou na conversa.

– Não se pode prever como um tirano vai agir – disse ela. – A incerteza é uma das armas que ele tem. Eu vivi sob o nazismo e sob o comunismo, e os dois são tão parecidos que chega a ser deprimente.

Alguém bateu na porta da frente. Lili foi abrir e ficou horrorizada ao ver, postado nos degraus da entrada, o ex-cunhado Hans Hoffmann.

Hans era um homem grande e poderia facilmente ter tirado a adolescente do caminho com um empurrão, mas não o fez.

– Abra essa porta, Lili – disse ele, com voz impaciente e cansada. – Eu trabalho na polícia, você não pode me impedir de entrar.

O coração da menina batia feito um tambor, e ela gritou por cima do ombro:

– Mãe! É Hans Hoffmann!

Carla veio correndo.

– Hans, você disse?

– É.

Carla assumiu o lugar da filha em frente à porta.

– Você não é bem-vindo aqui, Hans – falou.

As palavras desafiadoras foram ditas com tranquilidade, mas Lili podia ouvir a respiração rápida e nervosa da mãe.

– É mesmo? – indagou ele, frio. – Mesmo assim preciso falar com Karolin Koontz.

Lili soltou um ganido de medo. Por que Karolin?, pensou. Mas quem formulou a pergunta foi Carla:

– Por quê?

– Ela escreveu uma carta para o camarada secretário-geral Walter Ulbricht.
– E isso por acaso é crime?
– Pelo contrário. Ele é o líder do povo. Qualquer um pode lhe escrever. Ele gosta de receber cartas da população.
– Então por que você veio aqui intimidar e assustar Karolin?
– Vou explicar o que vim fazer diretamente a Fräulein Koontz. Não acha melhor me convidar para entrar?

Carla murmurou para Lili:
– Talvez ele tenha alguma coisa para nos dizer sobre o pedido de emigração dela. É melhor descobrirmos. – Ela escancarou a porta.

Hans entrou no hall. Tinha quase 40 anos e era alto, com as costas levemente curvadas. Estava usando um terno jaquetão pesado, azul-escuro, de qualidade em geral não disponível nas lojas da Alemanha Oriental. A roupa lhe dava um aspecto maior e mais ameaçador. Por instinto, Lili se afastou.

Ele conhecia a casa e começou a se comportar como se ainda morasse ali. Tirou o sobretudo, pendurou-o em um gancho do hall e, sem ser convidado, entrou na cozinha.

Lili e Carla foram atrás.

Werner estava em pé. Lili se perguntou, assustada, se o pai teria pegado a pistola no esconderijo atrás da gaveta de panelas. Talvez sua mãe tivesse argumentado com o ex-genro na entrada para dar ao marido tempo de pegar a arma. Lili tentou fazer as próprias mãos pararem de tremer.

Seu pai não disfarçou a hostilidade.
– Muito me espanta ver você nesta casa – falou para Hans. – Depois do que fez, deveria ter vergonha de aparecer aqui.

Karolin tinha um ar intrigado e ansioso, e Lili se deu conta de que a moça não sabia quem Hans era. Puxou-a de lado e explicou:
– Ele trabalha na Stasi. Casou com a minha irmã e morou aqui durante um ano, nos espionando.

Karolin levou a mão à boca e soltou um arquejo.
– Então é ele? – sussurrou. – Walli me contou. Como ele foi capaz de fazer uma coisa dessas?

Hans ouviu as duas cochichando.
– Você deve ser Karolin. A que escreveu para o camarada secretário-geral.

Apesar do medo, Karolin falou em tom desafiador:
– Eu quero me casar com o pai da minha filha. Vocês vão deixar?

Hans olhou para Alice na cadeirinha.

– Que bebê mais lindo! – falou. – É menino ou menina?

O simples fato de ele estar olhando para a criança fez Lili tremer de medo.

– Menina – respondeu Karolin, relutante.

– E como ela se chama?

– Alice.

– Alice. Sim, acho que a senhorita dizia isso na carta.

De alguma forma, o fato de Hans fingir simpatia em relação à neném era ainda mais assustador do que uma ameaça.

Ele puxou uma cadeira e se sentou à mesa da cozinha.

– Então, Karolin, quer dizer que a senhorita quer abandonar seu país.

– Eu imaginaria que vocês fossem ficar contentes... o governo não aprova minha música.

– Mas o que a leva a querer tocar músicas pop americanas decadentes?

– O rock 'n' roll foi inventado pelos negros americanos. É a música dos oprimidos, uma música revolucionária. Por isso eu acho tão estranho o camarada Ulbricht detestá-lo.

Sempre que Hans era derrotado por alguma argumentação, sua reação era simplesmente ignorá-la.

– Mas a Alemanha tem tantas músicas tradicionais lindas... – falou.

– Eu adoro as músicas tradicionais alemãs. Tenho certeza de que conheço mais delas do que o senhor. Mas a música não tem fronteiras.

Maud se inclinou para a frente e, atrevida, falou:

– Como o socialismo, camarada.

Hans a ignorou.

– E os meus pais me expulsaram de casa – continuou Karolin.

– Por causa do seu comportamento imoral.

Lili ficou indignada.

– Eles a expulsaram de casa porque você ameaçou o pai dela, Hans!

– De forma alguma – retrucou ele, brando. – O que pais respeitáveis podem fazer quando sua filha se torna antissocial e promíscua?

Karolin sentiu lágrimas de raiva brotarem dos olhos.

– Eu nunca fui promíscua.

– Mas teve uma filha ilegítima.

Maud tornou a falar:

– Você parece estar meio confuso em relação à biologia, Hans. Basta um único homem para gerar um bebê, seja ele legítimo ou não. A promiscuidade não tem nada a ver com a história.

Hans pareceu atingido, mas novamente se recusou a morder a isca. Ainda falando com Karolin, disse:

– O homem com quem a senhorita quer se casar está sendo procurado por assassinato. Ele matou um guarda de fronteira e fugiu para o Ocidente.

– Eu o amo.

– Então agora a senhorita está implorando ao secretário-geral que lhe conceda o privilégio de emigrar.

– Não é um privilégio, é um direito – disse Carla. – Pessoas livres podem ir aonde quiserem.

Isso Hans não conseguiu deixar passar:

– Vocês acham que podem fazer qualquer coisa! Não percebem que pertencem a uma sociedade que precisa agir como uma entidade. Até os peixes do mar sabem que é melhor nadar em cardumes!

– Ninguém aqui é peixe.

Hans ignorou a frase e tornou a se virar para Karolin:

– A senhorita é uma mulher sem moral que foi rejeitada pela própria família por causa do seu comportamento ultrajante. Refugiou-se na casa de uma família com notórias tendências antissociais. E deseja se casar com um assassino.

– Ele não é assassino – murmurou Karolin.

– Quando as pessoas escrevem para Ulbricht, as cartas são encaminhadas para avaliação da Stasi – disse Hans. – A sua, Karolin, foi parar nas mãos de um funcionário menos graduado. Por ser jovem e inexperiente, ele teve pena de uma mãe solteira e recomendou que a permissão fosse concedida. – Aquilo estava parecendo uma boa notícia, pensou Lili, mas teve certeza de que haveria um banho de água fria no final. Estava certa. – Felizmente, o superior dele transmitiu o relatório a mim, pois lembrou que eu já havia lidado antes com esta... – Ele olhou em volta com uma expressão de repulsa. – ... com este grupo indisciplinado, não conformista e criador de casos.

Lili sabia o que ele iria dizer agora. Que tristeza. Hans fora até lá lhes dizer que tinha sido ele o responsável pela rejeição do pedido de Karolin... e para esfregar isso pessoalmente na cara deles.

– A senhorita receberá uma resposta formal, como todo mundo. Mas posso lhe dizer desde já que não terá permissão para emigrar.

– Posso visitar Walli? – implorou Karolin. – Só por alguns dias? Alice nunca viu o pai!

– Não – respondeu Hans com um sorriso tenso. – Pessoas que solicitaram permissão para emigrar nunca conseguem autorização para tirar férias no exterior depois. – Seu ódio transpareceu por um instante quando ele concluiu com uma pergunta: – A senhorita acha que nós somos o quê, burros?

– Farei outro pedido daqui a um ano – disse Karolin.

Hans se levantou, um sorriso de superioridade triunfante ameaçando surgir nos cantos de sua boca.

– A resposta será a mesma no ano que vem, e no outro e sempre. – Ele olhou em volta para a família reunida. – Nenhum de vocês vai conseguir permissão para ir embora. Nunca. Eu juro.

Com isso, se retirou.

⌒

Dave Williams telefonou para a Classic Records.

– Alô, Cherry, é o Dave. Posso falar com o Eric?

– Ele não está – respondeu ela.

Dave ficou decepcionado e indignado.

– Mas é a terceira vez que eu ligo!

– Que falta de sorte...

– Ele bem que poderia retornar.

– Vou pedir a ele.

Dave desligou.

Falta de sorte coisa nenhuma. Alguma coisa estava errada.

O Plum Nellie tivera um excelente 1964. "Love Is It" alcançara o primeiro lugar das paradas de sucesso, e o grupo – sem Lenny – fizera uma turnê pela Inglaterra junto com uma série de astros pop, entre os quais o lendário Chuck Berry. Dave e Walli tinham se mudado para um apartamento de dois quartos no bairro dos teatros.

Mas logo em seguida as coisas haviam esfriado. Era frustrante.

O grupo ainda lançara um segundo disco. A Classic tinha posto nas ruas "Shake, Rattle and Roll", com "Hoochie Coochie Man" no lado B, e apressara o lançamento para o Natal. Eric fizera isso sem consultar o grupo, e Dave teria preferido gravar uma música nova.

O tempo havia mostrado que ele tinha razão. "Shake, Rattle and Roll" havia sido um fracasso. Agora era janeiro de 1965 e, ao pensar no ano que tinha pela frente, Dave era tomado por uma sensação de pânico. À noite, sonhava que estava caindo de um telhado, avião ou escada, e acordava sentindo que sua vida estava próxima do fim. A mesma sensação o acometia quando ele contemplava o futuro.

Quase se permitira acreditar que iria virar músico. Tinha saído da casa dos pais, largara a escola. Aos 16 anos, tinha idade suficiente para se casar e pagar impostos. Acreditara que tinha uma carreira, mas de repente ela estava vindo abaixo. Não sabia o que fazer. Seu único talento era a música. Não podia enfrentar a humilhação de voltar a morar com os pais. Nas histórias de antigamente, o menino-herói sempre "fugia para o mar". Dave adorava a ideia de sumir para voltar dali a cinco anos, queimado de sol, barbado, cheio de histórias sobre lugares distantes. No fundo, porém, sabia que odiaria a disciplina da Marinha. Seria pior do que a escola.

Não tinha nem mesmo uma namorada. Ao largar a escola, havia terminado o romance com Linda Robertson. Ela disse que já esperava, mas chorou mesmo assim. Ao receber o cachê da participação do Plum Nellie no programa *It's Fab!*, pedira o telefone de Mickie McFee para Eric e lhe perguntara se ela queria sair com ele, quem sabe para jantar e ir ao cinema. Ela passou um longo tempo pensando antes de responder:

– Não. Você é um amor, mas não posso ser vista por aí com um menino de 16 anos. Minha reputação já é ruim, mas não quero ficar parecendo tão idiota assim.

Dave ficou magoado.

Agora, Walli estava sentado ao seu lado, como sempre com a guitarra na mão. Estava tocando com um tubo de metal enfiado no dedo médio da mão esquerda e cantava:

– *Woke up this morning, believe I'll dust my broom.*

Dave franziu a testa.

– Esse é o som do Elmore James! – exclamou depois de alguns segundos.

– O nome deste tubo é *bottleneck* – explicou Walli. – Eles antes usavam o gargalo de uma garrafa quebrada, mas agora alguém fabrica estes de metal.

– Fica incrível.

– Por que você quer tanto falar com o Eric?

– Quero saber quantas cópias a gente vendeu do *Shake, Rattle and Roll*, a quantas anda o lançamento americano de "Love Is It", e se temos alguma data de show para breve... mas o nosso agente não fala comigo!

– Demita-o – disse Walli. – Ele é um bacana.

O inglês de Walli já estava quase perfeito.

– Um babaca, você quer dizer. Ele não é nada bacana.

– Obrigado.

– Como posso mandar o sujeito embora se nem falar com ele eu consigo? – perguntou Dave, desanimado.

– Vá ao escritório dele.

Dave olhou para Walli.

– Sabe que você não é tão burro quanto parece? – Começou a se sentir melhor.

– É exatamente isso que vou fazer.

Seu desânimo desapareceu quando ele pisou na rua. As ruas de Londres tinham alguma coisa que sempre o alegrava. Aquela era uma das grandes cidades do mundo: tudo podia acontecer.

A Denmark Street ficava a um quilômetro e meio da sua casa; Dave demorou quinze minutos para chegar. Subiu a escada até a sede da Classic.

– Eric não está – falou Cherry.

– Tem certeza? – indagou Dave. Sentindo-se ousado, abriu a porta do agente.

E lá estava Eric, atrás de sua mesa, com cara de bobo por ter sido pego mentindo. Então sua expressão mudou para raiva e ele perguntou:

– O que você quer?

Dave não respondeu na hora. Seu pai às vezes dizia: "Só porque alguém faz uma pergunta, não pense que precisa responder. Aprendi isso na política." Então ele apenas entrou e fechou a porta atrás de si.

Se continuasse em pé, refletiu, seria como se estivesse esperando que lhe dissessem para sair a qualquer momento. Portanto, sentou-se na cadeira em frente à mesa de Dave e cruzou as pernas.

Então perguntou:

– Por que está me evitando?

– Estive ocupado, seu bostinha arrogante. O que você quer?

– Ah, uma porção de coisas – respondeu Dave, vago. – O que está acontecendo com *Shake, Rattle and Roll*? O que vamos fazer no ano-novo? Quais são as notícias dos Estados Unidos?

– Nada, nada e nenhuma – respondeu Eric. – Satisfeito?

– Por que eu ficaria satisfeito com isso?

– Olhe aqui. – Eric pôs a mão no bolso e pegou um maço de notas. – Tome vinte pratas. É isso que vocês vão receber por *Shake, Rattle and Roll*. Ele jogou quatro notas de cinco sobre a mesa. – E agora, está satisfeito?

– Quero ver os números.

Eric riu.

– Números? Quem você pensa que é?

– Seu cliente, e você é meu agente.

– Agente? Não tem nada para agenciar, seu panaca. Vocês foram um fenômeno de um sucesso só. Acontece o tempo todo neste ramo. Deram sorte com uma música que foi presente de Hank Remington, mas nunca tiveram talento de verdade. Acabou, esqueça, volte para a escola.

– Eu não posso voltar para a escola.

– Por que não? Quantos anos você tem, 16, 17?

– Fui reprovado em todas as provas que já fiz.

– Então arrume um emprego de verdade.

– O Plum Nellie vai ser um dos grupos de maior sucesso do mundo, e eu vou ser músico pelo resto da vida.

– Vá sonhando, filho.

– Vou mesmo.

Dave se levantou. Estava prestes a sair quando pensou em um detalhe. Tinha assinado um contrato com Eric. Se o grupo fizesse mesmo sucesso, o agente poderia exigir uma participação.

– Então você não é mais o agente do Plum Nellie, é isso que está me dizendo?

– Aleluia! Ele finalmente entendeu o recado.

– Nesse caso, quero aquele contrato de volta.

De repente, Eric pareceu desconfiado:

– O quê? Como assim?

– O contrato que assinamos no dia em que gravou "Love Is It". Você não vai querer guardar, vai?

Eric hesitou.

– Por que você quer aquilo de volta?

– Você acabou de me dizer que eu não tenho talento nenhum. Mas é claro que se estiver prevendo um grande futuro para o grupo...

– Não me faça rir. – Eric pegou o telefone. – Cherry, meu bem, tire o contrato do Plum Nellie da pasta e entregue para o jovem Dave quando ele estiver saindo.

Pôs o fone no gancho.

Dave recolheu as notas de dinheiro de cima da mesa.

– Um de nós dois está sendo burro, Eric. Qual dos dois será?

⁓

Walli adorava Londres. Havia música por toda parte: clubes de *folk*, de *beat*, teatros, salas de concerto e de ópera. Todas as noites em que o Plum Nellie não tocava, ele saía para ouvir música, às vezes com Dave, outras, sozinho. De vez em quando, ia assistir a um recital de clássicos, em que ouvia novos acordes.

Os ingleses eram esquisitos. Quando dizia que era alemão, sempre começavam a falar sobre a Segunda Guerra. Consideravam-se os vencedores do conflito e ficavam ofendidos quando ele comentava que na realidade quem havia derrotado os alemães tinham sido os soviéticos. Às vezes ele dizia que era polonês só para evitar a mesma conversa chata outra vez.

Metade da população de Londres, contudo, não era inglesa: havia irlandeses, escoceses, galeses, caribenhos, indianos e chineses. Todos os traficantes de drogas vinham de alguma ilha: malteses vendiam bolinha, negociantes de heroína eram de Hong Kong, e maconha se comprava com os jamaicanos. Walli gostava de frequentar clubes caribenhos, onde a música tinha uma batida diferente. Era abordado por várias garotas nesses lugares, mas sempre dizia que estava noivo.

Um dia, o telefone tocou quando Dave tinha saído e a voz do outro lado pediu, em inglês:

– Eu poderia falar com Walter Franck?

Walli quase respondeu que seu avô tinha morrido mais de vinte anos antes.

– Sou eu, Walli – falou após uma curta hesitação.

A voz passou para o alemão:

– Aqui é Enok Andersen, estou ligando de Berlim Ocidental.

Era o contador dinamarquês que administrava a fábrica de seu pai. Walli se lembrava de um homem careca, de óculos, com uma caneta esferográfica no bolso da frente do paletó.

– Algum problema?

– Sua família vai bem, mas estou ligando para dar uma notícia decepcionante. A permissão para Karolin e Alice emigrarem foi negada.

Walli teve a sensação de ter levado um soco. Deixou-se cair na cadeira.

– Por quê? – indagou. – Qual o motivo?

– O governo da Alemanha Oriental não dá motivos para as decisões que toma. Mas um agente da Stasi esteve na casa dos Franck... Hans Hoffmann, que você já conhece.

– Aquela hiena.

– Ele disse aos seus parentes que nenhum deles jamais conseguiria permissão para emigrar ou viajar para o Ocidente.

Walli cobriu os olhos com as mãos.

– Nunca?

– Foi o que ele falou. Seu pai me pediu para avisar você. Sinto muitíssimo.

– Obrigado.

– Quer que eu dê algum recado para eles? Ainda vou a Berlim Oriental uma vez por semana.

– Por favor, diga que amo todos eles. – Ele engasgou de emoção.
– Pois não.
Walli engoliu em seco.
– E diga que *verei* todos eles de novo algum dia. Tenho certeza.
– Pode deixar, darei o recado. Tchau.
– Tchau. – Walli desligou, arrasado.
Dali a um minuto, pegou a guitarra e tocou um acorde menor. A música era um consolo: era algo abstrato, somente notas e as relações entre elas. Sem espiões, traidores, policiais ou muros. Ele começou a cantar:
– Que saudade, Alice...

Dave ficou feliz em rever a irmã. Encontrou-a em frente à sede da sua agência, a International Stars. Evie usava um chapéu-coco roxo.
– Lá em casa está bem chato sem você – comentou ela.
– Ninguém para brigar com papai? – perguntou Dave com um meio sorriso.
– Ele anda ocupadíssimo desde que o Partido Trabalhista ganhou a eleição. Agora é membro do Conselho de Ministros.
– E você?
– Estou fazendo um filme novo.
– Parabéns!
– Mas você demitiu seu agente.
– Para Eric, o Plum Nellie era um fenômeno de um sucesso só. A gente ainda não desistiu, mas precisa de mais algumas datas de show. Só temos algumas noites marcadas no Jump Club, o que não dá nem para pagar o aluguel.
– Não posso prometer que a International Stars vai aceitar vocês. Eles toparam conversar, só isso.
– Eu sei.
Mas agentes não marcavam encontros com artistas só para mandá-los pastar, pensou Dave. Além disso, a agência obviamente estava querendo ser simpática com Evie Williams, a jovem atriz mais em voga de Londres. Portanto, ele estava bastante esperançoso.
Entraram. A agência era bem diferente do escritório de Eric Chapman. Para começar, a recepcionista não mascava chiclete. Nas paredes da recepção não havia nenhum troféu, apenas algumas aquarelas de bom gosto. Apesar de não ser muito rock 'n' roll, o lugar tinha classe.

Eles não precisaram esperar. A recepcionista os conduziu até a sala de Mark Batchelor, um rapaz alto de 20 e poucos anos que usava uma camisa com o colarinho preso por uma tira de tecido – a última moda – e uma gravata de malha. Sua secretária lhes trouxe café em uma bandeja.

– Nós adoramos Evie e gostaríamos de ajudar o irmão dela – disse Batchelor, depois de trocadas as gentilezas iniciais. – Só não sei se vamos conseguir... "Shake, Rattle and Roll" prejudicou o Plum Nellie.

– Não discordo, mas me explique exatamente o que está querendo dizer – pediu Dave.

– Se me permite a franqueza...

– Claro – disse Dave, pensando em quanto aquela conversa era diferente das que tivera com Eric Chapman.

– Vocês parecem um grupo pop igual a qualquer outro que teve a sorte de conseguir uma música de Hank Remington. O que as pessoas acham ótimo é a música, não vocês. Vivemos em um mundo bem pequeno: poucas gravadoras, um punhado de promotores de turnês, dois programas de TV... E todo mundo pensa igualzinho. Não vou conseguir vender vocês para nenhuma dessas pessoas.

Dave engoliu em seco. Não imaginava que Batchelor fosse ser tão sincero. Tentou não deixar transparecer a decepção.

– A gente *teve* sorte de conseguir uma música do Hank Remington – reconheceu. – Mas não somos um grupo pop igual a qualquer outro. Nossa cozinha é de primeira categoria, nosso guitarrista principal é um virtuose, e ainda por cima somos bonitos.

– Então vocês precisam provar que não são um fenômeno de uma música só.

– Eu sei. Só não tenho ideia de como vamos conseguir fazer isso sem contrato de gravação ou shows grandes.

– Vocês precisam de outra ótima música. Dá para pedir mais uma para Hank Remington?

Dave fez que não com a cabeça.

– Ele não compõe para os outros. "Love Is It" foi um caso especial, uma balada que os Kords não quiseram gravar.

– Talvez ele pudesse escrever outra balada. – Batchelor abriu as mãos no gesto de quem diz "quem sabe?". – Não sou um cara criativo, é por isso que sou agente, mas sei o bastante para perceber que Hank é um prodígio.

– Bom... – Dave olhou para Evie. – Acho que não custaria nada pedir.

– Que mal poderia fazer? – disse Batchelor, descontraído.

Evie deu de ombros.

– Eu não me importo – falou.

– Tudo bem, então – concordou Dave.

Batchelor se levantou e estendeu a mão para um cumprimento.

– Boa sorte – falou.

Quando os irmãos estavam saindo da agência, Dave perguntou a Evie:

– Será que podemos ir falar com o Hank agora?

– Preciso fazer umas compras – respondeu Evie. – Fiquei de encontrar com ele à noite.

– É muito importante, Evie. Minha vida está por um fio.

– Tudo bem. Meu carro está logo depois daquela esquina.

Foram até Chelsea no Alpine Sunbeam dela. De tão nervoso, Dave não parava de mordiscar o lábio inferior. Batchelor tinha lhe feito o favor de ser brutalmente honesto, mas não acreditava no talento do Plum Nellie, só no de Hank Remington. Mesmo assim, se Dave conseguisse só mais uma música boa de Hank, o grupo talvez pudesse voltar aos eixos.

O que ele diria?

Oi, Hank. Tem outra balada para a gente? Direto demais.

Hank, estou em apuros. Apelativo demais.

Nossa gravadora cometeu um erro crasso ao lançar "Shake, Rattle and Roll", mas a gente poderia reverter a situação... com uma ajudinha sua. Nenhuma dessas abordagens lhe agradou, sobretudo porque ele detestava implorar.

Mas iria fazê-lo.

Hank morava em um apartamento junto ao rio. Evie entrou na frente na grande casa antiga e subiu por um elevador que rangia. Agora dormia ali quase todas as noites. Abriu a porta do apartamento com a própria chave.

– Hank! – chamou. – Sou eu.

Dave entrou atrás da irmã em um hall decorado com um quadro moderno chamativo. Passaram por uma cozinha reluzente e deram uma olhada na sala de estar, onde havia um piano de cauda. Estava deserta.

– Ele não está – disse Dave, desanimado.

– Talvez esteja cochilando – sugeriu Evie.

Outra porta se abriu. Hank saiu do que obviamente devia ser o quarto vestindo a calça jeans e fechou a porta atrás de si.

– Oi, amor. Estava na cama. Oi, Dave. O que está fazendo aqui?

– Evie me trouxe para lhe pedir um favor enorme – respondeu o rapaz.

– Ok – disse Hank, olhando para a namorada. – Achei que você só fosse chegar mais tarde.

– Dave não podia esperar.
– A gente precisa de outra música – falou Dave.
– Agora não é uma boa hora – retrucou Hank.
Dave esperou uma explicação, mas ele não falou mais nada.
– Aconteceu alguma coisa, Hank? – indagou Evie.
– Na verdade, aconteceu, sim.
Dave levou um susto. Ninguém respondia "sim" a essa pergunta.
A intuição feminina de Evie estava muito à frente da de Dave.
– Tem alguém aí no quarto?
– Desculpe, amor. Não imaginei que você fosse voltar.
Nessa hora, a porta do quarto se abriu e Anna Murray apareceu.
Chocado, Dave escancarou a boca. A irmã de Jasper estava na cama com o namorado de Evie!
Anna estava inteiramente vestida com roupas de trabalho, inclusive meias finas e sapatos de salto, mas seus cabelos estavam desarrumados e os botões do casaco desalinhados. Ela não disse nada e evitou encarar quem quer que fosse. Foi até a sala e voltou carregando uma pasta. Então caminhou até a porta da frente, pegou um casaco no gancho e saiu sem dizer nada.
– Ela veio conversar sobre a minha autobiografia e acabou acontecendo... – explicou Hank.
– Como você pôde fazer uma coisa dessas? – perguntou Evie, aos prantos.
– Não foi planejado. Simplesmente aconteceu...
– Pensei que você me amasse.
– E eu amava. Quer dizer, amo. Foi só...
– Só o quê?
Hank olhou para Dave em busca de apoio.
– Existem algumas tentações às quais um homem é incapaz de resistir.
Dave pensou em Mickie McFee e assentiu.
– Dave é um menino, Hank – disse Evie, irada. – Achei que você fosse um homem.
– Preste atenção no que diz – falou Hank, subitamente agressivo.
Evie não conseguiu acreditar naquilo.
– Prestar atenção? Acabei de flagrar você na cama com outra mulher, e você vem me dizer para prestar atenção no que eu digo?
– Estou falando sério – disse ele, ameaçador. – Cuidado para não passar dos limites.
De repente, Dave sentiu medo. Hank parecia capaz de dar um soco em Evie.

Seria assim que os irlandeses da classe trabalhadora agiam? E o que Dave deveria fazer? Proteger a irmã do namorado? Sair na mão com o maior gênio musical desde Elvis Presley?

– Passar dos limites? – repetiu Evie, furiosa. – Eu vou passar dos limites, sim... da porra daquela porta. Está bom assim?

Ela virou as costas e se afastou pisando firme.

Dave olhou para Hank.

– Ahn... Em relação à música...

Hank balançou a cabeça em silêncio.

– Está bem – disse Dave. – Certo.

Não conseguiu pensar em um jeito de continuar a conversa.

Hank segurou a porta para ele sair.

Evie passou cinco minutos chorando no carro, depois secou as lágrimas.

– Vou levar você em casa – falou.

Quando chegaram de volta ao West End, Dave sugeriu:

– Não quer subir? Eu faço um café para você.

– Aceito, obrigada.

Walli estava tocando violão sentado no sofá.

– Evie está meio chateada – informou Dave. – Ela terminou com o Hank.

Ele foi até a cozinha e pôs água para ferver.

– Em inglês, a expressão "meio chateada" quer dizer totalmente arrasada – comentou Walli. – Se você estivesse só um pouco triste, digamos, se eu tivesse esquecido o seu aniversário, diria que está "superchateada", não é?

Evie sorriu.

– Sua lógica é imbatível, Walli.

– E a minha criatividade também. Vou deixá-la mais alegre. Escute só.

Ele começou a tocar, e depois a cantar:

– *I miss ya, Alicia.*

Dave voltou da cozinha para ouvir. Walli cantou uma balada em ré menor, com alguns acordes que Dave não reconheceu.

Ao fim da música, Dave comentou:

– Que linda. Você ouviu no rádio? De quem é?

– É minha. Eu que compus.

– Nossa! Toque outra vez.

Dessa vez, Dave improvisou uma harmonia.

– Vocês dois são demais – comentou Evie. – Não precisam daquele filho da mãe do Hank.

– Quero cantar essa música para Mark Batchelor – disse Dave.
Olhou para o relógio: eram cinco e meia da tarde. Pegou o telefone e ligou para a International Stars. Batchelor ainda estava na sala.
– A gente arrumou uma música – falou. – Podemos passar no seu escritório e tocar para você ouvir?
– Eu adoraria, mas já estou de saída.
– Pode passar pela Henrietta Street a caminho de casa?
Após uma breve hesitação, Batchelor respondeu:
– Posso. Fica perto da minha estação de metrô.
– O que você gosta de beber?
– Gim-tônica, por favor.
Vinte minutos depois, Batchelor estava sentado no sofá com um copo na mão enquanto Dave e Walli tocavam cada um no seu violão e cantavam em harmonia, e Evie entrava para reforçar o refrão.
Quando a música terminou, o produtor pediu:
– De novo.
Depois da segunda vez, os três o encararam com um ar de expectativa. Houve uma pausa. Então Batchelor falou:
– Eu não estaria neste ramo se não soubesse reconhecer um sucesso. Essa música é um sucesso.
Dave e Walli abriram um sorriso.
– Foi o que pensei – disse Dave.
– Adorei. Com essa música consigo um contrato de gravação para vocês.
Dave largou o violão, levantou-se e apertou a mão do produtor para selar o acordo.
– Combinado – falou.
Mark sorveu um grande gole da bebida.
– O Hank compôs isso na hora, ou a música estava guardada na gaveta em algum lugar?
Dave sorriu. Agora que eles tinham trocado apertos de mão, podia dizer a verdade.
– A música não é de Hank Remington – falou.
Batchelor arqueou as sobrancelhas.
– Você pensou que fosse e peço desculpas por não ter corrigido essa impressão, mas eu queria que escutasse sem preconceitos.
– A música é boa e é só isso que importa. Mas onde a arrumaram?
– O Walli compôs – respondeu Dave. – Hoje à tarde, enquanto eu estava no seu escritório.

– Excelente – retrucou Batchelor. Então virou-se para Walli. – O que você tem para o lado B?

⌒

– Você deveria sair um pouco – aconselhou Lili Franck a Karolin.

Não era uma ideia sua: na verdade, quem fizera a sugestão fora sua mãe, que estava preocupada com a saúde da moça. Desde a visita de Hans Hoffmann, Karolin havia emagrecido. Estava pálida, abatida.

– Ela só tem 20 anos – dissera Carla. – Não pode ficar enclausurada o resto da vida como uma freira. Será que você não consegue fazê-la sair para algum lugar?

Agora, no quarto de Karolin, as duas tocavam violão e cantavam para Alice, sentada no chão cercada por brinquedos. De vez em quando, a menina batia palmas animadas, mas na maior parte do tempo ignorava as duas adultas. A canção de que mais gostava era "Love Is It".

– Não posso sair – disse Karolin. – Tenho que cuidar de Alice.

Lili estava preparada para lidar com objeções.

– Minha mãe pode ficar com ela. Ou então vovó Maud. Alice não dá muito trabalho à noite.

A menina agora tinha um ano e dois meses e já dormia a noite inteira.

– Não sei. Eu não me sentiria bem.

– Faz anos que você não sai... literalmente.

– Mas o que Walli iria pensar?

– Ele não espera que você viva escondida sem nunca se divertir, espera?

– Não sei.

– Hoje à noite vou ao clube de jovens St. Gertrud. Por que não vai comigo? Lá tem música e dança, e em geral algum debate... Não acho que Walli vá se importar.

Walter Ulbricht sabia que os jovens da Alemanha Oriental precisavam se divertir, mas tinha um problema: tudo aquilo de que eles gostavam – música pop, moda, quadrinhos, filmes de Hollywood – era impossível de conseguir ou proibido. Esportes eram permitidos, mas em geral envolviam a separação de rapazes e moças.

Lili sabia que a maioria das pessoas da sua idade odiava o governo. Adolescentes não ligavam muito para comunismo ou capitalismo, mas eram apaixonados por cortes de cabelo, moda e música pop. A condenação puritana de Ulbricht de tudo o que eles amavam havia alienado a geração de Lili. E pior, esses jovens tinham criado uma fantasia, provavelmente muito distante da realidade, sobre as vidas de seus contemporâneos no Ocidente: imaginavam que tivessem toca-discos no quarto, armários cheios de roupas novas na última moda e tomassem sorvete todos os dias.

Os encontros de jovens promovidos por igrejas eram permitidos como uma débil tentativa de preencher essa lacuna na vida dos adolescentes. Seguros e nada controversos, não eram de uma rigidez tão sufocante quanto a organização de jovens do Partido Comunista, chamada Jovens Pioneiros.

Karolin pareceu refletir.

– Talvez você tenha razão – falou. – Não posso passar a vida como vítima. Tive azar, mas não posso deixar isso me definir. A Stasi acha que sou só a menina cujo namorado matou um guarda de fronteira, mas eu não preciso aceitar o que eles dizem.

– Exatamente! – concordou Lili.

– Depois escrevo para Walli e conto tudo. Mas vou com você hoje.

– Então vamos trocar de roupa.

Lili foi para o quarto e vestiu uma saia curta, que não chegava a ser míni como as usadas pelas garotas dos programas de TV ocidentais a que todos na Alemanha Oriental assistiam, mas batia acima do joelho. Agora que Karolin aceitara o convite, pensou se aquela seria a atitude adequada. A amiga certamente precisava de uma vida própria e tinha toda a razão de dizer que não podia deixar a Stasi defini-la. Mas o que Walli iria pensar quando soubesse? Será que teria medo de que Karolin o estivesse esquecendo? Fazia quase dois anos que Lili não via o irmão. Aos 19, ele agora era um astro pop. Ela não sabia o que ele poderia pensar.

Karolin pegou emprestada a calça jeans de Lili e as duas se maquiaram juntas. Rebecca tinha lhes mandado de Hamburgo um delineador preto e uma sombra de olhos azul e, por milagre, a Stasi não roubara os produtos.

Elas passaram na cozinha para se despedir. Carla estava dando o jantar para Alice, que acenou com tanta alegria para se despedir da mãe que Karolin ficou meio chateada.

Foram a pé até uma igreja protestante a algumas ruas de casa. Maud era a única da família a frequentar a igreja, mas Lili já tinha ido duas vezes ao clube de jovens organizado na cripta por um jovem pastor chamado Odo Vossler, cujos cabelos eram cortados igual aos dos Beatles. Embora ele tivesse pelo menos 25 anos e fosse velho demais para Lili, era bem bonito.

Em matéria de música, Odo tinha um piano, dois violões e um toca-discos. Eles começaram com danças folclóricas, algo que seria impossível o governo reprovar. Lili dançou com um menino chamado Berthold, de 16 anos, mesma idade que ela. Apesar de simpático, ele não tinha nada de sexy. Lili estava de olho em Thorsten, que era um pouco mais velho e a cara do Paul McCartney.

Os passos de dança eram enérgicos, com muitas palmas e giros. Lili ficou feliz ao ver Karolin se soltar, sorridente, rindo alto de vez em quando. Ela já estava com um aspecto melhor.

Mas a dança folclórica era só um símbolo, algo a ser mencionado em caso de perguntas hostis. Alguém pôs para tocar "I Feel Fine", dos Beatles, e todos começaram a dançar o twist.

Uma hora depois, pararam para descansar e tomar um copo de Vita-Cola, a Coca-Cola da Alemanha Oriental. Para grande satisfação de Lili, o rosto de Karolin estava corado, com uma expressão satisfeita. Odo percorreu o recinto e conversou com cada um dos presentes, dizendo que se alguém estivesse com algum problema, mesmo que envolvesse relacionamentos íntimos e sexo, estava disponível para dar conselhos. Karolin disse a ele:

– O meu problema é que o pai da minha filha está no Ocidente.

Os dois ficaram entretidos conversando até a dança recomeçar.

Às dez, quando o toca-discos foi desligado, Karolin surpreendeu Lili ao pegar um dos violões e gesticulou para Lili pegar o outro. As duas vinham tocando e cantando juntas em casa, mas Lili jamais imaginara um dia fazer isso em público. Então Karolin puxou uma música dos Everly Brothers, "Wake Up, Little Susie". Os dois violões soaram bonitos juntos, e as duas moças cantaram em harmonia. Antes mesmo de chegarem ao fim, todos na cripta já estavam dançando o *jive*. Quando terminaram, todos na pista pediram outra.

Elas tocaram "I Want to Hold Your Hand" e "If I Had a Hammer", e como música lenta tocaram "Love Is It". Os jovens não queriam que parassem, mas Odo lhes pediu para tocar só mais uma e depois ir para casa antes que a polícia aparecesse e o prendesse. Disse isso com um sorriso, mas estava falando sério.

Para encerrar, elas tocaram "Back in the USA".

CAPÍTULO TRINTA E SETE

No início de 1965, quando Jasper Murray estava se preparando para as provas de conclusão de seu curso universitário, escreveu para todas as emissoras de TV dos Estados Unidos cujo endereço conseguiu encontrar.

Todas receberam o mesmo material: sua matéria sobre o namoro de Evie e Hank, o texto sobre Martin Luther King e o especial sobre o assassinato de Kennedy para a *The Real Thing*. Além disso, ele pedia um emprego. Qualquer um, desde que fosse na televisão americana.

Nunca na vida quisera tanto uma coisa. O noticiário televisivo era melhor do que a imprensa escrita, mais rápido, mais atraente, mais realista, e a TV americana era melhor do que a britânica. Além disso, ele tinha certeza de que se sairia bem. Só precisava de um pontapé inicial. Desejava tanto aquilo que chegava a doer.

Depois de pôr as cartas no correio – a um custo considerável –, deixou que a irmã lhe pagasse o almoço. Foram ao Gay Hussar, um restaurante húngaro apreciado por escritores e políticos de esquerda.

– O que você vai fazer se não conseguir um emprego nos Estados Unidos? – perguntou-lhe Anna depois de fazerem o pedido.

Essa possibilidade o deprimia.

– Não sei mesmo. Neste país espera-se que você primeiro trabalhe para jornais regionais e escreva sobre exposições de gatos e os obséquios de membros veteranos do conselho municipal, mas não acho que conseguiria encarar isso.

Anna havia pedido a sopa fria de cereja que era o carro-chefe do restaurante; e Jasper, cogumelos fritos ao molho tártaro.

– Escute, eu lhe devo desculpas – falou ela.

– É. Deve, mesmo!

– Olhe, Hank e Evie não estavam nem noivos, muito menos casados.

– Mas você sabia muito bem que eram namorados.

– É, e foi um erro eu ter transado com ele.

– Foi, mesmo.

– Não me venha com moralismos. Não costumo agir assim, mas isso é exatamente o tipo de coisa que você faria.

Ele não discutiu, pois era verdade: já tinha ido para a cama com mulheres casadas e noivas. Em vez de se defender, perguntou:

– Mamãe já sabe?

– Já, e está uma fera. Daisy Williams é a melhor amiga dela há trinta anos, além de ter sido muito legal abrigando você de graça... e eu vou lá e faço isso com a filha dela. O que Daisy disse para você?

– Ela está com raiva por você ter causado tanta dor à filha dela. Mas também falou que, quando se apaixonou por Lloyd, era casada com outro homem, portanto não se sente no direito de se indignar tanto assim.

– Mesmo assim, eu sinto muito.

– Obrigado.

– Na verdade, não sinto.

– Como assim?

– Eu transei com Hank porque me apaixonei por ele. Desde aquela primeira vez, tenho passado quase todas as noites com ele. Ele é o homem mais maravilhoso que eu já conheci e vai ser meu marido, se algum dia eu conseguir fazê-lo sossegar.

– Como seu irmão, tenho o direito de perguntar que droga ele viu em você?

– Fora os meus peitões, você quer dizer? – Ela riu.

– Não que você não seja bonita, mas é alguns anos mais velha que ele, e tem mais ou menos um milhão de donzelas na Inglaterra que pulariam na cama dele num piscar de olhos.

Ela assentiu.

– Duas coisas. Em primeiro lugar, ele é inteligente, mas não é culto. Eu sou sua guia para o mundo da mente: arte, teatro, política, literatura. Ele fica fascinado com alguém que consegue lhe falar sobre essas coisas sem ser condescendente.

Jasper não se espantou.

– Ele adorava conversar com Daisy e Lloyd sobre isso. Mas qual é a segunda coisa?

– Você sabe que ele é meu segundo namorado.

Jasper fez que sim com a cabeça. Garotas em geral não admitiam esse tipo de coisa, mas ele e Anna sempre tinham sabido das conquistas um do outro.

– Bom, fiquei quase quatro anos com Sebastian. Nesse tempo todo, uma garota aprende muito. Como nunca ficou tempo suficiente com uma namorada para desenvolver uma verdadeira intimidade, Hank não sabe quase nada sobre sexo. Evie foi seu relacionamento mais longo, e ela era jovem demais para ensinar muita coisa a um homem.

– Entendo.

Jasper nunca tinha pensado dessa forma sobre os relacionamentos, mas fazia sentido. Ele era um pouco parecido com Hank. Imaginou se as mulheres o achavam pouco sofisticado na cama.

– Hank aprendeu muito com uma cantora chamada Mickie McFee, mas só transou com ela duas vezes.

– Sério? Dave Williams trepou com ela em um camarim.

– E ele te contou?

– Acho que contou para todo mundo. Vai ver foi a primeira trepada dele.

– Mickie McFee não perde tempo.

– Quer dizer que você é a professora de sexo de Hank.

– Ele aprende rápido. E está amadurecendo depressa. Nunca mais vai fazer o que fez com Evie.

Jasper não tinha certeza se acreditava nisso, mas não externou suas dúvidas.

༄

Dimka Dvorkin voou até o Vietnã em fevereiro de 1965 junto com um grupo de altos funcionários e assessores do Ministério das Relações Exteriores, entre eles Natalya Smotrov.

Foi sua primeira viagem para fora da URSS, mas o que o animava mais era a companhia de Natalya. Embora não soubesse ao certo o que iria acontecer, sentia-se dominado por uma eletrizante sensação de liberdade, e podia ver que ela também. Os dois estavam longe de Moscou, fora do alcance de sua mulher e do marido de Natalya. Tudo poderia acontecer.

Estava se sentindo mais otimista de modo geral. Kosygin, seu chefe desde a queda de Kruschev, entendia que a URSS estava perdendo a Guerra Fria por causa da economia. A indústria soviética era ineficiente e seus cidadãos, pobres. O objetivo de Kosygin era tornar o país mais produtivo. Os soviéticos precisavam aprender a fabricar coisas que pessoas de outros países quisessem comprar. Tinham de competir com os americanos em matéria de prosperidade, não só de tanques e mísseis. Só assim poderiam ter esperanças de converter o mundo ao seu modo de vida. Essa atitude deixava Dimka mais animado. O premiê Brejnev era lamentavelmente conservador, mas talvez Kosygin conseguisse reformar o comunismo.

Parte do problema econômico consistia no fato de grande soma da renda nacional ser gasta com as Forças Armadas. Na esperança de reduzir essa despesa incapacitante, Kruschev tinha inventado a política da coexistência pacífica: viver lado a lado com os capitalistas sem travar guerras. Só que não fizera grande coisa para implementar essa ideia: suas disputas em Berlim e Cuba tinham exigido mais despesas militares, não menos. Mas os progressistas do Kremlin ainda acreditavam nessa estratégia.

O Vietnã seria um teste dificílimo.

Ao descer do avião, Dimka foi envolvido por uma atmosfera quente e úmida diferente de tudo o que já havia experimentado. Hanói era a antiga capital de um país igualmente antigo, oprimido havia séculos por estrangeiros: primeiro chineses, depois franceses e, por fim, americanos. O Vietnã era o lugar mais superpopuloso e colorido que Dimka já vira.

E também era dividido em dois.

O líder vietnamita Ho Chi Minh, que havia derrotado a França na guerra anticolonialista dos anos 1950, era um comunista antidemocrático, e os americanos se recusavam a aceitar sua autoridade. O presidente Eisenhower tinha financiado no Sul um governo fantoche baseado na cidade de Saigon, uma capital de província. O regime não eleito de Saigon, tirânico e impopular, estava sendo atacado por guerrilheiros chamados vietcongues. Mas o Exército do Vietnã do Sul era tão fraco que naquele ano, 1965, tivera de ser reforçado com 23 mil soldados americanos.

Os Estados Unidos fingiam que o Vietnã do Sul era um país separado, do mesmo jeito que a URSS fazia com a Alemanha Oriental. O Vietnã era um reflexo da Alemanha, embora Dimka jamais fosse se atrever a dizer isso em voz alta.

Enquanto os ministros participavam de um banquete com os líderes norte-vietnamitas, os assessores soviéticos tiveram um jantar mais informal com seus equivalentes; todos falavam russo, e alguns conheciam Moscou. Apesar de se limitar quase somente a legumes, verduras e arroz, com pequenas porções de peixe e carne, a comida era saborosa. Não havia nenhuma mulher entre os funcionários vietnamitas, e os homens pareceram espantados ao ver Natalya e outras duas soviéticas.

Dimka se sentou ao lado de um *apparatchik* de meia-idade e cara amarrada chamado Pham An. Natalya, sentada na sua frente, perguntou-lhe o que ele esperava daquelas conversas.

An respondeu com uma lista de compras:

– Precisamos de aeronaves, artilharia, radares, sistemas de defesa aérea, armas de pequeno porte, munição e material médico.

Era exatamente o que os soviéticos estavam tentando evitar.

– Mas não vão precisar dessas coisas se a guerra terminar.

– Quando tivermos derrotado os imperialistas americanos, nossas necessidades serão outras.

– Todos nós gostaríamos de ver uma vitória acachapante dos vietcongues, mas talvez haja outros desfechos possíveis – disse Natalya, tentando abordar a ideia de coexistência pacífica.

– A vitória é a única possibilidade – retrucou Pham An, descartando qualquer outra sugestão.

Dimka ficou abismado. An estava se recusando obstinadamente a começar a discussão que os soviéticos tinham ido até lá conduzir. Talvez achasse que argumentar com uma mulher estava aquém da sua dignidade. Dimka torceu para que esse fosse o único motivo de sua teimosia. Se os vietnamitas não conversassem sobre alternativas para a guerra, a missão soviética seria um fracasso.

Natalya não se deixou desviar de seu objetivo com tanta facilidade:

– Uma vitória militar com certeza *não é* o único desfecho possível – falou.

Dimka sentiu orgulho daquela insistência corajosa.

– Está falando em derrota? – perguntou An, ofendido, ou pelo menos se fingindo de ofendido.

– Não – respondeu Natalya, calma. – Mas a guerra não é o único caminho para a vitória. Negociar é uma alternativa.

– Nós negociamos várias vezes com os franceses – retrucou An em tom zangado. – Todos os acordos só tinham por objetivo ganhar tempo enquanto eles preparavam novas agressões. Isso foi uma lição para o nosso povo sobre como lidar com imperialistas. E nunca vamos nos esquecer dela.

Dimka tinha lido sobre a história do Vietnã e sabia que a raiva de An era justificada. Os franceses foram tão desonestos e pérfidos quanto quaisquer outros colonialistas. Mas esse não era o fim da história.

Natalya insistiu, e não sem motivo, já que esse era sem dúvida o recado que Kosygin estava dando para Ho Chi Minh naquele exato momento:

– Os imperialistas são traiçoeiros, todos sabemos disso. Mas as negociações também podem ser feitas por revolucionários. Lênin negociou o tratado de Brest-Litovsk. Ele fez concessões, permaneceu no poder, depois retirou todas as concessões quando se fortaleceu.

An repetiu a frase de Ho Chi Minh feito um papagaio:

– Nós não vamos considerar negociações antes que haja em Saigon um governo neutro de coalizão com representantes vietcongues.

– Seja razoável – pediu Natalya, em tom brando. – Fazer demandas importantes como pré-requisito é apenas uma forma de evitar negociações. Os senhores precisam refletir sobre um acordo.

– Quando os alemães invadiram a Rússia e marcharam até as portas de Moscou, vocês por acaso aceitaram um acordo? – perguntou An, irado, e bateu na mesa com o punho fechado. O gesto, vindo de um oriental supostamente sutil, espantou Dimka. – Não! Nada de negociações, nada de acordos... e nada de americanos!

O jantar acabou logo depois.

Dimka e Natalya voltaram para o hotel. Ele a acompanhou até seu quarto. Na porta, ela disse apenas:

– Entre.

Aquela seria apenas sua terceira noite juntos. As primeiras duas tinham sido em uma cama de baldaquino dentro de um depósito de móveis velhos e empoeirados no Kremlin. De alguma forma, porém, estar juntos em um quarto parecia tão natural quanto se fizesse anos que os dois eram amantes.

Eles se beijaram e tiraram os sapatos, beijaram-se de novo e escovaram os dentes, depois tornaram a se beijar. Não estavam enlouquecidos por um desejo incontrolável, mas relaxados e brincalhões.

– Temos a noite inteira para fazer tudo o que quisermos – disse Natalya, e Dimka pensou que eram as palavras mais sensuais que ele já tinha escutado.

Fizeram amor, comeram o caviar e beberam a vodca que ela levara, depois fizeram amor de novo.

Em seguida, deitados sobre os lençóis amarfanhados encarando o ventilador que girava devagar no teto, Natalya comentou:

– Imagino que devam ter grampeado este quarto.

– Espero que sim – respondeu Dimka. – Nós mandamos uma equipe da KGB para cá a um custo altíssimo para ensiná-los a grampear quartos de hotel.

– Vai ver Pham An está nos escutando – disse Natalya, e riu.

– Se estiver, espero que tenha se divertido mais do que no jantar.

– Pois é. Foi um desastre.

– Eles vão ter que mudar de atitude para conseguir armas de nós. Nem mesmo Brejnev nos quer envolvidos em uma guerra de grandes proporções no Sudeste Asiático.

– Mas, se não fornecermos as armas, talvez eles procurem os chineses.

– Eles odeiam os chineses.

– Eu sei. Mas mesmo assim...

– É.

Eles pegaram no sono e foram acordados pelo telefone. Natalya atendeu e se apresentou. Escutou um pouco, então falou:

– Que droga! – Dali a mais um minuto, desligou. – Notícias do Vietnã do Sul – falou. – Os vietcongues atacaram uma base americana ontem à noite.

617

– Ontem à noite? Horas depois de Kosygin chegar a Hanói? Não pode ser coincidência! Onde?

– Em um lugar chamado Pleiku. Oito americanos morreram e uns cem ficaram feridos. E eles destruíram dez aeronaves americanas no solo.

– Quantas baixas vietcongues?

– Só um corpo ficou para trás no complexo.

Dimka balançou a cabeça, assombrado.

– É preciso reconhecer que os vietnamitas são guerreiros incríveis.

– Os vietcongues, sim. Os vietnamitas do sul são uns inúteis. É por isso que precisam dos americanos para combater por eles.

Dimka franziu a testa.

– Não tem um figurão americano lá no Vietnã do Sul agora?

– McGeorge Bundy, conselheiro de Segurança Nacional, um dos piores instigadores de guerra capitalistas-imperialistas.

– Ele deve estar ao telefone com o presidente Johnson neste exato momento.

– Deve, mesmo. O que será que está dizendo?

Ela teve a resposta mais tarde no mesmo dia.

Aeronaves americanas do porta-aviões *USS Ranger* bombardearam um campo militar chamado Dong Hoi, no litoral do Vietnã do Norte. Era a primeira vez que os Estados Unidos bombardeavam o Norte, e isso inaugurou uma nova fase do conflito.

Durante o dia, Dimka assistiu, desesperado, à posição de Kosygin ruir aos poucos.

Após o bombardeio, a agressão americana foi condenada por países comunistas e não alinhados mundo afora.

Os líderes do Terceiro Mundo agora esperavam que Moscou socorresse o Vietnã, país comunista que estava sendo diretamente atacado pelo imperialismo americano.

Kosygin não queria escalar o conflito, nem o Kremlin podia se dar ao luxo de fornecer ajuda militar maciça a Ho Chi Minh, mas foi exatamente isso que eles fizeram.

Não tiveram escolha. Se recuassem, os chineses assumiriam seu lugar, ansiosos para suplantar a URSS como o amigo poderoso dos pequenos países comunistas. A posição da União Soviética como defensora do comunismo mundial estava agora ameaçada, e todos sabiam disso.

As conversas sobre coexistência pacífica foram esquecidas.

Dimka e Natalya mergulharam em profundo pessimismo, assim como o restante da delegação soviética. Sua intenção de negociar com os vietnamitas estava fatalmente prejudicada. Kosygin não dispunha de mais nenhuma carta para jogar: agora tinha de conceder tudo o que Ho Chi Minh pedisse.

Eles ainda ficaram mais três dias em Hanói. Dimka e Natalya transavam a noite inteira, mas durante o dia tudo o que faziam era tomar notas detalhadas da lista de compras de Pham An. Antes mesmo de irem embora, uma leva de mísseis terra-ar já estava a caminho do Vietnã.

Dimka e Natalya sentaram um ao lado do outro no avião de volta. Ele cochilou, relembrando com deleite quatro noites de amor sob um preguiçoso ventilador de teto.

– Está sorrindo por quê? – perguntou ela.

Ele abriu os olhos.

– Você sabe muito bem.

Ela riu.

– Tirando isso...

– O que é que tem?

– Quando você pensa nesta viagem, não tem a sensação de que...

– De que fomos inteiramente manipulados e explorados? Sim, desde o primeiro dia.

– Na verdade, Ho Chi Minh manipulou com habilidade os dois países mais poderosos do mundo, e acabou conseguindo tudo o que queria.

– É – concordou Dimka. – É exatamente essa a minha sensação.

Tanya foi para o aeroporto com o manuscrito subversivo de Vasili na mala. Estava com medo.

Não era a primeira vez que fazia coisas perigosas: já havia publicado um jornal sedicioso, sido presa na Praça Maiakovski, arrastada para o célebre subsolo da KGB no prédio da Lubyanka e feito contato com um dissidente na Sibéria. Mas aquela era a mais assustadora de todas.

Comunicar-se com o Ocidente era um crime muito mais grave. Ela estava levando o manuscrito para Leipzig, onde esperava despertar o interesse de algum editor ocidental.

A folha de notícias que ela e Vasili publicavam fora distribuída apenas na União Soviética. As autoridades ficariam bem mais zangadas se algum material dissidente chegasse a um país ocidental. Os responsáveis não seriam considerados apenas rebeldes, mas traidores.

Sentada no banco traseiro do táxi, ela pensou no perigo e sentiu-se enjoada de tanto medo; teve de tapar a boca com a mão, em pânico, até a sensação passar.

Ao chegar, quase pediu ao motorista para dar meia-volta e levá-la para casa. Então se lembrou de Vasili na Sibéria, com fome e com frio, tomou coragem e levou a mala até o terminal.

A viagem à Sibéria a fizera mudar. Antes, ela via o comunismo como um experimento bem-intencionado que não dera certo e deveria ser descartado. Agora, via-o como uma tirania brutal liderada por homens maus. Sempre que pensava em Vasili, seu coração se enchia de ódio pelas pessoas que haviam feito aquilo com ele. Tinha dificuldade até de conversar com o irmão gêmeo, que ainda nutria esperanças de que o comunismo pudesse ser melhorado em vez de abolido. Amava Dimka, mas ele estava fechando os olhos para a realidade. E percebeu que, onde quer que existisse uma opressão cruel – no interior da região Sul dos Estados Unidos, na Irlanda do Norte britânica, na Alemanha Oriental –, era preciso várias pessoas comuns e boas como a sua família para desviar os olhos da terrível verdade. Mas Tanya não seria uma delas. Iria lutar até o fim.

Quaisquer que fossem os riscos.

No balcão, apresentou seus documentos e pôs a mala na balança. Se acreditasse em Deus, teria rezado.

Os funcionários do check-in eram todos da KGB. O que a atendeu, um homem na casa dos 30, tinha o rosto coberto pela sombra azulada de uma barba cerrada. Tanya às vezes avaliava as pessoas imaginando como seria entrevistá-las. Aquele homem devia ser incisivo, quase agressivo, pensou, e devia responder a perguntas neutras como se fossem hostis, sempre em busca de implicações ocultas e acusações veladas.

Ele a encarou com firmeza e comparou seu rosto ao da fotografia. Ela tentou não parecer assustada, mas até cidadãos soviéticos inocentes tinham medo ao serem examinados por agentes da KGB.

O homem pôs o passaporte dela em cima do balcão e disse:

– Abra a mala.

Impossível saber por quê. Eles podiam pedir aquilo porque a pessoa parecia suspeita, por não terem nada melhor para fazer, ou então porque gostavam de manusear roupas íntimas femininas. Não precisavam dar nenhum motivo.

Com o coração aos pulos, Tanya abriu a mala.

O agente se ajoelhou e começou a vasculhar suas coisas. Levou menos de um minuto para encontrar o manuscrito de Vasili. Pegou-o e leu a folha de rosto: *Stalag, um romance sobre os campos de concentração nazistas*, por Klaus Holstein.

A página de rosto era falsa, assim como o sumário, o prefácio e o prólogo.

– O que é isto aqui? – perguntou o agente.

– A tradução parcial de uma obra alemã-oriental. Estou indo para a Feira do Livro de Leipzig.

– O texto foi aprovado?

– Na Alemanha Oriental, é claro que foi, caso contrário não teria sido publicado.

– E na União Soviética?

– Ainda não. As obras obviamente só podem ser apresentadas para aprovação depois de concluídas.

Ela tentou respirar normalmente enquanto o agente folheava as páginas.

– Essas pessoas têm nomes russos – comentou ele.

– Como o senhor sabe, havia muitos russos nos campos nazistas.

Se a sua história fosse verificada, ela sabia que cairia por terra na hora. Caso o agente se desse ao trabalho de ler mais do que as primeiras páginas, veria que as histórias não eram sobre os nazistas, mas sobre o gulag, e então a KGB levaria poucas horas para descobrir que não existia livro nem editora da Alemanha Oriental, e Tanya seria levada de volta para aquele subsolo na Lubyanka.

O homem folheou as páginas sem pressa, como se estivesse ponderando se valia a pena criar caso por causa daquilo ou não. Nesse instante, armou-se uma confusão no balcão ao lado: um passageiro estava reclamando por quererem confiscar um ícone que estava levando. O homem que atendia Tanya lhe devolveu os documentos junto com seu cartão de embarque, dispensou-a com um aceno e foi ajudar o colega.

As pernas dela estavam tão bambas que ela teve medo de não conseguir se afastar.

Recuperou as forças e passou pelo resto das formalidades. O avião era o conhecido Tupolev Tu-104, adaptado para o uso de passageiros civis e um pouco abarrotado, com fileiras de seis assentos. O voo até Leipzig percorreu 1.600 quilômetros e durou pouco mais de três horas.

Quando Tanya pegou a mala ao chegar, verificou-a cuidadosamente, mas não viu indícios de que houvesse sido aberta. No entanto, ainda não estava fora de perigo. Levou a mala até a alfândega e a área de imigração com a sensação de estar segurando um objeto radioativo. Lembrou que o governo da Alemanha Oriental era considerado mais duro do que o regime soviético. A Stasi era ainda mais onipresente do que a KGB.

Ela mostrou os documentos. Um agente os estudou com cuidado, então a dispensou com um gesto descortês.

Ela se encaminhou para a saída sem olhar para o rosto dos policiais uniformizados, todos do sexo masculino, que estavam em pé verificando os passageiros.

Então um deles se adiantou na sua frente:

– Tanya Dvorkin?

Ela quase desatou a chorar lágrimas de culpa.

– S-sou eu.

– Por favor, me acompanhe – disse o homem em alemão.

Pronto, pensou ela; minha vida acabou.

Seguiu-o por uma porta lateral. Para sua surpresa, esta se abriu para um estacionamento.

– O diretor da Feira do Livro mandou um carro para buscar a senhora – explicou o agente.

Um motorista a aguardava. Depois de se apresentar, guardou a mala incriminadora no porta-malas de uma limusine Wartburg 311 bicolor verde e branca.

Tanya entrou atrás e afundou no assento, tão incapaz quanto se estivesse embriagada.

Começou a se recuperar conforme o carro a conduzia até o centro da cidade. Leipzig era um antigo centro de passagem que abrigava feiras desde a Idade Média. A estação de trem era a maior da Europa. Em sua matéria, Tanya mencionaria a forte tradição comunista da cidade e sua resistência ao nazismo que havia perdurado até os anos 1940. Não incluiria o pensamento que lhe ocorria agora: que as grandiosas construções novecentistas de Leipzig pareciam ainda mais graciosas em contraste com a brutal arquitetura soviética.

O táxi a levou até a feira. Em um grande pavilhão parecido com um armazém, editores da Alemanha e do exterior haviam montado estandes nos quais expunham seus livros. O diretor levou Tanya para conhecer o espaço e lhe explicou que a principal função da feira era a compra e venda não de livros físicos, mas de direitos de tradução e publicação em outros países.

Por volta do final da tarde, ela conseguiu se desvencilhar dele e dar uma volta sozinha.

Ficou pasma com a imensa quantidade e com a estarrecedora variedade de livros: manuais de automóveis, revistas científicas, almanaques, livros de histórias infantis, Bíblias, livros de arte, atlas, dicionários, manuais escolares, e as obras completas de Marx e Lênin em todos os principais idiomas europeus.

Estava à procura de alguém que pudesse querer traduzir e publicar no Ocidente obras de literatura russa.

Começou a examinar os estandes em busca de romances russos em outras línguas.

O alfabeto ocidental era diferente do russo, mas Tanya havia aprendido alemão e inglês na escola e estudara alemão na universidade, por isso conseguia ler os nomes dos autores e, de modo geral, ter uma boa ideia dos títulos.

Conversou com vários editores, disse-lhes que era jornalista da TASS e perguntou o que estavam achando da feira. Conseguiu algumas citações úteis para sua matéria. Não deu a entender a nenhum deles que tinha um livro russo para lhes oferecer.

No estande de uma editora londrina chamada Rowley, pegou uma tradução para o inglês de *O jovem guarda*, popular romance soviético escrito por Alexander Fadeyev. Conhecia bem o livro e divertiu-se tentando decifrar o inglês da primeira página até que foi interrompida. Uma mulher bonita mais ou menos da sua idade falou com ela em alemão:

– Por favor, me avise se tiver alguma pergunta.

Tanya se apresentou e entrevistou a mulher sobre a feira. Elas rapidamente descobriram que a editora falava russo melhor do que Tanya falava inglês, então trocaram de idioma. Tanya perguntou sobre traduções de romances russos.

– Eu gostaria de publicar mais autores russos – disse a editora. — Mas muitos romances soviéticos contemporâneos, entre eles o que a senhora está segurando, são pró-comunistas de um modo excessivamente servil.

Tanya se fez de melindrada.

– A senhora quer publicar propaganda antissoviética?

– De forma alguma – respondeu a editora com um sorriso tolerante. – Não tem problema nenhum os autores gostarem dos seus governos. Minha editora publica muitos livros que elogiam o Império Britânico e suas conquistas. Mas um escritor que não vê nada de errado na sociedade à sua volta pode não ser levado a sério. É mais sensato incluir alguma crítica, ainda que só por uma questão de credibilidade.

Tanya gostou daquela mulher.

– Podemos nos encontrar de novo?

A editora hesitou.

– A senhora tem algo para mim?

Tanya não respondeu.

– Onde está hospedada?

– No Europa.

Ela estava no mesmo hotel, o que era bem prático.

– Como a senhora se chama?

– Anna Murray. E a senhora?

– Tornaremos a nos falar – disse Tanya, e foi embora.

Sentiu uma simpatia instintiva por Anna Murray, e seu instinto fora refinado por 25 anos de vida na URSS, mas essa impressão também era corroborada por provas. Para começar, Anna não era russa nem uma alemã-oriental se fazendo passar por britânica; era britânica de verdade. Em segundo lugar, não era comunista nem estava se esforçando para fingir ser outra coisa. Seria impossível um espião da KGB forjar aquela neutralidade despreocupada. Em terceiro lugar, ela não usava jargão. Pessoas criadas na ortodoxia soviética não conseguiam deixar de falar em partido, classe, aparelho partidário e ideologia, mas Anna não usava nenhuma dessas palavras-chave.

O Wartburg verde e branco estava à sua espera lá fora. O motorista a levou até o Europa, onde ela fez o check-in. Quase na mesma hora, saiu do quarto e voltou para o hall.

Não queria chamar nenhuma atenção para si, nem mesmo pelo simples fato de perguntar na recepção o número do quarto de Anna Murray. Pelo menos um dos atendentes devia ser informante da Stasi e talvez reparasse em uma jornalista soviética procurando uma editora inglesa.

No entanto, atrás do balcão da recepção havia uma parede inteira de escaninhos numerados nos quais os funcionários deixavam chaves e recados. Ela simplesmente lacrou um envelope vazio, escreveu "Frau Anna Murray" e o entregou sem dizer nada. O atendente imediatamente pôs o envelope no escaninho do 305.

Tanya viu a chave lá dentro, ou seja, Anna Murray não estava no quarto.

Foi até o bar, mas não a encontrou. Passou uma hora sentada, bebericando uma cerveja, fazendo o rascunho da matéria em um bloquinho. Então entrou no restaurante. Anna tampouco estava lá. Devia ter saído para jantar com colegas. Tanya sentou-se sozinha e pediu a especialidade local chamada *Allerlei*, um prato vegetariano. Passou uma hora sentada diante de seu café, depois saiu.

Ao passar pelo lobby, tornou a olhar os escaninhos. A chave do 305 havia sumido.

Voltou para o quarto, pegou o manuscrito e foi até a porta de Anna Murray.

Hesitou. Depois de fazer aquilo, estaria comprometida. Não seria possível inventar uma história que explicasse ou desculpasse seu ato. Ela estava distribuindo propaganda antissoviética para o Ocidente. Se fosse pega, sua vida estaria acabada.

Ela bateu à porta.

Anna veio abrir. Estava descalça e com uma escova de dentes na mão: claramente se preparava para deitar.

Tanya levou o dedo aos lábios para pedir silêncio, então entregou o manuscrito a Anna.

– Volto daqui a duas horas – sussurrou e se afastou.

Retornou ao quarto e ficou deitada na cama, tremendo.

Se Anna simplesmente rejeitasse o trabalho, já seria bem ruim. Mas, se Tanya tivesse avaliado mal a outra mulher, ela poderia se sentir obrigada a informar a alguma autoridade que haviam lhe oferecido um livro dissidente. Talvez temesse, caso ficasse calada, ser acusada de participar de uma conspiração. Talvez pensasse que a única ação sensata seria denunciar a abordagem ilícita que lhe fora feita.

Mas Tanya achava que os ocidentais não pensavam assim. Apesar das rígidas precauções que ela havia tomado, Anna não teria noção de que era culpada de um crime pelo simples fato de ler um manuscrito.

Dessa forma, o mais importante era saber se a editora britânica iria gostar do trabalho de Vasili. Daniil tinha gostado, bem como os editores da *Novo Mundo*. Mas eles eram os únicos que haviam lido o texto, e eram todos russos. Como uma estrangeira reagiria? Tanya estava segura de que Anna veria que o material estava bem escrito, mas será que ficaria abalada? Será que ficaria comovida?

Alguns minutos depois das onze, voltou ao quarto 305.

Anna abriu a porta com o manuscrito na mão.

Tinha o rosto banhado em lágrimas.

– Isso é insuportável – falou, num sussurro. – Temos que contar para o mundo.

⌒

Em uma sexta-feira à noite, Dave descobriu que Lew, baterista do Plum Nellie, era homossexual.

Até então, achava que Lew fosse apenas tímido. Muitas garotas queriam transar com músicos de grupos pop, e o camarim às vezes ficava parecendo um bordel, mas Lew nunca aproveitava. Não chegava a ser surpreendente: alguns aproveitavam, outros não. Walli nunca ficava com nenhuma *groupie*; Dave, às vezes; e Buzz, o baixista, nunca dizia não.

O Plum Nellie tinha voltado a fazer shows. "I Miss Ya, Alicia" estava na 19ª posição na lista das Vinte Mais, e não parava de subir. Dave e Walli agora compunham juntos e esperavam conseguir gravar um *long play*. Em um final de tarde, foram aos estúdios da BBC em Portland Place e pré-gravaram uma apresentação para a rádio. Apesar do pouco dinheiro, era uma oportunidade para promover "I Miss Ya, Alicia". Quem sabe a música não conseguia chegar ao primeiro lugar?

Além do mais, como Dave às vezes dizia, também dava para sobreviver com pouco dinheiro.

A banda saiu para o dia ainda claro, piscando os olhos, e decidiu ir tomar um drinque em um pub ali perto chamado Golden Horn.

– Eu não quero beber – falou Lew.

– Não diga besteira – retrucou Buzz. – Desde quando você recusa uma caneca de chope?

– Então vamos a outro pub.

– Por quê?

– Não gosto da pinta desse.

– Se estiver com medo de ser assediado, ponha os óculos escuros.

Como eles já tinham aparecido na TV várias vezes, com frequência eram reconhecidos por fãs em restaurantes e bares, mas raramente havia problemas. Tinham aprendido a manter distância de lugares onde jovens adolescentes pudessem se reunir, como cafés próximos a escolas, pois isso poderia gerar tumulto. Mas nos pubs para adultos não havia problema.

Entraram no Golden Horn e chegaram perto do bar. O barman sorriu para Lew e disse:

– Oi, Lucy, meu bem. O que vai querer, uma vod ton?

Os outros olharam para Lew, espantados.

– Quer dizer que você frequenta este lugar? – indagou Buzz.

– O que é vod ton? – quis saber Walli.

– Lucy? – estranhou Dave.

O barman parecia nervoso.

– Quem são os seus amigos, Lucy?

Lew olhou para os outros três e disse:

– Seus filhos da mãe, vocês me pegaram.

– Você é bicha? – perguntou Buzz.

Como já tinha sido flagrado mesmo, Lew deixou de lado a cautela:

– Sou bicha, sim. Veado, maricas, pederasta. Se além de burros vocês não fossem todos cegos, teriam percebido anos atrás. Sim, eu beijo homens e transo com eles sempre que posso sem ser pego. Mas não precisam ter medo de eu tentar alguma coisa com algum de vocês: são todos feios pra caralho. Agora vamos beber.

Dave assobiou e bateu palmas e, depois de alguns instantes de hesitação chocada, Buzz e Walli seguiram seu exemplo.

Dave ficou intrigado. Sabia que homossexuais existiam, mas só na teoria. Nunca tivera nenhum amigo gay, pelo menos não que tivesse percebido – embora, como Lew, a maioria mantivesse a opção sexual em segredo, porque esse comportamento era criminoso. Lady Leckwith, avó de Dave, estava fazendo campanha para mudar a lei, mas até então não tivera sucesso.

Dave defendia a campanha da avó, principalmente por odiar o tipo de gente que se opunha a ela: clérigos pomposos, conservadores indignados e coronéis aposentados. Nunca havia de fato pensado na lei como algo que pudesse afetar seus amigos.

Eles tomaram uma segunda rodada, depois uma terceira. O dinheiro de Dave estava acabando, mas ele tinha grandes esperanças. "I Miss Ya, Alicia" seria lançada nos Estados Unidos e, se fizesse sucesso lá, o grupo estaria feito. E ele nunca mais teria de se preocupar com ortografia.

O pub encheu depressa. A maioria dos clientes tinha algo em comum: um jeito de andar e de falar meio teatral. Chamavam uns aos outros de "amor" e "linda". Depois de algum tempo, ficava fácil dizer quem era gay e quem não era. Talvez por isso eles se comportassem assim. Havia também alguns casais de mulheres, a maioria de cabelos curtos e calça comprida. Dave teve a sensação de estar vendo um novo mundo.

Mas os frequentadores não eram ciumentos e pareciam felizes em dividir seu pub preferido com homens e mulheres heterossexuais. Cerca de metade das pessoas ali conhecia Lew, e o grupo acabou ficando no centro de uma rodinha de conversa. Os gays tinham um jeito específico de fazer piadas que fez Dave rir. Um homem de camisa parecida com a de Lew falou:

– Ai, Lucy, sua camisa é igual à minha! Que legal. – Então arrematou, com um sussurro exagerado: – Sua piranha imitona.

Os outros riram, inclusive Lew.

Dave foi abordado por um homem alto, que lhe perguntou em voz baixa:

– Aí, parceiro, sabe quem pode me vender umas bolinhas?

Ele sabia do que o sujeito estava falando. Muitos músicos tomavam anfetaminas. Era possível comprar vários tipos em lugares como o Jump Club. Dave já tinha experimentado, mas não gostava do efeito.

Olhou para o desconhecido com atenção. Embora ele estivesse de calça jeans e suéter listrado, a calça era vagabunda e não combinava com o suéter, e seus cabelos eram curtos, ao estilo militar. Dave teve uma sensação estranha.

– Não – respondeu, seco, e virou-se para o outro lado.

Em um dos cantos havia um palquinho com um microfone. Às nove, um comediante subiu lá ao som de palmas entusiasmadas. Era um homem vestido de mulher, mas os cabelos e a maquiagem estavam tão bem-feitos que, em outro contexto, Dave talvez não tivesse percebido.

– Por favor, pessoal, posso ter sua atenção? – pediu o comediante. – Só gostaria de fazer um anúncio público importante. Jerry Robertson está com DV.

Todos riram.

– O que é DV? – perguntou Walli para Dave.

– Doença venérea. Bolinhas no pau.

O comediante fez uma pausa, então concluiu:

– Eu sei porque fui eu que passei para ele.

Houve novas risadas, e então começou uma confusão perto da porta. Dave olhou para lá e viu vários policiais uniformizados entrarem, empurrando as pessoas para passar.

– Uuui, olha os homens aí! – disse o comediante. – Como eu adoro um uniforme! A polícia vem muito aqui, já repararam? O que será que a atrai tanto?

Apesar de ele fazer piada com a situação, os policiais não estavam de brincadeira. Abriram caminho pelas pessoas aos empurrões, parecendo apreciar aquela truculência desnecessária. Quatro deles entraram no banheiro masculino.

– Talvez eles tenham vindo só dar uma mijada – disse o comediante.

Um dos policiais subiu no palco.

– O senhor é inspetor, não é? – indagou o artista, em tom de flerte. – Veio me inspecionar?

Dois outros agentes saíram arrastando o comediante.

– Não se preocupem! – gritou ele. – Eu sei ser discreto!

O inspetor pegou o microfone.

– Muito bem, seus veados imundos. Fui informado que drogas ilícitas estão sendo vendidas neste estabelecimento. Se não quiserem se machucar, fiquem de frente para a parede e se preparem para uma revista.

Outros policiais continuavam chegando. Dave olhou em volta à procura de uma saída, mas todas as portas estavam bloqueadas por homens de uniforme azul. Alguns dos clientes foram até as paredes e se postaram de costas para o recinto, resignados, como se aquilo já tivesse lhes acontecido antes. A polícia nunca dava batidas no Jump Club, refletiu ele, embora lá as drogas fossem vendidas quase abertamente.

Os policiais que haviam entrado no banheiro saíram escoltando dois homens, um dos quais sangrava pelo nariz. Um dos agentes disse ao inspetor:

– Eles estavam no mesmo cubículo, chefe.

– Pode indiciar os dois por atentado ao pudor.

– Certo, chefe.

Dave levou uma forte bordoada nas costas e deu um grito. Um policial de cassetete na mão falou:

– Vá para a parede.
– Por que fez isso? – perguntou Dave.
O policial encostou o cassetete no nariz dele.
– Cale a boca, sua bichinha, ou eu a calo com meu cassetete.
– Eu não sou...

Dave não completou a frase. Eles que pensassem o que bem entendessem. Prefiro estar com as bichas a ficar com a polícia, pensou. Foi até a parede e fez o que lhe mandavam enquanto esfregava o ponto dolorido nas costas.

Acabou do lado de Lew, que perguntou:
– Eles machucaram você?
– É só um hematoma. E você?
– Nada de mais.

Dave estava descobrindo por que sua avó queria mudar a lei. Sentiu vergonha por ter passado tanto tempo vivendo na ignorância.

Em voz baixa, Lew falou:
– Pelo menos a polícia não reconheceu a gente.

Dave assentiu.
– Eles não são do tipo que conhece a cara de astros pop.

Com o canto do olho, viu o inspetor conversando com o homem malvestido que tinha lhe perguntado sobre comprar bolinhas. Agora entendia o jeans vagabundo e o corte de cabelo militar: o sujeito era um agente disfarçado, e muito mal, ainda por cima. Estava dando de ombros e abrindo os braços em um gesto de impotência, e Dave supôs que não tivesse conseguido encontrar ninguém vendendo drogas.

A polícia revistou todos os clientes e os fez revirarem os bolsos. O que examinou Dave demorou muito mais do que o necessário apalpando seus genitais. Será que os policiais também são bichas?, perguntou-se. Será por isso que agem assim?

Vários clientes que recusaram a revista íntima apanharam de cassetete e foram presos por agredir a polícia. Um homem tinha um pacote de comprimidos que disse terem sido receitados por seu médico, mas foi preso mesmo assim.

Depois de algum tempo, a polícia foi embora. O barman anunciou uma rodada por conta da casa, mas poucos aceitaram. Os integrantes do Plum Nellie foram embora do pub e Dave decidiu ir para casa e dormir cedo.

– Esse tipo de coisa acontece muito com vocês? – perguntou a Lew na hora de se despedir.

– O tempo todo, parceiro. Porra... O tempo todo.

Certa noite, Jasper foi visitar a irmã no apartamento de Hank Remington em Chelsea, às sete horas, quando tinha certeza de que Anna já teria chegado do trabalho, mas antes de o casal sair. Estava nervoso. Queria lhes fazer um pedido vital para o seu futuro.

Sentado na cozinha, ficou olhando Anna preparar o prato favorito de Hank: sanduíche de batatas fritas.

– Como vai o trabalho? – perguntou ele, para jogar conversa fora.

– Está incrível – respondeu ela, com os olhos brilhando de empolgação. – Descobri um autor novo, um dissidente russo. Nem sei como ele se chama de verdade, mas é um gênio. Vou publicar os contos dele ambientados em um campo de prisioneiros da Sibéria. O título é *Enregelamento*.

– Não parece muito divertido.

– Tem umas partes engraçadas, mas é de chorar de tão triste. Já mandei traduzir.

– Quem vai querer ler sobre prisioneiros em um campo? – indagou Jasper, cético.

– O mundo inteiro – retrucou Anna. – Espere só e verá. Mas e você, já sabe o que vai fazer depois de se formar?

– Recebi uma oferta de emprego como repórter júnior no *Western Mail*, mas não quero aceitar. Já fui editor e dono do meu próprio jornal, caramba!

– Alguma resposta dos Estados Unidos?

– Uma.

– Só uma? E o que eles disseram?

Jasper tirou a carta do bolso e lhe mostrou. Era de um programa de notícias na TV chamado *This Day*.

– Eles só dizem que não contratam ninguém sem uma entrevista – disse Anna depois de ler. – Que decepção.

– Pretendo levar a carta ao pé da letra.

– Como assim?

Ele apontou para o endereço no cabeçalho.

– Vou aparecer no escritório deles com esta carta na mão e dizer: "Vim para a entrevista."

Anna riu.

– Eles serão obrigados a admirar sua ousadia.

– Só tem um pequeno problema. – Jasper engoliu em seco. – Preciso de 90 libras para a passagem. E só tenho 20.

Ela retirou um cesto de batatas da fritadeira e as pôs para escorrer. Então olhou para o irmão.

– Foi por isso que veio aqui?

Ele assentiu.

– Pode me emprestar 70 libras?

– De jeito nenhum! Eu nem tenho 70 libras. Sou editora de livros. Isso é quase um mês do meu salário.

Jasper já sabia que a resposta seria essa. Mas aquilo não era o fim da conversa. Cerrando os dentes, ele perguntou:

– Não pode pedir ao Hank?

Anna dispôs as batatas fritas sobre uma fatia de pão branco com manteiga. Salpicou vinagre de malte por cima, depois salgou generosamente. Cobriu com uma segunda fatia de pão e cortou o sanduíche em duas metades.

Hank entrou na cozinha enfiando a camisa para dentro de uma calça de cintura baixa de veludo cotelê laranja. Seus cabelos ruivos compridos estavam molhados do banho.

– Oi, Jasper – falou, com a cordialidade habitual. Deu um beijo em Anna. – Nossa, amor, que cheiro bom.

– Hank, este talvez seja o sanduíche mais caro que você vai comer na vida.

CAPÍTULO TRINTA E OITO

Dave Williams estava ansioso para conhecer seu célebre avô, Lev Peshkov. No outono de 1965, o Plum Nellie estava em turnê nos Estados Unidos. A Grande Turnê das Estrelas do Beat pagava diárias em hotéis para os artistas a cada dois dias. Os outros eram passados viajando de ônibus.

Eles faziam um show, pegavam o ônibus à meia-noite e iam até a cidade seguinte. Dave nunca dormia direito no ônibus. As poltronas eram desconfortáveis e o banheiro nos fundos fedia. A única bebida disponível era um refrigerante açucarado mantido num cooler e fornecido de graça pela empresa Dr. Pepper, patrocinadora da turnê. Um grupo de soul da Filadélfia chamado The Topspins organizava partidas de pôquer no ônibus. Dave perdeu 10 dólares em uma noite e nunca mais jogou.

Pela manhã, eles chegavam ao hotel. Se tivessem sorte, podiam fazer logo o check-in. Caso contrário, tinham de fazer hora no hall, mal-humorados e sem tomar banho, enquanto esperavam que os hóspedes da noite anterior liberassem os quartos. Faziam o show de noite, dormiam no hotel e pela manhã tornavam a embarcar no ônibus.

O Plum Nellie estava adorando.

O dinheiro não era grande coisa, mas eles estavam em turnê nos Estados Unidos; teriam feito aquilo até de graça.

E havia as garotas.

Buzz muitas vezes recebia várias fãs em seu quarto de hotel ao longo de um mesmo dia ou noite. Lew explorava com grande entusiasmo o universo dos homossexuais, que os americanos preferiam chamar de gays. Walli permanecia fiel a Karolin, mas até ele estava feliz vivendo o sonho de ser um astro pop.

Dave não gostava muito de transar com *groupies*, mas havia muitas garotas incríveis na turnê. Ele tentou ficar com a loura Joleen Johnson, dos Tamettes, que lhe disse não e explicou que era casada desde os 13 anos e muito feliz com o marido. Em seguida tentou Little Lulu Small, que, apesar de encorajar seus avanços, não quis ir para o seu quarto. Finalmente, certa noite começou a conversar com Mandy Love, do Love Factory, grupo de garotas negras de Chicago. Mandy tinha grandes olhos castanhos, boca larga e pele lisinha e marrom que parecia de seda. Ela o apresentou à maconha, que lhe agradou mais do que cerveja. Depois de Indianápolis, os dois passaram todas as noites juntos nos hotéis, embora tivessem que ser discretos: em alguns estados, sexo entre pessoas de raça diferente era crime.

O ônibus entrou em Washington numa quarta-feira de manhã. Dave tinha um almoço marcado com o avô Peshkov. Daisy combinara tudo.

Vestiu-se para o almoço como o astro pop que de fato era: camisa vermelha, calça azul de cintura baixa, paletó de tweed cinza com estampa xadrez vermelha e botas de bico fino com salto cubano. Pegou um táxi do hotel barato em que os grupos estavam hospedados até o estabelecimento mais luxuoso em que seu avô morava.

Estava intrigado. Tinha ouvido muita coisa ruim sobre aquele velho. Se as lendas da família fossem verdade, Lev havia matado um policial em São Petersburgo e depois fugido da Rússia, deixando a namorada grávida. Em Buffalo, engravidou a filha do patrão, casou-se com ela e herdou uma fortuna. Era suspeito de ter matado o próprio sogro, mas nunca fora indiciado. Durante a Lei Seca, fora contrabandista de bebidas. Tivera várias amantes enquanto era casado com a mãe de Daisy, entre elas a estrela do cinema Gladys Angelus. A lista não tinha fim.

Enquanto esperava no hall do hotel, Dave se perguntou qual seria a aparência do avô. Os dois nunca haviam se encontrado. Parecia que Lev tinha ido a Londres uma vez, para o casamento de Daisy com o primeiro marido, Boy Fitzherbert, porém nunca mais voltara.

Daisy e Lloyd iam aos Estados Unidos mais ou menos de cinco em cinco anos, principalmente para visitar a mãe dela, Olga, que agora vivia em uma casa de repouso em Buffalo. Dave sabia que a mãe não tinha muito amor pelo próprio pai. Lev passara a maior parte da sua infância ausente. Tinha uma segunda família na mesma cidade – uma amante, Marga, e um filho ilegítimo, Greg – que aparentemente sempre havia preferido.

Do outro lado do hall, Dave viu um homem de 70 e poucos anos vestido com um terno cinza-prata e uma gravata listrada de vermelho e branco. Lembrou-se de ouvir a mãe dizer que seu pai sempre fora um dândi. Sorriu e disse:

– Avô Peshkov?

Os dois se cumprimentaram com um aperto de mãos, e Lev perguntou:

– Está sem gravata?

Dave ouvia isso o tempo todo. Por algum motivo, a geração mais velha achava que tinha o direito de ser mal-educada em relação às roupas dos mais jovens. Dave tinha várias respostas prontas, de simpáticas a hostis, mas a que deu foi:

– Quando você era adolescente em São Petersburgo, como os jovens bacanas do seu tipo se vestiam?

A expressão séria de Lev se abriu num sorriso.

– Eu usava paletó com botões de madrepérola, colete, relógio de corrente de latão e uma boina de veludo. Tinha os cabelos compridos e repartidos no meio, igual aos seus.

– Ou seja, somos parecidos. Só que eu nunca matei ninguém.

Lev passou alguns segundos espantado, então riu.

– Garoto esperto – falou. – Herdou minha inteligência.

Uma mulher elegante de sobretudo azul e chapéu parou ao lado de Lev. Apesar de ter a mesma idade que ele, seu andar era igual ao de uma modelo na passarela.

– Esta é Marga – apresentou Lev. – Ela não é sua avó.

A amante, pensou Dave.

– Está na cara que ela é jovem demais para ser avó – falou, com um sorriso. – Prefere que eu a chame de senhora ou de você?

– Mas que rapaz sedutor! – retrucou ela. – Pode me chamar de você. Eu também era cantora, sabia? Só que nunca tive o seu sucesso. – Ela exibiu um ar de nostalgia. – Naquele tempo, eu devorava meninos bonitos como você no café da manhã.

As cantoras não mudaram nada, pensou Dave, lembrando-se de Mickie McFee.

Eles entraram no restaurante. Marga fez várias perguntas sobre Daisy, Lloyd e Evie. Eles ficaram animados ao ouvir sobre a carreira de atriz da moça, sobretudo porque Lev era dono de um estúdio em Hollywood. Mas ele estava interessado mesmo era em Dave e seu grupo.

– Dizem que você está milionário, Dave.

– É mentira – corrigiu o rapaz. – Estamos vendendo muitos discos, mas eles não rendem tanto dinheiro quanto as pessoas imaginam. Recebemos cerca de um *penny* por disco. Se vendermos um milhão de cópias, talvez dê para cada um de nós comprar um carrinho.

– Alguém está roubando vocês – falou Lev.

– Não me espantaria. Mas não sei o que fazer em relação a isso. Demiti nosso primeiro agente e o que está conosco agora é muito melhor, mas nem assim consigo dinheiro para comprar uma casa.

– Eu trabalho no ramo do cinema, e às vezes nós vendemos discos das nossas trilhas sonoras, então já vi como esse pessoal da música trabalha. Quer um conselho?

– Por favor.

– Crie a sua própria gravadora.

Dave ficou intrigado. Já vinha pensando naquilo, mas lhe parecia uma fantasia.

– Acha isso possível?

– Acho que você deve poder alugar um estúdio de gravação por um dia ou dois, ou pelo tempo que for necessário.

– A gente pode gravar a música, e acho que deve conseguir uma fábrica para prensar os discos, mas não tenho certeza em relação às vendas. Não queria perder meu tempo administrando uma equipe de representantes, mesmo que soubesse como fazer isso.

– Nem precisa. Peça para a gravadora grande distribuir e vender os seus discos em troca de uma porcentagem. Assim eles ficam com a ninharia, e vocês com o lucro.

– Será que eles vão aceitar?

– Não vão gostar muito, mas vão acabar aceitando porque não podem se dar ao luxo de perder o grupo.

– É, acho que sim.

Dave se pegou atraído por aquele velho astuto, apesar da reputação de criminoso.

E Lev ainda não tinha terminado:

– E os direitos das músicas? São vocês que compõem, não são?

– Walli e eu em geral compomos juntos.

Na verdade, era Walli quem escrevia as canções no papel, porque a caligrafia e a ortografia de Dave eram tão ruins que ninguém nunca conseguia ler o que ele escrevia, mas o processo criativo era uma colaboração.

– Ganhamos um pequeno extra com os royalties das músicas.

– Um pequeno extra? Deveriam estar ganhando uma fortuna. Aposto que a empresa que detém os direitos das músicas tem um agente estrangeiro que leva uma porcentagem.

– É verdade.

– E, se você olhar de perto, vai descobrir que o agente estrangeiro também tem um subagente que leva outra porcentagem, e assim por diante. E todas essas pessoas que levam porcentagens fazem parte da mesma corporação. Depois de elas tirarem 25 por cento umas três ou quatro vezes, sobra zero para vocês. – Lev balançou a cabeça, revoltado. – Monte sua própria empresa de direitos autorais. Você só vai ganhar dinheiro quando estiver no controle.

– Quantos anos você tem, Dave? – quis saber Marga.

– Dezessete.

– Tão jovem... Mas pelo menos é esperto o suficiente para prestar atenção nos negócios.

– Queria ser mais.

Depois do almoço, eles foram para o bar.

– Seu tio Greg vai vir tomar café conosco – disse Lev. – Ele é meio-irmão da sua mãe.

Dave recordou que Daisy falava de Greg com carinho. Ele tinha feito algumas bobagens quando era jovem, dizia, mas ela também. Greg era senador do Partido Republicano, mas até isso ela perdoava.

– Meu filho Greg nunca se casou, mas tem um filho chamado George – disse Marga.

– É um segredo de polichinelo – explicou Lev. – Ninguém fala do assunto, mas todo mundo em Washington sabe. Greg não é o único membro do Congresso a ter um filho bastardo.

Dave já sabia sobre George. Sua mãe tinha lhe contado, e Jasper Murray chegara a conhecer seu primo. Dave achava bacana ter um primo negro.

– Quer dizer que George e eu somos seus dois únicos netos – falou.

– São.

– Lá vêm eles – disse Marga.

Dave ergueu os olhos. Um homem de meia-idade atravessava o recinto usando um estiloso terno de flanela cinza que precisava de uma boa escovada e de um bom ferro de passar. Ao seu lado vinha um negro bonito de uns 30 anos, imaculadamente vestido com um terno de mohair cinza-escuro e uma gravata fina.

Eles chegaram à mesa e cumprimentaram Marga com um beijo.

– Greg, este é o seu sobrinho Dave Williams. George, apresento-lhe seu primo inglês.

Eles se sentaram. Dave reparou que George era altivo e confiante, apesar de ser a única pessoa de pele escura no recinto. Os astros negros do pop estavam deixando os cabelos crescerem como todos os outros artistas, mas George ainda os usava curtos, decerto por trabalhar na política.

– Então, pai, você algum dia imaginou uma família como esta? – perguntou Greg.

– Escute, vou lhe dizer uma coisa – retrucou Lev. – Se você pudesse voltar no tempo, se pudesse conhecer o jovem Lev Peshkov e dizer a ele como sua vida iria se desenrolar, sabe o que ele faria? Diria que você enlouqueceu.

Nessa noite, George levou Maria Summers para jantar em comemoração ao seu 29º aniversário.

Estava preocupado com ela. Maria tinha trocado de emprego e se mudara para outro apartamento, mas ainda não estava namorando ninguém. Saía com as moças do Departamento de Estado mais ou menos uma vez por semana e, às vezes, com George, mas não tinha vida amorosa nenhuma. George temia que ainda estivesse de luto. O atentado fazia quase dois anos, mas era fácil levar mais tempo do que isso para se recuperar da morte de um amante.

O afeto que ele tinha por Maria com certeza não era o de um irmão. Achava-a sexy e sedutora, e isso desde aquela primeira viagem para o Alabama. Sentia por ela a mesma coisa que sentia pela mulher de Skip Dickerson, que era linda e encantadora. Assim como a esposa de seu melhor amigo, porém, Maria simplesmente não estava disponível. Se a vida tivesse sido diferente, tinha certeza de que poderia estar casado com ela, feliz. Mas ele tinha Verena, e Maria não tinha ninguém.

Foram ao Jockey Club. Maria estava usando um vestido de lã cinza, elegante porém simples. Não pusera joia alguma e passou o tempo todo de óculos. Seu aplique de cabelo era um pouco antiquado. Tinha um rosto bonito, uma boca sensual, e o mais importante: um bom coração. Seria fácil encontrar um homem, bastaria tentar. Mas as pessoas estavam começando a dizer que ela era uma profissional que tinha o emprego como prioridade na vida. George na verdade não achava que isso pudesse fazê-la feliz, e preocupava-se com a amiga.

– Acabei de ser promovida – contou ela quando se sentaram.

– Parabéns! Vamos tomar champanhe.

– Ah, não, obrigada. Tenho que trabalhar amanhã.

– É seu aniversário!

– Mesmo assim, é melhor não. Talvez eu tome um conhaquezinho depois de comer, para me ajudar a dormir.

George deu de ombros.

– Bom, acho que a sua seriedade explica essa promoção. Sei que você é inteligente, capaz e muito bem formada, mas em geral nada disso conta quando se tem a pele escura.

– Tem toda razão. Sempre foi quase impossível para os negros conseguir altos cargos no governo.

– Parabéns por ter superado esse preconceito. É uma conquista e tanto.

– As coisas mudaram desde que você saiu do Departamento de Justiça... sabe por quê? O governo está tentando convencer as forças policiais do Sul a contratarem negros, mas os sulistas dizem: "Olhem para a sua equipe: são todos brancos!" Então os funcionários mais graduados estão sob pressão. Para provar que não têm preconceito, precisam promover pessoas de cor.

– Eles provavelmente acham que basta uma para dar o exemplo.

Maria riu.

– Uma já é de mais.

Eles fizeram os pedidos. George pensou que tanto ele quanto Maria tinham conseguido romper a barreira da cor, mas isso não provava que esta não existia mais. Pelo contrário: eles eram a exceção que confirmava a regra.

Maria estava pensando mais ou menos a mesma coisa.

– Bobby Kennedy parece legal – comentou.

– Quando o conheci, ele considerava os direitos civis uma distração de questões mais importantes. Mas a melhor coisa em relação a Bobby é que ele acaba se rendendo à razão e muda de opinião quando necessário.

– Como ele está?

– Ainda é muito cedo para dizer – respondeu George, evasivo.

Bobby fora eleito senador pelo estado de Nova York, e George era um de seus assessores mais próximos. Sentia que o chefe não estava se adaptando bem ao novo papel. Havia passado por muitas mudanças: fora o principal conselheiro do irmão presidente, depois havia sido posto para escanteio pelo sucessor Johnson e agora era senador no primeiro mandato e corria o risco de perder a própria identidade.

– Ele deveria se pronunciar contra a Guerra do Vietnã! – Estava claro que a questão mobilizava muito Maria, e George sentiu que ela havia planejado fazer um pouco de lobby com ele. – Quando era presidente, Kennedy estava *reduzindo* o nosso esforço no Vietnã, e recusou-se várias vezes a mandar tropas terrestres. Mas, assim que foi eleito, Johnson despachou 3.500 fuzileiros navais, e o Pentágono na hora solicitou mais. Em junho, eles exigiram mais 175 mil soldados, e o general Westmoreland disse que provavelmente não seria o bastante! Mas Johnson mente sobre isso o tempo todo.

– Eu sei. E o bombardeio ao Norte tinha por objetivo fazer Ho Chi Minh negociar, mas só parece ter deixado os comunistas ainda mais decididos.

– Exatamente o que se previu quando o Pentágono adotou uma estratégia militar.

– É mesmo? Acho que Bobby não sabe disso. – George lhe diria no dia seguinte.

– Quase ninguém sabe, mas foram feitas duas avaliações pelos militares sobre os resultados do bombardeio ao Vietnã do Norte, e os dois mostraram o mesmo resultado: um *aumento* dos ataques vietcongues no Sul.

– Exatamente a espiral de fracasso e agravamento do conflito que Jack Kennedy temia.

– E o filho mais velho do meu irmão está quase na idade do alistamento obrigatório. – A expressão dela demonstrava o medo que sentia pelo sobrinho. – Não quero que Stevie morra! Por que o senador Kennedy não diz nada?

– Ele sabe que isso vai torná-lo impopular.

Maria não estava disposta a aceitar esse fato.

– Será que vai mesmo? As pessoas não gostam dessa guerra.

– As pessoas não gostam é de políticos que prejudicam o moral das tropas criticando a guerra.

– Ele não pode permitir que a opinião pública dite o seu comportamento.

– Quem ignora a opinião pública não fica muito tempo na política, pelo menos não em uma democracia.

Frustrada, Maria ergueu os olhos.

– Quer dizer que ninguém nunca pode se opor a uma guerra?

– Talvez por isso tenhamos tantas.

Quando a comida chegou, ela mudou de assunto:

– E como vai Verena?

George sentiu que a conhecia bem o suficiente para ser franco.

– Eu a adoro. Ela fica no meu apartamento sempre que vem a Washington, mais ou menos uma vez por mês. Só que não parece querer sossegar.

– Se ela sossegasse com você, teria de morar aqui.

– E isso é tão ruim assim?

– O emprego dela é em Atlanta.

George não via como isso podia ser um problema.

– A maioria das mulheres mora onde o marido trabalha.

– As coisas estão mudando. Se os negros podem ser iguais, por que não as mulheres?

– Ah, por favor! – protestou ele, indignado. – Não é a mesma coisa.

– Não mesmo. O sexismo é muito pior. Metade da raça humana está escravizada.

– Escravizada?

– Pense em quantas donas de casa trabalham o dia inteiro sem receber salário nenhum! E na maior parte do mundo uma mulher que abandona o marido pode ser presa e levada de volta para casa pela polícia. Quem trabalha sem remuneração e não pode sair do emprego se chama escravo, George.

Ele ficou irritado com aquela discussão, e mais ainda com o fato de Maria aparentemente estar ganhando. Mas também viu ali uma oportunidade para abordar o assunto que o preocupava de verdade:

– É por isso que você está solteira?

Maria pareceu ficar constrangida.

– Em parte – respondeu, sem encará-lo.

– Quando acha que vai voltar a namorar?

– Em breve, imagino.

– Você não quer?

– Quero, mas trabalho muito e não tenho tanto tempo livre assim.

George não engoliu a desculpa.

– Você acha que ninguém jamais vai conseguir chegar aos pés do homem que perdeu.

Ela não negou.

– Estou errada? – indagou.

– Acho que poderia encontrar alguém que a trate melhor do que ele tratou. Alguém inteligente e sexy, mas também fiel.

– Pode ser.

– Você toparia um encontro às cegas?

– Talvez.

– Prefere com um branco ou com um negro?

– Com um negro. Sair com brancos dá muito trabalho.

– Está bem. – George estava pensando no jornalista Leopold Montgomery, mas não disse nada ainda. – Como estava o seu bife?

– Derretendo na boca. Obrigada por me trazer aqui. E por se lembrar do meu aniversário.

Eles comeram sobremesa, depois tomaram conhaque com o café.

– Eu tenho um primo branco – disse George. – Você acredita? Dave Williams. Nós nos conhecemos hoje.

– Por que nunca o tinha visto?

– Ele é cantor de pop na Grã-Bretanha e está aqui em turnê com a banda, que se chama Plum Nellie.

Maria nunca tinha ouvido falar.

– Dez anos atrás, eu conhecia todos os artistas da parada de sucessos. Será que estou ficando velha?

George sorriu.

– Você está fazendo 29 anos.

– Ano que vem faço 30! Como o tempo passou tão rápido?

– O grande sucesso deles foi "I Miss Ya, Alicia".

– Ah, claro! Já ouvi no rádio. Quer dizer que o seu primo é desse grupo?

– É.

– E você gostou dele?

– Gostei. Ele é bem jovem, ainda não fez 18 anos, mas é bem maduro e deixou nosso ranzinza avô russo encantado.

– Você já viu o grupo tocar?

– Não. Ele me ofereceu um ingresso grátis, mas eles vão tocar só hoje e eu já tinha compromisso.

– Ai, George, você poderia ter cancelado o nosso jantar.

– No dia do seu aniversário? De jeito nenhum. – Ele pediu a conta.

Levou-a em casa no seu Mercedes antigo. Ela havia se mudado para um apartamento maior no mesmo bairro, Georgetown.

Os dois se espantaram ao ver em frente ao prédio um carro de polícia com o giroscópio ligado.

George levou Maria até a porta. Havia um policial branco em pé do lado de fora.

– Algum problema, meu senhor?

– Três apartamentos neste prédio foram assaltados hoje à noite – respondeu o agente. – Os senhores moram aqui?

– Eu moro! – respondeu Maria. – O número 4 foi assaltado?

– Vamos dar uma olhada.

Eles entraram no prédio. A porta de Maria tinha sido arrombada. Lívida, ela entrou no apartamento. George e o policial a seguiram.

Atarantada, Maria olhou em volta.

– Tudo parece estar como eu deixei. – Depois de alguns instantes, ela completou: – Só que todas as gavetas estão abertas.

– A senhora precisa verificar o que sumiu.

– Não tenho nada que valha a pena roubar.

– Em geral os ladrões levam dinheiro, joias, bebidas e armas de fogo.

– Estou usando meu relógio de pulso e meu anel, não bebo e com certeza não tenho arma. – Ela entrou na cozinha e George ficou olhando pela porta aberta. Ela abriu uma lata de café. – Tinha 80 dólares aqui dentro – falou para o agente.

– Sumiram.

O policial anotou em seu bloquinho.

– Exatamente oitenta?

– Três notas de 20 e duas de 10.

Havia mais um cômodo. George atravessou a sala e abriu a porta que dava para o quarto.

– Não, George! – gritou Maria. – Não entre aí!

Mas era tarde.

Parado à porta, George correu os olhos pelo quarto, assombrado.

– Meu Deus – comentou.

Agora entendia por que ela não namorava ninguém.

Consternada de vergonha, Maria olhou para outro lado.

O policial passou por George e entrou no quarto.

– Nossa! – disse ele. – Deve ter umas cem fotos do presidente Kennedy aí dentro! A senhora devia ser muito fã dele, não é?

Maria se esforçou para falar.

– É – respondeu, engasgada. – Eu era muito fã dele.

– Com todas essas velas e flores, ficou incrível.

George virou as costas para o quarto.

– Maria, desculpe ter olhado – falou, em voz baixa.

Ela balançou a cabeça, querendo dizer que ele não precisava se desculpar; tinha sido um acidente. Mas George sabia que violara um lugar secreto e sagrado. Queria dar um murro em si mesmo.

O policial continuava falando.

– Parece um... como é que se diz, aquilo que tem nas igrejas católicas? Um santuário, é isso.

– Exato – concordou Maria. – É um santuário.

⁓

O programa *This Day* pertencia a uma rede de canais de TV, estações de rádio e estúdios, alguns dos quais tinham sede em um arranha-céu do centro. No departamento de recursos humanos trabalhava uma atraente mulher de meia-idade chamada Sra. Salzman, que logo se rendeu aos encantos de Jasper Murray. Cruzando as pernas bem torneadas, ela o fitava com olhar provocante por cima dos óculos de armação azul e o chamava de Sr. Murray. Ele acendia seus cigarros e a chamava de Olhos Azuis.

A Sra. Salzman sentia pena de Jasper. Ele viera da Grã-Bretanha na esperança de ser entrevistado para um emprego que não existia. O *This Day* não contratava iniciantes: todos os funcionários do programa eram repórteres, produtores, câmeras e pesquisadores tarimbados, vários deles famosos no seu ramo. Até as secretárias eram veteranas do noticiário. Em vão, Jasper protestou dizendo que não era iniciante e já tinha editado seu próprio jornal. Publicações estudantis não contavam, ela explicou, esbanjando compaixão.

Jasper não podia voltar para Londres; seria humilhante demais. Faria qualquer coisa para ficar nos Estados Unidos. A essa altura, sua vaga no *Western Mail* já devia ter sido preenchida por outra pessoa.

Implorou à Sra. Salzman que lhe arrumasse alguma coisa, qualquer coisa, por mais subalterna que fosse, em algum lugar na rede da qual o *This Day* fazia parte. Mostrou-lhe o visto de trabalho obtido na embaixada americana de Londres, que lhe garantia o direito de procurar emprego no país. Ela lhe disse para voltar dali a uma semana.

Ele estava hospedado em um albergue internacional da juventude no Lower East Side, que cobrava um dólar por noite. Passou uma semana explorando Nova York, andando de um lado para outro a pé, a fim de economizar. Então voltou para falar com a Sra. Salzman levando uma rosa. E ela lhe conseguiu um emprego.

Era *muito* subalterno: ele seria auxiliar datilógrafo em uma estação de rádio da cidade, e seu trabalho era passar o dia escutando rádio e anotando tudo – os anúncios que fossem veiculados, os discos que tocassem, o nome dos entrevistados, a duração dos plantões de notícias, das previsões meteorológicas e dos boletins de trânsito. Jasper não se importou. Tinha posto o pé na porta. Estava trabalhando nos Estados Unidos.

Os escritórios, a estação de rádio e o estúdio do *This Day* ficavam todos no mesmo arranha-céu, e ele torceu para um dia conhecer socialmente as pessoas que trabalhavam no programa, mas isso nunca aconteceu: elas formavam um grupo de elite que mantinha distância das demais.

Certo dia de manhã, ele subiu no elevador com Herb Gould, editor do *This Day*, homem de seus 40 anos e rosto escurecido pela sombra preta-azulada permanente de uma barba por fazer. Apresentou-se e falou:

– Sou um grande admirador do seu programa.

– Obrigado – disse Gould, educado.

– Minha ambição é trabalhar para o senhor.

– Não estamos precisando de ninguém no momento.

– Um dia, se o senhor tiver tempo, gostaria de lhe mostrar as matérias que escrevi para jornais nacionais da Grã-Bretanha. – O elevador parou. Desesperado, Jasper seguiu falando: – Já escrevi...

Gould ergueu uma das mãos para silenciá-lo e saiu do elevador.

– Obrigado mesmo assim – disse e se afastou.

Alguns dias depois, Jasper estava sentado diante da máquina de escrever com seus fones de ouvido quando ouviu a voz melíflua de Chris Gardner, apresentador do programa do meio da manhã, dizer:

– O grupo britânico Plum Nellie está na cidade para um show hoje à noite com a Grande Turnê das Estrelas do Beat. – Jasper aguçou os ouvidos. – Nossa intenção era entrevistar os músicos, que estão sendo chamados de novos Beatles, mas o produtor disse que eles não teriam tempo. Em vez disso, aqui está seu mais recente sucesso, escrito por Dave e Walli: "Goodbye London Town".

Quando a música começou a tocar, Jasper arrancou os fones de ouvido, levantou-se com um pulo da mesa – localizada em um pequeno cubículo no corredor – e entrou no estúdio.

– Eu posso conseguir uma entrevista com o Plum Nellie – falou.

No ar, Gardner tinha o tipo de voz de um astro de cinema que só interpretava galãs, mas na verdade era um homem feio, com os ombros do cardigã cobertos de caspa.

– E como você conseguiria isso, Jasper? – indagou, com a voz levemente cética.

– Eu conheço o grupo. Fui criado com Dave Williams. Minha mãe e a dele são melhores amigas.

– Você consegue trazer o grupo até o estúdio?

Provavelmente sim, mas não era o que ele queria.

– Não – respondeu. – Mas, se você me conseguir um microfone e um gravador, garanto entrevistá-los no camarim.

Houve uma certa comoção burocrática, pois o gerente da estação não queria deixar um gravador caro sair do prédio, mas às seis horas daquela tarde Jasper estava no camarim do teatro junto com o grupo.

Chris Gardner teria se contentado com alguns minutos de comentários banais dos músicos: se estavam gostando dos Estados Unidos, o que achavam das garotas aos berros durante os shows, se estavam com saudades de casa. Mas Jasper esperava conseguir mais do que isso para a estação. Pretendia que aquela entrevista fosse o seu passaporte para um emprego de verdade na televisão. Era preciso causar uma sensação que varresse o país inteiro.

Primeiro, entrevistou-os todos juntos, fazendo as perguntas básicas e conversando sobre os primeiros tempos em Londres, para deixá-los à vontade. Disse que a estação queria mostrá-los como indivíduos completos: em código jornalístico, isso significava perguntas pessoais invasivas, mas eles eram jovens e inexperientes demais para saber disso. Mostraram-se todos abertos, com exceção de Dave, que foi mais resguardado, talvez relembrando a confusão causada pela matéria de Jasper sobre Evie e Hank Remington. Os outros confiaram nele. Outra coisa que precisavam aprender: nenhum jornalista era digno de confiança.

Depois de conversar com o grupo inteiro, pediu entrevistas individuais a cada um. Falou primeiro com Dave, pois sabia que ele era o líder. Facilitou as coisas para o rapaz, evitando perguntas invasivas e não contestando nenhuma das respostas. Dave voltou para o camarim com um ar tranquilo, e isso deixou os outros mais confiantes.

O último que Jasper entrevistou foi Walli.

O alemão era o único com uma verdadeira história para contar. Mas será que iria se abrir? Todos os preparativos de Jasper tinham por objetivo esse resultado.

Ele posicionou a cadeira junto à de Walli e começou a falar com ele em voz baixa, para criar uma ilusão de privacidade, embora suas palavras pudessem ser ouvidas por milhões de pessoas. Pôs um cinzeiro ao lado da cadeira de Walli para incentivá-lo a fumar, imaginando que isso fosse deixá-lo mais à vontade. Walli acendeu um cigarro.

– Como você era quando criança? – perguntou, sorridente, como se aquilo fosse apenas uma conversa descontraída. – Bem-comportado ou bagunceiro?

Walli sorriu.

– Bagunceiro – falou, rindo.

Era um bom começo.

O rapaz contou sobre a infância em Berlim depois da guerra e sobre seu interesse precoce pela música, depois falou de quando fora tocar no clube Minnesänger e acabara em segundo lugar num concurso. Isso fez com que Karolin surgisse na conversa de maneira natural, já que ela e Walli formavam uma dupla naquela noite. Walli foi se animando ao falar sobre a dupla, sobre sua escolha de repertório e o jeito como se apresentavam juntos, e mesmo sem ter dito nada ficou claro quanto a amava.

Aquele material era incrível, muito melhor do que uma entrevista qualquer com um astro pop, mas nem assim foi suficiente para Jasper.

– Vocês estavam se divertindo, tocando boa música e agradando as plateias. O que deu errado? – perguntou ele.

– A gente cantou "If I Had a Hammer".

– Por que isso foi um erro?

– A polícia não gostou. O pai de Karolin ficou com medo de perder o emprego por nossa causa, então a obrigou a parar de se apresentar.

– Quer dizer que no final das contas o único lugar em que você podia tocar sua música era no Ocidente.

– É – respondeu Walli, sucinto.

Jasper sentiu que ele estava tentando conter a enxurrada de emoções.

E estava certo. Depois de hesitar alguns instantes, Walli acrescentou:

– Não quero falar muito sobre Karolin... pode causar problemas para ela.

– Não acho que a polícia secreta alemã escute a nossa rádio – disse Jasper com um sorriso.

– É, mas mesmo assim...

– Garanto que não vou transmitir nada comprometedor.

A promessa não valia nada, mas Walli acreditou.

– Obrigado.

Jasper aproveitou logo a oportunidade:

– Se não me engano, a única coisa que você levou quando fugiu foi a sua guitarra.

– É. Foi uma decisão repentina.

– Você roubou um carro...

– Eu era *roadie* do líder do conjunto. Peguei o furgão dele.

Jasper sabia que essa história, embora tivesse tido grande destaque na imprensa alemã, não fora amplamente divulgada nos Estados Unidos.

– Você foi até o posto de controle...

– E passei direto pela cancela de madeira.

– E os guardas atiraram em você.

Walli apenas assentiu.

Jasper baixou a voz.

– E o furgão passou por cima de um guarda.

Walli assentiu outra vez. Jasper sentiu vontade de gritar: *Estamos no rádio, pare de balançar a cabeça!* Em vez disso, falou:

– E...

– Ele morreu – disse Walli por fim. – Eu matei o cara.

– Mas ele estava tentando matar você.

Walli fez que não com a cabeça, como se Jasper não estivesse entendendo.

– Ele tinha a mesma idade que eu – falou. – Li isso nos jornais depois. Tinha uma namorada...

– E isso é importante para você...

Walli tornou a aquiescer.

– Por que motivo?

– Ele era parecido comigo. Só que eu gostava de guitarras e ele, de armas.

– Mas ele trabalhava para o regime que mantinha você preso na Alemanha Oriental.

– Nós éramos só dois garotos. Fugi porque fui obrigado. Ele atirou em mim porque foi obrigado. O Muro é que é mau.

A frase era tão boa que Jasper precisou conter a empolgação. Em sua mente, já estava escrevendo a matéria que ofereceria ao tabloide *New York Post*. Podia até ver a manchete:

WALLI: ANGÚSTIA SECRETA
DO ASTRO POP

Mas ele ainda queria mais.
– Karolin não fugiu com você.
– Ela não apareceu. Não entendi por quê. Fiquei muito decepcionado e não consegui entender. Então fugi assim mesmo.
Em meio à dor provocada por aquelas lembranças, Walli esqueceu a necessidade de ser cauteloso.
Jasper tornou a pressioná-lo:
– Mas você voltou para buscá-la.
– Conheci umas pessoas que estavam construindo um túnel para os fugitivos. Eu precisava saber por que ela não tinha aparecido. Então atravessei o túnel no sentido contrário, para o lado oriental.
– Deve ter sido perigoso.
– Se eu tivesse sido pego, sim.
– E aí você encontrou Karolin e...
– Ela me contou que estava grávida.
– E que não quis fugir com você.
– Estava com medo pelo bebê.
– Alicia.
– O nome dela é Alice. Eu mudei na música. Por causa da rima, entende?
– Entendo. E qual é a sua situação agora, Walli?
O rapaz engasgou de emoção.
– Karolin não consegue permissão para sair da Alemanha Oriental, nem mesmo para uma visita curta; e não posso voltar para lá.
– Ou seja, vocês são uma família dividida pelo Muro de Berlim.
– É. – Walli deixou escapar um soluço. – Talvez eu nunca veja Alice.
Peguei você, pensou Jasper.

⁓

Dave Williams não via Beep Dewar desde que ela estivera em Londres, quatro anos antes. Estava ansioso para reencontrá-la.

O último show da turnê era em São Francisco, onde ela morava. Dave conseguira o endereço dos Dewar com a mãe e lhes mandara quatro ingressos e um recado convidando para irem ao camarim depois da apresentação. Como cada dia ele estava em uma cidade diferente, a família não conseguira responder, de modo que ele não sabia se iriam aparecer.

Para seu grande desgosto, não estava mais transando com Mandy Love. Ela havia lhe ensinado muita coisa, entre elas o sexo oral, mas nunca se sentira realmente à vontade circulando com um branco britânico e havia reatado com o namorado de longa data, cantor do grupo Love Factory. Os dois provavelmente iriam se casar quando a turnê acabasse, pensou Dave.

Desde então, ele não havia ficado com ninguém.

A essa altura, já sabia do que gostava e do que não gostava em matéria de sexo. Na cama, as garotas podiam ser intensas, vadias, emotivas, deliciosamente submissas ou rápidas e práticas. Dave ficava mais feliz quando elas sabiam brincar.

Tinha a intuição de que Beep saberia brincar.

Perguntou-se o que iria acontecer se ela aparecesse naquela noite.

Lembrava-se dela aos 13 anos, fumando Chesterfield no jardim da casa da Great Peter Street. Na época ela era bonitinha e mignon, e mais sexy do que qualquer um tinha o direito de ser naquela idade. Para Dave, também de 13 anos e hipersensibilizado pelos hormônios da adolescência, parecia inacreditável de tão sedutora. Ele tinha sido louco por ela. No entanto, apesar de os dois se darem bem, ela não tivera nenhum interesse romântico por ele. Para sua imensa frustração, preferira o mais velho Jasper Murray.

Começou a pensar em Jasper. Walli ficara chateado quando a entrevista fora transmitida no rádio. Pior ainda fora a matéria do *New York Post* intitulada:

"TALVEZ EU NUNCA
VEJA MINHA FILHA"
PAPAI POP STAR
por Jasper Murray

Walli estava com medo de a exposição causar problemas para Karolin na Alemanha Oriental. Dave se lembrou da entrevista que Jasper fizera com Evie, e fez uma anotação mental para nunca mais confiar em uma só palavra que o jornalista dissesse.

Perguntou-se quanto Beep poderia ter mudado em quatro anos. Talvez estivesse mais alta, ou talvez tivesse engordado. Será que ele ainda a acharia insuportavelmente desejável? Será que ela teria mais interesse nele agora que era mais velho?

Ela podia estar namorando, claro. Podia até sair com o namorado nessa noite em vez de ir ao show.

Antes da apresentação, o grupo teve umas duas horas para visitar a cidade. Todos logo perceberam que São Francisco era o lugar mais legal de todos. Havia jovens por toda parte, vestidos com roupas radicais. As minissaias tinham saído de moda. As garotas usavam vestidos que arrastavam no chão, flores nos cabelos e pulseiras com sininhos que tilintavam quando se mexiam. Os homens tinham os cabelos mais compridos do que em qualquer outro lugar, mesmo Londres. Algumas das moças e rapazes negros tinham deixado os cabelos crescerem até virar uma imensa nuvem crespa que criava um efeito incrível.

Walli, em especial, adorou a cidade. Segundo ele, tinha a sensação de que poderia fazer qualquer coisa. Era um universo totalmente oposto ao de Berlim Oriental.

A Grande Turnê das Estrelas do Beat era composta por doze grupos. A maioria tocava duas ou três músicas e saía do palco. O grupo mais importante tinha vinte minutos no final. O Plum Nellie já era famoso o suficiente para fechar a primeira metade do show, com quinze minutos de apresentação, durante os quais tocava cinco músicas curtas. A turnê não tinha amplificadores: eles usavam o que estivesse disponível na casa de espetáculos, em geral alto-falantes primitivos utilizados em anúncios esportivos. A plateia, quase toda formada por meninas adolescentes, passou o show inteiro gritando bem alto, o que impediu o grupo de escutar a si mesmo. Mas isso pouco importou: ninguém estava escutando, mesmo.

A empolgação de trabalhar nos Estados Unidos estava passando. Os músicos, já meio entediados, estavam ansiosos por voltar a Londres, onde iriam gravar um novo álbum.

Depois do show, foram para o camarim. Como a casa era um teatro, o camarim era bem espaçoso e tinha um banheiro limpo, bem diferente dos clubes de *beat* de Londres e Hamburgo. A única bebida disponível era o Dr. Pepper gratuito do patrocinador, mas o porteiro em geral aceitava mandar comprar cerveja.

Dave disse aos companheiros que amigos de seus pais talvez aparecessem, de modo que eles precisavam se comportar bem. Todos grunhiram, pois isso significava nada de drogas nem amassos com *groupies* até os mais velhos terem ido embora.

Durante a segunda metade, Dave tinha ido falar com o porteiro da entrada do camarim e se certificado de que ele estava com todos os nomes: Woody Dewar, Bella Dewar, Cameron Dewar e Ursula Dewar, mais conhecida como Beep.

649

Quinze minutos depois do final, a família apareceu na porta.

Ele constatou com deleite que Beep quase não havia mudado. Continuava mignon, da mesma altura que tinha aos 13 anos, embora agora tivesse mais curvas. Usava um jeans justo no quadril, mas largo abaixo dos joelhos, a última moda, e um suéter justo com listras largas azuis e brancas.

Será que tinha se arrumado para Dave? Não necessariamente. Que adolescente *não* se arrumaria para ir ao camarim depois de um show de música pop?

Ele apertou a mão dos quatro e os apresentou ao restante do grupo. Teve medo de os outros músicos o fazerem passar vergonha, mas na verdade eles não poderiam ter se comportado melhor. Todos às vezes convidavam amigos e parentes, e entendiam o fato de os companheiros se mostrarem mais contidos na presença de parentes mais velhos e amigos dos pais.

Dave teve de se esforçar para não encarar Beep. Ela possuía o mesmo brilho nos olhos que Mandy Love, o que as pessoas chamavam de sex appeal, *je ne sais quoi*, ou simplesmente borogodó. Um sorriso travesso, um andar rebolado, um ar de curiosidade sapeca. Dave ficou tão consumido e desesperado de desejo quanto quando era um virgem de 13 anos.

Tentou conversar com Cameron, dois anos mais velho que a irmã e já aluno da Universidade da Califórnia em Berkeley, nos arredores de São Francisco. Mas Cam era um rapaz difícil: defendia a Guerra do Vietnã, achava que o avanço dos direitos civis deveria ser mais gradual e considerava correto que atos homossexuais fossem crime. Além disso, preferia jazz.

Dave deixou os Dewar ficarem quinze minutos no camarim e disse:

– Hoje é a última noite da nossa turnê. Vai ter uma festa de despedida no hotel daqui a pouco. Beep, Cam, vocês querem ir?

– Eu, não – respondeu Cameron na hora. – Mas obrigado mesmo assim.

– Que pena – disse Dave com uma insinceridade bem-educada. – E você, Beep?

– Adoraria – respondeu ela, e olhou para a mãe.

– Volte para casa antes da meia-noite – falou Bella.

– E use o nosso serviço de táxi para voltar, por favor – completou Woody.

– Podem deixar, eu garanto – assegurou-lhes Dave.

O casal Dewar foi embora com Cameron, e os músicos embarcaram no ônibus com seus convidados para o curto trajeto até o hotel.

A festa era no bar, mas no hall Dave sussurrou no ouvido de Beep:

– Você já experimentou maconha?

– Se já fumei um baseado? Claro!

– Shh, fale baixo... é contra a lei!

— Você tem?
— Tenho. Mas seria melhor fumar no quarto. Depois descemos para a festa.
— Ok.

Foram para o quarto dele. Dave apertou um baseado enquanto Beep procurava uma estação no rádio. Sentaram-se na cama e ficaram passando o beque de um para o outro. Dave começou a ficar doidão e disse:
— Quando você estava em Londres...
— O que tem?
— Não se interessava por mim.
— Eu gostava de você, mas você era novo demais.
— *Você* que era nova demais para as coisas que eu queria fazer.

Ela abriu um sorriso provocante.
— Que coisas você queria fazer comigo?
— A lista era bem grande.
— Em primeiro lugar vinha o quê?
— Em primeiro lugar? — Ele não quis dizer. Então pensou: por que não? — Eu queria ver os seus peitos — respondeu.

Ela lhe passou o baseado, então tirou o suéter listrado por cima da cabeça com um movimento rápido. Não estava usando nada por baixo.

Dave levou um susto e ficou radiante. Seu pau endureceu só de olhar.
— São lindos... — falou.
— São mesmo — disse ela em tom sonhador. — Tão lindos que eu mesma às vezes preciso tocar neles.
— Ai, meu Deus — grunhiu Dave.
— O que vinha em segundo lugar na sua lista? — perguntou ela.

Dave adiou seu voo por uma semana e ficou no hotel. Encontrou-se com Beep depois da aula todos os dias da semana, e no sábado e no domingo o dia inteiro. Foram ao cinema, compraram roupas da moda, passearam pelo zoológico. Transavam umas duas ou três vezes por dia, sempre de camisinha.

Certa noite, quando ele estava tirando a roupa, ela falou:
— Tire a calça jeans.

Ele a encarou, deitada na cama de hotel só de calcinha e com uma boina de brim na cabeça.
— Que papo é esse?

– Você hoje é meu escravo. Faça o que estou mandando. Tire a calça jeans.

Dave já estava tirando e prestes a dizer isso quando entendeu que aquilo era uma fantasia. Achou a ideia divertida e decidiu entrar na brincadeira. Fingiu relutância e disse:

– Ah, tenho mesmo que tirar?

– Você tem que fazer tudo o que eu mandar, porque você é meu. Tire a droga da calça jeans.

– Sim, senhora.

Com os olhos grudados nele, ela se sentou mais ereta na cama. Ele viu o ar de desejo brincalhão em seu leve sorriso.

– Muito bem – disse ela.

– E agora, o que tenho que fazer?

Dave sabia por que tinha se apaixonado por Beep, tanto aos 13 anos quanto alguns dias antes. Ela era muito divertida, sempre pronta para experimentar qualquer coisa, ávida por novas experiências. Com algumas garotas, Dave ficara entediado depois de duas trepadas. Com Beep, sentia que isso nunca aconteceria.

Eles transaram, e Dave fingiu relutância enquanto Beep lhe ordenava que fizesse coisas que já queria mesmo fazer. Foi estranhamente excitante.

Depois, relaxado, perguntou:

– De onde vem esse apelido?

– Nunca lhe contei?

– Não. Tem várias coisas sobre você que eu não sei. Mesmo assim, sinto que somos próximos há anos.

– Quando eu era pequena, tinha um carrinho de brinquedo daqueles de pedalar. Eu nem me lembro, mas parece que amava esse carrinho. Passava horas dirigindo ele e vivia buzinando: "Beep! Beep!"

Eles se vestiram e saíram para comer hambúrgueres. Dave a viu morder seu sanduíche, observou o suco da carne escorrer por seu queixo e percebeu que estava apaixonado.

– Não quero voltar para Londres – falou.

Ela engoliu e disse:

– Então fique.

– Não posso. O Plum Nellie precisa gravar um novo disco. Depois vamos sair em turnê pela Austrália e a Nova Zelândia.

– Eu adoro você – disse ela. – Quando for embora, vou chorar. Mas não vou estragar o dia de hoje ficando triste por causa de amanhã. Coma seu hambúrguer. Você precisa de proteína.

– Sinto que somos almas gêmeas. Sei que sou jovem, mas já tive várias garotas.
– Não precisa contar vantagem. Eu também me saí bastante bem.
– Não estou falando isso para contar vantagem. Não sinto nem orgulho... para um cantor pop, é fácil demais. Estou tentando explicar, para mim mesmo e para você, por que tenho tanta certeza.
Ela mergulhou uma batata frita no ketchup.
– Certeza de quê?
– De que eu quero que isso seja permanente.
Ela se imobilizou com a batata a meio caminho da boca, então tornou a pousá-la no prato.
– Como assim?
– Quero que a gente fique junto sempre. Quero que a gente more junto.
– Morar junto... como?
– Beep...
– Estou aqui.
Ele estendeu a mão por cima da mesa e segurou a dela.
– Você pensaria em se casar, talvez?
– Ai, meu Deus.
– Eu sei que é loucura.
– Não é loucura – retrucou ela. – Mas é repentino.
– Então você quer?
– Tem razão. Nós somos almas gêmeas. Nunca me diverti tanto assim com um namorado.
Ela ainda não tinha respondido à pergunta. De maneira lenta e clara, ele falou:
– Eu amo você. Quer casar comigo?
Ela hesitou por algum tempo, então disse:
– Quero, caramba!

⌒

– Nem adianta pedir – disse Woody Dewar, zangado. – Vocês dois não vão se casar.
Alto, ele estava usando paletó de tweed, camisa de botão e gravata. Dave teve de fazer muita força para não ficar intimidado.
– Como você adivinhou? – quis saber Beep.
– Não importa.
– Aquele crápula do meu irmão contou – disse ela. – Como fui babaca por confiar nele!

– Não precisa falar palavrão.

Os quatro estavam na sala íntima da mansão dos Dewar na Gough Street, no bairro de Nob Hill. Os belos móveis antigos e as cortinas caras porém desbotadas faziam Dave pensar na casa de sua infância na Great Peter Street. Ele e Beep estavam sentados lado a lado no sofá de veludo vermelho; Bella, em uma poltrona de couro antiga; e Woody estava em pé diante da lareira de pedra esculpida.

– Sei que é repentino, mas tenho compromissos – explicou Dave. – Gravar um disco em Londres, sair em turnê pela Austrália, entre outros.

– Repentino? – repetiu Woody. – É totalmente irresponsável, isso sim! O simples fato de você sequer fazer essa sugestão depois de uma semana de namoro prova que não está nem perto de ser maduro o suficiente para se casar.

– Detesto me gabar, mas o senhor está me obrigando a dizer que já moro sozinho há dois anos, que nesse tempo montei um negócio internacional de muitos milhões de dólares e que, apesar de eu não ser tão rico quanto as pessoas imaginam, poderei proporcionar uma vida confortável à sua filha.

– Beep tem 17 anos! E você também. Ela não pode se casar sem a minha permissão e não vou consentir. E aposto que Lloyd e Daisy vão agir da mesma forma em relação a você, jovem Dave.

– Alguns estados permitem que as pessoas se casem com 18 anos – disse Beep.

– Você não vai a nenhum lugar desse tipo.

– E o que você vai fazer, pai? Me mandar para um convento?

– Está ameaçando fugir?

– Estou só mostrando que, no fim das contas, você na verdade não tem poder para nos impedir.

Ela estava certa. Dave tinha pesquisado a respeito na biblioteca pública da cidade, em Larkin Street. A maioridade era aos 21 anos, mas vários estados permitiam às mulheres se casar aos 18 sem o consentimento dos pais. Na Escócia, era possível aos 16. Na prática, era difícil os pais impedirem o casamento de dois jovens decididos.

Mas Woody falou:

– Não aposte tanto nisso. Não vai acontecer.

– Não queremos brigar com o senhor por causa disso, mas acho que Beep só está dizendo que a sua opinião não é a única que conta neste caso – disse Dave, calmo.

Pensou que as suas palavras tivessem sido inofensivas e havia falado em tom cortês, mas a frase pareceu deixar Woody ainda mais irritado.

– Saia desta casa antes que eu o ponha para fora!

Pela primeira vez, Bella se meteu:

– Fique onde está, Dave.

O rapaz não havia se mexido. Woody tinha um defeito na perna por causa de um ferimento de guerra: não iria pôr ninguém para fora de lugar algum.

Bella se virou para o marido:

– Querido, 21 anos atrás você se sentou nesta mesma sala e peitou minha mãe.

– Eu não tinha 17 anos. Tinha 25.

– Mamãe o acusou de ter sido a causa do meu rompimento com Victor Rolandson. E ela estava certa: foi por sua causa, mesmo, embora naquela época você e eu tivéssemos passado só uma noite juntos. Nós nos conhecemos na festa de Daisy e depois você foi invadir a Normandia e fiquei um ano sem vê-lo.

– Uma noite só? – estranhou Beep. – O que você fez com ele, mãe?

Bella olhou para a filha, hesitou, então respondeu:

– Chupei o pau dele em um parque, meu amor.

Dave ficou chocado. Bella e Woody? Era impensável!

– Bella! – protestou Woody.

– Woody querido, esta não é hora para medir palavras.

– Na primeira noite? Uau, mãe! É isso aí!

– Pelo amor de Deus... – disse Woody.

– Só estou tentando fazer você lembrar como era ser jovem, meu bem.

– Eu não pedi você em casamento na mesma hora!

– É verdade, demorou tanto que nem sei...

Beep riu e Dave abriu um sorriso.

– Por que você está me contrariando? – perguntou Woody à mulher.

– Porque você está sendo um tanto pomposo. – Ela segurou sua mão e sorriu. – Nós estávamos apaixonados. Eles também estão. Sorte nossa, sorte deles.

A ira de Woody arrefeceu um pouco.

– Quer dizer que devemos deixá-los fazer tudo o que quiserem?

– Com certeza, não. Mas quem sabe possamos encontrar um meio-termo?

– Não vejo como.

– Por exemplo, e se disséssemos para eles nos pedirem de novo daqui a um ano? Enquanto isso, Dave será bem-vindo para ficar aqui, na nossa casa, sempre que tiver uma folga do trabalho com o grupo. Enquanto ele estiver aqui, pode dormir na cama com Beep, se for o que eles quiserem.

– De jeito nenhum!

– Eles vão fazer isso, seja aqui ou em outro lugar. Não compre brigas que você não pode ganhar. E deixe de ser hipócrita. Você foi para a cama comigo antes de nos casarmos, e foi para a cama com Joanne Rouzrokh antes de me conhecer.

Woody se levantou.

– Vou pensar no caso – falou, e saiu da sala.

Bella se virou para Dave:

– Não estou dando ordens, Dave, nem para você nem para Beep. Só estou pedindo, implorando a vocês que tenham paciência. Você é um bom rapaz, vem de uma ótima família, e ficarei feliz quando se casar com a minha filha. Mas, por favor, espere um ano.

Dave olhou para Beep. Ela assentiu.

– Tudo bem – disse ele. – Um ano.

∼

Pela manhã, quando estava saindo do albergue, Jasper verificou seu escaninho. Havia duas cartas. A primeira era um envelope via aérea com o endereço escrito na graciosa caligrafia de sua mãe. O segundo tinha o endereço datilografado. Antes de conseguir abri-las, foi chamado:

– Telefone para Jasper Murray!

Ele enfiou os dois envelopes no bolso interno do paletó.

Era a Sra. Salzman.

– Bom dia, Sr. Murray.

– Bom dia, Olhos Azuis.

– Está de gravata?

Gravatas tinham saído de moda, e de toda forma um datilógrafo não precisava se vestir bem.

– Não – respondeu ele.

– Então ponha uma. Herb Gould quer falar com você às dez.

– Ah, é? Por quê?

– Abriu uma vaga de pesquisador no *This Day*. Mostrei seu clipping para ele.

– Obrigado, você é um anjo!

– Ponha uma gravata. – Ela desligou.

Jasper voltou para o quarto e pôs uma camisa branca limpa e uma gravata escura e séria. Tornou a vestir o paletó e o sobretudo por cima e foi trabalhar.

Na banca de jornais da recepção do arranha-céu, comprou uma pequena caixa de chocolates para a Sra. Salzman.

Chegou à redação do *This Day* às dez para as dez. Quinze minutos mais tarde, uma secretária o levou até a sala de Gould.

– Prazer em conhecê-lo – disse este. – Obrigado por ter vindo.

– Fico feliz por estar aqui.

Jasper calculou que o outro não tivesse lembrança alguma de sua conversa no elevador.

Gould estava lendo a edição do *The Real Thing* sobre o assassinato de Kennedy.

– No seu currículo está escrito que você fundou este jornal.

– Sim.

– Como foi isso?

– Eu estava trabalhando na gazeta oficial dos alunos da universidade, o *St. Julian's News*. – O nervosismo de Jasper foi diminuindo à medida que ele falava. – Me candidatei ao cargo de editor, mas a irmã do antigo editor foi escolhida no meu lugar.

– Quer dizer que foi por despeito?

Jasper deu um meio sorriso.

– Em parte, sim, embora eu tivesse certeza de que poderia fazer um trabalho melhor do que o de Valerie. Então peguei 25 libras emprestadas e fundei um concorrente.

– E deu certo?

– Três edições depois, já estávamos vendendo mais do que o *St. Julian's News*. E tivemos lucro, ao passo que o *St. Julian's* era subsidiado.

Isso era apenas um leve exagero. *The Real Thing* tinha quase recuperado o investimento inicial, mas ao longo de um ano.

– Uma conquista e tanto.

– Obrigado.

Gould ergueu o clipping do *New York Post* com a entrevista de Walli.

– Como conseguiu esta matéria?

– A história de Walli não era nenhum segredo. Já tinha saído na imprensa alemã. Só que naquela época ele não era um popstar. Se me permite um comentário...

– Pode falar.

– Eu acho que a arte do jornalismo nem sempre consiste em apurar os fatos. Às vezes consiste em *perceber* que determinados fatos já conhecidos, se escritos da maneira certa, constituem uma grande matéria.

Gould concordou com a cabeça.

– Certo. Por que você quer passar da imprensa escrita para a TV?

– Nós dois sabemos que uma boa foto na primeira página vende mais exemplares do que a melhor das manchetes. Imagens em movimento são melhores ainda. Sem dúvida sempre vai existir um mercado para matérias de jornal longas e profundas, mas no futuro previsível a maioria das pessoas vai procurar notícias na televisão.

Gould sorriu.

– Não há como negar.

O alto-falante sobre sua mesa emitiu um bipe e a secretária disse:

– O Sr. Thomas está ligando da filial de Washington.

– Obrigado, meu anjo. Jasper, foi um prazer falar com você. Vamos manter contato. – Ele pegou o fone. – Alô, Larry, o que você manda?

Jasper saiu da sala. A entrevista tinha corrido bem, mas seu fim abrupto fora frustrante. Ele queria ter tido oportunidade de perguntar quando teria alguma notícia, mas estava na posição de quem pede: ninguém ligava para como estava se sentindo.

Voltou para a estação de rádio. Durante a entrevista, quem ficara fazendo o seu trabalho fora a secretária que sempre o substituía no horário de almoço. Ele lhe agradeceu e assumiu seu posto. Tirou o paletó e se lembrou das cartas no bolso. Pôs os fones de ouvido e se sentou em frente à sua pequena mesa. No rádio, um repórter esportivo comentava um jogo de futebol americano prestes a começar. Jasper pegou as cartas e abriu a que tinha o endereço datilografado.

Era uma carta do presidente americano.

Uma carta-formulário, com seu nome escrito dentro de um espaço delimitado. O texto dizia:

Saudações.

Considere-se intimado a se alistar nas Forças Armadas dos Estados Unidos...

– Ahn?! – exclamou em voz alta.

... e a comparecer ao endereço abaixo indicado às 7h do dia 20 de janeiro de 1966 para ser encaminhado ao Posto de Alistamento Obrigatório das Forças Armadas.

Tentou conter o pânico. Aquilo era um equívoco burocrático, claro. Ele era cidadão britânico; certamente o Exército dos Estados Unidos não podia fazer alistamento obrigatório de estrangeiros.

Mas ele precisava resolver a questão quanto antes. A incompetência burocrática dos americanos era tão enlouquecedora quanto a de qualquer outro país, e igualmente capaz de causar problemas desnecessários e intermináveis. Era preciso fingir que estava levando aquilo a sério, como um sinal vermelho em um cruzamento deserto.

O posto de alistamento ficava a poucos quarteirões da rádio. Quando a secretária apareceu para substituí-lo durante o almoço, ele vestiu o paletó e o sobretudo e saiu do prédio.

Levantou o colarinho para se proteger do vento frio de Nova York e caminhou depressa pelas ruas até o prédio federal. Entrou em uma sala do Exército no segundo andar e lá encontrou um homem fardado com divisas de capitão sentado diante de uma mesa. Agora que até mesmo os homens de meia-idade estavam deixando crescer os cabelos, o corte curto atrás e dos lados lhe pareceu mais ridículo do que nunca.

– Posso ajudar? – indagou o capitão.

– Tenho quase certeza de que recebi esta carta por engano – disse Jasper, entregando-lhe o envelope.

O capitão passou os olhos pela carta.

– O senhor sabe que existe um sistema de sorteio? – indagou. – O número de homens passíveis de prestar o serviço militar é maior do que o de soldados necessários, então os recrutas são escolhidos de forma aleatória.

Ele lhe devolveu a carta.

– Não acho que eu seja passível de prestar serviço militar, o senhor acha?

– E por que não?

Talvez o capitão não tivesse reparado no seu sotaque.

– Não sou americano. Sou cidadão britânico.

– E o que está fazendo nos Estados Unidos?

– Sou jornalista. Trabalho em uma estação de rádio.

– E tem visto de trabalho, suponho?

– Sim.

– O senhor é estrangeiro residente.

– Exato.

– Então é passível de alistamento obrigatório.

– Mas eu não sou americano!

– Não faz diferença.

Aquilo estava começando a ficar irritante. Jasper tinha quase certeza de que o Exército havia cometido um erro. Como muitos oficiais de baixa patente, o capitão era simplesmente incapaz de admitir isso.

– Está me dizendo que os Estados Unidos podem fazer alistamento obrigatório de estrangeiros?

O capitão permaneceu impassível:

– O alistamento obrigatório é baseado em local de residência, não em cidadania.

– Não pode ser.

O capitão começou ficar irritado:

– Se não acredita em mim, vá verificar.

– É exatamente o que eu vou fazer.

Jasper saiu do prédio e voltou para a rádio. O departamento de recursos humanos devia saber sobre aquele tipo de coisa. Perguntaria à Sra. Salzman.

Deu-lhe a caixa de chocolates de presente.

– Que gentil – agradeceu ela. – E o Sr. Gould gostou de você.

– O que ele falou?

– Só me agradeceu por ter mandado você à entrevista. Ele ainda não se decidiu, mas não sei de mais ninguém que esteja sendo avaliado.

– Que ótima notícia! Só que estou com um probleminha, talvez a senhora consiga me ajudar. – Ele lhe mostrou a carta do Exército. – Isto aqui deve ser um erro.

A Sra. Salzman pôs os óculos para ler a carta.

– Ai, não... Que falta de sorte. E logo quando você estava indo tão bem!

Jasper mal pôde acreditar no que estava ouvindo.

– Está me dizendo que eu sou mesmo passível de serviço militar?

– É, sim – respondeu ela, triste. – Já tivemos esse problema antes com funcionários estrangeiros. Segundo o governo, se você mora nos Estados Unidos, deve ajudar a defender o país da agressão comunista.

– Vou ter de servir no Exército?

– Não necessariamente.

O coração de Jasper se encheu de esperança.

– Qual é a alternativa?

– Você pode voltar para casa. Eles não vão tentar impedi-lo de sair do país.

– Que absurdo! Não tem como sair dessa?

– Você tem alguma doença invisível? Pé chato, tuberculose, algum defeito congênito no coração?

– Nunca fiquei doente.

Ela abaixou a voz:

– E imagino que não seja homossexual.

– Não!

– A sua família não é de nenhuma religião que proíba o serviço militar?

– Meu pai é coronel do Exército britânico.

– Sinto muito.

Jasper começou a acreditar no que estava acontecendo.

– Vou ter mesmo que ir. Mesmo se conseguir o lugar no *This Day*, não poderei aceitar. – Ocorreu-lhe uma ideia: – Eles não são obrigados a devolver seu emprego depois que você termina o serviço?

– Só se você já está no emprego há um ano.

– Quer dizer que eu talvez nem consiga voltar para o meu emprego de auxiliar datilógrafo na estação de rádio!

– Não há garantia nenhuma.

– Ao passo que, se eu sair dos Estados Unidos agora...

– Pode voltar para casa e pronto. Mas nunca mais vai poder trabalhar aqui.

– Meu Deus!

– O que vai fazer? Ir embora ou entrar para o Exército?

– Não sei, não sei mesmo. Obrigado pela sua ajuda.

– Obrigada pelos chocolates, Sr. Murray.

Jasper saiu do escritório atordoado. Não conseguiu voltar para sua mesa: precisava pensar. Em geral adorava as ruas de Nova York: os arranha-céus, os imensos caminhões Mack, os modelos extravagantes dos carros, as vitrines cintilantes das lojas fantásticas. Mas nesse dia tudo havia azedado.

Foi caminhando em direção ao East River e se sentou em um parque de onde podia ver a Ponte do Brooklyn. Pensou em deixar tudo aquilo e voltar para Londres com o rabo entre as pernas. Em passar dois longos anos trabalhando para um jornal britânico provinciano. E nunca mais poder trabalhar nos Estados Unidos.

Então pensou no Exército: cabelos curtos, marchas, sargentos truculentos, violência. Pensou nas selvas quentes do Sudeste Asiático. Ele talvez precisasse atirar em camponeses baixinhos e magrelas de pijama. Talvez morresse, talvez ficasse aleijado.

Pensou em todas as pessoas que conhecia em Londres que haviam invejado o fato de ele ir para os Estados Unidos. Anna e Hank o convidaram para comemorar com um jantar no Savoy. Daisy deu uma festa de despedida para ele na casa da Great Peter Street. Sua mãe chorou.

Ele seria como uma noiva que chega da lua de mel e anuncia o divórcio. A humilhação parecia pior do que o risco de morrer no Vietnã.

O que ele iria fazer?

CAPÍTULO TRINTA E NOVE

O Clube para Jovens St. Gertrud estava mudado.
Tudo havia começado de modo mais ou menos inofensivo, recordou Lili. O governo alemão-oriental aprovava os bailes tradicionais, desde que acontecessem no porão de uma igreja, e não se importava que um pastor protestante como Odo Vossler conversasse com os jovens sobre relacionamentos e sexo, uma vez que as opiniões dele deviam ser tão puritanas quanto as suas.

Dois anos mais tarde, o clube já não era mais tão inocente. As noites não começavam mais com dança folclórica. O som que tocava era rock e todos dançavam no estilo individualista e enérgico que os jovens do mundo todo chamavam de "se descabelar". Depois disso, Lili e Karolin tocavam violão e cantavam canções sobre liberdade. As noites sempre terminavam com uma conversa conduzida pelo pastor Odo, e essas conversas sempre acabavam entrando em algum território proibido: democracia, religião, as falhas do governo da Alemanha Oriental e a imensa atração da vida no Ocidente.

Esses temas eram comuns na casa de Lili, mas, para alguns dos jovens, ouvir o governo ser criticado e as ideias comunistas contestadas era uma experiência nova e libertadora.

Aquele não era o único lugar em que aconteciam coisas desse tipo. Três ou quatro noites por semana, Lili e Karolin levavam seus violões para outra igreja ou para uma residência particular em Berlim ou nos arredores. Sabiam que o que estavam fazendo era perigoso, mas ambas achavam que tinham pouco a perder. Karolin sabia que jamais poderia reencontrar Walli enquanto o Muro permanecesse de pé. Depois que os jornais americanos publicaram matérias sobre eles dois, a Stasi havia punido a família expulsando Lili do colégio. Ela agora trabalhava como garçonete na cantina do Ministério dos Transportes. Ambas estavam decididas a não deixar o governo sufocá-las. Agora tinham fama entre os jovens que se opunham secretamente aos comunistas. As fitas que gravavam com suas músicas eram passadas entre os fãs de mão em mão. Lili sentia que elas estavam conseguindo manter a chama acesa.

Para ela, havia outra atração em St. Gertrud: Thorsten Greiner. Apesar dos 22 anos, ele tinha um rostinho que o fazia parecer mais jovem, igual ao de Paul McCartney. Compartilhava a paixão de Lili pela música. Havia terminado recentemente um namoro com uma moça chamada Helga que, na opinião de Lili, simplesmente não era inteligente o bastante para ele.

Certa noite, em 1967, Thorsten levou o último disco dos Beatles para o clube. No lado A havia uma canção alegre e saltitante chamada "Penny Lane", que fez todos dançarem animados, e no lado B a estranha e fascinante "Strawberry Fields Forever", ao som da qual Lili e outros jovens dançavam em uma espécie de transe, ondulando ao ritmo da música e acenando com os braços e as mãos como plantas subaquáticas. Eles tocaram várias vezes os dois lados do disco.

Quando as pessoas perguntaram a Thorsten como ele havia conseguido o disco, ele bateu com o dedo na lateral do nariz em um gesto misterioso e não respondeu nada. Mas Lili conhecia a verdade: uma vez por semana, o tio de Thorsten, chamado Horst, atravessava a fronteira até Berlim Ocidental em um furgão cheio de peças de fazenda e roupas baratas, o mais importante artigo de exportação da parte oriental. Horst sempre dava aos guardas de fronteira uma parcela dos quadrinhos, discos de pop, produtos de maquiagem e roupas da moda que trazia de volta.

Os pais de Lili achavam as músicas frívolas. Em sua opinião, só a política era séria. Mas o que eles não entendiam era que, para a filha e a geração dela, a música era política mesmo quando as canções falavam de amor. Novas formas de tocar violão e de cantar estavam estreitamente ligadas a cabelos compridos e roupas diferentes, tolerância racial e liberdade sexual. Todas as músicas dos Beatles ou de Bob Dylan diziam à geração mais velha: "Nós não fazemos as coisas do seu jeito." Para os adolescentes da Alemanha Oriental, esse era um recado político importante e o governo, sabendo disso, proibia os discos.

Estavam todos dançando "Strawberry Fields Forever" quando a polícia chegou.

Lili dançava em frente a Thorsten. Entendia inglês e ficou intrigada ao ouvir John Lennon cantar: "Viver é fácil de olhos fechados, entendendo errado tudo o que se vê." Era uma vívida descrição da maioria dos moradores da Alemanha Oriental, pensou.

Foi uma das primeiras a ver os agentes uniformizados entrarem pela porta da rua. Soube na hora que a Stasi finalmente havia desmascarado o clube St. Gertrud. Era inevitável: jovens tinham tendência a falar sobre as coisas empolgantes que faziam. Ninguém sabia quantos cidadãos da Alemanha Oriental eram informantes da polícia secreta, mas, segundo a mãe de Lili, seus agentes eram mais numerosos que os da Gestapo. "Não poderíamos fazer hoje o que fizemos durante a guerra", comentara Carla, mas, quando Lili lhe perguntara o que tinha feito na guerra, a mãe havia se calado, como sempre. De toda forma, desde o início era provável que mais cedo ou mais tarde a Stasi descobrisse o que vinha acontecendo no subsolo da igreja de St. Gertrud.

Lili parou de dançar na mesma hora e olhou em volta à procura de Karolin, mas não a encontrou. Odo tampouco estava por perto. Eles deviam ter subido. No canto oposto ao da porta da rua ficava uma escada que conduzia diretamente à casa do pastor, ao lado da igreja. Por algum motivo, era provável que tivessem saído por ali.

– Vou chamar Odo – disse ela a Thorsten.

Conseguiu abrir caminho por entre os dançarinos aglomerados e sair de fininho antes que a maioria das pessoas percebesse que estava havendo uma batida. Thorsten foi atrás dela. Chegaram ao alto da escada antes de Lennon cantar "*Let me take you down...*" e parar de repente.

A voz áspera de um policial começou a dar ordens lá embaixo, enquanto eles atravessavam o hall da casa do pastor. Era uma casa grande para um homem solteiro: Odo tinha sorte. Lili não estivera ali muitas vezes, mas sabia que ele tinha um escritório no térreo, na parte dianteira da casa, e calculou que aquele seria o local mais provável onde encontrá-lo. A porta estava entreaberta, e ela a escancarou e entrou.

Lá dentro, em um cômodo de paredes revestidas de madeira e cheio de estantes com obras bíblicas eruditas, Odo e Karolin estavam grudados em um abraço apaixonado. Beijavam-se de boca aberta. Karolin segurava com as duas mãos a cabeça do pastor, dedos enterrados nos cabelos fartos e compridos. Odo acariciava e apertava os seios de Karolin, que, colada nele, tinha o corpo curvado como um arco.

Lili nem conseguiu falar de tão chocada. Pensava em Karolin como mulher do seu irmão, e o fato de os dois na realidade não serem casados era um mero detalhe. Jamais lhe ocorrera que a amiga pudesse se interessar por outro homem, muito menos pelo pastor! Por alguns instantes, sua mente tentou freneticamente encontrar alguma outra explicação possível: eles estavam ensaiando uma peça de teatro ou praticando um exercício.

Então Thorsten exclamou:

– Meu Deus!

Odo e Karolin se afastaram com um pulo tão repentino que quase chegou a ser cômico. Sua expressão exibia susto e culpa. Após um instante, Odo disse:

– Nós íamos contar para vocês.

Karolin falou ao mesmo tempo que ele:

– Ai, Lili, eu sinto muito...

Por um segundo que pareceu durar uma eternidade, Lili teve uma vívida consciência dos detalhes: a estampa quadriculada do paletó de Odo, os mamilos de

Karolin retesados por baixo do vestido, o diploma de teologia do pastor em uma moldura de latão na parede, o antiquado tapete florido com um pedaço puído em frente à lareira.

Então se lembrou da emergência que a fizera subir a escada.

– A polícia chegou – avisou. – Estão lá no porão.

– Que droga! – exclamou Odo.

Ele saiu do escritório a passos largos, e Lili o ouviu descer a escada apressado.

Karolin a encarou. Nenhuma das duas soube o que dizer. Então Karolin rompeu o feitiço.

– Preciso ir com ele – falou, e saiu atrás de Odo.

Lili e Thorsten ficaram sozinhos no escritório. Era um ótimo lugar para se beijar, pensou Lili com tristeza: os painéis de carvalho que revestiam as paredes, a lareira, os livros, o tapete. Perguntou-se quantas vezes Odo e Karolin teriam feito aquilo e quando haveria começado. Pensou no irmão. Pobre Walli.

Ouviu gritos vindos lá de baixo e isso lhe deu energia. Entendeu que não tinha motivo algum para voltar ao porão. Seu sobretudo estava lá, mas a noite não estava muito fria; poderia se virar sem ele. Talvez conseguisse fugir.

A porta da frente da casa ficava do lado oposto do prédio em relação à entrada do porão. Ela imaginou se a polícia teria cercado a igreja toda, e acabou concluindo que provavelmente não.

Atravessou o hall da casa e abriu a porta. Não viu nenhum policial.

– Vamos? – falou para Thorsten.

– Vamos, rápido.

Os dois saíram e fecharam a porta sem fazer barulho.

– Vou levar você em casa – disse o rapaz.

Dobraram a esquina depressa e, uma vez fora do campo de visão da igreja, diminuíram o passo.

– Deve ter sido um choque para você – comentou Thorsten.

– Pensei que ela amasse Walli! – lamentou-se Lili. – Como pôde fazer uma coisa dessas com ele?

Ela começou a chorar.

Thorsten passou o braço em volta de seus ombros, e eles seguiram andando.

– Quando foi mesmo que Walli foi embora?

– Faz quatro anos.

– E as chances de Karolin emigrar estão um pouco melhores?

Lili fez que não com a cabeça.

– Piores.

– Ela precisa de alguém para ajudá-la a criar Alice.

– Mas tem a mim e a minha família!

– Talvez ela ache que Alice precisa de um pai.

– Mas... o pastor?!

– A maioria dos homens nem sequer cogitaria aceitar uma mulher com um filho. Odo só é diferente por ser pastor.

Em casa, Lili teve de tocar a campainha, pois a chave estava no bolso do sobretudo. Carla veio abrir, olhou para ela e perguntou:

– O que aconteceu, filha?

Os dois jovens entraram.

– A polícia deu uma batida na igreja. Fui avisar Karolin e a encontrei beijando Odo!

Ela desatou a chorar outra vez.

Carla fechou a porta da frente.

– Beijando *mesmo*?

– É, loucamente! – respondeu Lili.

– Vamos para a cozinha tomar um café, vocês dois.

Assim que eles terminaram de contar sua história, o pai de Lili saiu de casa com a intenção de fazer o que pudesse para Karolin não passar a noite na prisão. Carla então assinalou que Thorsten decerto precisava voltar para casa, pois os pais dele poderiam ter ouvido falar na batida e estar preocupados. Lili o acompanhou até a porta e antes de se afastar ele a beijou na boca, um beijo rápido, mas delicioso.

As três mulheres então ficaram sozinhas na cozinha: Lili, Carla e Maud. Alice, que tinha agora 3 anos, dormia no andar de cima.

– Não seja dura demais com Karolin – pediu Carla a Lili.

– Por que não? Ela traiu Walli!

– Já faz quatro anos...

– Vovó esperou quatro anos o vovô Walter – retrucou Lili. – E ela nem tinha filho!

– É verdade – disse Maud. – Mas senti atração por Gus Dewar.

– O pai de Woody? – indagou Carla, surpresa. – Eu não sabia.

– Walter também se sentiu tentado – prosseguiu Maud com a alegre indiscrição das pessoas velhas demais para sentir constrangimento. – Por Monika von der Helbard. Só que nada aconteceu.

Aquela forma leve de tratar o assunto incomodou Lili.

– Para você é fácil, vovó – falou. – Tudo faz muito tempo.

– Estou triste com o que aconteceu, Lili, mas não vejo como possamos ficar zangadas – disse Carla. – Pode ser que Walli não volte para casa nunca mais, e Karolin talvez nunca saia da Alemanha Oriental. Será mesmo justo querer que ela passe a vida esperando alguém que talvez não torne a ver?

– Pensei que ela fosse fazer justamente isso. Pensei que estivesse comprometida.

Mas Lili não conseguia se lembrar de ouvir Karolin dizer isso de fato.

– Acho que ela já esperou muito tempo.

– Quatro anos é muito tempo?

– Tempo suficiente para uma moça começar a se perguntar se quer sacrificar a vida por uma lembrança.

Lili percebeu, consternada, que tanto a mãe quanto a avó estavam do lado de Karolin.

Ficaram conversando sobre o assunto até a meia-noite, quando Werner chegou acompanhado por Karolin... e Odo.

– Dois dos rapazes conseguiram sair no tapa com agentes da polícia, mas folgo em dizer que, fora eles, ninguém mais foi preso – informou ele. – Porém o clube de jovens foi fechado.

Todos se sentaram à mesa da cozinha, Odo ao lado de Karolin. Para horror de Lili, ele segurou a mão dela na frente de todo mundo. Então falou:

– Lili, sinto muito você ter descoberto por acaso, justo quando estávamos nos preparando para lhe contar.

– Me contar o quê? – perguntou ela, agressiva, mas já podia adivinhar.

– Nós estamos apaixonados – disse Odo. – Imagino que seja difícil para você aceitar, e sentimos muito por isso. Mas já pensamos e oramos muito sobre o assunto.

– Oraram? – indagou Lili, incrédula. – Nunca soube de Karolin orando por nada!

– As pessoas mudam.

Mulheres fracas mudam para agradar aos homens, pensou Lili, mas, antes de conseguir dizer as palavras em voz alta, sua mãe falou:

– Odo, a situação é difícil para todos nós. Walli ama Karolin e a filha que nunca viu. Sabemos disso pelas cartas que ele nos escreve, e dá para perceber pelas músicas do Plum Nellie: muitas são sobre separação e perda.

– Se vocês quiserem, eu saio desta casa hoje mesmo – disse Karolin.

Carla fez que não com a cabeça.

– É difícil para nós, só que é mais difícil ainda para você, Karolin. Não posso pedir a uma jovem normal que dedique a vida a alguém que talvez nunca mais veja... embora essa pessoa seja nosso filho amado. Werner e eu já conversamos sobre o assunto. Sabíamos que mais cedo ou mais tarde isso iria acontecer.

Lili ficou chocada. Seus pais tinham previsto aquilo! E não tinham lhe falado nada. Como podiam ter sido tão cruéis?

Ou será que eles eram apenas mais sensíveis? Não quis acreditar nisso.

– Nós queremos nos casar – disse Odo.

Lili se levantou.

– Não! – gritou.

– E esperamos que vocês todos possam nos dar sua bênção – continuou ele.

– Maud, Werner, Carla e principalmente Lili, que foi uma amiga tão boa para Karolin durante esses anos difíceis.

– Vão para o inferno – disse Lili, e saiu da cozinha.

⁓

Seguido por uma horda de fotógrafos, Dave Williams empurrou a cadeira de rodas da avó pela Parliament Square. Como o relações-públicas do Plum Nellie tinha alertado os jornalistas, Dave e Ethel já estavam preparados para as câmeras e cooperaram posando por dez minutos. Dave então falou:

– Obrigado, senhores.

Entrou no estacionamento do Palácio de Westminster, parou na Entrada dos Nobres, acenou para mais uma foto, então empurrou a cadeira para dentro da Câmara dos Lordes.

– Boa tarde, milady – cumprimentou o recepcionista.

Sua avó Ethel, baronesa de Leckwith, estava com câncer de pulmão. Tomava remédios fortíssimos para controlar a dor, mas continuava ótima de cabeça. Ainda conseguia andar um pouco, embora logo perdesse o fôlego. Tinha todos os motivos para se aposentar da política, mas nesse dia os lordes iriam debater o Projeto de Lei sobre Ofensas Sexuais de 1967.

Ethel era grande defensora da causa, em parte por causa de Robert, seu amigo gay. Para surpresa de Dave, seu pai, que ele considerava um velho conservador, também era enfaticamente a favor de uma reforma da lei. Ao que parecia, Lloyd havia testemunhado a perseguição nazista aos homossexuais e jamais se esquecera disso, embora se recusasse a conversar sobre os detalhes.

Ethel não iria falar no plenário, pois sua saúde não permitia, mas estava decidida a votar. E, quando Eth Leckwith encasquetava fazer alguma coisa, não havia quem a fizesse mudar de ideia.

Dave a empurrou pelo saguão de entrada, um vestiário onde cada gancho de casaco tinha uma alça de fita rosa na qual os integrantes do Parlamento supostamente deveriam pendurar as espadas. A Câmara dos Lordes nem sequer fingiu evoluir com o tempo.

Na Grã-Bretanha era crime um homem fazer sexo com outro homem, e todos os anos centenas de indivíduos eram processados, condenados e, o pior de tudo, humilhados nos jornais por causa disso. O projeto de lei a ser discutido nesse dia legalizaria os atos homossexuais entre adultos maiores de idade em âmbito particular.

A questão era controversa e o projeto não tinha a simpatia da maioria da população, mas a maré estava a favor da reforma. A Igreja Anglicana decidira não se opor a uma mudança na lei. Para ela, a homossexualidade continuava sendo pecado, mas não deveria ser crime. O projeto de lei tinha uma boa chance, mas seus defensores temiam um revés de última hora, daí a determinação de Ethel de votar.

– Por que você fez tanta questão de me trazer para este debate? – perguntou ela ao neto. – Nunca demonstrou muito interesse por política.

– Lew, nosso baterista, é gay – disse Dave, usando o termo americano. – Uma vez eu estava com ele em um pub chamado Golden Horn e a polícia deu uma batida lá. Fiquei tão revoltado com a truculência que, desde então, venho procurando um jeito de mostrar que estou do lado dos homossexuais.

– Que coisa boa – comentou Ethel. – Fico feliz em ver que o espírito engajado dos seus antepassados não foi totalmente destruído pelo rock 'n' roll – acrescentou ela, com a rabugice típica de sua idade avançada.

O Plum Nellie estava fazendo mais sucesso do que nunca. Havia lançado um "álbum conceitual" chamado *For Your Pleasure Tonight*, "para seu prazer esta noite", que fingia ser a gravação de um show com músicas de todos os tipos – antigas canções de cabaré, *folk*, blues, swing, gospel, Motown –, mas todas tocadas por eles. O disco estava vendendo milhões de cópias no mundo inteiro.

Um policial ajudou Dave a subir um lance de escadas com a cadeira. Ele lhe agradeceu e pensou se aquele homem algum dia já tinha dado uma batida em um pub gay. Chegaram ao Saguão dos Nobres, e Dave empurrou Ethel até a soleira do plenário.

Ethel havia planejado aquilo e conseguido a permissão do Líder dos Lordes para comparecer na cadeira de rodas, mas seu neto não podia empurrá-la pessoalmente até dentro do plenário, de modo que tiveram de aguardar um dos amigos dela aparecer e assumir seu lugar.

O debate já havia começado, com os nobres sentados em bancos de couro vermelho de ambos os lados de um recinto cuja decoração parecia exageradamente luxuosa, como o palácio de um filme da Disney.

Um nobre discursava, e Dave ficou escutando.

– Este projeto de lei é um alvará para as bichas e vai incentivar a mais vil criatura de todas: o michê – disse ele, pomposo. – Vai aumentar as tentações que já existem no caminho dos adolescentes.

Que estranho, pensou Dave. Será que aquele cara achava que todos os homens eram bichas, mas a maioria apenas resistia à tentação?

– Não que me falte compaixão pelo pobre do homossexual, mas tampouco me falta compaixão por aqueles que são arrastados para dentro dessa rede.

Arrastados para dentro dessa rede? Que besteira!, pensou Dave.

Um representante do lado trabalhista se levantou e veio segurar a cadeira de Ethel. Dave saiu da porta do plenário e subiu uma escada até a galeria do público.

Quando chegou lá, outro nobre havia começado a discursar:

– Semana passada, um dos jornais de domingo mais populares do país publicou a notícia, que talvez algumas de Vossas Graças tenham lido, de um casamento homossexual em um país do continente.

Dave havia lido a matéria no *News of the World*.

– Acho que esse jornal deve ser parabenizado por chamar atenção para esse acontecimento tão nefasto.

Como um casamento podia ser um acontecimento nefasto?

– Só espero que, se esse projeto virar lei, seja possível manter um olhar vigilante sobre esse tipo de prática. Não acho que essas coisas possam acontecer no nosso país, mas nunca se sabe.

De onde saíram esses dinossauros?, perguntou-se Dave.

Felizmente, nem todos os nobres eram tão ruins. Uma mulher de aspecto intimidador e cabelos cor de prata se levantou. Dave já a vira na casa da mãe; seu nome era Dora Gaitskell.

– Como sociedade, nós ignoramos muitas perversões que ocorrem em âmbito privado entre homens e mulheres – disse ela. – Tanto a lei quanto a sociedade são muito tolerantes em relação a isso e fingem não ver.

Dave ficou pasmo. O que ela sabia sobre perversões entre homens e mulheres?

– Os homens que nascem ou que são condicionados ou atraídos de maneira inexorável para a homossexualidade deveriam poder usufruir do mesmo nível de tolerância demonstrado com qualquer outra prática considerada pervertida entre homens e mulheres.

Muito bem, Dora!, pensou Dave.

Mas a sua preferida era outra velha senhora de cabelos brancos e com um brilho especial nos olhos, que também já fora convidada à casa da Great Peter

Street; seu nome era Barbara Wootton. Depois de um dos homens ter discursado longamente sobre a sodomia, ela fez um comentário irônico.

– Fico pensando: o que os opositores deste projeto de lei tanto temem? Não podem estar com medo de as práticas repulsivas serem conduzidas na sua frente, porque esses atos só serão legais quando praticados em âmbito privado. Não podem estar com medo de a juventude ser corrompida, pois esses atos só serão legais quando praticados entre adultos maiores de idade. Só me resta supor que os opositores do projeto temam ter sua imaginação atormentada por visões do que estará ocorrendo em outros lugares.

A implicação bem clara era que a intenção dos homens que tentavam fazer a homossexualidade continuar a ser criminalizada era policiar as próprias fantasias, e Dave riu alto, mas foi rapidamente repreendido por um funcionário.

A votação foi às seis e meia. Dave teve a impressão de que mais pessoas haviam discursado contra o projeto. O processo de votação tomou um tempo longo demais. Em vez de pôr pedacinhos de papel em uma urna ou apertar botões, os nobres tinham de se levantar e sair do plenário por um de dois saguões, o do "sim" ou o do "não". Outro nobre empurrou a cadeira de Ethel para o saguão do "sim".

O projeto de lei foi aprovado por 111 votos a 48. Dave quis celebrar, mas isso teria sido impróprio, como aplaudir em uma igreja.

Encontrou a avó na porta do plenário, e um dos amigos dela tornou a lhe passar o comando da cadeira. Apesar do ar de vitória, ela parecia exausta, e ele não pôde evitar se perguntar quanto tempo ainda lhe restava.

Que vida aquela mulher tivera!, pensou enquanto a empurrava pelos corredores requintados em direção à saída. Sua própria transformação, de burro da turma a astro pop, não era nada em comparação com a trajetória dela, que saíra de um chalé de dois cômodos junto à pilha de escória em Aberowen e fora parar no plenário folheado a ouro da Câmara dos Lordes. Além de transformar a si mesma, ela havia transformado o país. Travara e vencera diversas batalhas políticas: pelo voto feminino, pela previdência social, pela saúde pública, pela educação das meninas, e agora pela liberdade daquela perseguida minoria, os homossexuais. Dave tinha escrito músicas amadas no mundo inteiro, mas esse feito se tornava pálido se comparado às conquistas da avó.

Um homem de idade avançada, que caminhava com o auxílio de duas bengalas, deteve os dois em um corredor com as paredes revestidas de madeira. Dave achou seu ar de elegância decrépita familiar e se lembrou de já ter visto aquele senhor uns cinco anos antes, ali mesmo na Câmara dos Lordes, no dia em que Ethel fora nomeada baronesa.

– Então você conseguiu aprovar a sua Lei da Veadagem, Ethel – comentou ele em tom afável. – Meus parabéns!
– Obrigada, Fitz – disse ela.
Dave então se lembrou. Aquele era o conde Fitzherbert, antigo proprietário de uma mansão em Aberowen chamado Tŷ Gwyn, hoje um estabelecimento de ensino superior para adultos.
– Senti muito quando soube da sua doença, minha cara – disse Fitz.
Parecia sentir carinho por ela.
– Com você não vale a pena medir as palavras – respondeu Ethel. – Eu não vou durar muito. Você provavelmente nunca mais vai me ver.
– Isso me entristece muito.
Para espanto de Dave, lágrimas começaram a escorrer pelo rosto enrugado do conde, e ele sacou do bolso da frente do paletó um grande lenço branco para enxugar os olhos. O rapaz então lembrou que, na última vez em que presenciara um encontro entre os dois, ficara intrigado com uma leve tensão que eles mal conseguiam controlar.
– Foi bom ter conhecido você, Fitz – disse Ethel.
Seu tom sugeria que ele talvez pudesse ter pensado o contrário.
– Foi mesmo? – indagou o conde. Então acrescentou algo que espantou Dave:
– Eu nunca amei ninguém como amei você.
– Nem eu – retrucou ela, duplicando o espanto do neto. – Agora que meu querido Bernie não está mais aqui, posso dizer isso. Ele foi minha alma gêmea, mas com você foi diferente.
– Que bom.
– Só me arrependo de uma coisa – continuou Ethel.
– Já sei do quê – falou Fitz. – O menino.
– Sim. Se tenho um último desejo na vida, é ver você apertar a mão dele.
Dave se perguntou quem poderia ser "o menino". Decerto não era ele.
– Sabia que você me pediria isso – disse o conde.
– Por favor, Fitz.
Ele assentiu.
– Na minha idade, eu já deveria saber admitir quando errei.
– Obrigada. Agora posso morrer feliz.
– Tomara que exista vida depois da morte.
– Não faço ideia se existe. Adeus, Fitz.
Com dificuldade, o velho se inclinou acima da cadeira de rodas e deu um beijo na boca de Ethel. Então se endireitou e disse:

– Até logo, Ethel.
Dave empurrou a cadeira para longe.
Um minuto depois, perguntou:
– Aquele era o conde Fitzherbert, não era?
– Era – respondeu Ethel. – Ele é seu avô.

O único problema de Walli eram as garotas.

Jovens, bonitas e sensuais de um jeito saudável que lhe parecia tipicamente americano, elas entravam pela sua porta às dezenas, todas ávidas por transar. O fato de ele permanecer fiel à namorada em Berlim Oriental só parecia torná-lo ainda mais desejável.

– Comprem uma casa – aconselhara Dave aos outros membros do grupo. – Assim, quando a bolha estourar e ninguém mais quiser ouvir falar no Plum Nellie, pelo menos terão onde morar.

Walli estava começando a perceber que Dave era muito esperto. Desde que ele havia criado as duas empresas, a gravadora Nellie Records e a Plum Publishing, para administrar os direitos autorais das músicas, o grupo estava ganhando bem mais. Walli ainda não era o milionário que as pessoas pensavam que fosse, mas seria quando começasse a receber os royalties de *For Your Pleasure Tonight*. Enquanto isso não acontecia, pelo menos tinha dinheiro para comprar uma casa própria.

No início de 1967, adquiriu um imóvel em estilo vitoriano, com uma janela em curva na fachada, na Haight Street, quase esquina com Ashbury, em São Francisco. Nesse bairro, os preços tinham sido prejudicados por uma contenda de anos devido ao projeto de uma autoestrada jamais construída. Os aluguéis baratos atraíam estudantes universitários e outros jovens, criando um ambiente descontraído que, por sua vez, atraía músicos e atores. Integrantes do Grateful Dead e do Jefferson Airplane moravam ali. Ver astros do rock era comum, e Walli podia passear quase como uma pessoa normal.

Os Dewar, seus únicos conhecidos na cidade, esperavam que ele botasse o miolo da casa abaixo e modernizasse tudo, mas ele gostava dos rebaixamentos antiquados e das paredes revestidas de madeira, e manteve tudo como estava, mandando apenas pintar de branco.

Construiu dois banheiros luxuosos e uma cozinha sob medida, com lava-louça e tudo. Comprou um televisor e um toca-discos de última geração. Tirando isso, adquiriu poucos móveis normais. Pôs tapetes e almofadas nos pisos de madeira encerada, e colchões e araras de roupas nos quartos. Suas únicas cadeiras eram seis banquinhos do tipo usado por guitarristas em estúdios de gravação.

Tanto Cameron quanto Beep Dewar estudavam em Berkeley, o braço da Universidade da Califórnia em São Francisco. O esquisitão Cam se vestia feito um senhor de meia-idade, e era mais conservador do que Barry Goldwater. Beep, porém, era bacana, e apresentou Walli aos amigos, alguns dos quais moravam no mesmo bairro que ele.

Quando não estava em turnê com o grupo nem gravando em Londres, era ali que ele morava. Passava a maior parte do tempo tocando guitarra. Tocar sem esforço aparente como ele fazia no palco exigia muita perícia, e ele não deixava passar um só dia sem praticar pelo menos umas duas horas. Depois disso, podia se dedicar à composição: experimentar acordes, juntar fragmentos de melodias, quebrar a cabeça para decidir quais eram maravilhosas e quais eram apenas afinadas.

Escrevia para Karolin uma vez por semana. Era difícil pensar em coisas para dizer. Parecia crueldade lhe falar sobre os filmes, shows e restaurantes de um tipo que ela jamais poderia conhecer.

Com a ajuda de Werner, havia organizado o envio de uma mesada para Karolin poder se sustentar com a filha. Uma mesada modesta em moeda estrangeira comprava muita coisa na Alemanha Oriental.

Karolin lhe escrevia de volta uma vez por mês. Havia aprendido a tocar violão e agora formava uma dupla com Lili. As duas cantavam canções de protesto e faziam circular fitas com suas músicas. Tirando isso, sua vida parecia vazia em comparação com a de Walli, e a maioria de suas novidades dizia respeito a Alice.

Como a maior parte dos moradores do bairro, Walli não trancava as portas de casa. Amigos e desconhecidos entravam e saíam quando bem entendiam. Guardava suas guitarras preferidas em um quarto trancado no último andar da casa, mas, tirando isso, possuía pouca coisa que valesse a pena roubar. Uma vez por semana, uma loja da vizinhança enchia sua geladeira e sua despensa. Os convidados se serviam à vontade e, quando a comida acabava, Walli ia a um restaurante.

À noite, assistia a filmes e peças de teatro, frequentava shows de outras bandas ou ficava bebendo e fumando maconha com outros músicos na casa deles ou na sua. Havia muito para se ver na rua: apresentações improvisadas, teatro, eventos de arte performática que as pessoas chamavam de *happenings*. No verão de 1967, o bairro ganhou uma fama repentina de centro mundial do movimento hippie. Quando as escolas e universidades fecharam para as férias, jovens de todo o país pegaram carona até São Francisco e foram direto para a esquina das ruas Haight e Ashbury. A polícia decidiu fingir que não via o uso generalizado de maconha e

LSD e as pessoas transando praticamente em público no Parque Buena Vista. E todas as garotas agora tomavam pílula anticoncepcional.

O único problema de Walli eram as garotas.

Tammy e Lisa eram um caso típico. Tinham vindo de Dallas, no Texas, em um ônibus da empresa Greyhound. Tammy era loura; Lisa, hispânica, e ambas tinham 18 anos. Haviam planejado apenas pedir o autógrafo de Walli e ficaram assombradas ao encontrar sua porta aberta e ele sentado em uma gigantesca almofada no chão tocando violão.

Depois da longa viagem de ônibus, precisavam de um banho, disseram, e ele lhes respondera que ficassem à vontade. As duas entraram no chuveiro juntas sem fechar a porta do banheiro, como Walli descobriu em um momento de distração, enquanto pensava em harmonias, quando entrou lá para fazer xixi. Seria coincidência que nesse exato instante Tammy estivesse ensaboando os peitinhos morenos de Lisa com suas mãos muito brancas?

Walli saiu e usou o outro banheiro, mas foi preciso lançar mão de toda sua força de vontade.

O carteiro trouxe sua correspondência, incluindo as cartas encaminhadas de Londres por Mark Batchelor, empresário do Plum Nellie. Uma delas trazia seu nome escrito na caligrafia de Karolin e tinha um carimbo da Alemanha Oriental. Walli a separou para ler depois.

Era um dia normal em Haight-Ashbury. Um amigo músico apareceu e eles começaram a compor juntos, mas não deu em nada. Dave Williams e Beep Dewar deram uma passada; Dave estava morando na casa dos pais da noiva e à procura de um imóvel para comprar. Um traficante chamado Jesus veio entregar meio quilo de maconha, e Walli escondeu a maior parte dentro de um amplificador de guitarra. Não se importava em dividir, mas, se não racionasse o consumo, a erva não duraria nem até o fim do dia.

À noite, Walli foi jantar com uns amigos e levou Tammy e Lisa. Quatro anos depois de ter deixado o bloco soviético, ainda se maravilhava com a fartura de comida nos Estados Unidos: bifes gigantescos, hambúrgueres suculentos, pilhas de batatas fritas, saladas enormes e crocantes, milk shakes cremosos – tudo por quase nada. E café com refil grátis! Não que esse tipo de comida custasse caro na Alemanha Oriental: lá essas coisas simplesmente não existiam. Os açougueiros nunca tinham os melhores cortes de carne, e os restaurantes serviam a contragosto porções exíguas de comida pouco apetitosa. Walli nunca tinha visto um milk shake no seu país.

Durante o jantar, ficou sabendo que o pai de Lisa era médico na comunidade mexicana de Dallas e que ela pretendia estudar medicina para seguir a mesma carreira. A família de Tammy tinha um lucrativo posto de gasolina, mas quem herdaria o negócio seriam os irmãos, e ela faria uma escola de arte para estudar desenho de moda com o objetivo de abrir uma loja de roupas. Eram meninas normais, mas estavam em 1967, tomavam pílula e queriam transar.

A noite estava amena. Depois de comer, os três foram até o parque. Sentaram-se junto com um grupo de pessoas que cantavam canções gospel. Walli entrou na roda e, no escuro, ninguém o reconheceu. Cansada por causa da viagem, Tammy se deitou com a cabeça no seu colo. Ele ficou alisando seus longos cabelos louros e ela adormeceu.

Pouco depois da meia-noite, as pessoas começaram a ir embora. Walli voltou a pé para casa e só quando chegou lá reparou que Tammy e Lisa ainda estavam com ele.

– Vocês têm onde dormir? – perguntou.

– Podemos dormir no parque – respondeu Tammy com seu sotaque texano.

– Podem dormir no chão lá de casa, se quiserem – disse ele.

– Você gostaria de dormir com alguma de nós duas? – perguntou Lisa.

– Ou com as duas juntas? – sugeriu Tammy.

Walli sorriu.

– Não... eu tenho uma namorada em Berlim. Karolin.

– É verdade? – perguntou Lisa. – Eu li no jornal, mas...

– É verdade, sim.

– E você tem uma filha bebê?

– Ela já está com 3 anos. Chama-se Alice.

– Mas ninguém mais acredita em fidelidade e essa baboseira toda, né? Principalmente aqui em São Francisco. *All you need is love*, certo? Tudo de que você precisa é amor.

– Boa noite, meninas.

Ele subiu para o quarto que geralmente usava e tirou a roupa. Pôde ouvir as duas se movimentando lá embaixo. Passava um pouco da uma e meia quando ele se deitou, cedo para um músico.

Era a essa hora que gostava de ler e reler as cartas de Karolin. Reconfortava-o pensar nela, e ele muitas vezes pegava no sono imaginando-a nos seus braços. Acomodou-se sentado no colchão, com as costas apoiadas em um travesseiro na parede, e puxou a coberta até debaixo do queixo. Então abriu o envelope.

E leu:

Querido Walli...

Que estranho. Ela em geral escrevia "meu amado Walli" ou "meu amor".

Sei que esta carta vai lhe causar dor e aflição, e lamento tanto por isso que meu coração está quase se partindo ao meio.

Que diabo poderia ter acontecido? Ele foi lendo depressa.

Faz quatro anos que você foi embora e não existe esperança nenhuma de podermos ficar juntos em um futuro previsível. Eu sou fraca e não consigo encarar uma vida inteira de solidão.

Ela estava terminando o namoro; estava rompendo com ele. Era a última coisa que Walli esperava.

Conheci uma pessoa, um homem bom, que me ama.

Karolin tinha arrumado um namorado! Era pior do que Walli pensava. Ela o havia traído. Ele começou a ficar bravo. Lisa tinha razão: ninguém mais acreditava em fidelidade e essa baboseira toda.

Odo é pastor na igreja de St. Gertrud em Mitte, aqui em Berlim.

– Um religioso?! Puta que pariu! – exclamou Walli em voz alta.

Ele vai amar e cuidar da minha filhinha.

– Ela diz "minha filhinha", mas Alice é minha também!

Nós vamos nos casar. Seus pais estão chateados, mas não deixaram de ser bondosos comigo, como sempre são com todo mundo. Até sua irmã Lili está tentando entender, embora seja difícil para ela.

Aposto que é mesmo, pensou Walli. Lili seria a última a desistir.

Você me fez feliz por um tempo curto e me deu minha preciosa Alice, e por isso eu sempre vou amá-lo.

Walli sentiu lágrimas quentes no rosto.

Espero que daqui a alguns anos seu coração consiga perdoar a mim e a Odo, e que um dia possamos nos encontrar como amigos, talvez quando estivermos velhos e grisalhos.

– No inferno, quem sabe.

Com amor,
Karolin.

A porta se abriu, e Tammy e Lisa entraram no quarto.

Apesar da visão borrada por causa do choro, ele teve a impressão de que estavam ambas nuas.

– O que aconteceu? – indagou Lisa.

– Por que você está chorando? – emendou Tammy.

– Karolin terminou comigo. Ela vai se casar com um pastor.

– Que pena – disse Tammy.

– Pobrezinho – falou Lisa.

Walli sentiu vergonha das próprias lágrimas, mas não conseguiu segurá-las. Jogou a carta no chão, rolou de lado e cobriu a cabeça com a coberta.

As duas entraram na cama, uma de cada lado. Walli abriu os olhos. Tammy, de frente para ele, tocou com delicadeza as lágrimas em seu rosto. Lisa, por trás, pressionou o corpo quente contra suas costas.

– Eu não quero fazer isso – conseguiu articular ele.

– Você não deveria ficar sozinho tão triste assim – falou Tammy. – Nós só vamos lhe fazer um carinho. Feche os olhos.

Ele cedeu e fechou os olhos. Aos poucos, sua angústia se transformou em torpor. Sua mente ficou vazia e ele cochilou de leve.

Quando acordou, Tammy estava beijando sua boca e Lisa chupando seu pau.

Ele transou com as duas, uma de cada vez. Tammy era delicada e suave; Lisa, enérgica e arrebatada. Sentiu gratidão por elas o consolarem em sua dor.

Por mais que tentasse, porém, não conseguiu gozar.

CAPÍTULO QUARENTA

O boi de piranha estava ficando cansado.
Era um menino vietnamita magrelo, vestido só com um short de algodão. Devia ter uns 13 anos, calculou Jasper Murray. Havia cometido a tolice de entrar na mata para colher castanhas naquela manhã, bem na hora em que um pelotão da Companhia D – os "Desesperados" – estava partindo em missão.

Suas mãos estavam amarradas às costas e presas por um cordão de 30 metros ao cinto de utilidades de um cabo. O menino seguia pela trilha na frente da companhia. Só que a manhã fora longa e ele ainda era um moleque, e agora seus passos rateavam e os homens sem querer acabavam esbarrando nele. Quando isso acontecia, o sargento Smithy jogava uma bala no menino, acertando-o na cabeça ou nas costas, e ele dava um grito e apressava o passo.

As trilhas na selva tinham minas e armadilhas instaladas pela resistência, os insurgentes vietcongues que os americanos chamavam de Charlie. As minas eram todas improvisadas: peças de artilharia americana recarregadas, velhas bombas do Exército dos Estados Unidos, bombas fajutas transformadas em verdadeiras, e até minas de pressão francesas que haviam sobrado da década de 1950.

Usar um camponês vietnamita como boi de piranha não era muito raro, embora nos Estados Unidos ninguém admitisse isso. Às vezes os amarelos sabiam que partes da trilha estavam minadas. Em outras ocasiões, eles de alguma forma conseguiam detectar sinais invisíveis para os americanos. Por fim, se o boi de piranha não conseguisse ver a armadilha, quem morria era ele, não os soldados. Não tinha como dar errado.

Aquilo causava repulsa em Jasper, mas ele já vira coisa pior nos seis meses desde que havia chegado ao Vietnã. Em sua opinião, homens de qualquer país eram capazes de uma crueldade desenfreada, sobretudo quando amedrontados. Sabia que o Exército britânico havia cometido atrocidades terríveis no Quênia; seu pai servira lá e, sempre que o Quênia era mencionado na conversa, ele empalidecia e murmurava algum argumento fraco sobre atrocidades de parte a parte.

A Companhia D, contudo, era especial.

Fazia parte da Força Tigre, a Unidade de Forças Especiais da 101ª Divisão Aerotransportada. O comandante supremo, general William Westmoreland, os chamava de "minha brigada de incêndio". Em vez de uniformes normais, seus integrantes usavam trajes de combate com listras iguais às de um tigre, sem insígnia. Podiam usar barba e portar armas de fogo abertamente. Sua especialidade era a pacificação.

Fazia uma semana que Jasper estava na Companhia D. Decerto era um erro da burocracia: aquele não era particularmente o seu lugar, mas a Força Tigre misturava homens de muitas unidades e divisões diferentes. Era sua primeira missão com eles. O pelotão tinha 25 homens, divididos de forma homogênea entre negros e brancos.

Os outros não sabiam que ele era britânico. A maioria dos fuzileiros navais nunca tinha conhecido um britânico na vida, e ele já estava cansado de ser objeto de curiosidade. Havia mudado o próprio sotaque e agora conseguia passar por canadense ou algo assim. Nunca mais queria explicar que na verdade não conhecia os Beatles.

Sua missão nesse dia era "limpar" uma aldeia.

Estavam na província de Quang Ngai, na parte norte do Vietnã do Sul, conhecida pelo Exército como Zona Tática do 1º Corpo, ou simplesmente região norte. Como cerca de metade do Vietnã do Sul, era agora administrada não pelo regime de Saigon, mas pelas guerrilhas vietcongues, que organizavam os governos das aldeias e chegavam até a recolher impostos.

– O povo vietnamita simplesmente não entende o jeito americano – comentou o soldado que caminhava ao lado de Jasper, Neville, um texano alto dono de um senso de humor repleto de ironia. – Quando os vietcongues tomaram esta região, havia muitas terras incultas de gente rica de Saigon que não se dava ao trabalho de explorá-las, então Charlie deu as terras para os camponeses. Aí, quando nós começamos a reconquistar territórios, o governo de Saigon devolveu as terras aos proprietários originais. Agora os camponeses estão com raiva da gente, dá para acreditar? Eles não entendem o conceito de propriedade privada. Isso mostra como são burros.

O cabo negro John Donelan, cujo apelido era Donny, ouviu a conversa e falou:

– Você não passa de uma porra de um comunista, Neville.

– Não mesmo... eu votei em Goldwater – respondeu Neville, calmo. – Ele prometeu manter os negros atrevidos no seu devido lugar.

Quem estava no raio de alcance de sua voz riu. Os soldados gostavam daquele tipo de brincadeira. Isso só ajudava a gerenciar o próprio medo.

Jasper também apreciava o seu sarcasmo subversivo. Durante a primeira parada para descansar naquela manhã, porém, vira o companheiro apertar um baseado e salpicar na maconha um pouco da heroína sem refino conhecida como açúcar mascavo. Se Neville ainda não era viciado, não iria demorar muito.

Segundo o líder comunista chinês, camarada Mao, os guerrilheiros se movimentavam entre a população como peixes no mar. A estratégia do general Westmoreland para derrotar os peixes vietcongues era tirar o seu mar. Trezentos mil camponeses de Quang Ngai estavam sendo reunidos e transferidos para 68 campos de concentração fortificados, de modo a deixar a região ocupada apenas pelos vietcongues.

Só que não estava dando certo. Como Neville dizia: "Que gente é essa? Ninguém tem o direito de chegar ao país e dizer às pessoas para sair de casa e dos campos que cultivam para ir morar em um campo de prisioneiros. Qual é o problema com essa gente?" Muitos camponeses escapavam das transferências e permaneciam próximos de suas terras. Outros iam, depois fugiam dos campos abarrotados e insalubres e voltavam para casa. Fosse como fosse, aos olhos do Exército eles eram agora alvos legítimos. "Se as pessoas estiverem lá, e não nos campos, no que nos diz respeito elas são suspeitas", dizia o general Westmoreland. "São simpatizantes comunistas." O tenente que dera as ordens ao pelotão fora ainda mais claro: "Não existe população amiga. Entenderam? Não existe população amiga. Ninguém deveria estar lá. Atirem em tudo o que se mexer."

O alvo nessa manhã era uma aldeia que tinha sido evacuada e depois reocupada. A tarefa do pelotão era limpá-la e pôr tudo abaixo.

Mas primeiro precisavam encontrá-la. Era difícil se localizar na selva. Os pontos de referência eram poucos e a visibilidade, ruim.

E Charlie poderia estar em qualquer lugar, talvez a um metro de distância. Essa consciência deixava os nervos de todos à flor da pele. Jasper tinha aprendido a ver *através* da folhagem, de uma camada para outra, em busca de cores, formas ou texturas fora de contexto. Era difícil ficar alerta quando se estava cansado, pingando de suor e cercado de insetos, mas soldados que baixavam a guarda na hora errada morriam.

Havia também tipos diferentes de selva. Na prática, bambuzais e terrenos plantados com capim-elefante eram intransponíveis, embora o alto-comando militar se recusasse a admitir tal fato. Florestas de árvores copadas eram mais fáceis, pois a luminosidade reduzida restringia a vegetação rasteira. Seringais eram o que havia de melhor: árvores bem enfileiradas, pouca vegetação baixa, estradas praticáveis. Nesse dia, eles estavam em uma selva mista: figueiras, mangue e jaqueiras, com as cores fortes das flores tropicais a se destacar contra o fundo verde: orquídeas, lírios-da-paz, crisântemos. Jasper estava pensando que o inferno nunca fora mais bonito quando a bomba explodiu.

O estrondo o deixou surdo e o jogou no chão, mas o choque não durou muito tempo. Ele rolou para longe da trilha, parou sob o tênue abrigo de um arbusto, sacou o fuzil M16 e olhou em volta.

No início da fila de soldados, cinco corpos jaziam no chão; nenhum deles se movia. Jasper já tinha visto mortes em combate várias vezes desde que chegara, mas nunca iria se acostumar com aquilo. Poucos segundos antes, eram cinco seres humanos andando e conversando, homens que tinham lhe contado uma piada ou lhe pagado um drinque, ou ainda lhe estendido a mão para ajudá-lo a rastejar por cima da vegetação caída; agora eram apenas pedaços ensanguentados e deformados de carne espalhados pelo chão.

Podia adivinhar o que tinha acontecido. Alguém havia pisado em uma mina de pressão escondida. Por que o boi de piranha não a detonara? O menino devia ter visto a mina e tido a presença de espírito de ficar calado e passar ao largo. Agora havia desaparecido. No fim das contas, levara a melhor sobre seus captores.

Outro soldado chegou à mesma conclusão. Era Jack Baxter, conhecido como o Louco, rapaz do Meio-Oeste alto e com uma barba preta.

– Aquele merda daquele amarelo nos fez pisar nisso de propósito! – gritou ele, e saiu correndo para a frente atirando com o fuzil e disparando inutilmente para dentro da mata, desperdiçando munição. – Vou matar aquele filho da puta! – gritou.

Então seu pente de vinte balas acabou e ele parou.

Estavam todos com raiva, mas outros foram mais sensatos. O sargento Smithy já estava chamando socorro médico pelo rádio. O otimista cabo Donny, ajoelhado, procurava a pulsação em um dos corpos deitados. Jasper viu que seria impossível um helicóptero pousar naquela trilha estreita. Levantou-se com um pulo e gritou para o sargento:

– Vou procurar uma clareira!

Smithy assentiu.

– McCain, Frazer, vão com Murray! – gritou.

Jasper confirmou que estava carregando duas granadas de fósforo branco, chamadas de Willie Petes, então se afastou da trilha seguido pelos outros dois.

Foi procurando sinais de que o terreno pudesse estar ficando pedregoso ou arenoso, de modo que a vegetação se espaçasse e formasse uma clareira. Para não se perder, tomou cuidado para observar todos os pontos de referência que conseguiu. Depois de alguns minutos, saiu da mata e chegou à margem inclinada de um arrozal.

Do outro lado da plantação, viu três ou quatro silhuetas trajando o fino pijama de algodão que constituía a roupa de trabalho dos camponeses. Antes de conseguir contá-los, eles o viram e se embrenharam na mata.

Será que eram da aldeia para a qual estavam indo?, pensou. Em caso positivo, ele sem querer os havia alertado sobre a aproximação da companhia. Bom, paciência; o mais importante era salvar os feridos.

McCain e Frazer saíram correndo pela borda do arrozal de modo a demarcar o perímetro. Jasper detonou uma das granadas. A explosão incendiou o arroz, mas os brotos estavam verdes e as chamas logo se apagaram. No entanto, uma coluna de fumaça grossa subiu pelo ar indicando sua localização.

Jasper olhou em volta. Charlie sabia que uma boa hora para atacar os americanos era quando eles estavam preocupados com seus mortos e feridos. Ele segurou o M16 com as duas mãos e correu os olhos pela mata, pronto para se jogar no chão e revidar caso fosse alvejado. Viu McCain e Frazer fazendo a mesma coisa. Muito provavelmente, nenhum dos três teria a chance de se abaixar. Um atirador escondido nas árvores teria todo o tempo do mundo para mirar e disparar um tiro certeiro e mortal. Era sempre assim naquela porra de guerra, pensou. Charlie consegue nos ver, mas nós não conseguimos vê-lo. Ele atira e sai correndo. No dia seguinte, o atirador está arrancando ervas daninhas de um arrozal e se fazendo passar por um simples agricultor que não sabe distinguir as duas pontas de uma Kalashnikov.

Enquanto esperava, pensou na Inglaterra. Eu agora poderia estar trabalhando para o *Western Mail*, refletiu, sentado em uma sala confortável, cochilando enquanto um membro do conselho municipal discursa sobre os perigos da iluminação pública inadequada, e não suando em um arrozal e pensando se vou levar uma bala nos próximos segundos.

Pensou na família e nos amigos. Sua irmã Anna tinha se tornado um nome importante do mercado editorial após descobrir um brilhante escritor russo dissidente que atendia pelo pseudônimo de Ivan Kuznetsov. Evie Williams, que anos antes tivera por ele uma paixonite de adolescente, era agora uma estrela do cinema e morava em Los Angeles. Dave e Walli eram astros milionários do rock. Mas Jasper era um soldado raso no lado perdedor de uma guerra cruel e estúpida a mil quilômetros de lugar nenhum.

Pensou no movimento contra a guerra nos Estados Unidos. Será que eles estavam avançando? Ou será que as pessoas ainda se deixavam enganar pela propaganda de que os manifestantes eram todos comunistas e viciados que só queriam prejudicar os Estados Unidos? No ano seguinte, 1968, haveria eleição para presidente. Será que Johnson perderia? Será que o vencedor poria fim à guerra?

O helicóptero pousou e Jasper conduziu a equipe de maqueiros pela selva até o local da explosão. Lembrou-se dos pontos de referência e encontrou o pelotão de novo sem dificuldade. Assim que chegou, pôde ver, pela atitude dos homens ali parados, que todas as vítimas tinham morrido. A equipe médica levaria embora cinco sacos de cadáveres.

Os sobreviventes estavam furiosos.

– Aquele amarelo nos levou direto para uma armadilha – disse o cabo Donny. – O cara fodeu a gente, não foi?

– Fodeu mesmo – disse Jack, o Louco.

Como sempre, Neville fingiu concordar enquanto dava a entender o contrário.

– O coitado do menino deve ter achado que a gente iria matá-lo quando ele não tivesse mais serventia – observou. – Foi burro demais para entender que o sargento Smithy estava planejando levá-lo para a Filadélfia e bancar seus estudos.

Ninguém riu.

Jasper falou com o sargento sobre os camponeses que tinha visto no arrozal.

– Nossa aldeia deve ficar naquela direção – falou Smithy.

A companhia acompanhou os sacos com os cadáveres até o helicóptero. Após este decolar, Donny armou um lança-chamas M2 para incendiar o arrozal com napalm, queimando a safra inteira em poucos minutos.

– Bom trabalho – elogiou Smithy. – Agora eles sabem que se voltarem não vão ter nada para comer.

– Acho que o helicóptero deve ter alertado os moradores da aldeia – disse-lhe Jasper. – Provavelmente vamos encontrar o lugar deserto.

Ou cair em uma armadilha, pensou, mas não comentou nada.

– Não tem problema se estiver vazio – argumentou Smithy. – Mesmo assim vamos arrasar tudo. E a Inteligência diz que existem túneis. Temos de encontrar e destruir esses túneis.

Os vietnamitas vinham escavando túneis desde o início de sua guerra contra os colonizadores franceses, em 1946. Por baixo da mata havia literalmente centenas de quilômetros de passagens, depósitos de munição, dormitórios, cozinhas, oficinas e até hospitais. Eram difíceis de destruir. Alçapões de água a intervalos regulares impediam os ocupantes de serem postos para fora usando fumaça. Bombardeios aéreos em geral erravam o alvo. O único jeito de danificar aqueles túneis era por dentro.

Mas para isso era preciso achar a entrada.

O sargento Smithy conduziu o pelotão por uma trilha do arrozal até uma pequena plantação de coqueiros. Ao sair do meio dos coqueiros, eles viram a aldeia: umas cem casas com vista para campos cultivados. Não havia nenhum sinal de vida, mas mesmo assim eles entraram com cautela.

O lugar parecia deserto.

Os soldados foram de casa em casa aos gritos de "*Didi mau!*", "saiam" em vietnamita. Jasper olhou dentro de uma casa e viu o altar que era o centro da maioria dos lares vietnamitas: velas, pergaminhos, recipientes com incenso e tapeçarias dispostos em homenagem aos antepassados da família. Então o cabo Donny começou a usar o lança-chamas. As paredes eram de bambu trançado e barro, e o telhado, de folhas de palmeira; o napalm logo transformou a casa em uma pira.

Ao caminhar em direção ao centro da aldeia, com o fuzil em riste, Jasper se espantou ao ouvir um barulho de batidas ritmadas. Percebeu que estava escutando o toque de um tambor, provavelmente um *mo*, instrumento de madeira oca tocado com um graveto. Calculou que alguém tivesse usado o *mo* para avisar aos aldeões que fugissem. Mas por que o instrumento continuava tocando?

Junto com os outros, foi seguindo o barulho até o meio da aldeia. Ali encontraram um laguinho cerimonial com uma flor de lótus em frente a um pequeno *dinh*, o centro da vida na aldeia, que funcionava como templo, local de reunião e escola.

Lá dentro, sentado de pernas cruzadas sobre um chão de terra batida, depararam-se com um monge budista de cabeça raspada batucando em um peixe de madeira com uns 45 centímetros de comprimento. Ele os viu entrar, mas não parou.

Um soldado da companhia falava um pouco de vietnamita. Era um americano branco de Iowa que todos chamavam de Slope.

– Slope, pergunte ao amarelo onde ficam os túneis – ordenou Smithy.

Slope gritou com o monge em vietnamita. O homem o ignorou e seguiu batucando.

Smithy então meneou a cabeça para Jack, o Louco, que deu um passo à frente e chutou o rosto do monge com a pesada bota de combate na selva M-1966 do Exército americano. O homem caiu para trás, sangrando pela boca e pelo nariz, e o tambor e o graveto voaram cada um para um lado. Sinistramente, ele não emitiu som algum.

Jasper engoliu em seco. Já tinha visto guerrilheiros vietcongues serem torturados para tentar obter informações; era uma prática corriqueira. Embora não gostasse, considerava isso razoável em se tratando de homens que desejavam matá-lo. Qualquer rapaz de 20 e poucos anos capturado naquela região era provavelmente membro da guerrilha ou seu defensor ativo, e Jasper já tinha aceitado o fato de esses homens serem torturados mesmo sem haver provas de que algum dia tivessem lutado contra os americanos. Aquele monge podia ter cara de não combatente, mas Jasper já vira uma menina de 10 anos jogar uma granada dentro de um helicóptero estacionado.

Smithy segurou o monge e o sustentou em pé, de frente para os soldados. Apesar dos olhos fechados, o homem respirava. Slope repetiu a pergunta.

O monge não respondeu.

Jack, o Louco, recolheu o peixe de madeira, segurou-o pelo rabo e começou a bater no monge com ele. Acertou o homem na cabeça, nos ombros, no peito, nas partes íntimas e nos joelhos, parando de vez em quando para Slope repetir a pergunta.

Jasper agora estava realmente desconfortável. O simples fato de assistir já equivalia a cometer um crime de guerra, mas não era nem tanto a ilegalidade que o incomodava; sabia que sempre que os investigadores americanos averiguavam alegações de atrocidades, consideravam as provas insuficientes. Mas ele não achava que o monge merecesse aquilo. Nauseado, virou as costas.

Não culpava os soldados. Dependendo das circunstâncias, em todos os lugares, épocas e países havia homens capazes de fazer aquele tipo de coisa. Culpava os oficiais que sabiam que aquilo estava acontecendo e nada faziam, os generais que mentiam para a imprensa e para a população em Washington, e acima de tudo os políticos, que não tinham coragem de se levantar e dizer: "Isso está errado."

Instantes depois, Slope falou:

– Pode parar, Jack, o puto morreu.

– Que merda – disse Smithy, soltando o monge, que desabou no chão, sem vida. – Precisamos encontrar as porras dos túneis.

O cabo Donny e quatro outros entraram no templo arrastando três vietnamitas: um casal de meia-idade e uma menina de uns 15 anos.

– Esta família pensou que podia se esconder da gente no barracão de cocos – falou.

Os três orientais encararam horrorizados o cadáver do monge, suas vestes empapadas de sangue e a máscara disforme de seu rosto, que quase não parecia mais humano.

– Diga que é assim que eles vão ficar se não mostrarem onde estão os túneis – falou o sargento.

Slope traduziu. O camponês respondeu.

– Ele diz que aqui nesta aldeia não tem túnel nenhum – disse Slope.

– Mentiroso filho da puta – cuspiu Smithy.

– Quer que eu...? – perguntou Jack.

Smithy assumiu uma expressão pensativa.

– Dê um trato na garota, Jack – disse ele. – Na frente dos pais.

Uma expressão de avidez surgiu no rosto de Jack. Ele arrancou o pijama da menina, fazendo-a gritar, e em seguida a jogou no chão. Seu corpo era pálido e esguio. Donny a segurou. Jack pôs o pau já meio ereto para fora e o esfregou para deixá-lo mais duro.

Mais uma vez, Jasper ficou horrorizado, mas não surpreso. Estupros não eram corriqueiros, mas aconteciam com frequência excessiva. Alguns homens às vezes os delatavam, em geral quando eram novatos no Vietnã. O Exército apurava e declarava que as alegações não tinham provas para sustentá-las, ou seja, todos os outros soldados tinham dito que não queriam problemas e que de toda forma não tinham visto nada, e o assunto era dado por encerrado.

A mulher mais velha começou a falar, um jorro de palavras histéricas de súplica.

– Ela está dizendo que a menina é virgem, e que na verdade não passa de uma criança – traduziu Slope.

– Criança nada – rebateu Smithy. – Olhe só os pelos pretos dessa xoxotinha.

– A mãe jura por todos os deuses que não tem túnel nenhum aqui. Ela diz que não apoia os vietcongues porque antigamente era a agiota da aldeia, mas Charlie a obrigou a parar.

– Vá em frente, Jack – disse Smithy.

Jack se deitou por cima da menina, e seu corpanzil escondeu a maior parte do corpo pequenino dela. Ele pareceu estar tendo dificuldades para penetrá-la. Os outros gritaram incentivos e fizeram piadas. Jack então deu uma forte estocada, e a menina gritou.

Ele passou um minuto bombeando vigorosamente. A mãe continuou a suplicar, mas Slope não se deu ao trabalho de traduzir. O pai não disse nada, e Jasper viu lágrimas escorrendo por seu rosto. Jack grunhiu umas duas vezes, então parou e se retirou. Havia sangue nas coxas da menina, vermelho-vivo sobre a pele cor de marfim.

– Quem é o próximo? – perguntou Smithy.

– Eu vou – disse Donny, abrindo a braguilha.

Jasper saiu do templo.

Aquilo não era normal. Qualquer justificativa para fazer o pai falar era agora inútil: se ele soubesse de alguma coisa, teria falado antes de o estupro começar. Jasper já havia esgotado as desculpas para os homens de seu pelotão. Eles estavam fora de controle. O general Westmoreland havia criado um monstro e o soltado de propósito. Aqueles homens eram insanos. Não eram sequer animais, eram piores do que isso: demônios loucos e maus.

Neville saiu atrás dele.

– Lembre-se, Jasper: isso é necessário para conquistar os corações e mentes do povo vietnamita.

Jasper sabia que aquela era a forma de o companheiro suportar o insuportável, mas nem assim conseguiu digerir seu humor naquele momento.

– Por que não cala a porra dessa boca? – disse, e se afastou.

Não era o único nauseado pela cena no templo. Cerca de metade do pelotão estava lá fora, vendo a aldeia arder. Um manto de fumaça preta cobria as casas feito um sudário. Jasper podia ouvir a menina gritando dentro do templo, mas depois de um tempo ela parou. Minutos depois, ele ouviu um primeiro tiro, depois um segundo.

O que poderia fazer? Se reclamasse, nada iria acontecer, exceto que o Exército daria um jeito de puni-lo por ter criado problemas. Mas talvez devesse reclamar mesmo assim. Em todo caso, jurou voltar para os Estados Unidos e passar o resto da vida denunciando os mentirosos e burros que faziam aquele tipo de atrocidade.

Então Donny saiu do templo e chegou perto dele.

– Smithy está chamando.

Jasper seguiu o cabo até dentro do templo.

A menina estava esparramada no chão com um buraco de bala na testa. Jasper também reparou em uma mordida que sangrava em seu seio miúdo.

O pai também estava morto.

A mãe suplicava de joelhos, provavelmente para ser poupada.

– Você ainda não perdeu o cabaço, Murray – falou Smithy.

Ou seja, Jasper ainda não havia cometido nenhum crime de guerra.

Ele entendeu o que iria acontecer.

– Atire na velha – ordenou Smithy.

– Vá se foder, Smithy – retrucou ele. – Atire você.

Jack, o Louco, levantou o fuzil e pressionou a ponta do cano na lateral do pescoço de Jasper.

De repente, todos se calaram e ficaram imóveis.

– Atire na velha, ou Jack atira em você – falou Smithy.

Jasper não teve dúvidas de que Smithy daria a ordem e de que Jack obedeceria. E entendia por quê: precisavam que ele fosse seu cúmplice. Depois que tivesse matado a mulher, ele seria tão culpado quanto qualquer um dos outros, e isso o impediria de criar problemas.

Olhou em volta. Todos os olhos estavam cravados nele. Ninguém protestava, ninguém sequer parecia incomodado. Entendeu que aquilo era um rito pelo qual todos já haviam passado. Sem dúvida faziam o mesmo com todos os novatos da companhia. Perguntou-se quantos homens teriam recusado a ordem e morrido. Deviam ter sido listados como mortos pelo inimigo. Não tinha como dar errado.

– Não demore muito para se decidir, temos trabalho a fazer – falou Smithy.

Jasper sabia que eles matariam a mulher de qualquer jeito. Ele não a salvaria recusando-se a fazê-lo. Estaria sacrificando a própria vida a troco de nada.

Jack o cutucou com o fuzil.

Jasper ergueu seu M16 e o apontou para a testa da vietnamita. Os olhos dela eram castanho-escuros, ele viu, e havia alguns fios grisalhos em seus cabelos pretos. Ela não se desviou da arma nem sequer se encolheu, mas continuou a suplicar com palavras que ele não compreendia.

Jasper tocou a trava na lateral esquerda do fuzil e a moveu da posição "Travado" para "Semi", que permitia disparar um único tiro.

Suas mãos estavam bem firmes.

Ele puxou o gatilho.

Parte Seis

FLOR
1968

CAPÍTULO QUARENTA E UM

Jasper Murray passou dois anos no Exército, o primeiro treinando nos Estados Unidos e o segundo combatendo no Vietnã. Foi dispensado em janeiro de 1968 sem sequer ter sido ferido. Sentia-se um homem de sorte.

Daisy Williams pagou uma passagem para ele ir a Londres visitar a família. Sua irmã, Anna, era agora diretora editorial da Rowley Publishing. Finalmente se casara com Hank Remington, que estava se revelando mais longevo do que a maioria dos astros pop. Um estranho silêncio reinava na casa da Great Peter Street: todos os jovens tinham se mudado, e apenas Lloyd e Daisy continuavam morando lá. Ele era agora ministro do governo trabalhista, portanto raramente estava em casa. Nesse mesmo mês de janeiro, Ethel faleceu, e o funeral foi algumas horas antes de Jasper voar de volta para Nova York.

O culto foi no Salão do Evangelho do Calvário, em Aldgate, pequeno casebre de madeira onde ela havia desposado Bernie Leckwith cinquenta anos antes, enquanto seu irmão Billy e incontáveis meninos iguais a ele lutavam nas trincheiras geladas de lama da Primeira Guerra Mundial.

A capelinha comportava uns cem fiéis sentados, com mais vinte ou trinta em pé nos fundos, mas mais de mil pessoas apareceram para se despedir de Eth Leckwith.

O pastor transferiu a celebração para o lado de fora, e a polícia fechou a rua ao tráfego. Os oradores subiram em cadeiras para falar com os presentes. Os dois filhos de Ethel, Lloyd e Millie Avery, ambos com 50 e poucos anos, ficaram em pé na primeira fila com a maioria de seus netos e um punhado de bisnetos.

Evie Williams leu a parábola do Bom Samaritano, do Evangelho de Lucas. Dave e Walli levaram violões e cantaram "I Miss Ya, Alicia". Metade do Gabinete compareceu. O conde Fitzherbert também. Dois ônibus de Aberowen trouxeram uma centena de vozes galesas para engrossar o coro dos hinos.

Mas a maior parte dos presentes era de londrinos comuns, cujas vidas tinham sido influenciadas por Ethel. Ficaram em pé sob o frio de janeiro, os homens de boina na mão, as mulheres tentando silenciar as crianças, os velhos tremendo dentro dos sobretudos vagabundos, e quando o pastor rezou para que Ethel descansasse em paz todos disseram amém.

O plano de George Jakes para 1968 era simples: Bobby Kennedy se tornaria presidente e acabaria com a guerra.

Nem todos os assessores de Bobby eram a favor disso. Dennis Wilson ficaria feliz se ele continuasse sendo apenas senador por Nova York.

– As pessoas vão dizer que já temos um presidente democrata e que Bobby deveria apoiar Lyndon Johnson, não concorrer com ele – falou. – Ninguém nunca ouviu falar em uma coisa dessas.

Era 30 de janeiro de 1968, e os dois estavam no Clube Nacional de Imprensa, em Washington, esperando Bobby, que faria um café da manhã com quinze jornalistas.

– Não é verdade – disse George. – Truman enfrentou Strom Thurmond e Henry Wallace.

– Isso faz vinte anos. De toda forma, Bobby não vai conseguir a indicação democrata.

– Acho que ele vai ser mais popular do que Johnson.

– Não tem nada a ver com popularidade – rebateu Wilson. – A maioria dos delegados da convenção é controlada pelos poderosos do partido: líderes trabalhistas, governadores e prefeitos. Homens como Daley. – Richard Daley, prefeito de Chicago, era o pior tipo de político: antiquado, corrupto e sem escrúpulos. – E se tem uma coisa que Johnson sabe fazer é brigar internamente.

George balançou a cabeça, revoltado. Estava na política para desafiar aquelas antigas estruturas de poder, não ceder a elas. E, no fundo, Bobby também.

– Bobby vai fazer tanto sucesso pelo país que os poderosos do partido não vão poder ignorá-lo.

– Você não conversou com ele sobre isso? – Wilson estava fingindo incredulidade. – Não o ouviu dizer que as pessoas vão considerá-lo egoísta e ambicioso caso ele concorra contra um democrata no poder?

– A maioria das pessoas acha que ele é o herdeiro natural do irmão.

– Quando ele discursou no Brooklyn College, os alunos tinham uma placa que dizia: "Falcão, Pomba... ou Frango?"

A piada tinha deixado Bobby mordido e George consternado, mas ele tentou avaliá-la sob um viés otimista:

– Isso significa que eles querem que ele concorra! Sei que ele é o único candidato capaz de unir velhos e jovens, negros e brancos, ricos e pobres, e fazer todo mundo trabalhar junto para pôr fim à guerra e dar aos negros a justiça que eles merecem.

A boca de Wilson se contorceu em um esgar, mas, antes que ele pudesse desdenhar o idealismo de George, Bobby entrou no recinto e todos se acomodaram para o café.

Os sentimentos de George em relação a Lyndon Johnson tinham sofrido um revés. O presidente havia começado muito bem: conseguira aprovar a Lei de Direitos Civis de 1964 e a Lei de Direito ao Voto de 1965, e planejara a Guerra contra a Pobreza. No entanto, como seu pai Greg tinha previsto, Johnson não entendia nada de política externa. Tudo o que ele sabia era que não queria ser o presidente a perder o Vietnã para os comunistas. Consequentemente, estava agora atolado de modo irremediável em uma guerra suja, e continuava a mentir para o povo americano que a estava ganhando.

As palavras também tinham mudado. Quando George era jovem, *black*, "preto", era um termo vulgar, *colored*, "de cor", era mais elegante, e *negro*, "negro", era o termo educado, usado pelo liberal *The New York Times* sempre em maiúsculas, como "Judeu". Agora, *negro* era considerado condescendente e *colored*, evasivo, e todo mundo só falava em *black*: comunidade *black*, orgulho *black*, e até poder *black*. *Black is beautiful*, diziam: "Preto é lindo". George não tinha certeza de quanta diferença as palavras faziam.

Não comeu muito durante o café; estava ocupado demais anotando as perguntas e respostas de Bobby para preparar um release.

Um dos jornalistas perguntou:

– O que o senhor acha da pressão para se candidatar a presidente?

George ergueu os olhos de suas anotações e viu Bobby abrir um sorriso passageiro, sem humor, depois dizer:

– Não me agrada. Não me agrada.

George ficou tenso. Às vezes Bobby era honesto demais.

– O que o senhor acha da campanha do senador McCarthy? – indagou o jornalista.

Ele não estava se referindo ao célebre senador Joe McCarthy, que havia caçado comunistas nos anos 1950, mas sim a um personagem totalmente diferente: o senador Eugene McCarthy, um liberal que além de político era poeta. Dois meses antes, Gene McCarthy havia declarado sua intenção de tentar a indicação democrata e se apresentar contra Johnson como candidato contrário à guerra. A imprensa já o havia descartado como azarão.

A resposta de Bobby foi:

– Eu acho que a campanha de McCarthy vai ajudar Johnson.

Bobby ainda se recusava a chamar Lyndon de presidente. Skip Dickerson, amigo de George que trabalhava para Johnson, desdenhava essa atitude.

– Bem, o senhor vai se candidatar?

Bobby tinha várias maneiras de não responder a essa pergunta, um repertório inteiro de respostas evasivas, mas nesse dia não usou nenhuma delas.

– Não – falou.

George largou o lápis. De onde saíra aquilo, pelo amor de Deus?

– Não há circunstâncias concebíveis que possam fazer com que eu me candidate – completou Bobby.

George quis dizer: *Nesse caso, o que estamos fazendo aqui, porra?*

Reparou que Dennis Wilson sorria com ironia.

Sentiu-se tentado a ir embora no mesmo instante, mas era bem-educado demais. Continuou sentado tomando notas até o final da refeição.

De volta à sala de Bobby em Capitol Hill, escreveu o release feito um robô. Mudou a fala de Bobby para "Não há circunstâncias previsíveis que possam fazer com que eu me candidate", mas fazia pouca diferença.

Três membros da equipe de Bobby pediram as contas nessa tarde. Não tinham ido a Washington trabalhar para um perdedor.

Apesar de zangado o bastante para se demitir, George ficou de boca fechada. Queria refletir. E queria conversar com Verena.

Ela estava na cidade e, como sempre, hospedada no seu apartamento. Agora tinha o próprio armário no quarto dele, onde guardava as roupas de frio das quais não precisava em Atlanta.

Nessa noite, ficou tão abalada que quase chorou.

– Ele é tudo o que nós temos! – exclamou. – Você sabe quantas baixas tivemos ano passado no Vietnã?

– É claro que sei – respondeu George. – Oitenta mil. Pus o número em um discurso de Bobby, mas ele não usou essa parte.

– Oitenta mil homens mortos ou desaparecidos. É horrível... e agora isso vai continuar.

– As baixas com certeza vão aumentar este ano.

– Bobby perdeu a oportunidade de entrar para a História. Mas por quê? Por que ele fez isso?

– Estou bravo demais para conversar com ele, mas acho que ele desconfia genuinamente das próprias motivações. Está se perguntando se quer ser presidente pelo bem do país ou por ego. Perguntas desse tipo o atormentam.

– Martin também é assim – comentou Verena. – Fica se perguntando se os motins nos bairros pobres das cidades são culpa dele.

– Mas o Dr. King guarda essas dúvidas para si. É o que um líder deve fazer.

– Você acha que Bobby planejou esse anúncio?
– Não, tenho certeza de que foi por impulso. Essa é uma das coisas que tornam difícil trabalhar para ele.
– O que você vai fazer?
– Pedir demissão, provavelmente. Ainda estou pensando.

Eles estavam se trocando para jantar fora tranquilamente ao mesmo tempo que esperavam o noticiário começar na TV. Enquanto dava o nó em uma gravata larga de listras grossas, George ficou observando Verena no espelho enquanto ela vestia a roupa de baixo. Seu corpo havia mudado nos cinco anos desde que ele a vira nua pela primeira vez. Ela faria 29 anos agora em 1968, e não tinha mais as pernas compridas que lhe davam um charme de gazela. Em vez disso, havia ganhado postura e graça. George achava aquela sua beleza madura ainda mais linda. Ela deixara crescer os cabelos e agora usava o volumoso penteado conhecido como "natural", que de alguma forma realçava a beleza de seus olhos verdes.

Ela então se sentou em frente ao espelho de barbear dele para pintar os olhos.
– Se você pedir demissão, pode ir para Atlanta trabalhar para Martin – falou.
– Não – disse George. – O Dr. King faz campanha por uma causa só. Os manifestantes protestam, mas quem muda o mundo são os políticos.
– Então o que você poderia fazer?
– Me candidatar ao Congresso, provavelmente.

Verena pousou a escovinha do rímel e o encarou.
– Caramba. Por essa eu não esperava.
– Eu vim para Washington trabalhar pelos direitos civis, mas as injustiças sofridas pelos negros não são só uma questão de direitos. – Fazia tempo que ele vinha pensando nisso. – Elas passam pela habitação, pelo desemprego e pela Guerra do Vietnã, onde jovens negros morrem todos os dias. A longo prazo, as vidas dos negros são afetadas até pelos acontecimentos em Moscou e Pequim. Um homem como o Dr. King inspira as pessoas, mas para fazer mesmo alguma coisa é necessário ser um político polivalente.
– Acho que precisamos das duas coisas – disse Verena, e retomou a maquiagem dos olhos.

George vestiu seu melhor terno, o que sempre o fazia se sentir bem. Tomaria um martíni mais tarde, quem sabe dois. Durante sete anos, sua vida estivera ligada de forma inextricável à de Bobby Kennedy. Talvez fosse a hora de seguir em frente.
– Você às vezes acha o nosso relacionamento estranho? – perguntou.

Ela riu.

– Claro! Nós moramos em cidades diferentes e nos encontramos uma ou duas vezes por mês para fazer sexo selvagem. E vivemos assim há anos!

– Um homem poderia fazer o que você faz e encontrar a amante em viagens de negócios. Sobretudo se fosse casado. Seria normal.

– Essa ideia até que me agrada. Carne com batatas em casa e um caviarzinho em viagem.

– Bom, fico satisfeito de ser o caviar.

Ela lambeu os lábios.

– Hum. Salgadinho.

George sorriu. Não iria mais pensar em Bobby naquela noite, decidiu.

O noticiário na TV começou e ele aumentou o volume. Imaginava que o anúncio de Bobby fosse ser a primeira notícia, mas havia outra mais importante. Durante o feriado de ano-novo que os vietnamitas chamavam de Tet, os vietcongues haviam feito uma grande ofensiva. Tinham atacado cinco das seis maiores cidades do país, 36 capitais de província e sessenta cidades pequenas. A escala da investida havia pegado o Exército americano de surpresa: ninguém imaginara que as guerrilhas fossem capazes de uma operação em tão larga escala.

Segundo o Pentágono, as forças vietcongues tinham sido repelidas, mas George não acreditou.

O âncora disse que novos ataques importantes estavam previstos para o dia seguinte.

– Que efeito será que isso vai ter na campanha de McCarthy? – perguntou George a Verena.

Beep Dewar convenceu Walli Franck a fazer um discurso político.

No início, ele recusou. Era guitarrista, e tinha medo de passar por bobo, como um senador cantando canções pop em público. Mas ele vinha de uma família de políticos, e sua criação não lhe permitia ficar apático. Lembrou-se do desprezo dos pais pelos alemães ocidentais que não protestavam contra o Muro de Berlim e o governo oriental repressivo. Segundo sua mãe, eles eram tão culpados quanto os comunistas. Walli percebeu, portanto, que, se recusasse a chance de dizer algumas palavras em defesa da paz, estaria sendo tão ruim quanto Lyndon Johnson.

Sem falar que achava Beep totalmente irresistível.

Assim sendo, disse sim.

Ela foi buscá-lo no Dodge Charger vermelho de Dave e o levou até o quartel-

-general da campanha de McCarthy em São Francisco, onde ele conversou com um pequeno exército de jovens entusiasmados que haviam passado o dia batendo em portas.

Ficou nervoso ao se levantar diante da plateia. Havia preparado sua primeira frase. Falou devagar, mas em tom descontraído:

– Algumas pessoas me disseram que eu deveria manter distância da política por não ser americano – começou, como se estivesse conversando com alguém. Então deu de ombros antes de prosseguir: – Mas essas pessoas acham certo os americanos irem ao Vietnã matar pessoas, então imagino que não seja tão ruim assim um alemão vir a São Francisco e apenas falar...

Para sua surpresa, houve um estrondo de risadas e uma salva de palmas. Talvez ficasse tudo bem.

Desde a Ofensiva do Tet, muitos jovens haviam começado a apoiar a campanha de McCarthy. Nesse dia estavam todos bem-vestidos. Os rapazes tinham feito a barba e cortado os cabelos em comprimento médio. As moças vestiam twin sets e sapatos bicolores. Tinham mudado a aparência para convencer os eleitores de que McCarthy era o presidente certo não só para os hippies, mas também para os americanos convencionais. Seu slogan era "Limpinhos para Gene".

Walli fez uma pausa, deixando a plateia na expectativa, então tocou os cachos louros na altura dos ombros e disse:

– Sinto muito pelos cabelos.

Todos riram e aplaudiram outra vez. Aquilo parecia o show business, percebeu ele. Se você era um astro, as pessoas o amavam só pelo fato de ser mais ou menos normal. Em um show do Plum Nellie, o público reagia com histeria a quase qualquer coisa que Walli ou Dave dissessem ao microfone. E uma piada ficava dez vezes mais engraçada quando contada por uma celebridade.

– Eu não sou político, então não posso fazer um discurso político... mas acho que vocês já estão fartos disso.

– Pode crer! – gritou um dos rapazes, e todos tornaram a rir.

– Mas tenho alguma experiência, sabem? Eu antigamente morava em um país comunista. Um dia, a polícia me pegou cantando uma música do Chuck Berry chamada "Back in the USA". Aí eles destruíram o meu violão.

A plateia silenciou.

– Era o meu primeiro violão; naquela época eu só tinha um. Quem quebrasse meu violão partia meu coração. Então eu conheço o comunismo, sabem? Provavelmente melhor do que Lyndon Johnson. Eu odeio o comunismo. – Ele levantou um pouco a voz: – E *mesmo assim* sou contra a guerra.

A plateia tornou a aplaudir.

– Tem gente que acredita que Jesus vai voltar um dia, sabem? Não sei se é verdade. – Os jovens ficaram meio incomodados com esse comentário, sem saber muito bem como interpretá-lo. Então Walli arrematou: – Mas se ele vier para os Estados Unidos provavelmente vai ser chamado de comunista.

Ele olhou de relance para Beep, que ria junto com o resto da plateia. Ela estava usando suéter e saia curta, mas de comprimento respeitável, e tinha os cabelos joãozinho bem penteados. Mesmo assim, continuava sexy: não havia como esconder isso.

– Jesus provavelmente vai ser preso pelo FBI por atividades antiamericanas – continuou Walli. – Mas ele não vai se espantar: foi mais ou menos a mesma coisa que aconteceu na primeira vez que esteve aqui.

Ele não havia planejado quase nada além da primeira frase, e agora ia improvisando à medida que falava, mas a plateia estava adorando. Mesmo assim, decidiu encerrar enquanto tudo estava correndo bem.

Havia preparado o final.

– Só vim aqui dizer uma coisa para vocês, e é o seguinte: obrigado. Obrigado em nome de milhões de pessoas mundo afora que querem o fim dessa guerra má. Estamos satisfeitos com o trabalho duro que vocês estão fazendo aqui. Aguentem firme, e tenho fé em Deus que vocês vençam. Boa noite.

Ele se afastou do microfone. Beep se aproximou, segurou seu braço e os dois saíram juntos pela porta dos fundos, ainda sob o barulho dos vivas e aplausos. Assim que chegaram ao carro de Dave, Beep falou:

– Meu Deus... você foi incrível! Devia se candidatar a presidente!

Ele sorriu e deu de ombros.

– As pessoas sempre gostam de descobrir que um astro pop é um ser humano. Na verdade é só isso.

– Mas você falou com sinceridade... e que senso de humor!

– Obrigado.

– Talvez tenha herdado isso da sua mãe. Não me disse que ela trabalhava na política?

– Na verdade, não. Na Alemanha Oriental não existe política propriamente dita. Ela fazia parte do conselho municipal antes de os comunistas baixarem a mão de ferro. A propósito, deu para reparar no meu sotaque?

– Só um pouquinho.

– Estava com medo disso.

Walli era sensível em relação ao seu sotaque, que as pessoas associavam aos nazistas dos filmes de guerra. Tentava falar como um americano, mas era difícil.

– Na verdade, seu sotaque é bem charmoso – falou Beep. – Queria que Dave tivesse ouvido você falar.

– Cadê ele, aliás?

– Acho que em Londres. Pensei que você soubesse.

Walli deu de ombros.

– Sei que ele está cuidando dos negócios em algum lugar. Vai aparecer assim que precisarmos compor novas músicas, fazer um filme ou começar outra turnê. Achei que vocês fossem se casar.

– E vamos. Só que ainda não deu tempo... ele é muito ocupado. E meus pais deixam a gente dormir no mesmo quarto quando ele está aqui, sabe, então não estamos exatamente desesperados para fugir deles.

– Legal. – Eles chegaram a Haight-Ashbury, e Beep parou o carro em frente à casa de Walli. – Quer um café ou algo assim?

Ele não soube por que disse isso; simplesmente saiu.

– Claro. – Ela desligou o motor rouco.

A casa estava vazia. Tammy e Lisa tinham ajudado Walli a lidar com a tristeza por causa do noivado de Karolin e ele lhes seria grato para sempre, mas as duas estavam vivendo uma vida de fantasia que só durou o tempo das férias. Quando o outono chegou, foram embora de São Francisco e voltaram às suas cidades para começar a faculdade, como a maioria dos hippies de 1967.

Foi um verdadeiro idílio enquanto durou.

Walli pôs para tocar o disco novo dos Beatles, *Magical Mistery Tour*, depois fez um café e apertou um baseado. Os dois sentaram em um almofadão gigante, Walli de pernas cruzadas, Beep com os pés debaixo do corpo, e começaram a fumar. Ele logo mergulhou no estado relaxado que tanto apreciava.

– Detesto os Beatles – falou, depois de algum tempo. – Como eles são bons, porra.

Beep deu uma risadinha.

– Que letras estranhas – continuou Walli.

– É!

– O que significa essa estrofe? *Four of fish and finger pies*, quatro de peixe e tortas de dedo? Parece canibalismo...

– Essa Dave me explicou – falou Beep. – Na Inglaterra, existem restaurantes que vendem peixe empanado com batatas fritas que eles chamam de *fish and chips*. E *four of fish* significa quatro *pennies* de peixe.

– E *finger pie?* Torta de dedo?
– Então, é quando o cara enfia o dedo... você sabe, na xoxota da menina.
– E qual é a relação?
– Quer dizer que, se você comprasse *fish and chips* para uma garota, ela deixava você dedar.
– Lembra quando isso era ousado? – perguntou Walli, nostálgico.
– Graças a Deus tudo agora é diferente. As regras antigas não se aplicam mais. O amor é livre.
– Hoje em dia é sexo oral no primeiro encontro.
– Do que você gosta mais? – perguntou Beep, pensativa. – De fazer sexo oral ou receber?
– Que pergunta difícil! – Walli não sabia muito bem se deveria estar falando sobre aquilo com a noiva do melhor amigo. – Mas acho que de receber. – Não conseguiu resistir à tentação de arrematar com outra pergunta. – E você?
– Prefiro fazer.
– Por quê?
Ela hesitou. Por um instante, pareceu culpada; talvez tampouco tivesse certeza de que os dois devessem estar tendo aquela conversa, apesar do discurso hippie sobre amor livre. Tragou fundo o baseado e soprou a fumaça. Sua expressão relaxou e ela disse:
– A maioria dos caras chupa tão mal que receber nunca é tão bom quanto deveria ser.
Walli pegou o baseado da sua mão.
– Se você pudesse dizer aos rapazes dos Estados Unidos o que eles precisam saber sobre sexo oral, o que diria?
Ela riu.
– Bom, em primeiro lugar, não comecem a lamber logo de cara.
– Não? – Walli ficou espantado. – Pensei que o melhor fosse lamber.
– Nada disso. No começo você tem que ser delicado. Basta beijar!
Foi nessa hora que Walli entendeu que estava perdido.
Baixou os olhos para as pernas de Beep. Seus joelhos estavam bem unidos. Seria por defesa? Ou seria um sinal de excitação?
Ou ambos?
– Nenhuma garota nunca me disse isso – falou.
Tornou a passar o baseado para Beep.
Estava sentindo uma onda irresistível de excitação sexual. Será que ela também sentia, ou estaria só fazendo um joguinho com ele?

Ela sugou o restante da fumaça do baseado e o largou no cinzeiro.

– A maioria das garotas é tímida demais para dizer o que quer. A verdade é que no começo até um beijo pode ser demais. Na verdade...

Ela o encarou nos olhos, e nessa hora ele entendeu que ela também estava perdida. Quando tornou a falar, foi com voz mais baixa:

– Na verdade, você pode enlouquecer uma garota só soprando.

– Ai, meu Deus.

– Melhor ainda é soprar através do algodão da calcinha.

Ela mudou a posição de leve, finalmente abrindo os joelhos, e Walli viu que por baixo da saia curta estava usando uma calcinha branca.

– Incrível – disse ele, rouco.

– Você quer tentar? – perguntou ela.

– Quero – respondeu Walli. – Por favor.

⁓

Quando Jasper Murray voltou para Nova York, foi falar com a Sra. Salzman. Ela lhe conseguiu uma entrevista com Herb Gould para um emprego de pesquisador no programa de notícias televisivo *This Day*.

Ele agora tinha outro potencial. Dois anos antes estava pedindo um favor, era um estudante de jornalismo desesperado para arrumar um emprego, um rapaz a quem ninguém devia nada. Agora era um veterano que tinha arriscado a vida pelos Estados Unidos. Estava mais velho, mais experiente, e os outros tinham uma dívida com ele, principalmente os homens que não haviam combatido. Conseguiu o emprego.

Era estranho. Havia esquecido a sensação do clima frio. As roupas o incomodavam: o terno e a camisa branca com colarinho abotoado e gravata. Os sapatos Oxford que usava para trabalhar eram tão leves que ele não parava de pensar que estava descalço. Ao caminhar do apartamento onde morava até o escritório, pegava-se vasculhando a calçada em busca de minas escondidas.

Por outro lado, estava bem ocupado. O mundo civil tinha poucas daquelas longas e enlouquecedoras fases de inatividade que caracterizavam a vida militar: aguardar ordens, aguardar transporte, aguardar o inimigo. Desde o primeiro dia após voltar, Jasper já estava dando telefonemas, verificando dossiês, pesquisando informações em bibliotecas e fazendo pré-entrevistas.

Na redação do *This Day*, um pequeno susto o aguardava. Sam Cakebread, seu antigo rival na gazeta estudantil, agora trabalhava para o programa. Como não tivera de perder tempo lutando na guerra, era agora um repórter experiente. Jasper muitas vezes tinha de fazer pesquisas preparatórias para matérias que Sam em seguida noticiaria no vídeo, o que era irritante.

Ele trabalhava com moda, crime, música, literatura e negócios. Fez pesquisas para uma matéria sobre o sucesso de vendas da irmã, *Enregelamento*, e seu autor que assinava sob pseudônimo, especulando sobre qual dos conhecidos dissidentes soviéticos poderia ter escrito aquilo com base no estilo e nas experiências em campos de prisioneiros; acabou concluindo que devia ser uma pessoa de quem ninguém ouvira falar.

Eles então resolveram fazer um programa sobre a assombrosa operação vietcongue batizada de Ofensiva do Tet.

Jasper ainda sentia raiva em relação ao Vietnã. A raiva ardia bem no fundo de suas entranhas, como uma fogueira já meio apagada, mas ele não esquecera nada, muito menos a promessa de denunciar os homens que mentiam para o povo americano.

Quando os combates começaram a arrefecer, na segunda semana de fevereiro, Herb Gould mandou Sam Cakebread planejar uma reportagem resumida que avaliasse como a ofensiva tinha mudado o rumo da guerra. Sam apresentou suas conclusões preliminares em uma reunião de pauta da qual a equipe inteira participou, inclusive os pesquisadores.

Segundo ele, a Ofensiva do Tet fora um fracasso para os vietnamitas do norte sob três aspectos:

– Em primeiro lugar, as forças comunistas receberam a seguinte ordem geral: "Avancem para conquistar a vitória final." Sabemos isso graças a documentos encontrados com tropas inimigas capturadas. Em segundo lugar, embora os combates ainda perdurem em Hué e Khe Sanh, os vietcongues não conseguiram ocupar nenhuma cidade. Em terceiro lugar, eles perderam mais de vinte mil homens, tudo a troco de nada.

Herb Gould olhou em volta para ver se alguém queria comentar.

Jasper era bem novato naquele grupo, mas não conseguiu ficar calado.

– Tenho uma pergunta para Sam – disse ele.

– Pode falar, Jasper – disse Herb.

– Em que porra de planeta você vive?

A grosseria provocou um instante de silêncio chocado. Então Herb falou, em tom calmo:

– Muitas pessoas veem essas informações com ceticismo, Jasper, mas se você puder nos explicar... talvez sem os expletivos?

– Sam acabou de repetir aqui a posição do presidente Johnson sobre o Tet. Desde quando este programa virou uma agência de propaganda da Casa Branca? Não deveríamos estar contestando a opinião do governo?

Herb não discordou.

– E como você faria isso?

– Em primeiro lugar, documentos encontrados com tropas capturadas não podem ser considerados sem avaliação. As ordens escritas entregues aos soldados não são um guia confiável dos objetivos estratégicos do inimigo. Estou com uma tradução aqui: "Demonstrem ao máximo nosso heroísmo revolucionário suplantando todas as desventuras e dificuldades." Isso não é estratégia, é discurso de incentivo.

– Então *qual era* o objetivo deles? – perguntou Herb.

– Demonstrar seu poder e seu alcance, e assim desmoralizar o regime do Vietnã do Sul, nossos soldados e o povo americano. E eles conseguiram.

– Mesmo assim, não conquistaram nenhuma cidade – rebateu Sam.

– Eles não precisam conquistar cidades... eles já estão nelas. Como você acha que chegaram à embaixada americana em Saigon? Não pularam lá de paraquedas, só dobraram a esquina! Deviam morar no quarteirão ao lado. Eles não *conquistam* cidades porque já *têm* as cidades.

– E o terceiro ponto de Sam? As baixas? – perguntou Herb.

– Nenhum número do Pentágono sobre baixas do inimigo é confiável – respondeu Jasper.

– Seria um grande passo nosso programa dizer à população que o governo está mentindo em relação a isso.

– Todo mundo, desde o presidente até o mais reles soldado que patrulha a selva, está mentindo em relação a isso, porque todos eles precisam de números altos para justificar o que estão fazendo. Mas eu sei a verdade porque estive lá. No Vietnã, qualquer pessoa morta conta como baixa inimiga. Se você joga uma granada em um abrigo antibomba e mata todo mundo lá dentro, dois rapazes, quatro mulheres, um velho e um bebê, no relatório oficial são oito vietcongues mortos.

Herb pareceu descrente.

– Como podemos ter certeza de que isso é verdade?

– É só perguntar a qualquer veterano – respondeu Jasper.

– É difícil atribuir essa afirmação a alguém.

Jasper tinha razão e Herb sabia, mas estava com receio de adotar uma linha editorial tão agressiva. No entanto, Jasper avaliou que ele estava pronto para ser convencido.

– Olhe aqui, já faz quatro anos que mandamos as primeiras tropas de combate terrestre para o Vietnã do Sul. Durante esse período, o Pentágono vem noticiando uma vitória depois da outra, e o *This Day* vem repetindo essas afirmações para o povo americano. Se tivéssemos tido quatro anos de vitórias, como o inimigo poderia ter penetrado no coração da capital e cercado a embaixada americana? Abram os olhos!

Herb pareceu refletir.

– Então, Jasper, se você estiver certo e Sam errado, qual é a nossa reportagem?

– Essa é fácil de responder. A matéria é a credibilidade do governo depois da Ofensiva do Tet. Em novembro do ano passado, o vice-presidente Humphrey nos disse que estávamos ganhando. Em dezembro, o general Palmer afirmou que os vietcongues tinham sido derrotados. Em janeiro, o secretário de Defesa McNamara falou que os norte-vietnamitas estavam perdendo a vontade de lutar. O próprio general Westmoreland disse aos jornalistas que os comunistas eram incapazes de organizar uma ofensiva importante. Então, um belo dia de manhã, os vietcongues atacam quase todas as cidades grandes e médias do Vietnã do Sul.

– Nós nunca questionamos a honestidade do presidente – falou Sam. – Nenhum programa de TV jamais fez isso.

– Então chegou a hora – retrucou Jasper. – Será que o presidente está mentindo? Metade do país está fazendo essa pergunta.

Todos olharam para Herb. A decisão era sua. Ele passou um bom tempo calado. Então falou:

– Tudo bem. É este o título da nossa reportagem: "Será que o presidente está mentindo?" Mãos à obra.

⁓

Dave Williams pegou um voo mais cedo de Nova York até São Francisco e tomou um café da manhã americano com panquecas e bacon na primeira classe.

A vida estava boa. O Plum Nellie era um sucesso, e ele nunca mais teria de fazer nenhuma prova pelo resto da vida. Amava Beep e se casaria com ela assim que arrumasse tempo.

Era o único integrante do grupo que ainda não tinha comprado uma casa, mas estava esperando fazer isso nesse mesmo dia. Só que seria mais do que uma casa. Sua ideia era comprar um lugar no campo, com uma boa área, e lá construir um estúdio de gravação. O grupo inteiro poderia morar na propriedade enquanto eles estivessem gravando um disco, o que atualmente levava muitos meses. Ele vivia recordando com um sorriso como eles tinham gravado o primeiro álbum em um dia.

Estava animado: era a primeira vez que comprava uma casa. Apesar de muito ansioso por rever Beep, decidira cuidar das obrigações primeiro, para que o tempo passado com ela não tivesse interrupções. Seu gerente de negócios Mortimer Schulman foi buscá-lo no aeroporto. Dave o havia contratado para cuidar de suas finanças pessoais separadamente das do grupo. Morty era um homem de meia-idade e usava roupas californianas descontraídas: blazer azul-marinho e camisa azul aberta no pescoço. Como tinha só 20 anos, Dave muitas vezes achava que advogados e contadores o tratavam de forma paternalista e tentavam lhe dar conselhos em vez de informações. Morty o tratava como um patrão, coisa que ele de fato era, e lhe expunha as alternativas sabendo que as decisões caberiam sempre ao próprio Dave.

Eles entraram no Cadillac de Morty, cruzaram a Bay Bridge e seguiram em direção ao norte, passando pela cidade universitária de Berkeley, onde Beep estudava. Enquanto dirigia, Morty disse:

– Recebi uma proposta para você. Não é muito o meu papel, mas acho que eles pensaram que eu fosse a coisa mais próxima de um agente pessoal seu.

– Que proposta?

– Um produtor de televisão chamado Charlie Lacklow quer conversar sobre você ter o seu próprio programa.

Dave levou um susto. Por essa ele não esperava.

– Que tipo de programa?

– Ah, tipo o *Danny Kaye Show* ou o *Dean Martin Show*, essas coisas.

– Não brinca.

Era uma notícia e tanto. Às vezes, Dave tinha a impressão de que o sucesso chovia em cima dele: músicas no topo das paradas, discos de platina, turnês esgotadas, filmes que estouravam bilheterias, e agora aquilo.

Toda semana, a televisão americana exibia mais de uma dezena de programas de variedades, a maioria apresentada por um astro do cinema ou comediante. O apresentador chamava um convidado, conversava um minuto com ele e então o convidado cantava seu último sucesso ou fazia um esquete cômico. O grupo já tinha participado de muitos programas desse tipo como convidado, mas Dave não entendia de que modo poderiam se encaixar no formato como apresentadores.

– Então seria o *Plum Nellie Show*?

– Não. O nome do programa seria *Dave Williams & Amigos*. Eles não querem o grupo, querem só você.

Dave não acreditou muito.

– É lisonjeiro, mas...

– Em minha opinião, é uma excelente oportunidade. Os grupos de pop em geral têm vida curta, mas essa é a sua chance de virar uma personalidade do entretenimento familiar, papel que vai poder desempenhar até os 70 anos.

Isso fez Dave refletir. Ele já tinha se perguntado o que poderia fazer quando o sucesso do Plum Nellie acabasse, como acontecia com a maioria dos grupos de pop, embora houvesse exceções: Elvis ainda fazia muito sucesso. Seus planos eram se casar com Beep e ter filhos, perspectiva que ele achava desafiadora. Talvez chegasse o tempo em que fosse precisar de outro ganha-pão. Já havia pensado em se tornar produtor de discos e empresariar outros artistas, já que desempenhara as duas funções bastante bem para o Plum Nellie.

Mas era cedo ainda. A popularidade do grupo estava no auge, e agora eles finalmente estavam ganhando dinheiro de verdade.

– Não dá – falou para Morty. – Isso talvez acabe com o grupo, e eu não posso correr esse risco quando estamos indo tão bem.

– Quer que eu diga a Charlie Lacklow que não está interessado?

– Quero. Infelizmente.

Eles atravessaram outra ponte comprida e chegaram a uma região cheia de colinas, com pomares na parte baixa das encostas e amendoeiras cheias de brotos cor-de-rosa e brancos.

– Este é o vale do Rio Napa – explicou Morty.

Ele entrou em uma poeirenta estrada secundária que subia serpenteando. Um quilômetro e meio mais adiante, passou por um portão aberto e parou em frente a uma grande casa de fazenda.

– Esta é a primeira da minha lista, e a mais próxima de São Francisco – falou. – Não sei se é o tipo de coisa que você tinha em mente.

Eles saltaram do carro. O imóvel era uma estrutura de madeira comprida que parecia não ter fim. Era como se dois ou três barracões tivessem sido unidos à residência principal em épocas distintas. Deram a volta na casa e do outro lado depararam com uma vista espetacular do vale.

– Uau! – exclamou Dave. – Beep vai adorar.

Campos cultivados se estendiam para além da casa.

– Que plantação é aquela? – perguntou ele.

– São videiras.

– Eu não quero ser agricultor.

– Você seria um proprietário de terras. Doze hectares estão arrendados.

Eles entraram na casa. Quase não havia mobília, só umas mesas e cadeiras desemparelhadas. Não havia camas.

– Alguém mora aqui? – perguntou Dave.

– Não. No outono, os catadores de uvas usam a casa como alojamento por algumas semanas.

– E se eu me mudar para cá...

– O vinicultor vai arrumar outra hospedagem para seus trabalhadores sazonais.

Dave olhou em volta. A casa estava caindo aos pedaços, mas era linda. A estrutura de madeira parecia sólida. A parte principal tinha pé-direito alto e uma escadaria elegante.

– Mal posso esperar para trazer Beep aqui – falou.

O quarto principal tinha a mesma vista espetacular para o vale. Ele se imaginou acordando com Beep de manhã e olhando pela janela, fazendo café e comendo junto com duas ou três crianças descalças. Não poderia ser mais perfeito.

Havia espaço para meia dúzia de quartos de hóspedes. O grande celeiro separado da casa, agora abarrotado de implementos agrícolas, tinha o tamanho certo para um estúdio.

Dave quis comprar a casa na mesma hora, mas disse a si mesmo para não se entusiasmar demais antes da hora.

– Quanto eles estão pedindo?

– Sessenta mil dólares.

– É bastante.

– Oitocentos por hectare é mais ou menos quanto custa um vinhedo produtivo – explicou Morty. – A casa vai junto de graça.

– E precisa de uma baita reforma.

– Isso lá é verdade. Calefação central, fiação elétrica, isolamento, banheiros novos... Você talvez gaste o mesmo preço da compra na reforma.

– Digamos uns cem mil dólares, sem contar o equipamento do estúdio.

– É muito dinheiro.

Dave abriu um sorriso.

– Felizmente, eu tenho.

– Com certeza.

Quando eles saíram, uma picape estava estacionando. O homem que saltou tinha ombros largos e um rosto marcado. Parecia mexicano, mas falava sem sotaque.

– Meu nome é Danny Medina, sou o agricultor que trabalha aqui – falou, limpando as mãos no macacão antes de cumprimentá-los.

– Estou pensando em comprar a propriedade – disse Dave.

– Ótimo. Vai ser bom ter um vizinho.

– Onde o senhor mora?

– Tenho um chalé do outro lado do vinhedo, escondido pela crista da montanha. O senhor é europeu?

– Sou, sim. Britânico.

– Os europeus em geral gostam de vinho.

– O senhor produz vinho aqui?

– Um pouco. Nós vendemos a maior parte das uvas. Os americanos não gostam de vinho, com exceção dos de descendência italiana, e eles importam. A maioria prefere drinques ou cerveja. Mas o nosso vinho é bom.

– Branco ou tinto?

– Tinto. Quer levar umas garrafas para experimentar?

– Com prazer.

Danny esticou o braço para dentro da caçamba da picape e pegou duas garrafas, que entregou a Dave.

O rapaz examinou o rótulo.

– Tinto Daisy Farm?

– É o nome da propriedade. Eu não contei? Daisy Farm.

– Daisy é o nome da minha mãe.

– Vai ver é um sinal – falou Danny. Ele tornou a subir na picape. – Boa sorte.

Enquanto Danny se afastava, Dave disse:

– Gostei daqui. Vamos comprar.

– Mas eu tenho outras cinco propriedades para lhe mostrar! – protestou Morty.

– Estou com pressa de ver minha noiva.

– Você talvez goste das outras tanto quanto desta.

Dave acenou em direção aos vinhedos.

– Alguma tem esta vista?

– Não.

– Então vamos voltar para São Francisco.

– Você é quem manda.

No caminho de volta, Dave começou a se sentir intimidado pelo projeto em que havia embarcado.

– Acho que preciso arrumar um mestre de obras.

– Ou um arquiteto – falou Morty.

– Sério? Só para reformar a casa?

– Um arquiteto poderia conversar sobre o que você quer, fazer os desenhos, depois apresentar o projeto a vários mestres de obras. Teoricamente, ele também supervisionaria o trabalho... embora na minha experiência eles tenham tendência a perder o interesse.

– Ok. Você conhece alguém?

– Prefere um escritório antigo e estabelecido, ou um arquiteto jovem de vanguarda?

Dave refletiu um pouco.

– Que tal alguém jovem de vanguarda que trabalhe para um escritório antigo e estabelecido?

Morty riu.

– Vou dar uma sondada.

Eles voltaram para a cidade, e pouco depois do meio-dia Morty deixou Dave em frente à casa da família Dewar, em Nob Hill.

Bella veio abrir para ele.

– Bem-vindo! Você chegou cedo... que ótimo. Só que Beep não está.

Dave ficou decepcionado, mas não surpreso. Havia previsto passar o dia inteiro visitando imóveis com Morty, e dissera a Beep para esperá-lo no final da tarde.

– Ela deve ter ido à aula – falou.

Beep estava no segundo ano em Berkeley. Dave sabia, embora os pais dela não, que ela estudava muito pouco e estava correndo o risco de não passar nas provas e ser expulsa do curso.

Foi até o quarto que os dois dividiam e largou a mala. A cartela de pílulas anticoncepcionais de Beep estava em cima da mesa de cabeceira. Ela era descuidada e às vezes esquecia de tomar o comprimido, mas Dave não ligava. Se ela engravidasse, eles simplesmente se casariam às pressas.

De volta ao térreo, sentou-se na cozinha com Bella e lhe contou sobre Daisy Farm. Ela foi contagiada por seu entusiasmo e ficou ansiosa por visitar a casa.

– Quer almoçar? – ofereceu. – Eu ia mesmo fazer uma sopa e um sanduíche.

– Não, obrigado. Tomei um café da manhã caprichado no avião. – Dave estava animadíssimo. – Vou à casa de Walli contar a ele sobre Daisy Farm.

– Seu carro está na garagem.

Dave pegou o Dodge Charger vermelho e ziguezagueou por São Francisco do bairro mais rico da cidade até o mais pobre.

Walli iria adorar a ideia de uma fazenda na qual todos pudessem morar e fazer música, pensou. Eles teriam todo o tempo do mundo para aperfeiçoar suas gravações. Walli estava louco para trabalhar com um daqueles novos gravadores de oito pistas – e as pessoas já falavam em máquinas ainda maiores, com dezesseis pistas –, mas a música mais complexa de hoje em dia levava mais tempo para ser feita.

Alugar estúdios custava caro, e os músicos às vezes se sentiam pressionados. Dave pensava ter encontrado a solução.

Enquanto dirigia, um pedaço de melodia surgiu em sua mente e ele cantou:

– Vamos todos para Daisy Farm... – Sorriu. Talvez aquilo virasse uma música. "Daisy Farm Red" seria um bom título. Podia ser o nome de uma garota, de uma cor, ou ainda uma espécie de maconha.

– "Vamos todos para Daisy Farm Red, ver as frutas penduradas na parreira."

Estacionou em frente à casa de Walli em Haight-Ashbury. Como sempre, a porta da frente estava aberta. Não havia ninguém na sala de estar do térreo, mas esta exibia os vestígios da noite anterior: caixas de pizza, xícaras sujas de café, cinzeiros lotados e garrafas de cerveja vazias.

Dave ficou decepcionado por não encontrar o amigo acordado. Não via a hora de conversar com ele sobre Daisy Farm. Decidiu ir acordá-lo.

Subiu até o primeiro andar. A casa estava silenciosa. Era possível que Walli tivesse acordado mais cedo e saído sem fazer a faxina.

A porta do quarto estava fechada. Dave bateu e abriu. Entrou cantarolando "Vamos todos para Daisy Farm", então estacou, paralisado.

Walli estava na cama, já meio sentado, obviamente assustado.

Deitada ao seu lado estava Beep.

Por um momento, Dave não conseguiu falar de tão chocado.

– E aí, cara... – disse Walli.

Dave sentiu um peso na barriga, como se estivesse em um elevador que houvesse despencado. Sentiu-se leve e foi tomado por uma sensação de pânico. Beep estava na cama com Walli, e ele tinha perdido o chão. Estupidamente, perguntou:

– Que porra é essa?

– Não é nada, cara...

O choque se transformou em raiva.

– Como assim, nada? Você está na cama com a minha noiva! Como é que pode não ser *nada*?

Beep se sentou. Seus cabelos estavam bagunçados. O lençol escorregou da frente de seus seios.

– Dave, deixe a gente explicar...

– Ok, pode explicar – disse ele, cruzando os braços.

Ela se levantou. Estava nua, e a beleza perfeita de seu corpo o fez entender, com a força e o susto de um soco na cara, que ele a havia perdido. Sentiu vontade de chorar.

– Vamos todos tomar um café e...

– Café o cacete – disse ele, falando com rispidez para se poupar da humilhação das lágrimas. – Pode explicar.

– Mas eu estou nua!

– Está nua porque estava dando para o melhor amigo do seu noivo. – Dave constatou que as palavras raivosas disfarçavam sua dor. – Você disse que ia me explicar. Ainda estou esperando.

Beep afastou os cabelos dos olhos.

– Olhe aqui, o ciúme está fora de moda, ok?

– Que porra isso quer dizer?

– Eu o amo e quero me casar com você, mas também gosto do Walli, gosto de transar com ele, e o amor é livre, não é? Para que mentir?

– É isso? – indagou Dave, incrédulo. – É essa a sua explicação?

– Calma, cara – disse Walli. – Acho que ainda estou meio viajando.

– Vocês tomaram um ácido ontem à noite... e foi assim que aconteceu?

Ele sentiu uma centelha de esperança. Se eles tivessem transado só uma vez...

– Ela ama você, cara. Só se distrai comigo enquanto você está fora, sabe?

A esperança de Dave se estilhaçou. Aquela não fora a única vez. Eles transavam sempre.

Walli se levantou e vestiu uma calça jeans.

– Meus pés cresceram durante a noite – falou. – Que bizarro...

Dave ignorou o papo de drogado.

– Vocês nem pediram desculpas... nenhum dos dois!

– Não tem por que pedir desculpas – falou Walli. – A gente estava a fim de trepar e trepou. Isso não muda nada. Hoje em dia ninguém mais é fiel. Tudo de que a gente precisa é amor... você não entendeu a música? – Ele encarou Dave com atenção. – Sabia que você tem uma aura? Tipo um halo. Nunca tinha reparado. Acho que ela é azul...

Dave também já tinha tomado LSD, e sabia que havia poucas chances de ter uma conversa coerente com Walli naquele estado. Virou-se para Beep, cuja onda parecia estar passando.

– Está arrependida?

– Não acho que fizemos nada de errado. Essa mentalidade está ultrapassada.

– Então você faria de novo?

– Dave, não termine comigo.

– O que tem para terminar? – rebateu ele, descontrolado. – Não temos nada. Você trepa com quem quer. Pode viver assim, se quiser, mas isso não é casamento.

– Você precisa deixar para trás essas ideias antiquadas.

– Eu preciso é sair desta casa. – A raiva de Dave estava se transformando em tristeza. Ele percebeu que havia perdido Beep para as drogas e para o amor livre, para a cultura hippie que sua música ajudara a criar. – Preciso me afastar de você. – Virou as costas.

– Não vá embora – pediu ela. – Por favor.

Dave saiu do quarto.

Desceu correndo a escada e saiu da casa. Pulou no carro e foi embora fazendo o motor rugir. Quase atropelou um rapaz de cabelos compridos que atravessava a Ashbury Street cambaleando, com um sorriso perdido no rosto, doidaço no meio da tarde. Os hippies todos que se fodam, pensou, principalmente Walli e Beep. Nunca mais queria ver a cara de nenhum dos dois.

Percebeu que o Plum Nellie já era. Ele e Walli formavam a alma da banda, e, agora que tinham brigado, não havia mais grupo. Bom, pensou, então que seja. Iria começar sua carreira solo nesse mesmo dia.

Viu um telefone público e parou o carro. Abriu o porta-luvas para pegar as moedas de 25 *cents* que sempre guardava ali e ligou para o escritório de Morty.

– Oi, Dave. Já falei com o corretor. Ofereci cinquenta mil e fechamos por 55, que tal?

– Ótima notícia, Morty. – Ele iria precisar do estúdio para seu trabalho solo. – Escute, como era mesmo o nome daquele produtor de TV?

– Charlie Lacklow. Mas achei que você estivesse com medo de acabar com o grupo.

– De repente não estou mais tão preocupado com isso. Marque uma reunião com o cara.

⁓

Em março, o futuro de George e o dos Estados Unidos não parecia nada promissor.

Na terça, 12, dia das primárias de New Hampshire, ele estava em Nova York com Bobby Kennedy; seria a primeira disputa importante entre os dois candidatos democratas. Bobby estava jantando tarde com velhos amigos no primeiro andar do restaurante da moda 21, na Rua 52. Enquanto isso, George e os outros assessores jantavam no térreo.

Ele não pedira demissão. O anúncio de que não se candidataria a presidente parecera tirar um peso das costas de Bobby. Depois da Ofensiva do Tet, George tinha escrito um discurso atacando abertamente o presidente Johnson, e pela primeira vez Bobby não havia censurado a si mesmo e usara cada frase de efeito. "Meio milhão de soldados americanos com setecentos mil aliados vietnamitas, respaldados por recursos gigantescos e pelos mais modernos armamentos, não foram capazes de proteger uma única cidade dos ataques de um inimigo cujo contingente gira em torno de 250 mil homens!"

Justo quando Bobby parecia estar recuperando seu poder de fogo, a desilusão de George com Johnson fora completada pela reação do presidente à Comissão Kerner, nomeada para avaliar as causas dos distúrbios raciais durante o longo e quente verão de 1967. O relatório não mediria palavras: a causa dos motins, afirmava, era o racismo dos brancos. O texto era uma crítica ácida ao governo, à mídia e à polícia, e exigia ações radicais em matéria de habitação, emprego e segregação. Publicado em edição de bolso, vendeu dois milhões de exemplares. Mas Johnson simplesmente rejeitou o relatório. O homem que havia defendido heroicamente a Lei de Direitos Civis de 1964 e a Lei de Direito ao Voto de 1965 – dois marcos dos direitos dos negros – tinha jogado a toalha.

Uma vez tomada a decisão de não concorrer, Bobby continuou atormentado, preocupado pensando se tinha feito a coisa certa – como era o seu feitio. Conversou a respeito com os amigos mais antigos e os conhecidos mais superficiais, com seus assessores mais próximos – entre os quais George – e com repórteres de jornal. Começaram a circular boatos de que ele havia mudado de ideia. Mas George só acreditaria se ouvisse isso da boca do próprio Bobby.

As primárias eram disputas locais entre políticos do mesmo partido que desejavam se candidatar à presidência por esse partido. A primeira primária do Partido Democrata era a do estado de New Hampshire. Apesar de ser a esperança dos jovens, Gene McCarthy ia mal nas pesquisas e estava muito atrás do presidente Johnson, que queria tentar a reeleição. McCarthy tinha pouco dinheiro para a campanha. Dez mil jovens voluntários tinham chegado a New Hampshire para ajudá-lo, mas George e os outros assessores em volta da mesa do 21 estavam confiantes de que o resultado daquela noite seria uma vitória folgada de Johnson.

George estava muito ansioso pela eleição presidencial de novembro próximo. Do lado republicano, o moderado que estava à frente da disputa pela candidatura, George Romney, havia desistido, deixando o caminho livre para o desequilibrado conservador Richard Nixon. Portanto, a eleição presidencial muito provavelmente seria disputada por Johnson e Nixon, ambos a favor da guerra.

Mais para o final do jantar, George foi chamado ao telefone por um funcionário do Departamento de Justiça que já tinha o resultado de New Hampshire.

Todos haviam se enganado. O resultado era totalmente inesperado. McCarthy conseguira 42% dos votos, surpreendentemente próximos dos 49% de Johnson.

George viu que, no fim das contas, Johnson poderia ser derrotado.

Subiu correndo ao primeiro andar para dar a notícia a Bobby.
A reação de seu chefe foi pessimista:
– É muito! E agora, como vou convencer McCarthy a desistir?
Foi então que George entendeu: Bobby, afinal, iria concorrer.

⌒

Walli e Beep foram ao comício de Kennedy para causar confusão.
Estavam ambos zangados com o senador. Durante meses, ele havia se negado a declarar que concorreria à presidência. Não achava que pudesse ganhar e, na opinião deles, não tivera colhão para tentar. Assim, Gene McCarthy havia ganhado espaço, e saíra-se tão bem que agora tinha uma chance real de derrotar o presidente Johnson.
Até agora. Pois Bobby Kennedy havia enfim anunciado sua candidatura e aparecido para explorar todo o trabalho feito pelos correligionários de McCarthy e roubar a vitória para si. Eles o consideravam cínico e oportunista.
Walli sentia desprezo; Beep sentia ódio. A reação do rapaz era mais moderada porque ele conseguia ver a realidade política por trás da moralidade pessoal. A base eleitoral de McCarthy era formada sobretudo por estudantes e intelectuais. Seu golpe de mestre fora recrutar os jovens seguidores para criar um exército voluntário de auxiliares de campanha, o que lhe proporcionara uma explosão de popularidade que ninguém esperava. Mas será que esses voluntários bastariam para levá-lo até a Casa Branca? Walli passara a juventude inteira ouvindo os pais tecerem juízos como aquele e conversarem sobre eleições – não as da Alemanha Oriental, que eram uma farsa, mas as da Alemanha Ocidental, da França e dos Estados Unidos.
O apoio a Bobby era mais amplo. Ele havia conquistado os negros, que o julgavam um aliado, e a vasta classe trabalhadora católica formada por irlandeses, poloneses, italianos e hispânicos. Walli detestava a superficialidade moral de Bobby, mas precisava reconhecer, embora isso enfurecesse Beep, que as suas chances de derrotar Johnson eram maiores que as de Gene.
Apesar dessas diferenças, os dois haviam concordado que a coisa certa a fazer naquela noite era vaiar Bobby Kennedy.
A plateia era composta por várias pessoas como eles: rapazes de cabelo comprido e barba, moças hippies descalças. Walli se perguntou quantas delas estariam ali para vaiar. Havia também negros de todas as idades, os jovens com penteados agora conhecidos como afro e os mais velhos usando os vestidos coloridos e os ternos elegantes de ir à igreja. O escopo da base eleitoral de Bobby

era demonstrado por uma significativa minoria de brancos de classe média e de meia-idade, vestidos com calça social e suéter para se proteger da friagem primaveril de São Francisco.

O próprio Walli tinha os cabelos enfiados dentro de uma boina jeans, e usava óculos escuros para disfarçar sua identidade.

O palanque estava surpreendentemente vazio. Walli esperava bandeiras, serpentinas, cartazes e fotografias gigantes do candidato como os que vira na TV em outros comícios de campanha. Mas Bobby tinha apenas um palanque com um púlpito e um microfone. Para qualquer outro candidato, isso seria um sinal de falta de dinheiro, mas todos sabiam que o senador tinha acesso ilimitado à fortuna dos Kennedy. Então o que significava aquilo? Para Walli, a mensagem era: "Acabou a palhaçada. Este sou eu de verdade." Interessante, pensou.

No presente momento, o púlpito estava ocupado por um democrata da região que aquecia a plateia para a atração principal. Aquilo era bem parecido com o mundo do espetáculo, pensou Walli. A plateia ia se acostumando aos risos e palmas, ao mesmo tempo que ficava cada vez mais ansiosa para ver a atração que fora prestigiar. Pelo mesmo motivo, os shows do Plum Nellie eram sempre abertos por um grupo menos importante.

Só que o Plum Nellie não existia mais. A essa altura, eles já deveriam estar preparando um novo álbum para o Natal, e Walli tinha algumas músicas já no estágio em que gostaria de mostrá-las a Dave para o amigo poder compor um bridge, mudar um acorde ou dizer: "Ótimo, essa vai se chamar 'Soul Kiss'." Mas Dave havia sumido de circulação.

Mandara um bilhete frio e bem-educado para Bella, agradecendo à mãe de Beep por tê-lo deixado ficar em sua casa e lhe pedindo para embalar suas roupas, que um assistente iria buscar. Walli sabia, por ter falado ao telefone com Daisy em Londres, que Dave estava reformando uma propriedade no vale do Napa e planejando construir um estúdio lá. E Jasper Murray ligara para ele tentando confirmar o boato de que Dave estava preparando um especial para a TV sem o grupo.

Dave estava acometido pelo antiquado sentimento chamado ciúme, agora bem ultrapassado segundo a cartilha hippie. Ele precisava entender que as pessoas não podiam ser amarradas, que deveriam transar com quem quisessem. Por mais que Walli acreditasse nisso, não conseguia evitar um sentimento de culpa. Ele e Dave eram íntimos, se gostavam, confiavam um no outro e tinham se apoiado mutuamente desde a época da Reeperbahn. Walli estava triste por ter magoado o amigo.

E Beep nem era o grande amor da sua vida. Ele gostava muito dela, que era linda, divertida, ótima de cama e formava com ele um casal muito admirado, mas ela não era a única garota do mundo. Ele provavelmente jamais teria ido para a cama com ela se soubesse que isso destruiria o grupo. Só que na hora não estava pensando nas consequências, apenas vivia o momento, como se devia fazer. E era especialmente fácil ceder a esse tipo de impulso descuidado quando se estava doidão.

Beep continuava abalada pela ruptura com Dave. Talvez por isso ela e Walli se sentissem tão à vontade um com o outro: ela havia perdido Dave, e ele, Karolin.

No meio desses devaneios, Walli foi puxado de volta à realidade quando anunciaram a aparição de Bobby Kennedy.

O senador era mais baixo e menos seguro de si do que ele esperava. Andou até o púlpito com um meio sorriso no rosto e um aceno quase tímido. Pôs a mão no bolso do paletó do terno, e Walli se lembrou do ex-presidente Jack Kennedy fazendo exatamente o mesmo gesto.

Várias pessoas na plateia ergueram cartazes na hora em que ele apareceu. Walli leu coisas como ME BEIJA, BOBBY! e BOBBY É BACANA. Beep então desenrolou uma folha de papel que trouxera dentro da perna da calça, e ela e Walli a levantaram. O cartaz dizia apenas: TRAIDOR.

Bobby começou a falar guiando-se por uma pequena pilha de fichas que tirou do bolso interno do paletó.

– Permitam que eu comece pedindo desculpas – falou. – Eu participei de muitas das primeiras decisões relacionadas ao Vietnã, decisões determinantes para o que está acontecendo hoje.

– Foi mesmo! – berrou Beep, e as pessoas ao seu redor riram.

Com seu sotaque de Boston, Bobby prosseguiu:

– Estou disposto a assumir minha parcela de responsabilidade. Mas os erros do passado não são desculpa para seguir errando. A tragédia é uma ferramenta que permite aos vivos se tornarem mais sábios. "Todo homem erra", já dizia Sófocles na Grécia antiga. "Mas um homem bom se emenda quando sabe que está no caminho errado, e repara o mal que fez. O único pecado que existe é o orgulho."

A plateia gostou e aplaudiu. Sob palmas, Bobby baixou os olhos para suas anotações, e Walli viu que ele estava cometendo um erro do ponto de vista teatral. Aquilo deveria ser uma troca. O público queria que seu astro o encarasse e agradecesse os elogios, mas Bobby parecia constrangido pelas palmas. Walli percebeu que aquele tipo de comício político não era algo fácil para o senador.

Bobby seguiu falando sobre o Vietnã, mas, apesar do sucesso inicial de sua primeira confissão, não se saiu tão bem. Mostrou-se hesitante, gaguejou e se repetiu. Sempre parado, parecia um boneco de pau, como se relutasse em mover o corpo ou gesticular com as mãos.

Alguns oponentes na plateia o xingaram, mas Walli e Beep não se uniram ao coro. Não era necessário: Bobby estava se matando sozinho.

Durante um instante de silêncio, um bebê chorou. Com o rabo do olho, Walli viu uma mulher se levantar e se encaminhar para a saída. Bobby interrompeu uma frase no meio e disse:

– Senhora, por favor, não vá embora!

A plateia se remexeu. A mulher se virou no corredor e encarou Bobby lá em cima do palanque.

– Estou acostumado com choro de bebê – disse o senador.

A plateia riu: todos sabiam que ele tinha dez filhos.

– Além do mais, se a senhora for embora os jornais vão dizer que eu expulsei um bebê e sua mãe do recinto sem pena – acrescentou ele.

A plateia deu vivas: muitos jovens odiavam a imprensa por sua cobertura parcial das manifestações.

A mulher sorriu e voltou para o seu lugar.

Bobby baixou os olhos para as fichas. Por um instante, dera a impressão de ser uma pessoa calorosa. Era nesse momento que poderia ter ganhado a plateia. Se voltasse para o discurso preparado, tornaria a perdê-la. Ele estava deixando passar a oportunidade, pensou Walli.

Foi então que o senador pareceu perceber a mesma coisa. Tornou a erguer os olhos e disse:

– Que frio. Vocês não estão sentindo?

A plateia concordou com um rugido.

– Vamos bater palmas. Vamos lá, vai nos aquecer.

Ele começou a bater palmas e a plateia, rindo, fez o mesmo.

Dali a um minuto, ele parou e disse:

– Aqui melhorou. Aí também? – Todos tornaram a concordar com um novo grito. – Quero falar sobre decência. – Ele havia retomado o discurso, mas agora não estava mais consultando as fichas. – Algumas pessoas acham indecente ter cabelos longos, ou andar descalço, ou dar uns amassos no parque. Vou dizer a vocês o que eu acho. – Ele ergueu a voz: – Indecente é a pobreza! – A multidão aprovou aos gritos. – Indecente é o analfabetismo! – Mais aplausos. – E vou dizer, aqui mesmo na Califórnia, que indecente é um homem trabalhar a terra com as costas e as mãos sem nunca ter a menor esperança de mandar o filho para a faculdade.

Ninguém naquele recinto podia duvidar que Bobby acreditava no que estava dizendo. Ele havia guardado suas fichas de anotações. Tornou-se arrebatado, acenando com os braços, apontando, batendo no púlpito com o punho fechado, e a plateia reagiu à força da sua emoção, aclamando cada expressão fervorosa. Walli olhou para aqueles semblantes e reconheceu as expressões que via quando ele próprio estava no palco: rapazes e moças vidrados, enlevados, de olhos arregalados e boca aberta, com os rostos acesos de adoração.

Ninguém jamais olhou para Gene McCarthy daquele jeito.

Em determinado momento, Walli percebeu que ele e Beep tinham deixado cair discretamente no chão o cartaz de TRAIDOR.

Bobby estava falando sobre pobreza.

– No delta do Mississippi, vi crianças com a barriga inchada e a cara cheia de feridas por causa da fome. – Ele ergueu a voz: – Não acho isso aceitável! Os índios que vivem em suas pequenas e limitadas reservas têm tão pouca esperança de futuro que a maior causa de morte entre os adolescentes é o suicídio. Acho que podemos fazer melhor! Os moradores dos guetos negros escutam promessas cada vez mais grandiosas de igualdade e justiça sentados nas mesmas escolas decrépitas e apinhados nos mesmos cômodos imundos tentando enxotar os ratos. Estou convencido de que os Estados Unidos podem fazer melhor!

Walli viu que Bobby estava se aproximando do clímax.

– Vim aqui hoje pedir sua ajuda nos próximos meses. Se vocês também acham que a pobreza é indecente, me deem o seu apoio.

Todos responderam com gritos de sim.

– Se vocês também acham inaceitável ver crianças morrerem de fome no seu país, trabalhem na minha campanha.

Mais vivas.

– Assim como eu, vocês acreditam que os Estados Unidos podem fazer melhor?

Rugidos de aprovação.

– Então juntem-se a mim... e os Estados Unidos *vão* fazer melhor!

Ele se afastou do púlpito e a multidão foi à loucura.

Walli olhou para Beep. Pôde ver que ela estava sentindo a mesma coisa que ele.

– Ele vai ganhar, né? – perguntou.

– Vai – respondeu ela. – Ele está a caminho da Casa Branca.

A turnê de Bobby o fez percorrer treze estados em dez dias. No final do último dia, ele e sua comitiva embarcaram em um avião de Phoenix para Nova York. A essa altura, George Jakes já tinha certeza de que Bobby seria presidente.

A reação do público tinha sido espetacular. Milhares de pessoas se juntavam para ver Bobby nos aeroportos e lotavam as ruas para ver passar sua caravana; ele sempre viajava no banco de trás de um conversível, com George e os outros sentados no chão segurando suas pernas para que ninguém conseguisse puxá-lo para fora do carro. Bandos de crianças corriam junto dos carros aos gritos de "Bobby!". Sempre que o carro parava, as pessoas se atiravam em cima dele. Arrancavam suas abotoaduras, seus prendedores de gravata, os botões de seus ternos.

No avião, Bobby sentou-se e esvaziou os bolsos, produzindo uma chuva de papel que parecia confete. George recolheu alguns dos pedacinhos do tapete. Eram recados, dezenas deles, escritos com esmero, cuidadosamente dobrados até ficarem bem pequenininhos e enfiados nos bolsos de Bobby. Havia pedidos para que comparecesse a alguma formatura universitária ou visitasse alguma criança doente em um hospital, e bilhetes dizendo que as pessoas estavam orando por ele em casas de subúrbio e acendendo velas em igrejas da zona rural.

Bobby tirou o paletó e arregaçou as mangas, como sempre fazia. Foi então que George reparou em seus braços: eram muito peludos, mas não foi isso que chamou sua atenção. As mãos do senador estavam inchadas, e a pele marcada por arranhões vermelhos irritados. George entendeu que fora quando a multidão o havia tocado. Ninguém queria machucá-lo, mas as pessoas o adoravam tanto que acabavam tirando sangue.

A população americana tinha encontrado o herói de que precisava, mas Bobby também tinha encontrado a si mesmo. Por esse motivo, George e os outros assessores batizaram aquela turnê de Livre Enfim. Bobby havia encontrado um estilo pessoal, só seu, uma nova versão do carisma dos Kennedy. Seu irmão Jack, apesar de encantador, era contido, controlado, resguardado, e esse era o comportamento certo para o ano de 1963. Bobby, por sua vez, era mais aberto. Em seus melhores momentos, dava à plateia a sensação de estar expondo a própria alma, confessando sua condição de ser humano falho que desejava fazer o que era correto, mas nem sempre tinha certeza do que era correto. O bordão de 1968 era "Pôr tudo para fora". Bobby se sentia à vontade fazendo isso, e o público o amava por esse motivo.

Metade das pessoas no avião com destino a Nova York era jornalista. Esses profissionais haviam passado dez dias fotografando e filmando as multidões extasiadas e escrevendo matérias sobre como o novo e renascido Bobby Kennedy estava conquistando o coração do eleitorado. Os figurões do Partido Democrata podiam até não gostar do jovial liberalismo de Bobby, mas seria impossível ignorar o fenômeno da sua popularidade. Como eles poderiam escolher o insípido Lyndon Johnson para concorrer a um segundo mandato quando o povo americano clamava por Bobby? Além do mais, se apresentassem um candidato favorável à guerra, como o vice-presidente Hubert Humphrey ou o senador Muskie, este roubaria votos de Johnson sem abalar a popularidade de Bobby. George não via como Bobby poderia não ganhar a indicação.

E Bobby conseguiria derrotar o candidato republicano, que quase certamente seria Richard Nixon, conhecido como "Dick Trapaça", político ultrapassado que já fora derrotado por um Kennedy uma vez.

A estrada rumo à Casa Branca parecia desimpedida.

Quando o avião se aproximou do aeroporto nova-iorquino John F. Kennedy, George se perguntou o que os adversários de Bobby tentariam fazer para tentar detê-lo. O presidente Johnson fizera um pronunciamento nacional na TV naquela noite, antes de o avião pousar. George estava ansioso por descobrir o que ele tinha dito. Não conseguia pensar em nada que pudesse fazer diferença.

– Deve ser uma emoção e tanto aterrissar em um aeroporto batizado em homenagem ao seu irmão – disse um dos jornalistas a Bobby.

Era um comentário pouco sensível e intrusivo de um repórter tentando provocar uma resposta destemperada que gerasse uma notícia. Mas Bobby estava acostumado. Respondeu apenas:

– Eu preferiria que o aeroporto ainda se chamasse Idlewild.

O avião taxiou até o portão. Antes de o sinal de apertem os cintos se apagar, uma figura conhecida subiu a bordo e avançou depressa até Bobby pelo corredor. Era o presidente do Partido Democrata do estado de Nova York. Antes mesmo de chegar aonde Bobby estava, ele gritou:

– O presidente não vai concorrer! O presidente não vai concorrer!

– Pode repetir? – pediu Bobby.

– O presidente não vai concorrer!

– Você deve estar brincando.

George ficou pasmo. Lyndon Johnson, que odiava os Kennedy, tinha se dado conta de que não conseguiria a indicação democrata, sem dúvida por todos os mesmos motivos que tinham ocorrido ao próprio George. Mas ainda esperava que outro democrata a favor da guerra conseguisse derrotar Bobby, e havia calculado então que a única forma de sabotar a candidatura presidencial de Bobby era se retirar da corrida.

E agora qualquer coisa poderia acontecer.

CAPÍTULO QUARENTA E DOIS

Dave Williams sabia que sua irmã estava armando alguma. Estava gravando o piloto de *Dave Williams & Amigos*, seu programa de TV. Na primeira vez que a sugestão lhe fora feita, ele levara a questão na flauta: a nova empreitada lhe parecera apenas um incremento ao maremoto de sucesso do Plum Nellie. Agora o grupo tinha se separado e ele precisava do programa. Aquilo era o começo da sua carreira solo. E precisava ser bom.

O produtor havia sugerido convidar sua irmã, agora uma estrela de Hollywood. Evie estava fazendo mais sucesso do que nunca. Seu último filme, uma comédia sobre uma moça esnobe que contratava um advogado negro, tinha sido um estouro.

Ela sugeriu cantar um dueto com o ator que contracenava com ela no filme, Percy Marquand. O produtor, Charlie, adorou a ideia, mas estava preocupado com a escolha da canção. Charlie era um homem baixinho e invocado, dono de uma voz rascante.

– Tem que ser uma música de comédia – falou. – Eles não podem cantar "True Love" nem "Baby, It's Cold Outside".

– Falar é fácil, quero ver fazer – retrucou Dave. – A maior parte dos duetos é romântica.

Charlie balançou a cabeça.

– Esqueça. Isto aqui é TV. A gente não pode fazer nenhuma alusão a sexo entre um negro e uma branca.

– Eles poderiam cantar "Anything You Can Do, I Can Do Better". É uma música cômica.

– Não. As pessoas vão achar que é um comentário sobre direitos civis.

Charlie Lacklow era inteligente, mas Dave não gostava dele; ninguém gostava. Ele era truculento e mal-humorado, e suas eventuais tentativas de se mostrar agradável só para bajular pioravam ainda mais a situação.

– Que tal "Mockingbird"? – sugeriu Dave.

Charlie pensou um pouco.

– "Mesmo que esse passarinho não cante, ele vai me comprar um anel de brilhante" – cantou. – É, acho que passa – concluiu, em tom normal.

– É claro que passa – disse Dave. – A gravação original é de um dueto, um casal de irmãos: Inez e Charlie Foxx. Ninguém achou que a letra sugeria incesto.

– Tá.

Dave conversou com Evie sobre as suscetibilidades dos telespectadores americanos, explicou-lhe a escolha da canção e ela concordou, mas havia um brilho em seus olhos que ele conhecia muito bem: significava encrenca. Era o mesmo brilho que ela exibira antes da produção escolar de *Hamlet*, quando ficara nua no palco no papel de Ofélia.

Os dois também conversaram sobre o fim do noivado dele com Beep.

– Todo mundo está reagindo como se eu só estivesse vivendo um típico romance adolescente que não deslanchou – reclamou Dave. – Só que eu parei de ter romances adolescentes bem antes de sair da adolescência, e nunca gostei muito de transar por aí. Eu estava levando a sério a história com Beep. Queria ter filhos.

– Você amadureceu mais depressa do que ela – disse Evie. – E eu amadureci mais rápido do que Hank Remington. Ele sossegou com Anna Murray... ouvi dizer que não transa mais por aí. Talvez Beep faça o mesmo.

– E vai ser tarde demais para mim, assim como foi para você – retrucou Dave, amargurado.

A orquestra afinava os instrumentos. Evie já estava maquiada, e Percy vestia o figurino. Enquanto isso, Tony Peterson, o diretor, pediu a Dave para gravar a apresentação.

O programa era em cores, e Dave estava usando um terno de veludo bordô. Olhou bem para a câmera, imaginou Beep entrando de novo na sua vida com os braços estendidos para envolvê-lo e abriu um caloroso sorriso.

– E agora, fãs, um presente especial. Vamos receber os dois astros de *Meu cliente e eu*: Percy Marquand e minha irmã, Evie Williams!

Ele aplaudiu. O estúdio estava silencioso, mas um ruído de plateia aplaudindo seria inserido na trilha antes de o programa ir ao ar.

– Adorei o sorriso, Dave – falou Tony. – Pode repetir?

Dave repetiu três vezes antes de Tony ficar satisfeito.

Nessa hora, Charlie apareceu com um homem de terno cinza que devia ter uns 40 anos. Dave viu no ato que o produtor estava sendo obsequioso.

– Dave, quero lhe apresentar nosso patrocinador. Este é Robert Wharton, o executivo mais importante do fabricante de sabão National Soap e um dos maiores do país. Ele veio de Cleveland, Ohio, só para conhecê-lo. Não é incrível?

– Com certeza – falou Dave.

As pessoas voavam meio mundo para vê-lo toda vez que ele fazia um show, mas ele sempre demonstrava satisfação.

– Tenho dois filhos adolescentes, um casal – contou Wharton. – Eles vão se roer de inveja quando souberem que conheci você.

Dave estava tentando se concentrar em fazer um bom programa, e a última coisa de que precisava era conversar com um magnata do sabão em pó, mas percebeu que tinha de ser educado com aquele sujeito.

– Posso dar dois autógrafos para seus filhos – ofereceu.

– Eles achariam o máximo.

Charlie estalou os dedos para a Srta. Pritchard, sua secretária, que o seguia de perto.

– Jenny, meu anjo – falou, embora ela fosse uma puritana de 40 anos. – Vá pegar duas fotos do Dave lá na sala.

Wharton parecia um típico executivo conservador, de cabelos curtos e roupas sem graça, o que levou Dave a perguntar:

– Por que decidiu patrocinar meu programa, Sr. Wharton?

– Nosso carro-chefe é um sabão em pó chamado Foam – começou Wharton.

– Já vi os anúncios – disse Dave. – "Foam lava mais limpo do que o branco!"

Wharton aquiesceu. Provavelmente todo mundo que ele encontrava citava esse mesmo anúncio.

O Foam é um produto conhecido e confiável há muitos anos. Por esse motivo, é também meio antiquado. As jovens donas de casa costumam dizer: "Ah, sim, Foam, aquele que minha mãe usava." Isso é bom, mas tem lá os seus perigos.

Dave achou divertido ouvir aquele homem falar sobre uma caixa de sabão em pó como se fosse uma pessoa. Mas Wharton não deu mostra alguma de humor ou ironia, e Dave reprimiu o impulso de levar aquilo na brincadeira.

– Então eu estou aqui para dizer a elas que Foam é jovem e bacana – falou.

– Exato. – Wharton enfim sorriu. – E ao mesmo tempo para levar aos lares americanos um pouco de música pop e humor saudável.

Dave abriu um sorriso maroto.

– Que bom que eu não sou dos Rolling Stones!

– Que bom, mesmo – concordou Wharton com total convicção.

Jenny voltou com duas fotos coloridas 20 X 25 de Dave e uma caneta de ponta macia.

– Qual é o nome dos seus filhos? – indagou Dave a Wharton.

– Caroline e Edward.

Dave dedicou uma foto a cada um e autografou.

– Tudo pronto para o bloco da canção – avisou Tony Peterson.

Um pequeno set fora montado para esse número. Parecia o canto de uma loja chique, com armários de vidro cheios de preciosidades cintilantes. Percy entrou trajando terno escuro e gravata prateada, parecendo um supervisor de vendas.

Evie, por sua vez, era uma cliente rica de chapéu, luvas e bolsa. Eles assumiram suas posições de um lado e outro de um balcão. O esforço de Charlie para garantir que a relação não parecesse amorosa fez Dave sorrir.

Eles ensaiaram com a orquestra. A canção era leve e animada. O barítono de Percy e o contralto de Evie se harmonizavam bem. Nos momentos certos, Percy sacava de baixo do balcão um pássaro dentro de uma gaiola e uma bandeja de anéis.

– Vamos acrescentar os risos gravados nesses momentos, para que a plateia entenda que a intenção é fazer graça – disse Charlie.

Eles então repetiram tudo para as câmeras. O primeiro take foi perfeito, mas como sempre eles gravaram outra vez por segurança.

Quando estavam quase terminando, Dave teve uma sensação boa. Aquilo era um entretenimento familiar ideal para o público americano. Começou a acreditar que o programa pudesse dar certo.

No último compasso da canção, Evie se inclinou por cima do balcão, ficou na ponta dos pés e tascou um beijo na bochecha de Percy.

– Maravilha! – exclamou Tony, andando até o set. – Obrigado, pessoal. Podem arrumar tudo para a próxima apresentação de Dave, por favor. – Ele exibia uma clara atitude apressada e constrangida, e Dave se perguntou por que seria.

Evie e Percy saíram do set.

Ao lado de Dave, o Sr. Wharton falou:

– Não podemos mostrar esse beijo.

Antes de Dave poder abrir a boca, Charlie Lacklow concordou, servil:

– É claro que não, Sr. Wharton, não se preocupe, nós podemos tirar. Provavelmente vamos cortar para Dave batendo palmas.

– Eu achei o beijo bonitinho e bem inocente – comentou Dave em tom brando.

– Achou mesmo? – retrucou Wharton, severo.

Será que aquilo iria virar um problema?, pensou Dave, apreensivo.

– Esqueça isso, Dave – falou Charlie. – Não podemos mostrar um beijo inter-
-racial na TV americana.

Dave ficou surpreso, mas, depois de pensar um pouco, percebeu que os poucos negros que apareciam na TV raramente eram tocados por brancos, para não dizer nunca.

– É tipo uma diretriz ou algo assim? – indagou.

– É mais uma regra implícita – respondeu Charlie. – Implícita e incontornável – acrescentou, firme.

Evie ouviu a conversa e, desafiadora, perguntou:

– Por quê?

Ao ver a expressão no rosto da irmã, Dave grunhiu consigo mesmo. Evie não iria largar aquele osso: queria briga.

Mas o silêncio perdurou por alguns instantes. Ninguém sabia muito bem o que dizer, sobretudo com Percy ali presente.

Depois de algum tempo, Wharton respondeu à pergunta de Evie com seu tom seco de contador:

– O público não iria aprovar. A maioria dos americanos acredita que raças diferentes não devem se casar.

– Exato – acrescentou Charlie Lacklow. – O que acontece na TV está acontecendo na sua casa, na sua sala, com seus filhos e sua sogra assistindo.

Wharton olhou para Percy e se lembrou que ele era casado com a branca Babe Lee.

– Desculpe se isso o ofende, Sr. Marquand – falou.

– Já estou acostumado – respondeu Percy em tom suave, sem negar que estivesse ofendido, mas sem tampouco fazer um cavalo de batalha.

Dave achou a reação dele extremamente digna.

Indignada, Evie comentou:

– Talvez a televisão devesse se esforçar para mudar os preconceitos das pessoas.

– Deixe de ser ingênua – rebateu Charlie, grosseiro. – Quando um programa mostra alguma coisa de que o telespectador não gosta, ele simplesmente muda a porcaria do canal.

– Então *todas* as emissoras deveriam fazer a mesma coisa, e mostrar os Estados Unidos como um lugar onde todos são iguais.

– Não vai dar certo.

– Talvez não. Mas precisamos tentar, não é? Nós temos uma responsabilidade. – Ela correu os olhos pelo grupo: Charlie, Tony, Dave, Percy e Wharton. Dave sentiu vergonha ao encará-la, pois sabia que a irmã estava certa. – Todos nós. Afinal, fazemos programas de TV, que influenciam a forma como as pessoas pensam.

– Não necessariamente... – minimizou Charlie.

Dave o interrompeu:

– Sem essa, Charlie. É claro que a gente influencia as pessoas. Caso contrário, o Sr. Wharton não estaria jogando seu dinheiro fora.

Apesar da cara de bravo, Charlie não soube o que responder.

– Agora nós temos uma chance, hoje, de tornar o mundo um lugar melhor – continuou Evie. – Ninguém se importaria se eu beijasse King Crosby no horário nobre da TV. Vamos ajudar as pessoas a verem que não faz diferença se a bochecha que eu beijar tiver o tom de pele um pouco mais escuro.

Todos olharam para Wharton.

Dave sentiu o suor brotar por baixo da camisa justa de babados. Não queria que Wharton ficasse ofendido.

– A senhorita argumenta bem, minha jovem – disse o patrocinador. – Mas o meu dever é com meus acionistas e com meus funcionários. Não estou aqui para fazer do mundo um lugar melhor, estou aqui para vender Foam para as donas de casa. E, com todo o devido respeito ao Sr. Marquand, não vou conseguir isso associando meu produto a sexo inter-racial. Aliás, Percy, eu sou seu grande fã... tenho todos os seus discos.

Dave se pegou pensando em Mandy Love. Fora louco por ela. Ela era negra; não tinha a pele dourada como Percy, mas sim de um lindo e fechado tom de marrom quase preto. Dave havia beijado aquela pele até deixar os lábios doloridos. Talvez a tivesse pedido em casamento se ela não houvesse reatado com o ex. E agora estaria na mesma posição de Percy, esforçando-se para tolerar uma conversa que era um insulto ao seu casamento.

– Eu acho que o dueto funciona como um lindo símbolo de harmonia inter-racial sem sugerir o tema cabeludo que é o sexo entre as raças – falou Charlie. – Acho que fizemos um trabalho maravilhoso... contanto que o beijo fique de fora.

– Bela tentativa, Charlie, mas isso é uma babaquice e você sabe muito bem – disse Evie.

– É a realidade.

Tentando aliviar a tensão, Dave brincou:

– Sexo cabeludo, é, Charlie? Como é isso?

Ninguém riu.

Evie olhou para o irmão.

– Tirando as piadinhas, Dave, o que mais você vai fazer? – perguntou, quase a desafiá-lo. – Você e eu fomos ensinados a defender o que é certo. Nosso pai lutou na Guerra Civil Espanhola. Nossa avó conquistou para as mulheres o direito de votar. Você vai cruzar os braços?

– A atração principal aqui é você, Dave – falou Percy Marquand. – Eles precisam da sua participação; o programa sem você não existe. Você tem poder. Use-o para fazer o bem.

– Caiam na real – contrapôs Charlie. – Este programa não existe sem a National Soap. Vai ser difícil encontrar outro patrocinador, principalmente depois que as pessoas descobrirem por que o Sr. Wharton desistiu.

Wharton na verdade não tinha dito que iria retirar o patrocínio por causa do beijo, observou Dave. Tampouco Charlie tinha dito que arrumar um novo patrocinador seria impossível, apenas que seria difícil. Se ele insistisse em manter o beijo, o programa talvez continuasse, e sua carreira televisiva talvez sobrevivesse.

Talvez.

– A decisão é minha mesmo? – perguntou.

– Parece que sim – falou Evie.

Será que ele estava preparado para correr o risco?

Não, não estava.

– O beijo sai – decretou.

⁓

Jasper Murray pegou um avião até Memphis em abril para acompanhar uma greve de garis que estava se tornando violenta.

Ele entendia de violência. Em sua opinião, todos os homens, incluindo ele próprio, tinham potencial para serem pacíficos ou cruéis, dependendo das circunstâncias. Sua inclinação natural era levar uma vida tranquila e dentro da lei, mas com o tipo certo de incentivo a maioria das pessoas era capaz de torturar, estuprar e assassinar. Ele sabia disso.

Assim sendo, escutou os dois lados quando chegou a Memphis. Segundo o porta-voz da prefeitura, agitadores externos estavam incitando os grevistas a se comportarem de forma violenta. Já os manifestantes culpavam a truculência policial.

– Quem está dando as ordens? – quis saber Jasper.

A resposta foi: Henry Loeb.

Jasper ficou sabendo que Loeb, o prefeito democrata da cidade, era escancaradamente racista: acreditava em segregação, defendia equipamentos municipais "separados mas iguais" para brancos e negros e criticava publicamente a integração ordenada pelos tribunais.

E quase todos os garis eram negros.

Seus salários eram tão baixos que muitos se qualificavam para a assistência financeira do estado. Tinham de fazer horas extras sem remuneração. E a prefeitura não reconhecia seu sindicato.

Mas o que dera início à greve fora a questão da segurança. Dois trabalhadores tinham morrido esmagados por um caminhão defeituoso. Loeb se recusava a retirar de circulação os caminhões velhos ou a melhorar as normas de segurança.

O conselho municipal votou pelo fim da greve aceitando reconhecer o sindicato, mas Loeb contestou a decisão.

Os protestos se intensificaram.

A situação atraiu a atenção nacional quando Martin Luther King se posicionou em defesa dos garis.

King chegou de avião para sua segunda visita a Memphis no mesmo dia que Jasper, 3 de abril de 1968, uma quarta-feira. Nessa noite, um temporal escureceu a cidade. Sob forte chuva, Jasper foi ouvir o reverendo falar em um comício no Templo Maçom.

Ralph Abernathy foi o primeiro a discursar. Mais alto e com a pele mais escura que King, menos bonito e mais agressivo, ele era, segundo os boatos, o companheiro de bebida e vadiagem do reverendo, além de seu amigo e aliado mais próximo.

A plateia era formada por funcionários da limpeza pública, seus parentes e defensores. Ao olhar para os sapatos gastos e os casacos e chapéus velhos que usavam, Jasper entendeu que eles estavam entre as pessoas mais pobres do país. Eram pouco instruídos, faziam trabalhos sujos e moravam em uma cidade que os chamava de cidadãos de segunda classe, crioulos, garotos. Mas eles eram valentes; não iriam mais suportar aquela situação. Acreditavam em uma vida melhor. Eles tinham um sonho.

E tinham Martin Luther King.

O reverendo estava com 39 anos, mas parecia mais velho. Já era um pouco rechonchudo quando Jasper o vira falar em Washington, cinco anos antes, mas desde então tinha engordado cinco quilos e agora estava gordinho. Se o seu terno não fosse tão elegante, poderia passar por um comerciante. Mas isso antes de abrir a boca; quando King falava, virava um gigante.

Nessa noite, seu discurso foi apocalíptico. Com raios acendendo o céu do lado de fora das janelas e o estrondo das trovoadas interrompendo sua fala, ele disse ao público que seu avião daquela manhã fora atrasado por um alerta de bomba.

– Mas isso para mim não tem mais importância, porque já cheguei ao topo da montanha. – A plateia aplaudiu. – Só quero fazer a vontade de Deus. – Então, dominado pela emoção das próprias palavras, prosseguiu com a mesma voz trêmula de urgência que usara para discursar na escadaria do Memorial a Lincoln: – E Ele me permitiu chegar ao topo da montanha! – bradou. – Eu olhei para longe... – Sua voz tornou a ficar mais alta: – ...e *vi* a Terra Prometida!

Jasper percebeu que o reverendo estava genuinamente emocionado: suava muito, chorava. Tomada pelo mesmo arrebatamento, a multidão reagia com gritos de "Sim!" e "Amém!".

– Eu talvez não chegue lá com vocês – disse ele com a voz embargada de emoção, e Jasper lembrou que, na Bíblia, Moisés nunca chegara a Canaã. – Mas quero que vocês saibam, hoje, que nós, como povo, chegaremos à Terra Prometida. – Duas mil pessoas irromperam em aplausos e améns. – Portanto, eu hoje estou muito feliz. Nada me preocupa. Não temo homem algum. – Fez uma pausa antes de acrescentar, bem devagar: – Os meus olhos viram a glória do advento do Senhor.

Com isso, ele pareceu cambalear para longe do púlpito. Mais atrás, Ralph Abernath deu um pulo para ampará-lo e o conduziu até sua cadeira em meio a um furacão de aplausos cujo vigor competia com o da tempestade lá fora.

Jasper passou o dia seguinte cobrindo uma disputa jurídica. A cidade estava tentando fazer os tribunais proibirem uma passeata planejada por King para a segunda-feira seguinte, e o reverendo tentava um acordo que pudesse garantir um protesto pequeno e pacífico.

No final da tarde, Jasper falou com Herb Gould em Nova York. Os dois concordaram que ele tentaria organizar uma entrevista de Sam Cakebread com Loeb e King para o sábado ou domingo, e Herb mandaria uma equipe filmar o protesto de segunda para uma matéria a ser veiculada no mesmo dia à noite.

Depois de falar com Gould, Jasper foi até o Motel Lorraine, onde King estava hospedado. O hotel era uma construção baixa de dois andares, com sacadas que davam para o estacionamento. Jasper viu um Cadillac branco que sabia ter sido emprestado ao reverendo, com motorista e tudo, por uma funerária de Memphis cujo dono era negro. Junto ao carro estava um grupo de assessores de King, e entre eles Jasper reconheceu Verena Marquand.

Apesar de conservar a mesma beleza de tirar o fôlego de cinco anos antes, ela estava diferente: agora tinha os cabelos em estilo afro e estava usando contas e uma bata. Jasper viu finas rugas de preocupação em volta de seus olhos e se perguntou como seria trabalhar para um homem adorado com tanta paixão e ao mesmo tempo odiado com tanto fervor quanto Martin Luther King.

Jasper abriu para ela seu sorriso mais sedutor, apresentou-se e disse:

– Nós já nos conhecemos.

– Acho que não – disse ela com uma cara desconfiada.

– Nos conhecemos, sim. Mas você está perdoada por não se lembrar. Foi em 28 de agosto de 1963. Muitas outras coisas aconteceram nesse dia.

– Especialmente o discurso "Eu tenho um sonho", de Martin.

– Eu era estudante de jornalismo, e pedi a você para me arrumar uma entrevista com o Dr. King. Você me esnobou.

Jasper também se lembrava de quanto ficara fascinado com a beleza dela. Estava agora tomado pelo mesmo encantamento.

Verena baixou um pouco a guarda. Com um sorriso, falou:
– E imagino que continue querendo a entrevista.
– Sam Cakebread vai estar aqui no fim de semana. Vai entrevistar Herb Loeb. Na verdade, deveria entrevistar o Dr. King também.
– Farei o possível, Sr. Murray.
– Por favor, me chame de Jasper.
Ela hesitou.
– Se puder satisfazer minha curiosidade... como é que nós nos conhecemos nesse dia em Washington?
– Eu estava tomando café da manhã com o senador Greg Peshkov, um amigo da minha família. Você estava com George Jakes.
– E por onde você andou desde então?
– Passei parte do tempo no Vietnã.
– Combatendo?
– Sim, um pouco. – Ele detestava falar sobre isso. – Posso fazer uma pergunta pessoal?
– Pode tentar. Eu não prometo responder.
– Você e George ainda são um casal?
– Não vou responder.

Nesse instante, os dois ouviram a voz de King e olharam para cima. Em pé na sacada do quarto, o reverendo estava olhando para baixo e dizendo alguma coisa para um dos assessores perto de Jasper e Verena no estacionamento. Estava pondo a camisa para dentro da calça, como quem se veste depois do banho. Devia estar se arrumando para ir jantar fora, pensou Jasper.

King apoiou as duas mãos no parapeito, inclinou-se para a frente e disse para alguém lá embaixo em tom de piada:
– Ben, quero que você cante "Meu precioso Senhor" para mim hoje como jamais cantou antes... quero que cante bem bonito.
O motorista do Cadillac branco gritou para ele:
– Está esfriando, reverendo. Talvez seja bom o senhor sair de sobretudo.
– Certo, Jonesy – respondeu King. E se endireitou atrás do parapeito.
Um tiro ecoou.
King cambaleou para trás, ergueu os braços feito um crucificado, bateu na parede atrás de si e caiu.
Verena deu um grito.
Os assessores do reverendo se protegeram atrás do Cadillac.
Jasper se abaixou sobre um dos joelhos, enquanto Verena se agachava na sua

frente. Ele a envolveu com os dois braços, puxou-a para junto de si em um gesto protetor e olhou em volta para tentar descobrir de onde viera o disparo. Do outro lado da rua havia um prédio que podia ser uma casa de cômodos.

Não houve um segundo tiro.

Por alguns segundos, Jasper viveu um dilema. Soltou Verena de seu abraço protetor.

– Você está bem? – perguntou.

– Ai, Martin! – exclamou ela, erguendo os olhos para a sacada.

Ambos se levantaram com cautela, mas ninguém mais parecia estar atirando. Sem dizer nada, subiram correndo a escada externa que conduzia à sacada.

King estava caído de costas, com os pés encostados no parapeito. Ralph Abernathy estava curvado sobre ele junto com outro de seus correligionários, Billy Kyles, um homem afável de óculos. Gritos e lamentos vinham das pessoas que haviam presenciado o tiro no estacionamento.

A bala havia estraçalhado o pescoço e o maxilar do reverendo e arrancado sua gravata. O ferimento era horrível, e Jasper entendeu na hora que King tinha sido atingido por uma bala expansível conhecida como dundum. O sangue empoçava em volta de seus ombros.

Abernathy gritava:

– Martin! Martin! Martin! – Deu vários tapinhas no rosto de King. Jasper pensou ter visto um tênue sinal de consciência no rosto do reverendo. – Marty, sou eu, Ralph. Não se preocupe, vai ficar tudo bem.

Os lábios de King se moveram, mas nenhum som saiu.

Kyles foi o primeiro a chegar ao telefone do quarto. Pegou o aparelho, mas não parecia haver ninguém na central do hotel. Começou a bater na parede com o punho cerrado, aos gritos:

– Atendam o telefone! Atendam o telefone! Atendam o telefone!

Então desistiu e tornou a correr até a sacada.

– Chamem uma ambulância! O Dr. King foi baleado! – gritou para o estacionamento.

Alguém enrolou a cabeça estraçalhada do reverendo em uma toalha do banheiro.

Kyles pegou a colcha cor de laranja que cobria a cama e a pôs sobre King, cobrindo seu corpo até o pescoço destroçado.

Jasper entendia de ferimentos. Sabia quanto sangue um homem podia perder, e de que lesões podia ou não se recuperar.

Não tinha esperança alguma em relação a Martin Luther King.

Kyles ergueu a mão do reverendo, abriu seus dedos e pegou um maço de cigarros. Jasper nunca vira King fumar; ele só devia fazê-lo na intimidade. Mesmo naquela hora, Kyles continuou a proteger o amigo. O gesto tocou o coração de Jasper.

Abernathy continuava falando com King:

– Está me ouvindo? Está me ouvindo?

Jasper viu a cor do rosto do reverendo sofrer uma mudança radical. A pele castanha empalideceu e adquiriu um tom acinzentado. Uma estranha imobilidade tomou conta dos traços bonitos.

Jasper também entendia de morte, e ela havia chegado.

Verena viu o mesmo que ele. Virou as costas e entrou no quarto, aos soluços.

Jasper passou o braço à sua volta.

Ela se entregou àquele abraço, aos prantos, e suas lágrimas quentes encharcaram a camisa branca dele.

– Eu lamento tanto – sussurrou ele. – Lamento muito, mesmo.

Lamentava por Verena, pensou. Por Martin Luther King.

E pelos Estados Unidos.

Nessa noite, os bairros pobres das cidades americanas explodiram.

No bangalô do Hotel Beverly Hills em que estava morando, Dave Williams assistiu horrorizado à cobertura na TV. Havia motins em 110 cidades. Em Washington, vinte mil pessoas tomaram a polícia de assalto e incendiaram edifícios. Em Baltimore, seis pessoas morreram e setecentas ficaram feridas. Em Chicago, 3 quilômetros da Madison Street viraram entulho.

Ele passou o dia seguinte inteiro no quarto, sentado no sofá em frente à televisão, fumando um cigarro atrás do outro. De quem era a culpa? Não só do atirador. Era de todos os brancos racistas que instigavam o ódio. E de quem não fazia nada em relação às injustiças cruéis.

Pessoas como ele.

Em sua vida, ele tivera uma chance de se posicionar contra o racismo: poucos dias antes, em um estúdio de TV em Burbank. Tinham lhe dito que uma branca não podia beijar um negro na TV americana. Sua irmã lhe pedira para contestar essa regra racista, mas ele havia cedido ao preconceito.

Tinha matado Martin Luther King da mesma forma que Henry Loeb, Barry Goldwater e George Wallace o tinham matado.

O programa iria ao ar no dia seguinte, sábado, às oito da noite... sem o beijo. Dave pediu uma garrafa de bourbon ao serviço de quarto e adormeceu no sofá. Pela manhã, acordou cedo sabendo o que precisava fazer.

Tomou uma ducha, engoliu duas aspirinas para aliviar a ressaca e vestiu sua roupa mais conservadora: um terno verde quadriculado com lapelas largas e calça boca de sino. Chamou uma limusine e foi para o estúdio em Burbank, onde chegou às dez.

Sabia que Charlie Lacklow estaria em sua sala mesmo que fosse fim de semana, pois sábado era dia do programa e certamente surgiria algum pânico de última hora – como o que Dave estava prestes a criar.

Jenny, a secretária de meia-idade de Charlie, estava sentada à sua mesa na antessala.

– Bom dia, Srta. Pritchard – cumprimentou Dave. Como Charlie era muito grosseiro com ela, Dave tratava-a com um respeito todo especial. Ela, portanto, o adorava e faria qualquer coisa por ele. – Poderia checar os voos para Cleveland, por favor?

– Cleveland, Ohio?

Ele exibiu um sorriso maroto.

– Tem alguma outra?

– Quer ir para lá ainda hoje?

– Assim que possível.

– Sabe a que distância fica?

– Uns 3 mil quilômetros.

Ela pegou o telefone.

– E peça para uma limusine ir me pegar no aeroporto de lá – acrescentou.

Jenny fez uma anotação, em seguida começou a falar ao telefone.

– Qual é o horário do próximo voo para Cleveland? Sim, obrigada, eu aguardo. – Tornou a olhar para Dave. – Aonde em Cleveland você quer ir?

– Dê ao motorista o endereço da casa de Albert Wharton.

– O Sr. Wharton o está esperando?

– Vai ser surpresa. – Ele piscou o olho para ela e entrou na sala do produtor.

Charlie estava sentado atrás de sua mesa. Por ser sábado, usava um paletó de tweed sem gravata.

– Você consegue editar duas versões do programa? – perguntou Dave. – Uma com o beijo e outra sem?

– Isso é fácil – respondeu Charlie. – Já temos uma versão sem o beijo, pronta para ir ao ar. Podemos editar a outra agora de manhã. Mas não vamos veicular.

– Hoje, mais tarde, você vai receber um telefonema de Robert Wharton pedindo para incluir o beijo. Só quero que esteja preparado. Você não iria querer decepcionar seu patrocinador.

– Lógico que não. Mas como tem tanta certeza de que ele vai mudar de ideia?

Dave não tinha como saber, mas não disse isso a Charlie.

– Com as duas versões prontas, qual seria o horário limite para você fazer a mudança?

– Dez para as oito, por aí. Horário da Costa Leste.

Jenny Pritchard espichou a cabeça para dentro da sala.

– Fiz reserva no avião das onze, Dave. O aeroporto fica a 11 quilômetros daqui, então você tem que sair agora.

– Já estou indo.

– O voo leva quatro horas e meia e são três horas de fuso, então você vai pousar às seis e meia. – Ela lhe entregou um pedaço de papel com o endereço de Robert Wharton. – Deve chegar lá umas sete.

– Bem a tempo – falou Dave. Acenou um tchau para Charlie antes de completar: – Não saia de perto do telefone.

Charlie não pareceu entender. Não estava acostumado a receber ordens.

– Não vou sair daqui – falou.

Na antessala, a Srta. Pritchard disse:

– A mulher dele se chama Susan, e os filhos, Caroline e Edward.

– Obrigado. – Dave fechou a porta da sala de Charlie. – Se a senhorita algum dia se encher de trabalhar para ele, estou precisando de uma secretária.

– Cheia eu já estou – respondeu ela. – Quando posso começar?

– Segunda.

– Quer que eu chegue no Beverly Hills às nove?

– Melhor às dez.

A limusine do hotel levou Dave até o Aeroporto Los Angeles. A secretária havia ligado para a companhia aérea, e uma aeromoça o aguardava para fazê-lo passar pela fila VIP de modo a evitar tumulto no saguão de embarque.

Como não havia comido nada no café da manhã exceto duas aspirinas, ele ficou feliz com o almoço a bordo. Enquanto o avião descia em direção à cidade plana às margens do lago Erie, ficou pensando no que dizer ao Sr. Wharton. Não seria nada fácil, mas, se fizesse tudo certinho, talvez conseguisse convencer o patrocinador. Isso compensaria sua covardia de antes. Queria muito poder dizer à irmã que tinha se redimido.

As providências da Srta. Pritchard funcionaram, e o carro à sua espera no Aeroporto Hopkins levou-o até um arborizado subúrbio não muito distante.

Poucos minutos depois das sete, a limusine entrou no acesso para carros de uma casa em estilo fazenda, grande, mas sem ostentação. Dave foi até a porta e tocou a campainha.

Estava nervoso.

O próprio Wharton veio abrir, usando um suéter cinza de gola em V e calça comprida.

– Dave Williams? Mas o que...

– Boa noite, Sr. Wharton. Desculpe a intromissão, mas eu gostaria muito de falar com o senhor.

Superada a surpresa inicial, Wharton pareceu contente.

– Entre – falou. – Venha conhecer minha família.

Ele guiou Dave até a sala de jantar. A família parecia estar terminando de comer. A esposa de Wharton era uma mulher bonita de 30 e poucos anos, a filha devia ter uns 16 e o menino espinhento uns dois anos a menos.

– Temos um convidado surpresa – disse ele. – Este é Dave Williams, do Plum Nellie.

A Sra. Wharton levou uma das mãos pequenas e brancas à boca e exclamou:

– Ai, meu santo Deus!

Dave apertou a mão dela, em seguida se virou para os jovens.

– Vocês devem ser Caroline e Edward.

Wharton pareceu satisfeito por ele recordar o nome de seus filhos.

Os dois adolescentes ficaram estarrecidos com a visita surpresa de um verdadeiro astro pop que já tinham visto na TV. Edward mal conseguiu falar. Caroline endireitou a postura para valorizar os seios e encarou Dave com uma expressão que ele já tinha visto em milhares de adolescentes e significava: pode fazer o que quiser comigo.

Fingiu não perceber.

– Sente-se, Dave, por favor – disse o Sr. Wharton. – Coma conosco.

– Aceita uma sobremesa? – perguntou a Sra. Wharton. – Tem torta de morango.

– Aceito, por favor. Estou morando em um hotel... adoraria uma comidinha caseira.

– Ah, pobrezinho! – comentou ela, e desapareceu na cozinha.

– Chegou hoje de Los Angeles? – perguntou o Sr. Wharton.

– Cheguei.

– Não só para me visitar, imagino.

– Na verdade foi só para isso, sim. Quero falar com o senhor mais uma vez sobre o programa de hoje à noite.

– Certo – disse Wharton, sem entender direito.

A dona da casa voltou com a sobremesa em uma travessa e começou a servir. Dave queria os jovens do seu lado.

– No programa que o seu pai e eu fizemos tem uma parte em que Percy Marquand canta um dueto com a minha irmã, Evie Williams – falou para os dois.

– Eu vi o filme dela... demais! – comentou Edward.

– No final da canção, Evie dá um beijo na bochecha de Percy.

Dave fez uma pausa.

– E daí? Grande coisa – retrucou Caroline.

A Sra. Wharton ergueu uma sobrancelha cúmplice para Dave ao lhe passar um pedaço grande de torta de morango.

– O Sr. Wharton e eu conversamos sobre se isso iria ofender nossos telespectadores... coisa que nenhum de nós dois quer fazer. Decidimos cortar o beijo.

– Acho que foi uma decisão sensata – afirmou Wharton.

– Eu vim aqui hoje falar com o senhor porque acho que, desde que nós tomamos essa decisão, a situação mudou.

– Você está falando sobre o assassinato de Martin Luther King.

– O Dr. King morreu, mas o país continua sangrando.

A frase surgiu do nada em sua cabeça, como acontecia às vezes com as letras das músicas.

Wharton balançou a cabeça, com a boca contraída formando um risco de obstinação. O otimismo de Dave murchou.

– Eu tenho mais de mil funcionários, muitos deles negros, aliás – disse o executivo, sério. – Se as vendas do Foam despencarem porque nós ofendemos os telespectadores, algumas dessas pessoas vão perder o emprego. Não posso correr esse risco.

– Nós dois estaríamos correndo um risco – argumentou Dave. – A minha popularidade também está em jogo. Mas eu quero fazer alguma coisa para ajudar o país a se curar.

Wharton abriu um sorriso indulgente, como se um de seus filhos tivesse feito um comentário exageradamente idealista.

– E acha que um beijo vai conseguir isso?

Dave imprimiu à voz um tom mais baixo e mais áspero:

– Hoje é sábado à noite, Albert. Imagine o seguinte: por todo o país, jovens negros estão pensando se saem para acender fogueiras e quebrar vidraças, ou se relaxam e ficam tranquilos em casa. Antes de se decidir, vários deles vão assistir ao *Dave Williams & Amigos* pelo simples fato de o apresentador ser um astro do rock. Como quer que eles se sintam no final do programa?

– Bom, é claro que...

– Pense em como nós construímos aquele set para Percy e Evie. Tudo naquela cena diz que os brancos e os negros têm que ser mantidos separados: o figurino, os papéis que eles estão representando, o balcão entre os dois.

– Era essa a intenção – disse Wharton.

– Nós enfatizamos a separação entre eles, e eu não quero jogar isso na cara das pessoas, principalmente não hoje, na noite em que o seu grande herói foi assassinado. Mas Evie tem razão: o beijo no final desmente tudo o que veio antes. O beijo diz que não precisamos nos explorar, espancar e assassinar. O beijo diz que podemos nos *tocar*. Isso não deveria ser nada de mais, mas é.

Dave prendeu a respiração. Na realidade, não tinha certeza de que o beijo fosse impedir muitos motins. Queria incluí-lo apenas porque ele simbolizava a vitória do certo contra o errado. Mas pensou que talvez aquela argumentação conseguisse convencer o executivo.

– Dave tem toda a razão, pai – falou Caroline. – Você deveria deixar o beijo.

– É – concordou Edward.

Wharton não se deixou comover muito pelas opiniões dos filhos, mas, para certa surpresa de Dave, virou-se para a mulher e perguntou:

– O que acha, querida?

– Eu não diria para você fazer nada que fosse prejudicar a empresa, você sabe disso – respondeu ela. – Mas acho que isso poderia até ajudar a National Soap. Se você for criticado, diga que tomou a decisão por causa de Martin Luther King. Pode acabar até virando herói.

– Sr. Wharton, são quinze para as oito – falou Dave. – Charlie Lacklow está esperando ao lado do telefone. Se o senhor ligar para eles nos próximos cinco minutos, dá tempo de trocar as fitas. A decisão é sua.

O recinto silenciou. Wharton passou alguns minutos pensando. Por fim, levantou-se.

– Caramba, acho que talvez você tenha razão – disse.

Ele foi até o hall.

Todos puderam ouvi-lo discando. Dave mordeu o lábio.

– Queria falar com Charlie Lacklow, por favor... Oi, Charlie. Sim, ele está aqui comendo sobremesa conosco... Conversamos muito, e estou ligando para pedir para você recolocar o beijo no programa... É, foi isso mesmo que eu disse. Obrigado, Charlie. Boa noite.

Dave ouviu o ruído do telefone sendo posto no gancho e se deixou tomar por uma cálida sensação de triunfo.

O Sr. Wharton tornou a entrar na sala.

– Bem, está feito – falou.

– Obrigado, Sr. Wharton – disse Dave.

⁓

– O beijo gerou muitos comentários, quase todos positivos – contou Dave a Evie durante um almoço no Polo Lounge na terça-feira.

– Então a National Soap saiu ganhando?

– Foi o que me disse meu novo amigo Robert Wharton.

– E o programa?

– Também foi um sucesso. Eles já encomendaram uma temporada.

– E tudo porque você fez a coisa certa.

– Minha carreira solo teve um ótimo começo. Nada mau para um garoto que não passava em nenhuma prova.

Charlie Lacklow veio se juntar a eles na mesa.

– Desculpem o atraso – falou, hipócrita. – Estava escrevendo um release conjunto com a National Soap. Três dias depois do programa já é meio tarde, mas eles querem capitalizar a boa repercussão.

Ele entregou duas folhas de papel a Dave.

– Posso ler? – pediu Evie. Ela sabia que o irmão não lia bem. Dave lhe passou os papéis. Um minuto depois, ela exclamou: – Dave! Eles querem que você diga: "Eu gostaria de homenagear Robert Wharton, diretor executivo da National Soap, por sua coragem e visão ao insistir que o programa fosse ao ar com o beijo controverso." Que ousadia!

Dave pegou de volta os papéis.

Charlie lhe passou uma caneta esferográfica.

Ele escreveu "OK" no alto da página, assinou e devolveu o release a Charlie.

Evie quase surtou.

– Mas isso é um absurdo! – exclamou.

– Claro que é um absurdo. Show business é isso aí.

CAPÍTULO QUARENTA E TRÊS

No dia em que o divórcio de Dimka foi formalizado, houve uma reunião dos principais assessores do Kremlin para discutir a crise na Tchecoslováquia.

Dimka sentia-se eufórico. Estava ansioso para se casar com Natalya, e agora um dos principais obstáculos fora removido. Mal podia esperar para lhe dar a notícia, mas quando chegou à sala Nina Onilova já encontrou vários outros assessores lá e teve de esperar.

Quando ela entrou, com os cabelos encaracolados caindo em volta do rosto do jeito que Dimka achava tão encantador, ele lhe abriu um largo sorriso. Apesar de não saber o motivo, ela sorriu de volta.

Dimka estava quase igualmente feliz em relação à Tchecoslováquia. O novo líder em Praga, Alexander Dubček, tinha se revelado um defensor das reformas do mesmo naipe que ele. Pela primeira vez desde seu ingresso no Kremlin, um país-satélite da URSS havia afirmado que a sua versão do comunismo talvez não fosse exatamente igual ao modelo soviético. No dia 5 de abril, Dubček anunciara um Programa de Ação que incluía liberdade de expressão, direito de viajar para o Ocidente, o fim das prisões arbitrárias e uma independência maior para as empresas.

Se aquilo funcionasse na Tchecoslováquia, talvez pudesse dar certo também na URSS.

Dimka sempre pensara que o comunismo podia ser reformado, ao contrário da irmã e dos dissidentes, para quem o regime deveria ser eliminado.

A reunião começou, e Yevgeny Filipov apresentou um relatório da KGB dizendo que elementos burgueses estavam tentando prejudicar a revolução tcheca.

Dimka suspirou fundo. Aquela declaração era típica do Kremlin sob a batuta de Brejnev. Quando as pessoas resistiam à sua autoridade, o regime nunca refletia para ver se havia motivos legítimos, mas sempre procurava ou inventava razões maléficas.

Ele reagiu com desdém.

– Duvido que tenham sobrado muitos elementos burgueses na Tchecoslováquia depois de vinte anos de comunismo – falou.

Como prova, Filipov mostrou dois pedaços de papel. O primeiro era uma carta de Simon Wiesenthal, diretor do Centro de Documentação Judaica de Viena, elogiando o trabalho de colegas sionistas em Praga. O segundo era uma brochura impressa na Tchecoslováquia instigando a Ucrânia a se separar da URSS.

Do outro lado da mesa, Natalya Smotrov fez pouco daqueles documentos:

– Essas falsificações são tão óbvias que chegam a ser risíveis! Não existe a menor chance de Simon Wiesenthal estar organizando uma contrarrevolução sionista em Praga. Isso é o melhor que a KGB consegue fazer?

– Dubček se revelou uma cobra escondida na relva! – esbravejou Filipov.

Havia certa verdade nessa afirmação. Quando o líder tcheco anterior havia perdido popularidade, Dubček fora aprovado por Brejnev como substituto porque parecia sem graça e confiável. Seu radicalismo fora um baita choque para os conservadores do Kremlin.

Filipov prosseguiu, indignado:

– Ele deixou os jornais atacarem líderes comunistas!

Nisso Filipov estava pisando em terreno movediço. O antecessor de Dubček, Novotný, era um escroque. Dimka então falou:

– Os jornais recém-liberados revelaram que Novotný estava usando licenças de importação do governo para comprar carros Jaguar que depois eram vendidos a seus colegas de Partido a preços muito mais altos. – Ele fingiu incredulidade. – Quer mesmo proteger homens assim, camarada Filipov?

– Eu quero que os países comunistas sejam governados de forma disciplinada e rigorosa – respondeu seu colega. – Os jornais subversivos logo vão estar exigindo o que chamamos de democracia à ocidental, na qual os partidos políticos que representam facções burguesas rivais criam uma ilusão de livre escolha, mas na verdade se unem para reprimir a classe trabalhadora.

– Isso ninguém quer – falou Natalya. – O que nós queremos é que a Tchecoslováquia seja um país culturalmente avançado, atraente para os turistas ocidentais. Se apertarmos o cerco e o turismo declinar, a URSS vai ser forçada a gastar ainda mais dinheiro para sustentar a economia tcheca.

Filipov deu um muxoxo.

– É isso que o Ministério das Relações Exteriores pensa?

– O Ministério das Relações Exteriores quer uma negociação com Dubček para garantir que o país continue comunista, não uma intervenção brutal que aliene tanto os países capitalistas quanto os comunistas.

No fim, os argumentos econômicos venceram e foram aprovados pela maioria da mesa. Os assessores recomendaram ao Politburo que Dubček fosse interrogado por outros integrantes do Pacto de Varsóvia em sua próxima reunião em Dresden, na Alemanha Oriental. Dimka exultou: a ameaça de um expurgo linha-dura fora afastada, pelo menos por enquanto. O empolgante experimento tcheco de comunismo reformado iria continuar.

Fora da sala, ele disse a Natalya:

– Meu divórcio saiu. Não sou mais casado com Nina, agora é oficial.

A reação dela foi discreta.

– Que bom – falou, mas pareceu nervosa.

Já fazia um ano que Dimka não morava mais na mesma casa que Nina e Grigor. Tinha um apartamentozinho próprio, onde ele e Natalya passavam algumas horas juntos uma ou duas vezes por semana. A rotina era insatisfatória para ambos.

– Eu quero me casar com você – disse ele.

– Eu quero a mesma coisa.

– Vai falar com Nik?

– Vou.

– Hoje à noite?

– Em breve.

– Do que você está com medo?

– Não é por mim que estou com medo. Não ligo para o que ele fizer comigo. – Dimka fez uma careta ao se lembrar de seu lábio machucado. – É com você que estou preocupada. Lembra o homem do gravador?

Dimka lembrava. O vendedor do mercado negro que havia enganado Natalya fora espancado com tanta violência que tinha ido parar no hospital. Ela estava querendo dizer que o mesmo poderia acontecer com Dimka caso ela pedisse o divórcio a Nik.

Só que Dimka não acreditava nisso.

– Eu não sou um marginal de baixa extração, sou o braço direito do premiê soviético. Nik não pode me atingir. – Estava 99% certo disso.

– Não sei – disse Natalya, desanimada. – Ele tem uns contatos muito bem posicionados.

Dimka baixou a voz:

– Você ainda transa com ele?

– Não muito. Ele tem outras mulheres.

– E você gosta?

– Não!

– E ele?

– Não muito.

– Então qual é o problema?

– Orgulho. Ele vai ficar bravo ao saber que escolhi outro homem.

– Não tenho medo da raiva dele.

– Eu tenho. Mas vou falar com ele. Prometo.

– Obrigado. – Ele baixou a voz para um sussurro: – Eu te amo.

– Eu também te amo.

De volta à sua sala, Dimka resumiu a reunião dos assessores para Alexei Kosygin.

– Eu também não acredito na KGB – falou seu chefe. – Mas preciso de informações confiáveis sobre a Tchecoslováquia. Se não posso confiar na KGB, a quem vou recorrer?

– Mande minha irmã para lá – sugeriu Dimka. – Ela é jornalista da TASS. Durante a crise dos mísseis de Cuba, mandou ótimas informações para Kruschev pelo telégrafo do Exército Vermelho. Ela pode fazer o mesmo para o senhor de Praga.

– Boa ideia – disse Kosygin. – Organize isso, por favor.

⁓

Dimka não viu Natalya no dia seguinte, mas um dia depois ela telefonou bem na hora em que ele estava saindo do escritório, às sete.

– Falou com Nik? – perguntou ele.

– Ainda não. – Antes de Dimka poder manifestar sua decepção, contudo, ela arrematou: – Mas aconteceu outra coisa. Filipov foi falar com ele.

– Filipov? – Dimka se espantou. – O que um funcionário do Ministério da Defesa pode querer com o seu marido?

– Coisa boa não é. Acho que ele contou para Nik sobre a gente.

– E por que faria isso? Sei que ele e eu sempre discordamos nas reuniões, mas...

– Tem uma coisa que eu não te contei. Filipov me passou uma cantada.

– Que babaca. Quando?

– Há dois meses, no bar Beira-Rio. Você estava viajando com Kosygin.

– Incrível. Ele pensou que você iria para a cama com ele só porque eu estava fora?

– Algo assim. Foi constrangedor. Eu disse que não dormiria com ele nem se ele fosse o último homem de Moscou. Acho que deveria ter sido mais delicada.

– E você acha que ele contou para o Nik por vingança?

– Tenho certeza.

– O que Nik falou?

– Nada. É por isso que estou preocupada. Preferiria que ele arrebentasse minha boca outra vez.

– Não fale assim.

– Estou com medo por você.

– Eu vou ficar bem, não se preocupe.

– Tome cuidado.
– Vou tomar.
– Não vá para casa a pé, use o carro.
– Eu sempre vou de carro.

Eles se despediram e desligaram. Dimka vestiu o pesado sobretudo, pôs o chapéu de pele e saiu do Kremlin. Seu Moskvitch 408 estava no estacionamento, de modo que ele pôde entrar no carro com segurança. Foi dirigindo até em casa pensando se Nik teria coragem de bater contra seu carro, mas nada aconteceu.

Chegando ao prédio em que morava, estacionou na rua a um quarteirão de distância. Aquele era o momento mais vulnerável. Tinha de andar da porta do carro até a do prédio sob a luz dos postes de rua. Se alguém quisesse espancá-lo, decerto seria ali.

Não havia ninguém à vista, mas os agressores poderiam estar escondidos.

Ele imaginou que Nik não viria atacá-lo em pessoa, mas mandaria algum capanga. Perguntou-se quantos. Será que ele deveria revidar? Contra dois, talvez tivesse uma chance: não era nenhum covarde. Se fossem três ou mais, seria melhor se deitar e aguentar a surra.

Saltou do carro e trancou a porta.

Foi andando pela calçada. Será que eles sairiam de trás daquele furgão estacionado? Ou surgiriam da quina do prédio seguinte? Será que estariam à espreita em frente à sua porta?

Chegou ao edifício e entrou. Talvez estivessem na portaria.

Teve de esperar um tempão pelo elevador.

Quando este chegou e as portas se fecharam, pensou se eles estariam no seu apartamento.

Destrancou a porta da frente. Estava tudo silencioso e tranquilo. Verificou o quarto, a sala, a cozinha e o banheiro.

Vazios.

Fechou a porta com o trinco.

⁓

Dimka passou duas semanas com medo de ser atacado a qualquer minuto. Depois de algum tempo, acabou concluindo que isso não iria acontecer. Talvez Nik não ligasse para o fato de a mulher estar tendo um caso, ou talvez fosse sensato o bastante para não transformar em inimigo um homem que trabalhava no Kremlin. Fosse como fosse, Dimka começou a se sentir mais seguro.

Continuava pensando no recalque de Yevgeny Filipov. Como aquele sujeito poderia ter se espantado que Natalya o rejeitasse? Ele era sem graça, conservador e feio, além de se vestir mal: o que imaginava ter para atrair uma mulher bonita que, além do marido, já tinha um amante? Estava claro que os sentimentos do assessor tinham sido profundamente feridos, mas sua vingança não parecia ter dado certo.

A maior preocupação de Dimka no momento, porém, era o movimento de reforma na Tchecoslováquia, agora chamado de Primavera de Praga, pivô da maior cisão no Kremlin desde a crise dos mísseis de Cuba. Seu chefe, o premiê Alexei Kosygin, era o líder dos otimistas, que torciam para os tchecos encontrarem um jeito de sair do pântano de ineficiência e desperdício que era a típica economia comunista. Abafando seu entusiasmo por motivos estratégicos, propunham que Dubček fosse vigiado de perto, mas que, se possível, qualquer confronto fosse evitado. No entanto, conservadores como o chefe de Filipov, o ministro da Defesa Andrei Grechko, e o diretor da KGB, Andropov, estavam incomodados com Praga, pois temiam que as ideias radicais fossem prejudicar sua autoridade, infectar outros países e subverter a aliança militar do Pacto de Varsóvia. Sua vontade era despachar os tanques, depor Dubček e impor um rígido regime comunista servilmente leal a Moscou.

O verdadeiro líder, Leonid Brejnev, continuava em cima do muro, como era frequente, aguardando um consenso surgir.

Apesar de estarem entre os homens mais poderosos do mundo, os figurões do Kremlin tinham medo de pisar em falso. Como o marxismo-leninismo respondia a todas as perguntas, a decisão final só poderia estar correta. Qualquer um que houvesse defendido outro desfecho seria denunciado como culpado de estar distante do pensamento ortodoxo. Dimka às vezes pensava se no Vaticano seria tão ruim.

Como nenhum alto funcionário queria ser o primeiro a expressar uma opinião oficialmente, todos mandavam seus assessores discutirem as questões de maneira informal antes da reunião do Politburo.

– O problema não são só as ideias revisionistas de Dubček sobre a liberdade de imprensa – disse Yevgeny Filipov para Dimka certa tarde, no largo corredor em frente à Sala do Presidium. – Ele é um eslovaco que deseja dar mais direitos à minoria oprimida de onde veio. Imagine se *essa* ideia começar a se espalhar para lugares como a Ucrânia ou a Bielorrússia.

Como sempre, Filipov estava vestido com uma década de atraso. Quase todo mundo agora usava os cabelos mais compridos, mas ele ainda mantinha os seus cortados à escovinha. Dimka tentou esquecer por um instante que o colega era um filho da mãe mau e criador de casos.

– Esses perigos são remotos – argumentou. – Não existe nenhuma ameaça imediata à União Soviética, e com certeza nada que justifique uma intervenção militar pesada.

– Dubček enfraqueceu a KGB. Ele expulsou vários agentes de Praga e autorizou uma investigação sobre a morte do antigo ministro das Relações Exteriores, Jan Masaryk.

– E a KGB por acaso tem o direito de matar ministros de governos amigos? – rebateu Dimka. – É esse o recado que vocês querem mandar para a Hungria e a Alemanha Oriental? Isso tornaria a KGB pior do que a CIA. Pelo menos os americanos só assassinam gente em países como Cuba.

Filipov tornou-se petulante:

– O que podemos ganhar permitindo essa tolice em Praga?

– Se invadirmos a Tchecoslováquia, vamos congelar as relações diplomáticas... você sabe disso.

– E daí?

– Nossas relações com o Ocidente vão ficar prejudicadas. Nós estamos tentando reduzir a tensão com os Estados Unidos para poder gastar menos com as Forças Armadas. Esse esforço todo seria sabotado. Uma invasão poderia até ajudar Richard Nixon a se eleger presidente.... e ele pode *aumentar* os gastos americanos com defesa. Imagine quanto isso nos custaria!

Filipov tentou interromper, mas Dimka não deixou:

– Uma invasão também deixaria o Terceiro Mundo chocado. Nós estamos tentando estreitar laços com os países não alinhados diante da rivalidade com a China, que quer nos substituir como líder do comunismo global. Por isso estamos organizando uma Conferência Mundial Comunista em novembro. Essa conferência pode ser um fracasso humilhante se invadirmos a Tchecoslováquia.

– Então você simplesmente deixaria Dubček fazer o que quer? – indagou Filipov com sarcasmo.

– Pelo contrário. – Dimka então revelou a proposta preferida por seu chefe: – Kosygin vai a Praga negociar um acordo, uma solução não militar.

Filipov também pôs as cartas na mesa:

– O ministro da Defesa vai defender esse plano no Politburo, contanto que nós comecemos imediatamente a preparar uma invasão para o caso de as negociações fracassarem.

– Combinado – falou Dimka, certo de que os militares fariam esses preparativos de toda forma.

Uma vez tomada a decisão, eles se afastaram em direções opostas. Dimka voltou para a sala bem na hora em que sua secretária Vera Pletner estava pegando o telefone. Viu o rosto dela ficar da mesma cor do papel enfiado em sua máquina de escrever.

– Aconteceu alguma coisa? – perguntou ele.
Ela lhe passou o fone.
– É sua ex-mulher – falou Vera.
Reprimindo um grunhido, Dimka pegou o aparelho e disse:
– O que foi, Nina?
– Venha para cá agora! – gritou ela. – Grisha sumiu!
Dimka sentiu o coração parar. Grigor, que eles chamavam de Grisha, estava prestes a completar 5 anos e ainda não começara a ir à escola.
– Como assim, sumiu?
– Não estou encontrando, ele desapareceu! Já procurei por toda parte!
Uma dor se alastrou pelo peito de Dimka. Ele se esforçou para manter a calma.
– Quando e onde você o viu pela última vez?
– Ele subiu para visitar sua mãe. Deixei-o ir sozinho... eu sempre deixo, são só três andares de elevador.
– Quando foi isso?
– Faz menos de uma hora... Você tem que vir para cá!
– Estou indo. Ligue para a polícia.
– Venha logo!
– Ligue para a polícia, ouviu?
– Tá bom.
Dimka largou o telefone e deixou a sala. Saiu do prédio correndo. Apesar de não ter parado para vestir o sobretudo, mal reparou no ar frio de Moscou. Pulou no carro, enfiou a alavanca na primeira marcha e saiu a toda do Kremlin. Mesmo com ele pisando fundo no acelerador, o Moskvitch não andou muito depressa.
Nina ainda morava no antigo apartamento do casal na Casa do Governo, a menos de dois quilômetros do Kremlin. Dimka estacionou em fila dupla e entrou correndo.
Encontrou um porteiro da KGB na entrada.
– Boa tarde, Dmitri Ilich – disse o agente, educado.
– O senhor viu meu filho, Grisha?
– Hoje, não.
– Ele sumiu... será que pode ter saído?
– Não desde que eu voltei do almoço, à uma.
– Algum desconhecido entrou no prédio hoje?

– Vários, como sempre. Tenho uma lista...
– Depois eu olho. Se vir Grisha, ligue lá para cima na mesma hora.
– Claro, pode deixar.
– A polícia vai chegar a qualquer momento.
– Eu mando subir na hora.

Dimka ficou esperando o elevador. Estava pegajoso de suor. De tão nervoso, apertou o botão errado e teve de esperar enquanto o elevador parava em um andar intermediário. Quando chegou ao andar de Nina, encontrou-a no corredor com Anya.

Sua mãe esfregava as mãos compulsivamente no avental de estampa florida.

– Ele não apareceu lá em casa. Não entendo o que aconteceu!
– Será que pode ter se perdido? – perguntou Dimka.
– Ele já foi lá vinte vezes e sabe o caminho – respondeu Nina. – Mas sim, ele pode ter se distraído com alguma coisa e ido para o lugar errado, afinal tem só 5 anos.
– O porteiro tem certeza de que ele não saiu do prédio, então só precisamos procurar. Vamos bater na porta de cada apartamento. Não, esperem: a maioria dos moradores tem telefone. Vou descer e ligar para eles da portaria.
– Ele talvez não esteja em um apartamento – disse Anya.
– Vão então vocês duas olhar todos os corredores, a escada e os armários de limpeza.
– Certo – falou Anya. – Vamos pegar o elevador até o último andar e ir descendo.

As duas entraram no elevador e Dimka desceu correndo pela escada. Na portaria, disse ao porteiro o que estava acontecendo e começou a ligar para os apartamentos. Não tinha certeza de quantos eram; uns cem, talvez? "Um menininho se perdeu, alguém por aí o viu?", repetia ele a cada vez que atendiam. Assim que escutava um "não", desligava e ligava para o apartamento seguinte. Foi anotando os apartamentos que não atendiam ou não tinham telefone.

Já tinha percorrido quatro andares sem qualquer sinal de esperança quando a polícia chegou: um sargento gordo e um agente jovem. Os dois demonstraram uma calma enlouquecedora.

– Vamos dar uma olhada por aí – disse o sargento. – Conhecemos o prédio.
– Vai ser preciso mais do que duas pessoas para procurar direito! – falou Dimka.
– Chamaremos reforços se for preciso – retrucou o sargento.

Dimka não quis perder tempo discutindo com eles. Voltou ao telefone, mas estava começando a pensar que Nina e Anya tinham melhores chances de encontrar o menino. Se ele tivesse entrado no apartamento errado, com certeza o morador já teria ligado para a polícia. Grisha podia estar subindo e descendo a escada, perdido. Dimka quis chorar ao pensar no medo que o filho devia estar sentindo.

Depois de ele ter passado mais dez minutos ao telefone, os dois policiais subiram a escada do subsolo com Grisha andando no meio, de mãos dadas com o sargento.

Dimka largou o telefone e correu até o menino.

– Não consegui abrir a porta, aí eu chorei! – disse ele.

Seu pai o pegou no colo e o abraçou, esforçando-se para não chorar de alívio.

– O que houve, filho? – perguntou um minuto depois.

– Os guardas me acharam – respondeu Grisha.

Anya e Nina surgiram da escada e vieram correndo, radiantes de tanto alívio. Nina arrancou o filho do colo do pai e o apertou com força contra o peito.

Dimka se virou para o sargento.

– Onde ele estava?

O homem exibia um ar satisfeito.

– No subsolo, em um dos depósitos. A porta não estava trancada, mas ele não conseguia alcançar a maçaneta. Levou um baita susto, mas não parece ter se machucado.

Dimka olhou para o menino.

– Filho, o que você foi fazer no subsolo?

– O homem disse que lá tinha um filhotinho de cachorro... só que eu não encontrei!

– Homem?

– É.

– Era alguém que você conhece?

Grisha fez que não com a cabeça.

O sargento pôs o quepe para ir embora.

– O importante é que tudo acabou bem.

– Esperem um instante. Vocês ouviram o garoto. Um homem o atraiu lá para baixo com uma história de filhote de cachorro.

– Sim, ele me contou. Mas, até onde posso ver, nenhum crime parece ter sido cometido.

– O menino foi raptado!

– É difícil saber exatamente o que aconteceu, sobretudo vindo de uma criança tão pequena.

– Difícil nada. Um homem atraiu o menino até o subsolo e o deixou lá.

– Mas por que ele faria isso?

749

– Olhe, estou grato por terem encontrado meu filho, mas vocês não acham que estão levando a coisa toda muito pouco a sério?

– Crianças se perdem todos os dias.

Dimka começou a ficar desconfiado.

– Como é que vocês sabiam onde procurar?

– Um palpite. Como eu já disse, conhecemos bem este prédio.

Dimka decidiu não dar voz à própria desconfiança enquanto estivesse tão abalado. Virou as costas para o sargento e tornou a falar com o filho:

– Grisha, o homem te disse o nome dele?

– Disse. Nik.

⌇

Na manhã seguinte, Dimka solicitou o dossiê da KGB sobre Nik Smotrov.

Estava enfurecido. Sua vontade era pegar uma arma e matar o sujeito. Precisou repetir várias vezes a si mesmo para ficar calmo.

Nik não devia ter tido dificuldade para passar pelo porteiro na véspera. Poderia ter forjado alguma entrega, entrado logo atrás de um morador legítimo aparentando fazer parte do mesmo grupo ou simplesmente mostrado a carteira do Partido Comunista. Dimka achava um pouco mais difícil entender como Nik podia ter sabido que Grisha estaria em trânsito sozinho entre duas partes distintas do prédio, mas pensou bem e concluiu que ele decerto tinha passado alguns dias observando o local. Podia ter conversado com alguns vizinhos, descoberto a rotina diária do menino e escolhido a melhor oportunidade. Provavelmente tinha pago os policiais do bairro, também. Objetivo: deixar Dimka morrendo de medo.

Havia conseguido.

Mas iria se arrepender.

Em teoria, na condição de premiê, Alexei Kosygin podia examinar qualquer dossiê que desejasse. Na prática, Yuri Andropov, diretor da KGB, decidia o que ele podia e não podia ver. Mas Dimka tinha certeza de que as atividades de Nik, embora criminosas, não tinham nenhum viés político, de modo que não havia motivo para o dossiê ser retido. Dito e feito: na mesma tarde, o relatório estava em cima de sua mesa.

E era recheado.

Como Dimka já suspeitava, Nik era comerciante do mercado negro. A exemplo da maioria dos homens desse tipo, era um oportunista. Comprava e vendia tudo o que lhe aparecia pela frente: camisas floridas, perfumes caros, guitarras elétricas, roupas íntimas e uísque escocês, ou seja, qualquer luxo importado de forma ilegal que fosse difícil de achar na URSS. Dimka vasculhou cuidadosamente os relatórios em busca de algo que pudesse usar para destruir aquele homem.

A KGB vivia de boatos, mas ele precisava de algo sólido. Poderia procurar a polícia, repetir as informações contidas no dossiê da KGB e solicitar uma investigação. Só que Nik certamente subornava a polícia, do contrário não teria se safado por tanto tempo cometendo seus crimes. E os seus protetores naturalmente iriam querer que os subornos continuassem, então garantiriam que a investigação não desse resultado.

O dossiê continha farto material sobre a vida pessoal de Nik. Ele tinha uma amante e várias namoradas, inclusive uma com quem fumava maconha. Dimka se perguntou quanto Natalya sabia sobre as namoradas. Quase todas as tardes, Nik se encontrava com colegas de ofício no bar Madri, perto do Mercado Central. Ele tinha uma bonita esposa que...

Dimka ficou chocado ao ler que a esposa de Nik mantinha um caso havia tempos com Dmitri Ilich Dvorkin, conhecido como "Dimka", assessor do premiê Kosygin.

Ler o próprio nome ali lhe causou uma sensação horrível. Parecia que nada era privado.

Pelo menos não havia fotos nem fitas gravadas.

Havia, porém, uma foto de Nik, que ele nunca tinha visto pessoalmente. O marido de Natalya era um homem bonito, dono de um sorriso cheio de charme. Na foto, estava usando um paletó com ombreiras, acessório ultra em voga. Segundo as anotações, tinha 1,83 metro e porte atlético.

Dimka quis espancá-lo até ele virar geleia.

Afastou do pensamento as fantasias de vingança e continuou a leitura.

Não demorou a tirar a sorte grande.

Nik estava comprando televisores do Exército Vermelho.

As Forças Armadas soviéticas tinham um orçamento colossal, que ninguém se atrevia a contestar por medo de não parecer patriota. Parte do dinheiro era gasta em equipamentos de alta tecnologia comprados no Ocidente. Em especial, todos os anos o Exército Vermelho adquiria centenas de caros aparelhos de TV. Sua marca preferida era a Franck, de Berlim Ocidental, cujos televisores tinham uma imagem mais nítida e um ótimo som. Segundo o dossiê, o Exército não precisava da maioria dessas TVs. Elas eram encomendadas por um pequeno grupo de oficiais de médio escalão mencionados no documento. Esses funcionários então declaravam que os televisores eram obsoletos e os vendiam barato para Nik, que os revendia a preços astronômicos no mercado negro e repartia o lucro.

A maioria dos negócios de Nik rendia uma ninharia, mas aquele esquema vinha lhe rendendo um bom dinheiro havia anos.

Não havia provas de que a história fosse verdadeira, mas para Dimka fazia total sentido. A KGB a tinha relatado ao Exército, mas uma investigação interna não conseguira encontrar provas. O mais provável, pensou Dimka, era que o investigador tivesse levado uma porcentagem do dinheiro.

Ele ligou para a sala de Natalya.

– Uma pergunta rápida – falou. – Qual é a marca da sua TV em casa?

– Franck – respondeu ela na mesma hora. – É ótima. Se quiser, consigo uma para você.

– Não, obrigado.

– Por que a pergunta?

– Depois eu explico. – Ele desligou.

Olhou para o relógio. Eram cinco da tarde. Saiu do Kremlin e foi de carro até a rua chamada Sadovaya Samotyochnaya.

Precisava assustar Nik. Não seria fácil, mas tinha de fazê-lo. Nik precisava entender que nunca, em tempo algum, podia ameaçar sua família.

Estacionou o Moskvitch, mas não saltou na hora. Lembrou-se de seu estado de espírito durante o projeto dos mísseis em Cuba, quando tinha de manter a missão em segredo a qualquer custo. Havia destruído carreiras e arruinado a vida de outros homens sem hesitar porque o trabalho precisava ser feito. Agora iria arruinar Nik.

Trancou o carro e foi a pé até o bar Madri.

Empurrou a porta e entrou. Ficou parado, olhando em volta. O lugar era soturno e moderno, frio e de plástico, insuficientemente iluminado por uma lareira elétrica e algumas fotografias de dançarinas de flamenco nas paredes. O punhado de clientes o observou com interesse; pareciam criminosos de pouca monta. Nenhum se parecia com a foto de Nik no dossiê.

No fundo havia um balcão de canto com uma porta ao lado que dizia "Reservado".

Dimka atravessou o recinto como se o bar fosse seu. Sem se deter, perguntou ao homem atrás do balcão:

– Nik está lá atrás?

O homem pareceu prestes a lhe dizer para parar e esperar, mas então olhou bem para o rosto de Dimka e mudou de ideia.

– Está – respondeu.

Dimka empurrou a porta e entrou.

Em uma saleta dos fundos, quatro homens jogavam carteado. Havia muito dinheiro sobre a mesa. Em um dos lados, sobre um sofá, duas moças com roupas de festa e muito maquiadas fumavam, com cara de tédio, compridos cigarros americanos.

Dimka reconheceu Nik na hora. O rosto era tão bonito quanto sugerido pela fotografia, mas a câmera não conseguira captar a expressão fria. Nik ergueu os olhos e disse:

– Esta sala é reservada. Dê o fora.

– Tenho um recado para você – disse Dimka.

Nik pousou as cartas viradas para baixo sobre a mesa e se recostou na cadeira.

– Quem é você, porra?

– Vai acontecer uma coisa ruim.

Dois dos jogadores se levantaram e se viraram para ele. Um deles levou a mão até dentro do casaco, e Dimka pensou que fosse sacar uma arma. Mas Nik ergueu uma das mãos em um gesto que mandava esperar, e o homem hesitou.

– Que história é essa? – perguntou ele sem desgrudar os olhos de Dimka.

– Quando a coisa ruim acontecer, você vai se perguntar quem a está causando.

– E você vai me dizer?

– Estou dizendo agora. Dmitri Ilich Dvorkin. É ele a causa dos seus problemas.

– Eu não tenho problemas, babaca.

– Não tinha, até ontem. Aí você cometeu um erro... babaca.

Os homens à sua volta ficaram tensos, mas Nik permaneceu calmo.

– Ontem? – Ele estreitou os olhos. – É você o filho da puta com quem ela está trepando?

– Quando você estiver com tantos problemas que não souber o que fazer, lembre-se do meu nome.

– Dimka é você!

– Você vai tornar a me ver – disse Dimka. Virou as costas devagar e saiu da sala.

Enquanto atravessava o bar, sentiu todos os olhos a observá-lo. Manteve o olhar fixo à frente, imaginando que uma bala fosse atingi-lo nas costas a qualquer momento.

Chegou à porta e saiu.

Sorriu para si mesmo. Consegui, pensou.

Agora tinha de cumprir sua ameaça.

Percorreu de carro os 10 quilômetros do centro da cidade até o campo de pouso de Khodinka e estacionou no quartel-general da Inteligência do Exército Vermelho. O prédio antigo era um exemplo bizarro de arquitetura stalinista, uma torre de nove andares cercada por um anel externo de dois andares. A diretoria fora transferida para um prédio de quinze andares mais novo ali perto; as agências de inteligência nunca diminuíam de tamanho.

Com o dossiê de Nik na mão, Dimka entrou no prédio antigo e pediu para falar com o general Volodya Peshkov.

– O senhor tem hora marcada? – perguntou um soldado.

Dimka levantou a voz:

– Não encha o saco, filho. Ligue para a secretária do general e avise que eu estou aqui.

Após um surto de atividade ansiosa – poucas pessoas apareciam ali sem serem convocadas –, ele foi encaminhado para um detetor de metais e conduzido elevador acima até uma sala no último andar.

Aquele era o prédio mais alto das redondezas, com uma bela vista para os telhados de Moscou. Volodya o recebeu e lhe ofereceu um chá. Dimka sempre gostara do tio. Agora, aos 50 e poucos anos, ele tinha os cabelos prateados. Apesar da expressão dura dos olhos azuis, era um defensor das reformas, coisa rara entre os militares, geralmente conservadores. Mas Volodya já tinha ido aos Estados Unidos.

– O que houve? – indagou ele. – Você parece prestes a matar um.

– Estou com um problema – respondeu Dimka. – Fiz um inimigo.

– Isso é bem comum nos círculos em que você trabalha.

– Não tem nada a ver com política. Nik Smotrov é um gângster.

– E como conseguiu se indispor com um homem assim?

– Estou transando com a mulher dele.

Volodya fez uma cara de reprovação.

– E ele o está ameaçando?

Seu tio decerto jamais fora infiel à esposa, a cientista Zoya, tão bela quanto inteligente. Mas isso significava que não tinha grande empatia com a situação do sobrinho. Volodya talvez pensasse diferente caso tivesse cometido a tolice de se casar com uma mulher como Nina.

– Nik raptou Grisha – falou Dimka.

Volodya se empertigou na cadeira.

– O quê? Quando foi isso?

– Ontem. Nós o encontramos. Ele estava só preso no subsolo da Casa do Governo. Mas foi um aviso.

– Você precisa desistir dessa mulher!

Dimka ignorou o conselho.

— Vim procurar você por um motivo específico, tio. Tem um jeito de você me ajudar e ao mesmo tempo fazer um bem para o Exército.

— Pode falar.

— Nik comanda uma fraude que custa milhões por ano ao Exército. — Ele explicou o esquema das TVs. Ao terminar, depositou o dossiê sobre a mesa do tio. — Está tudo aqui... inclusive o nome dos oficiais que organizam tudo.

Volodya não recolheu o dossiê.

— Eu não sou da polícia. Não posso prender esse tal de Nik. E, se ele estiver subornando a polícia, não há muito que eu possa fazer.

— Mas você pode prender os oficiais do Exército envolvidos no esquema.

— Ah, sim. Todos eles estarão em prisões militares dentro de 24 horas.

— E pode pôr fim ao esquema todo.

— Bem rápido.

E Nik estaria arruinado, pensou Dimka.

— Obrigado, tio. Vai ajudar muito.

⁓

Dimka estava em casa fazendo as malas para a viagem à Tchecoslováquia quando Nik apareceu para falar com ele.

O Politburo tinha aprovado o plano de Kosygin. Dimka o acompanharia até Praga para negociar uma solução não militar para a crise. Eles dariam um jeito de permitir que o experimento de liberalização prosseguisse ao mesmo tempo que garantiriam aos linhas-duras não haver nenhuma ameaça fundamental ao sistema soviético. Mas Dimka torcia era para que, a longo prazo, o próprio sistema soviético mudasse.

Praga em maio estaria amena e chuvosa. Ele estava dobrando a capa de chuva quando a campainha tocou.

O prédio não tinha porteiro nem interfone. A porta da rua vivia destrancada, e os visitantes subiam para os apartamentos sem serem anunciados. Muito diferente do luxo da Casa do Governo, onde sua ex-mulher morava, no antigo apartamento do casal. Dimka às vezes se ressentia desse fato, mas ficava feliz por Grisha estar perto da avó.

Ao abrir a porta, ficou chocado ao deparar com o marido da amante.

Nik era quase 3 centímetros mais alto, além de mais pesado, mas Dimka estava pronto para enfrentá-lo. Deu um passo para trás e pegou o objeto pesado mais próximo, um cinzeiro de vidro, para usar como arma.

– Não há necessidade disso – falou Nik, mas entrou no hall e fechou a porta atrás de si.

– Dê o fora daqui – ordenou Dimka. – Agora, antes de se encrencar mais ainda.

Conseguiu imprimir à voz mais segurança do que realmente sentia.

Nik o encarou com uma expressão de ódio incandescente.

– Você provou o que queria – falou. – Não tem medo de mim. É poderoso o suficiente para esmerdear minha vida inteira. Eu é que deveria ter medo de você. Tá bom, já entendi. Estou com medo.

Sua voz não era de medo.

– O que veio fazer aqui? – perguntou Dimka.

– Não ligo a mínima para aquela piranha. Só me casei com ela para agradar à minha mãe, que já morreu. Mas o orgulho de um homem é atiçado quando outro homem mete a colher no que é dele. Você sabe do que estou falando.

– Vá direto ao assunto.

– Meu esquema acabou. Ninguém no Exército quer mais nem falar comigo, que dirá me vender TVs. Homens que construíram dachas de quatro quartos com o dinheiro que eu ganhei para eles agora passam por mim na rua sem falar comigo... isso os que não foram presos.

– Você não deveria ter ameaçado meu filho.

– Agora entendo isso. Pensei que minha mulher estivesse abrindo as pernas para algum *apparatchik* sem importância. Não sabia que ela estava trepando com uma porra de um comandante militar. Eu subestimei você.

– Então volte para a porra da sua casa e vá lamber as feridas.

– Eu preciso ganhar a vida.

– Que tal trabalhar?

– Sem piadas, por favor. Encontrei outra fonte de televisores ocidentais, sem relação nenhuma com o Exército.

– E o que eu tenho com isso?

– Posso reconstruir o esquema que você destruiu.

– E daí?

– Posso entrar e me sentar?

– Deixe de ser imbecil, porra.

A raiva tornou a brilhar nos olhos de Nik e Dimka temeu ter ido longe demais, mas a chama se apagou e o gângster falou com docilidade:

– Tá bom, a proposta é a seguinte: eu dou a você dez por cento dos lucros.

– Quer que eu faça negócio com você? Um negócio ilegal? Deve estar maluco.

– Tá, vinte por cento. E você não precisa fazer nada a não ser me deixar em paz.

– Eu não quero seu dinheiro, boçal. Isto aqui é a União Soviética. Você não pode simplesmente comprar tudo o que quiser como nos Estados Unidos. As minhas conexões valem muito mais do que você algum dia conseguiria me pagar.

– Deve ter alguma coisa que você queira.

Até então, Dimka estava discutindo com Nik só para lhe tirar o equilíbrio, mas nessa hora viu uma oportunidade.

– Ah, tem sim – respondeu. – Tem uma coisa que eu quero.

– Pode falar.

– Que você se divorcie da sua mulher.

– Ahn?

– Eu quero que você se divorcie.

– De Natalya?

– Quero que você se divorcie da sua mulher – repetiu Dimka. – Qual dessas palavras você está com problemas para entender?

– Porra, só isso?

– Só.

– Pode se casar com ela. Eu agora não a tocaria mais, mesmo.

– Se você se divorciar dela, eu o deixo em paz. Não sou policial nem estou liderando uma cruzada contra a corrupção na URSS. Tenho trabalhos mais importantes a fazer.

– Combinado. – Nik abriu a porta. – Vou mandar ela subir.

Dimka levou um susto.

– Ela está aqui?

– Está esperando no carro. Vou mandar empacotar as coisas dela e deixar aqui amanhã. Não a quero na minha casa nunca mais.

Dimka levantou a voz:

– Não se atreva a machucá-la. Se ela tiver um hematoma sequer, nosso acordo está desfeito.

Nik se virou na soleira da porta e apontou para ele um dedo ameaçador.

– E você, nada de voltar atrás. Se tentar me sacanear, eu corto os mamilos dela com a tesoura de cozinha.

Dimka acreditou que ele seria capaz disso. Reprimiu um calafrio.

– Saia da minha casa.

Nik saiu sem fechar a porta.

Dimka estava ofegante, como se tivesse corrido. Ficou parado no pequeno hall do apartamento. Ouviu Nik descer a escada com alarde. Pousou o cinzeiro sobre a mesa do hall. Seus dedos estavam escorregadios de suor e ele quase o deixou cair.

O que acabara de acontecer parecia um sonho. Nik tinha mesmo aparecido no seu hall e concordado em se divorciar? Dimka tinha mesmo conseguido amedrontá-lo?

No minuto seguinte, ouviu passos diferentes na escada: mais leves, mais rápidos, e subindo. Não saiu do apartamento: sentia-se preso no lugar.

Natalya apareceu na porta, e seu largo sorriso iluminou o ambiente. Ela se atirou em seus braços e ele enterrou o rosto em sua profusão de cachos.

– Você está aqui – falou.

– Estou. E nunca mais vou sair.

CAPÍTULO QUARENTA E QUATRO

Rebecca estava tentada a ser infiel a Bernd, mas era incapaz de mentir para ele. Assim, em um acesso de arrependimento, contou-lhe tudo.

– Conheci uma pessoa de quem gostei muito. E nós nos beijamos. Duas vezes. Me desculpe. Nunca mais vou fazer isso.

Teve medo do que o marido fosse dizer. Talvez ele pedisse o divórcio na hora. Era o que a maioria dos homens faria, mas Bernd era melhor do que a maioria dos homens. Ela ficaria arrasada, porém, se em vez de se zangar ele ficasse apenas humilhado. Teria magoado a pessoa que mais amava no mundo.

Mas a reação de Bernd à sua confissão foi chocante e diferente de tudo o que ela esperava.

– Vá em frente – disse ele. – Tenha um caso com o sujeito.

Os dois estavam na cama, logo antes de dormir, e ela se virou de frente para ele e o encarou.

– Como você pode dizer uma coisa dessas?

– Estamos em 1968, a era do amor livre. Todo mundo está transando com todo mundo. Por que você deveria ficar de fora?

– Você não está falando sério.

– Não queria soar tão banal.

– O que você queria dizer, então?

– Eu sei que você me ama e sei que gosta de transar comigo, mas não pode passar o resto da vida sem fazer sexo de verdade.

– Eu não acredito em sexo de verdade – disse ela. – É diferente para cada um. Com você é muito melhor do que era com Hans.

– E vai ser bom sempre, porque a gente se ama. Mas acho que você precisa de uma boa trepada.

Bernd tinha razão, pensou Rebecca. Ela o amava e gostava do jeito especial de os dois transarem, mas quando pensava em Claus deitado em cima dela, beijando-a e se movendo dentro de seu corpo, e em como ela ergueria o quadril ao mesmo ritmo das suas estocadas, ficava molhada na hora. Tinha vergonha de sentir isso. Será que ela era um animal? Talvez fosse, mas Bernd tinha razão sobre aquilo de que precisava.

– Acho que eu sou estranha – falou. – Talvez seja por causa do que me aconteceu na guerra. – Ela havia contado a Bernd, e nunca a mais ninguém, como soldados do Exército Vermelho estavam prestes a estuprá-la quando Carla se ofereceu no seu lugar. As mulheres alemãs raramente falavam sobre esse período, mesmo entre si. Mas Rebecca jamais esqueceria a visão de Carla subindo aquela escada, de cabeça erguida, com os soldados soviéticos a segui-la feito cães salivando. Aos 13 anos de idade, já sabia o que eles iriam fazer, e tinha chorado de alívio por aquilo não estar acontecendo com ela.

– Você também sente culpa por ter escapado enquanto Carla sofria? – perguntou Bernd, sensível.

– Sinto. Não é estranho? Eu era uma criança e uma vítima, mas sinto como se tivesse feito algo vergonhoso.

– Não é incomum. Homens que sobrevivem a batalhas sentem remorso porque outros homens morreram e eles não.

Bernd havia ganhado a cicatriz na testa durante a Batalha das Colinas de Seelow.

– Passei a me sentir melhor depois que Carla e Werner me adotaram – disse Rebecca. – De certa forma, isso ajeitou a situação. Pais se sacrificam pelos filhos, não é? Mulheres sofrem dando à luz. Talvez não faça muito sentido, mas depois que virei filha de Carla senti que tinha esse direito.

– Faz sentido.

– Você quer mesmo que eu vá para a cama com outro homem?

– Quero.

– Mas por quê?

– Porque a alternativa é pior. Se você não for, vai sempre sentir, bem lá no fundo, que deixou de fazer uma coisa por minha causa, que se sacrificou por mim. Prefiro que vá lá e tente. Não precisa me contar os detalhes: basta voltar para casa e dizer que me ama.

– Não sei – falou Rebecca, e não dormiu bem nessa noite.

Na noite seguinte, estava sentada ao lado do homem que desejava ser seu amante, Claus Krohn, em uma sala de reuniões da imensa prefeitura de Hamburgo, um prédio neo-renascentista de telhado verde; Rebecca era integrante do parlamento que administrava a cidade-estado. O comitê estava debatendo uma proposta para demolir uma favela e construir um novo shopping. Mas ela só conseguia pensar em Claus.

Tinha certeza de que, depois da reunião, ele a convidaria para beber alguma coisa no bar. Seria a terceira vez. Depois da primeira, ele lhe dera um beijo de boa-noite. A segunda havia terminado com um abraço apaixonado em um estacionamento, onde eles tinham se beijado de língua e ele tinha tocado seus seios. Nessa noite, tinha certeza de que ele a convidaria para ir ao seu apartamento.

Não sabia o que fazer. Não conseguiu se concentrar no debate. Ficou rabiscando coisas sem nexo na agenda. Estava ao mesmo tempo entediada e nervosa: a reunião estava chata, mas ela não queria que terminasse por medo do que aconteceria depois.

Claus era um homem atraente: inteligente, educado, charmoso, e exatamente da sua idade, 37 anos. Perdera a mulher em um acidente de carro dois anos antes, e não tinha filhos. Não era bonito como um astro de cinema, mas tinha um belo sorriso. Nessa noite, estava usando um terno azul de político, mas era o único homem do recinto com a camisa aberta no pescoço. Rebecca queria transar com ele, queria muito. E ao mesmo tempo estava morta de medo.

A reunião terminou e, como ela imaginava, Claus lhe perguntou se ela queria encontrá-lo no bar Iate, um lugar tranquilo bem distante da prefeitura. Os dois foram até lá em carros separados.

O bar era pequeno, escuro, e mais frequentado durante o dia por donos de veleiros; àquela hora, estava quase deserto. Claus pediu uma cerveja e Rebecca um copo de *Sekt*, um vinho espumante alemão. Assim que se acomodaram, ela falou:

– Contei para o meu marido sobre a gente.

Claus levou um susto.

– Por quê? – indagou ele. – Não que haja grande coisa para contar – acrescentou então. Mesmo assim, tinha um ar culpado.

– Não consigo mentir para ele. Eu amo Bernd.

– E pelo visto também não consegue mentir para mim.

– Sinto muito.

– Não precisa se desculpar por isso, muito pelo contrário. Obrigado pela sua honestidade. Valorizo muito isso.

Claus parecia arrasado, e em meio a outras emoções Rebecca ficou satisfeita que ele gostasse tanto dela a ponto de ficar tão desapontado.

– Se você confessou para o seu marido, por que está aqui comigo agora? – perguntou, tristonho.

– Ele me disse para ir em frente.

– O seu marido quer que você me beije?

– Ele quer que eu seja sua amante.

– Que sinistro. Tem a ver com a paralisia?

– Não – mentiu ela. – A deficiência dele não muda em nada nossa vida sexual.

Era essa a história que ela havia contado à mãe e a algumas outras mulheres de quem era muito próxima. Enganava-as para proteger Bernd; sentia que seria humilhante para ele se as pessoas soubessem a verdade.

– Bom – disse Claus. – Se hoje é meu dia de sorte, que tal irmos direto para o meu apartamento?

– Vamos com calma, se você não se importar.

Ele cobriu a mão dela com a sua.

– Tudo bem ficar nervosa.

– Não fiz isso muitas vezes.

Ele sorriu.

– Não é uma coisa ruim, mesmo que a gente esteja vivendo na era do amor livre.

– Fui para a cama com dois caras na universidade. Aí me casei com Hans, que acabou se revelando um espião da polícia. Depois me apaixonei por Bernd e fugimos juntos. Pronto, minha vida amorosa se resume a isso.

– Vamos mudar de assunto um pouco – sugeriu ele. – Seus pais continuam no lado oriental?

– Continuam. Eles nunca vão conseguir permissão para sair de lá. Quando você faz um inimigo como Hans Hoffmann, meu primeiro marido, ele não esquece nunca.

– Você deve sentir saudades.

Ela não conseguia sequer expressar a saudade que sentia da família. Os comunistas tinham bloqueado os telefonemas para o Ocidente no dia da construção do Muro, então não podia falar com eles por telefone. Tudo o que tinha eram as cartas, abertas e lidas pela Stasi, em geral atrasadas, muitas vezes censuradas, e com qualquer conteúdo de valor roubado pela polícia. Algumas fotos tinham conseguido passar e ela as guardava ao lado da cama: seu pai ficando grisalho, sua mãe ficando mais gorda, Lili se transformando em uma linda mulher.

Em vez de tentar explicar a tristeza que sentia, ela pediu:

– Me conte sobre a sua vida. O que aconteceu com você durante a guerra?

– Nada demais, exceto que passei fome como a maioria das crianças. A casa ao lado da nossa foi destruída e todo mundo morreu, mas a minha família ficou bem. Meu pai é agrimensor e passou boa parte da guerra avaliando os danos causados pelas bombas e garantindo a segurança das construções.

– Você tem irmãos?

– Um irmão e uma irmã. E você?

– Minha irmã Lili continua em Berlim Oriental. Meu irmão Walli fugiu logo depois de mim. Ele é guitarrista de um grupo chamado Plum Nellie.

– Esse Walli? Ele é seu irmão?

– É. Eu estava lá quando ele nasceu, no chão da nossa cozinha, que era o único cômodo da casa com calefação. Uma experiência e tanto para uma menina de 14 anos.

– Quer dizer que ele fugiu.

– E veio morar comigo aqui em Hamburgo. Entrou para o grupo quando eles estavam tocando em um daqueles clubes sujinhos da Reeperbahn.

– E agora ele é um astro pop. Vocês se veem?

– Claro. Sempre que o Plum Nellie toca na Alemanha Ocidental.

– Que incrível! – Claus olhou para o copo dela e viu que estava vazio. – Mais um *Sekt*?

Rebecca sentiu uma pressão no peito.

– Não, obrigada. Acho que não.

– Escute – disse ele. – Quero que você entenda uma coisa. Estou desesperado para fazer amor com você, mas sei que você está dividida. Só não esqueça o seguinte: você possa mudar de ideia a qualquer momento. Não existe um ponto a partir do qual não pode mais voltar atrás. Se estiver desconfortável, é só dizer. Não vou ficar bravo nem insistir, prometo. Detestaria pensar que a pressionei para fazer alguma coisa sem você estar pronta.

Era exatamente a coisa certa para ele dizer. A tensão diminuiu. Rebecca estava com medo de ir longe demais, perceber que havia tomado a decisão errada e sentir-se incapaz de voltar atrás. A promessa de Claus a tranquilizou.

– Vamos – disse ela.

Cada um entrou no seu carro, e Rebecca foi seguindo Claus. Enquanto dirigia, foi tomada por uma empolgação incontrolável. Estava prestes a se entregar a Claus. Imaginou a cara dele quando ela tirasse a blusa: estava usando um sutiã novo, de renda preta. Pensou em como eles se beijariam: primeiro com frenesi, depois cheios de carinho. Imaginou-o suspirando quando ela pusesse seu pau na boca. Teve a sensação de nunca ter desejado nada com tamanha intensidade, e precisou trincar os dentes para não gritar.

Claus morava em um apartamento pequeno de um prédio moderno. Ao subir no elevador, Rebecca foi novamente assaltada pela dúvida. E se ele não gostasse do que visse quando ela tirasse a roupa? Estava com 37 anos; não tinha mais os seios firmes e a pele perfeita da adolescência. E se ele tivesse um lado obscuro secreto? Poderia sacar algemas e um chicote, depois trancar a porta...

Disse a si mesma para parar de ser boba. Tinha a capacidade feminina habitual de saber quando estava com um esquisito, e Claus era deliciosamente normal. Mesmo assim, ficou apreensiva quando ele abriu a porta e a fez entrar no apartamento.

Era uma casa típica de homem, meio sem enfeites, ocupada por móveis utilitários com exceção de um televisor grande e de um toca-discos caro.

– Quanto tempo faz que você mora aqui? – perguntou Rebecca.

– Um ano.

Como ela havia adivinhado, aquele não era o lar que ele dividia com a falecida esposa.

Ele sem dúvida havia planejado o que fazer a seguir. Com movimentos rápidos, acendeu a lareira a gás, pôs um quarteto de cordas de Mozart para tocar e preparou uma bandeja com uma garrafa de *schnapps*, dois copos e uma tigela de castanhas salgadas.

Os dois se sentaram lado a lado no sofá.

Ela quis lhe perguntar quantas outras mulheres ele já havia seduzido naquele mesmo sofá. Teria soado estranho, mas mesmo assim ficou pensando no assunto. Será que ele gostava de ser solteiro, ou queria se casar de novo? Mais uma pergunta que ela não faria.

Ele serviu as bebidas, e ela tomou um gole só para ter o que fazer.

– Se nos beijarmos agora, vamos sentir o gosto do álcool em nossas línguas.

Ela sorriu.

– Tá.

Ele se inclinou na sua direção.

– Não gosto de jogar dinheiro fora – murmurou ele.

– Que bom que você é econômico.

Por alguns instantes, não conseguiram se beijar de tanto que riam.

Depois isso passou.

⁓

Todos acharam Cameron Dewar maluco quando ele convidou Richard Nixon para falar em Berkeley, o campus mais famoso por seu radicalismo em todo o país. Nixon seria crucificado, disseram. Haveria um motim. Cameron nem ligou.

Para ele, Nixon era a única esperança para os Estados Unidos. Era forte, determinado. As pessoas diziam que ele era inescrupuloso e dissimulado, mas e daí? O país precisava de um líder assim. Deus não permitisse que o presidente fosse um homem como Bobby Kennedy, que não conseguia parar de pensar no que era certo e errado. O próximo presidente precisava destruir os arruaceiros nos guetos e os vietcongues na selva, não ficar examinando a própria consciência.

Na carta a Nixon, Cam dizia que os liberais e criptocomunistas do campus atraíam toda a atenção da mídia com tendências esquerdistas, mas que na verdade a maioria dos alunos era conservadora e respeitadora das leis, e eles iriam em peso ouvi-lo falar.

Sua família estava uma fera. Tanto seu avô quanto seu bisavô tinham sido senadores democratas. Seus pais sempre votavam no Partido Democrata. Sua irmã Beep ficou tão indignada que mal conseguiu falar.

– Como você pode fazer campanha pela injustiça, pela desonestidade e pela guerra? – perguntou ela.

– Não existe justiça sem ordem nas ruas, nem paz enquanto estivermos ameaçados pelo comunismo internacional.

– *Onde foi* que você passou os últimos anos? Antes de os negros serem violentos, eles simplesmente apanhavam com cassetetes e eram mordidos por cachorros! O governador Reagan elogia a polícia por espancar manifestantes universitários!

– Você é tão contra a polícia...

– Não sou, não. Sou contra criminosos. Policiais que espancam manifestantes são criminosos e deveriam ser presos.

– É por isso que eu apoio homens como Nixon e Reagan: porque seus opositores querem prender os policiais em vez dos arruaceiros.

Cam ficou contente quando o vice-presidente Hubert Humphrey declarou que iria tentar a indicação democrata. Humphrey havia acatado todas as decisões de Johnson durante quatro anos, e ninguém confiava nele nem para ganhar a guerra nem para negociar a paz; sua eleição, portanto, era improvável, mas ele poderia estragar os planos do mais perigoso Bobby Kennedy.

A carta de Cam para Nixon recebeu uma resposta de um dos integrantes da equipe de campanha, John Ehrlichman, que sugeriu um encontro; Cam ficou empolgadíssimo. Queria trabalhar na política, e aquilo poderia ser o começo!

Ehrlichman era quem organizava as aparições públicas de Nixon. Tinha uma estatura intimidadora, 1,88 metro, sobrancelhas pretas e cabelos já meio ralos.

– Dick adorou sua carta – falou.

Os dois se encontraram em um cheiroso café da Telegraph Avenue e sentaram-se do lado de fora, debaixo de uma árvore cheia de brotos, para ver os universitários passarem de bicicleta ao sol.

– Ótimo lugar para estudar – disse Ehrlichmann. – Eu cursei a UCLA.

Ele fez várias perguntas a Cam. Ficou intrigado com seus antepassados democratas.

– Minha avó foi editora de um jornal chamado *The Buffallo Anarchist* – confessou Cam.

– É um sinal de como o país está se tornando mais conservador – comentou Ehrlichman.

Cam ficou aliviado ao saber que a família não seria obstáculo para uma carreira sua no Partido Republicano.

– Dick não vai falar no campus de Berkeley – disse Ehrlichman. – É arriscado demais.

Cam ficou decepcionado. Em sua opinião, Ehrlichman estava errado: o evento poderia ser um grande sucesso.

Estava prestes a argumentar quando o outro falou:

– Mas ele quer que você crie um grupo chamado "Alunos de Berkeley a favor de Nixon". Isso vai mostrar que nem todos os jovens se deixam enganar por Gene McCarthy nem estão apaixonados por Bobby Kennedy.

Cam ficou lisonjeado por ser levado tão a sério por um integrante da campanha presidencial, e logo concordou em fazer o que Ehrlichman estava pedindo.

Seu amigo mais chegado no campus era Jamie Mulgrove. Assim como Cam, ele estudava russo como matéria principal e era membro dos Jovens Republicanos. Os dois anunciaram a formação do grupo e conseguiram publicar um anúncio na *The Daily Californian*, a gazeta estudantil, mas só dez pessoas se inscreveram.

Cam e Jamie então organizaram uma reunião na hora do almoço para atrair membros. Com ajuda de Ehrlichman, Cam conseguiu três republicanos importantes da Califórnia para discursarem, e reservou uma sala com capacidade para 250 pessoas.

Divulgou um release de imprensa, e dessa vez conseguiu uma resposta mais positiva de jornais e estações de rádio locais, intrigados pela ideia esdrúxula de universitários apoiando Nixon. Vários deram matérias sobre a reunião e prometeram mandar repórteres.

Sharon McIsaac, do *San Francisco Examiner*, ligou para Cam.

– Quantos membros vocês têm até agora? – perguntou.

Cam antipatizou na hora com aquele tom de pressão.

– Não posso responder a essa pergunta – falou. – É igual a um segredo militar. Antes de uma batalha, você não avisa ao inimigo quantas armas tem.

– Quer dizer que não são muitos – comentou ela, sarcástica.

A reunião estava se tornando um pequeno acontecimento de mídia.

Infelizmente, eles não conseguiam vender os ingressos.

Uma possibilidade era dá-los de graça, mas havia um risco: isso poderia atrair alunos de esquerda que iriam vaiar.

Cam ainda acreditava que milhares de universitários eram conservadores, mas percebeu que eles não estavam dispostos a admitir isso no ambiente político atual. Era uma atitude covarde, mas ele sabia que a maioria das pessoas não dava muita importância à política.

O que ele poderia fazer, então?

Na véspera da reunião, ainda lhe restavam mais de duzentos ingressos, e Ehrlichman telefonou.

– Só para acompanhar, Cam – falou. – Como estão indo as coisas?

– Vai ser incrível, John – mentiu Cam.

– Algum interesse da imprensa?

– Sim. Alguns jornalistas devem vir.

– Já vendeu muitos ingressos?

Era quase como se ele pudesse ler a mente de Cam pelo telefone.

Só que Cam agora estava encurralado na mentira e não podia voltar atrás.

– Faltam só alguns para esgotar. – Com sorte, Ehrlichman jamais ficaria sabendo.

Foi então que Ehrlichman soltou a bomba:

– Estarei em São Francisco amanhã, então vou participar.

– Ótimo! – exclamou Cam, sentindo um peso no coração.

– Até amanhã, então.

Nessa tarde, depois de uma aula sobre Dostoievski, Cam e Jamie ficaram na sala coçando as cabeças. Onde poderiam encontrar duzentos universitários republicanos?

– Não precisam ser universitários de verdade – falou Cam.

– Não queremos que a imprensa diga que a reunião estava cheia de marionetes – disse Jamie, nervoso.

– Marionetes, não. Só republicanos que por acaso não são universitários.

– Ainda assim, acho arriscado.

– Eu sei. Mas é melhor do que um fiasco.

– Onde vamos arrumar essas pessoas?

– Você tem o telefone dos Jovens Republicanos de Oakland?

– Tenho.

Eles foram até um telefone público e Cam fez a ligação.

– Preciso de duzentas pessoas só para fazer o evento parecer um sucesso – confessou.

– Vou ver o que posso fazer – respondeu o homem do outro lado.

– Mas avise a eles para não falarem com jornalistas. Não queremos que a imprensa descubra que o "Alunos de Berkeley a favor de Nixon" é formado principalmente por pessoas que não são estudantes universitários.

Depois de Cam desligar, Jamie perguntou:
– Isso não é meio desonesto?
– Como assim? – Cam sabia exatamente do que o amigo estava falando, mas não iria admitir. Não estava disposto a pôr em risco sua grande chance com Ehrlichman só por causa de uma mentirinha boba.
– Bom, nós estamos dizendo que os alunos de Berkeley apoiam Nixon, só que é mentira.
– Mas não podemos recuar agora!
Cameron teve medo de o amigo querer cancelar o evento.
– É, acho que não – falou Jamie em tom de dúvida.
Cam passou a manhã seguinte inteira muito ansioso. Ao meio-dia e meia, havia apenas sete pessoas na sala. Quando os palestrantes chegaram, Cam os levou até uma sala anexa e lhes ofereceu café e biscoitos preparados pela mãe de Jamie. Às quinze para a uma, a sala ainda estava quase vazia. Mas então, às dez para a uma, pessoas começaram a chegar aos poucos. À uma, a sala estava quase lotada, e Cam respirou um pouco mais aliviado.
Convidou Ehrlichman para presidir a reunião.
– Não – respondeu este. – Vai ser melhor se for um estudante.
Cam apresentou os palestrantes, mas mal escutou o que estes disseram. A reunião era um sucesso e Ehrlichman estava impressionado, mas as coisas ainda poderiam dar errado.
No final, ele concluiu dizendo que a afluência à reunião era um sinal da resistência dos estudantes aos protestos, ao liberalismo e às drogas. Recebeu uma ruidosa salva de palmas.
Quando tudo terminou, mal pôde esperar para ver todos saírem pela porta.
A jornalista Sharon McIsaac compareceu. Sua expressão engajada o fez pensar em Evie Williams, que havia desdenhado seu amor adolescente. Sharon estava abordando alguns estudantes. Um casal se recusou a falar com ela; então, para alívio de Cam, ela começou a conversar com um dos poucos genuínos republicanos de Berkeley. Quando a entrevista terminou, todos os outros já tinham ido embora.
Às duas e meia, Cam e Ehrlichman ficaram a sós na sala vazia.
– Muito bem – elogiou o político. – Tem certeza de que todas aquelas pessoas eram estudantes universitários?
Cam hesitou.
– Essa pergunta é oficial?
Ehrlichman riu.

– Escute, quer trabalhar na campanha presidencial de Dick quando acabar o semestre? – perguntou. – Um cara como você vai ser muito útil.

O coração de Cam deu um pinote.

– Adoraria – respondeu ele.

⁓

Dave estava em Londres, hospedado com os pais na Great Peter Street, quando Fitz bateu na porta.

A família estava na cozinha: Lloyd, Daisy e Dave; Evie estava em Los Angeles. Eram seis da tarde, horário em que os filhos do casal, quando eram pequenos, costumavam fazer a refeição da noite, que chamavam de "chá". Na época, os pais se sentavam com os dois por algum tempo e conversavam sobre o dia antes de sair, em geral para alguma reunião política. Daisy fumava, e Lloyd às vezes preparava drinques. O hábito de se encontrar na cozinha para conversar a essa hora perdurou bem depois de as crianças ficarem crescidas demais para tomar "chá".

Dave estava falando com os pais sobre o rompimento com Beep quando a empregada entrou anunciando:

– O conde Fitzherbert.

Dave viu seu pai se tensionar.

Daisy pôs a mão no braço do marido e disse:

– Vai correr tudo bem.

Dave estava louco de curiosidade. Agora sabia que o conde havia seduzido Ethel quando ela era sua governanta, e que Lloyd era o fruto ilegítimo desse relacionamento. Sabia também que Fitz tinha se recusado terminantemente a assumir o filho por mais de meio século. Nesse caso, o que estaria fazendo ali essa noite?

Fitz entrou na sala apoiado em duas bengalas e disse:

– Minha irmã, Maud, morreu.

Daisy se levantou com um pulo.

– Ah, Fitz, sinto muito. Venha se sentar. – Ela o pegou pelo braço.

Mas o conde hesitou e olhou para Lloyd.

– Não tenho o direito de me sentar nesta casa – falou.

Dave pôde ver que a humildade não era algo que lhe ocorresse naturalmente.

Lloyd tentava controlar uma intensa emoção. Aquele era o pai que o rejeitara a vida inteira.

– Por favor, sente-se – disse, travado.

Dave puxou uma cadeira da cozinha e Fitz se sentou à mesa.

– Eu vou ao funeral dela – falou. – Daqui a dois dias.

– Ela morava na Alemanha Oriental, não é? – perguntou Lloyd. – Como recebeu a notícia?

– Maud tem uma filha, Carla. Ela ligou para a embaixada britânica em Berlim Oriental. Eles fizeram a gentileza de me telefonar e me dar a notícia. Fui alto funcionário do Ministério das Relações Exteriores até 1945, e alegra-me dizer que isso ainda vale alguma coisa.

Sem que ninguém pedisse nada, Daisy pegou uma garrafa de uísque escocês em um armário, serviu dois dedos em um copo e o pousou em frente a Fitz com uma pequena jarra de água da torneira. O velho conde acrescentou um pouco de água à bebida e deu um gole.

– É muita gentileza sua se lembrar, Daisy – falou.

Dave recordou que a mãe tinha morado com o conde por algum tempo, quando era casada com seu filho, Boy Fitzherbert. Por isso sabia como ele gostava de tomar seu uísque.

– Lady Maud era a melhor amiga da minha falecida mãe – disse Lloyd. Sua voz saiu um pouco menos tensa. – A última vez que a vi foi quando mamãe me levou a Berlim, em 1933. Na época, Maud era jornalista e escrevia matérias que irritavam Hitler.

– Não vejo nem falo com minha irmã desde 1919 – revelou Fitz. – Zanguei-me com ela por ter se casado sem a minha permissão, e ainda por cima com um alemão, e passei quase cinquenta anos zangado. – Seu velho rosto descorado exibia uma profunda tristeza. – Agora é tarde para perdoá-la. Como fui bobo... – Ele cravou os olhos em Lloyd. – Bobo em relação a isso, e a outras coisas também.

Lloyd moveu a cabeça em um meneio breve e mudo.

Dave olhou para a mãe. Sentia que algo importante acabara de acontecer, e a expressão dela confirmou esse fato. O arrependimento de Fitz era tão profundo que mal podia ser expressado, mas ele havia chegado o mais perto de um pedido de desculpas de que era capaz.

Era difícil imaginar que aquele velhinho frágil já fora arrebatado pelas ondas de uma paixão. Mas Fitz havia amado Ethel, e Dave sabia que sua avó tinha sentido a mesma coisa, pois a ouvira dizer isso. O conde rejeitara o filho que os dois tinham tido juntos, e agora, após uma vida inteira de renegação, estava olhando para trás e entendendo quanto havia perdido. Que tristeza insuportável.

– Eu vou com o senhor – disse Dave, num impulso.

– O quê?

– Ao funeral. Vou a Berlim com o senhor.

Dave não soube muito bem o motivo que o levou a querer fazer isso, mas sentia que a viagem talvez tivesse um efeito curativo.

– É muita gentileza sua, jovem Dave – falou Fitz.

– Seria maravilhoso se você fosse – disse Daisy.

Dave olhou para o pai, temeroso que ele fosse desaprovar, mas se espantou ao ver os olhos de Lloyd banhados de lágrimas.

No dia seguinte, Dave e Fitz voaram para Berlim. Passaram a noite em um hotel na parte ocidental.

– Posso chamar você de Fitz? – perguntou Dave durante o jantar. – A gente sempre chamou Bernie Leckwith de "vovô", mesmo sabendo que ele era só padrasto do meu pai. E eu nunca conheci você quando criança. Então acho que é tarde demais para mudar.

– Não estou em condições de ditar o seu comportamento – respondeu Fitz. – De toda forma, eu não me importo mesmo.

Eles começaram a conversar sobre política.

– Nós, conservadores, estávamos certos em relação ao comunismo – falou Fitz. – Dissemos que não daria certo, e não está dando. Mas estávamos errados em relação à social-democracia. Quando Ethel falou que todo mundo deveria ter ensino gratuito, assistência médica gratuita e seguro-desemprego, eu disse que ela estava vivendo em um mundo de sonho. Mas agora, veja você: todas as coisas pelas quais ela lutou se tornaram realidade, e a Inglaterra continua sendo a Inglaterra.

Fitz tinha uma capacidade encantadora de reconhecer os próprios erros, pensou Dave. Estava óbvio que nem sempre fora assim: suas brigas com a família haviam durado décadas. Talvez fosse uma qualidade que viesse com a velhice.

Na manhã seguinte, um Mercedes preto com motorista reservado por Jenny Pritchard, secretária de Dave, estava à sua espera para levá-los à parte oriental, do outro lado da fronteira.

Eles foram até o Checkpoint Charlie.

Passaram por uma barreira e entraram em um barracão comprido, onde tiveram de entregar os passaportes. Pediram-lhes para aguardar.

O guarda de fronteira que havia pego seus passaportes se afastou. Depois de algum tempo, um homem alto e corcunda, de terno civil, ordenou que saltassem do Mercedes e o acompanhassem.

Ele saiu andando na frente a passos largos e então se virou, irritado com a lentidão de Fitz.

– Vamos depressa, por favor – falou, em inglês.

Dave se lembrou do alemão que havia aprendido na escola e aprimorado em Hamburgo.

– Meu avô é velho – falou, indignado.

Fitz se dirigiu a ele em voz baixa:

– Não discuta. Esse filho da puta arrogante trabalha na Stasi. – Dave arqueou uma das sobrancelhas; era a primeira vez que ouvia Fitz dizer palavrão. – Eles parecem a KGB, só que com o coração menos mole.

Os dois foram conduzidos até uma sala vazia mobiliada apenas com uma mesa de metal e cadeiras duras de madeira. Ninguém lhes pediu para sentar, mas Dave segurou uma cadeira para Fitz, que se deixou cair no assento com gratidão.

O homem alto pôs-se a falar alemão com um intérprete, que fumava cigarro enquanto traduzia as perguntas.

– Por que desejam entrar na Alemanha Oriental?

– Para comparecer ao funeral de uma parente próxima às onze da manhã – respondeu Fitz olhando para o relógio, um Omega de ouro. – Agora são dez. Espero que isto aqui não demore.

– Vai demorar quanto for necessário. Qual é o nome da sua irmã?

– Por que está perguntando isso?

– O senhor disse que deseja comparecer ao funeral da sua irmã. Qual é o nome dela?

– Eu disse que desejava comparecer ao funeral de uma parente próxima. Não falei que era minha irmã. O senhor obviamente já está sabendo de tudo.

Aquele agente da polícia secreta estava à sua espera, entendeu Dave. Era difícil imaginar por quê.

– Responda à pergunta. Qual é o nome da sua irmã?

– Ela se chamava Frau Maud von Ulrich, como os seus espiões obviamente lhe informaram.

Dave reparou que Fitz estava ficando irritado e violando a própria regra de falar o menos possível.

– Como é possível o conde Fitzherbert ter uma irmã alemã? – quis saber o homem.

– Ela se casou com um amigo meu chamado Walter von Ulrich, que era diplomata alemão em Londres e foi morto pela Gestapo durante a Segunda Guerra. E o senhor, o que fez durante a guerra?

Pela expressão de fúria no rosto do homem alto, Dave viu que ele havia entendido, mas não respondeu à pergunta. Em vez disso, virou-se para Dave:

– Onde está Walli Franck?

Dave ficou atônito.

– Eu não sei.

– É claro que sabe. Ele toca no seu grupo de música.

– O grupo se separou. Faz meses que não vejo Walli. Não sei onde ele está.

– Não dá para acreditar nisso. Vocês são parceiros.

– Parceiros se desentendem.

– Qual foi o motivo do seu desentendimento?

– Diferenças pessoais e musicais.

Na verdade, as diferenças eram puramente pessoais. Dave e Walli nunca tinham tido diferenças musicais.

– Mas agora o senhor quer ir ao funeral da avó dele.

– Ela era minha tia-avó.

– Onde viu Walli Franck pela última vez?

– Em São Franscisco.

– Endereço, por favor.

Dave hesitou. Aquilo estava ficando feio.

– Responda, por favor. Walli Franck é procurado por assassinato.

– Eu o vi pela última vez no Parque Buena Vista. Fica na Haight Street. Não sei onde ele mora.

– O senhor entende que obstruir o trabalho da polícia é crime?

– Claro.

– E que se cometer um crime assim na Alemanha Oriental pode ser preso, julgado e encarcerado aqui?

Um medo súbito se apoderou de Dave, mas ele tentou manter a calma:

– Nesse caso, milhões de fãs do mundo inteiro pediriam a minha soltura.

– Eles não teriam permissão para interferir com a justiça.

– Tem certeza de que os seus camaradas em Moscou vão ficar contentes com o senhor por criar um grave incidente diplomático internacional por causa disso? – interpôs Fitz.

O homem alto deu uma gargalhada desdenhosa que não soou convincente.

Foi então que Dave teve uma luz e entendeu.

– O senhor é Hans Hoffmann, não é?

Isso o intérprete não traduziu, mas falou depressa:

– O nome dele não é importante para vocês.

Mas Dave pôde perceber pela expressão do homem alto que seu palpite estava certo.

– Walli me contou sobre o senhor – falou. – A irmã dele o botou para fora de casa, e desde então o senhor vem se vingando da família dela.

– Apenas responda à pergunta.

– Isso faz parte da sua vingança? Importunar dois inocentes a caminho de um funeral? É esse o tipo de pessoa que vocês comunistas são?

– Aguardem aqui, por favor.

Hans e o intérprete saíram da sala, e Dave ouviu do outro lado da porta o som de um trinco sendo passado.

– Sinto muito – desculpou-se Dave. – O problema parece ser Walli. Talvez tivesse sido melhor o senhor vir sozinho.

– Não é culpa sua. Só espero que não percamos o funeral. – Fitz sacou a charuteira. – Você não fuma, fuma?

– Tabaco não – respondeu Dave, balançando a cabeça.

– Fumar maconha faz mal.

– E fumar charuto por acaso é bom para a saúde?

Fitz sorriu.

– *Touché.*

– Já tive essa conversa com meu pai. Ele bebe uísque. Vocês, parlamentares, têm uma política muito clara: todas as drogas perigosas são ilegais, menos aquelas que vocês apreciam. Depois vocês reclamam que os jovens não escutam.

– Você tem razão, claro.

O charuto era grande, e Fitz o fumou inteiro e deixou cair a guimba em um cinzeiro de latão prensado. As onze horas chegaram e passaram. Eles perderam o funeral para o qual tinham vindo de Londres.

Às onze e meia, a porta tornou a se abrir. Hans Hoffmann apareceu. Com um sorrisinho, falou:

– Podem entrar na Alemanha Oriental.

E foi embora.

Dave e Fitz voltaram para o carro.

– Agora é melhor irmos direto para a casa – falou Fitz, e deu o endereço para o motorista.

Eles pegaram a Friedrich Strasse até a Unter den Linden. Os velhos prédios do governo estavam em bom estado, mas não havia ninguém nas calçadas.

– Meu Deus – comentou Fitz. – Esta antigamente era uma das ruas comerciais mais movimentadas da Europa. Olhe só como está agora. Parece uma cidadezinha do País de Gales na segunda-feira.

O carro parou em frente a uma casa em condição melhor do que as outras.

– A filha de Maud parece ser mais rica do que os vizinhos – comentou Fitz.

– O pai de Walli tem uma fábrica de televisores em Berlim Ocidental – explicou Dave. – De algum jeito consegue administrá-la daqui. Acho que ela ainda rende um dinheiro.

Eles entraram na casa. A família se apresentou. Os pais de Walli eram Werner e Carla, um homem bonito e uma mulher não muito bonita, mas de traços fortes. Lili, a irmã de 19 anos de Walli, era atraente e não se parecia em nada com ele. Dave ficou intrigado ao conhecer Karolin, que tinha longos cabelos louros repartidos ao meio formando cortinas de cada lado do rosto. Com ela estava Alice, a inspiração da música, uma tímida menina de 4 anos com uma fita preta de luto nos cabelos. O marido de Karolin, Odo, era um pouco mais velho, uns 30 e poucos anos. Tinha os cabelos longos como pedia a moda, mas usava um colarinho de sacerdote.

Dave explicou o que os fizera perder o funeral. Eles falaram línguas misturadas, embora os alemães falassem inglês melhor do que os ingleses falavam alemão. Dave sentiu ambiguidade na atitude da família em relação a Fitz. Era compreensível, afinal de contas, ele fora duro com Maud, e a filha dela talvez pensasse que era tarde demais para se redimir. No entanto, também era tarde demais para reprimendas, e ninguém mencionou o afastamento de cinquenta anos.

Uns dez amigos e vizinhos que tinham assistido ao funeral tomavam café e comiam petiscos servidos por Carla e Lili. Dave conversou com Karolin sobre guitarras. Ficou sabendo que ela e Lili eram estrelas do *underground*. Não podiam gravar discos porque suas canções falavam sobre liberdade, mas as pessoas gravavam suas apresentações e passavam as fitas de mão em mão. Era um pouco parecido com as publicações *samizdat* na URSS. Os dois conversaram sobre fitas cassete, um novo formato mais prático, embora com uma qualidade de som pior. Dave ofereceu mandar fitas e um toca-fitas para ela, mas Karolin disse que o equipamento certamente seria roubado pela polícia secreta.

Pelo jeito como ela havia rompido o relacionamento com Walli e se casado com Odo, Dave imaginara Karolin como uma mulher sem coração, mas, para sua surpresa, gostou dela, que lhe pareceu bondosa e inteligente. Ela falou de Walli com muito afeto e quis saber tudo sobre a vida dele.

Dave lhe contou como ele e Walli tinham brigado. Ela ficou chateada com a história.

– Isso não é do feitio dele – comentou. – Walli nunca foi do tipo de correr atrás de mulher. As garotas viviam se apaixonando e ele poderia ter tido uma diferente a cada fim de semana, mas nunca fez isso.

Dave deu de ombros.

– Ele mudou.

– E a sua ex-noiva? Como ela se chama?

– Ursula, mas todos a chamam de Beep. Para ser sincero, não é de espantar que ela seja infiel. É meio maluquinha. É parte do que a torna tão atraente.

– Acho que você ainda sente alguma coisa por ela.

– Eu era louco por ela. – Dave deu essa resposta evasiva porque não sabia como se sentia no momento. Estava com raiva de Beep, furioso com a sua traição, mas se ela quisesse voltar não tinha certeza de como reagiria.

Fitz se aproximou de onde os dois estavam sentados.

– Dave – falou. – Eu gostaria de ver o túmulo antes de voltarmos para o lado ocidental. Você se importa?

– É claro que não. – Ele se levantou. – É melhor não demorarmos.

Karolin disse a Dave:

– Se você por acaso falar com Walli, por favor diga que mandei lembranças carinhosas. Diga que eu sonho com o dia em que ele vai poder conhecer Alice. Contarei a ela sobre o pai quando ela tiver idade suficiente.

Todos tinham recados para Walli: Werner, Carla, Lili. Dave pensou que teria de falar com Walli só para transmiti-los.

Quando os dois estavam de saída, Carla disse a Fitz:

– Você deveria ficar com algo de Maud.

– Eu gostaria muito.

– Sei exatamente qual é a coisa certa.

Ela desapareceu por um minuto e voltou com um velho álbum de fotografias encadernado em couro. Fitz o abriu. As fotos eram todas monocromáticas, algumas em sépia, muitas desbotadas. Tinham legendas escritas em uma caligrafia graúda e cheia de arabescos, provavelmente a de Maud. A mais antiga fora tirada em uma luxuosa casa de campo. Dave leu: "Tŷ Gwyn, 1905". Era a residência de campo dos Fitzherbert, atualmente o Instituto de Ensino Superior para Adultos de Aberowen.

Ver aquelas fotos dele próprio e Maud quando jovens fez Fitz chorar. As lágrimas rolaram pela velha pele ressecada de seu rosto cheio de rugas até encharcar o colarinho da imaculada camisa branca. Quando ele falou, foi com dificuldade:

– Os bons tempos nunca voltam.

Eles partiram. O motorista os conduziu até um cemitério municipal grande e sem charme, e lá encontraram o túmulo de Maud. A terra já tinha sido recolocada na cova e formava um montinho que, de modo patético, tinha aproximadamente o mesmo tamanho e formato de um ser humano. Eles passaram alguns minutos em pé lado a lado sem dizer nada. O único som era o canto dos pássaros.

Fitz enxugou o rosto com um grande lenço branco.

– Vamos – falou.

No posto de controle, foram detidos outra vez. Hans Hoffmann assistiu com um sorriso enquanto eles e o carro eram minuciosamente revistados.

– O que estão procurando? – perguntou Dave. – Por que iríamos contrabandear alguma coisa da Alemanha Oriental? Vocês não têm nada que alguém possa querer!

Ninguém lhe respondeu.

Um agente uniformizado pegou o álbum de fotografias e o passou para Hoffmann, que o folheou casualmente e disse:

– Isto aqui vai ter de ser examinado pelo nosso departamento de criminalística.

– Claro – disse Fitz com tristeza.

Eles tiveram de ir embora sem as fotos.

Quando estavam se afastando no carro, Dave olhou para trás e viu Hans jogar o álbum dentro de uma lixeira.

George Jakes pegou um avião de Portland até Los Angeles para encontrar Verena com um anel de brilhante no bolso.

Estava em campanha pelo país com Bobby Kennedy e não a via desde o funeral de Martin Luther King, em Atlanta, várias semanas antes.

George ficara arrasado com o assassinato. O Dr. King era a esperança viva dos negros americanos e agora estava morto, assassinado por um racista branco com um fuzil de caça. O presidente Kennedy tinha dado esperança aos negros, e também fora morto por um branco armado. De que adiantava a política se grandes homens podiam ser eliminados com tanta facilidade? Mas pelo menos ainda nos resta Bobby, pensava George.

Para Verena, o baque foi ainda maior. No funeral, ela estava atarantada, com raiva e perdida. O homem que ela admirava, por quem tinha tanto carinho e a quem havia servido por sete anos de sua vida tinha morrido.

Para consternação de George, ela não quis que ele a consolasse. Isso o deixou profundamente magoado. Eles moravam a mil quilômetros de distância, mas ele era o homem da sua vida. Imaginou que a rejeição fizesse parte do luto de Verena e que fosse passar.

Como ela não queria trabalhar para o sucessor de King, Ralph Abernathy, nada mais a prendia em Atlanta, e ela se demitiu. George pensou que ela talvez se mudasse para o seu apartamento em Washington, mas sem explicação nenhuma ela voltou para a casa dos pais em Los Angeles. Talvez precisasse de um tempo sozinha para processar a perda.

Ou talvez quisesse mais do que apenas um convite para morar com ele.

Daí o anel.

A primária seguinte era a da Califórnia, o que deu a George uma chance de visitá-la.

No Aeroporto Los Angeles, ele alugou um Plymouth Valiant, um carro compacto barato – quem estava pagando a conta era a campanha de Kennedy – e foi até a North Roxbury Drive, em Beverly Hills.

Passou por altos portões e estacionou em frente a uma casa de tijolos em estilo Tudor que calculou ser cinco vezes maior que uma casa Tudor original. Os pais de Verena, Percy Marquand e Babe Lee, viviam como os astros que de fato eram.

Uma empregada veio abrir e o conduziu até uma sala de estar que nada tinha de Tudor: carpete branco, ar-condicionado e um janelão do chão até o teto que dava para uma piscina. A empregada perguntou se ele gostaria de beber alguma coisa.

– Um refrigerante, por favor – respondeu ele. – Qualquer um.

Quando Verena entrou, ele teve um choque.

Ela havia cortado a linda cabeleira afro e agora usava os cabelos rentes à cabeça, tão curtos quanto os dele. Estava usando uma calça preta, uma camisa azul, um blazer de couro e uma boina preta. Era o uniforme do Partido de Autodefesa dos Panteras Negras.

George reprimiu a indignação para poder beijá-la. Ela lhe entregou seus lábios, mas só por um breve instante, e ele entendeu na hora que a sua disposição não havia mudado desde o funeral. Torceu para que o seu pedido de casamento a tirasse daquele estado.

Sentaram-se em um sofá estofado com uma estampa cheia de arabescos em tons laranja-escuro, amarelo-vivo e chocolate. A empregada lhe trouxe uma Coca com gelo em um copo alto sobre uma bandeja de prata. Depois que ela saiu, ele segurou a mão de Verena. Tentando conter a raiva, perguntou com a maior delicadeza de que foi capaz:

– Por que você está usando esse uniforme?

– Não é óbvio?

– Para mim, não.

– Martin Luther King liderava uma campanha não violenta, e foi assassinado.

George ficou decepcionado com ela. Esperava um argumento melhor do que aquele.

– Abraham Lincoln travou uma guerra civil, e também foi assassinado.

– Os negros têm o direito de se defender. Ninguém mais vai fazer isso... muito menos a polícia.

George mal conseguiu esconder o desprezo que sentia por aquelas ideias.

– Vocês só querem assustar os brancos. Nada nunca foi conquistado com esse tipo de atitude para chamar a atenção.

– E a não violência conquistou o quê? Centenas de negros linchados e assassinados, milhares espancados e presos.

George não queria brigar com ela; pelo contrário: queria que ela voltasse ao normal. Mas não conseguiu se conter e levantou a voz:

– Isso, e também a Lei de Direitos Civis de 1964, a Lei de Direito ao Voto de 1965, seis negros na Câmara e um no Senado!

– E agora os brancos estão dizendo que já chega. Ninguém conseguiu aprovar uma lei contra a discriminação na habitação.

– Talvez os brancos estejam com medo de Panteras vestidos de SS irem passear armados por seus subúrbios aprazíveis.

– A polícia anda armada. A gente também precisa andar.

George percebeu que aquele debate, aparentemente sobre política, na realidade era sobre o relacionamento entre os dois. E ele a estava perdendo. Se não conseguisse convencê-la a se desligar dos Panteras Negras, não poderia trazê-la de volta para a sua vida.

– Olhe, eu sei que as forças policiais do país inteiro estão repletas de racistas violentos. Mas a solução para esse problema é melhorar a polícia, não atirar nela. Precisamos nos livrar de políticos como Ronald Reagan, que incentivam a brutalidade policial.

– Eu me recuso a aceitar uma situação em que os brancos têm armas e a gente não.

– Então faça campanha pelo controle das armas e por mais policiais negros em cargos de comando.

– Martin acreditava nisso e morreu.

Seu tom era de desafio, mas ela não conseguiu sustentá-lo e começou a chorar.

Quando George tentou abraçá-la, ela o afastou. Mesmo assim, ele continuou tentando chamá-la de volta à razão.

– Se quiser proteger os negros, venha trabalhar na nossa campanha. Bobby vai ser presidente.

– Mesmo se ele ganhar, o Congresso não vai deixá-lo fazer nada.
– Eles vão tentar impedir e vai haver uma batalha política; um lado vai ganhar, o outro vai perder. É assim que se muda as coisas neste país. É um sistema ruim, mas há outros piores. E atirar uns nos outros é o pior de todos.
– A gente não vai concordar.
– Tudo bem. – Ele baixou a voz: – Nós já discordamos antes, mas sempre continuamos a nos amar, não é?
– Agora é diferente.
– Não diga isso.
– Minha vida inteira mudou.
George encarou-a com atenção, e o misto de desafio e culpa que viu ali lhe permitiu adivinhar o que estava acontecendo.
– Você está transando com um Pantera Negra, não é?
– É.
George sentiu um peso no baixo-ventre, como se tivesse bebido um barril inteiro de cerveja gelada.
– Devia ter me contado.
– Estou contando agora.
– Meu Deus! – George ficou triste. Tateou o anel dentro do bolso. Será que a joia não sairia dali? – Já pensou que faz sete anos desde que nos formamos em Harvard? – Ele segurou o choro.
– Eu sei.
– Cachorros da polícia em Birmingham, "Eu tenho um sonho" em Washington, Johnson apoiando os direitos civis, dois assassinatos...
– E os negros continuam sendo os americanos mais pobres, que moram nas piores casas, recebem a assistência médica mais básica... e cumprem mais do que o seu dever combatendo no Vietnã.
– Bobby vai mudar tudo isso.
– Não vai, não.
– Vai, sim. E eu vou convidar você para ir à Casa Branca admitir que estava errada.
Verena se afastou.
– Adeus, George.
– Não acredito que estamos terminando assim.
– A empregada vai levar você até a porta.
George não estava conseguindo raciocinar direito. Passara anos amando Verena e imaginando que mais cedo ou mais tarde os dois fossem se casar. E agora

ela havia lhe dado um pé na bunda por causa de um Pantera Negra. Sentia-se perdido. Embora os dois morassem separados, sempre conseguira pensar no que lhe diria e em como a acariciaria na vez seguinte em que se encontrassem. Agora estava sozinho.

A empregada entrou e disse:
– Por aqui, Sr. Jakes, por favor.
Ele a seguiu até o hall feito um robô. Ela abriu a porta da frente.
– Obrigado – disse ele.
– Até logo, Sr. Jakes...
George entrou no carro alugado e foi embora.

⁓

No dia da primária da Califórnia, George estava com Bobby Kennedy na casa de praia do diretor de cinema John Frankenheimer, em Malibu. Era de manhã e o céu estava nublado, mas mesmo assim Bobby nadou no mar com David, o filho de 12 anos. Foram ambos puxados pela correnteza, e saíram cheios de cortes e arranhões depois de terem sido arrastados pelos seixos. Após o almoço, Bobby adormeceu à beira da piscina, esticado em duas cadeiras, com a boca aberta. Através das portas de vidro que davam para fora, George reparou na marca vermelha em sua testa, resquício do incidente no mar.

Não havia comentado com o chefe o rompimento com Verena; contara apenas para a mãe. Na turnê de campanha, mal tinha tempo para pensar, e na Califórnia não havia parado um só minuto: confusões em aeroportos, carreatas, multidões histéricas, reuniões lotadas. Estar ocupado assim lhe agradava. Ele só tinha o luxo de sentir tristeza por alguns minutos, à noite, antes de dormir. Mesmo nessas horas, pegava-se imaginando conversas com Verena nas quais conseguia convencê-la a retornar à política legítima e a participar da campanha de Bobby. Talvez as suas abordagens diferentes sempre tivessem sido a manifestação de uma incompatibilidade fundamental. George jamais quisera acreditar nisso.

Às três da tarde, o resultado da primeira pesquisa de boca de urna foi divulgado na TV. Bobby estava à frente de Gene McCarthy com 49 pontos percentuais contra 41. George ficou radiante. Não consigo conquistar minha garota, mas ganhar eleições eu consigo, pensou.

Bobby tomou uma ducha, fez a barba e vestiu um terno azul risca de giz e uma camisa branca. Talvez por causa do terno, ou talvez porque ele agora estivesse mais seguro, George achou sua aparência mais presidenciável do que nunca.

O machucado na testa de Bobby estava feio, mas John Frankenheimer encontrou alguns produtos de maquiagem profissional na casa e escondeu a marca.

Às seis e meia, a comitiva de Kennedy entrou nos carros com destino a Los Angeles. Foram até o Hotel Ambassador, em cujo salão nobre a comemoração da vitória já estava a todo vapor. George subiu com Bobby até a a Suíte Real do quinto andar. Ali, em uma ampla sala de estar, no mínimo uma centena de amigos, conselheiros e jornalistas privilegiados bebia e se congratulava. Todas as TVs da suíte estavam ligadas.

George e os conselheiros mais próximos acompanharam Bobby pela sala até um dos quartos de dormir. Como sempre, Bobby misturava festas com conversas políticas sérias. Nesse dia, além da Califórnia, havia uma primária menos importante em Dakota do Sul, estado natal de Hubert Humphrey. Depois da Califórnia, Kennedy estava seguro de conseguir vencer em Nova York, pois tinha a vantagem de ser senador por esse estado.

– Estamos derrotando McCarthy, caramba! – exclamou, exultante, enquanto sentava no chão em um dos cantos da sala, olhos pregados na TV.

George estava começando a ficar preocupado com a convenção democrata. Como poderia garantir que a popularidade de Bobby se refletisse nos votos dos delegados de estados onde não havia primárias?

– Humphrey está trabalhando duro em estados como Illinois, onde o prefeito Daley controla os votos dos delegados.

– É – falou Bobby. – Mas no final das contas homens como Daley não conseguem ignorar a opinião popular. Eles querem ganhar. Hubert não consegue vencer Dick Nixon, mas eu consigo.

– Verdade, mas será que os figurões do Partido Democrata sabem disso?

– Quando agosto chegar, saberão.

George tinha a mesma sensação de Bobby, de que eles estavam surfando uma onda de sucesso, mas via com demasiada clareza os perigos à frente.

– Precisamos que McCarthy se retire para podermos nos concentrar em derrotar Humphrey. Temos que fazer um acordo com McCarthy.

Bobby fez que não com a cabeça.

– Não posso oferecer a vice-presidência a ele. Ele é católico. Os protestantes podem até votar em um católico, mas em dois, não.

– Você poderia oferecer a ele o cargo mais importante do Gabinete.

– Secretário de Estado?

– Se ele se retirar agora.

Bobby franziu a testa.

– É difícil imaginar trabalhar com ele na Casa Branca.
– Se você não ganhar, não vai estar na Casa Branca. Quer que eu sonde o terreno?
– Me deixe pensar mais um pouco.
– Claro.
– Sabe de outra coisa, George? Pela primeira vez, não sinto que estou aqui como irmão de Jack.

George sorriu. Era um grande avanço.

Foi até a sala principal conversar com os jornalistas, mas não pegou uma bebida. Quando estava com Bobby, preferia manter o raciocínio aguçado. Já Bobby apreciava um *bourbon*, mas qualquer incompetência em sua equipe o enfurecia, e ele podia destruir alguém que o decepcionasse. George só se sentia à vontade para consumir álcool quando o chefe estava bem longe.

Ainda estava totalmente sóbrio alguns minutos antes da meia-noite, quando acompanhou Bobby até o salão nobre para o discurso da vitória. Apesar de grávida do décimo primeiro filho do casal, sua esposa Ethel estava vestida de maneira estilosa: minivestido laranja e branco e meia-calça branca.

Como sempre, a plateia foi à loucura. Todos os rapazes usavam chapéus de palha com o nome de Kennedy, e as moças estavam de uniforme: saia azul, blusa branca e faixa vermelha com o nome de Kennedy. Uma banda tocava bem alto uma música de campanha. Potentes holofotes de TV aumentavam o calor do recinto. Conduzidos pelo guarda-costas Bill Barry, Bobby e Ethel abriram caminho pela multidão enquanto seus jovens eleitores estendiam a mão para tocá-los e puxar suas roupas até chegarem a uma pequena plataforma. Fotógrafos se acotovelavam, contribuindo ainda mais para a confusão.

A histeria da multidão era um problema para George e os outros, mas era também a força de Bobby. Sua capacidade de extrair aquela reação emocional das pessoas era o que o levaria à Casa Branca.

Ele se postou atrás de um buquê de microfones. Não tinha pedido um discurso escrito, só algumas anotações. Seu desempenho foi sofrível, mas ninguém ligou.

– Nós somos um grande país, um país sem egoísmo, um país de compaixão. Pretendo fazer disso a base da minha candidatura.

Não eram palavras inspiradoras, mas a multidão o adorava demais para se importar com isso.

George decidiu que não iria com Bobby à discoteca Factory depois do discurso. Ver casais dançando só o faria lembrar que estava sozinho. Teria uma boa noite de sono antes de pegar o avião até Nova York de manhã para começar a campanha lá. O trabalho era a cura para o seu mal de amor.

– Agradeço a todos vocês que tornaram esta noite possível – disse Bobby.

Ele então fez o gesto do V da vitória de Churchill, e em toda a sala centenas de jovens o imitaram. Ele estendeu o braço para baixo e apertou algumas das mãos estendidas.

Havia um pequeno percalço. Seu próximo compromisso era com a imprensa em uma sala ali perto. O plano era ele passar pelo meio da multidão na saída, mas George pôde ver que Bill Barry não estava conseguindo abrir caminho entre as adolescentes histéricas aos gritos de "Queremos Bobby! Queremos Bobby!".

Um funcionário do hotel usando um uniforme de maître resolveu o problema, indicando a Bobby um par de portas de vaivém que obviamente conduziam à sala de imprensa passando por uma ala de funcionários. Bobby e Ethel seguiram esse homem até um corredor mal iluminado, e George, Bill Barry e o resto da comitiva foram atrás, apressados.

George estava pensando em quando poderia abordar novamente com Bobby a necessidade de fazer um acordo com Gene McCarthy. Na sua opinião, aquela era a prioridade estratégica. Mas os relacionamentos pessoais eram muito importantes para os Kennedy. Se Bobby tivesse conseguido transformar Lyndon Johnson em amigo, tudo teria sido diferente.

O corredor ia dar em uma área de despensa muito iluminada, com reluzentes bancadas de aço inox e uma enorme máquina de gelo. Um repórter de rádio entrevistava Bobby enquanto eles caminhavam, e dizia:

– Senador, como o senhor vai enfrentar Humphrey?

Enquanto avançava, Bobby ia apertando a mão de funcionários sorridentes. Um jovem empregado de cozinha se virou de um empilhador de bandejas como se fosse cumprimentá-lo.

Foi então, em um clarão de terror, que George viu a arma na mão do rapaz.

Era um pequeno revólver preto de cano curto.

O homem apontou a arma para a cabeça de Bobby.

George abriu a boca para gritar, mas o tiro saiu primeiro.

O pequeno revólver fez um barulho que mais parecia um estalo do que um estouro.

Bobby levou as mãos ao rosto, cambaleou para trás e caiu no chão de concreto.

– Não! Não! – vociferou George.

Aquilo não podia estar acontecendo... não de novo!

Instantes depois, uma saraivada de tiros se abateu sobre eles, como um fogo de artifício chinês. George sentiu uma ardência no braço, mas ignorou.

Bobby estava deitado de costas ao lado da máquina de gelo, mãos acima da cabeça, pés separados. Tinha os olhos abertos.

Pessoas gritavam. O repórter de rádio balbuciava no microfone:

– O senador Kennedy foi baleado! O senador Kennedy foi baleado! Será possível? Será possível?

Vários homens se jogaram em cima do atirador. Alguém gritou:

– A arma, peguem a arma!

George viu Bill Barry dar um soco na cara do homem.

Ajoelhou-se junto a Bobby. O senador ainda estava vivo, mas sangrava de um ferimento logo atrás da orelha. Estava com uma cara péssima. George afrouxou a gravata para ajudá-lo a respirar. Outra pessoa pôs um casaco dobrado sob a sua cabeça.

Uma voz masculina gemia:

– Não, meu Deus... Pelo amor de Deus, não...

Ethel abriu caminho pelas pessoas, ajoelhou-se ao lado de George e disse alguma coisa ao marido. O semblante de Bobby exibiu uma centelha de reconhecimento e ele tentou falar. George achou que tivesse perguntado:

– Todos os outros estão bem?

Ethel acariciou seu rosto.

George olhou em volta. Não sabia dizer se alguém mais fora atingido pela rajada de disparos. Então reparou no próprio antebraço: a manga do terno estava rasgada, e um ferimento vertia sangue. Ele fora baleado. Agora que havia percebido, começou a doer para burro.

A porta na outra ponta se abriu, e jornalistas e fotógrafos da sala de imprensa invadiram o recinto. Os câmeras se aglomeraram em volta do grupo em que Bobby estava, acotovelando-se e subindo nos fogões e pias para conseguir fotos melhores da vítima coberta de sangue e de sua esposa desesperada.

– Ele precisa de um pouco de ar! – implorou Ethel. – Ele precisa respirar!

Uma equipe de socorristas chegou com uma maca e levantou Bobby pelos ombros e pelos pés. Ele emitiu um débil lamento:

– Ai, não, por favor...

– Cuidado! – pediu Ethel aos socorristas. – Cuidado.

Eles o puseram em cima da maca e prenderam as correias de segurança.

Bobby fechou os olhos.

Nunca mais tornou a abri-los.

CAPÍTULO QUARENTA E CINCO

Nesse verão, Dimka e Natalya pintaram o apartamento com o sol entrando pelas janelas abertas. Levou mais tempo do que o necessário, porque eles paravam toda hora para transar. Ela usava os lindos cabelos presos e cobertos por um pano, e uma camisa velha dele com o colarinho puído. Seu short era justo e sempre que ele a via em cima da escada tinha que beijá-la. Baixou seu short tantas vezes que depois de algum tempo ela ficou só de camisa, e então transaram mais ainda.

Não podiam se casar antes de o divórcio dela sair e, para manter as aparências, Natalya mantinha um pequeno apartamento ali perto, mas na prática os dois já estavam embarcando em sua nova vida juntos na casa de Dimka. Rearrumaram os móveis segundo o gosto de Natalya e compraram um sofá. Criaram rotinas: ele preparava o café da manhã; ela, o jantar; ele engraxava os sapatos dela, ela passava as camisas dele; ele comprava carne; ela, peixe.

Os dois nunca viam Nik, mas Natalya começou a criar uma relação com Nina. A ex-mulher de Dimka era agora amante oficial do marechal Pushnoy e passava muitos fins de semana com ele em sua dacha, oferecendo jantares para os amigos mais chegados, alguns dos quais levavam as *suas* amantes. Dimka não sabia como Pushnoy organizava as coisas com a esposa, uma mulher mais velha, de aparência agradável, que sempre aparecia ao seu lado nos eventos estatais. Durante os fins de semana de Nina no campo, Dimka e Natalya ficavam cuidando de Grisha. No início Natalya ficou nervosa, pois não tinha filhos; Nik detestava crianças. No entanto, logo se apegou a Grisha, muito parecido com o pai, e de forma nada surpreendente acabou descobrindo em si o instinto materno comum a todas as mulheres.

Sua vida pessoal era feliz, mas a pública, não. Os linhas-duras do Kremlin apenas fingiam acreditar no compromisso com a Tchecoslováquia. Assim que Kosygin e Dimka voltaram de Praga, os conservadores começaram a mexer os pauzinhos para minar o acordo, pressionando por uma invasão que esmagasse Dubček e suas reformas. A contenda se prolongou pelos meses de junho e julho, sob o calor de Moscou e as brisas do Mar Negro, nas dachas para as quais a elite do Partido Comunista migrava durante as férias de verão.

Para Dimka, o problema na realidade não era a Tchecoslováquia, mas seu filho Grisha e o mundo em que ele iria crescer. Dali a quinze anos, o menino estaria na universidade; em vinte, estaria trabalhando; e em 25, talvez já tivesse os próprios filhos. Será que a Rússia teria um sistema melhor, algo parecido com a ideia de Dubček de um comunismo humanizado? Ou será que a URSS continuaria a ser uma tirania na qual a incontestável autoridade do Partido era brutalmente exercida pela KGB?

Para sua imensa raiva, Leonid Brejnev, secretário-geral do Partido, mantinha-se em cima do muro. Dimka agora o desprezava. Com pânico de ser pilhado no lado perdedor, Brejnev nunca tomava decisão alguma antes de conhecer a direção provável da decisão coletiva. Não tinha visão, coragem nem plano para fazer da URSS um país melhor. Ele não era um líder.

O conflito chegou ao ápice durante uma reunião de dois dias do Politburo, iniciada na sexta, 15 de agosto. Como sempre, a reunião formal consistia sobretudo de uma educada troca de lugares-comuns, enquanto as verdadeiras batalhas eram travadas do lado de fora.

Foi na esplanada que Dimka teve seu confronto com Yevgeny Filipov, em pé sob o sol em frente ao palácio amarelo e branco do Senado, entre os carros estacionados e as limusines que aguardavam.

– Veja os relatórios que a KGB mandou de Praga – disse Filipov. – Comícios estudantis contrarrevolucionários! Clubes nos quais a derrubada do comunismo é discutida abertamente! Esconderijos de armas!

– Não acredito em todas essas histórias – falou Dimka. – É verdade que existe discussão sobre reformas, mas os perigos estão sendo exagerados pelos líderes fracassados de antigamente, que agora se veem jogados para escanteio.

A verdade era que Andropov, o diretor linha-dura da KGB, estava forjando relatórios de inteligência sensacionalistas para instigar os conservadores, mas Dimka não era audacioso o suficiente para dizer isso em voz alta.

Tinha uma fonte de inteligência confiável: sua irmã gêmea. Tanya estava em Praga, de onde despachava matérias cuidadosamente neutras para a TASS ao mesmo tempo que fornecia a Dimka e Kosygin relatórios afirmando que Dubček era um herói para todos os tchecos, com exceção dos velhos *apparatchiks* do Partido.

Em uma sociedade fechada, era quase impossível chegar à verdade. Os russos mentiam demais. Na URSS, quase todos os documentos eram falsificados: números sobre a produção industrial, avaliações de política externa, interrogatórios de suspeitos pela polícia, previsões econômicas. As pessoas comentavam à boca pequena que a única página verdadeira no jornal era a da programação de rádio e TV.

– Não sei no que vai dar – disse Natalya a Dimka na sexta à noite. Ela ainda trabalhava para o ministro das Relações Exteriores Andrei Gromyko. – Todos os sinais de Washington dizem que Johnson não vai fazer nada se invadirmos a Tchecoslováquia. Ele já tem problemas suficientes: motins, assassinatos, o Vietnã e uma eleição presidencial.

Eles tinham acabado a pintura do dia e dividiam uma garrafa de cerveja sentados no chão. Natalya estava com uma mancha de tinta amarela na testa e, por algum motivo, isso fez Dimka querer transar com ela. Estava pensando se seria melhor fazer isso agora ou tomar um banho e ir para a cama primeiro quando ela disse:

– Antes de a gente se casar...

A frase indicava que aquela era uma conversa séria.

– Sim?

– Seria bom falar sobre filhos.

– A gente provavelmente deveria ter falado sobre isso antes de passar o verão inteiro transando sem parar.

Eles nunca haviam usado nenhum método anticoncepcional.

– Sim. Mas você já tem um filho.

– Nós temos um filho. Ele é nosso. Você vai ser madrasta dele.

– E gosto muito dele. É fácil gostar de um menininho tão parecido com você. Mas como se sente em relação a ter outros filhos?

Dimka pôde notar que, por algum motivo, esse assunto a preocupava, e ele precisava tranquilizá-la. Pôs a cerveja no chão e lhe deu um abraço.

– Eu amo você – falou. – Adoraria ser pai dos seus filhos.

– Ai, graças a Deus. Porque eu estou grávida.

❦

Tanya achava difícil conseguir jornais em Praga, uma irônica consequência da abolição da censura implementada por Dubček. Antes, poucas pessoas se davam ao trabalho de ler as matérias anódinas e desonestas da imprensa estatal. Agora que os jornais podiam dizer a verdade, os exemplares impressos nunca conseguiam suprir a demanda. Ela tinha que madrugar para comprar o seu antes de a edição esgotar.

A televisão também tinha sido liberada. Nos programas de atualidades, operários e estudantes universitários questionavam e criticavam ministros do governo. Prisioneiros políticos libertados podiam confrontar os agentes da polícia secreta que os haviam jogado na prisão. Em todos os grandes hotéis, muitas vezes uma rodinha de telespectadores atentos assistia aos debates na TV do saguão.

Conversas parecidas aconteciam em todos os cafés, cantinas de fábrica e prefeituras. Pessoas que haviam passado vinte anos reprimindo seus verdadeiros sentimentos de repente tinham permissão para dizer o que pensavam.

A atmosfera de liberdade era contagiante. Tanya se sentia tentada a acreditar que o passado havia ficado para trás e que não havia mais perigo. Precisava lembrar a si mesma o tempo todo que a Tchecoslováquia ainda era um país comunista, com polícia secreta e porões de tortura.

Levara consigo o manuscrito datilografado do primeiro romance de Vasili.

O texto havia chegado pouco antes de ela sair de Moscou, do mesmo jeito que o primeiro conto dele: fora-lhe entregue na rua em frente à TASS por um desconhecido que não se dispusera a responder a pergunta nenhuma. Como da outra vez, estava escrito em uma caligrafia miúda, sem dúvida para economizar papel. O título irônico era *Um homem livre*.

Tanya o havia datilografado em papel próprio para correspondência via aérea. Tinha de partir do princípio de que a sua bagagem seria aberta. Embora fosse uma confiável jornalista da TASS, qualquer quarto de hotel em que ficasse hospedada poderia ser revirado, e o apartamento que lhe fora atribuído na cidade velha poderia sofrer uma revista minuciosa. Apesar de, na sua opinião, ter bolado um ótimo esconderijo, vivia com medo. Era como estar de posse de uma bomba nuclear. Estava desesperada para passar o texto adiante quanto antes.

Havia ficado amiga do correspondente de um jornal britânico em Praga, e na primeira oportunidade lhe disse:

– Existe uma editora em Londres especializada em traduções de romances do Leste Europeu: Anna Murray, da Rowley Publishing. Eu adoraria entrevistá-la sobre literatura tcheca. Acha que conseguiria lhe mandar um recado?

Isso era perigoso, pois criava um vínculo entre ela e Anna, mas Tanya precisava correr algum risco e este lhe pareceu mínimo.

Quinze dias depois, o jornalista britânico falou:

– Anna Murray vem a Praga na próxima terça-feira. Não pude dar a ela o seu telefone porque não tinha, mas ela vai ficar no Hotel Palace.

Na terça, Tanya ligou para o hotel e deixou o seguinte recado para Anna: "Encontre Jakub no monumento a Jan Hus às quatro da tarde." Jan Hus era um filósofo medieval queimado na fogueira pelo papa por defender que a missa fosse rezada em vernáculo, até hoje um símbolo da resistência tcheca ao controle externo. Seu monumento ficava na praça principal da cidade antiga.

Em todos os hotéis, agentes da polícia secreta demonstravam especial interesse por hóspedes ocidentais, e Tanya precisava partir do princípio de que leriam todos os recados e, portanto, poderiam estar de tocaia no monumento para ver quem Anna iria encontrar. Dessa forma, não compareceu ao encontro. Em vez disso, interceptou Anna na rua e enfiou em sua mão um cartão com o endereço de um restaurante na cidade velha e o seguinte recado: "Hoje às oito da noite. Reserva em nome de Jakub."

Ainda havia a possibilidade de Anna ser seguida do hotel até o restaurante. Era improvável: a polícia secreta não tinha agentes suficientes para seguir todos os estrangeiros ao mesmo tempo. Mesmo assim, Tanya continuou sendo cuidadosa. À noite, apesar do calor, vestiu uma jaqueta de couro folgada e foi cedo para o restaurante. Sentou-se em outra mesa, não na que tinha reservado. Manteve a cabeça baixa quando Anna chegou e observou enquanto ela se sentava.

Não havia como negar que Anna era estrangeira. Ninguém na Europa Oriental andava tão bem vestido. Ela usava um terninho vermelho-escuro feito sob medida para suas curvas voluptuosas. Como acessório, tinha um magnífico xale colorido que devia ter vindo de Paris. Seus cabelos e olhos pretos decerto tinham sido herdados da avó judia alemã. Ela devia ter uns 30 anos, calculou Tanya, mas era uma daquelas mulheres que ficavam mais bonitas com a idade.

Ninguém entrou no restaurante atrás de Anna. Tanya permaneceu quinze minutos onde estava, observando quem chegava. Anna pediu uma garrafa de Riesling húngaro e começou a beber. Quatro pessoas entraram: um casal de idosos e dois jovens namorados; ninguém tinha a mais remota semelhança com um policial. Por fim, Tanya se levantou e foi se sentar em frente a Anna na sua mesa, pendurando a jaqueta no encosto da cadeira.

– Obrigada por ter vindo – falou.

– Imagine, não há de quê. Estou feliz por ter vindo.

– Aqui é longe.

– Eu percorreria dez vezes essa distância para encontrar a mulher que me deu *Enregelamento*.

– Ele escreveu um romance.

Anna se recostou na cadeira com um suspiro satisfeito.

– Estava torcendo para que dissesse isso. – Ela serviu vinho no copo de Tanya. – Onde está?

– Escondido. Antes de sairmos eu lhe entrego.

– Certo. – Como não estava vendo manuscrito algum, Anna ficou intrigada, mas aceitou o que Tanya dizia. – Você me deixou muito feliz.

– Sempre soube que *Enregelamento* era brilhante – comentou Tanya em tom de reflexão. – Mas nem mesmo eu consegui prever o sucesso internacional do livro. O Kremlin está uma fera por causa disso, principalmente porque ainda não conseguiu descobrir quem é o autor.

– Você deve saber que ele tem uma fortuna em direitos autorais acumulados.

Tanya balaçou a cabeça.

– Se ele recebesse dinheiro do exterior, seria desmascarado.

– Quem sabe um dia? Eu pedi à maior agência literária de Londres para representá-lo.

– O que é uma agência literária?

– Uma empresa que cuida dos interesses do autor, negocia contratos e garante que a editora pague os direitos em dia.

– Nunca ouvi falar nisso.

– A agência abriu uma conta bancária em nome de Ivan Kuznetsov. Mas você deveria considerar se não seria melhor investir o dinheiro de alguma forma.

– Quanto é?

– Mais de um milhão de libras esterlinas.

Tanya ficou chocada. Se Vasili conseguisse pôr as mãos naquele dinheiro, seria o homem mais rico da Rússia.

Elas pediram o jantar. Os restaurantes de Praga haviam melhorado nos últimos meses, mas a comida permanecia tradicional. Sua carne e suas bolinhas de massa vieram banhadas em um molho encorpado guarnecido com creme de leite e uma colherada de geleia de cranberry.

– O que vai acontecer aqui em Praga? – indagou Anna.

– Dubček é um comunista sincero que deseja a permanência do país no Pacto de Varsóvia, de modo que não representa nenhum perigo real para Moscou. Mas os dinossauros do Kremlin não pensam assim. Ninguém sabe o que vai acontecer.

– Você tem filhos?

Tanya sorriu.

– Essa é a pergunta-chave. Nós podemos até decidir suportar o sistema soviético em troca de uma vida tranquila, mas será que temos o direito de transmitir toda essa tristeza e opressão para a próxima geração? Não, eu não tenho filhos. Tenho um sobrinho, Grisha, que amo muito. Ele é filho do meu irmão gêmeo. E hoje de manhã meu irmão me contou em uma carta que a mulher com quem ele em breve vai se casar em segundas núpcias já está grávida, então vou ganhar outro sobrinho ou sobrinha. Pelo bem deles, preciso torcer pelo sucesso de Dubček e para que outros países comunistas sigam o exemplo tcheco. Mas o sistema soviético tem um conservadorismo inerente, muito mais resistente às mudanças do que o capitalismo. Talvez a longo prazo essa seja sua falha mais fundamental.

Quando elas terminaram de comer, Anna falou:

– Já que não podemos pagar nosso autor, seria possível ao menos lhe dar um presente para entregar a ele? Tem algo do Ocidente que poderia agradá-lo?

Uma máquina de escrever, era disso que Vasili precisava, mas um presente assim iria denunciá-lo.

– Um suéter – respondeu Tanya. – Um suéter bem grosso e quente. Ele vive com frio. E roupas de baixo, daquelas de manga comprida e até o pé.

Anna pareceu consternada por essa informação sobre a vida de Ivan Kuznetsov.

– Amanhã vou a Viena e comprarei artigos da melhor qualidade.

Tanya assentiu, satisfeita.

– Vamos nos encontrar aqui de novo na sexta?

– Vamos.

Ela se levantou.

– É melhor sairmos separadas.

Uma expressão de pânico cruzou o semblante de Anna.

– E o manuscrito?

– Vista a minha jaqueta – respondeu Tanya. Talvez ficasse um pouco pequena em Anna, que era maior do que ela, mas iria caber. – Quando chegar a Viena, abra o forro. – Ela apertou a mão de Anna. – Não a perca. É a única cópia.

∽

No meio da noite, Tanya acordou com a cama tremendo. Sentou-se em pânico, pensando que a polícia secreta tinha vindo prendê-la. Ao acender a luz, viu que estava sozinha, mas o tremor não tinha sido um sonho. A foto emoldurada de Grisha na cabeceira parecia dançar, e ela ouviu o tilintar dos pequenos frascos de maquiagem vibrando sobre o tampo de vidro da penteadeira.

Pulou da cama e foi até a janela aberta. O dia estava nascendo. Um ronco alto vinha da rua principal ali perto, mas ela não conseguiu ver o que o estava causando. Foi tomada por um temor indistinto.

Procurou a jaqueta de couro e lembrou que a havia deixado com Anna. Vestiu rapidamente uma calça jeans e um suéter, calçou os sapatos e saiu do prédio apressada. Apesar da hora, havia pessoas na rua. Foi caminhando depressa na direção do barulho.

Assim que chegou à rua principal, entendeu o que havia acontecido.

O barulho era de tanques: eles avançavam lenta porém inexoravelmente, e suas lagartas produziam um estrondo medonho. Em cima dos tanques vinham soldados de uniforme soviético, a maioria jovens, meninos apenas. Ao observar a rua à sua frente sob a luz suave da manhã, Tanya viu que havia dezenas de tanques, centenas até, e que a fila se estendia até a Ponte Carlos e mais além. Pelas calçadas, pequenos grupos de tchecos, homens e mulheres, muitos de roupa de dormir, assistiam consternados e estupefatos à tomada de sua cidade.

Os conservadores do Kremlin tinham vencido, entendeu ela. A Tchecoslováquia acabara de ser invadida pela URSS. A breve temporada de reformas e esperança havia acabado.

Cruzou olhares com uma mulher de meia-idade em pé ali perto, com uma antiquada redinha nos cabelos como a que a mãe de Tanya usava para dormir. Lágrimas escorriam por seu rosto.

Foi então que sentiu a umidade nas próprias bochechas e percebeu que também estava chorando.

Uma semana depois de os tanques entrarem em Praga, George Jakes estava sentado em seu sofá em Washington, de cueca, assistindo na TV à cobertura da convenção democrata em Chicago.

Para o almoço, havia esquentado uma lata de sopa de tomate e tomara na própria panela, que agora estava largada sobre a mesa de centro com os restos do líquido pegajoso já se solidificando lá dentro.

Sabia o que deveria fazer: vestir um terno, sair, arrumar outro emprego, outra namorada e outra vida.

Mas por algum motivo não conseguia ver propósito algum nisso.

Já ouvira falar em depressão, e sabia que era isso que estava sentindo.

O espetáculo da polícia de Chicago, que estava descontrolada, só o distraiu um pouco. Algumas centenas de manifestantes sentados pacificamente na rua em frente ao centro de convenções foram atacados pela polícia, que, de cassetetes em punho, espancou todo mundo com selvageria, como se não percebesse que estava cometendo uma agressão criminosa ao vivo na TV – ou, o que era mais provável, soubesse, mas não se importasse.

Alguém, decerto o prefeito Daley, havia soltado os cachorros.

George refletiu distraidamente sobre as consequências políticas daquilo. Era o fim da não violência como estratégia política, calculou. Tanto Martin Luther

King quanto Bobby Kennedy estavam errados, e agora estavam ambos mortos. Os Panteras Negras estavam certos. O prefeito Daley, o governador Ronald Reagan, o candidato à presidência George Wallace e todos os seus comandantes de polícia racistas iriam usar de violência contra qualquer um cujas ideias considerassem indigestas. Os negros precisavam de armas para se defender. O mesmo valia para qualquer outra pessoa que desafiasse os pilares da sociedade americana. Naquele momento, em Chicago, a polícia estava tratando jovens brancos de classe média da mesma forma que tratava os negros. Isso com certeza mudaria as atitudes.

Alguém tocou a campainha. Ele franziu a testa, intrigado. Não estava esperando visita nem queria falar com ninguém. Ignorou o som e torceu para que a pessoa fosse embora. A campainha voltou a tocar. Eu posso ter saído, pensou; como a pessoa sabe que estou em casa? A campainha tocou pela terceira vez, demorada e insistente, e ele entendeu que a pessoa não iria desistir.

Foi até a porta. Era sua mãe, segurando uma vasilha refratária tampada.

Jacky olhou o filho de cima a baixo.

– Bem que eu achei – comentou, e entrou sem ser convidada.

Pôs a vasilha dentro do forno de George e acendeu o fogo.

– Vá tomar uma ducha – mandou. – Faça essa barba e ponha uma roupa decente.

Ele pensou em discutir, mas não teve energia. Parecia mais fácil simplesmente obedecer.

Jacky começou a arrumar a sala, pôs a panela de sopa dentro da pia da cozinha, dobrou jornais e abriu as janelas.

George foi até o quarto. Tirou a cueca, tomou um banho e fez a barba. Não faria diferença. No dia seguinte, voltaria a mergulhar na depressão.

Vestiu uma calça de lona e uma camisa azul de botão e voltou para a sala. Uma coisa não podia negar: a comida estava com um cheiro delicioso. Jacky tinha posto a mesa.

– Sente-se – ordenou ela. – O jantar está servido.

Ela havia preparado frango ao molho cremoso de tomate com pimenta-verde e uma cobertura de queijo derretido. George não resistiu e comeu dois pratos. Em seguida, Jacky lavou a louça e ele secou.

A mãe se sentou com ele para assistir à cobertura da convenção. Quem estava falando agora era o senador Abraham Ribicoff, que indicava George McGovern, um candidato alternativo defensor da paz que havia entrado no páreo no último minuto. Ele causou um burburinho ao dizer:

– Com George McGovern como presidente dos Estados Unidos, não precisaríamos de táticas da Gestapo nas ruas de Chicago.

– Mais claro impossível – comentou Jacky.

A plateia ficou em silêncio. A TV mostrou uma imagem do prefeito Daley. Este parecia um sapo gigante: olhos saltados, bochechudo e várias papadas no pescoço. Por um instante, igualzinho à sua polícia, ele esqueceu que estava na TV e gritou impropérios para Ribicoff.

Os microfones não captaram suas palavras.

– O que será que ele falou? – perguntou-se George.

– Eu sei – falou Jacky. – Consigo fazer leitura labial.

– Isso é novidade para mim.

– Quando eu tinha 9 anos, fiquei surda. Levaram um tempão para descobrir qual era o problema. Acabei fazendo uma operação que recuperou minha audição, mas nunca desaprendi a ler os lábios.

– Está bem, mãe. Prove. O que o prefeito Daley falou para Abe Ribicoff?

– "Vá se foder, seu judeu filho da puta." Foi isso que ele disse.

⁓

Walli e Beep estavam hospedados no décimo quinto andar do Hilton de Chicago, quartel-general da campanha de McCarthy. Ao voltarem para o quarto à meia-noite de quinta-feira, último dia da convenção, estavam cansados e desanimados. Tinham perdido: Hubert Humphrey, o vice de Johnson, fora escolhido como candidato democrata. A eleição presidencial seria disputada por dois políticos que apoiavam a guerra do Vietnã.

Não tinham nem um bagulhinho para fumar. Haviam parado por um tempo, com medo de proporcionar à imprensa uma oportunidade de manchar a imagem de McCarthy. Assistiram a um pouco de TV e foram para a cama, desanimados demais para transar.

– Que merda! Daqui a quinze dias tenho que voltar às aulas – comentou Beep. – Não sei se vou conseguir encarar.

– Acho que vou gravar um disco – falou Walli. – Tenho umas músicas novas.

Beep pareceu descrente.

– Você acha que consegue fazer as pazes com Dave?

– Não. Eu gostaria muito, mas ele não vai querer. Quando me ligou para dizer que tinha estado com meus parentes em Berlim Oriental, foi bem frio, embora tenha sido legal da parte dele me procurar.

– Puxa, nós o magoamos de verdade – disse Beep, triste.

– Além do mais, ele está se saindo muito bem sozinho, com o programa e tal.

– Então como você vai gravar esse disco?

– Vou para Londres. Sei que Lew vai aceitar ser meu baterista, e Buzz, meu baixo: os dois estão putos com Dave por ter desfeito a banda. Vou gravar as trilhas principais com eles, depois faço os vocais sozinho e passo um tempo acrescentando *overdubs*, *licks* de guitarra e harmonias vocais... quem sabe até ponha algumas cordas e sopros.

– Caramba, você pensou mesmo no assunto.

– Tive tempo para pensar. Faz seis meses que não entro em um estúdio.

Houve um baque e um estrondo, e o quarto foi inundado pela luz do corredor. Incrédulo e assustado, Walli percebeu que alguém tinha derrubado a porta. Jogou os lençóis longe e pulou da cama gritando:

– Que porra é essa?

As luzes do quarto se acenderam e ele viu dois policiais de Chicago passarem pelos destroços da porta.

– Que porra é essa? – repetiu.

Como resposta, um deles o acertou com um cassetete.

Walli conseguiu se desviar do golpe e, em vez de acertá-lo na cabeça, o porrete o atingiu dolorosamente no ombro. Ele urrou de agonia, e Beep deu um grito.

Segurando o ombro ferido, Walli recuou em direção à cama. O policial tornou a brandir o cassetete. Walli pulou para trás, caiu por cima da cama e o porrete o acertou na perna. Ele rugiu de tanta dor.

Os dois policiais ergueram os cassetetes. Walli rolou para o lado e tentou proteger Beep. Um dos cassetetes o acertou nas costas e o outro no quadril.

– Parem, por favor! – gritou Beep. – A gente não fez nada de errado, parem de bater nele!

Walli ainda sentiu mais dois golpes lancinantes e pensou que fosse desmaiar. Então, de repente, o ataque parou, e os passos de dois pares de botas pesadas ecoaram pelo quarto até sair para o corredor.

Walli saiu de cima de Beep.

– Porra! Que dor!

Ela se ajoelhou para tentar examinar seus ferimentos.

– Por que eles fizeram isso? – indagou.

Do lado de fora do quarto, Walli ouviu outras portas sendo derrubadas e mais gritos de pessoas sendo arrancadas da cama e espancadas.

– A polícia de Chicago pode fazer o que quiser – respondeu ele. – É pior do que em Berlim Oriental.

Em outubro, em um avião para Nashville, Dave Williams viajou ao lado de um eleitor de Nixon.

Estava indo gravar um disco. O estúdio que havia montado em Napa, Daisy Farm, ainda estava em obras. Além disso, a cidade no Tennessee concentrava alguns dos melhores nomes da música. Ele achava que o rock estava ficando sério demais, com sons psicodélicos e solos de guitarra de vinte minutos, e planejava um álbum de canções pop clássicas, com dois minutos cada uma: "The Girl of My Best Friend", "I Heard It Through the Grapevine" e "Woolly Bully". Sabia também que Walli estava gravando um disco solo em Londres, e não queria ficar para trás.

A viagem tinha outro motivo: Little Lulu Small, que havia flertado com ele na Grande Turnê das Estrelas do Beat, agora morava em Nashville, onde trabalhava como backing vocal. Ele precisava de alguém para ajudá-lo a esquecer Beep.

A primeira página de seu jornal estampava uma foto dos Jogos Olímpicos da Cidade do México: a entrega de medalhas dos 200 metros rasos. O medalhista de ouro fora Tommie Smith, um americano negro que havia batido o recorde mundial. Um australiano branco levara a prata; e outro americano negro, o bronze. Todos os três usavam insígnias de direitos humanos nos casacos olímpicos. Enquanto o hino nacional dos Estados Unidos era tocado, os dois atletas americanos haviam abaixado a cabeça e erguido o punho na saudação dos Panteras Negras, e essa foto saíra em todos os jornais.

– Que desgraça – comentou o sujeito sentado ao lado de Dave na primeira classe.

Ele parecia ter uns 40 anos e estava de terno, camisa branca e gravata. Havia tirado da pasta um grosso documento datilografado no qual fazia anotações com uma esferográfica.

Em geral, Dave evitava conversar com pessoas em aviões. O papo geralmente se transformava em uma entrevista sobre a vida de um astro pop, o que era muito chato. Mas aquele sujeito não parecia saber quem ele era, e o rapaz estava curioso para descobrir o que passava pela cabeça de um homem assim.

– Vi que o presidente do Comitê Olímpico Internacional expulsou os dois atletas dos jogos – continuou este. – Fez bem.

– O nome do presidente do COI é Avery Brundage – informou Dave. – Aqui no meu jornal está escrito que em 1936, quando os jogos foram em Berlim, ele defendeu o direito dos alemães de fazerem a saudação nazista.

– Com isso eu também não concordo – falou o executivo. – Os jogos são apolíticos. Nossos atletas competem como americanos.

– Quando ganham corridas e são recrutados pelo Exército, eles são americanos, mas quando querem comprar a casa ao lado da sua eles são negros.

– Bom, eu sou a favor da igualdade, mas em geral as mudanças lentas são melhores do que as rápidas.

– Talvez fosse bom termos um exército só de brancos no Vietnã, só até termos certeza de que a nossa sociedade está pronta para a igualdade total.

– Também sou contra a guerra. Se os vietnamitas são burros o suficiente para quererem ser comunistas, o problema é deles. O que deveria nos preocupar é o comunismo aqui nos Estados Unidos.

Dave pensou que aquele homem parecia de Marte.

– No que o senhor trabalha? – perguntou.

– Vendo anúncios para estações de rádio. – Ele estendeu a mão para um cumprimento. – Ron Jones.

– Dave Williams. Eu trabalho com música. Se me permite a pergunta, em quem vai votar na próxima eleição?

– Em Nixon – respondeu Jones sem hesitar.

– Mas o senhor é contra a guerra e a favor dos direitos civis para os negros, mesmo que não tão cedo... então concorda com Humphrey em relação a esses temas.

– Que se danem os temas. Eu tenho uma mulher e três filhos, uma hipoteca e prestações do carro para pagar: são esses os meus temas. A duras penas consegui virar gerente regional de vendas, e tenho uma chance de ser promovido a diretor nacional daqui a alguns anos. Trabalhei feito um mouro para chegar aonde estou e ninguém vai tirar isso de mim, nem negros amotinados, nem hippies drogados, nem comunistas a mando de Moscou, e certamente não um liberal de miolo mole como Hubert Humphrey. Podem dizer o que quiserem sobre Nixon, mas ele representa pessoas como eu.

Nesse instante Dave entendeu, com a sensação avassaladora de uma tragédia iminente, que Nixon iria ganhar a eleição.

George Jakes vestiu um terno, uma camisa branca e uma gravata pela primeira vez em meses e foi almoçar com Maria Summers no Jockey Club. Quem estava convidando era ela.

Já podia adivinhar o que iria acontecer. Maria tinha falado com sua mãe, que lhe contara como George passava o dia inteiro jogado em seu apartamento sem fazer nada. E iria dizer a ele para sair dessa.

Não entendia como poderia adiantar. Sua vida estava em ruínas. Bobby tinha morrido, e o próximo presidente seria Humphrey ou Nixon. Agora nada podia ser feito para pôr fim à guerra, proporcionar igualdade para os negros ou mesmo impedir policiais de espancarem qualquer um com quem implicassem.

Apesar disso tudo, aceitou o convite de Maria. Os dois eram amigos de longa data.

Ela estava bonita, de um jeito maduro. Usava um conjunto de vestido preto e casaquinho e uma fieira de pérolas no pescoço. Projetava segurança e autoridade. Parecia o que de fato era: uma bem-sucedida burocrata de médio escalão do Departamento de Justiça. Não quis tomar nada alcoólico, e eles pediram a comida.

Quando o garçom se afastou, ela disse a George:

– A gente nunca se recupera.

Ele entendeu que ela estava comparando a tristeza dele em relação ao assassinato de Bobby com seu próprio luto por Jack.

– Fica um buraco no coração que não some nunca – continuou ela.

George assentiu. Ela estava tão certa que foi difícil segurar o choro.

– A melhor cura é o trabalho. O trabalho e o tempo.

George percebeu que ela havia sobrevivido. E a sua perda era maior que a dele, pois Jack Kennedy tinha sido seu amante, não apenas seu amigo.

– Você me ajudou – disse ela. – Me arrumou o emprego na Justiça. Foi isso que me salvou: um ambiente diferente, um novo desafio.

– Mas não um namorado novo.

– Não.

– Você ainda mora sozinha?

– Tenho dois gatos: Julius e Loopy.

George assentiu. O fato de ela ser solteira devia ajudá-la no Departamento de Justiça. Eles hesitavam em promover uma mulher casada que pudesse engravidar e ir embora, mas uma solteirona convicta tinha mais chances.

O almoço chegou e eles passaram alguns instantes comendo em silêncio. Então Maria pousou o garfo.

– George, eu quero que você volte a trabalhar.

Ele ficou tocado com aquela preocupação afetuosa, e admirava a determinação firme com que ela havia reconstruído a própria vida. Mas não conseguiu demonstrar entusiasmo algum. Deu de ombros, desanimado.

– Bobby está morto, McCarthy perdeu a indicação. Para quem eu iria trabalhar?

A resposta de Maria o surpreendeu:

– Para o Fawcett Renshaw.

– Aqueles filhos da mãe?

Fawcett Renshaw era o escritório de advocacia de Washington que oferecera um emprego a George quando ele se formasse, mas retirara a proposta depois que ele havia participado da Viagem da Liberdade.

– Você seria o especialista em direitos civis deles – acrescentou ela.

George saboreou a ironia. Sete anos antes, seu envolvimento com os direitos civis o havia impedido de trabalhar para o Fawcett Renshaw; agora, o qualificava. Apesar dos pesares, conquistamos algumas vitórias, pensou. Começou a se sentir melhor.

– Você já trabalhou na Justiça e na Casa Branca, e tem um conhecimento inestimável sobre o funcionamento interno dessas instituições. E sabe do que mais? De repente ficou na moda escritórios de advocacia de Washington terem um advogado negro na equipe.

– Como você sabe o que o Fawcett Renshaw quer? – perguntou ele.

– Nós tratamos muito com eles lá no Departamento de Justiça. Em geral para tentar obrigar seus clientes a acatarem normas governamentais.

– Eu acabaria defendendo empresas que descumprem leis de direitos civis.

– Encare isso como um aprendizado. Você vai aprender em primeira mão como funciona na prática a legislação sobre a igualdade, o que pode ser de grande valia se um dia voltar à política. Enquanto isso, vai ganhar muito bem.

George pensou se algum dia voltaria à política.

Ao erguer os olhos, viu o pai atravessando o restaurante na sua direção.

– Acabei de almoçar – disse Greg. – Posso tomar café com vocês?

George desconfiou que aquele encontro aparentemente acidental na realidade tivesse sido armado por Maria. Lembrou-se também de que o velho Renshaw, sócio sênior do escritório, era amigo de infância de Greg.

– Estávamos aqui conversando sobre George voltar a trabalhar – disse-lhe Maria. – O Fawcett Renshaw quer que ele vá para lá.

– Renshaw comentou comigo. Você será de valor inestimável para eles. Seus contatos são incomparáveis.

– Nixon parece que vai ganhar – disse George em tom de dúvida. – A maioria dos meus contatos é no Partido Democrata.

– Eles vão continuar úteis. De toda forma, não imagino que Nixon vá durar muito. Ele vai meter os pés pelas mãos.

George arqueou as sobrancelhas. Greg era um republicano liberal que teria preferido como candidato à presidência alguém como Nelson Rockefeller. Mesmo assim, estava demonstrando uma deslealdade surpreendente ao seu partido.

– Você acha que o movimento a favor da paz vai destruir Nixon? – perguntou George.

– De jeito nenhum. O mais provável é acontecer o contrário. Nixon não é Lyndon Johnson. Ele entende de política externa... provavelmente mais do que a maioria das pessoas em Washington. Não se deixem enganar por aquela conversa boba sobre comunistas; isso é só para os eleitores mais pobres. – Greg era um esnobe. – Nixon vai nos tirar do Vietnã, e vai dizer que nós perdemos a guerra porque o movimento em defesa da paz enfraqueceu as Forças Armadas.

– Então como ele vai cair?

– Dick Nixon mente – respondeu Greg. – Ele mente praticamente toda vez que abre a boca. Quando os republicanos assumiram o poder, em 1952, Nixon alegou que milhares de subversivos tinham sido encontrados no governo.

– E quantos vocês encontraram?

– Nenhum. Zero. Eu sei; tinha acabado de entrar para o Congresso. Aí ele disse à imprensa que nos arquivos do governo democrata anterior tínhamos achado um plano para tornar o país socialista. Os jornalistas pediram para ver os documentos.

– E ele não tinha uma cópia.

– Exato. E afirmou também que tinha um memorando secreto sobre como os comunistas estavam planejando se infiltrar no Partido Democrata. Ninguém tampouco jamais viu esse documento. Acho que a mãe de Dick nunca disse a ele que mentir é pecado.

– Tem muita desonestidade na política – disse George.

– Como em muitos outros setores da vida. Mas poucas pessoas mentem tanto e de forma tão descarada quanto Nixon. Ele é um trapaceiro desonesto. Até agora, conseguiu se safar. Isso às vezes acontece. Mas, quando se é presidente, a história é outra. Os jornalistas sabem que têm ouvido mentiras sobre o Vietnã, e cada vez mais estão passando o pente fino em tudo o que o governo diz. Dick vai ser pego e vai cair. E sabem do que mais? Ele nunca vai entender por quê. Vai dizer que a imprensa estava querendo derrubá-lo desde o início.

– Espero mesmo que você tenha razão.

– Aceite o emprego, George – pediu Greg. – Há muita coisa a fazer.

George assentiu.

– Pode ser.

Claus Krohn era ruivo. Os cabelos eram castanho-escuros com reflexos arruivados, mas no resto do corpo seus pelos eram laranja, cor de cenoura. Rebecca gostava particularmente do triângulo que subia do sexo até um ponto próximo ao umbigo. Era para lá que ficava olhando sempre que fazia sexo oral nele, prática de que gostava tanto quanto o amante.

Agora, estava deitada com a cabeça sobre a sua barriga, enroscando os dedos distraidamente em seus cachos. Era segunda-feira à noite, e os dois estavam no apartamento dele. Rebecca não tinha reunião na segunda à noite, mas fingia ter, e Bernd fingia acreditar.

A organização prática era fácil. Já seus sentimentos eram mais complicados de administrar. Era tão difícil manter aqueles dois homens em compartimentos separados na sua cabeça que ela muitas vezes tinha vontade de desistir. Sentia uma culpa atroz por estar traindo Bernd, mas sua recompensa era um sexo arrebatado e prazeroso com um homem encantador que a adorava. Além do mais, Bernd lhe dera permissão. Ela não parava de lembrar isso a si mesma.

Naquele ano, todo mundo estava fazendo a mesma coisa. O importante era o amor. Rebecca não era hippie – era professora primária e uma respeitada política de nível municipal –, mas ainda assim sentia-se afetada pelo clima de promiscuidade, quase como se estivesse respirando sem querer um pouco da fumaça de maconha que pairava no ar. Por que não?, perguntava a si mesma. Qual é o problema?

Quando avaliava os 37 anos que já vivera, todos os seus arrependimentos se deviam a coisas que *não* tinha feito: não ter traído o mau-caráter do primeiro marido; não ter engravidado de Bernd enquanto isso ainda era possível; não ter fugido anos antes da tirania da Alemanha Oriental.

Pelo menos jamais olharia para trás e se arrependeria de não ter ido para a cama com Claus.

– Está feliz? – perguntou ele.

Quando consigo passar alguns minutos sem pensar em Bernd, sim, pensou ela.

– Claro – respondeu. – Senão não estaria brincando com seus pelos pubianos.

– Adoro o tempo que passamos juntos, mas é sempre muito curto.

– Eu sei. Gostaria de ter uma segunda vida, para poder passá-la toda com você.

– Eu me contentaria com um fim de semana.

Tarde demais, ela percebeu o rumo que a conversa estava tomando. Por um segundo, parou de respirar.

Estava com medo de aquilo acontecer. As noites de segunda já não bastavam. Talvez na verdade nunca tivesse havido uma chance real de Claus se satisfazer com uma vez por semana.

– Queria que você não tivesse dito isso – falou.

– Você poderia arrumar uma enfermeira para cuidar de Bernd.

– Eu sei que poderia.

– E a gente poderia pegar o carro até a Dinamarca, onde ninguém nos conhece. Ficar em um hotelzinho à beira-mar. Passear por aquelas praias intermináveis e respirar o ar salgado.

– Eu sabia que isso iria acontecer. – Rebecca se levantou. Nervosa, olhou em volta à procura da roupa de baixo. – Era só uma questão de tempo.

– Ei, calma! Não estou forçando nada.

– Eu sei que não. Você é um doce, um homem bom.

– Se não estiver à vontade para viajar no fim de semana, nós não vamos.

– Não vamos.

Ela encontrou a calcinha, vestiu-a e estendeu a mão para pegar o sutiã.

– Então por que está se vestindo? Temos no mínimo mais meia hora.

– Quando começamos a nos ver, eu jurei que pararia antes de a coisa ficar séria.

– Escute! Desculpe se eu quis passar o fim de semana com você. Nunca mais vou tocar nesse assunto. Eu juro.

– O problema não é esse.

– Qual é o problema, então?

– Eu *quero* viajar com você. É isso que está me incomodando. Quero mais do que você.

Ele fez cara de quem não estava entendendo.

– Então...?

– Vou ser obrigada a escolher. Não posso mais amar vocês dois.

Ela fechou o vestido e calçou os sapatos.

– Escolha a mim – suplicou ele. – Você deu seis longos anos a Bernd. Isso já não basta? Como ele poderia ficar insatisfeito?

– Eu fiz uma promessa a ele.

– Quebre-a.

– Uma pessoa que quebra uma promessa se diminui. É como perder um dedo. Pior do que ficar paralisada, que é apenas físico. Quem não respeita as próprias promessas é um aleijado da alma.

Ele exibiu uma expressão envergonhada.

803

– Tem razão.

– Obrigada por me amar, Claus. Nunca vou esquecer um segundo sequer das nossas noites.

– Não acredito que estou perdendo você.

Ele virou de costas.

Ela quis lhe dar um último beijo, mas decidiu não fazê-lo.

– Adeus – falou e saiu do apartamento.

No fim das contas, a eleição foi apertadíssima.

Em setembro, Cam estava extasiado, confiante em que Nixon iria vencer. O republicano estava muito à frente nas pesquisas. Os motins policiais na democrata Chicago, ainda frescos na lembrança dos telespectadores, prejudicavam seu oponente Hubert Humphrey. Então, durante os meses de setembro e outubro, Cam aprendeu que a memória dos eleitores era enlouquecedoramente curta. Para seu horror, Humphrey começou a diminuir a diferença. Na sexta-feira antes da eleição, a pesquisa da Harris mostrou Nixon na frente, com 40% dos votos contra 37%; na segunda, o Gallup apontou Nixon com 42% contra 40%; no dia da votação, a Harris pôs Humphrey na frente "por uma margem ínfima".

Na noite da eleição, Nixon fez o check-in em uma suíte do Waldorf Towers, em Nova York. Cam e outros voluntários se reuniram em um quarto mais modesto com TV e uma geladeira cheia de cerveja. Cam olhou em volta e se perguntou, animado, quantos deles conseguiriam empregos na Casa Branca se Nixon vencesse.

Havia conhecido uma garota séria e feia chamada Stephanie Maple, e estava torcendo para ela ir para a cama com ele, fosse para comemorar a vitória de Nixon ou para consolá-lo da derrota.

Às onze e meia, eles viram o veterano assessor de imprensa de Nixon, Herb Klein, falando da cavernosa sala de imprensa vários andares mais abaixo:

– Ainda achamos que podemos vencer por uma margem de três a quatro milhões de votos, mas atualmente está mais para três milhões.

Cam cruzou olhares com Stephanie e arqueou as sobrancelhas. Sabia que Herb estava mentindo. À meia-noite, Humphrey estava na frente, segundo os votos já computados, por uma margem de seiscentos mil votos. Então, à meia-noite e dez, chegou uma notícia que fez murchar a esperança de Cam: a CBS noticiou que Humphrey havia ganhado em Nova York, e não por poucos votos, mas por meio milhão.

Todos os olhos se voltaram para a Califórnia, onde a votação ainda durava três horas depois de encerradas as urnas na Costa Leste. Mas Nixon venceu na Califórnia, e o desempate sobrou para Illinois.

Ninguém podia prever o resultado. A máquina do Partido Democrata do prefeito Daley sempre roubava descaradamente. Mas teria o poder do prefeito sido enfraquecido pela visão de sua polícia espancando jovens na TV? Será que seu apoio a Humphrey ainda merecia confiança? Humphrey tinha feito uma leve crítica velada a Daley: "Em agosto passado, Chicago se encheu de dor." Mas os homens truculentos eram muito sensíveis e, segundo os boatos, Daley estava tão contrariado que seu apoio a Humphrey não era muito entusiasmado.

Fosse qual fosse o motivo, no fim das contas Daley não entregou Illinois a Humphrey.

Quando a TV anunciou que Nixon tinha vencido no estado por apenas 140 mil votos, os voluntários de Nixon explodiram de alegria. Era o fim, e eles tinham ganhado.

Passaram algum tempo se parabenizando antes de a festa se dispersar e cada um tomar o rumo de seu quarto para dormir algumas horas antes do discurso da vitória na manhã seguinte. Bem baixinho, Cam perguntou a Stephanie:

– Que tal mais uma dose? Tenho uma garrafa lá no quarto.

– Puxa, não, obrigada. Estou um caco.

Ele disfarçou a decepção.

– Fica para a próxima.

– Claro.

A caminho do quarto, Cam cruzou com John Ehrlichman.

– Parabéns!

– Para você também, Cam.

– Obrigado.

– Quando vai se formar?

– Em junho.

– Venha me procurar nessa época. Eu talvez consiga lhe oferecer um emprego.

Esse era o sonho de Cam.

– Obrigado!

Apesar da recusa de Stephanie, ele entrou no quarto muito animado. Acertou o despertador e caiu na cama, exausto mas triunfante. Nixon tinha vencido. Os decadentes e liberais anos 1960 estavam chegando ao fim. Dali em diante, as pessoas teriam de trabalhar pelo que quisessem, e não exigir as coisas em protestos. Os Estados Unidos se tornariam mais uma vez fortes, disciplinados, conservadores e ricos. Haveria um novo regime em Washigton.

E Cam faria parte dele.

Parte Sete

FITA
1972 A 1974

CAPÍTULO QUARENTA E SEIS

Jacky Jakes preparou frango frito, batata-doce, couve e pão de milho.
– Minha dieta que se dane – disse Maria Summers antes de começar a comer.
Adorava aquele tipo de comida. Reparou que George comia pouco: um pedacinho de frango e alguma verdura, sem pão. Ele sempre tivera um gosto refinado.

Era domingo. Maria visitava a casa dos Jakes quase como se fosse da família. Tudo havia começado quatro anos antes, depois de ela ajudar George a arrumar o emprego no Fawcett Renshaw. No Dia de Ação de Graças daquele ano, ele a convidara para jantar o tradicional peru na casa da mãe, em uma tentativa de alegrar a todos depois de as suas esperanças terem ruído com a vitória de Nixon nas eleições. Maria, que sentia falta da própria família lá em Chicago, ficara grata. Havia adorado a combinação de afeto e energia de Jacky, e a mulher mais velha parecera gostar dela também. Desde então, Maria repetia a visita a cada dois meses.

Depois do jantar, eles foram se sentar na sala. Quando George estava fora do recinto, Jacky perguntou:
– Tem alguma coisa perturbando você, menina. O que é?
Maria suspirou. Jacky era observadora.
– Preciso tomar uma decisão difícil.
– De coração ou de trabalho?
– De trabalho. No começo parecia que o presidente Nixon não seria tão ruim quanto nós todos temíamos, sabe? Ele fez mais pelos negros do que qualquer um jamais imaginou. – Ela foi enumerando nos dedos: – Primeiro forçou os sindicatos da construção a aceitar mais negros em sua atividade. Os sindicatos resistiram muito, mas ele aguentou firme. Depois ajudou as empresas cujos donos fizessem parte de alguma minoria. Em três anos, a parcela das minorias nos contratos com o governo subiu de 8 milhões para 242 milhões de dólares. Ele também acabou com a segregação em nossas escolas. Já tínhamos as leis, mas Nixon garantiu que elas fossem aplicadas. Quando o primeiro mandato dele terminar, a proporção de crianças em escolas só para negros no Sul será inferior a 10%, contra 68% anteriormente.
– Está bem, você me convenceu. Qual é o problema?
– O problema é que o governo *também* faz coisas inquestionavelmente erradas... criminosas, quero dizer. O presidente age como se a lei não se aplicasse a ele.
– Acredite, querida, todos os criminosos pensam assim.

– Mas o que se espera de nós, funcionários públicos, é discrição. O silêncio faz parte do nosso código de conduta. Mesmo quando discordamos do que os políticos estão fazendo, nós não os entregamos.

– Hum. Dois princípios morais em conflito. O seu dever para com seu chefe contradiz seu dever para com seu país.

– Eu poderia pedir demissão e pronto. De todo modo, provavelmente ganharia melhor fora do governo. Mas Nixon e o pessoal dele simplesmente continuariam a fazer o que estão fazendo, como gângsteres da Máfia. E eu *não quero* trabalhar na iniciativa privada. Quero tornar os Estados Unidos uma sociedade melhor, sobretudo para os negros. Dediquei minha vida a isso. Por que deveria desistir pelo fato de Nixon ser um vigarista?

– Muita gente do governo fala com a imprensa. Vivo lendo matérias sobre o que as "fontes" revelam aos jornalistas.

– Estamos tão chocados assim porque Nixon e Agnew se elegeram prometendo lei e ordem. A hipocrisia flagrante da situação está nos deixando bem zangados.

– Então você precisa decidir se vai "vazar" alguma coisa para a imprensa.

– Acho que é isso que estou cogitando fazer.

– Se fizer, por favor, tome cuidado – pediu Jacky, aflita.

Maria e George acompanharam Jacky ao culto da noite na Igreja Evangélica Betel, depois George levou Maria em casa. Ele ainda dirigia o mesmo Mercedes azul-escuro conversível que comprara ao chegar a Washington.

– Praticamente todas as peças deste carro foram trocadas – falou. – Custou uma nota.

– Então que bom que você está ganhando uma nota lá no Fawcett Renshaw.

– Não tenho do que reclamar.

Maria percebeu que estava com dor nas costas de tanto contrair os ombros. Tentou relaxar os músculos.

– George, tenho um assunto sério para conversar com você.

– Está bem.

Ela hesitou. Era agora ou nunca.

– Mês passado, no Departamento de Justiça, investigações antitruste em três empresas distintas foram canceladas por ordem direta da Casa Branca.

– Algum motivo?

– Eles não deram nenhum. Mas as três doaram um dinheirão para a campanha de Nixon em 1968, e imagina-se que vão financiar a campanha da reeleição deste ano.

– Mas isso é uma obstrução direta do curso da justiça! É crime.

– Exatamente.
– Eu sabia que Nixon era mentiroso, mas não sabia que era um criminoso de verdade.
– Sei que é difícil de acreditar.
– Por que está me contando?
– Quero informar a imprensa.
– Caramba, Maria... Isso é meio perigoso.
– Estou disposta a correr o risco. Mas vou tomar muito, muito cuidado.
– Ótimo.
– Você conhece algum jornalista?
– Claro. Para começar, Lee Montgomery.
Maria sorriu.
– Eu saí com ele algumas vezes.
– Eu sei... fui eu que armei.
– Mas isso significa que ele conhece a sua ligação comigo. Se você vazasse a história e ele começasse a pensar em quem poderia ser a fonte, eu seria a primeira pessoa em quem pensaria.
– Tem razão. Má ideia. E Jasper Murray?
– O chefe da sucursal de Washington do *This Day*? Seria ideal. De onde você o conhece?
– Nós nos conhecemos há anos, quando ele era estudante de jornalismo e importunou Verena para conseguir uma entrevista com Martin Luther King. Uns seis meses atrás, ele me abordou na coletiva de imprensa de um de meus clientes. Fiquei sabendo que ele estava naquele hotel em Memphis com Verena quando o Dr. King foi baleado. Ele me perguntou que fim ela levou. Tive de responder que não faço ideia. Acho que ele ficou meio fascinado por ela.
– Isso vale para a maioria dos homens.
– Inclusive para mim.
– Você poderia falar com Murray? – Maria estava tensa, com medo de George recusar e dizer que não queria se meter. – Pode dizer a ele o que acabei de lhe contar?
– Então eu seria o seu intermediário. Não haveria ligação direta entre você e Jasper.
– Isso.
– Parece um filme do James Bond.
– Mas você topa? – Ela prendeu a respiração.
Ele sorriu.
– É claro que topo.

O presidente Nixon ficou uma fera.

Sentado atrás de sua grande escrivaninha apoiada sobre duas colunas no Salão Oval, emoldurado pelas cortinas da janela, tinha as costas curvadas, a cabeça baixa e as sobrancelhas fartas unidas em uma expressão severa. Como sempre, o rosto bochechudo estava escurecido pela sombra de uma barba que ele nunca fazia direito. O lábio inferior espichado para a frente exibia sua expressão mais característica: um desafio sempre prestes a se transformar em autopiedade.

Sua voz era grave, rascante, rouca:

– Não estou nem aí para o jeito que vocês derem. Mas façam o que for preciso para conter esses vazamentos e impedir mais revelações não autorizadas.

Cam Dewar e seu chefe, John Ehrlichman, escutavam em pé. Cam era alto como o pai e o avô, mas Ehrlichman, o assessor de Assuntos Domésticos do presidente, era mais alto ainda. O título modesto de seu cargo era enganador: ele era um dos conselheiros mais próximos de Nixon.

Cam sabia o motivo da ira do presidente. Todos eles haviam assistido ao *This Day* da véspera. Jasper Murray tinha mirado a lente de sua câmera bisbilhoteira nos patrocinadores de Nixon. Segundo ele, o presidente havia cancelado investigações antitruste em três grandes empresas, todas importantes doadoras de sua campanha.

Era verdade.

Pior: Murray dera a entender que qualquer empresa desejosa de evitar uma investigação naquele ano eleitoral só precisava fazer uma contribuição suficientemente grande para o Comitê de Reeleição do Presidente, conhecido pela sigla CREEP, que em inglês, significa movimento furtivo.

Cam imaginava que isso também fosse verdade.

Nixon usava o poder da presidência para ajudar os amigos. Ele também atacava os inimigos, dirigindo auditorias fiscais e outras investigações para as empresas que doavam para os democratas.

Cam tinha achado a reportagem de Murray nauseante de tão hipócrita. Todo mundo sabia que a política funcionava assim. Afinal, de onde eles achavam que vinha o dinheiro das campanhas eleitorais? Se já não fossem podres de ricos, os irmãos Kennedy teriam feito a mesma coisa.

Os vazamentos para a imprensa eram um flagelo da presidência de Nixon. O *The New York Times* havia denunciado seus bombardeios ultrassecretos ao Camboja, vizinho do Vietnã, citando fontes anônimas na Casa Branca. O jornalista Seymour Hersh revelara que tropas americanas haviam assassinado centenas de inocentes em uma aldeia vietnamita chamada My Lai, atrocidade que o Pentágono tentara desesperadamente acobertar. Agora, em janeiro de 1972, a popularidade do presidente nunca estivera tão baixa.

Dick Nixon estava levando isso para o lado pessoal. Ele levava tudo para o lado pessoal. Nessa manhã, exibia uma expressão magoada, traída, indignada. Para ele, o mundo estava cheio de pessoas com vontade de prejudicá-lo, e os vazamentos confirmavam essa paranoia.

Cam também estava furioso. Quando aceitara o emprego na Casa Branca, esperava fazer parte de um grupo que iria mudar o país. No entanto, tudo o que o governo Nixon tentava fazer era prejudicado pelos liberais da mídia e suas "fontes" traidoras dentro do governo. Era tão frustrante que chegava a dar agonia.

– Esse Jasper Murray! – falou Nixon.

Cam se lembrava de Jasper. Ele morava na residência londrina dos Williams dez anos antes, quando a família Dewar fora visitá-los. *Aquilo,* sim, era um ninho de criptocomunistas.

– Ele é judeu? – perguntou o presidente.

Impaciente, Cam manteve o semblante totalmente inexpressivo. Nixon tinha algumas ideias malucas, e uma delas era que os judeus eram espiões natos.

– Acho que não – respondeu Ehrlichman.

– Conheci Murray em Londres anos atrás – disse Cam. – A mãe dele é metade judia. O pai é um oficial do Exército britânico.

– Murray é britânico?

– É, mas não podemos usar isso contra ele porque ele serviu o Exército dos Estados Unidos no Vietnã. Combateu e tem medalhas para provar isso.

– Bom, arrumem um jeito de parar com esses vazamentos. Não quero saber por que é impossível. Não quero desculpas. Quero resultados. Quero isso feito, custe o que custar.

Aquele era o tipo de discurso decidido que Cam gostava de ouvir. Sentiu-se encorajado.

– Obrigado, presidente – disse Ehrlichman.

Os dois saíram.

– Mais claro, impossível! – comentou Cam, animado, assim que eles saíram do Salão Oval.

– Precisamos vigiar Murray – disse Ehrlichman com decisão.

– Vou providenciar – falou Cam.

Ehrlichman seguiu na direção de sua sala, e Cam saiu da Casa Branca e percorreu a Pennsylvania Avenue até o Departamento de Justiça.

"Vigiar" significava uma série de coisas. Não era contra a lei instalar "escutas" em um recinto ligadas a um gravador. No entanto, entrar no recinto em segredo para instalar a escuta quase sempre envolvia o crime de invasão de domicílio ou assalto a residência. E o grampo, a gravação de conversas telefônicas, este, *sim*, era ilegal, com algumas exceções. O governo Nixon partia do princípio de que um grampo era legal se autorizado pelo secretário de Justiça. Nos últimos dois anos, a Casa Branca havia colocado um total de dezessete grampos, todos aprovados pelo secretário de Justiça sob o pretexto de proteger a segurança nacional e instalados pelo FBI. Cam estava indo pedir autorização para o décimo oitavo.

Sua lembrança de Jasper Murray quando jovem era vaga, mas ele se lembrava perfeitamente da linda Evie Williams, que havia desdenhado brutalmente seus avanços quando ele tinha 15 anos. Ao ouvi-lo declarar sua paixão, ela respondera: "Eu estou a fim do Jasper, seu idiota."

Disse a si mesmo que aqueles eram dramas bobos da adolescência. Evie agora era uma estrela de cinema e defendia todas as causas comunistas, dos direitos civis à educação sexual. Em um incidente famoso no programa de TV do irmão, havia beijado Percy Marquand e escandalizara um público desacostumado a ver brancos sequer tocar em negros. E com certeza não estava mais a fim de Jasper. Havia namorado o astro pop Hank Remington por muito tempo, mas os dois não estavam mais juntos.

No entanto, a lembrança daquele fora ainda ardia em Cam feito uma queimadura. E as mulheres continuavam a rejeitá-lo. Até mesmo Stephanie Maple, que não tinha nada de bonita, lhe dissera não na noite da vitória de Nixon. Mais tarde, quando os dois foram trabalhar em Washington, ela enfim concordara em ir para a cama com ele, mas terminara o romance depois de apenas uma noite, o que de certa forma era pior ainda.

Cam sabia que era alto e desengonçado, mas isso não parecia ter sido problema para seu pai atrair mulheres. Ele já falara indiretamente sobre isso com a mãe.

– Como você se apaixonou por papai? – perguntou. – Ele não é bonito nem nada.

– Ah, mas ele era tão *legal*... – respondeu Bella.

Cam não fazia ideia do que ela estava falando.

Chegando ao Departamento de Justiça, entrou no Grande Hall cheio de luminárias de alumínio art déco. Não previa nenhum problema com a autorização: o secretário de Justiça, John Mitchell, era um lacaio de Nixon, e fora seu administrador de campanha em 1968.

A porta de alumínio do elevador se abriu. Cam entrou e apertou o botão do quinto andar.

Nos seus dez anos na burocracia de Washington, Maria havia aprendido a ser observadora. Sua sala ficava no corredor que conduzia ao conjunto de salas do secretário de Justiça, e ela mantinha a porta sempre aberta para ver quem entrava e saía. Ficou especialmente atenta no dia seguinte à transmissão da edição do *This Day* baseada no seu vazamento. Sabia que a reação da Casa Branca seria explosiva e estava esperando para ver que forma tomaria.

Assim que viu passar um dos assessores de John Ehrlichman, pulou da cadeira.

– O secretário de Justiça está em reunião e não pode ser incomodado – falou, chegando perto do sujeito.

Não era a primeira vez que o via. Era um rapaz branco desengonçado, alto e magro, com os ombros que mais pareciam um cabide sob o terno. Ela conhecia aquele tipo: esperto e ingênuo ao mesmo tempo. Abriu seu sorriso mais simpático.

– Quem sabe eu possa ajudar?

– Não é o tipo de coisa que pode ser discutida com uma secretária – retrucou ele, irritado.

As antenas de Maria tremeram. Ela pressentiu perigo, mas fingiu-se disposta a colaborar:

– Nesse caso, que bom que não sou secretária. Sou advogada. Meu nome é Maria Summers.

Ele obviamente tinha dificuldades com a ideia de uma advogada negra.

– Onde a senhora estudou? – indagou, cético.

Decerto esperava ouvi-la citar alguma instituição obscura para negros, então foi com deleite que ela respondeu, em tom casual:

– Na Escola de Direito de Chicago. – Não pôde resistir a fazer a mesma pergunta: – E o senhor?

– Eu não sou advogado – admitiu ele. – Estudei russo em Berkeley. Meu nome é Cam Dewar.

– Já ouvi o seu nome. O senhor trabalha para John Ehrlichman. Por que não vem conversar na minha sala?

– Vou esperar o secretário.

– Por acaso é sobre o programa de TV de ontem à noite?

Cam lançou um olhar furtivo ao redor. Ninguém estava escutando.

– Precisamos fazer alguma coisa em relação àquilo – disse Maria com ênfase. – O governo não vai conseguir trabalhar com esses vazamentos constantes – prosseguiu ela, fingindo indignação. – É impossível!

A atitude do rapaz se abrandou.

– É isso que o presidente pensa.

– Mas o que vamos fazer para resolver isso?

– Precisamos grampear Jasper Murray.

Maria engoliu em seco. Graças a Deus fiquei sabendo disso, pensou. Mas o que disse foi:

– Excelente... até que enfim alguma ação.

– Um jornalista que admite receber informações confidenciais de dentro do governo é um perigo claro para a segurança nacional.

– Com certeza. Mas não se preocupe com a papelada. Vou apresentar um formulário de autorização a Mitchell hoje mesmo. Sei que ele vai assinar de bom grado.

– Obrigado.

Ela o pegou olhando para o seu decote. Depois de tê-la visto primeiro como secretária e em seguida como negra, ele agora a estava vendo como um par de seios. Como os rapazes eram previsíveis!

– Vai ser o que eles chamam de operação secreta – disse ela. Ou seja, invasão ilegal de domicílio. – Joe Hugo cuida disso para o FBI.

– Vou falar com ele agora. – A sede do FBI ficava no mesmo prédio. – Obrigado pela sua ajuda, Maria.

– De nada, Sr. Dewar.

Ela o observou se afastar pelo corredor antes de fechar a porta da sala. Pegou o telefone e ligou para o Fawcett Renshaw.

– Queria deixar um recado para George Jakes – falou.

⁓

Joe Hugo era um homem pálido de 30 e poucos anos, com olhos azuis saltados. Como todos os agentes do FBI, usava roupas extremamente conservadoras: terno cinza simples, camisa branca, gravata sem graça, sapatos pretos com biqueira. Cam também tinha um gosto convencional em matéria de roupas, mas seu discreto terno marrom risca de giz com lapelas largas e calça boca de sino de repente pareceram radicais.

Depois de informar a Hugo que trabalhava para Ehrlichman, ele foi direto ao assunto:

– Quero grampear o jornalista televisivo Jasper Murray.

Joe franziu a testa.

– Grampear a redação do *This Day*? Se essa história vazar...

– Não a redação, a casa dele. O mais provável é que os delatores sobre quem estamos falando saiam de fininho à noite e lhe telefonem para casa de algum aparelho público.

– Mesmo assim, é um problema. O FBI não faz mais operações secretas.

– Como assim? Por quê?

– O Sr. Hoover sente que o FBI está correndo o risco de pagar o pato por outros integrantes do governo.

Cam não tinha como contradizer essa afirmação. Se o FBI fosse flagrado invadindo a casa de um jornalista, o presidente naturalmente negaria qualquer conhecimento sobre o assunto. Era assim que as coisas funcionavam. Fazia anos que J. Edgar Hoover burlava a lei, mas agora, por algum motivo, estava relutando em fazê-lo. Não havia como saber as motivações de Hoover, que, aos 77 anos, estava mais irracional do que nunca.

Cam levantou a voz:

– O presidente solicitou esse grampo e o secretário de Justiça autorizou. O senhor vai recusar?

– Relaxe – disse Hugo. – Sempre existe um jeito de dar ao presidente o que ele quer.

– Então vocês vão instalar o grampo?

– Eu disse que existe um jeito. – Hugo anotou algo em um bloquinho e rasgou a folha. – Ligue para este cara. Ele costumava fazer esse tipo de trabalho. Agora está aposentado. Ou seja, só trabalha extraoficialmente.

A ideia de agir extraoficialmente não deixou Cam à vontade. O que significava aquilo?, perguntou-se. Mas sentiu que não era hora de fazer objeções.

Pegou o pedaço de papel. Nele estava escrito o nome "Tim Tedder" e um número de telefone.

– Vou ligar hoje mesmo – falou.

– De um telefone público – instruiu Hugo.

⁓

O prefeito de Roath, Mississippi, estava sentado na sala de George Jakes no escritório Fawcett Renshaw. Seu nome era Robert Denny, mas ele falou:

– Pode me chamar de Denny. Todo mundo me conhece por Denny. Até minha mulherzinha me chama de Denny.

Ele era o tipo de homem que George vinha combatendo havia uma década: um racista branco feio, gordo, desbocado e burro.

Um aeroporto estava sendo construído em Roath com ajuda do governo, mas os beneficiários do financiamento público, como empregadores, tinham de proporcionar oportunidades iguais para brancos e negros. E Maria havia descoberto no Departamento de Justiça que o aeroporto novo não teria nenhum funcionário negro, com exceção dos carregadores de bagagem.

Era o típico trabalho a cair no colo de George.

Denny se mostrou condescendente em último grau.

– Lá no Sul nós fazemos as coisas de um jeito um pouco diferente, George – disse ele.

Porra, como se eu não soubesse, pensou George. Os seus capangas quebraram meu braço onze anos atrás e ele ainda dói quando faz frio.

– O povo de Roath não confiaria em um aeroporto administrado por pessoas de cor – continuou Denny. – Teriam medo de as coisas não serem feitas direito, entende? Do ponto de vista da segurança. Tenho certeza que você me entende.

É claro que tem, seu idiota racista.

– O velho Renshaw é um grande amigo meu.

George sabia que isso não era verdade. O sócio sênior do escritório só havia encontrado o cliente duas vezes. Mas Denny estava tentando deixá-lo nervoso. *Se você fizer besteira, seu chefe vai ficar muito zangado.*

– Ele me disse que você é a melhor pessoa em Washington para tirar o Departamento de Justiça da minha cola – continuou ele.

– O Sr. Renshaw tem razão. Sou mesmo.

Denny estava acompanhado por dois conselheiros municipais e três assessores, todos brancos, que se recostaram nas cadeiras demonstrando alívio. George havia lhes garantido que o problema poderia ser resolvido.

– Existem duas maneiras de conseguirmos isso. Nós podemos entrar com um processo e questionar a decisão do Departamento de Justiça. Eles não são lá muito inteligentes, e podemos encontrar brechas na sua metodologia, erros nos relatórios e interpretações parciais. O litígio seria bom para o meu escritório porque nossos honorários seriam altos.

– Nós podemos pagar – disse Denny.

Estava claro que o aeroporto era um empreendimento lucrativo.

– Mas o litígio tem dois problemas – prosseguiu George. – Em primeiro lugar, sempre existem atrasos, e os senhores querem o aeroporto construído e funcionando quanto antes. Em segundo lugar, nenhum advogado pode pôr a mão no coração e lhes dizer qual vai ser a decisão do tribunal. Nunca se sabe.

– Pelo menos não aqui em Washington – falou Denny.

Estava claro que os tribunais de Roath eram mais simpáticos aos seus desejos.

– Ou então podemos negociar – disse George.

– E o que isso envolveria?

– Uma introdução gradual de mais negros em cargos de todos os níveis.

– Pode prometer qualquer coisa! – exclamou Denny.

– Eles não são totalmente burros e os pagamentos seriam condicionados ao cumprimento do acordo.

– O que você acha que eles vão querer?

– O Departamento de Justiça não se importa muito, desde que possa afirmar que mudou a situação. Mas eles vão consultar as organizações negras da sua cidade. – George baixou os olhos para o dossiê sobre sua mesa. – Quem deu entrada neste processo no Departamento de Justiça foi a Cristãos de Roath pelos Direitos Iguais.

– Comunistas de merda – xingou Denny.

– O Departamento de Justiça provavelmente vai concordar com qualquer compromisso que tenha a aprovação desse grupo. Assim, tanto eles quanto os senhores vão parar de importunar o departamento.

Denny ficou vermelho.

– Espero que você não esteja me dizendo que eu serei obrigado a negociar com os malditos Cristãos de Roath.

– É a atitude mais inteligente se quiser uma solução rápida para o seu problema.

Denny tensionou o corpo.

– Mas não precisa se encontrar com eles pessoalmente – explicou George. – Na verdade, recomendo que nem fale com eles.

– Então quem vai negociar?

– Eu – respondeu George. – Posso pegar um avião para lá amanhã.

O prefeito deu um sorriso de ironia.

– E como você é, bem, da cor que é, vai conseguir convencê-los a desistir.

George sentiu vontade de esganar aquele filho da puta imbecil.

– Não quero que o senhor me entenda mal, prefeito... ou melhor, Denny. Vai ser preciso fazer mudanças de verdade. O meu trabalho é garantir que essas mudanças sejam o mais indolores possível. Mas o senhor é um líder político importante e sabe o peso das relações públicas.

– Verdade.

– Se houver algum boato de que os Cristãos de Roath retiraram as exigências, isso poderia sabotar o acordo inteiro. O melhor que o senhor tem a fazer é afirmar que teve a elegância de fazer algumas pequenas concessões, muito a contragosto, para garantir que o seu aeroporto fosse construído para o bem da cidade.

Denny piscou o olho.

– Boa – disse ele.

Sem perceber, o prefeito havia concordado em reverter uma prática de muitas décadas e empregar mais negros em seu aeroporto. Era uma vitória pequena, mas ainda assim George ficou felicíssimo. No entanto, Denny só ficaria satisfeito se pudesse dizer a si mesmo e aos outros que tinha levado a melhor. Talvez o melhor fosse manter a ilusão.

George retribuiu a piscadela.

Quando a delegação do Tennessee estava saindo da sala, a secretária de George lhe lançou um olhar estranho e lhe entregou um pedacinho de papel.

Era um recado telefônico datilografado: "Encontro de Oração na Igreja Pentecostal de Barney Circle amanhã às seis da tarde."

A expressão da secretária dizia que aquela era uma estranha ocupação para um poderoso advogado de Washington no happy hour.

Mas George sabia que o recado era de Maria.

⁓

Cam não gostou de Tim Tedder. O sujeito usava uma roupa de safári e tinha os cabelos curtos como os de um soldado. Em uma época em que quase todo mundo tinha costeletas, não as usava. Cam teve a sensação de que Tedder era excessivamente belicoso. Ele obviamente adorava tudo o que fosse clandestino. Perguntou-se o que aquele homem teria pensado caso lhe pedisse para matar Jasper Murray em vez de apenas grampeá-lo.

Tedder não tinha escrúpulo algum em relação a burlar a lei, mas estava acostumado a trabalhar com o governo, e 24 horas depois apareceu na sala de Cam com um plano e um orçamento por escrito.

O plano previa três homens para vigiar o apartamento de Jasper Murray ao longo de dois dias, de modo a estabelecer sua rotina. Então entrariam em uma hora que soubessem ser segura e instalariam um transmissor em seu telefone. Instalariam também um gravador por perto, decerto no sótão do prédio, dentro de uma caixa com os dizeres NÃO MEXER - 50.000 VOLTS, para desencorajar os curiosos. Então trocariam as fitas do gravador uma vez por dia durante um mês, e Tedder transcreveria todas as conversas.

O preço disso tudo era 5 mil dólares. Cam podia pegar o dinheiro no fundo de reserva administrado pelo Comitê de Reeleição do Presidente.

Apresentou a proposta ao chefe com a nítida sensação de estar cruzando uma fronteira. Nunca tinha cometido nenhum ato criminoso na vida e agora estava prestes a se tornar cúmplice de uma invasão de domicílio. Mas era necessário: os vazamentos precisavam parar e o presidente tinha dito: "Não estou nem aí para o jeito que vocês derem." Mesmo assim, Cameron não se sentia à vontade com tudo aquilo. Tinha a sensação de estar pulando de um trampolim no escuro, sem conseguir ver a água lá embaixo.

John Ehrlichman escreveu a letra "E" no quadradinho de aprovação.

Então acrescentou uma anotação aflita: "Com a sua garantia de que não haverá rastros."

Cam sabia o que isso significava.

Se desse tudo errado, seria ele quem levaria a culpa.

❧

George saiu do trabalho às cinco e meia e foi de carro até Barney Circle, um bairro residencial de aluguéis baratos a leste de Capitol Hill. A igreja era um casebre em um terreno baldio cercado por uma cerca alta de arame. Lá dentro, só metade das cadeiras duras posicionadas em fileiras estava ocupada. Os fiéis eram todos negros, a maioria mulheres. Era um bom lugar para um encontro clandestino: ali dentro, um agente do FBI seria tão óbvio quanto um cocô na mesa de jantar.

Uma das mulheres se virou e ele reconheceu Maria Summers. Foi se sentar ao lado dela.

– O que houve? – perguntou. – Qual é a emergência?

Ela levou o dedo aos lábios.

– Depois – falou.

Ele sorriu, maroto. Teria de aguentar uma hora de orações. Bom, isso decerto faria bem à sua alma.

George estava adorando participar daquele complô de capa e espada com Maria. O trabalho no Fawcett Renshaw não saciava sua sede de justiça. Ele estava ajudando a promover a causa da igualdade para os negros, mas aos poucos, lentamente. Tinha agora 36 anos, idade suficiente para saber que os sonhos juvenis de um mundo melhor raramente se realizam, mas mesmo assim achava que deveria fazer mais para conseguir que alguns negros mais fossem contratados pelo aeroporto de Roath.

Um pastor entrou trajando vestes de sacerdote e começou com uma prece improvisada que durou dez ou quinze minutos. Então convidou a congregação a se sentar em silêncio e ter suas próprias conversas com Deus.

– Teremos prazer em ouvir a voz de qualquer homem que se sentir compelido pelo Espírito Santo a compartilhar suas orações com os demais fiéis. Conforme os ensinamentos do apóstolo Paulo, as mulheres devem permanecer caladas na igreja.

George cutucou Maria, sabendo que ela estaria indignada com aquele detalhe sexista santificado.

Jacky adorava Maria. George desconfiava que a mãe pensasse que talvez pudesse ter sido igual a ela caso tivesse nascido uma geração depois. Poderia ter tido uma boa instrução, um emprego de prestígio, e um vestido preto com um colar de pérolas.

Durante a prece, George começou a pensar em Verena. Ela havia desaparecido com os Panteras Negras. Ele gostaria de acreditar que estivesse responsável pelo lado mais humanitário de sua missão, como preparar café da manhã de graça para alunos de escolas pobres dos centros das cidades grandes cujas mães passavam a manhã fazendo faxina nos escritórios dos brancos. Conhecendo Verena, porém, era igualmente provável ela estar roubando bancos.

O pastor encerrou o encontro com outra longa oração. Assim que ele disse amém, os fiéis se viraram uns para os outros e começaram a falar. O zum-zum das conversas era alto, e George pensou que podia falar com Maria sem medo de alguém os escutar.

Na mesma hora, ela disse:

– Eles vão grampear o telefone de casa de Jasper Murray. Um dos rapazes de Ehrlichman foi à Justiça pedir permissão.

– É claro que foi o programa de ontem que provocou isso.

– Aposto que sim.

– E na verdade não é Jasper que eles querem.

– Eu sei. É a pessoa que está passando as informações: eu.

– Vou falar com ele hoje e avisar para tomar cuidado com o que diz ao telefone de casa.

– Obrigada. – Ela olhou em volta. – Não estamos passando tão despercebidos quanto eu esperava.

– Por quê?

– Bem vestidos demais. Estamos destoando, é óbvio.

– E a minha secretária acha que eu encontrei Jesus. Vamos embora daqui.

– Não podemos sair juntos. Vá você primeiro.

George saiu da igrejinha e voltou de carro para a Casa Branca.

Refletiu que Maria não era a única funcionária do governo a estar passando informações para a imprensa: havia muitos outros. Imaginava que o desrespeito casual do presidente à lei houvesse chocado muitos desses profissionais e os fizera abandonar a discrição de uma vida inteira. A criminalidade de Nixon era particularmente estarrecedora para um presidente que fizera campanha defendendo a lei e a ordem. George sentia que a população tinha sido vítima de um grande engodo.

Tentou pensar em qual seria o melhor lugar para encontrar Jasper. Da última vez, simplesmente fora à redação do *This Day*. Fazer isso uma vez podia não ter sido perigoso, mas ele precisava evitar uma nova visita. Não queria que o pessoal de Washignton o visse com frequência na companhia de Jasper. Por outro lado, o encontro deveria parecer casual, não furtivo, para o caso de serem vistos.

Foi até o estacionamento pago mais próximo do trabalho de Jasper. Havia uma série de vagas no segundo andar reservadas para a equipe do *This Day*. Ele parou perto e foi até um telefone público.

Jasper estava em sua mesa.

George não disse seu nome.

– É sexta-feira à noite – falou, sem preâmbulo. – A que horas está pensando em sair do trabalho?

– Daqui a pouco.

– Agora seria bom.

– Está certo.

Ele desligou.

Alguns minutos depois, Jasper saiu do elevador. Era alto, tinha uma farta cabeleira loura e trazia uma capa de chuva pendurada no braço. Andou até seu carro, um Lincoln Continental bronze com teto de lona preta.

George entrou no carro ao seu lado e lhe falou sobre o grampo.

– Vou ter que desmontar o telefone e tirar o grampo – disse Jasper.

George fez que não com a cabeça.

– Se fizer isso, eles vão saber, pois não receberão transmissão nenhuma.

– E daí?

– Daí que vão arrumar outro jeito de grampear você, e da próxima vez a gente pode não ter a sorte de ficar sabendo.

– Que merda. Eu recebo todos os meus telefonemas mais importantes em casa. O que vou fazer?

– Quando uma fonte importante ligar, diga que está ocupado e que ligará de volta. Então saia para usar um telefone público.

– É, acho que vou dar um jeito. Obrigado pela dica. Veio da mesma fonte?

– Sim.

– Essa pessoa é bem informada.

– Sim – disse George. – É mesmo.

CAPÍTULO QUARENTA E SETE

Beep Dewar foi visitar Dave Williams em Daisy Farm, o estúdio de gravação dele no Vale do Napa.

Os cômodos eram simples mas confortáveis. O estúdio, porém, não tinha nada de simples: todos os equipamentos eram de última geração. Vários álbuns de sucesso já tinham sido gravados ali, e alugar o estúdio para bandas tinha virado um pequeno e rentável negócio. Às vezes os músicos pediam que Dave fosse o produtor, e ele descobriu que tinha talento para ajudá-los a conseguir o som que queriam.

Melhor assim, pois não estava ganhando tanto dinheiro quanto antes. Desde o fim do Plum Nellie, tinham sido lançados alguns álbuns com os maiores sucessos, um ao vivo e um de takes excluídos e versões alternativas. Cada um vendera menos do que o anterior. Os álbuns solo dos ex-integrantes se saíram modestamente bem. Dave não estava com problemas financeiros, mas não podia mais comprar uma Ferrari nova por ano. E a tendência era que as coisas continuassem piorando.

Quando Beep ligara perguntando se poderia pegar o carro e ir visitá-lo no dia seguinte, ficara tão surpreso que nem lhe perguntara se havia um motivo especial.

Nessa manhã, lavou a barba com xampu no chuveiro, vestiu uma calça jeans limpa e escolheu uma camisa em um tom de azul bem vivo. Então se perguntou por que tudo aquilo. Não era mais apaixonado por ela. Por que se importava com o que Beep pensaria de sua aparência? Percebeu que desejava que ela o visse e se arrependesse de tê-lo deixado.

– Seu idiota – falou para si mesmo em voz alta, e trocou a camisa por uma camiseta velha.

Mesmo assim, ficou pensando no que ela poderia querer.

Estava no estúdio trabalhando com um jovem cantor e compositor que gravava o primeiro disco quando o interfone piscou em silêncio. Deixou o artista trabalhando no *middle eight* e saiu. Beep subiu até a casa ao volante de um Mercury Cougar vermelho com a capota arriada.

Ele imaginou que ela tivesse mudado, e estava curioso para ver isso, mas na verdade continuava igualzinha: baixinha e bonita, com um brilho travesso nos olhos. Não parecia ter mudado nada desde a primeira vez que ele a vira, uma década antes, quando ela era uma menina de 13 anos perturbadoramente sexy. Nesse dia, ela usava uma calça azul de cintura alta que descia até o meio da canela e uma camiseta listrada sem mangas, os cabelos curtos.

Ele primeiro a levou até os fundos da casa e lhe mostrou a vista para o vale. Era inverno e as vinhas estavam sem folhas, mas o sol brilhava e as fileiras de pés marrons lançavam sombras azuis que criavam formas curvilíneas parecidas com pinceladas.

– Que uva é essa que vocês cultivam? – ela quis saber.

– Cabernet Sauvignon, a uva vermelha clássica. Ela é resistente e se adapta bem a este solo pedregoso.

– Você produz vinho?

– Produzo. Não é incrível, mas está melhorando. Entre, venha provar um copo.

Ela gostou da cozinha toda de madeira que, apesar dos implementos mais modernos, tinha um aspecto tradicional. Os armários eram de pinho natural raspado à mão e revestido com um verniz leve para dar à madeira um brilho dourado. Dave havia tirado o forro reto e aumentado o pé-direito até debaixo do telhado inclinado. Gastara um tempão no projeto daquele cômodo, pois queria que ele ficasse igual à cozinha da casa da Great Peter Street, onde todos se encontravam para relaxar, comer, beber e conversar.

Os dois se sentaram diante da mesa de pinho comprada em um antiquário e Dave abriu uma garrafa de tinto Daisy Farm 1969, primeira safra que ele e Danny Medina tinham produzido em parceria. O vinho ainda tinha um sabor pronunciado de tanino, e Beep fez uma careta. Ele riu.

– Acho que é preciso saber avaliar o potencial.

– Vou acreditar na sua palavra.

Ela sacou um maço de Chesterfield.

– Você já fumava Chesterfield aos 13 anos – comentou Dave.

– Eu deveria parar.

– Nunca tinha visto cigarros tão compridos.

– Você era uma graça naquela idade.

– E a visão dos seus lábios sugando um Chesterfield era estranhamente excitante para mim, mas na época eu não saberia dizer por quê.

Ela riu.

– Eu poderia ter lhe contado.

Ele tomou outro gole do vinho. Talvez melhorasse dali a um ou dois anos.

– Como está Walli? – perguntou.

– Vai bem. Usa mais drogas do que deveria, mas enfim... Ele é um astro do rock.

Dave sorriu.

– Eu mesmo fumo maconha quase todas as noites.

– Você está namorando?

– Estou. Sally Dasilva.

– Ah, sim, aquela atriz... Vi uma foto de vocês dois chegando para alguma estreia, mas não sabia se era sério.

Não era muito sério.

– Ela mora em Los Angeles e nós dois trabalhamos muito, mas passamos o fim de semana juntos de vez em quando.

– A propósito, preciso dizer quanto admiro a sua irmã.

– É, Evie é boa atriz.

– Ela me fez chorar de rir naquele filme em que interpretou uma policial corrupta. Mas o que faz dela uma heroína é o seu ativismo... Muitas pessoas são contra a guerra, mas poucas têm coragem de ir ao Vietnã do Norte.

– Ela morreu de medo.

– Imagino.

Dave pousou o copo e encarou Beep. Não conseguia mais conter a curiosidade.

– Por que você veio aqui de verdade, Beep?

– Em primeiro lugar, obrigada por me receber. Você não precisava ter feito isso, e estou agradecida.

– De nada.

Ele quase tinha recusado, mas a curiosidade falara mais forte do que o ressentimento.

– Em segundo lugar, me desculpe pelo que fiz em 1968. Sinto muito por ter magoado você. Foi cruel e nunca vou deixar de sentir vergonha por isso.

Dave assentiu. Não podia discordar. Deixar o noivo encontrá-la na cama com o melhor amigo dele era o ápice da crueldade para uma garota, e o fato de ela ter só 20 anos na época não chegava a constituir desculpa suficiente.

– Em terceiro lugar, Walli também sente muito. Nós ainda nos amamos, não me entenda mal, mas temos consciência do que fizemos. O próprio Walli vai lhe dizer isso, se um dia tiver chance.

– Ok.

Ela estava começando a mexer com as emoções de Dave. Ele sentiu ecos de sentimentos havia muito esquecidos: raiva, ressentimento, perda. Estava impaciente para descobrir aonde aquilo iria levar.

– Será que você um dia você vai conseguir nos perdoar?

Ele não estava preparado para aquela pergunta.

– Não sei. Não pensei no assunto – respondeu.

Antes desse dia, ele poderia ter respondido que isso não tinha mais importância, mas, por algum motivo, as perguntas de Beep despertavam uma tristeza adormecida.

– Perdoar vocês em que sentido?

Beep respirou fundo.

– Walli quer reunir o grupo outra vez.

– Ah, é? – Por essa ele não esperava.

– Ele sente falta de trabalhar com você.

Dave achou isso gratificante, de um modo meio mesquinho.

– Os discos solo de vocês não deram tão certo – acrescentou ela.

– Os dele venderam mais que os meus.

– Mas o que o incomoda não são as vendas. Ele não liga para o dinheiro, não consegue gastar nem metade do que ganha. O que importa para ele é que a música saía melhor quando vocês dois compunham e tocavam juntos.

– Não posso discordar.

– Ele tem umas músicas que gostaria de lhe mostrar. Vocês poderiam chamar Lew e Buzz para virem de Londres. Nós todos poderíamos morar aqui em Daisy Farm durante a gravação. Aí, quando o disco sair, quem sabe vocês poderiam fazer um show de retorno, ou até uma turnê.

Ainda que a contragosto, Dave ficou animado. Nada nunca fora tão estimulante quanto os anos com o Plum Nellie, desde Hamburgo até Haight-Ashbury. O grupo fora explorado, enganado e roubado, mas eles haviam adorado cada minuto. Agora Dave era um homem respeitado que ganhava um salário honesto, uma personalidade televisiva, um animador familiar, um empreendedor do show business. Mas a vida não era nem de longe tão divertida.

– Voltar à estrada? – refletiu. – Não sei.

– Pense um pouco – pediu Beep. – Não responda ainda.

– Está bem. Vou pensar no assunto.

Mas ele já sabia a resposta.

Acompanhou-a até o carro. Sobre o banco do carona havia um jornal. Beep o pegou e o entregou a Dave.

– Já viu isto aqui? É uma foto da sua irmã.

⁓

A foto mostrava Evie Williams de uniforme militar camuflado.

A primeira coisa em que Cam Dewar reparou foi como ela estava bonita. As roupas folgadas só faziam lembrar-lhe que por baixo estava o corpo perfeito que o mundo inteiro tinha visto no filme *A modelo do artista*. As botas pesadas e a boina utilitária a deixavam ainda mais encantadora.

Ela estava sentada em cima de um tanque. Cam não sabia muita coisa sobre armamentos, mas a legenda dizia se tratar de um T-54 soviético com canhão de 100mm.

Soldados uniformizados do Exército norte-vietnamita a cercavam por todos os lados. Evie parecia estar lhes dizendo algo divertido e tinha o semblante aceso de animação e bom humor. Os soldados sorriam e gargalhavam do mesmo jeito que pessoas de qualquer lugar do mundo faziam perto de uma celebridade de Hollywood.

Segundo a matéria que acompanhava a imagem, Evie estava em missão de paz. Ficara sabendo que o povo vietnamita não queria a guerra contra os Estados Unidos.

— Porra, como se ninguém soubesse — comentou Cam com sarcasmo.

Tudo o que aquela gente queria era ser deixada em paz, dizia Evie.

A foto era um triunfo de relações públicas para o movimento contra a guerra. Metade das meninas americanas queria ser Evie Williams, metade dos meninos queria se casar com ela, e todos admiravam sua coragem por ter ido ao Vietnã do Norte. Pior ainda: os comunistas não a estavam tratando mal. Conversavam com ela e lhe diziam que queriam ser amigos do povo americano.

Como o malvado presidente podia jogar bombas naquele pessoal tão simpático?

Cam sentiu vontade de vomitar.

Mas a Casa Branca não iria aceitar aquilo sem fazer nada.

Cam pegou o telefone e começou a ligar para jornalistas simpáticos à sua causa. Não eram muito numerosos: a mídia liberal detestava Nixon e parte da mídia conservadora o considerava excessivamente moderado. Mas Cam avaliava que houvesse defensores suficientes para dar início a uma reação, contanto que eles estivessem dispostos.

Ele tinha uma lista de pontos a mencionar, e escolhia o item dependendo do interlocutor.

— Quantos rapazes americanos o senhor acha que foram mortos por aquele tanque? — perguntou ao redator de um *talk show*.

— Não sei, diga-me o senhor — retrucou o homem.

A resposta certa era: provavelmente nenhum, já que os tanques norte-vietnamitas em geral não tinham contato com as forças americanas e combatiam apenas o Exército sul-vietnamita. Mas a questão não era essa.

— É uma pergunta que o seu programa deveria fazer aos liberais — afirmou ele.

— Tem razão, é uma boa pergunta.

Ao colunista de um tabloide de direita, ele perguntou:

— O senhor sabia que Evie Williams é britânica?

— A mãe dela é americana — assinalou o jornalista.

– A mãe dela odeia tanto os Estados Unidos que foi embora em 1936 e nunca mais morou aqui.

– Bem lembrado!

A um jornalista liberal que sempre atacava Nixon, Cam disse:

– Até o senhor precisa admitir que ela é ingênua por se deixar usar assim pelos norte-vietnamitas para fazer propaganda contra os Estados Unidos. Ou por acaso leva a sério essa missão de paz?

Os resultados foram espetaculares. No dia seguinte, a escala da reação contra Evie Williams foi ainda maior do que a de seu triunfo original. Ela se tornou a inimiga pública nº 1, passando à frente de Eldridge Cleaver, estuprador em série e líder dos Panteras Negras. Cartas hostis começaram a chover na Casa Branca, e nem todas forjadas pelas seções regionais do Partido Republicano país afora. Evie se tornou alvo de ódio para os eleitores de Nixon, pessoas aferradas à crença simples de que ou se era a favor do país, ou contra ele.

Cam achou aquilo tudo profundamente gratificante. Sempre que lia outra diatribe contra Evie em um tabloide, lembrava-se de como ela havia tachado o seu amor de ridículo.

Mas sua vingança ainda não havia terminado.

Quando a reação estava no auge, ligou para Melton Faulkner, executivo pró-Nixon que fazia parte do conselho de uma das redes nacionais de TV. Pediu que a telefonista fizesse a ligação, de modo que a secretária de Faulkner anunciasse:

– Ligação da Casa Branca!

Ao conseguir falar com o executivo, apresentou-se e disse:

– O presidente me pediu que lhe telefonasse a respeito de um especial que a emissora está planejando fazer sobre Jane Addams.

Jane Addams, falecida em 1935, tinha sido uma ativista progressista, defensora do voto feminino e ganhadora do Prêmio Nobel da Paz.

– Isso – respondeu Faulkner. – O presidente é fã dela?

Claro que não, pensou Cam: Jane Addams era justamente o tipo de liberal cabeça-oca que Nixon detestava.

– É, sim – respondeu. – Mas o *Hollywood Reporter* disse que vocês estão pensando em dar o papel de Jane para Evie Williams.

– Isso mesmo.

– O senhor deve ter visto as notícias recentes sobre essa atriz e a maneira como ela se deixou ser manipulada pelos inimigos dos Estados Unidos para fazer propaganda.

– Claro, eu li os jornais.

– Tem certeza de que essa atriz britânica antiamericana com opiniões socialistas é a pessoa certa para representar uma heroína dos Estados Unidos?

– Como membro do conselho, eu não tenho influência sobre a escolha do elenco...

– O presidente não tem poder para tomar nenhuma atitude em relação a isso, que Deus não permita, mas pensou que o senhor talvez se interessasse em ouvir a opinião dele.

– Com certeza me interesso.

– Foi um prazer conversar, Sr. Faulkner. – Cam desligou.

Já tinha ouvido dizer que a vingança era um prato que se comia frio. Mas ninguém nunca lhe dissera quanto era delicioso.

⁂

Dave e Walli estavam sentados no estúdio em banquetas altas, cada um com uma guitarra na mão. Tinham uma música nova chamada "Back Together Again" – juntos outra vez. Havia duas partes, cada uma em uma clave diferente, e eles precisavam de um acorde de transição. Cantaram-na vezes sem conta, experimentando diferentes soluções.

Dave estava feliz. Os dois ainda trabalhavam bem juntos. Walli era um artista original, que inventava melodias e progressões harmônicas que ninguém tinha usado antes. Eles testavam ideias um com o outro, e o resultado saía melhor do que qualquer coisa que um dos dois tivesse feito sozinho. A volta do grupo seria um triunfo.

Beep não havia mudado, mas Walli, sim. Seus malares altos e olhos amendoados se acentuavam pela magreza, e ele exibia a beleza de um vampiro.

Buzz e Lew esperavam sentados ali perto, fumando e ouvindo. Eram pacientes. Assim que Dave e Walli terminassem a música, pegariam seus instrumentos para compor as partes da bateria e do baixo.

Eram dez da noite e fazia três horas que eles estavam trabalhando. Iriam até as três ou quatro da manhã, depois dormiriam até o meio-dia: o horário do rock 'n' roll.

Aquele era seu terceiro dia de estúdio. Eles haviam passado o primeiro improvisando, tocando velhas músicas preferidas, saboreando o retorno à antiga familiaridade. Walli tocara linhas melódicas maravilhosas na guitarra. Infelizmente, no segundo dia ele tivera um problema de estômago e fora deitar cedo. Portanto, esse era o seu primeiro dia de trabalho sério.

Sobre um amplificador ao lado de Walli havia uma garrafa de Jack Daniels e um copo com cubos de gelo. Antigamente, eles muitas vezes bebiam ou fumavam baseados enquanto trabalhavam nas músicas. Fazia parte da diversão. Hoje em dia, Dave preferia trabalhar careta, mas Walli não tinha mudado seus hábitos.

Beep entrou com quatro cervejas sobre uma bandeja. Dave percebeu que ela queria fazer Walli beber cerveja em vez de uísque. Vivia trazendo comida para o estúdio: mirtilos com sorvete, bolo de chocolate, tigelas de amendoim, bananas. Queria que Walli vivesse à base de outra coisa que não álcool. Ele tomava uma colherada de sorvete ou comia um punhado de amendoim, mas logo voltava ao Jack Daniels.

Felizmente, continuava brilhante, como a nova música mostrava. Mas estava ficando irritado com a sua incapacidade de encontrar o acorde de transição certo.

– Caralho... Está aqui na minha cabeça, sabe? Só que não quer sair.

– Prisão de ventre musical, parceiro – comentou Buzz. – Você precisa de um laxante do rock. Qual seria o equivalente a uma tigela de ameixas?

– Uma ópera de Schoenberg – sugeriu Dave.

– Um solo de bateria do Dave Clark – disse Lew.

– Um disco do Demis Roussos – falou Walli.

O interfone piscou e Beep atendeu.

– Entre – falou, e desligou em seguida. Então se virou para Walli. – É o Hilton.

– Ok. – Walli se levantou do banquinho, pousou a guitarra em um suporte e saiu.

Dave lançou um olhar curioso para Beep, que esclareceu:

– Um traficante.

Dave continuou tocando a música. Não havia nada de estranho no fato de um traficante de drogas aparecer em um estúdio de gravação. Não sabia por que os músicos usavam mais drogas do que o restante da população, mas sempre fora assim: Charlie Parker era viciado em heroína, e era de duas gerações antes.

Enquanto Dave dedilhava a guitarra, Buzz pegou o baixo para tocar junto e Lew se sentou atrás da bateria, tocando baixinho e tentando encontrar a batida. Passaram uns quinze ou vinte minutos improvisando até que Dave parou e disse:

– Que porra aconteceu com o Walli?

Saiu do estúdio com os outros em seu encalço e voltou para a casa principal.

Encontraram Walli na cozinha estendido no chão, doidaço, com uma seringa hipodérmica ainda espetada no braço. Tinha se picado assim que pegara a droga.

Beep se abaixou junto dele e retirou delicadamente a agulha.

– Ele vai ficar apagado até de manhã – falou. – Sinto muito.

Dave disse um palavrão. Era o fim do seu dia de trabalho.

– Vamos para a cantina? – perguntou Buzz a Lew.

Havia um bar no pé do morro, frequentado sobretudo pelos trabalhadores mexicanos da vinícola. Como o lugar atendia pelo ridículo nome The Mayfair Lounge, eles o chamavam apenas de cantina.

– É o jeito – respondeu Lew.

A seção rítmica da banda se retirou.

– Me ajude a levar Walli para a cama – pediu Beep.

Dave segurou Walli pelos ombros, Beep pegou suas pernas e juntos eles o carregaram até o quarto. Então voltaram para a cozinha. Beep se recostou na bancada enquanto Dave preparava café.

– Ele está viciado, né? – perguntou enquanto manuseava um filtro de papel.

Beep assentiu.

– Você acha que vamos conseguir gravar o disco?

– Acho! – exclamou ela. – Por favor, não desistam dele. Estou com tanto medo...

– Está bem, fique calma. – Ele ligou a cafeteira.

– Eu consigo administrar a situação – disse ela, em desespero. – À noite ele fica só mantendo o vício, usando doses pequenas enquanto trabalha, aí de manhãzinha toma um pico e apaga. O que aconteceu hoje foi fora da curva. Ele em geral não apaga desse jeito. Normalmente sou eu quem compro a droga e fico racionando.

Consternado, Dave a encarou.

– Você virou enfermeira de um *junkie*.

– Tomamos essas decisões quando somos jovens demais para saber o que estamos fazendo, depois temos que viver com elas – falou Beep, e começou a chorar.

Dave a abraçou e ela chorou junto ao seu peito. Ele a deixou ali até que sua camiseta ficasse encharcada e a cozinha fosse tomada pelo cheiro do café. Então a afastou delicadamente e serviu duas xícaras.

– Não se preocupe – falou. – Agora que sabemos do problema, dá para contornar. Vamos fazer o mais difícil quando ele estiver no melhor momento: compor as músicas, os solos de guitarra, as harmonias vocais. Quando ele não estiver por perto, fazemos as trilhas de apoio e uma primeira mixagem bruta. Acho que vai funcionar.

– Ah, obrigada! Você salvou a vida dele. Não sabe quanto estou aliviada. Que homem bom você é.

Ela ficou na ponta dos pés e deu um selinho em Dave.

Ele teve uma sensação estranha. Beep estava lhe agradecendo por salvar a vida do namorado, mas ao mesmo tempo o estava beijando.

Então ela disse:

– Como fui boba por largar você.

Aquilo era uma deslealdade com o homem apagado no quarto. Mas a lealdade nunca fora o forte de Beep.

Ela o enlaçou pela cintura e colou o corpo no seu.

Por um instante, Dave manteve as mãos suspensas no ar, longe dela, mas então cedeu e tornou a abraçá-la. Talvez ele tampouco primasse pela lealdade.

– *Junkies* não transam muito – disse ela. – Já estou na seca há algum tempo.

Dave estava trêmulo. De certo modo, pensou, sabia que aquilo iria acontecer desde o instante em que ela aparecera ao volante do conversível vermelho.

Estava trêmulo de tanto desejo.

Mesmo assim não disse nada.

– Vamos para a cama, Dave – pediu ela. – Vamos trepar como antigamente, só uma vez, para relembrar o passado.

– Não – resistiu ele.

Mas foi.

⁓

Eles terminaram o disco no dia da morte de J. Edgar Hoover, diretor do FBI.

Ao meio-dia do dia seguinte, durante o café da manhã na cozinha de Daisy Farm, Beep comentou:

– Meu avô é senador e, segundo ele, J. Edgar gostava de chupar rola.

Todos ficaram pasmos.

Dave sorriu. Tinha quase certeza de que Gus Dewar jamais havia usado a expressão "chupar rola" com a neta. Mas Beep gostava de falar assim na frente dos homens. Sabia que isso os excitava. Ela era perversa, um dos motivos que a tornavam tão atraente.

– Vovô me disse que Hoover morava com seu diretor associado, um cara chamado Tolson – continuou ela. – Eles viviam juntos de um lado para outro, como marido e mulher.

– É gente como Hoover que mancha a imagem dos gays – disse Lew.

Walli, que havia acordado particularmente cedo, falou:

– Ei, pessoal, vamos fazer um show quando o disco sair, para comemorar a volta do grupo, né?

– Vamos – disse Dave. – Qual é a sua ideia?

– Um show beneficente para George McGovern.

A ideia de bandas de rock angariarem fundos para políticos liberais estava ganhando força, e McGovern era o principal candidato à indicação democrata para a eleição presidencial daquele ano, na qual concorreria como o candidato a favor da paz.

– Ótima ideia – concordou Dave. – Assim duplicamos nossa publicidade e, ao mesmo tempo, ajudamos a pôr fim à guerra.

– Eu topo – disse Lew.

– Tudo bem, sou voto vencido – falou Buzz. – Aceito.

Logo depois, Lew e Buzz saíram para pegar o avião rumo a Londres. Walli entrou no estúdio para guardar suas guitarras nos estojos, tarefa que não gostava de deixar a cargo de mais ninguém.

– Você não pode ir embora assim – disse Dave para Beep.

– Por que não?

– Porque passamos as últimas seis semanas trepando como loucos toda vez que Walli apagava.

Ela sorriu.

– Foi demais, né?

– E porque a gente se ama.

Dave esperou para ver se ela iria confirmar ou negar.

Mas ela não fez nenhuma das duas coisas.

– Você não pode ir embora assim – repetiu ele.

– O que mais eu posso fazer?

– Conversar com Walli. Dizer para ele arrumar outra enfermeira. E vir morar comigo.

Ela fez que não com a cabeça.

– Faz dez anos que nos encontramos pela primeira vez – disse ele. – Já namoramos. Já ficamos. Acho que conheço você.

– E daí?

– Você gosta do Walli, tem carinho por ele, quer que ele fique bem. Mas raramente transam e isso nem parece ter muita importância, o que é mais revelador ainda. Isso me diz que você não o ama.

Mais uma vez, ela não confirmou nem negou.

– Acho que é a mim que você ama – falou Dave.

Ela encarou a xícara de café vazia, como se a resposta pudesse estar ali na borra.

– Quer se casar comigo? – continuou ele. – É por isso que está hesitando? Quer que eu a peça em casamento? Então vou pedir. Case comigo, Beep. Eu amo você. Desde que tínhamos 13 anos, e acho que nunca deixei de amar.

833

– Como assim? Nem quando estava na cama com Mandy Love?
Ele deu um sorriso brincalhão.
– Talvez tenha esquecido por alguns instantes de vez em quando.
Ela sorriu.
– Agora eu acredito.
– E filhos? Você quer ter filhos? Eu quero.
Ela não disse nada.
– Estou abrindo meu coração e você não está me dando nada em troca. O que acha disso tudo?
Beep ergueu os olhos, e então ele viu que ela estava chorando.
– Se eu largar o Walli, ele vai morrer – disse ela.
– Não vai, não.
Beep ergueu uma das mãos para silenciá-lo.
– Você me perguntou o que eu achava disso tudo. Se quer mesmo saber, pare de me contradizer.
Dave calou a boca.
– Eu fiz uma porção de coisas egoístas na vida. Algumas delas você sabe quais foram, mas há outras.
Dave não duvidava, mas quis lhe dizer que ela também havia enchido de alegria e risadas a vida de muita gente, a começar pela sua. No entanto, ela lhe pedira para só escutar, então ficou calado.
– A vida do Walli está nas minhas mãos.
Dave engoliu uma resposta, mas Beep disse exatamente o que estava na ponta da língua.
– Ok, não é culpa minha ele ser drogado. Eu não sou mãe dele, não preciso salvá-lo.
Dave pensava que Walli talvez fosse mais resistente do que Beep imaginava. Por outro lado, Jimi Hendrix tinha morrido, Janis Joplin, Jim Morrison...
– Eu quero mudar – disse Beep. – Mais do que isso, quero me redimir dos meus erros. Já está na hora de eu fazer alguma coisa que não seja apenas o que atrai minha atenção no momento. Já está na hora de eu fazer algo de bom. Então vou ficar com Walli.
– É essa a sua decisão?
– É.
– Então adeus – disse Dave, e saiu depressa da cozinha para que ela não o visse chorar.

CAPÍTULO QUARENTA E OITO

— O Kremlin está apavorado com a visita de Nixon à China – disse Dimka para Tanya.

Os dois estavam no apartamento de Dimka. A filha dele, Katya, de 3 anos, estava no colo da tia, e as duas folheavam um livro com imagens de animais de fazenda.

Dimka e Natalya tinham se mudado de volta para a Casa do Governo. O clã Peshkov-Dvorkin agora ocupava três imóveis no mesmo prédio. O avô Grigori continuava morando no apartamento de sempre, agora com a filha, Anya, e a neta Tanya. Nina, ex-mulher de Dimka, morava em outra unidade com Grisha, que tinha oito anos e estava na escola. E agora Dimka, Natalya e a pequena Katya tinham se mudado para um terceiro apartamento. Tanya adorava os sobrinhos e estava sempre disposta a ficar de babá. Às vezes pensava que a Casa do Governo parecia uma aldeia de camponeses, onde os parentes cuidavam das crianças.

As pessoas viviam lhe perguntando se ela não queria ter os próprios filhos. "Tenho muito tempo ainda", ela sempre respondia; estava com 32 anos. Mas não se sentia livre para se casar. Vasili não era seu namorado, mas ela havia dedicado a vida ao trabalho clandestino que os dois faziam juntos, primeiro na publicação do *Dissidência*, depois no contrabando dos livros dele para o Ocidente. De vez em quando, era cortejada por algum dos cada vez mais escassos solteiros cobiçados da sua idade, e às vezes saía e até ia para a cama com algum deles. Mas não podia deixá-los participar da sua vida secreta.

E a vida de Vasili agora era mais importante do que a sua. Com a publicação de *Um homem livre*, ele havia se tornado um dos escritores mais importantes do mundo, e interpretava a União Soviética para o restante do planeta. Depois do terceiro romance, *A era da estagnação*, começaram os boatos de um Nobel, mas aparentemente não era possível conceder o prêmio a um pseudônimo. Tanya era o canal que permitia que esse trabalho chegasse ao Ocidente, e seria impossível esconder de um marido um segredo tão grande e terrível.

Os comunistas tinham ódio de "Ivan Kuznetsov". O mundo inteiro sabia que o autor não podia revelar seu nome verdadeiro por medo de não conseguir mais continuar a escrever, e isso fazia os líderes do Kremlin parecerem os filisteus que de fato eram. Sempre que o seu trabalho era mencionado na imprensa ocidental, comentava-se que ele nunca fora publicado em russo, sua língua materna, por causa da censura soviética. Isso enlouquecia o Kremlin.

– A viagem de Nixon foi um grande sucesso – disse Tanya a Dimka. – Na nossa redação, recebemos as notícias do Ocidente. As pessoas não param de parabenizar Nixon por sua visão. Segundo elas, a visita é um grande salto à frente para a estabilidade mundial. Além disso, os números dele nas pesquisas melhoraram muito, e este é ano de eleição nos Estados Unidos.

A ideia de que os capitalistas-imperialistas pudessem se aliar aos comunistas chineses rebeldes contra a URSS era uma perspectiva aterrorizante para a liderança soviética. Na mesma hora, eles convidaram Nixon para ir a Moscou em uma tentativa de restabelecer o equilíbrio.

– Agora eles estão desesperados para garantir que a visita de Nixon aqui também seja um sucesso – disse Dimka. – Farão qualquer coisa para impedir os Estados Unidos de se aliarem à China.

Uma ideia ocorreu a Tanya.

– Qualquer coisa?

– Estou exagerando. Mas em que você pensou?

Tanya sentiu o coração se acelerar.

– Acha que eles libertariam dissidentes?

– Ah...

Dimka sabia que a irmã estava pensando em Vasili, mas não diria nada. Ele era uma das pouquíssimas pessoas cientes do vínculo dela com o dissidente, mas era cauteloso demais para mencionar isso de maneira casual.

– A KGB está propondo o contrário: um endurecimento. Eles querem pôr na cadeia qualquer um que represente o mínimo risco de erguer um cartaz de protesto quando a limusine do presidente americano passar.

– Que burrice – comentou Tanya. – Se de repente prendermos centenas de pessoas, os americanos vão descobrir... eles também têm espiões. E não vão gostar nem um pouco.

Dimka assentiu.

– Nixon não quer seus críticos dizendo que ele veio aqui e ignorou inteiramente a questão dos direitos humanos... não em ano de eleição.

– Exatamente.

Ele adotou uma expressão pensativa.

– Precisamos tirar o máximo proveito dessa oportunidade. Amanhã tenho reunião com umas pessoas da embaixada americana. Estou pensando se poderia usar essa oportunidade...

Dimka havia mudado. O divisor de águas tinha sido a invasão da Tchecoslováquia. Até então, ele se aferrara obstinadamente à crença de que o comunismo podia ser reformado. Em 1968, porém, vira que, assim que algumas pessoas começavam a avançar no sentido de modificar a natureza do governo comunista, seus esforços eram esmagados por quem tinha interesse em manter o status quo. Homens como Brejnev e Andropov apreciavam o poder, o status e o privilégio; por que poriam isso tudo em risco? Dimka agora concordava com a irmã: o maior problema do comunismo era que a autoridade onipresente do Partido sempre sufocava as mudanças. O sistema soviético estava congelado de modo irrecuperável em um conservadorismo sustentado pelo terror, igualzinho ao regime czarista de sessenta anos antes, quando seu avô era contramestre da Metalúrgica Putilov em São Petersburgo.

Que ironia, pensou Dimka, já que o primeiro filósofo a explicar o fenômeno da mudança social tinha sido Karl Marx.

No dia seguinte, ele presidiu outra longa rodada de discussões sobre a visita de Nixon a Moscou. Natalya estava presente, mas infelizmente Yevgeny Filipov também. A delegação americana era encabeçada por Ed Markham, diplomata de carreira de meia-idade. Todos falavam por intermédio de intérpretes.

Nixon e Brejnev assinariam dois tratados de limitação de armamentos e um acordo de proteção ambiental. O "meio ambiente" não era uma questão política na União Soviética, mas aparentemente Nixon o levava muito a sério, e havia promovido leis pioneiras sobre esse tema em seu país. Os três documentos bastariam para garantir que a visita fosse festejada como um triunfo histórico, e teriam um efeito duradouro para prevenir os perigos de uma aproximação entre China e Estados Unidos. A primeira-dama visitaria escolas e hospitais. Nixon insistia em ter um encontro com o poeta dissidente Yevgeny Yevtushenko, que já tinha encontrado em Washington.

Na reunião desse dia, soviéticos e americanos falaram, como sempre, sobre segurança e protocolo. No meio da reunião, Natalya pronunciou as palavras que havia combinado de antemão com Dimka. No mesmo tom casual usado pelos americanos, ela disse:

– Temos pensado com cuidado sobre a sua exigência de libertarmos um grande número de supostos presos políticos como gesto simbólico em prol do que os senhores qualificam de direitos humanos.

Ed Markham lançou um olhar espantado para Dimka, presidente da reunião. O americano não sabia nada sobre aquilo, e isso porque os Estados Unidos não tinham exigido nada. Dimka fez um gesto rápido e disfarçado de quem descarta o assunto, indicando que Markham deveria se calar. Negociador hábil e experiente, o diplomata não disse nada.

Filipov ficou igualmente surpreso.

– Não tenho conhecimento nenhum de qualquer...

Dimka ergueu a voz:

– Por favor, Yevgeny Davidovitch, não interrompa a camarada Smotrov! Insisto em que apenas uma pessoa fale de cada vez.

Filipov ficou furioso, mas seu treinamento no Partido Comunista o forçou a obedecer às regras.

– Não temos presos políticos na URSS e não conseguimos entender a lógica de soltar criminosos nas ruas bem na hora da visita de um chefe de Estado estrangeiro – prosseguiu Natalya.

– De fato – concordou Dimka.

Markham estava claramente intrigado. Por que mencionar uma demanda fictícia para em seguida recusá-la? No entanto, aguardou em silêncio para ver aonde Natalya queria chegar. Enquanto isso, Filipov, frustrado, tamborilava no bloco de anotações.

– Mas um pequeno número de pessoas tem tido seus vistos internos de viagem recusados por causa de vínculos com grupos antissociais e vândalos – disse Natalya.

Essa era exatamente a situação de Vasili, amigo de Tanya. Dimka já havia tentado promover sua soltura uma vez, mas fracassara. Talvez agora tivesse mais sorte.

Observou Markham com atenção. Será que o diplomata perceberia o que estava acontecendo e desempenharia o seu papel? Dimka precisava que os americanos fingissem ter feito exigências de liberação de dissidentes. Ele então poderia voltar ao Kremlin e dizer que os Estados Unidos estavam insistindo naquilo como condição indispensável à visita de Nixon. Àquela altura, qualquer objeção da KGB ou de outro grupo não se sustentaria, pois todos no Kremlin estavam desesperados para promover a visita de Nixon e afastá-lo dos odiados chineses.

– Como essas pessoas na realidade não foram condenadas pelos tribunais, não há entrave legal para uma ação do governo – continuou Natalya. – Dessa forma, nossa proposta é aliviar as restrições e permitir que elas viajem, como um gesto de boa vontade.

– Que ação da nossa parte satisfaria o seu presidente? – indagou Dimka aos americanos.

O semblante de Markham havia se desanuviado, e ele agora entendia o jogo de Natalya e Dimka. Dispôs-se a ser usado daquela forma e disse:

– Sim, acho que isso poderá bastar.

– Combinado, então – falou Dimka, e tornou a se recostar na cadeira com uma profunda sensação de dever cumprido.

⁓

Nixon foi a Moscou em maio, quando a neve já havia derretido e o sol brilhava.

Tanya tinha a esperança de ver uma liberação de prisioneiros políticos em grande escala coincidir com a visita, mas ficara decepcionada. Aquela era a melhor chance em muitos anos de conseguir tirar Vasili de seu fim de mundo na Sibéria e trazê-lo de volta a Moscou. Ela sabia que Dimka havia tentado, mas seu irmão parecia ter fracassado. Aquilo lhe dava vontade de chorar.

– Tanya, por favor, acompanhe a esposa do presidente hoje – pediu-lhe seu chefe, Daniil Antonov.

– Vá se foder – retrucou ela. – Só porque sou mulher não significa que precise escrever matérias sobre mulheres o tempo todo.

Ao longo de toda a carreira, ela havia lutado contra a atribuição de incumbências "femininas". Às vezes ganhava, às vezes perdia.

Nesse dia, ela perdeu.

Daniil era um cara bacana, mas não se deixava intimidar com facilidade.

– Nunca pedi que você cobrisse assuntos femininos o tempo todo e não estou pedindo isso hoje, então pare de falar merda. Quero que cubra Pat Nixon. Faça o que estou mandando e não discuta.

Na realidade, Daniil era um chefe excelente. Tanya cedeu.

Nesse dia, Pat Nixon foi levada à Universidade de Moscou, um prédio de pedra amarelo de 32 andares com milhares de salas que parecia quase vazio.

– Onde estão os alunos? – indagou a Sra. Nixon.

Por meio de intérpretes, o reitor da universidade respondeu:

– É época de provas, eles estão em casa estudando.

– Não estou conseguindo conhecer o povo russo – reclamou a primeira-dama dos Estados Unidos.

Tanya quis responder: *É claro que não... o povo russo talvez lhe dissesse a verdade.*

Mesmo pelos padrões moscovitas, a Sra. Nixon tinha um visual conservador. Os cabelos presos bem alto no topo da cabeça, duros de laquê, pareciam um capacete viking e tinham quase a mesma rigidez. Ela usava roupas ao mesmo tempo fora de moda e excessivamente joviais para a sua idade. Tinha um sorriso fixo que raramente desaparecia, mesmo quando o batalhão de jornalistas que a seguia se tornava indisciplinado.

Foi conduzida até uma sala de estudo onde três alunos liam, sentados. Os jovens pareceram espantados ao vê-la, e obviamente não sabiam de quem se tratava. Ficou evidente que não queriam falar com ela.

A pobre Sra. Nixon provavelmente não fazia ideia de que qualquer contato com ocidentais era perigoso para os cidadãos soviéticos normais. Eles corriam o risco de, depois, ser presos e interrogados sobre o que fora dito e para saber se o encontro fora combinado de antemão. Somente os moscovitas mais temerários ousavam trocar palavras com visitantes estrangeiros.

Tanya foi redigindo sua matéria na cabeça enquanto acompanhava a visitante. *A Sra. Nixon ficou claramente impressionada com a nova e moderna Universidade de Moscou. Os Estados Unidos não possuem um prédio universitário de tamanho comparável.*

A verdadeira notícia estava acontecendo no Kremlin, e era por isso que Tanya perdera a paciência com Daniil: Nixon e Brejnev estavam assinando tratados que fariam do mundo um lugar mais seguro. Era esse o assunto que ela queria cobrir.

Graças à leitura da imprensa estrangeira, ela sabia que a visita de Nixon à China e aquela viagem a Moscou haviam influenciado suas chances na eleição presidencial de novembro. Baixíssimo em janeiro, seu índice de aprovação havia subido muito. Ele agora tinha fortes chances de ser reeleito.

A Sra. Nixon estava usando um terninho xadrez de duas peças com paletó curto e saia discreta, abaixo do joelho. Seus sapatos brancos eram de salto baixo. Um lenço de chifon no pescoço completava o traje. Tanya detestava escrever sobre moda. Pelo amor de Deus, ela havia coberto a crise dos mísseis de Cuba... diretamente de lá!

Por fim, a primeira-dama dos Estados Unidos foi levada embora em uma limusine LeBaron da Chrysler, e o grupo de jornalistas se dispersou.

No estacionamento, Tanya viu um homem alto vestindo um sobretudo comprido e puído sob o sol de primavera. Seus cabelos grisalhos cor de ferro estavam despenteados, e o rosto marcado parecia já ter sido bonito.

Era Vasili.

Ela enfiou o punho cerrado na boca e mordeu a mão para reprimir o grito que lhe subiu pela garganta.

Ele viu que ela o havia reconhecido e sorriu, exibindo as falhas dos dentes que tinha perdido.

Tanya caminhou lentamente até onde ele estava parado com as mãos enfiadas nos bolsos do sobretudo. Sem chapéu, ele estreitou os olhos por causa do sol.

– Eles deixaram você sair – disse ela.

– Para agradar ao presidente americano. Obrigado, Dick Nixon.

Ele deveria ter agradecido a Dimka Dvorkin, mas com certeza era melhor não dizer isso a ninguém, nem mesmo a Vasili.

Tanya olhou em volta, cautelosa, mas não havia ninguém por perto.

– Não se preocupe – disse Vasili. – Este lugar passou duas semanas cheio de policiais, mas foram todos embora há cinco minutos.

Ela não conseguiu mais se conter e se atirou nos braços dele. Ele afagou suas costas como para consolá-la. Ela o apertou com força.

– Nossa, que cheiro bom você tem – comentou ele.

Tanya desfez o abraço. Estava quase explodindo de tantas perguntas e teve que conter o entusiasmo e escolher uma:

– Onde você está morando?

– Eles me deram um apartamento stalinista, antigo mas confortável.

Os apartamentos da era stalinista tinham cômodos maiores e pés-direitos mais altos do que os mais compactos construídos no final da década de 1950 e durante a de 1960.

Tanya mal coube em si de tanta animação.

– Quer que eu vá visitá-lo?

– Ainda não. Vamos descobrir primeiro com que atenção eles estão me vigiando.

– Você tem trabalho?

Um dos truques preferidos do comunismo era garantir que a pessoa não conseguisse arrumar um emprego para depois acusá-la de parasitismo social.

– Estou no Ministério da Agricultura. Escrevo panfletos para os camponeses explicando as novas técnicas agrícolas. Não precisa ter pena: é um trabalho importante e sou bom no que faço.

– E a saúde?

– Estou gordo! – Ele abriu o sobretudo para lhe mostrar.

Ela riu, feliz. Ele não estava gordo, mas talvez não estivesse tão magro quanto antes.

– Está usando o suéter que mandei. Incrível ele ter chegado a você.

Era o suéter comprado por Anna Murray em Viena. Tanya agora teria de lhe explicar tudo aquilo. Nem sabia por onde começar.

– Faz quatro anos que quase não tiro este suéter. Não preciso dele aqui em Moscou no mês de maio, mas é difícil me acostumar com a ideia de que a temperatura não fica o tempo todo abaixo de zero.

– Posso arrumar outro para você.

– Você deve estar ganhando um dinheirão!

– Que nada – disse ela com um largo sorriso. – Mas você está.

Ele franziu o cenho, sem entender.

– Como assim?
– Vamos até um bar – disse ela, dando-lhe o braço. – Tenho muita coisa para contar.

∽

Na manhã de domingo, 18 de junho, a primeira página do *Washington Post* estampou uma notícia estranha. Para a maioria dos leitores, foi meio incompreensível. Para alguns poucos, foi profundamente perturbadora.

Cinco detidos em complô para grampear
escritório democrata na capital

Por Alfred E. Lewis
Redator interno do Washington Post

Cinco homens, um dos quais afirmou ser ex-funcionário da CIA, foram presos às duas e meia da manhã de ontem pelo que as autoridades descreveram como um elaborado complô para grampear os escritórios do Comitê Democrata Nacional na capital.

Três deles eram cidadãos cubanos, e o quarto supostamente já treinou exilados cubanos para atividades de guerrilha após a invasão da Baía dos Porcos, em 1961.

Eles foram surpreendidos por três agentes do Departamento de Polícia da cidade, armados e à paisana, em um escritório no quinto andar do luxuoso edifício Watergate, situado no número 2.600 da Virginia Avenue, NW, onde o Comitê Democrata Nacional ocupa o andar inteiro.

Não houve explicação imediata dos motivos pelos quais os cinco suspeitos desejariam grampear o escritório do Comitê, nem se estavam ou não trabalhando para outro indivíduo ou organização.

Cameron Dewar leu a matéria e exclamou:
– Puta que pariu!
Tenso demais para continuar comendo, afastou os flocos de milho de seu café da manhã. Sabia exatamente o que significava aquela notícia, e ela representava uma ameaça terrível para Nixon. Se as pessoas descobrissem ou achassem que o presidente defensor da lei e da ordem havia ordenado uma invasão de propriedade privada, aquilo poderia até pôr a perder sua reeleição.

Cam correu os olhos pelos parágrafos até chegar aos nomes dos acusados. Temia que Tim Tedder fosse um deles, mas, para seu alívio, ele não era citado.

No entanto, a maioria dos homens cujos nomes estavam no jornal eram seus amigos e colaboradores.

Tedder e um grupo de ex-agentes do FBI e da CIA formavam a Unidade de Investigações Especiais da Casa Branca. Tinham uma sala protegida por forte aparato de segurança no térreo do Edifício do Escritório Executivo situado em frente à Casa Branca, logo do outro lado da rua. Um pedaço de papel pregado na porta informava: "Bombeiros hidráulicos". Era um trocadilho: o trabalho daqueles homens era conter vazamentos.

Cam não sabia que eles planejavam grampear o Comitê Democrata, mas não ficou surpreso: era uma ideia muito boa, que poderia conduzir a informações sobre as fontes dos vazamentos.

Só que aqueles imbecis desmiolados não poderiam ter sido presos pela porra da polícia de Washington.

O presidente estava nas Bahamas e chegaria no dia seguinte.

Cam ligou para a sala dos Bombeiros. Tim Tedder atendeu.

– O que está fazendo? – perguntou-lhe Cam.

– Limpando arquivos.

Ao fundo, Cam ouviu o chiado de um triturador de papel.

– Ótimo – comentou.

Então se vestiu e foi para a Casa Branca.

De início, nenhum dos invasores parecia ter qualquer ligação direta com o presidente, e Cam passou o domingo todo pensando que o escândalo pudesse ser contido. Então descobriu-se que um deles tinha dado um nome falso. "Edward Martin" na verdade era James McCord, agente aposentado da CIA que agora tinha um emprego em tempo integral no CREEP, o Comitê de Reeleição do Presidente.

– Pronto – disse Cam, completamente arrasado.

Era o fim.

O *Washington Post* de segunda trazia a informação sobre McCord em um texto assinado por Bob Woodward e Carl Bernstein.

Mesmo assim, Cam ainda torcia para o envolvimento do presidente poder ser abafado.

Foi aí que o FBI entrou na jogada e começou a investigar os cinco invasores. Antigamente, pensou Cam com nostalgia, J. Edgar Hoover jamais teria feito uma coisa dessas, mas Hoover estava morto. Nixon havia nomeado um asseclaseu chamado Patrick Gray como diretor interino, mas Gray não conhecia a instituição e estava lutando para controlá-la. Consequentemente, o FBI estava começando a se comportar como um órgão de segurança pública de verdade.

Os invasores portavam grandes quantias em dinheiro vivo, notas novas com numeração sequencial. Isso significava que, mais cedo ou mais tarde, o FBI conseguiria rastrear o dinheiro e descobrir de onde ele viera.

Cam já sabia a resposta: aquele dinheiro, assim como o pagamento de todos os projetos secretos do governo, vinha do fundo de reserva do CREEP.

Era preciso interromper a investigação do FBI.

⁂

Quando Cam Dewar entrou na sala de Maria Summers no Departamento de Justiça, ela sentiu medo por um instante. Teria sido desmascarada? Será que a Casa Branca dera um jeito de descobrir que ela era a fonte de informações privilegiadas de Jasper Murray? Em pé diante de seu arquivo, por um segundo sentiu as pernas tão fracas que pensou que fosse cair.

Mas Cam se mostrou simpático, e ela logo se acalmou. O rapaz sorriu, sentou-se e a encarou com aquele olhar de cima a baixo típico dos adolescentes para indicar que a considerava atraente.

Pode sonhar, branquelo, pensou ela.

O que ele estaria tramando dessa vez? Sentada à sua mesa, ela tirou os óculos e lhe abriu um sorriso caloroso.

– Olá, Sr. Dewar. Aquele grampo deu certo?

– No fim das contas, não conseguimos muita informação – respondeu ele. – Achamos que Murray deve ter um telefone seguro em outro lugar que usa para as ligações confidenciais.

– Que pena – disse Maria, embora pensasse "graças a Deus".

– Mesmo assim, obrigado pela ajuda.

– O senhor é muito gentil. Posso ajudar em algo mais?

– Pode. O presidente quer que o secretário de Justiça ordene ao FBI que pare de investigar a invasão do Watergate.

Maria tentou disfarçar o choque enquanto sua mente processava as implicações do que Cam acabara de lhe dizer. Então aquilo era *mesmo* coisa da Casa Branca. Ficou chocada. Nenhum outro presidente exceto Nixon teria sido tão arrogante e tão burro.

Daquela vez, assim como da última, o melhor jeito de obter informações era fingir que estava do lado deles.

– Tudo bem, vamos pensar em como fazer isso – falou. – Kleindienst não é Mitchell, como o senhor bem sabe.

John Mitchell havia renunciado ao cargo de secretário de Justiça para administrar o CREEP. Seu substituto, Richard Kleindienst, era outro assecla de Nixon, mas não tão dócil.

– Ele vai querer um motivo – concluiu.

– E nós vamos lhe dar um. A investigação do FBI pode conduzir a questões confidenciais relacionadas à política externa. Em especial, pode revelar informações prejudiciais sobre o envolvimento da CIA na invasão da Baía dos Porcos durante o governo Kennedy.

Aquilo era típico de Dick Trapaça, pensou Maria, enojada. Todos fingiriam que estavam protegendo os interesses americanos quando na verdade estavam salvando o presidente.

– Quer dizer que é uma questão de segurança nacional.

– Exatamente.

– Ótimo. Isso vai justificar a ordem do secretário para o FBI interromper a investigação. – Mas Maria não queria que fosse tão fácil para a Casa Branca. – Só que Kleindienst talvez queira garantias concretas.

– Podemos providenciar. A CIA está preparada para fazer uma solicitação formal. Walters vai se encarregar disso. – O general Vernon Walters era vice-diretor da CIA.

– Se a solicitação for formal, acho que podemos prosseguir e fazer exatamente o que o presidente quer.

– Obrigado, Maria. – O rapaz se levantou. – Está ajudando muito, outra vez.

– Disponha, Sr. Dewar.

Cam saiu da sala.

Maria ficou olhando atentamente para a cadeira que ele acabara de deixar vaga. O próprio presidente devia ter autorizado aquela invasão, ou pelo menos feito vista grossa; era o único motivo possível para Cam Dewar estar se esforçando tanto para tentar abafar o caso. Se alguém do governo tivesse autorizado a invasão contra a vontade de Nixon, essa pessoa já teria sido identificada, denunciada e demitida. Nixon não tinha o menor pudor para se livrar de auxiliares constrangedores. A única pessoa que se importava em proteger era ele próprio.

Maria iria deixá-lo se safar?

É claro que não.

Pegou o telefone e disse:

– Ligue para o Fawcett Renshaw, por favor.

CAPÍTULO QUARENTA E NOVE

Dave Williams estava nervoso. Fazia quase cinco anos que o Plum Nellie não tocava ao vivo para uma plateia, e agora a banda estava prestes a encarar 60 mil fãs no estádio do Candlestick Park, em São Francisco.

Tocar em estúdio era totalmente diferente. O gravador era bonzinho: se você errasse uma nota, se a sua voz falhasse ou se você esquecesse a letra da música, bastava apagar o erro e tentar outra vez.

Mas qualquer coisa que saísse errada naquela noite seria ouvida por todo mundo no estádio e nunca mais corrigida.

Disse a si mesmo para deixar de ser bobo. Já tinha feito aquilo umas cem vezes. Lembrou-se de tocar com os Guardsmen em pubs no East End londrino, quando conhecia apenas uns poucos acordes. Ao recordar isso, maravilhou-se com a própria ousadia quando jovem. Relembrou a noite em que Geoffrey desmaiara de tão bêbado no The Dive de Hamburgo, e Walli subira ao palco para fazer a guitarra solo durante o set inteiro sem ter ensaiado. Dias felizes e despreocupados.

Ele agora tinha nove anos de experiência, mais do que a carreira inteira de muitos astros pop. Mesmo assim, sentiu-se inseguro enquanto os fãs chegavam e compravam cerveja, camisetas e cachorros-quentes, todos confiando nele para lhes garantir uma noite inesquecível.

Uma moça da empresa que distribuía os discos da Nellie Records entrou em seu camarim para perguntar se ele queria alguma coisa. Estava usando uma calça justa boca de sino e um top que moldavam um corpo perfeito.

– Não, meu bem, obrigado – respondeu ele. Todos os camarins eram providos de um pequeno bar com cerveja, destilados, refrigerantes e gelo, além de um pacote de cigarros.

– Se quiser alguma coisinha para relaxar, eu tenho – disse ela.

Ele fez que não com a cabeça. Não queria se drogar agora. Talvez fumasse um baseado depois. Mas ela insistiu:

– Ou se eu puder fazer alguma coisa, você sabe...

Ela estava lhe oferecendo sexo. Era tão deslumbrante quanto qualquer outra loura esguia da Califórnia, ou seja, linda de morrer, mas ele não estava a fim.

Não ficava a fim desde a última vez em que vira Beep.

– Quem sabe depois do show? – falou. Se eu beber o suficiente, pensou. – Obrigado pela proposta, mas no momento só quero que você suma daqui – disse, firme.

Ela não se ofendeu.

– Me avise se mudar de ideia! – falou, alegre, e saiu do camarim.

A apresentação dessa noite era um evento beneficente para George McGovern. Sua campanha eleitoral conseguira trazer os jovens de volta à política. Na Europa, Dave sabia que ele teria sido considerado de centro, mas ali nos Estados Unidos era de esquerda. Os liberais adoravam suas duras críticas à Guerra do Vietnã, e ele falava com autoridade por causa da experiência de combate na Segunda Guerra Mundial.

Evie, irmã de Dave, entrou no camarim para lhe desejar boa sorte. Tinha se vestido para evitar ser reconhecida: cabelos presos sob uma boina de tweed, óculos escuros e jaqueta de motoqueiro.

– Vou voltar para a Inglaterra – informou ela.

Ele se espantou.

– Sei que a imprensa foi dura com você desde a foto em Hanói, mas...

Ela balançou a cabeça.

– É mais grave do que a imprensa. Eu hoje sou odiada com a mesma intensidade com que era amada um ano atrás. É o fenômeno observado por Oscar Wilde: o amor se transforma em ódio com uma rapidez impressionante.

– Achei que você pudesse esperar isso passar.

– Eu também, por um tempo. Mas há seis meses ninguém me oferece um papel que preste. Eu poderia fazer a garota destemida em um faroeste espaguete, a stripper em uma montagem off-Broadway, ou qualquer papel que me agradasse na turnê australiana de *Jesus Cristo Superstar*.

– Sinto muito... eu não fazia ideia.

– Não foi exatamente espontâneo.

– Como assim?

– Uns dois jornalistas me disseram que receberam telefonemas da Casa Branca.

– Foi uma coisa organizada?

– Acho que sim. Pense bem: eu era uma celebridade que atacava Nixon em qualquer oportunidade. Não é de espantar que ele tenha me enfiado a faca quando cometi a tolice de abrir a guarda. E nem é injusto, afinal *eu* estou fazendo o que posso para tirar o emprego *dele*.

– É muita generosidade sua pensar assim.

– E talvez nem seja Nixon. Quem nós conhecemos que trabalha na Casa Branca?

– O irmão de Beep? – Dave não conseguiu acreditar. – Foi Cam que fez isso?

– Ele se apaixonou por mim anos atrás, lá em Londres, e eu disse não de um jeito meio grosseiro.

– E ele guardou rancor durante todos esses anos?
– Nunca consegui provar.
– Que filho da mãe!
– Então pus à venda minha casa chique em Hollywood, vendi meu conversível e embalei minha coleção de arte moderna.
– E o que vai fazer?
– Para começar, interpretar Lady Macbeth.
– Vai arrasar! Onde?
– Em Stratford-upon-Avon. Vou entrar para a Royal Shakespeare Company.
– Uma porta se fecha e outra se abre.
– Estou tão feliz por voltar a fazer Shakespeare... Faz dez anos que interpretei Ofélia na escola.
– Nua.
Evie deu um sorriso bem-humorado.
– Como eu era exibida.
– E era também uma ótima atriz, já naquela época.
Ela se levantou.
– Vou deixar você se preparar. Curta muito esta noite, irmãozinho. Vou estar lá na plateia dançando.
– Quando você vai?
– Meu voo é amanhã.
– Me avise quando *Macbeth* estrear. Irei assistir.
– Seria maravilhoso.

Dave acompanhou a irmã até lá fora. O palco fora montado em cima de um palanque temporário de um dos lados do campo. Atrás dele, um grupo de roadies, engenheiros de som, funcionários da gravadora e jornalistas privilegiados estava reunido no gramado. Os camarins eram barracas armadas em uma área isolada.

Buzz e Lew já tinham chegado, mas não havia sinal de Walli. Dave confiava em Beep para fazê-lo chegar a tempo. Ansioso, perguntou-se onde os dois estavam.

Logo depois de Evie sair, os pais de Beep apareceram nas coxias. Dave voltara às boas com Bella e Woody. Decidiu não lhes contar o que Evie dissera sobre Cam instigar a imprensa contra ela. Democratas desde sempre, os dois já estavam chateados o suficiente com o fato de o filho trabalhar para Nixon.

Dave quis saber o que Woody pensava sobre as chances de McGovern.

– George McGovern tem um problema – respondeu ele. – Para derrotar Hubert Humphrey e conseguir a indicação, teve que abalar o poder dos figurões do Partido Democrata, os prefeitos, os governadores e os chefes dos sindicatos.

Dave não tinha acompanhado isso de perto.

– E como ele conseguiu?

– Depois da confusão em Chicago em 1968, o partido reescreveu seu regulamento, e McGovern presidiu a comissão responsável.

– E por que isso é um problema?

– Porque os velhos poderosos do partido não querem trabalhar para ele. Alguns o detestam tanto que iniciaram um movimento chamado Democratas por Nixon.

– Os jovens gostam dele.

– Temos de torcer para isso bastar.

Beep finalmente apareceu com Walli, e o casal Dewar foi para o camarim dele. Dave vestiu a roupa de cena: um macacão vermelho e botas de cano alto. Fez alguns exercícios para aquecer a voz. Quando estava no meio da vocalização, Beep entrou.

Deu-lhe um sorriso radiante e um beijo na bochecha. Como sempre, sua simples presença acendeu o ambiente. Eu nunca deveria ter deixado essa mulher ir embora, pensou Dave. Fui mesmo um idiota.

– Como está Walli? – perguntou, preocupado.

– Tomou um pico, o suficiente para conseguir aguentar o show. Vai se picar de novo quando descer do palco. Ele está bem para tocar.

– Graças a Deus.

Ela estava usando um short de cetim de cintura alta e um top de paetês. Tinha engordado um pouco desde as sessões de gravação, constatou Dave: seus peitos pareciam maiores, e ela chegava a exibir uma encantadora barriguinha. Ele lhe ofereceu uma bebida. Ela pediu uma Coca.

– Pode fumar, se quiser – disse ele.

– Eu parei.

– Foi por isso que engordou.

– Não foi, não.

– Desculpe, não quis ofender. Você está uma gata.

– Eu vou largar Walli.

A notícia deixou Dave chocado. Ele se virou do bar e a encarou.

– Caramba. Ele já sabe?

– Vou contar depois do show.

– Que alívio. Mas e aquele papo todo de ser uma pessoa menos egoísta e salvar a vida de Walli?

– Eu tenho uma vida mais importante para salvar.

– A sua?

– A do meu filho.

– Meu Deus! – Dave se sentou. – Você está grávida.

– De três meses.

– É por isso que o seu corpo mudou.

– E fumar me dá ânsia de vômito. Nem maconha eu consigo mais.

O alto-falante do camarim chiou e uma voz disse:

– Cinco minutos para o show, pessoal. Todos os técnicos de palco nas suas marcas, por favor.

– Se está grávida, por que vai largar Walli? – perguntou Dave.

– Não posso criar um filho naquele ambiente. Uma coisa é sacrificar a mim mesma, mas fazer isso com uma criança é diferente. Este bebê vai ter uma vida normal.

– Para onde você vai?

– Vou me mudar de volta para a casa dos meus pais. – Ela balançou a cabeça em um gesto de assombro. – É incrível. Passei dez anos fazendo o possível para deixar os dois putos, mas quando precisei de ajuda eles simplesmente disseram sim. Porra... inacreditável.

O alto-falante anunciou:

– Um minuto, pessoal. A banda pode ir para as coxias assim que estiver pronta.

Dave se deu conta de uma coisa.

– Três meses...

– Não sei quem é o pai. Engravidei durante a gravação do disco. Estava tomando pílula, mas às vezes esquecia de tomar, principalmente quando ficava doidona.

– Mas você tinha dito que você e Walli raramente transavam.

– Raramente não é nunca. Tem dez por cento de chance de Walli ser o pai.

– E noventa por cento de ser eu.

Lew espiou dentro da barraca de Dave.

– Vamos lá – falou.

– Já vou.

Quando Lew saiu, ele disse a Beep:

– Vá morar comigo.

Ela o encarou.

– Está falando sério?

– Estou.

– Mesmo se o filho não for seu?

– Tenho certeza de que vou amar o seu filho. Eu amo você. E amo o Walli, caramba. Por favor, vá morar comigo.

– Ai, meu Deus. – Ela começou a chorar. – Estava torcendo e rezando para você dizer isso.

– Então a resposta é sim?
– Claro. É o que eu mais quero na vida.
Dave teve a sensação de que o sol havia aparecido.
– Bom, então é isso que a gente vai fazer.
– E Walli? Eu não quero que ele morra.
– Tenho uma ideia quanto a isso. Depois do show eu falo.
– Suba lá, eles estão esperando.
– Eu sei. – Ele a beijou na boca delicadamente. Ela o enlaçou e lhe deu um abraço. – Amo você.
– Eu também, e fui louca por deixar você ir embora.
– Não faça isso nunca mais.
– Nunca mais.
Dave saiu. Atravessou o gramado correndo e subiu a escada até onde o resto da banda aguardava nas coxias. Então um pensamento lhe ocorreu.
– Esqueci uma coisa – falou.
– O quê? – perguntou Buzz, irritado. – As guitarras já estão no palco.
Dave não respondeu. Voltou correndo para o camarim. Beep ainda estava lá, sentada, enxugando as lágrimas.
– Vamos nos casar? – perguntou ele.
– Está bem – respondeu ela.
– Ótimo.
Ele voltou correndo para o palco.
– Todo mundo pronto? – perguntou.
Todos estavam.
Dave conduziu a banda para o palco.

⌒

Claus Krohn convidou Rebecca para beber alguma coisa depois de uma reunião do parlamento de Hamburgo.
Ela se espantou. Fazia quatro anos que havia terminado seu caso com ele. No último ano, soube que Claus estava namorando uma mulher atraente, encarregada das inscrições em um sindicato. Enquanto isso, ele havia se tornado uma figura cada vez mais poderosa do Partido Democrático Livre, ao qual Rebecca também era filiada. Claus e a namorada formavam um belo casal. Na verdade, Rebecca ouvira dizer que eles estavam planejando se casar.
Portanto, lançou-lhe um olhar desencorajador.

– No Iate, não – disse Claus depressa. – Algum lugar menos furtivo.
Ela riu, mais tranquila.
Foram a um bar no centro da cidade, não muito longe da prefeitura. Em homenagem ao passado, Rebecca pediu um copo de *Sekt*.
– Vou direto ao assunto – disse Claus assim que as bebidas chegaram. – Quero que você se candidate à eleição para o parlamento nacional.
– Ah! O susto teria sido menor se você tivesse me cantado.
Ele sorriu.
– Não tem por que se assustar. Você é inteligente, bonita, fala bem e as pessoas gostam de você. É respeitada por membros de todos os partidos de Hamburgo. Tem quase dez anos de experiência na política. Seria uma forte aliada.
– Mas é tão repentino.
– As eleições sempre parecem repentinas.
O chanceler Willi Brandt havia orquestrado uma eleição-relâmpago, marcada para dali a oito semanas. Se Rebecca aceitasse, poderia ser eleita antes do Natal.
Quando se recuperou da surpresa, ficou animada. Seu desejo mais forte era a reunificação da Alemanha, para que ela e milhares de outros alemães pudessem estar outra vez junto das famílias. Ela jamais conseguiria isso na política local, mas como membro do parlamento nacional talvez pudesse ter alguma influência.
Seu partido, o PDL, formava um governo de coalizão junto com os social-democratas liderados por Brandt. Rebecca concordava com a "Ostpolitik" do chanceler, que tentava manter contato com a parte oriental apesar do Muro. Na sua opinião, aquele era o modo mais rápido de minar as forças do regime comunista.
– Preciso conversar com meu marido – falou.
– Eu sabia que você diria isso. É o que as mulheres sempre dizem.
– Se eu for eleita, vou ter que deixar Bernd sozinho com frequência.
– Acontece com os cônjuges de todos os membros do parlamento.
– Mas o meu marido é especial.
– De fato.
– Vou falar com ele hoje à noite. – Ela se levantou.
Claus fez o mesmo.
– Posso fazer um comentário mais pessoal? Nós nos conhecemos bastante bem.
– É...
– Esse é o seu destino. – Ele estava muito sério. – Você nasceu para fazer política em nível nacional. Qualquer outra coisa seria um desperdício de talento. Um desperdício criminoso. Estou falando sério.

– Obrigada – disse ela, surpresa com aquele arrebatamento.

Enquanto dirigia até em casa, sentiu-se ao mesmo tempo eufórica e atordoada. Um futuro novo acabara de surgir. Ela já havia pensado em entrar para a política nacional, mas tinha medo de ser difícil demais, já que era mulher e tinha um marido deficiente. Mas, agora que essa possibilidade era mais do que uma fantasia, estava animada.

Por outro lado, como Bernd iria fazer?

Ela estacionou o carro e entrou em casa depressa. Encontrou o marido à mesa da cozinha, na cadeira de rodas, corrigindo provas com um lápis vermelho de ponta afiada. Estava nu, só de roupão, que conseguia vestir sozinho. A peça mais difícil para ele era a calça comprida.

Rebecca lhe contou imediatamente sobre a proposta de Claus.

– Antes de você se pronunciar, me deixe dizer só mais uma coisa – pediu. – Se não quiser que eu faça isso, não vou fazer. Sem discussão, sem arrependimentos, sem recriminações. Nós temos uma parceria, e isso significa que nenhum dos dois tem o direito de mudar nossa vida sem o outro concordar.

– Obrigado – disse ele. – Mas vamos falar dos detalhes.

– O Bundestag se reúne de segunda a sexta mais ou menos vinte semanas por ano, e o comparecimento é obrigatório.

– Ou seja, em um ano normal você passaria oitenta noites fora. Posso suportar isso, sobretudo se arrumarmos uma enfermeira para vir me ajudar de manhã.

– Você não se importaria?

– É claro que me importaria. Mas sem dúvida as noites que você passasse em casa seriam ainda melhores.

– Bernd, como você é bom...

– Você tem que aceitar. É o seu destino.

Ela deu uma risadinha.

– Claus disse a mesma coisa.

– Não me espanta.

Tanto seu marido quanto seu ex-amante achavam que ela deveria fazer aquilo. A própria Rebecca também. Estava apreensiva: acreditava que seria capaz, mas sabia que tinha um desafio pela frente. A política nacional era mais dura e mais suja do que a administração local. A imprensa podia ser cruel.

Sua mãe ficaria orgulhosa, pensou. Carla deveria ter sido uma líder, e decerto teria sido se não houvesse ficado encurralada na prisão da Alemanha Oriental. Ficaria radiante ao ver a filha realizar seu sonho impossível.

Rebecca e Bernd passaram as três noites seguintes conversando sobre o assunto, e na quarta Dave Williams apareceu.

Foi uma visita inesperada. Rebecca levou um susto ao vê-lo à porta, usando uma jaqueta de veludo marrom e carregando uma pequena mala com uma etiqueta do aeroporto de Hamburgo.

– Você poderia ter ligado! – falou, em inglês.

– Perdi seu telefone – respondeu ele em alemão.

Ela lhe deu um beijo na bochecha.

– Que surpresa maravilhosa!

Ela gostava de Dave desde a época em que o Plum Nellie tocara na Reeperbahn e os meninos tinham ido ao seu apartamento fazer sua única refeição decente do dia. Dave tinha sido bom com Walli, cujo talento havia desabrochado com a parceria entre os dois.

Ele entrou na cozinha, pôs a mala no chão e apertou a mão de Bernd.

– Chegou agora de Londres? – perguntou-lhe este.

– De São Francisco. Viajei 24 horas. – Eles falavam o misto habitual de inglês e alemão.

Rebecca fez um café. Quando superou a surpresa, ocorreu-lhe que Dave devia ter algum motivo especial para aquela visita, e começou a ficar nervosa. Ele estava contando a Bernd sobre o estúdio de gravação, mas Rebecca o interrompeu:

– O que você está fazendo aqui, Dave? Aconteceu alguma coisa?

– Aconteceu. É Walli.

O coração de Rebecca parou de bater por um instante.

– O que houve? Diga logo! Morrer, ele não morreu...

– Não, está vivo. Mas é viciado em heroína.

– Ah, não. – Rebecca se deixou cair na cadeira. – Ah, não. – Enterrou o rosto nas mãos.

– E tem mais – disse Dave. – Beep vai largá-lo. Ela está grávida e não quer criar um filho no ambiente das drogas.

– Ah, coitado do meu irmãozinho.

– O que Beep vai fazer? – indagou Bernd.

– Morar em Daisy Farm comigo.

– Ah. – Rebecca viu que Dave estava com uma expressão constrangida. Imaginou que ele tivesse reatado o romance com Beep, o que só pioraria as coisas para seu irmão. – O que podemos fazer em relação a Walli?

– Ele tem que largar a heroína, claro.

– Acha que ele consegue?

– Com a ajuda certa, sim. Existem clínicas nos Estados Unidos e aqui na Europa que aliam terapia a um substituto químico, em geral a metadona. Só que

Walli mora em Haight-Ashbury. Lá tem um traficante em cada esquina e, se ele não sair para comprar, um deles vai acabar batendo na porta da sua casa. É fácil demais ter uma recaída.

– Então ele precisa se mudar?

– Acho que ele precisa se mudar para cá.

– Ai, meu Deus.

– Morando com vocês, acho que ele conseguiria largar o vício.

Rebecca olhou para Bernd.

– Estou preocupado com você – disse-lhe o marido. – Você tem um emprego e uma carreira política. Tenho carinho por Walli, e não só porque você o ama. Mas não quero que sacrifique a vida por ele.

– Não é para sempre – interveio Dave depressa. – Mas se vocês pudessem ajudá-lo a ficar limpo durante um ano...

Rebecca continuava olhando para Bernd.

– Não vou sacrificar minha vida. Mas talvez precise colocá-la em compasso de espera por um ano.

– Se você recusar um assento no Bundestag agora, talvez a proposta nunca mais seja feita.

– Eu sei.

– Quero que você volte comigo para São Francisco e convença Walli – disse Dave a Rebecca.

– Quando?

– Amanhã seria bom. Já fiz as reservas.

– Amanhã!

Mas a verdade era que não havia escolha, pensou ela. A vida de Walli estava em jogo, e nada podia competir com isso. Ela o poria em primeiro lugar, é claro. Praticamente nem precisava pensar no assunto.

Mesmo assim, ficou triste por ter que recusar a empolgante possibilidade que lhe fora oferecida por um tempo tão curto.

– O que vocês acabaram de falar sobre o Bundestag? – indagou Dave.

– Nada – respondeu Rebecca. – Era só outra coisa que eu estava pensando em fazer. Mas vou com você para São Francisco. É claro que vou.

– Amanhã?

– Sim.

– Obrigado.

Rebecca se levantou.

– Vou fazer minha mala.

CAPÍTULO CINQUENTA

Jasper Murray estava deprimido. O presidente Nixon – mentiroso, trapaceiro e vigarista – fora reeleito com ampla maioria, conquistando 49 estados. George McGovern, um dos candidatos menos bem-sucedidos da história dos Estados Unidos, ganhara apenas em Massachusetts e no distrito de Columbia.

Pior ainda: à medida que novas revelações sobre Watergate escandalizavam a *intelligentsia* liberal, a popularidade de Nixon seguia firme. Cinco meses após a eleição, em abril de 1973, seu índice de aprovação era de 60% contra 33%.

– O que precisamos fazer? – perguntara Jasper, frustrado, para quem quisesse escutar.

Liderada pelo *Washington Post*, a mídia revelava um crime presidencial após outro, enquanto Nixon tentava desesperadamente ocultar seu envolvimento no caso Watergate. Um dos invasores havia escrito uma carta, que o juiz leu em voz alta no tribunal, reclamando que os réus tinham sido submetidos à pressão política para alegar culpa e permanecer calados. Se isso fosse verdade, significava que o presidente estava tentando obstruir o curso da justiça. Mas os eleitores não pareciam ligar.

Jasper estava na sala de imprensa da Casa Branca na terça-feira, 17 de abril, quando a maré começou a virar.

O cômodo tinha um tablado levemente elevado em uma das extremidades. Havia um púlpito em frente a uma cortina em um tom de azul-acinzentado próprio para aparecer na TV. As cadeiras nunca eram suficientes, e alguns jornalistas se sentavam no carpete bege enquanto os câmeras competiam por espaço.

A Casa Branca havia anunciado que o presidente faria um pronunciamento curto, mas não aceitaria perguntas. Os jornalistas tinham se reunido às três da tarde. Já eram quatro e meia, e nada acontecera ainda.

Nixon apareceu às 16h42. Jasper reparou que suas mãos pareciam estar tremendo. Ele anunciou a resolução de uma disputa entre a Casa Branca e Sam Ervin, presidente do comitê do Senado responsável por investigar Watergate. Os funcionários da Casa Branca agora poderiam depor no Comitê Ervin, embora pudessem se recusar a responder a qualquer pergunta. Não era uma grande concessão, pensou Jasper, mas certamente um presidente inocente não estaria sequer discutindo aquela questão.

Então Nixon disse:

— Nenhum indivíduo que ocupe ou tenha ocupado um cargo de importância significativa no governo deveria se beneficiar de imunidade jurídica.

Jasper franziu o cenho. O que significava aquilo? Alguém próximo a Nixon devia estar pedindo imunidade. E agora o presidente recusava publicamente. Estava expondo alguém. Mas quem?

— Eu condeno qualquer tentativa de acobertamento, sejam quem forem os envolvidos — disse, antes de sair do recinto, o presidente que havia tentado interromper a investigação do FBI.

O secretário de Imprensa Ron Ziegler subiu no tablado e foi fustigado por uma enxurrada de perguntas. Jasper não fez nenhuma. Estava intrigado com aquela declaração sobre imunidade.

Ziegler então disse que o anúncio que o presidente acabara de fazer era a declaração "operante". Jasper reconheceu na hora o adjetivo como um termo sorrateiro destinado a ocultar a verdade em vez de esclarecê-la. Os outros jornalistas presentes também entenderam isso.

Foi Johnny Apple, do *The New York Times*, quem perguntou se isso queria dizer que todas as declarações anteriores eram inoperantes.

— Sim — respondeu Ziegler.

Os jornalistas ficaram furiosos. Isso significava que haviam sido enganados. Durante anos, eles tinham noticiado com exatidão as declarações de Nixon e lhe dado o crédito devido ao chefe da nação. Foram feitos de bobos.

Jamais confiariam nele outra vez.

Jasper voltou para a redação do *This Day* ainda se perguntando quem teria sido o verdadeiro alvo da afirmação de Nixon sobre imunidade.

Teve a resposta dois dias depois. Ao pegar o telefone, ouviu uma voz de mulher dizer, com a voz trêmula, que era secretária do consultor jurídico da Casa Branca John Dean, e que estava ligando para os jornalistas importantes da capital para ler uma declaração de seu chefe.

Isso por si só já era bizarro. Se um consultor jurídico do presidente queria dizer alguma coisa à imprensa, deveria ter feito isso por intermédio de Ron Ziegler. Ficou claro que havia uma rixa entre os dois.

— "Algumas pessoas talvez estejam pensando que vou virar bode expiatório no caso Watergate ou torcendo por isso" — leu a secretária. — "Qualquer um que acreditar nisso não me conhece..."

Ah, pronto, pensou Jasper. O primeiro rato está abandonando o navio.

Maria estava assombrada com Nixon. Aquele homem não tinha a menor dignidade. À medida que mais pessoas iam percebendo como ele era falso, em vez de renunciar, ele continuou na Casa Branca, esbravejando, confundindo, ameaçando e mentindo sem parar.

No final de abril, John Ehrlichman e Bob Haldeman pediram demissão juntos. Ambos eram muitos próximos do presidente. Por causa dos sobrenomes germânicos, tinham sido apelidados de "Muro de Berlim" por aqueles que se sentiam excluídos. Juntos haviam organizado para o presidente atividades criminosas como invasões de propriedade privada e perjúrio; será que alguém podia acreditar que tinham feito isso contra a vontade e sem o conhecimento de Nixon? Essa possibilidade era risível.

No dia seguinte, o Senado aprovou por unanimidade a nomeação de um promotor especial, independente do comprometido Departamento de Justiça, para investigar se o presidente deveria ser acusado de algum crime.

Dez dias mais tarde, o índice de aprovação de Nixon caiu para 44%, a primeira vez abaixo de 50%.

O promotor especial trabalhou depressa. Sua primeira providência foi contratar um time de advogados. Maria conhecia uma delas, ex-funcionária do Departamento de Justiça, chamada Antonia Capel, que morava em Georgetown, não muito longe do seu apartamento. Certa noite, foi bater à sua porta.

Antonia veio abrir e fez uma cara espantada.

– Não diga o meu nome – falou Maria.

A outra mulher pareceu intrigada, mas tinha o raciocínio rápido.

– Certo.

– Podemos conversar?

– Claro... entre.

– Quer me encontrar no café do outro lado do quarteirão?

Antonia pareceu intrigada, mas respondeu:

– Claro. Vou pedir ao meu marido para dar banho nas crianças... Daqui a quinze minutos, pode ser?

– Perfeito.

Chegando ao café, Antonia perguntou:

– Meu apartamento está grampeado?

– Não sei, mas talvez esteja, agora que você está trabalhando para o promotor especial.

– Caramba.

– O negócio é o seguinte: eu não trabalho para Dick Nixon. Minha lealdade é para com o Departamento de Justiça e o povo americano.

– Ok...

– Não tenho nada de especial para lhe contar agora, mas quero que saiba que, se eu puder ajudar o promotor especial de alguma forma, farei isso.

Antonia era inteligente o bastante para entender que Maria estava se oferecendo como espiã dentro da Justiça.

– Isso poderia ser muito importante – falou. – Mas como vamos manter contato sem entregar o jogo?

– Me ligue sempre de telefones públicos. Não diga seu nome. Fale qualquer coisa sobre uma xícara de café. Virei encontrá-la aqui no mesmo dia. Este horário é bom?

– É perfeito.

– Como estão as coisas?

– Estão só no começo ainda. Estamos procurando advogados para entrar no time.

– Em relação a isso, tenho um nome para indicar: George Jakes.

– Acho que já o conheci. Refresque a minha memória.

– Ele trabalhou durante sete anos para Bobby Kennedy, primeiro na Justiça, quando Bobby era secretário, depois no Senado. Quando Bobby foi assassinado, George foi trabalhar no escritório de advocacia Fawcett Renshaw.

– Parece o candidato ideal. Vou ligar para ele.

Maria se levantou.

– Vamos sair separadas. Isso reduz as chances de alguém nos ver juntas.

– Não é terrível ter que agir de maneira tão furtiva quando estamos fazendo a coisa certa?

– É, sim.

– Obrigada por me procurar, Maria. Estou muito agradecida mesmo.

– Até logo – falou Maria. – Não diga o meu nome ao seu chefe.

Cameron Dewar tinha um televisor em sua sala. Durante as transmissões das audiências do Comitê Ervin no Senado, o aparelho ficava ligado direto, assim como quase todas as outras TVs no centro de Washington.

Na tarde de segunda-feira, 17 de julho, Cam preparava um relatório para seu novo chefe, Al Haig, que havia assumido o lugar de Bob Haldeman como chefe de Gabinete da Casa Branca. Não estava prestando muita atenção no depoimento de Alexander Butterfield, funcionário de nível médio da Casa Branca responsável por organizar a agenda diária do presidente durante o primeiro mandato de Nixon, que depois saíra para administrar a Agência Federal de Aviação.

Um advogado do comitê chamado Fred Thompson estava interrogando Butterfield.

– O senhor tinha ciência da instalação de algum aparelho de escuta no Salão Oval do presidente?

Cam ergueu os olhos. Aquilo era inesperado. Aparelhos de escuta no Salão Oval? Não podia ser.

Butterfield passou um longo tempo calado. A sala onde o comitê estava reunido ficou em silêncio. Cam sussurrou:

– Ai, meu Deus...

Por fim, Butterfield respondeu:

– Sim, senhor, eu tinha ciência de aparelhos de escuta.

Cam se levantou.

– Puta que pariu, não! – exclamou.

Na TV, Thompson perguntou:

– Quando esses aparelhos foram instalados no Salão Oval?

Butterfield hesitou, deu um suspiro, engoliu em seco e disse:

– Por volta do verão de 1970.

– Pelo amor de Deus! – gritou Cam para a sala vazia. – Como isso foi acontecer? Como o presidente pôde ser tão burro?

Thompson continuou:

– Explique-nos um pouco como esses aparelhos funcionavam... como eram ativados, por exemplo.

– Cale a boca! Cale a porra dessa boca! – berrou Cam.

Butterfield começou uma longa explicação do sistema e acabou revelando que este era acionado por voz.

Cam tornou a se sentar. Aquilo era uma catástrofe. Nixon tinha gravado secretamente tudo o que acontecia no Salão Oval. Tinha falado sobre invasões, subornos e chantagem, sabendo o tempo inteiro que suas palavras incriminadoras estavam sendo registradas.

– Burro! Burro! Burro! – disse Cam em voz alta.

Podia adivinhar o que iria acontecer agora: tanto o Comitê Ervin quanto o promotor especial exigiriam ouvir as fitas. Quase com certeza conseguiriam forçar o presidente a entregá-las: elas eram a principal prova de várias investigações criminais. E aí o mundo inteiro saberia a verdade.

Nixon talvez conseguisse esconder as fitas, ou talvez destruí-las, mas seria quase tão ruim quanto entregá-las, pois se fosse inocente as fitas o absolveriam e, nesse caso, por que escondê-las? Destruí-las seria visto como uma confissão de culpa, além de se somar a uma longa lista de crimes pelos quais ele podia ser processado.

Era o fim do mandato de Nixon.

Ele provavelmente iria se agarrar ao poder. A essa altura, Cam já o conhecia bem. Nixon não sabia nem nunca soubera perceber quando estava derrotado. Antigamente, isso fora uma força. Agora poderia levá-lo a sofrer semanas, talvez meses de credibilidade em queda livre e humilhação cada vez maior antes de enfim desistir.

Cam não iria fazer parte disso.

Pegou o telefone e ligou para Tim Tedder. Os dois se encontraram uma hora mais tarde no Electric Diner, uma lanchonete à moda antiga.

– Não tem medo de ser visto comigo? – perguntou Tedder.

– Agora não faz mais diferença. Vou sair da Casa Branca.

– Por quê?

– Você não tem visto TV?

– Hoje não.

– Tem um sistema de gravação ativado por voz no Salão Oval. Tudo o que foi dito naquela sala nos últimos três anos está gravado. É o fim. Nixon está acabado.

– Espere um pouco. Durante todo esse tempo em que organizou as outras coisas, ele estava grampeando *a si mesmo*?

– Isso.

– Estava se incriminando.

– Isso.

– Que idiota faz uma coisa dessas?

– Pensei que ele fosse inteligente. Acho que ele enganou todos nós. Com certeza me enganou.

– O que você vai fazer?

– Foi por isso que liguei. Vou começar de novo. Quero outro emprego.

– Você quer trabalhar para a minha empresa de segurança? Eu sou o único funcionário...

– Não, não. Escute. Eu tenho 27 anos, cinco de experiência na Casa Branca. E falo russo.

– Ou seja, você quer trabalhar...

– Para a CIA. Sou muito qualificado.
– É mesmo. Mas teria de passar pelo treinamento básico deles.
– Sem problemas. Faria parte do meu novo começo.
– Eu teria prazer em ligar para os meus amigos lá e recomendar você.
– Eu agradeceria muito. E tem mais uma coisa.
– O quê?
– Não quero insistir nisso, mas sei onde os cadáveres estão enterrados. A CIA violou algumas regras nesse caso todo de Watergate. Eu sei tudo sobre o envolvimento da agência.
– Eu sei.
– A última coisa que quero fazer é chantagear alguém. Você sabe onde está a minha lealdade. Mas talvez possa dar a entender aos seus amigos da CIA que eu naturalmente jamais entregaria o meu empregador.
– Entendido.
– Então, o que acha?
– Eu acho que você já está dentro.

George estava feliz e orgulhoso por integrar a equipe do promotor especial. Tinha a sensação de fazer parte do grupo que liderava a política do país, a mesma de quando trabalhava para Bobby Kennedy. Seu único problema era não saber como algum dia poderia voltar aos casos pífios dos quais vinha cuidando no Fawcett Renshaw.

Levou cinco meses, mas no fim das contas Nixon foi forçado a entregar ao promotor especial três fitas brutas do sistema de gravação do Salão Oval.

George Jakes estava na sala com o restante da equipe quando eles escutaram a fita de 23 de junho de 1972, menos de uma semana após a invasão do Watergate.

Ele ouviu a voz de Bob Haldeman: "O FBI não está sob controle porque Gray não sabe exatamente como controlá-lo."

A gravação estava cheia de ecos, mas o barítono refinado de Haldeman soou bem nítido.

Alguém perguntou: "Por que o presidente precisa controlar o FBI?" Uma pergunta retórica, pensou George. O único motivo plausível era impedir a polícia federal de investigar os crimes do próprio presidente.

Na fita, Haldeman prosseguiu: "A investigação deles agora está apontando para algumas áreas produtivas, porque eles conseguiram rastrear o dinheiro."

George recordou que os invasores do Watergate estavam portando muito dinheiro vivo em notas novas, com numeração seriada. Isso significava que mais cedo ou mais tarde o FBI conseguiria descobrir de onde vinha o dinheiro.

Todos sabiam que aquele dinheiro vinha do CREEP, mas Nixon continuava negando qualquer conhecimento a respeito. No entanto, ali estava ele, falando sobre o dinheiro seis dias depois da invasão!

A voz de baixo rascante do presidente interrompeu os outros. "As pessoas que doaram o dinheiro podem simplesmente dizer que foi para os cubanos."

George ouviu alguém na sala exclamar:

– Puta merda!

O promotor especial interrompeu a reprodução da fita.

– A menos que eu esteja enganado, o presidente está sugerindo que os seus doadores de campanha cometam perjúrio – falou George.

– Dá para imaginar uma coisa dessas? – indagou o promotor, atordoado.

Ele tornou a apertar o botão, e Haldeman seguiu falando: "Não queremos ter de confiar em gente demais. O melhor jeito de administrar essa história é mandar Walters ligar para Pat Gray e dizer apenas: 'Fiquem fora disso.'"

Aquilo era bem próximo da matéria publicada por Jasper Murray com base em uma informação vazada por Maria. O vice-diretor da CIA era o general Vernon Walters. A agência tinha um acordo de longa data com o FBI: se alguma investigação de um dos órgãos ameaçasse revelar as operações secretas do outro, essa investigação podia ser interrompida com uma simples solicitação. A ideia de Haldeman parecia ser fazer a CIA fingir que a investigação do FBI sobre a invasão do Watergate constituía alguma forma de ameaça à segurança nacional.

O que seria uma obstrução do curso da justiça.

Na gravação, Nixon disse: "Ok, ótimo."

O promotor tornou a parar a fita.

– Ouviram isso? – indagou George, incrédulo. – Nixon acabou de dizer: "Ok, ótimo."

O presidente continuou: "A investigação decerto iria expor toda a história da Baía dos Porcos, o que achamos que seria muito prejudicial para a CIA, para o país e para a política externa dos Estados Unidos." Ele parecia estar elaborando uma história que a CIA pudesse contar ao FBI, pensou George.

"Isso", concordou Haldeman. "Vamos proceder com base nisso."

O promotor falou:

– O presidente do país está sentado na sua sala mandando seus funcionários cometerem perjúrio!

Todos no recinto estavam estarrecidos. O presidente era um criminoso, e a prova estava bem ali na sua frente.

– Agora nós pegamos esse vigarista mentiroso – disse George.

Na fita, Nixon falou: "Não quero que eles pensem que estamos fazendo isso por motivações políticas."

"Certo", disse Haldeman.

Na sala, os advogados reunidos em volta do gravador começaram a rir.

⁓

Maria estava sentada à sua mesa no Departamento de Justiça quando George ligou.

– Acabei de ter notícias do nosso amigo – disse ele. Ela sabia que o amigo era Jasper. George estava falando em código para o caso de os telefones estarem grampeados. – A Assessoria de Imprensa da Casa Branca ligou para as emissoras nacionais e reservou um horário para o presidente na TV. Hoje, às nove da noite.

Era terça-feira, 8 de agosto de 1974.

O coração de Maria deu um pinote. Seria o fim tão esperado?

– Talvez ele renuncie – disse ela.

– Pode ser.

– Meu Deus, tomara.

– Ou isso, ou vai apenas protestar mais uma vez dizendo que é inocente.

Maria não queria estar sozinha quando aquilo acontecesse.

– Quer ir para a minha casa? Podemos assistir juntos.

– Está bem.

– Eu faço o jantar.

– Nada muito engordativo.

– George Jakes, você é um vaidoso.

– Faça uma salada.

– Chegue às sete e meia.

– Eu levo o vinho.

Maria saiu para fazer compras sob o calor de Washington no mês de agosto. Não dava mais tanta importância ao trabalho; tinha perdido a fé no Departamento de Justiça. Se Nixon renunciasse nesse dia, começaria a procurar outro emprego. Ainda queria trabalhar no governo; só o governo tinha poder para fazer do mundo um lugar melhor. Mas estava farta de crimes e das desculpas dos criminosos. Queria mudanças. Talvez pudesse tentar algo no Departamento de Estado, pensou.

Comprou uma salada, mas também um pouco de massa, queijo parmesão e azeitonas. George tinha um gosto refinado, e estava ficando mais exigente à medida que chegava à meia-idade. Mas ele estava longe de ser gordo. Maria tampouco era gorda, mas também não era magra. Com quase 40 anos, estava só começando a ficar, bem, mais parecida com a mãe, digamos, principalmente na região do quadril.

Saiu do trabalho alguns minutos antes das cinco. Uma multidão reunida em frente à Casa Branca entoava "Jail to the Chief", "prisão para o chefe", um trocadilho com o hino "Hail to the Chief", "saudações ao chefe".

Maria pegou o ônibus para Georgetown.

Com o aumento de seu salário ao longo dos anos, tinha mudado de apartamento várias vezes, sempre para um lugar maior no mesmo bairro. Na última mudança, livrara-se de todas as fotos de Jack Kennedy, menos uma. Seu apartamento atual tinha uma atmosfera confortável. Enquanto George sempre havia optado por móveis retilíneos e modernos e uma decoração minimalista, Maria gostava de tecidos estampados, linhas curvas e muitas almofadas.

Sua gata cinza, Loopy, veio cumprimentá-la e esfregou a cabeça contra sua perna. Julius, o gato macho, era mais arisco e apareceria depois.

Ela pôs a mesa, lavou a salada e ralou o parmesão. Então tomou uma ducha e pôs um vestido de verão de algodão na sua cor preferida, azul-turquesa. Pensou em passar batom, mas acabou desistindo.

O noticiário nobre da TV foi quase inteiramente ocupado por especulações. Nixon havia se reunido com o vice Gerald Ford, que talvez se tornasse presidente no dia seguinte. O secretário de Imprensa Ziegler anunciara aos jornalistas na Casa Branca que o presidente falaria à nação às nove, depois saíra da Sala de Imprensa sem responder às perguntas sobre o teor do pronunciamento.

George chegou às sete e meia de calça, mocassim e camisa de cambraia azul aberta no pescoço. Maria temperou a salada e pôs a massa em água fervente enquanto ele abria uma garrafa de Chianti.

A porta do quarto dela estava aberta, e George espiou lá dentro.

– Nada de santuário – comentou.

– Eu joguei fora a maior parte das fotos.

Os dois se sentaram para comer diante da pequena mesa de jantar.

A amizade já durava treze anos, e ambos já tinham visto o outro no fundo do poço. Ambos haviam perdido um grande amor: George perdera Verena Marquand para o movimento dos Panteras Negras, e Maria perdera Jack Kennedy para a morte. De formas diferentes, os dois haviam sido abandonados. Tinham tantas coisas em comum que se sentiam à vontade juntos.

– O coração é um mapa do mundo, sabia? – disse ela.

– Como assim? – retrucou ele. – Não entendi.

– Um dia eu vi um mapa da Idade Média. A Terra aparece como um disco plano, com Jerusalém no meio. Roma era maior do que a África, e a América, claro, nem aparece. O coração é um mapa assim. Nós estamos no centro, e todo o resto está fora de escala. Desenhamos bem grandes os amigos de infância, e depois é impossível ajustar sua escala quando outras pessoas mais importantes precisam ser acrescentadas. Qualquer um que tenha nos feito mal aparece maior do que deveria, e o mesmo vale para quem a gente amou.

– Ok, entendi, mas...

– Eu joguei fora minhas fotos de Jack Kennedy, mas ele vai continuar para sempre desenhado bem grande no mapa do meu coração. É só isso que eu queria dizer.

Depois de jantar, eles lavaram a louça e se sentaram em um sofá grande na frente da TV com o que restava do vinho. Os gatos pegaram no sono em cima do tapete.

Nixon entrou no ar às nove.

Por favor, pensou Maria, que o tormento acabe agora.

Sentado no Salão Oval, o presidente tinha atrás de si uma cortina azul, à direita a bandeira dos Estados Unidos e à esquerda a bandeira presidencial. Sua voz grave e rascante começou a ser ouvida na mesma hora: "Esta é a 37ª vez que falo com vocês desta sala, onde foram tomadas tantas decisões que moldaram a história deste país."

A câmera começou a dar um close. Nixon usava o conhecido terno azul com gravata. "Durante o longo e difícil período de Watergate, senti que era meu dever perseverar, fazer todos os esforços possíveis para concluir o mandato para o qual vocês me elegeram. Nos últimos dias, porém, ficou evidente para mim que não tenho mais uma base política suficientemente forte no Congresso para justificar a continuação desse esforço."

– É isso! Ele vai renunciar! – exclamou George, animado.

De tão empolgada, Maria apertou o braço com força.

As câmeras fecharam mais o close. "Nunca fui um homem que desiste facilmente", falou Nixon.

– Ai, cacete – disse George. – Será que ele vai voltar atrás?

"Mas, como presidente, preciso pôr os interesses do país em primeiro lugar."

– Não – falou Maria. – Ele não vai voltar atrás.

"Desta forma, renunciarei à presidência a partir de amanhã ao meio-dia. O vice-presidente Ford tomará posse nesta sala no mesmo horário."

– É! – George deu um soco no ar. – Ele está fora! Está fora!

A sensação de Maria era um misto de triunfo e alívio. Ela havia acordado de um pesadelo, no qual os principais cargos políticos do país eram ocupados por criminosos e ninguém podia fazer nada para detê-los.

Na vida real, porém, eles haviam sido desmascarados, denunciados e depostos. Ela foi tomada por uma sensação de segurança e percebeu que, durante dois anos, não sentira que o seu país era um lugar seguro para se viver.

Nixon não reconheceu nenhum de seus erros. Não falou que tinha cometido crimes, mentido e tentado jogar a culpa em outras pessoas. Ao virar as páginas de seu discurso, tudo o que ele mencionava eram as vitórias: China, limitação de armamentos, diplomacia no Oriente Médio. Encerrou o discurso em tom orgulhoso e desafiador.

– Pronto, acabou – disse Maria, sem acreditar.

– Nós vencemos – disse George, e passou o braço em volta dela.

Então, sem pensar, os dois começaram a se beijar.

Pareceu-lhes a coisa mais natural do mundo.

Não foi um súbito rompante de paixão. Beijaram-se de forma brincalhona, explorando os lábios e a língua um do outro. Os de George tinham gosto de vinho. Foi como descobrir um fascinante assunto de conversa que até então haviam ignorado. Maria se pegou sorrindo e beijando ao mesmo tempo.

Mas o enlace logo ficou mais arrebatado. O prazer de Maria se tornou tão intenso que ela começou a ofegar. Desabotoou a camisa azul de George para poder sentir o contato de seu peito. Quase havia esquecido como era segurar o corpo forte de um homem. Adorou o contato das mãos grandes de George nos recantos mais íntimos de seu corpo, muito diferentes de seus dedos pequenos e macios.

Pelo canto do olho, viu os dois gatos saírem da sala.

George a acariciou por um tempo surpreendentemente longo. Maria só tivera um amante na vida, e ele não havia demonstrado a mesma paciência; àquela altura, já estaria deitado em cima dela. Sentiu-se dilacerada entre o prazer proporcionado pelo que George fazia e a necessidade quase descontrolada de senti-lo dentro de si.

Então, por fim, aconteceu. Ela havia esquecido como era bom. Apertou o peito dele contra o seu e ergueu as pernas para que ele entrasse mais fundo. Repetiu seu nome várias vezes até ser engolfada por espasmos de prazer e dar um grito. Instantes depois, sentiu quando ele ejaculou dentro dela, o que fez seu corpo ser sacudido por uma derradeira convulsão.

Ficaram deitados juntos, grudados, ofegantes. Maria não conseguia parar de tocá-lo. Apertava suas costas com uma das mãos e com a outra sua cabeça, sentindo seu corpo inteiro, quase com medo de ele não ser real, de aquilo ser um sonho. Deu um beijo em sua orelha deformada. Sentiu sua respiração acelerada e quente junto ao pescoço.

Aos poucos, a respiração deles se normalizou. O mundo à sua volta tornou a ser real. A TV ainda ligada transmitia agora a repercussão da renúncia. Ela ouviu um comentarista dizer: "O dia de hoje realmente entrou para a História."

Maria deu um suspiro.

– Se entrou!

⌇

Na opinião de George, o ex-presidente deveria ser preso. Muitas pessoas também pensavam assim. Nixon havia cometido crimes mais do que suficientes para justificar sua prisão. Ali não era a Europa medieval, em que os reis estavam acima da lei: eram os Estados Unidos, onde a justiça era a mesma para todos. O Comitê Judiciário da Câmara decidira que Nixon deveria sofrer um *impeachment*, e o Congresso havia aprovado o relatório do Comitê por uma impressionante maioria de 412 votos a 3. O público defendia o *impeachment* por 66% contra 27%. John Ehrlichman já tinha sido condenado a vinte meses de prisão por seus crimes; seria injusto o homem que lhe dera as ordens escapar impune.

Um mês depois da renúncia, o presidente Ford perdoou Nixon.

Como praticamente todos os outros americanos, George se indignou. O secretário de Imprensa de Ford pediu demissão. O *The New York Times* disse que o perdão era "um ato profundamente insensato, controverso e injusto" que havia destruído de um só golpe a credibilidade do novo presidente. Todos imaginaram que Nixon tivesse feito um acordo com Ford antes de lhe passar o cargo.

– Não vou conseguir aguentar essa situação por muito mais tempo – comentou George com Maria na cozinha do apartamento dele enquanto misturava azeite e vinagre de vinho tinto para o molho da salada. – Ficar sentado atrás de uma mesa no Fawcett Renshaw enquanto o país desce ladeira abaixo.

– O que você vai fazer?

– Tenho pensado muito nisso. Quero voltar à política.

Ela se virou para ele, e George se espantou ao ver em seu rosto uma expressão de reprovação.

– Como assim? – perguntou ela.

– O deputado que representa o distrito eleitoral da minha mãe, o nono distrito de Maryland, vai se aposentar daqui a dois anos. Acho que consigo uma indicação para a vaga dele. Na verdade, tenho certeza.

– Então quer dizer que você já falou com o Partido Democrata de lá.

Ela obviamente estava zangada, mas George não fazia ideia do motivo.

– Só tive conversas preliminares.

– Antes de falar comigo.

George se espantou. Eles só estavam namorando havia um mês. Será mesmo que ele já tinha de falar com Maria antes de tomar qualquer decisão? Quase disse isso, mas engoliu as palavras e tentou uma abordagem mais suave:

– Talvez eu devesse ter falado primeiro com você, mas não me ocorreu fazer isso.

Ele despejou o molho na salada e começou a misturar.

– Você sabe que eu acabei de me candidatar a um ótimo emprego no Departamento de Estado.

– Claro.

– E acho que sabe que eu quero chegar lá em cima.

– E aposto que vai conseguir.

– Com você, não vou.

– Como assim?

– Os funcionários graduados do Departamento de Estado precisam ser apolíticos. Eles têm de servir com igual diligência membros democratas e republicanos do Congresso. Se souberem que eu namoro um deputado, nunca serei promovida. As pessoas sempre dirão: "Maria Summers não é realmente digna de confiança, ela vai para a cama com o deputado Jakes." Todos vão pensar que eu sou leal a você, não a eles.

George não tinha pensado nisso.

– Eu sinto muitíssimo. Mas o que posso fazer?

– Qual é a importância deste relacionamento para você? – perguntou ela.

George teve a impressão de que as palavras incisivas escondiam um pedido.

– Bom, está meio cedo para falar em casamento...

– Meio cedo? – repetiu ela, irritando-se. – Eu tenho 38 anos e você é só meu segundo namorado. Por acaso achou que eu estivesse querendo só um caso passageiro?

– Eu ia dizer – continuou ele, paciente – que, se a gente se casar, imagino que vamos ter filhos, e que você vá ficar em casa cuidando deles.

Ela ficou vermelha de raiva.

– Ah, é isso que você imagina? Não só está planejando me impedir de ser promovida no futuro, mas também espera que eu abra mão da minha carreira!

– Bom, é isso que as mulheres em geral fazem quando se casam.

– Uma ova! Acorde, George. Entendo que a sua mãe tenha se dedicado exclusivamente a cuidar de você desde os 16 anos, mas você nasceu em 1936, pelo amor de Deus! Estamos nos anos 1970. O feminismo chegou. O trabalho não é mais uma coisa que a mulher faz só para matar o tempo até algum homem aparecer e fazer o favor de transformá-la em sua escrava doméstica.

George estava embasbacado. Aquilo era totalmente inesperado. Ele tinha agido de modo normal e sensato, e ela estava cuspindo fogo.

– Caramba, não entendo por que você está tão nervosa. Eu não arruinei sua carreira nem transformei você em escrava doméstica... na verdade nem cheguei a pedi-la em casamento.

A voz dela ficou quase inaudível:

– Seu babaca... Seu babaca completo...

Ela saiu da cozinha.

– Não vá embora – disse George.

Ouviu a porta do apartamento bater.

– Ai, que droga.

Sentiu cheiro de fumaça. Os bifes estavam queimando. Desligou o fogo. A carne estava totalmente carbonizada, intragável. Ele a jogou no lixo.

– Ai, que droga – repetiu.

Parte Oito

QUINTAL
1976-1983

CAPÍTULO CINQUENTA E UM

Grigori Peshkov estava à beira da morte. O velho guerreiro tinha agora 87 anos e seu coração estava quase parando de funcionar.

Tanya conseguira mandar um recado para o irmão dele. Apesar dos 82 anos, Lev Peshkov anunciara que iria a Moscou de jatinho particular. Ela ficara pensando se Lev conseguiria autorização para entrar na URSS, mas ele dera um jeito. Tinha chegado na véspera e combinado de visitar o irmão nesse dia.

Grigori estava deitado na cama em seu apartamento, pálido e imóvel. Sensível à pressão, não conseguia suportar o peso das cobertas sobre os pés, de modo que sua filha Anya, mãe de Tanya, tinha posto duas caixas sobre a cama para escorá-las, e agora elas o aqueciam sem tocá-lo.

Embora seu avô estivesse enfraquecido, Tanya ainda sentia o poder da sua presença. Mesmo em repouso, ele mantinha o queixo esticado para a frente, em uma expressão belicosa. Quando abria os olhos, revelava o penetrante olhar azul que tantas vezes instilara medo no coração dos inimigos da classe trabalhadora.

Era domingo, e parentes e amigos foram visitá-lo; estavam se despedindo, embora naturalmente fingissem que não. O irmão gêmeo de Tanya, Dimka, e sua mulher, Natalya, levaram Katya, uma menina graciosa de 7 anos. A ex-mulher de Dimka, Nina, apareceu com Grisha, de 11 anos, que, apesar da pouca idade, começava a dar os primeiros sinais da mesma intensidade formidável do bisavô. Grigori sorriu para todos, afável.

– Lutei em duas revoluções e duas guerras mundiais – falou. – É um milagre que eu tenha durado tanto.

Ele pegou no sono, e a maioria dos parentes foi embora; somente Tanya e Dimka continuaram sentados à sua cabeceira. A carreira de Dimka tinha progredido: ele agora era alto funcionário do Comitê de Planejamento Estatal e candidato a membro do Politburo. Continuava sendo um colaborador próximo de Kosygin, mas as suas tentativas de reformar a economia soviética eram sempre barradas pelos conservadores do Kremlin. Sua mulher, Natalya, era diretora do Departamento de Análise do Ministério das Relações Exteriores.

Tanya começou a contar ao irmão sobre a última matéria especial que havia escrito para a TASS. Por sugestão de Vasili, agora funcionário do Ministério da Agricultura, havia pegado um avião até Stavropol, na fértil região meridional do país, onde as coletividades agrícolas estavam experimentando um novo sistema com base em resultados.

– As safras melhoraram – disse ela ao irmão. – A reforma é um grande sucesso.

– O Kremlin não vai gostar do sistema de bônus – falou Dimka. – Vão dizer que tem cheiro de revisionismo.

– O sistema está funcionando há anos. O primeiro-secretário regional de lá tem tanta energia que parece um fio desencapado. Um tal de Mikhail Gorbachev.

– Ele deve ter amigos bem posicionados.

– Ele conhece Andropov, que frequenta uma estação de águas da região.

O chefe da KGB sofria de cálculos renais, um mal muito doloroso. Se havia um homem que merecia uma dor daquelas, pensou Tanya, era Yuri Andropov.

Dimka ficou intrigado.

– Quer dizer que esse Gorbachev é reformador e amigo de Andropov? Isso faz dele um homem fora do normal. Preciso ficar de olho nesse cara.

– Eu o achei sensato, ao contrário do que se vê por aí.

– Com certeza precisamos de ideias novas. Lembra-se de Kruschev, que, em 1961, previu que em vinte anos a URSS iria superar os Estados Unidos tanto em produção quanto em poderio militar?

Tanya assentiu.

– Na época, ele foi considerado pessimista.

– Quinze anos já se passaram, e estamos mais atrás do que nunca. E Natalya me disse que os países da Europa Oriental também ficaram para trás em relação aos vizinhos. Eles só ficam calados em troca de enormes subsídios nossos.

Tanya concordou com a cabeça.

– Que bom que nós exportamos muito petróleo e outras matérias-primas para ajudar a pagar as contas.

– Mas isso não basta. Veja a Alemanha Oriental. Tivemos de subir uma porcaria de um muro para impedir que as pessoas fugissem para o capitalismo.

Grigori se remexeu. Tanya sentiu-se culpada. Estava questionando as crenças fundamentais do avô em seu leito de morte.

A porta se abriu e um desconhecido entrou no quarto. Era um velho magro e corcunda, mas vestido de maneira impecável, com um terno cinza-escuro que se moldava ao seu corpo como a roupa de um herói de cinema. A camisa branca brilhava, a gravata vermelha reluzia. Aquele tipo de roupa só podia vir do Ocidente. Tanya nunca tinha visto aquele homem, mesmo assim havia nele algo de familiar. Devia ser Lev.

Ele ignorou Tanya e Dimka e olhou para o homem deitado na cama.

Grigori lhe lançou um olhar de quem se lembrava vagamente, mas não estava conseguindo identificá-lo.

– Grigori – falou o recém-chegado. – Irmão. Como foi que nós envelhecemos tanto?

Ele falava um dialeto russo esquisito, antiquado, com o sotaque ríspido de um operário de fábrica de Leningrado.

– Lev. É você mesmo? Você era tão bonito!

Lev se abaixou e beijou o irmão nas duas bochechas, e eles então se abraçaram.

– Chegou bem na hora – falou Grigori. – Estou quase no fim.

Uma mulher de seus 80 anos entrou atrás de Lev. Usava as roupas de uma prostituta, pensou Tanya: vestido preto estiloso, salto alto, maquiagem, joias. Seria normal as mulheres se vestirem daquele jeito nos Estados Unidos?, perguntou-se.

– Vi alguns dos seus netos no quarto ao lado – comentou Lev. – Bela cambada.

Grigori sorriu.

– A alegria da minha vida. Mas e você?

– Tenho uma filha com Olga, a esposa de quem nunca gostei muito, e um filho com Marga, que preferi. Não fui grande coisa como pai para nenhum dos dois. Nunca tive o seu senso de responsabilidade.

– E netos?

– Tenho três – respondeu Lev. – Uma é estrela de cinema; outro, cantor de música pop; e o terceiro é negro.

– Negro? Como foi que isso aconteceu?

– Do mesmo jeito de sempre, seu idiota. Meu filho Greg, que, aliás, foi batizado em homenagem ao tio, trepou com uma moça negra.

– Ora, isso é mais do que o tio dele jamais fez – retrucou Grigori, e os dois riram. – Que vida eu tive, Lev... Invadi o Palácio de Inverno. Nós derrubamos os czares e criamos o primeiro país comunista. Defendi Moscou dos nazistas. Sou general, Volodya também. Me sinto tão culpado por você!

– Culpado? Por mim?

– Você foi para os Estados Unidos e perdeu tudo isso.

– Não tenho do que reclamar – falou Lev.

– Fiquei até com Katerina, embora ela preferisse você.

Lev sorriu.

– E tudo o que eu tenho são 100 milhões de dólares.

– É. Você ficou com a pior parte. Sinto muito, Lev.

– Tudo bem. Eu o perdoo.

Ele estava sendo irônico, mas Tanya percebeu que o avô não entendia isso.

Seu tio Volodya entrou no quarto. A caminho de alguma cerimônia do Exército, estava usando o uniforme de general. Com um súbito choque, Tanya se deu conta de que era a primeira vez que ele via o pai biológico. Lev encarou o filho que jamais conhecera.

– Meu Deus – comentou. – Grigori, ele é a sua cara.

– Mas é seu filho – retrucou Grigori.

Pai e filho apertaram-se as mãos.

Volodya não disse nada; parecia tomado por uma emoção tão intensa que não conseguia falar.

– Volodya, você não perdeu grande coisa por eu não ter sido seu pai – falou Lev.

Ainda segurando a mão do filho, olhou-o de cima a baixo: as botas engraxadas, o uniforme do Exército Vermelho, as medalhas de combate, os olhos azuis penetrantes, os cabelos grisalhos cinza-escuros.

– Mas eu, sim. Acho que perdi um bocado.

⁂

Ao sair do apartamento, Tanya se pegou pensando onde os bolcheviques teriam errado, em que ponto o idealismo e a energia de seu avô Grigori tinham se transformado em tirania. Foi até o ponto de ônibus; estava indo encontrar Vasili. No caminho, relembrando os primeiros anos da Revolução Russa, pensou se a decisão de Lênin de fechar todos os jornais exceto o bolchevique não teria sido o erro mais grave. Isso significava que, desde o princípio, as ideias alternativas não tinham tido circulação, e o pensamento convencional jamais pudera ser questionado. Em Stavropol, Gorbachev era excepcional por ter conseguido permissão para tentar algo diferente. Pessoas como ele em geral eram sufocadas. Como jornalista, Tanya desconfiava estar dando valor excessivo à liberdade de imprensa por puro egocentrismo, mas lhe parecia que a falta de jornais críticos facilitava, e muito, o surgimento de outras formas de opressão.

Fazia agora quatro anos que Vasili fora solto. Durante esse tempo, ele havia se reabilitado com astúcia. No Ministério da Agricultura, inventara uma série para o rádio ambientada em uma cooperativa agrícola. Além de dramas sobre esposas infiéis e crianças desobedientes, os personagens debatiam técnicas de cultivo. Naturalmente, os camponeses que ignoravam as recomendações de Moscou eram preguiçosos e sem ambição, e os adolescentes rebeldes que questionavam a autoridade do Partido Comunista eram os que levavam foras das namoradas ou fracassavam nas provas. A série era um sucesso retumbante. Vasili voltou à Rádio Moscou e ganhou um apartamento em um quarteirão onde moravam vários escritores aprovados pelo governo.

Seus encontros eram clandestinos, mas Tanya também esbarrava com ele de vez em quando em eventos do sindicato ou festas particulares. Ele não era mais o cadáver ambulante que voltara da Sibéria em 1972: havia engordado e recuperado um pouco da presença de antigamente. Aos 40 e poucos anos, nunca mais teria a beleza de um astro de cinema, mas as rugas de preocupação em seu rosto de certa forma o deixavam mais atraente. E ele ainda tinha charme para dar e vender. Toda vez que Tanya o via estava com uma mulher diferente. Não eram mais as adolescentes núbeis que o adoravam quando ele tinha 30 anos, embora talvez fossem essas mesmas meninas agora transformadas em mulheres de meia-idade: inteligentes, com roupas chiques e sapatos de salto alto, e que sempre pareciam conseguir esmalte de unha, tinta para cabelo e meias finas, por mais raros que fossem esses artigos.

Tanya e Vasili se encontravam em segredo uma vez por mês.

Ele sempre lhe trazia o último capítulo do livro em que estava trabalhando, escrito com a caligrafia miúda e bem-feita que havia desenvolvido na Sibéria para economizar papel. Ela datilografava o texto, corrigindo a ortografia e a pontuação quando necessário. No encontro seguinte, entregava-lhe o texto datilografado para que ele o revisasse, e os dois conversavam a respeito.

Milhões de pessoas mundo afora compravam os livros de Vasili, mas ele nunca se encontrou com nenhuma delas. Não podia sequer ler as críticas, escritas em idiomas estrangeiros e publicadas em jornais ocidentais. Portanto, Tanya era a única com quem podia conversar sobre o seu trabalho, e ele escutava com avidez tudo o que ela lhe dizia. Ela era sua editora.

Todo mês de março, Tanya ia a Leipzig cobrir a feira do livro, e sempre encontrava Anna Murray. Em 1973, havia lhe entregado o manuscrito de *A era da estagnação*. Sempre voltava com um presente de Anna para Vasili – uma máquina de escrever elétrica, um sobretudo de caxemira – e notícias sobre o dinheiro que não parava de crescer em sua conta bancária londrina, do qual ele provavelmente jamais conseguiria gastar um centavo sequer.

Cuidadosa, ela ainda tomava precauções quando ia encontrá-lo. Nesse dia, saltou do ônibus a um quilômetro e meio do ponto de encontro e se certificou de não estar sendo seguida enquanto andava até o café chamado Josef's. Vasili já estava lá, sentado a uma mesa com um copo de vodca na sua frente. Sobre a cadeira ao seu lado repousava um envelope pardo. Tanya lhe deu um aceno casual, como se fossem dois conhecidos se encontrando por acaso. Pegou uma cerveja no balcão e foi se sentar em frente a ele.

Ficou feliz por vê-lo com tão bom aspecto. Seu rosto tinha uma dignidade que não existia quinze anos antes. Ele ainda tinha os mesmos olhos castanhos suaves, mas estes hoje transmitiam tanto uma sagaz perspicácia quanto um brilho travesso. Ela se deu conta de que, com exceção dos próprios parentes, não havia ninguém que o conhecesse tão bem. Conhecia todos os seus pontos fortes: imaginação, inteligência, charme e a feroz determinação que lhe permitira sobreviver e continuar escrevendo durante uma década na Sibéria. Conhecia também seus pontos fracos, dos quais o principal era o irresistível impulso de seduzir.

– Obrigada pela dica sobre Stavropol – disse ela. – Escrevi uma bela matéria.

– Que bom. Vamos torcer para que a experiência toda não seja interrompida. Ela lhe entregou o capítulo datilografado e meneou a cabeça para o envelope.

– Mais um capítulo?

– O último. – Ele lhe entregou o texto.

– Anna Murray vai ficar feliz.

O novo romance de Vasili se chamava *Primeira-dama*. Nele, a esposa do presidente americano, Pat Nixon, se perdia em Moscou durante 24 horas. Tanya ficou maravilhada com o poder de imaginação de Vasili. Ver a vida na URSS através do olhar de uma americana conservadora bem-intencionada era uma forma extremamente cômica de criticar a sociedade soviética. Ela enfiou o envelope na bolsa a tiracolo.

– Quando vai conseguir entregar o livro inteiro para a editora? – perguntou Vasili.

– Assim que puder viajar para o exterior. Na pior das hipóteses, em março do ano que vem, em Leipzig.

– Março? – Vasili ficou decepcionado. – Ainda faltam seis meses – arrematou, em tom de reprovação.

– Vou tentar arrumar uma pauta para poder encontrá-la.

– Por favor.

Tanya se ofendeu.

– Vasili, eu arrisco a porcaria da minha vida para fazer isso por você. Arrume outra pessoa, se conseguir, ou então faça você mesmo. Caramba, eu não acharia nada ruim.

– Claro. – Ele se mostrou contrito na mesma hora. – Eu sinto muito. Investi tanta coisa nesse livro... três anos, sempre à noite, depois de chegar em casa do trabalho. Mas não tenho o direito de perder a paciência com você. – Ele estendeu a mão por cima da mesa e segurou a dela. – Você foi minha boia salva-vidas mais de uma vez.

Ela assentiu. Era verdade.

Mesmo assim, continuava chateada com ele ao se afastar do café com o último capítulo do romance dentro da bolsa. O que a incomodava tanto? Eram todas aquelas mulheres de salto alto, concluiu. Tinha a sensação de que Vasili deveria ter superado aquela fase. Ser promíscuo era coisa de adolescente. Ele se diminuía aparecendo em cada festa literária com uma acompanhante diferente. A essa altura, já deveria ter sossegado em um relacionamento sério com uma mulher do seu nível. Poderia até ser mais jovem, mas deveria ser capaz de acompanhar sua inteligência e apreciar seu trabalho, talvez até de ajudá-lo. Ele precisava de uma companheira, não de uma sequência de troféus.

Ela foi até a redação da TASS. Antes de chegar à sua mesa, foi abordada por Pyotr Opotkin, editor-chefe de matérias especiais e supervisor político do departamento. Como sempre, ele tinha um cigarro pendurado na boca.

– Recebi uma ligação do Ministério da Agricultura. Seu texto sobre Stavropol não vai poder sair.

– Como assim? Por que não? O sistema de bônus foi aprovado pelo ministério. E está funcionando.

– Errado. – Opotkin gostava de dizer aos outros que eles estavam errados. – Esse sistema foi eliminado. Eles agora estão usando uma abordagem nova, o Método Ipatovo. Mandam frotas de ceifadeiras percorrerem a região toda.

– O controle central tornou a substituir a responsabilidade individual.

– Exato. – Ele tirou o cigarro da boca. – Você vai ter que escrever outra matéria completamente diferente sobre o Método Ipatovo.

– O que o primeiro-secretário regional tem a dizer sobre isso?

– O jovem Gorbachev? É ele quem está implementando o novo sistema.

É claro, refletiu Tanya. Gorbachev era um homem inteligente. Sabia a hora de calar a boca e fazer o que lhe mandavam. Caso contrário, não teria se tornado primeiro-secretário.

– Tudo bem – falou, reprimindo a raiva. – Eu escrevo outro texto.

Opotkin assentiu e se afastou.

Era bom demais para ser verdade, pensou Tanya: uma ideia nova, bônus pagos em troca de bons resultados e, consequentemente, colheitas melhores sem que fosse preciso a interferência de Moscou. Era um milagre aquilo ter sido autorizado por alguns anos. A longo prazo, um sistema assim estava fora de cogitação.

É claro que estava.

CAPÍTULO CINQUENTA E DOIS

George Jakes estava usando um smoking novo. A roupa lhe caía bastante bem, pensou. Aos 42 anos, ele não exibia mais o físico de lutador do qual tanto se orgulhava quando jovem, mas ainda era esbelto e tinha boa postura, e o traje preto e branco de casamento valorizava isso.

Estava em pé na Igreja Evangélica Betel, frequentada havia décadas por sua mãe e situada no subúrbio de Washington que ele agora representava como deputado. Era um prédio baixo de tijolos, pequeno e simples, em geral decorado apenas com alguns citações bíblicas emolduradas: "O Senhor é meu pastor", "No início era o Verbo". Nesse dia, porém, a casa estava toda enfeitada para uma comemoração, com serpentinas, fitas e uma profusão de flores brancas. O coro cantava a plenos pulmões a canção "Soon Come" enquanto George esperava sua noiva chegar.

Na primeira fila, Jacky estava usando um terninho azul-escuro novo e um chapéu *pillbox* no mesmo tecido com um pequeno véu. "Ora, que bom", comentara ela quando George havia lhe anunciado que iria se casar. "Estou com 58 anos e sinto muito você ter esperado esse tempo todo, mas fico feliz que tenha finalmente chegado lá." A língua dela continuava afiada, mas nesse dia ela não conseguia tirar do rosto um sorriso de orgulho. Seu filho estava se casando na sua igreja, na frente de todos os seus amigos e vizinhos e, além de tudo, era deputado.

Ao seu lado estava o pai de George, o senador Greg Peshkov. De algum jeito, ele havia conseguido fazer até mesmo um smoking parecer um pijama amarrotado. Esquecera-se de colocar as abotoaduras da camisa, e sua gravata-borboleta parecia uma mariposa morta. Ninguém se importou.

Na primeira fila estavam também os avós russos de George, Lev e Marga, agora na casa dos 80 anos. Ambos exibiam um aspecto frágil, mas tinham vindo de Buffalo de avião para o casamento do neto.

Ao comparecer ao casamento e sentar na primeira fila, o pai e os avós brancos de George admitiam a verdade para o mundo, mas ninguém estava nem aí para isso. Em 1978, o que antigamente era uma desgraça secreta já quase não tinha importância.

O coro começou a cantar "You Are So Beautiful" e todos se viraram para a porta da igreja.

Verena entrou de braços dados com o pai, Percy Marquand. Assim como vários convidados, George soltou um arquejo ao vê-la. Ela estava usando um atrevido tomara que caia branco, justo até o meio da coxa e que depois se abria para formar uma cauda. A pele cor de caramelo de seus ombros nus era tão macia e lisa quanto o cetim do vestido. Estava tão linda que chegava a doer. George sentiu lágrimas arderem nos olhos.

A cerimônia passou como se fosse um borrão. Ele conseguiu dar as respostas certas, mas tudo em que conseguia pensar era que Verena agora era sua, para sempre.

O casamento foi descontraído, mas não houve nada de modesto no café da manhã oferecido em seguida pelo pai da noiva. Percy alugou a Pisces, uma boate de Georgetown onde havia na entrada uma cascata de sete metros cuja água se derramava em um gigantesco lago de peixes dourados no piso inferior e um aquário no meio da pista de dança.

A primeira dança de George e Verena foi ao som de "Stayin' Alive", dos Bee Gees. Ele não era nenhum pé de valsa, mas isso quase não teve importância: todos só tinham olhos para a noiva, que segurava a cauda do vestido com uma das mãos para poder dançar. George estava tão feliz que sua vontade era abraçar todo mundo.

A segunda pessoa a dançar com ela foi Ted Kennedy, que tinha vindo sem a esposa, Joan; boatos diziam que os dois haviam se separado. Jacky pegou como par o bonitão Percy Marquand, e Babe Lee, mãe de Verena, dançou com Greg.

Dave Williams, o primo pop star de George, compareceu com a esposa sexy, Beep, e o filho de 5 anos do casal, John Lee, batizado em homenagem ao cantor de blues John Lee Hooker. O menino dançou com a mãe e seus passos foram tão exatos que todos riram: ele devia ter assistido a *Os embalos de sábado à noite*.

Elizabeth Taylor dançou com seu mais recente marido, o milionário e aspirante a senador John Warner, exibindo no anular da mão direita o famoso diamante Krupp, de 33 quilates e lapidação quadrada. Ao ver isso tudo através das lentes da euforia, George percebeu, atordoado, que seu casamento havia se transformado em um dos maiores eventos sociais do ano.

Tinha convidado Maria Summers, mas ela se recusara. Depois que o seu curto namoro havia terminado em briga, eles tinham passado um ano sem se falar. George ficara magoado e não compreendera. Não sabia como deveria viver a vida; as regras tinham mudado. Ficara também ressentido: as mulheres queriam um novo acordo e esperavam que ele soubesse, sem lhe dizer nada, que acordo era esse, e que concordasse sem qualquer negociação.

Então Verena tinha reaparecido depois de sete anos. Abrira a própria firma de lobby em Washington, especializada em direitos civis e outras questões de igualdade. Seus primeiros clientes foram pequenos grupos de pressão sem dinheiro para contratar um lobista próprio em tempo integral. O boato de que ela já tinha integrado os Panteras Negras só parecia aumentar ainda mais sua credibilidade. Ela e George não demoraram muito a reatar o namoro.

Verena parecia ter mudado. Certa noite, falou:

– Os gestos dramáticos têm seu lugar na política, mas no fim das contas o que permite os avanços é um trabalho paciente: redação de leis, conversas com a mídia, conquista de votos.

Você amadureceu, pensou George, e conseguiu segurar a língua bem a tempo para não dizer isso.

A nova Verena queria se casar e ter filhos, e tinha certeza de que poderia ter isso tudo e também uma carreira. Gato escaldado, George não pôs a mão no fogo outra vez: se era assim que ela pensava, não cabia a ele contestar.

Tinha escrito uma carta cheia de dedos para Maria que começava assim: "Não quero que você fique sabendo por outra pessoa." Contara-lhe que ele e Verena estavam namorando de novo e falando em casamento. Maria havia respondido em tom caloroso e amigo, e o relacionamento dos dois recomeçara nos mesmos moldes de antes da renúncia de Nixon. Mas ela continuou solteira e não foi à festa.

George parou de dançar para descansar um pouco e foi se sentar com o pai e o avô. Lev contava piadas enquanto entornava champanhe alegremente. Um cardeal polonês fora eleito papa e Lev agora dispunha de um arsenal de piadas de mau gosto sobre o pontífice.

– Ele fez um milagre... transformou um cego em surdo!

– Eu acho essa eleição uma jogada política muito agressiva do Vaticano – observou Greg.

O comentário deixou George espantado, mas seu pai em geral não dizia nada sem motivo.

– Como assim? – indagou.

– O catolicismo é mais popular na Polônia do que em qualquer outro país da Europa Oriental, e os comunistas não têm força suficiente para reprimir a religião lá como fizeram em outros países. Na Polônia existe uma imprensa religiosa, uma universidade católica e várias instituições de caridade que conseguem abrigar dissidentes e denunciar abusos dos direitos humanos.

– Mas então o que o Vaticano quer? – perguntou George.

– Aprontar. Eu acho que eles veem a Polônia como o ponto fraco da União Soviética. Esse papa polonês vai fazer mais do que acenar para os turistas lá da sacada... você vai ver.

George estava prestes a perguntar o que o papa *iria* fazer quando o salão silenciou e ele percebeu que o presidente Carter havia chegado.

Todos aplaudiram, até os republicanos. O presidente beijou a noiva, apertou a mão de George e aceitou uma taça de champanhe rosé, mas tomou apenas um gole.

Enquanto Carter conversava com Percy e Babe, colaboradores de longa data do Partido Democrata, um dos assessores do presidente se aproximou de George. Depois de algumas gentilezas, perguntou:

– O senhor aceitaria participar do Comitê Especial Permanente de Inteligência da Câmara?

George ficou lisonjeado. Os comitês do Congresso eram importantes. Uma vaga em um deles era fonte de poder.

– Mas faz apenas dois anos que estou no Congresso – respondeu.

O assessor assentiu.

– O presidente quer promover a carreira dos deputados negros, e Tip O'Neill concorda.

O'Neill era o líder da maioria na Câmara e responsável por preencher as vagas nos comitês.

– Terei prazer em servir ao presidente de todas as formas que puder – disse George. – Mas na inteligência?

A CIA e outras agências de inteligência se reportavam ao presidente e ao Pentágono, mas eram autorizadas, financiadas e, em teoria, controladas pelo Congresso. Para ter mais segurança, o controle era repartido entre dois comitês, um na Câmara e outro no Senado.

– Sei o que está pensando – disse o assessor. – Os comitês de inteligência em geral são lotados de amigos conservadores das Forças Armadas. E o senhor é um liberal que criticou o Pentágono por causa do Vietnã e a CIA por causa de Watergate. Mas é justamente por isso que nós o queremos. Esses comitês hoje não supervisionam nada, só aplaudem. E agências de inteligência que pensam que podem cometer assassinatos impunemente farão isso. Portanto, precisamos de alguém lá dentro que faça perguntas duras.

– A comunidade de inteligência vai ficar horrorizada.

– Ótimo – retrucou o assessor. – Depois do jeito como esse pessoal se comportou durante a era Nixon, eles precisam de uma boa sacudida. – Ele olhou para a pista de dança. George acompanhou seu olhar e viu que o presidente estava indo embora. – Preciso ir. Quer um tempo para pensar? – perguntou.

– Não – respondeu George. – Eu aceito.

– Madrinha? Eu? – perguntou Maria Summers. – Está falando sério?

George Jakes sorriu.

– Sei que você não é muito religiosa. Na verdade nós também não somos: eu vou à igreja para agradar à minha mãe e Verena só foi uma vez nos últimos dez anos, no dia do nosso casamento. Mas a ideia de padrinhos nos agrada.

Os dois estavam almoçando no Salão dos Membros da Câmara dos Representantes, no térreo do prédio do Capitólio, sentados em frente ao célebre afresco *Cornwallis pede o fim das hostilidades*. Maria estava comendo um bolo de carne; George, uma salada.

– Para quando é o bebê? – perguntou ela.

– Daqui a um mês, mais ou menos... início de abril.

– E Verena, como está?

– Péssima. Letárgica e impaciente ao mesmo tempo. E cansada, sempre cansada.

– Logo, logo isso acaba.

George voltou à pergunta inicial:

– Você aceita ser a madrinha?

Ela tornou a se esquivar:

– Por que está me convidando?

Ele refletiu por alguns instantes.

– Porque confio em você, acho. Provavelmente confio mais em você do que em qualquer outra pessoa fora da minha família. Se Verena e eu morrêssemos em um acidente de avião e nossos pais estivessem velhos demais ou mortos, tenho certeza de que você daria um jeito de garantir que os meus filhos fossem bem cuidados.

Maria ficou claramente comovida.

– Que maravilha ouvir isso.

George pensou, mas não disse, que àquela altura já era improvável ela ter filhos; pelos seus cálculos, faria 44 naquele ano. Isso significava que tinha afeto materno de sobra para dar aos filhos dos amigos.

Maria já era praticamente parte da família; sua amizade durava mais de duas décadas. Ela ainda visitava Jacky várias vezes por ano. Greg gostava dela, Lev e Marga também. Era difícil não gostar.

George não fez nenhuma dessas considerações em voz alta. O que disse foi:

– Verena e eu ficaríamos muito felizes se você aceitasse.

– É isso mesmo que ela quer?

Ele sorriu.

883

– É. Ela sabe que você e eu namoramos, mas não é ciumenta. Na verdade, ela admira você pela carreira que construiu.

Maria olhou para os homens retratados no afresco, com seus casacos e botas do século XVIII, e disse:

– Bom, acho que vou fazer igual ao general Cornwallis e me render.

– Obrigado! Estou muito feliz. Eu pediria um champanhe, mas sei que você não bebe durante o expediente.

– Quem sabe quando o bebê nascer?

A garçonete recolheu seus pratos e eles pediram café.

– Como vão as coisas no Departamento de Estado? – perguntou George.

Maria agora era alta funcionária do departamento. Seu cargo, vice-secretária assistente, tinha mais poder do que o nome sugeria.

– Estamos tentando entender o que anda acontecendo na Polônia – respondeu ela. – Não está fácil. Achamos que há muitas críticas ao governo feitas de dentro do Partido Unido dos Trabalhadores, ou seja, o Partido Comunista. Os trabalhadores são pobres, a elite é excessivamente privilegiada e a "Propaganda do Sucesso" só faz chamar atenção para a realidade do fracasso. Na verdade, o PIB do ano passado caiu.

– Você sabe que eu faço parte do Comitê de Inteligência da Câmara.

– Claro.

– Estão recebendo informações decentes das agências?

– Até onde sabemos, sim, mas não em quantidade suficiente.

– Quer que eu pergunte sobre isso no comitê?

– Quero, por favor.

– Talvez precisemos de mais gente de inteligência em Varsóvia.

– Acho que precisamos, sim. A Polônia pode ser importante.

George assentiu.

– Foi o que Greg disse quando o Vaticano elegeu um papa polonês. E ele em geral tem razão.

⁓

Aos 40 anos, Tanya estava insatisfeita com a própria vida.

Perguntou-se o que desejava fazer com seus próximos quarenta anos, e constatou que não queria passá-los como assistente de Vasili Yenkov. Havia arriscado a própria liberdade para compartilhar com o mundo a sua genialidade, mas ele não fizera nada por ela. Estava na hora de se concentrar nas suas necessidades, decidiu. Só não sabia quais eram.

Seu descontentamento atingiu o ápice na festa de entrega do Prêmio Literário Lênin ao livro de memórias de Leonid Brejnev. A premiação era uma piada: os três volumes da autobiografia do líder soviético não estavam bem escritos, não diziam a verdade e nem sequer eram obra de Brejnev, mas sim de um ghost-writer. O sindicato dos escritores, porém, via o prêmio como um bom pretexto para um rega-bofe.

Ao se arrumar para a festa, Tanya fez um rabo de cavalo como o de Olivia Newton-John em *Grease: Nos tempos da brilhantina*, que tinha visto em uma fita de vídeo pirata. O novo penteado não a alegrou tanto quanto ela esperava.

Quando estava saindo do prédio, esbarrou com o irmão na portaria e lhe disse aonde estava indo.

– Vi que o seu protegido Gorbachev fez um discurso lisonjeiro em homenagem à genialidade literária do camarada Brejnev – comentou.

– Mikhail sabe quando puxar o saco – falou Dimka.

– Vocês fizeram bem em colocá-lo no Comitê Central.

– Já tínhamos o apoio de Andropov, que gosta dele. Tudo o que tive de fazer foi convencer Kosygin de que Gorbachev é um reformador de verdade.

Andropov, chefe da KGB, era cada vez mais o líder da facção conservadora do Kremlin, e Kosygin, o defensor das reformas.

– Que raro conseguir o apoio dos dois lados – comentou Tanya.

– Ele é um homem raro. Boa festa.

O evento iria acontecer na utilitária sede do sindicato dos escritores, mas eles haviam conseguido arrumar várias caixas de Bagrationi, o champanhe da Geórgia. Influenciada pela bebida, Tanya começou um bate-boca com Pyotr Opotkin, da TASS. Ele não era jornalista, e sim supervisor político, motivo pelo qual ninguém o apreciava, mas tinha de ser convidado para os eventos sociais porque era poderoso demais para ser ofendido. Depois de encurralar Tanya, falou, em tom de acusação:

– A visita do papa a Varsóvia foi uma catástrofe!

Nisso ele tinha razão. Ninguém havia imaginado como seria. João Paulo II tinha se revelado um talentoso propagandista. Ao desembarcar do avião no aeroporto militar de Okecie, ajoelhara-se no chão para beijar o solo polonês. No dia seguinte, a foto fora manchete nos jornais do Ocidente, e Tanya sabia, como o próprio papa devia saber, que a imagem acabaria sendo divulgada na Polônia por canais clandestinos. Secretamente, ela achava isso ótimo.

Daniil, seu chefe, estava ouvindo a conversa e interveio:

– O papa foi ovacionado por 2 milhões de pessoas ao passar de carro aberto por Varsóvia.

– Dois *milhões*? – repetiu Tanya, que não tinha lido esse número. – Será possível? Isso deve representar uns cinco por cento da população, um em cada vinte poloneses!

– De que adianta o Partido controlar a cobertura televisiva quando as pessoas podem ver o papa pessoalmente? – indagou Opotkin, irado.

Para homens assim, o controle era tudo.

E ele ainda não tinha terminado:

– Ele celebrou uma missa na Praça da Vitória diante de 250 mil pessoas!

Isso Tanya sabia. Era um número impressionante, mesmo para ela, pois revelava de forma clara quanto o comunismo havia fracassado em conquistar o coração do povo polonês. Trinta e cinco anos de vida sob o sistema soviético não tinham convertido ninguém, a não ser a elite privilegiada. Ela disse isso usando o jargão comunista apropriado:

– Na primeira oportunidade, a classe trabalhadora polonesa reafirmou sua antiga lealdade reacionária.

Cutucando o ombro de Tanya com um dedo acusador, Opotkin falou:

– Quem insistiu em deixar o papa ir à Polônia foram reformadores como você.

– Que bobagem – retrucou ela com desdém.

Liberais do Kremlin como Dimka insistiram em deixar o papa fazer a visita, mas perderam a briga, e Moscou ordenou a Varsóvia que banisse o pontífice, mas os comunistas poloneses desobedeceram. Em uma demonstração de independência incomum para um satélite da URSS, o líder polonês Edward Gierek havia desafiado Brejnev.

– Quem tomou essa decisão foi a liderança polonesa. Eles temiam um levante popular caso proibissem a visita papal.

– Nós sabemos como lidar com levantes – disse Opotkin.

Tanya sabia que estava apenas prejudicando a própria carreira ao contradizer Opotkin, mas tinha 40 anos e estava farta de ficar fazendo salamaleques para imbecis.

– As pressões políticas tornaram a decisão polonesa inevitável – falou. – A Polônia recebe enormes subsídios nossos, mas também precisa de empréstimos do Ocidente. O presidente Carter foi muito duro quando esteve em Varsóvia, deixando bem claro que qualquer ajuda financeira estava condicionada ao que eles chamam de direitos humanos. Se quiserem culpar alguém pelo triunfo do papa, essa pessoa é Jimmy Carter.

Opotkin devia saber que isso era verdade, mas não iria admitir.

– Eu sempre disse que era um erro deixar países comunistas pegarem dinheiro emprestado com bancos ocidentais.

Tanya deveria ter deixado a conversa morrer aí e poupado um vexame a Opotkin, mas não conseguiu se conter:

– Nesse caso vocês estão diante de um dilema, não é? A alternativa para o financiamento ocidental é liberalizar a agricultura da Polônia para que eles consigam produzir comida suficiente.

– Mais reformas! – exclamou ele, zangado. – É a única solução que vocês propõem!

– A população da Polônia sempre teve comida barata; é o que a mantém tranquila. Toda vez que o governo sobe os preços, as pessoas se revoltam.

– Nós sabemos como lidar com revoltas – disse Opotkin, e se afastou.

Daniil exibia um semblante pasmo.

– Muito bem – falou para Tanya. – Mas talvez ele faça você pagar por isso.

– Quero mais um pouco desse champanhe – pediu ela.

No bar, esbarrou com Vasili, desacompanhado. Percebeu que ultimamente ele vinha aparecendo em eventos como aquele sem uma lambisgoia pendurada no braço, e perguntou-se por quê. Mas nessa noite sua maior preocupação era ela mesma.

– Não vou aguentar isso por muito mais tempo – falou.

Vasili lhe entregou um copo.

– O quê?

– Você sabe.

– Acho que posso adivinhar.

– Estou com 40 anos. Preciso viver minha própria vida!

– O que você quer fazer?

– Não sei. É esse o problema.

– Eu estou com 48 e tenho sentido coisa parecida.

– O quê?

– Parei de correr atrás de meninas. Ou de mulheres.

Ela estava cínica essa noite.

– Parou de correr atrás ou parou de conseguir pegar?

– Percebo certo ceticismo na sua voz.

– Que poder de observação!

– Escute, andei pensando. Não tenho certeza se a gente precisa continuar a fingir que mal se conhece.

– Por que está dizendo isso?

Ele chegou mais perto e baixou a voz, obrigando-a a fazer força para escutá-lo com o barulho da festa:

– Todo mundo sabe que Anna Murray é editora de Ivan Kuznetsov, mas ninguém jamais a ligou a você.

– Não fez porque ela e eu tomamos o máximo de cuidado. Nunca deixamos ninguém nos ver juntas.

– Sendo assim, não há perigo de as pessoas saberem que somos amigos.

Ela não estava tão segura.

– Pode ser. E daí?

Vasili ensaiou um sorriso sedutor.

– Você um dia me disse que iria para a cama comigo se eu abrisse mão do resto do meu harém.

– Não acredito que eu tenha dito isso.

– Talvez tenha dado a entender.

– De toda forma, deve fazer uns 18 anos.

– É tarde demais para aceitar a oferta?

Tanya o encarou sem conseguir dizer nada.

Ele quebrou o silêncio:

– Na verdade, você é a única mulher que teve importância na minha vida. Todas as outras foram só conquistas. De algumas eu nem gostei. O simples fato de eu nunca ter ido para a cama com determinada mulher era motivo suficiente para seduzi-la.

– E isso deveria tornar você mais atraente para mim?

– Quando voltei da Sibéria, tentei retomar essa vida. Levei um tempão, mas finalmente me dei conta da verdade: isso não me faz feliz.

– Ah, é? – Tanya estava ficando cada vez mais brava.

Vasili nem percebeu.

– Você e eu somos amigos faz tempo. Somos almas gêmeas. Temos que ficar juntos. Quando formos para a cama, vai ser só uma evolução natural das coisas.

– Ah, entendi.

Ele nem reparou no sarcasmo dela.

– Você é solteira, eu também. Por quê? Porque deveríamos estar juntos. Deveríamos estar casados.

– Então, para resumir: você passou a vida inteira seduzindo mulheres para as quais na verdade não dava a mínima. Agora está chegando aos 50 e elas já não o atraem, ou quem sabe você não atraia a elas, então está fazendo o favor de me propor casamento.

– Talvez eu não tenha conseguido formular a questão muito bem. Me expresso melhor por escrito.

— Com certeza não conseguiu formular muito bem. Eu sou o último recurso de um Don Juan decadente!

— Ai, caramba... você está brava comigo, não é?

— Brava não chega nem aos pés do que estou sentindo.

— É o contrário do que eu pretendia.

Por cima do ombro dele, Tanya viu Daniil. Num rompante, afastou-se de Vasili e atravessou o recinto.

— Daniil, quero ir para o exterior de novo — falou. — Alguma chance de me conseguir um posto em outro país?

— Claro — respondeu ele. — Você é minha melhor redatora. Farei tudo o que puder, dentro dos limites do razoável, para mantê-la feliz.

— Obrigada.

— E coincidentemente andei pensando que precisamos reforçar nossa redação em um país estrangeiro específico.

— Qual?

— A Polônia.

— Você me mandaria para Varsóvia?

— É lá que tudo está acontecendo.

— Tudo bem — disse ela. — Que seja, então.

Cam Dewar estava de saco cheio de Jimmy Carter. Para ele, o governo do democrata era tímido, sobretudo no trato com a URSS. Ele era responsável pela seção de Moscou na sede da CIA em Langley, a 15 quilômetros da Casa Branca. O conselheiro de Segurança Nacional, Zbigniew Brzezinski, era um anticomunista feroz, mas Carter se mostrava cauteloso.

Era ano de eleição, porém, e Cam estava torcendo para que Ronald Reagan conseguisse ser eleito. Agressivo em matéria de política externa, o republicano prometia liberar as agências de inteligência das tímidas limitações éticas de Carter. Cam esperava que fosse mais parecido com Nixon.

No início de 1980, espantou-se ao ser convocado pela vice-responsável pela seção do bloco soviético, Florence Geary, uma mulher atraente alguns anos mais velha do que ele; Cam estava com 33, e ela devia ter uns 38. Ele conhecia a história dela. Contratada como estagiária, passara anos trabalhando como secretária, e só conseguira receber treinamento depois de armar um escarcéu. Agora era uma agente de inteligência altamente competente, mas ainda enfrentava a implicância de muitos homens por causa da confusão que havia causado.

Nesse dia, usava uma saia xadrez e um suéter verde. Parecia uma professora primária, pensou Cam; uma professora primária muito gostosa, com um incrível par de peitos.

– Sente-se – disse ela. – O Comitê de Inteligência da Câmara acha que as nossas informações sobre a Polônia estão ruins.

Cameron se acomodou. Para evitar encarar o busto dela, olhou pela janela.

– Então eles devem saber de quem é a culpa – respondeu.

– De quem?

– Do almirante Turner, diretor da CIA, e de quem o nomeou, o presidente Carter.

– E por quê, exatamente?

– Porque Turner não acredita em inteligência humana.

A expressão se referia às informações obtidas por espiões. Turner preferia a inteligência de sinais, ou seja, as informações obtidas graças ao monitoramento das comunicações.

– E *o senhor*, acredita em inteligência humana?

Ele reparou que a boca de Florence era bonita: lábios rosados, dentes certinhos. Forçou-se a se concentrar em responder à pergunta:

– As informações obtidas dessa forma são intrinsecamente pouco dignas de confiança, pois todos os traidores, por definição, mentem. Quando estão dizendo a verdade, precisam mentir para os próprios aliados. Mas isso não torna a inteligência humana inútil, sobretudo se ela for comparada a dados de outras fontes.

– Que bom que o senhor pensa assim. Precisamos melhorar nossa inteligência humana. O que acha de trabalhar no exterior?

Cameron se encheu de esperança.

– Estou pedindo um cargo no exterior desde que entrei na agência, há seis anos.

– Ótimo.

– Falo russo fluentemente. Adoraria ir para Moscou.

– Bom, a vida é engraçada. O senhor vai para Varsóvia.

– Está de brincadeira comigo?

– Eu não brinco nunca.

– Mas eu não falo polonês.

– Vai descobrir que o russo é bem útil. Os poloneses aprendem russo na escola há 35 anos. Mas o senhor deveria aprender também um pouco de polonês.

– Está bem.

– É só isso.

Cameron se levantou.

– Obrigado. – Ele caminhou até a porta. – Será que podemos conversar mais sobre isso, Florence? Quem sabe durante um jantar?

– Não – respondeu ela com firmeza. Então, só para o caso de ele não ter entendido o recado, arrematou: – Nem pensar.

Ele saiu e fechou a porta. Varsóvia! Pensando bem, estava satisfeito. Era um posto no exterior. Sentia-se otimista. Estava decepcionado por ela ter recusado seu convite para jantar, mas sabia o que fazer em relação a isso.

Pegou o casaco e foi até seu carro, um Mercury Capri prata. Entrou em Washington e enfrentou o tráfego até chegar ao bairro de Adams Morgan, onde estacionou a um quarteirão de uma casa de massagens chamada Silken Hands, "mãos de seda".

A recepcionista falou:

– Olá, Christopher. Como vai?

– Vou bem, obrigado. Suzy está livre?

– Deu sorte, está sim. Sala Três.

– Excelente.

Cam lhe entregou o dinheiro e avançou para dentro do imóvel.

Afastou uma cortina e entrou em um box no qual havia uma cama estreita. Ao lado da cama, sentada em uma cadeira de plástico, uma moça corpulenta de 20 e poucos anos lia uma revista. Estava de biquíni.

– Oi, Chris – cumprimentou ela, largando a revista e ficando de pé. – O de sempre? Quer que eu bata umazinha?

Cam nunca tinha relações completas com prostitutas.

– Sim, Suzy. Por favor.

Ele lhe entregou uma cédula e começou a tirar a roupa.

– Com muito prazer – falou ela, guardando o dinheiro. Depois de ajudá-lo a se despir, tornou a falar: – É só deitar e relaxar, meu bem.

Cam deitou na cama e fechou os olhos, enquanto Suzy começava seu trabalho. Imaginou Florence Geary em sua sala na CIA. Na sua imaginação, tirou o suéter verde por cima da cabeça dela e abriu o zíper de sua saia xadrez. "Ai, Cam, eu não consigo resistir a você", disse ela em sua mente. Só de calcinha e sutiã, deu a volta na mesa e o abraçou. "Pode fazer o que quiser comigo. Mas tem que ser com força."

No box da casa de massagens, em voz alta, Cam falou:

– Isso, meu bem, assim.

Tanya olhou-se no espelho. Estava segurando um pequeno estojo de sombra azul para os olhos e um pincel. Era mais fácil encontrar maquiagem em Varsóvia do que em Moscou. Ela não tinha muita experiência com sombra, e já percebera que algumas mulheres não aplicavam o produto direito. Sobre sua penteadeira estava uma revista aberta em uma foto de Bianca Jagger. Olhando várias vezes para a imagem, Tanya começou a pintar as próprias pálpebras.

O efeito ficou bem bonito, pensou.

Stanislaw Pawlak a observava fumando sentado em sua cama, de uniforme, com as botas sobre um jornal para não sujar a colcha. Era alto, bonito e inteligente, e Tanya era louca por ele.

Os dois tinham se conhecido pouco depois de ela chegar a Varsóvia, quando fora visitar a um quartel do Exército. Ele fazia parte de um grupo chamado Fundo de Ouro, composto por oficiais jovens e capazes selecionados para promoção rápida pelo ministro da Defesa, o general Jaruzelski. Recebiam com frequência novas missões para lhes proporcionar a gama de experiências necessária ao alto comando ao qual estavam destinados.

Havia reparado em Staz, o apelido do rapaz, em parte por causa de sua beleza, em parte por ele ter ficado obviamente interessado nela. Ele falava russo fluentemente. Depois de conversar sobre sua unidade, responsável por fazer a ponte com o Exército Vermelho, ele a acompanhara no restante da visita, muito sem graça.

No dia seguinte, aparecera na sua porta às seis da tarde depois de conseguir seu endereço com a SB, a polícia secreta polonesa. Levara-a para jantar em um restaurante novo muito famoso chamado O Pato. Ela logo percebeu que os dois tinham em comum a mesma atitude pessimista em relação ao comunismo. Uma semana depois, foi para a cama com ele.

Ainda pensava em Vasili, imaginando como andaria seu trabalho de escritor e se ele sentia falta de seus encontros mensais. Ainda nutria por ele uma raiva visceral, embora não soubesse exatamente por quê. Ele tinha sido grosseiro, mas os homens eram *mesmo* grosseiros, principalmente os mais bonitos. O que a deixava furiosa eram os anos anteriores ao seu pedido de casamento. De certa forma, sentia que o que tinha feito por ele durante todos aqueles anos fora desonrado. Será que ele achava que ela passara anos a fio só esperando que ele estivesse pronto para ser seu marido? Pensar nisso ainda a enfurecia.

Staz agora passava a noite no seu apartamento duas ou três vezes por semana.

Eles nunca iam ao dele, que, na sua definição, era quase tão ruim quanto uma caserna. Mas estavam se divertindo muito. E o tempo todo, no fundo, ela se perguntava se o seu anticomunismo poderia algum dia conduzir a alguma ação.

Virou-se para ele.

– O que acha dos meus olhos?

– Adoro os seus olhos. Eles me escravizaram. Seus olhos parecem...

– Estou falando da maquiagem, idiota.

– Você está maquiada?

– Os homens são mesmo cegos. Como vai defender seu país com esses poderes de observação tão sofríveis?

O semblante dele tornou a se fechar.

– Nós não nos preparamos para defender nosso país. O Exército polonês é totalmente subserviente à URSS. Todo o nosso planejamento gira em torno de proteger o Exército Vermelho em caso de invasão pela Europa Ocidental.

Staz muitas vezes falava assim, reclamando da dominação soviética das Forças Armadas polonesas. Era um sinal de quanto confiava nela. Além do mais, Tanya havia descoberto que os poloneses falavam de maneira corajosa sobre as falhas dos governos comunistas. Sentiam-se no direito de reclamar de uma forma que os outros subordinados da URSS nem cogitavam. A maioria da população do bloco soviético tratava o comunismo como uma religião, e questioná-lo era pecado. Os poloneses toleravam o comunismo contanto que este os beneficiasse, e protestavam assim que o regime deixava de corresponder às suas expectativas.

Mesmo assim, Tanya ligou o rádio sobre a mesinha de cabeceira. Não achava que seu apartamento estivesse grampeado: a SB já tinha trabalho de sobra espionando jornalistas ocidentais, e provavelmente deixava os soviéticos em paz. Mas a cautela era um hábito já arraigado nela.

– Nós somos todos traidores – concluiu Staz.

Tanya franziu o cenho. Era a primeira vez que ele se referia a si mesmo como traidor. Aquilo era sério.

– Como assim? O que quer dizer com isso? – perguntou.

– A União Soviética tem um plano de contingência para invadir a Europa Ocidental com uma força chamada Segundo Escalão Estratégico. A maioria dos tanques e dos veículos de transporte do Exército Vermelho a caminho da Alemanha Ocidental, França, Holanda e Bélgica terá de passar pela Polônia. Os Estados Unidos vão usar bombas nucleares para tentar destruir essas forças antes de elas chegarem ao Ocidente... ou seja, quando estiverem atravessando a Polônia. Pelos nossos cálculos, de quatrocentas a seiscentas armas nucleares vão explodir no nosso país. Não vai sobrar nada além de um deserto nuclear. A Polônia vai desaparecer do mapa. Se nós cooperarmos com esse plano, como podemos não ser traidores?

Tanya estremeceu. Aquela perspectiva era um pesadelo, mas tinha uma lógica aterradora.

– Os Estados Unidos não são os inimigos do povo polonês – disse Staz. – Se a URSS e os Estados Unidos entrarem em guerra na Europa, devemos ficar do lado dos americanos e nos libertar da tirania de Moscou.

Será que ele estava só desabafando, ou seria algo mais?

– É só você que pensa assim, Staz? – perguntou Tanya, cautelosa.

– Longe disso. A maioria dos oficiais da minha idade pensa o mesmo. Eles fingem defender o comunismo, mas, se você conversar com eles depois de terem bebido, verá que a história é outra.

– Nesse caso, vocês têm um problema. Quando a guerra começar, já vai ser tarde para conquistar a confiança dos americanos.

– É esse o nosso dilema.

– A solução é óbvia: vocês precisam abrir um canal de comunicação agora.

Ele lhe lançou um olhar frio. Passou-lhe pela cabeça que Staz talvez fosse um *agent provocateur*, cuja missão era lhe arrancar comentários subversivos para que ela pudesse ser presa. Mas não conseguia imaginar que um farsante pudesse ser tão bom de cama.

– Estamos só batendo papo ou esta conversa é séria? – perguntou ele.

Tanya respirou fundo.

– Eu não poderia estar falando mais sério.

– Acha mesmo que seria possível?

– Eu sei que seria – afirmou, enfática. Ela vinha praticando a subversão clandestina havia duas décadas. – É a coisa mais fácil do mundo... mas guardar segredo e se safar impunemente é mais difícil. Vocês teriam de tomar o maior cuidado possível.

– Mas você acha que eu *deveria* fazer isso?

– Acho! – respondeu ela, arrebatada. – Não quero ver mais uma geração de crianças soviéticas, nem polonesas, aliás, crescer nessa tirania sufocante.

Ele aquiesceu.

– Posso ver que está sendo mesmo sincera.

– Estou, sim.

– Vai me ajudar, então?

– É claro que vou.

Cameron Dewar não tinha certeza se daria um bom espião. As atividades clandestinas que havia realizado para o presidente Nixon haviam sido amadoras, e ele tinha sorte por não ter sido preso junto com o chefe, John Ehrlichman. Ao entrar para a CIA, recebera treinamento na arte de transmitir informações sem contato direto e por meio de encontros casuais, mas nunca chegara a usar esses truques. Após seis anos na sede da agência em Langley, finalmente fora mandado para uma capital estrangeira, mas ainda não tinha feito nenhum trabalho clandestino.

A embaixada americana em Varsóvia ocupava um orgulhoso prédio de mármore branco situado em uma rua chamada Aleje Ujazdowskie. A CIA ocupava um único escritório junto à sequência de salas do embaixador. Contíguo a ele ficava um depósito sem janelas usado como laboratório fotográfico. A equipe era formada por quatro espiões e uma secretária, uma operação pequena, pois dispunham de poucos informantes.

Cam não tinha grande coisa para fazer. Lia os jornais de Varsóvia com a ajuda de um dicionário. Passava informações sobre as pichações que via nas ruas: "Vida longa ao papa", "Queremos Deus". Conversava com homens como ele que trabalhavam para os serviços de inteligência de outros países da Organização do Tratado do Atlântico Norte, a Otan, sobretudo da Alemanha Ocidental, França e Grã-Bretanha. Dirigia um Polski da Fiat verde-limão cuja bateria, de tão pequena, precisava ser recarregada todas as noites, do contrário o carro não pegava de manhã. Tentou arrumar uma namorada entre as secretárias da embaixada, mas fracassou.

Sentia-se um perdedor. Sua vida antigamente era repleta de possibilidades: tinha sido um excelente aluno na escola e na universidade, e seu primeiro emprego fora na Casa Branca. Só que, depois disso, tudo dera errado. Estava determinado a não deixar que sua vida fosse prejudicada por Nixon, mas precisava de um sucesso. Queria voltar a ser o primeiro da classe.

Em vez disso, frequentava festas.

Os funcionários da embaixada casados e com filhos ficavam felizes em voltar para casa à noite e assistir a filmes americanos no vídeo, de modo que eram os solteiros que iam a todas as recepções menos importantes. Nessa noite, Cam estava a caminho da embaixada egípcia para uma reunião de boas-vindas a um novo vice-embaixador.

Quando deu a partida no Polski, o rádio sintonizado na frequência da SB ligou automaticamente. A recepção muitas vezes era ruim, mas de vez em quando ele conseguia ouvir a polícia secreta falando enquanto seguia pessoas pela cidade.

Às vezes, quem estava sendo seguido era ele. Os carros mudavam sempre, mas em geral os agentes eram os mesmos dois homens, um moreno de pele escura que ele chamava de Mario e um gordo ao qual se referia como Ollie. Como a vigilância não parecia ter nenhum padrão definido, ele partia do princípio de que era seguido praticamente o tempo todo, decerto o que eles queriam. Talvez fizessem uma vigilância aleatória de propósito, justamente para mantê-lo sempre alerta.

Mas ele também tinha sido treinado. Aprendera que nunca se devia evitar uma vigilância de maneira óbvia, pois isso era um sinal para a outra parte de que você estava tramando alguma coisa. Crie hábitos regulares, havia aprendido: vá ao restaurante A toda segunda-feira, ao bar B toda terça. Embale-os para criar uma falsa sensação de segurança. Mas procure brechas na sua atenção, momentos em que a vigilância relaxe. Será nesses momentos que você poderá fazer algo sem ser observado.

Enquanto se afastava da embaixada americana, reparou em um Skoda 105 azul misturado ao tráfego, dois veículos mais atrás.

O Skoda o seguiu pela cidade. Ele viu Mario ao volante e Ollie no carona.

Estacionou na rua Alzacka e viu o Skoda azul parar 100 metros à frente.

Mario e Ollie faziam parte da sua vida de tal modo que ele às vezes se sentia tentado a puxar conversa com eles, mas fora alertado a jamais fazer isso, pois nesse caso a SB trocaria os agentes e ele levaria algum tempo para reconhecer os novos.

Entrou na embaixada egípcia e pegou um coquetel de uma bandeja. Estava tão aguado que mal sentiu o gosto de gim. Conversou com um diplomata austríaco sobre como era difícil comprar em Varsóvia roupas íntimas masculinas que fossem confortáveis. Quando o austríaco se afastou, Cam olhou em volta e viu uma loura de 20 e poucos anos em pé sozinha. Ela cruzou olhares com ele e sorriu, de modo que ele foi puxar conversa.

Logo descobriu que ela era polonesa, chamava-se Lidka e trabalhava como secretária na embaixada do Canadá. Vestia um suéter rosa justo e uma saia preta curta que deixava à mostra as pernas compridas. Falava bem inglês, e escutava Cam com uma concentração intensa que o deixou lisonjeado.

Um homem de terno risca de giz então a chamou de maneira peremptória, levando Cam a pensar que devia ser seu chefe, e a conversa entre os dois foi interrompida. Quase na mesma hora, ele foi abordado por outra mulher atraente, e começou a pensar que aquele era seu dia de sorte. Dessa vez era uma mulher mais velha, em torno dos 40, porém mais bonita, com os cabelos louro-claros cortados curtos e olhos azuis realçados por uma sombra também azul. Dirigiu-se a ele em russo:

– Já nos encontramos antes. Seu nome é Cameron Dewar. Eu sou Tanya Dvorkin.

– Estou lembrado – respondeu ele, grato pela oportunidade de exibir sua fluência em russo. – A senhora é jornalista e trabalha para a TASS.

– E o senhor é um agente da CIA.

Ele certamente não teria lhe dito isso, portanto ela devia ter adivinhado. Em geral, Cam negava o fato.

– Nada tão glamouroso – falou. – Sou um simples adido cultural.

– Cultural? – repetiu ela. – Nesse caso vai poder me ajudar. Que tipo de pintor é Jan Matejko?

– Não sei bem. Acho que é impressionista. Por quê?

– O senhor não gosta muito de arte?

– Prefiro música – respondeu ele, sentindo-se encurralado.

– Então deve adorar Szpilman, o violinista polonês.

– Com certeza. Que técnica com o arco!

– E o que acha do poeta Wislawa Szymborska?

– Infelizmente não li muita coisa do que ele escreveu. Por acaso isso é um teste?

– É, sim, e o senhor não passou. Szymborska é uma mulher. Szpilman não toca violino, mas piano. Matejko foi um pintor convencional de cenas da corte e batalhas, não impressionista. E o senhor não é adido cultural coisíssima nenhuma.

Ter sido desmascarado com tanta facilidade deixou Cam consternado. Que péssimo agente secreto ele era! Tentou descartar aquilo com bom humor:

– Eu talvez seja só um adido cultural muito ruim.

Ela baixou a voz:

– Se um oficial do Exército polonês quisesse conversar com um representante dos Estados Unidos, suponho que o senhor poderia organizar o encontro.

De repente, a conversa tinha tomado um rumo sério. Cam ficou nervoso. Aquilo podia ser alguma armadilha.

Ou então podia ser uma abordagem genuína, e nesse caso talvez representasse uma grande oportunidade para ele.

Respondeu com cautela:

– Posso organizar a conversa de qualquer pessoa com o governo americano, claro.

– Uma conversa secreta?

Que diabo era aquilo?

– Sim.

– Ótimo – disse ela, e se afastou.

Cam pegou outra bebida. Que conversa tinha sido aquela? Seria para valer, ou ela estava brincando com ele?

A festa estava quase acabando. Ele se perguntou o que poderia fazer durante o restante da noite. Pensou em ir ao bar da embaixada australiana, onde às vezes jogava dardos com um pessoal simpático da terra dos cangurus. Então viu Lidka em pé ali perto, novamente sozinha. Ela era mesmo muito sexy.

– Tem planos para o jantar? – perguntou.

Ela fez cara de quem não tinha entendido.

– Receitas, você quer dizer?

Ele sorriu. Ela nunca tinha ouvido a expressão "planos para o jantar".

– Eu perguntei se você quer jantar comigo – explicou.

– Ah, quero, sim – respondeu ela na hora. – Podemos ir a O Pato.

– Claro. – O restaurante era caro, mas não para quem estivesse pagando em dólares. Ele conferiu o relógio. – Podemos ir?

Lidka correu os olhos pelo recinto. Não havia sinal do homem de terno risca de giz.

– Estou livre – falou.

Encaminharam-se para a saída. Quando estavam passando pela porta, a jornalista soviética, Tanya, tornou a aparecer e se dirigiu a Lidka em mau polonês:

– A senhora deixou cair isto aqui – falou, estendendo-lhe um lenço vermelho.

– Não é meu – respondeu Lidka.

– Eu vi cair da sua mão.

Alguém tocou o cotovelo de Cam. Ele deu as costas àquela conversa confusa e viu um homem alto de uns 40 anos vestido com o uniforme de coronel do Exército Popular Polonês. Em russo fluente, o homem disse:

– Quero falar com o senhor.

– Está bem – respondeu Cam na mesma língua.

– Vou encontrar um lugar seguro.

Cam não pôde fazer nada senão responder:

– Certo.

– Tanya vai avisar onde e quando.

– Ótimo.

O homem virou as costas.

Cameron tornou a se virar para Lidka.

– Eu me enganei, que bobagem a minha – falou Tanya antes de se afastar depressa.

Ela obviamente quisera distrair Lidka durante os poucos instantes em que o militar falava com Cam.

A moça ficou intrigada.

– Foi meio estranho isso que aconteceu – falou quando estavam saindo da embaixada.

Apesar de animado, Cam fingiu a mesma incompreensão:

– Esquisito mesmo.

– Quem era aquele oficial polonês que falou com você? – insistiu Lidka.

– Não faço ideia. Meu carro está por aqui.

– Ah! Você tem carro?

– Tenho.

– Que bom – disse Lidka, com ar satisfeito.

༄

Uma semana depois, Cam acordou na cama de Lidka.

O apartamento estava mais para quitinete: um quarto com cama, uma TV e uma pia de cozinha. Ela dividia com três outras pessoas o chuveiro e o banheiro no final do corredor.

Para Cam, era o paraíso.

Ele se sentou na cama. Ela estava em pé diante da bancada fazendo café, só que com grãos que ele trouxera; não tinha dinheiro para comprar café de verdade. Estava nua. Virou-se e andou até a cama com uma xícara na mão. Tinha os pelos pubianos castanhos e crespos, e seios pequeninos com mamilos escuros feito amoras.

No início, ele ficara constrangido com o fato de ela andar nua, pois isso o fazia querer encará-la, o que era falta de educação. Então confessou o que estava sentindo e ela disse:

– Pode olhar quanto quiser. Eu gosto.

Ele ainda sentia vergonha, mas não tanta quanto antes.

Fazia uma semana que encontrava Lidka todas as noites.

Tinha transado com ela sete vezes, mais do que em toda sua vida até então, sem contar as punhetas nas salas de massagem.

Um dia, ela perguntou se ele queria transar de novo de manhã.

– Você é ninfomaníaca, por acaso? – rebateu ele.

Lidka se ofendeu, mas eles fizeram as pazes.

Enquanto ela escovava os cabelos, ele ficou bebericando o café e pensando no dia que tinha pela frente. Ainda não tivera notícias de Tanya Dvorkin. Relatara as conversas com ela e com o oficial na embaixada egípcia para o chefe, Keith Dorset, e os dois haviam concordado que não podiam fazer nada além de esperar para ver.

Tinha outra preocupação mais importante. Conhecia a expressão "armadilha sexual". Só um idiota não pensaria se Lidka tinha outro motivo para dormir com ele. Precisava considerar a possibilidade de ela estar obedecendo a ordens da SB. Suspirou e disse:

– Quero falar com meu chefe sobre você.

– É mesmo? – Ela não soou alarmada. – Por quê?

– Em tese, diplomatas americanos só podem sair com cidadãos de países da Otan. Nós chamamos essa regra de "Otan que se foda". Eles não querem que a gente se apaixone por comunistas. – Ele não havia lhe contado que era espião, e não diplomata.

Ela se sentou ao seu lado na cama com uma cara triste.

– Você está terminando comigo?

– Não, não! – Essa possibilidade quase o fez entrar em pânico. – Mas preciso contar para os meus superiores, e eles vão checar o seu histórico.

Aí, sim, ela ficou preocupada.

– O que isso quer dizer?

– Vão investigar se você pode ser uma agente da polícia secreta polonesa ou algo assim.

Lidka deu de ombros.

– Ah, bom, então tudo bem. Eles logo vão descobrir que não sou nada disso.

Ela parecia relaxada em relação ao assunto.

– Desculpe, mas tenho que fazer isso – falou Cam. – Transas de uma noite só não têm importância, mas, se a relação avançar, precisamos informar... você sabe, se a coisa virar uma relação de amor de verdade.

– Tudo bem.

– É isso que a gente está tendo, não é? – indagou ele, aflito. – Uma relação de amor de verdade?

Lidka sorriu.

– Ah, sim. É isso mesmo.

CAPÍTULO CINQUENTA E TRÊS

A família Franck foi à Hungria de férias em dois Trabants. O país era um destino de verão popular entre os alemães-orientais com dinheiro suficiente para pagar a gasolina.

Até onde puderam constatar, ninguém os seguiu.

Haviam reservado as férias pelo Serviço do Turismo do governo. Apesar de a Hungria ser um país do bloco soviético, quase esperavam que fossem lhes recusar o visto, mas tinham tido uma surpresa agradável. Hans Hoffmann havia perdido uma oportunidade de persegui-los; talvez estivesse ocupado.

Precisaram de dois carros porque estavam levando Karolin, seu marido e sua filha. Werner e Carla adoravam a neta, Alice, agora com 16 anos. Lili amava Karolin, mas não o marido dela, Odo. Apesar de ele ser um homem bom e ter lhe conseguido seu atual emprego, como administradora do orfanato de uma igreja, havia algo forçado em seu afeto por Karolin e Alice, como se amá-las fosse uma boa ação. Na opinião de Lili, o amor de um homem devia ser uma paixão incontrolável, não um dever moral.

Karolin sentia a mesma coisa. Ela e Lili eram próximas o suficiente para compartilhar segredos, e ela confessara à amiga que o seu casamento tinha sido um erro. Não era infeliz com Odo, mas tampouco era apaixonada por ele. Apesar de bondoso e gentil, seu marido não era muito sensual: eles só faziam sexo cerca de uma vez por mês.

Portanto, as férias em família incluíam seis pessoas. Werner, Carla e Lili iam no carro cor de bronze; Karolin, Odo e Alice, no branco.

O trajeto era longo, principalmente em um Trabi com motor dois tempos de 600cc: quase mil quilômetros de travessia da Tchecoslováquia. No primeiro dia, eles foram até Praga, onde pernoitaram. Ao saírem do hotel na manhã do segundo dia, Werner falou:

– Tenho quase certeza de que ninguém está nos seguindo. Parece que conseguimos escapar.

Foram até o Lago Balaton, o maior da Europa Central, com 80 quilômetros de comprimento, situado tentadoramente perto da Áustria, um país livre. No entanto, a fronteira toda era protegida por quase 250 quilômetros de cerca elétrica, para impedir que as pessoas fugissem do paraíso dos trabalhadores.

Eles armaram duas barracas lado a lado em um camping na margem sul.

Tinham um objetivo secreto: estavam indo encontrar Rebecca.

A ideia fora dela. Depois de passar um ano cuidando de Walli, conseguira ajudá-lo a largar as drogas, e ele tinha agora o próprio apartamento em Hamburgo, próximo ao da irmã. Para cuidar dele, Rebecca abrira mão de uma chance de se candidatar ao Bundestag, mas, quando ele ficou bom, a proposta foi refeita. Ela fora eleita para o parlamento nacional, onde era especialista em política externa. Fora à Hungria em viagem oficial e vira que o país estava deliberadamente atraindo veranistas ocidentais: o turismo e o Riesling barato eram a única forma de o país ganhar dinheiro estrangeiro e reduzir o imenso déficit comercial. Os ocidentais ficavam em acampamentos de férias especiais, segregados, mas fora destes não havia nada que pudesse impedir a confraternização.

Portanto, não havia lei alguma contra o que os Franck estavam fazendo. Sua viagem tinha sido autorizada, e a de Rebecca também. Assim como eles, ela estava indo à Hungria para passar férias baratas. Eles se encontrariam como por acidente.

Nos países comunistas, porém, a lei era apenas um verniz. Os Franck sabiam que haveria problemas terríveis se a polícia secreta descobrisse o que estavam fazendo. Por esse motivo, Rebecca havia combinado tudo clandestinamente por intermédio de Enok Andersen, o contador dinamarquês que ainda cruzava com frequência a fronteira entre as partes ocidental e oriental de Berlim para encontrar Werner. Nada fora escrito e não houvera telefonemas. Seu maior temor era que Rebecca por algum motivo fosse presa, ou simplesmente raptada pela Stasi e levada para uma prisão na Alemanha Oriental. Seria um incidente diplomático, mas a Stasi era capaz de algo assim.

Bernd, marido de Rebecca, não iria. Seu estado de saúde havia piorado e ele estava com problemas nos rins. Só trabalhava em meio período e não podia fazer viagens longas.

Depois de fincar um pau da barraca, Werner se levantou e disse em voz baixa para Lili:

– Dê uma olhada em volta. Eles não nos seguiram até aqui, mas talvez tenham pensado que não precisassem, porque já tinham mandado alguém antes.

Lili foi caminhar pelos arredores como se estivesse passeando. Os veranistas que acampavam no Lago Balaton eram alegres e simpáticos. Uma moça jovem e bonita como ela foi muito cumprimentada, e ofereceram-lhe café, cerveja e petiscos. A maioria das barracas estava ocupada por famílias, mas havia alguns grupos de homens e uns poucos de mulheres jovens. Os solteiros sem dúvida iriam se encontrar nos próximos dias.

Lili era solteira. Gostava de sexo e tivera vários casos, inclusive um que sua família desconhecia, com uma mulher. Pensava ter os mesmos instintos maternos de qualquer outra, e amava de paixão a sobrinha Alice, mas a perspectiva de ser obrigada a criar os filhos na Alemanha Oriental a fazia não querer ser mãe.

Sua inscrição na universidade fora recusada por causa do posicionamento político de sua família, e ela havia feito uma formação de puericultura. Se fosse pelas autoridades, jamais teria sido promovida, mas Odo a ajudara a conseguir um emprego na igreja, onde as contratações não eram controladas pelo Partido Comunista.

Seu verdadeiro trabalho, porém, era a música. Junto com Karolin, ela cantava e tocava violão em pequenos bares e clubes de jovens, e muitas vezes em salões de igreja. Suas músicas protestavam contra a poluição industrial, a destruição de prédios e monumentos antigos, o abate das florestas naturais e a arquitetura feia. O governo as odiava, e as duas já tinham sido presas e advertidas por disseminar propaganda. No entanto, os comunistas não podiam ser realmente *a favor* do envenenamento de rios com resíduos de fábricas, de modo que era difícil tomarem atitudes drásticas contra os ambientalistas; na verdade, eles muitas vezes tentavam recrutá-los para a inócua e oficial Sociedade para a Proteção da Natureza e do Meio Ambiente.

Segundo o pai de Lili, os conservadores nos Estados Unidos acusavam os defensores do meio ambiente de prejudicarem os negócios. Era mais difícil para os do bloco soviético acusá-los de serem anticomunistas. Afinal de contas, o próprio conceito do comunismo era fazer a indústria trabalhar para o povo, e não para os patrões.

Certa noite, Lili e Karolin tinham entrado de fininho em um estúdio e gravado um disco. Não houvera lançamento oficial, mas fitas cassete em caixas sem nada escrito tinham sido vendidas aos milhares.

Lili percorreu o camping, ocupado quase exclusivamente por alemães-orientais; o dos ocidentais ficava a quase 2 quilômetros de distância. Quando estava voltando para junto da família, reparou em dois homens da sua idade bebendo cerveja em frente a uma barraca perto da sua. Um era louro, com os cabelos já meio recuados na testa, e o outro, moreno, ostentava um penteado à la Beatles de uns quinze anos antes. O louro cruzou olhares com ela e virou a cara depressa, o que despertou sua suspeita: em geral, rapazes não evitavam encará-la. Aqueles dois não lhe ofereceram bebida nenhuma nem a convidaram para se juntar a eles.

– Ah, não – murmurou ela.

Não era difícil detectar agentes da Stasi. Eles primavam pela brutalidade, não pela esperteza. Era uma carreira para pessoas que ansiavam por prestígio e poder mas tinham pouca inteligência e zero talento. Hans, primeiro marido de Rebecca, era um exemplo típico. Pouco mais do que um truculento maldoso, ele havia galgado com perseverança os degraus da corporação e agora parecia ser um de seus mais altos comandantes, só andava de limusine e morava em uma grande propriedade cercada por um muro alto.

Apesar da relutância em chamar atenção para si, Lili decidiu que precisava confirmar suas suspeitas, de modo que precisou ser ousada.

– Oi, rapazes! – exclamou, simpática.

Os dois grunhiram um cumprimento sucinto.

Ela não os deixaria escapar assim tão fácil.

– Estão aqui com suas esposas? – perguntou.

Eles não poderiam deixar de considerar isso um flerte.

O louro fez que não com a cabeça, e o outro respondeu apenas:

– Não.

Nenhum dos dois tinha inteligência suficiente para fingir.

– Sério?

Isso quase bastava como confirmação, pensou ela. O que dois solteiros estavam fazendo em um acampamento de férias senão procurando garotas? E eles estavam malvestidos demais para serem homossexuais.

– Me digam uma coisa – falou Lili, forçando um tom alegre. – Onde é que a gente se diverte por aqui? Tem algum lugar para dançar?

– Não sei.

Foi suficiente. Se esses dois estão de férias, eu sou casada com Brejnev, pensou ela. Afastou-se dali.

Aquilo era um problema. Como a família Franck poderia encontrar Rebecca sem que os agentes da Stasi descobrissem?

Ela voltou para junto da família. As duas barracas estavam agora armadas.

– Más notícias – falou para o pai. – Dois agentes da Stasi. Uma fileira mais para o sul e três barracas a leste da nossa.

– Era esse o meu medo – disse Werner.

༄

Eles haviam marcado de encontrar Rebecca dois dias depois em um restaurante. Antes de ir para lá, porém, tinham de se desvencilhar dos agentes. Lili estava preocupada, mas seus pais pareciam estranhamente calmos.

No primeiro dia, Werner e Carla saíram cedo no Trabi bronze dizendo que iriam fazer um reconhecimento do terreno. Os agentes os seguiram em um Skoda verde. Werner e Carla passaram o dia fora e voltaram com ar confiante.

Na manhã seguinte, Werner disse à filha que a levaria para fazer uma caminhada. Em frente à barraca, eles ajustaram as mochilas nas costas um do outro, calçaram botas e puseram chapéus de aba larga. Era óbvio para qualquer um que os visse que estavam se preparando para uma caminhada longa.

Ao mesmo tempo, Carla se preparou para sair com sacolas de compras, enumerando em voz alta enquanto fazia uma lista:

– Presunto, queijo, pão... mais alguma coisa?

Lili ficou aflita, achando que eles estavam sendo óbvios demais.

Sentados em frente à sua barraca, os dois agentes da polícia secreta os observavam fumando.

Eles partiram em direções opostas, Carla na direção do estacionamento, Lili e Werner na da praia. O agente dos cabelos à la Beatles foi atrás de Carla, enquanto o louro seguia pai e filha.

– Até agora tudo bem – disse Werner. – Conseguimos separá-los.

Quando chegaram ao lago, Werner dobrou na direção oeste e começou a margear a água; ficou claro que havia mapeado o caminho na véspera. O chão tinha alguns trechos acidentados. O agente louro da Stasi os seguiu a certa distância, não sem dificuldade: não estava vestido para caminhar. Às vezes eles paravam, fingindo que precisavam descansar, para ele poder alcançá-los.

Caminharam por duas horas até chegar a uma praia deserta e comprida. No meio desta, uma estradinha de terra saía das árvores e ia dar na linha que demarcava o ponto mais alto da maré.

O Trabant cor de bronze estava parado ali, com Carla ao volante.

Não havia mais ninguém à vista.

Werner e Lili entraram no carro e Carla foi embora, deixando o homem da Stasi sem ter para onde ir.

Lili resistiu à tentação de acenar.

– Você se livrou do outro cara? – perguntou Werner à mulher.

– Sim – respondeu Carla. – Criei uma distração em frente ao mercado tocando fogo em uma lixeira.

Werner sorriu.

– Fui eu que lhe ensinei esse truque muitos anos atrás.

– Foi mesmo. É claro que ele desceu do carro para ver o que estava acontecendo.

– E aí...

– Enquanto estava distraído, espetei um prego no pneu dele. Deixei-o lá bancando o borracheiro.

– Ótimo.

– Vocês dois fizeram isso durante a guerra, não foi? – perguntou Lili.

Houve um silêncio. Seus pais nunca falavam muito sobre a guerra. Depois de algum tempo, Carla disse:

– É, um pouco. Nada que mereça alarde.

Foi tudo o que disseram sobre aquilo.

Carla guiou o carro até um vilarejo e diminuiu a velocidade perto de uma casinha com um cartaz em inglês que dizia BAR. Um homem em pé na frente da casa lhes indicou um estacionamento em um descampado mais atrás, invisível da rua.

Eles entraram; o bar era agradável demais para ser um estabelecimento do governo. Lili viu a irmã na hora e se atirou em seus braços. Fazia dezoito anos que as duas não se encontravam. Tentou olhar para o rosto de Rebecca, mas as lágrimas não a deixavam. Em seguida, Carla e Werner abraçaram a filha.

Quando a visão de Lili finalmente clareou, ela viu que Rebecca agora tinha o aspecto de uma mulher de meia-idade, o que não chegava a ser uma surpresa: ela faria 50 anos no próximo aniversário. Estava mais gorda do que na sua lembrança.

Mas o mais impressionante era como ela estava elegante. Usava um vestido de verão azul estampado com bolinhas miúdas e um casaquinho no mesmo tecido. Em volta do pescoço tinha uma corrente de prata com uma pérola graúda, e no pulso um grosso bracelete de prata. Suas sandálias chiques tinham saltos de cortiça, e uma bolsa de couro azul-marinho pendia de seu ombro. Até onde Lili sabia, a política não era uma carreira particularmente bem remunerada. Seria possível *todo mundo* na Alemanha Ocidental andar tão bem-vestido assim?

Rebecca os fez atravessar o bar até uma salinha reservada nos fundos, onde uma mesa comprida já estava posta com travessas de frios, tigelas de salada e garrafas de vinho. Um homem magro e bonito de aspecto abatido estava em pé junto à mesa, usando uma camiseta branca e um jeans preto bem justo. Devia ter uns 40 e poucos anos, ou talvez fosse mais novo e tivesse padecido de alguma doença. Lili imaginou que devesse ser um funcionário do bar.

Mas Carla arquejou e Werner disse:

– Ai, meu Deus.

Lili viu que o homem magro a olhava com uma expressão cheia de expectativa. Foi então que reparou nos olhos amendoados e se deu conta de que era o irmão, Walli. Deixou escapar um gritinho de surpresa: como ele tinha envelhecido!

Carla abraçou o filho e disse:

– Meu menininho! Coitadinho do meu menino!

Lili abraçou e beijou Walli, e as lágrimas tornaram a correr.

– Como você está diferente – comentou ela. – O que aconteceu?

– Foi o rock 'n' roll – respondeu ele com uma risada. – Mas estou ficando bom. – Ele olhou para a irmã mais velha. – Rebecca sacrificou um ano de vida e uma grande oportunidade na carreira para me salvar.

– É claro – disse Rebecca. – Eu sou sua irmã.

Lili teve certeza de que Rebecca não havia hesitado. Para ela, a família vinha antes de qualquer coisa, e Lili achava que isso se devia ao fato de ter sido adotada.

Werner passou um tempão abraçando Walli.

– A gente não sabia – falou, com a voz embargada de emoção. – A gente não sabia que você vinha.

– Decidi guardar segredo – falou Rebecca.

– Não é perigoso? – perguntou Carla.

– Com certeza. Mas Walli quis correr o risco.

Nessa hora, Karolin entrou com o marido e a filha. Assim como os outros, levou alguns instantes para reconhecer Walli, e então soltou um grito de surpresa.

– Oi, Karolin – disse ele. Pegou a mão dela e a beijou nas duas faces. – Que bom rever você.

– Eu sou Odo, marido de Karolin. É um grande prazer enfim conhecê-lo.

Algo atravessou o semblante de Walli e desapareceu em uma fração de segundo, mas Lili entendeu que o irmão tinha visto e compreendido alguma coisa em relação a Odo que o deixara chocado, e que escondera o choque na mesma hora. Os dois se apertaram as mãos educadamente.

– E esta é Alice – apresentou Karolin.

– Alice? – repetiu Walli.

Atordoado, olhou para a menina alta de 16 anos cujos longos cabelos emolduravam seu rosto como cortinas.

– Eu escrevi uma música sobre você. Quando você era pequena.

– Eu sei – disse ela, e o beijou no rosto.

– Alice conhece a sua história – falou Odo. – Nós lhe contamos tudo assim que ela teve idade suficiente para entender.

Lili se perguntou se Walli conseguiria detectar o tom de retidão moral na voz de Odo. Ou será que ela estava sendo implicante?

– Eu amo você, mas quem a criou foi Odo – disse Walli para a filha. – Nunca vou me esquecer disso, e tenho certeza de que você também não.

Por alguns instantes, a emoção foi tão forte que ele não conseguiu falar. Então recuperou o controle e disse:

– Vamos todos nos sentar para comer. Hoje é um dia feliz.

Lili entendeu que tudo aquilo devia ter sido bancado por ele.

Sentaram-se em volta da mesa. Por alguns instantes, pareceram desconhecidos, pouco à vontade, tentando encontrar algum assunto de conversa. Então vários falaram ao mesmo tempo, fazendo perguntas a Walli. Eles riram.

– Um de cada vez! – disse Walli, e todos relaxaram.

Walli lhes contou que tinha uma cobertura em Hamburgo. Não era casado, mas estava namorando. A cada ano e meio, dois anos, ia à Califórnia, passava quatro meses morando na casa de Dave Williams e gravava um disco novo com o Plum Nellie.

– Eu sou viciado em heroína, mas estou limpo há sete anos; vai fazer oito em setembro. Sempre que faço um show com a banda, um segurança fica em frente à porta do meu camarim para ver se ninguém está entrando com drogas. – Ele deu de ombros. – Sei que parece um exagero, mas é assim.

Ele também tinha perguntas, especialmente para a filha. Enquanto a adolescente as respondia, Lili correu os olhos pela mesa. Aquela era a sua família: seus pais, sua irmã, seu irmão, sua sobrinha e sua amiga mais antiga e parceira musical. Que sorte a sua ter todos eles juntos no mesmo recinto, comendo, conversando e tomando vinho.

Ocorreu-lhe que algumas famílias faziam isso semanalmente e nem percebiam como era um privilégio.

Karolin estava sentada ao lado de Walli, e Lili ficou observando os dois juntos. Estavam se divertindo. Reparou que ainda conseguiam fazer o outro rir. Se as coisas fossem diferentes, se o Muro de Berlim caísse, será que o romance deles poderia renascer? Eles ainda eram jovens: Walli tinha 33 anos, Karolin, 35. Lili afastou esse pensamento: era uma especulação inútil, uma fantasia boba.

Walli tornou a contar a história de sua fuga para Alice. Quando chegou à parte em que passou a noite inteira em claro esperando Karolin, que não tinha aparecido, esta o interrompeu.

– Eu estava com medo – falou. – Por mim mesma e pelo bebê na minha barriga.

– Eu não a culpo – disse Walli. – Você não fez nada de errado. Nem eu. A única coisa errada foi o Muro.

Ele contou como tinha arrebentado a cancela do posto de controle.

– Nunca vou esquecer o homem que matei.

– Não foi culpa sua... ele estava atirando em você! – disse Carla.

– Eu sei – falou Walli, e Lili entendeu, pelo tom de voz do irmão, que ele finalmente estava em paz em relação àquilo. – Eu lamento muito, mas não sinto culpa. Eu não errei ao fugir, nem ele errou ao atirar em mim.

– Como você disse, a única coisa errada é o Muro – falou Lili.

CAPÍTULO CINQUENTA E QUATRO

Keith Dorset, chefe de Cam Dewar, era um homem gorducho e baixinho de cabelos castanho-claros. Como vários agentes da CIA, vestia-se mal. Nesse dia, estava usando paletó de tweed marrom, calça cinza de flanela, camisa branca com finas listras marrons e uma gravata verde feia. Quem o visse andar pela rua deixava-o passar sem prestar atenção, pois o cérebro o interpretava como alguém sem importância. Talvez fosse esse o efeito buscado, pensou Cameron. Ou talvez ele simplesmente tivesse mau gosto.

– Em relação à sua namorada, Lidka – falou Keith, sentado atrás de uma escrivaninha grande na embaixada americana.

Cam estava quase certo de que Lidka não tinha nenhum vínculo indesejável, mas estava ansioso para ver essa suposição confirmada.

– Seu pedido foi negado – falou Keith.

Cam ficou estarrecido.

– Como assim, que história é essa?

– Seu pedido foi negado. Qual dessas quatro palavras você está achando difícil entender?

Os agentes da CIA às vezes se comportavam como se estivessem no Exército e pudessem vociferar ordens para todos que estivessem abaixo deles na hierarquia. Mas Cam já tinha trabalhado na Casa Branca e não se deixava intimidar com tanta facilidade.

– Negado por que motivo? – indagou.

– Não preciso dar motivo nenhum.

Aos 34 anos, Cam havia arrumado sua primeira namorada de verdade. Após duas décadas de rejeição, estava transando com uma mulher que parecia não querer nada a não ser fazê-lo feliz. O pânico ante a perspectiva de perdê-la o tornou temerário.

– Você também não *precisa* ser um babaca.

– Não se atreva a falar assim comigo. Mais um comentário desses e vai embarcar em um avião de volta para casa.

Cam baixou a crista; não queria ser mandado de volta.

– Peço desculpas. Mas mesmo assim gostaria de saber os motivos para que o pedido tenha sido negado, se for possível.

– Você está tendo o que chamamos de "contato próximo e contínuo" com ela, não é?

– Claro. Eu mesmo avisei. Por que isso é um problema?
– Estatística. A maioria dos traidores que flagramos espionando os Estados Unidos acabam se revelando parentes ou amigos próximos de estrangeiros.
Cam já desconfiava de algo desse tipo.
– Não estou disposto a abrir mão dela por causa de uma estatística. Vocês têm alguma coisa específica contra ela?
– O que o faz achar que tem o direito de me contrainterrogar?
– Suponho que a resposta seja não.
– Já avisei para não bancar o engraçadinho.
Eles foram interrompidos por outro agente, Tony Savino, que apareceu com um pedaço de papel na mão.
– Estou aqui conferindo a lista de autorizações para a coletiva de imprensa de hoje de manhã – falou. – Tanya Dvorkin virá representando a TASS. – Ele olhou para Cam. – Ela é a mulher que falou com você na embaixada egípcia, não é?
– Exatamente – respondeu Cam.
– Qual é o tema da coletiva? – indagou Keith.
– A assinatura de um novo protocolo melhorado para os museus poloneses e americanos poderem emprestar obras de arte uns para os outros. – Tony ergueu os olhos do papel. – Não é o tipo de assunto com potencial para atrair uma das melhores redatoras da TASS, certo?
– Ela deve estar vindo falar comigo – disse Cam.

⁂

Tanya viu Cam Dewar assim que entrou na sala de imprensa da embaixada americana. Alto e magro, ele estava em pé nos fundos da sala que nem um poste. Se não estivesse ali, ela o teria procurado depois da coletiva, mas assim era melhor, pois atraía menos atenção.
No entanto, não quis parecer muito decidida ao abordá-lo, então resolveu escutar a coletiva primeiro. Sentou-se ao lado de uma jornalista polonesa de quem gostava: Danuta Gorski, morena espevitada dona de um largo sorriso cheio de dentes. Danuta fazia parte de um movimento semiclandestino chamado Comitê de Defesa, que produzia panfletos sobre as reclamações dos trabalhadores e violações de direitos humanos. Essas publicações ilegais se chamavam *bibula*. Danuta morava no mesmo prédio de Tanya.
Enquanto o assessor de imprensa americano lia o anúncio cujo texto já lhes havia distribuído, ela murmurou para Tanya:

– Talvez você queira ir a Gdansk.
– Por quê?
– Vai ter greve no Estaleiro Lênin.
– Tem greve em todo lugar. – Os trabalhadores estavam pedindo aumentos de salário para compensar uma grande alta nos preços dos alimentos imposta pelo governo. Tanya noticiava esses acontecimentos como "interrupções de trabalho", pois greves eram coisas que só aconteciam em países capitalistas.
– Essa talvez seja diferente, acredite em mim – falou Danuta.
O governo lidava rapidamente com cada greve, dando aumentos e fazendo outras concessões localmente, ansioso para sufocar os protestos antes de estes se espalharem feito manchas em um tecido. O pesadelo da elite governante e o sonho dos dissidentes era que as manchas se unissem até o tecido inteiro mudar de cor.
– Diferente em que sentido?
– Eles demitiram uma operadora de grua que faz parte do nosso comitê, mas escolheram a pessoa errada para vitimizar. Anna Walentynowicz é mulher, viúva e tem 51 anos.
– Ou seja, atrai muita simpatia dos homens poloneses cheios de cavalheirismo.
– E além disso é uma pessoa popular. Todos a chamam de Pani Ania, Sra. Aninha.
– Talvez eu vá lá dar uma olhada. – Dimka queria informações sobre qualquer protesto que tivesse potencial para se tornar sério, caso precisasse desencorajar uma repressão por parte do Kremlin.
Quando os presentes à coletiva estavam se dispersando, Tanya cruzou com Cam Dewar e lhe disse baixinho, em russo:
– Vá à Catedral de São João às duas da tarde na sexta e fique olhando para o Crucifixo Baryczkowski.
– Lá não é um bom lugar – sibilou o rapaz.
– É pegar ou largar – disse Tanya.
– A senhora precisa me dizer do que se trata – retrucou ele, firme.
Tanya entendeu que precisava correr o risco de passar mais um minuto conversando com ele.
– Um canal de comunicação para o caso de a URSS invadir a Europa Ocidental – falou. – A possibilidade de criar um grupo de oficiais que possa mudar de lado.
O queixo do americano caiu.
– Ah... ahn... – gaguejou ele. – Sim, está bem.

Ela lhe sorriu.

– Satisfeito?

– Qual é o nome dele?

Tanya hesitou.

– Ele sabe o meu – insistiu Cam.

Tanya decidiu que precisava confiar naquele homem. Já tinha posto a própria vida em suas mãos.

– Stanislaw Pawlak – respondeu. – Conhecido como Staz.

– Diga a Staz que, por motivos de segurança, ele nunca deve conversar com mais ninguém na embaixada a não ser comigo.

– Ok. – Tanya saiu rapidamente do prédio.

Deu o recado a Staz na mesma noite. No dia seguinte, despediu-se dele com um beijo e percorreu mais de 300 quilômetros rumo ao norte até chegar ao Mar Báltico. Tinha um velho mas confiável Mercedes-Benz 280S com faróis duplos alinhados na vertical. No final da tarde, fez o check-in em um hotel na cidade antiga de Gdansk, bem em frente aos armazéns e cais secos do estaleiro do outro lado do rio, na Ilha Ostrow.

No dia seguinte, faria exatamente uma semana que Anna Walentynowicz tinha sido mandada embora.

Tanya acordou cedo, vestiu um macacão de lona, atravessou a ponte até a ilha, chegou ao portão do estaleiro antes de o sol nascer e entrou junto com um grupo de jovens operários.

Foi seu dia de sorte.

O estaleiro estava todo coberto por cartazes recém-colados exigindo que Pani Ania recuperasse o emprego. Pequenos grupos se reuniam em volta dos cartazes. Algumas pessoas distribuíam panfletos, e Tanya pegou um e conseguiu decifrar o texto em polonês.

Anna Walentynowicz se tornou um constrangimento porque o seu exemplo serviu de motivação para outros. Tornou-se um constrangimento por ter tentado defender e conseguido organizar os colegas. As autoridades sempre tentam isolar quem tem qualidades de liderança. Se não lutarmos contra isso, não teremos ninguém para nos defender quando eles aumentarem a carga de trabalho, quando regulamentos de saúde e segurança forem violados ou quando formos forçados a fazer horas extras.

Tanya ficou impressionada. O texto não falava sobre aumento de salários ou diminuição de carga horária: falava sobre o direito de os trabalhadores poloneses se organizarem sozinhos, independentemente da hierarquia comunista. Teve a sensação de que aquilo era um avanço significativo e sentiu um leve brilho de esperança brotar no ventre.

Caminhou pelas docas enquanto a luz do dia ia ficando mais forte. O tamanho do estaleiro era impressionante: milhares de trabalhadores, quilotoneladas de aço, milhões de rebites. As laterais altíssimas dos navios em construção se erguiam bem alto acima da sua cabeça, com o enorme peso sustentado perigosamente por frágeis andaimes. Imensas gruas curvavam as cabeças acima de cada navio, como magos adorando uma gigantesca manjedoura.

Onde quer que ela fosse, operários estavam largando as ferramentas para ler o panfleto e conversar sobre o caso.

Alguns homens deram início a uma passeata, e Tanya foi atrás deles. Deram a volta no estaleiro em procissão carregando cartazes improvisados, distribuindo panfletos, chamando os outros para irem junto e ficando cada vez mais numerosos. Depois de algum tempo, acabaram chegando ao portão principal, onde começaram a informar aos trabalhadores que chegavam que estavam em greve.

Fecharam o portão do estaleiro, dispararam a sirene e içaram a bandeira nacional polonesa no prédio mais próximo.

Então formaram um comitê de greve.

Enquanto isso estava acontecendo, foram interrompidos. Um homem de terno escalou uma escavadeira e começou a gritar para a multidão. Tanya não entendeu tudo, mas ele parecia estar criticando a formação do comitê de greve, e os trabalhadores o escutavam. Tanya perguntou ao operário mais próximo quem era aquele homem.

– Klemens Gniech, diretor do estaleiro. Não é mau sujeito.

Gniech propunha negociar contanto que os trabalhadores voltassem ao trabalho primeiro. Para Tanya, a proposta era um truque evidente. Muitos vaiaram e assobiaram para ele, mas outros menearam a cabeça concordando; outros ainda se afastaram, aparentemente em direção a seus postos de trabalho. Não era possível que tudo fosse acabar tão depressa, ou era?

Então alguém pulou em cima da escavadeira e bateu no ombro do diretor. O recém-chegado era um homem baixinho, com ombros quadrados e um farto bigode. Apesar de Tanya o considerar bem pouco impressionante, a multidão o reconheceu e aplaudiu. Ficou óbvio que sabiam quem ele era.

– Lembra-se de mim? – gritou ele para o diretor com a voz alta o suficiente para todos escutarem. – Eu trabalhei aqui por dez anos... aí o senhor me mandou embora!

– Quem é esse? – perguntou Tanya ao vizinho.

– Lech Walesa. É só um eletricista, mas todo mundo o conhece.

O diretor tentou argumentar com Walesa diante da multidão reunida, mas o homenzinho do bigodão não lhe deu margem nenhuma.

– Declaro iniciada uma greve de ocupação! – rugiu ele, e a multidão gritou palavras de aprovação.

Tanto o diretor quanto Walesa desceram da escavadeira. O eletricista assumiu o comando, e todos pareceram aceitar isso sem questionar. Quando ele ordenou ao chofer de Gniech que fosse buscar Anna Walentynowicz na limusine do diretor, o motorista obedeceu e, mais espantoso ainda, o diretor não fez qualquer objeção.

Walesa organizou a eleição de um comitê de greve. A limusine voltou com Anna, que foi acolhida por uma chuva de palmas. Era uma mulher miúda, com os cabelos curtos como os de um homem. Usava óculos redondos e uma blusa com largas listras horizontais.

O comitê de greve e o diretor foram até o Centro de Saúde e Segurança para negociar. Tanya ficou tentada a se esgueirar até lá dentro junto com eles, mas resolveu não abusar da sorte: já tinha conseguido passar pelos portões. Os trabalhadores se mostravam receptivos à mídia ocidental, mas a credencial de imprensa de Tanya informava que ela era uma jornalista soviética da TASS, e se os grevistas descobrissem isso poderiam expulsá-la.

Mas os negociadores deviam ter microfones nas mesas, pois sua conversa inteira foi transmitida por alto-falantes para a multidão do lado de fora, coisa que Tanya achou extremamente democrática. Os grevistas podiam expressar na hora o que pensavam sobre o que estava sendo dito com vaias ou aplausos.

Ela entendeu que os trabalhadores agora tinham várias outras exigências além da recontratação de Anna, incluindo a proteção contra represálias. A única que o diretor não pôde aceitar, surpreendentemente, foi a de um monumento em frente aos portões do estaleiro em memória do massacre pela polícia de operários que protestavam contra a alta dos preços dos alimentos em 1970.

Tanya pensou que aquela greve também poderia terminar em massacre. Nesse caso, percebeu com um calafrio, ela estava bem na linha de tiro.

Gniech explicou que a área em frente aos portões tinha sido escolhida para abrigar um hospital.

Os grevistas disseram que preferiam o monumento.

O diretor propôs uma placa comemorativa em outro lugar do estaleiro.

Eles recusaram.

Um operário, revoltado, disse ao microfone:

– Estamos debatendo heróis mortos feito mendigos debaixo de um poste de rua!

A multidão do lado de fora aplaudiu.

Outro negociador perguntou diretamente aos grevistas reunidos se eles queriam um monumento.

A resposta foi um rugido.

O diretor se retirou para consultar seus superiores.

A essa altura, milhares de pessoas que apoiavam a greve já estavam reunidas do lado de fora dos portões. Elas haviam coletado doações de comida para os grevistas. Poucas famílias polonesas podiam se dar ao luxo de abrir mão da comida que tinham, mas mesmo assim dezenas de sacos de mantimentos foram passados através das barras do portão para os trabalhadores e trabalhadoras que estavam lá dentro, e os grevistas puderam almoçar.

À tarde, o diretor voltou e anunciou que as altas autoridades haviam em princípio apoiado a construção do monumento.

Walesa declarou que a greve continuaria até todas as exigências terem sido atendidas.

Então, quase como se isso tivesse acabado de lhe ocorrer, acrescentou que os grevistas também queriam conversar sobre a formação de sindicatos livres independentes.

Agora isso está ficando interessante *mesmo*, pensou Tanya.

⁖

Na sexta-feira depois do almoço, Cam Dewar foi de carro até a cidade velha de Varsóvia.

Mario e Ollie o seguiram.

A maior parte de Varsóvia tinha sido destruída durante a guerra, e a cidade fora reconstruída com ruas retas, calçadas e prédios modernos, paisagem que não se prestava a encontros clandestinos e conversas furtivas. No entanto, os planejadores tinham se esforçado para recriar a parte antiga da cidade, com suas ruas calçadas de pedra, seus bequinhos e seus prédios irregulares. O resultado ficara um pouco perfeito demais: os cantos retos, padrões regulares e cores brilhantes pareciam novos demais, como um set de cinema. Apesar disso, era um ambiente mais propício para agentes secretos do que o resto da cidade.

Cam estacionou e foi até uma casa alta no térreo da qual funcionava o equivalente em Varsóvia da Mãos de Seda. Cam era freguês assíduo do estabelecimento até conhecer Lidka.

No cômodo principal do apartamento, as moças sentadas só de roupa de baixo fumavam e assistiam à TV. Uma loura voluptuosa se levantou na hora, fazendo o roupão se abrir por um instante para deixá-lo entrever duas coxas roliças e um conjunto de lingerie rendada.

– Olá, Crystek. Já faz uns quinze dias que não vemos você!

– Oi, Pela. – Cam foi até a janela e olhou para a rua. Como sempre, Mario e Ollie estavam sentados lá fora no bar em frente à casa, tomando cerveja e vendo as garotas entrarem com seus vestidos de verão. Imaginavam que ele fosse passar pelo menos meia hora lá dentro, talvez uma hora.

Até ali, tudo bem.

– O que houve? Sua mulher está seguindo você? – indagou Pela.

As outras meninas riram.

Cam tirou dinheiro do bolso e deu a Pela a quantia habitual equivalente a uma punheta.

– Hoje preciso de um favor – falou. – Você se importa se eu sair pela porta dos fundos?

– Sua mulher vai subir aqui e fazer uma cena?

– Não é minha mulher, é o marido da minha namorada. Se ele criar problemas, ofereça um boquete grátis. Eu pago.

Pela deu de ombros.

Cam desceu a escada dos fundos e saiu pelo pátio, sentindo-se bem. Tinha conseguido se livrar dos agentes sem que eles percebessem. Estaria de volta dali a menos de uma hora, e sairia pela porta da frente. Jamais saberiam que ele tinha saído de lá.

Atravessou depressa a praça da cidade antiga e desceu uma rua chamada Swiftojanska até a Catedral de São João, igreja destruída na guerra e desde então refeita. A SB não o estava mais seguindo, mas talvez estivesse seguindo Stanislaw Pawlak.

O escritório da CIA em Varsóvia tivera uma longa reunião para decidir como lidar com aquele contato. Todos os passos tinham sido planejados.

Em frente à igreja, Cam viu seu chefe, Keith Dorset. Nesse dia, ele estava usando um terno cinza de tecido armado comprado em uma loja polonesa, roupa que só vestia quando ia seguir alguém. Tinha uma boina enfiada no bolso do paletó. Aquele era o sinal para seguir adiante. Se ele estivesse usando a boina, significaria que a SB estava dentro da igreja e que o encontro deveria ser abortado.

Cam entrou pela porta principal em estilo gótico na fachada oeste. A arquitetura impressionante e a atmosfera de santidade ampliaram sua sensação de que algo importante era iminente. Ele estava prestes a travar contato com um informante inimigo. Era um momento crucial.

Se aquilo corresse bem, estaria embarcando com firmeza na carreira de agente da CIA. Caso contrário, dali a pouquíssimo tempo estaria novamente atrás de uma mesa em Langley.

Cam fingia que Staz se recusava a encontrar outra pessoa que não ele. O objetivo da mentira era tornar difícil para Keith mandá-lo voltar para os Estados Unidos. Embora a investigação tivesse revelado que Lidka não tinha vínculo nenhum com a SB e sequer era membro do Partido Comunista, seu chefe estava criando problemas em relação à sua namorada. Mas, se Cam conseguisse recrutar um coronel polonês como espião para a CIA, esse triunfo o colocaria em posição de força para desafiá-lo.

Olhou em volta para tentar detectar algum agente da polícia secreta, mas tudo o que viu foram turistas, fiéis e padres.

Subiu o corredor norte da igreja até chegar à capela que abrigava o famoso crucifixo do século XVI. O belo oficial polonês estava em pé em frente ao artefato, encarando a expressão no rosto de Cristo. Cam se postou bem ao seu lado. Os dois estavam sozinhos.

Falou-lhe em russo:

– Esta é a última vez que vamos nos falar.

Stanislaw respondeu no mesmo idioma:

– Por quê?

– É perigoso demais.

– Para o senhor?

– Não, para o senhor.

– Como vamos nos comunicar? Por intermédio de Tanya?

– Não. Na verdade, a partir de agora, por favor, não diga nada a ela sobre o seu relacionamento comigo. Tire-a do circuito. Pode continuar indo para a cama com ela, se for isso que estiver fazendo.

– Obrigado – respondeu Stanislaw, irônico.

Cam o ignorou.

– Que carro o senhor dirige?

– Um Saab 99 verde, 1975. – Ele cantou a placa.

Cameron decorou o número.

– Onde guarda o carro à noite?

– Na rua Jana Olbrachta, perto do quarteirão onde moro.

– Quando estacioná-lo, deixe uma fresta do vidro aberta. Vamos pôr um envelope lá dentro.

– É perigoso. E se alguém ler o recado?

– Não se preocupe. O envelope vai conter o anúncio datilografado de uma oferta para lavar seu carro a preço baixo. Quando o senhor passar um ferro morno sobre o papel, no entanto, uma mensagem vai aparecer. Ela dirá onde e quando deve nos encontrar. Se não conseguir comparecer ao encontro, pouco importa o motivo, não tem problema: nós mandaremos outro envelope.

– O que vai acontecer nesses encontros?

– Estou chegando lá. – Cam tinha uma lista de coisas a dizer, decididas pelos colegas durante a reunião, e precisava percorrê-la o mais rápido possível. – Sobre o seu grupo de amigos.

– Pois não?

– Não criem uma conspiração.

– Por quê?

– Vocês vão ser desmascarados. Os conspiradores sempre são. O melhor é esperar até a última hora.

– O que podemos fazer, então?

– Duas coisas. A primeira é se preparar. Façam uma lista mental de pessoas em quem confiam. Decidam exatamente como cada uma delas vai se voltar contra os soviéticos caso haja uma guerra. Façam-se conhecer por líderes dissidentes como Lech Walesa, mas não lhes deem nenhuma indicação do que estão tramando. Façam um reconhecimento prévio da estação de TV e planejem como vão dominá-la. Mas mantenham tudo apenas na sua cabeça.

– E a segunda coisa?

– Nos dar informações. – Cam tentou não dar mostras do quanto estava tenso. Aquele era o pedido mais importante, o que Stanislaw poderia recusar. – A ordem de batalha do Exército soviético e dos outros exércitos do Pacto de Varsóvia: quantos homens, quantos tanques, quantos aviões...

– Eu sei o que significa uma ordem de batalha.

– E os seus planos de guerra em caso de crise.

Houve uma longa pausa, e por fim Stanislaw falou:

– Posso conseguir isso.

– Ótimo – disse Cam, sincero.

– E o que ganho em troca?

– Vou lhe dar um número de telefone e uma senha. O senhor só deve usá-los em caso de invasão soviética à Europa Ocidental. Quando ligar para o telefone, será atendido por um comandante sênior do Pentágono que fala polonês. Ele o tratará como um representante da resistência polonesa à invasão soviética. Para todos os fins práticos, o senhor será o líder da Polônia livre.

Stanislaw meneou a cabeça como quem reflete sobre o assunto, mas Cam pôde ver que estava atraído pela proposta. Após alguns instantes, falou:
– Se eu concordar, estarei pondo minha vida em suas mãos.
– Isso o senhor já fez – disse Cam.

⁓

Os grevistas do estaleiro de Gdansk tiveram o cuidado de manter a mídia internacional totalmente informada sobre as suas atividades. Por ironia, essa era a melhor maneira de se comunicar com a população polonesa. A mídia na Polônia era censurada, mas as notícias dos jornais ocidentais eram captadas pela Rádio Europa Livre, financiada pelos Estados Unidos, e retransmitidas para a Polônia. Essa era a principal forma de os poloneses saberem a verdade sobre o que andava acontecendo em seu país.

Lili Franck acompanhava os acontecimentos na Polônia pelo noticiário da Alemanha Ocidental, ao qual todos em Berlim Oriental podiam assistir contanto que posicionassem suas antenas do jeito certo.

Para seu deleite, apesar de todos os esforços do governo, a greve se alastrou. O estaleiro de Gdynia entrou em greve, e os trabalhadores do transporte público se solidarizaram e também pararam de trabalhar. Foi formado um Comitê de Greve Interfábricas, o MKS, com sede no Estaleiro Lênin. Sua principal exigência era o direito de criar sindicatos livres independentes.

Como muitas outras na Alemanha Oriental, a família Franck debatia todos esses acontecimentos com grande afã, sentada na sala do primeiro andar da casa de Mitte em frente ao televisor da marca Franck. Um rasgo começava a surgir na Cortina de Ferro, e eles especulavam avidamente sobre aonde aquilo talvez desse. Se os poloneses podiam se revoltar, talvez os alemães também devessem fazê-lo.

O governo polonês tentou negociar fábrica por fábrica, oferecendo generosos aumentos aos grevistas que se desligassem do MKS e aceitassem um acordo. A tática fracassou.

Em uma semana, trezentas empresas em greve já tinham aderido ao MKS.

A claudicante economia polonesa não conseguiria suportar muitos dias de uma greve assim, e o governo finalmente aceitou a realidade. O vice-primeiro-ministro foi despachado para Gdansk.

Uma semana depois, chegou-se a um acordo. Os grevistas conquistaram o direito de criar sindicatos livres, uma vitória que deixou o mundo inteiro boquiaberto.

Se os poloneses podiam conquistar a liberdade, será que os alemães seriam os próximos?

⁓

– Você continua saindo com aquela tal polonesa – disse Keith para Cam.

Cam não respondeu. É claro que continuava saindo com Lidka. Estava feliz feito uma criança em uma loja de doces. Ela queria transar sempre que ele tinha vontade. Até então, poucas garotas sequer tinham querido ir para a cama com ele uma vez. "Está gostando?", perguntava ela enquanto o acariciava, e se ele dissesse sim ela insistia: "Mas está gostando um pouco, muito ou tanto que chega a querer morrer?"

– Eu já falei que o seu pedido foi negado – falou Keith.

– Mas não falou por quê.

Keith fez cara de bravo.

– Tomei uma decisão.

– Mas será que é a decisão certa?

– Você está contestando minha autoridade?

– Não, você é que está contestando minha namorada.

Keith ficou furioso.

– Você acha que eu não tenho escolha porque Stanislaw não quer falar com mais ninguém.

Embora fosse exatamente isso que Cam achasse, ele negou:

– Não tem nada a ver com Staz. Eu não quero largá-la sem motivo.

– Talvez eu tenha que demitir você.

– Mesmo assim não vou largá-la. Na verdade... – Cam hesitou. As palavras que lhe vieram à mente não foram as que ele havia planejado, mas mesmo assim ele as pronunciou: – Na verdade, tenho esperanças de me casar com ela.

Keith mudou de tom:

– Cam, ela pode não ser agente da SB, mas mesmo assim pode ter um motivo escuso para estar dormindo com você.

Cam se ofendeu.

– Se não tem a ver com inteligência, você não tem nada com isso.

Em tom brando, como se não quisesse ferir os sentimentos de Cam, Keith insistiu:

– Várias moças polonesas gostariam de ir para os Estados Unidos, você sabe.

Cam sabia. Isso já tinha lhe ocorrido tempos antes. O fato de seu chefe men-

cionar a questão o deixou constrangido e humilhado, mas ele manteve o semblante impassível.
– Eu sei – falou.
– Sinto muito dizer isso, mas ela poderia estar enganando você por esse motivo. Já pensou nessa possibilidade?
– Já pensei, sim – respondeu Cam. – E não estou nem aí.

⸙

Em Moscou, a grande questão era invadir ou não a Polônia.
Na véspera do debate no Politburo, Dimka e Natalya bateram de frente com Yevgeny Filipov em uma reunião preparatória na Sala Nina Onilova.
– Nossos camaradas poloneses precisam de ajuda militar urgente, para resistir aos ataques de traidores a soldo das potências capitalistas-imperialistas – disse Filipov.
– Vocês querem uma invasão, como na Tchecoslováquia em 1968 e na Hungria em 1956 – falou Natalya.
Filipov não negou.
– Quando os interesses do comunismo estão em jogo, a União Soviética tem o direito de invadir qualquer país. É a Doutrina Brejnev.
– Eu sou contra uma ação militar – afirmou Dimka.
– Grande surpresa – retorquiu Filipov, sarcástico.
Dimka o ignorou:
– Tanto na Hungria quanto na Tchecoslováquia, a contrarrevolução foi liderada por elementos revisionistas internos à administração do Partido Comunista – falou. – Portanto, foi possível removê-los, como cortar a cabeça de um frango. Eles tinham pouco apoio popular.
– E por que essa crise de agora deveria ser diferente?
– Porque na Polônia os contrarrevolucionários são líderes da classe trabalhadora com apoio da classe trabalhadora. Lech Walesa é eletricista. Anna Walentynowicz é operadora de grua. E centenas de fábricas entraram em greve. Estamos diante de um movimento de massa.
– Mesmo assim, temos de esmagá-lo. Está mesmo sugerindo que abandonemos o comunismo polonês?
– Tem mais um problema – interveio Natalya. – Dinheiro. Em 1968, o bloco soviético não tinha bilhões de dólares de dívida externa. Nós hoje dependemos totalmente dos empréstimos ocidentais. Você ouviu o que o presidente Carter disse em Varsóvia: o crédito do Ocidente está condicionado aos direitos humanos.

– E daí?

– E daí que, se mandarmos os tanques para a Polônia, eles vão retirar nossas linhas de crédito. Assim sendo, camarada Filipov, nossa invasão vai arruinar a economia de todo o bloco soviético.

Um silêncio tomou conta da sala.

– Alguém tem outra sugestão? – perguntou Dimka.

∽

Para Cam, parecia um bom sinal um oficial polonês ter se virado contra o Exército Vermelho ao mesmo tempo que os trabalhadores poloneses rejeitavam a tirania comunista. Ambos eram sintomas da mesma mudança. A caminho do encontro com Stanislaw, ele sentiu que talvez estivesse participando de um terremoto histórico.

Saiu da embaixada e entrou no carro. Como esperava que acontecesse, Mario e Ollie o seguiram. Era importante que o vigiassem quando ele encontrasse Stanislaw. Se a interação corresse como esperado, os dois agentes relatariam obedientemente que nada de suspeito havia acontecido.

Cam torceu para Stanislaw ter recebido e entendido as instruções.

Estacionou na praça da cidade antiga. Carregando um exemplar do *Trybuna Ludu*, o jornal oficial do governo, atravessou a praça. Mario saiu do carro e foi atrás. Meio minuto depois, Ollie o seguiu a uma curta distância.

Cam desceu uma rua lateral com os dois agentes da polícia secreta em seu encalço.

Entrou em um bar, sentou-se perto da janela e pediu uma cerveja. Pôde ver suas duas sombras pairando por perto. Pagou a bebida assim que esta chegou, para poder ir embora depressa.

Enquanto tomava a cerveja, olhou para o relógio várias vezes.

Quando faltava um minuto para as três, saiu.

Havia treinado aquela manobra vezes sem conta em Camp Peary, o centro de treinamento da CIA perto de Williamsburg, na Virgínia. Lá conseguira fazer tudo de forma perfeita, mas aquela seria a primeira vez em uma situação real.

Apressou um pouco o passo ao chegar ao final do quarteirão. Depois de dobrar a esquina, olhou por cima do ombro e viu Mario uns 30 metros mais atrás.

Logo depois da esquina ficava uma loja que vendia cigarros e fumo. Stanislaw estava exatamente onde Cam esperava que estivesse, em pé em frente à loja, olhando pela vitrine. Cam tinha uns trinta segundos antes de Mario dobrar a esquina, tempo suficiente para realizar o contato.

Tudo o que tinha de fazer era trocar o jornal que estava segurando pelo de Stanislaw, idêntico, a não ser, se tudo estivesse como deveria estar, pelo fato de conter as cópias feitas pelo coronel dos documentos guardados no cofre de seu quartel.

Só havia um pequeno problema.

Stanislaw não tinha nenhum jornal em mãos.

O que tinha na mão era um grande envelope pardo.

Ele não havia seguido as instruções à risca. Ou não tinha entendido, ou tinha imaginado que os detalhes não eram importantes.

Fosse qual fosse o motivo, tudo tinha saído errado.

O pânico fez o cérebro de Cam congelar. Seu passo falhou. Ele não soube o que fazer. Sua vontade era gritar impropérios para Staz.

Então se controlou. Forçou-se a ficar calmo. Tomou uma decisão rápida. Não iria abortar a troca. Iria até o fim.

Prosseguiu firme na direção de Stanislaw.

Quando eles passaram um pelo outro, trocaram o envelope pelo jornal.

Na mesma hora, Stanislaw entrou na loja com o jornal na mão e sumiu de vista.

Cam seguiu em frente segurando o envelope, que estava grosso de tantos documentos que continha.

Na esquina seguinte, tornou a olhar para trás e viu Mario. O policial estava a uns 20 metros, aparentemente relaxado e confiante. Não tinha noção do que acabara de acontecer. Sequer vira Stanislaw.

Será que iria reparar que Cam não estava mais segurando um jornal, mas sim um envelope? Se reparasse, poderia prendê-lo e confiscar o material. Seria o fim do triunfo de Cam, e o fim da vida de Stanislaw.

Era verão. Ele não tinha um sobretudo para esconder o envelope. Além do mais, escondê-lo poderia ser pior: Mario talvez reparasse *mais ainda* se Cam de repente ficasse de mãos vazias.

Ele passou por um jornaleiro, mas percebeu que não podia parar e comprar um jornal na frente de Mario, pois isso chamaria atenção para o fato de que não estava mais segurando o mesmo jornal de antes.

Entendeu que tinha cometido um erro bobo. De tão obcecado pelo treinamento que fizera para aquele tipo de contato, não havia pensado na saída mais simples. Deveria ter pego o envelope e *ficado* com o jornal.

Agora era tarde.

Sentiu-se encurralado. Sua frustração foi tão grande que ele quis gritar. Tudo havia corrido perfeitamente à exceção de um pequeno detalhe!

Ele poderia entrar em uma loja e comprar outro jornal. Olhou em volta à procura de um jornaleiro. Só que ali era a Polônia, não os Estados Unidos, e não havia uma loja em cada quarteirão.

Dobrou outra esquina e viu uma lata de lixo. Aleluia! Apressou o passo e olhou lá dentro. Estava sem sorte: não havia nenhum jornal. Viu uma revista de capa colorida. Pegou-a e seguiu em frente. Enquanto caminhava, dobrou discretamente a revista de modo que a capa ficasse virada para dentro e uma página de texto normal em preto e branco para fora. Torceu o nariz: havia algo nojento dentro da lixeira cujo cheiro tinha passado para a revista. Tentou não respirar fundo enquanto enfiava o envelope entre as páginas.

Sentiu-se melhor. Agora estava quase com o mesmo aspecto de antes.

Voltou para o carro e sacou a chave. Talvez aquela fosse a hora em que iriam detê-lo. Imaginou Mario dizendo: "Só um minutinho, deixe-me ver esse envelope que está tentando esconder." Abriu a porta o mais rápido que conseguiu.

Viu Mario uns poucos passos atrás.

Entrou no carro e pôs a revista no chão do banco do carona.

Quando ergueu os olhos, viu Mario e Ollie entrando no carro deles.

Parecia ter conseguido escapar.

Por um instante, sentiu-se fraco demais para se mexer.

Então deu partida no motor e voltou para a embaixada.

⁂

Sentado no quitinete de Lidka, Cam Dewar esperava a namorada chegar em casa.

Sobre a penteadeira dela havia uma foto sua. Isso deixava Cam tão contente que quase o fazia chorar. Nenhuma garota jamais quisera ter uma foto sua, muito menos emoldurada e pendurada junto ao espelho.

O recinto expressava a personalidade da moça. Sua cor preferida era o rosa--shoking, que tingia a colcha da cama, a toalha de mesa e as almofadas. O armário continha poucas roupas, mas todas a valorizavam ao máximo: saias curtas, vestidos com decote em V, bijuterias bonitas, estampas de florezinhas, laços e borboletas. A estante continha toda a obra de Jane Austen em inglês e *Anna Karênina*, de Tolstoi, em polonês. Em uma caixa debaixo da cama, como uma coleção secreta de pornografia, ela guardava uma pilha de revistas americanas de decoração de interiores, cheias de fotos de cozinhas ensolaradas pintadas em cores vivas.

Nesse dia, Lidka havia começado o cansativo processo de ser avaliada pela CIA como esposa em potencial, processo muito mais completo do que a investigação de uma simples namorada. Ela precisava escrever a história da sua vida, passar por vários dias de interrogatório e fazer um teste demorado com um detetor de mentiras. Tudo isso acontecia em outro lugar da embaixada enquanto Cam prosseguia seu dia normal de trabalho. Ele só poderia encontrá-la quando ela chegasse em casa.

Seria difícil para Keith Dorset demiti-lo agora. As informações fornecidas por Staz eram ouro puro.

Cam tinha dado ao coronel uma câmera compacta com lente de 35mm da marca Zorki, cópia soviética de uma Leica, para ele poder fotografar documentos em sua sala com a porta fechada em vez de passá-los pela máquina de xerox no cubículo das secretárias. Assim, ele podia transmitir a Cam centenas de páginas de documentos em uns poucos rolos de filme.

A última pergunta que o escritório da CIA em Varsóvia tinha feito a Staz era: o que provocaria um ataque ao Ocidente pelo Segundo Escalão Estratégico do Exército Vermelho? Os documentos que ele havia fornecido em resposta eram tão completos que Keith Dorset recebera um raro elogio escrito de Langley.

Apesar disso, Mario e Ollie nunca tinham visto Staz.

Assim, Cam estava seguro de que não seria demitido, e de que o seu casamento não seria proibido a menos que Lidka se revelasse uma agente da KGB.

Enquanto isso, a Polônia avançava rumo à liberdade. Dez milhões de pessoas haviam se filiado ao primeiro sindicato livre do país, chamado Solidariedade. Isso representava um em cada três trabalhadores poloneses. O maior problema da Polônia agora não era a União Soviética, mas sim o dinheiro. As greves e a consequente paralisia da liderança do Partido Comunista prejudicaram uma economia já fraca. O resultado era uma carência de tudo: o governo racionava carne, manteiga e farinha. Trabalhadores que tinham conseguido aumentos generosos de salário descobriam que não podiam comprar nada com seu dinheiro. A taxa de câmbio do dólar no mercado negro mais do que dobrou, passando de 120 para 250 *zlotys*. O primeiro-secretário Gierek foi sucedido por Kania, por sua vez substituído pelo general Jaruzelski, o que não fez a menor diferença.

Com grande suspense, Lech Walesa e o Solidariedade hesitavam a um passo de derrubar o comunismo. Uma greve geral foi planejada e depois cancelada na última hora, a conselho do papa e do novo presidente americano Ronald Reagan; ambos temiam um banho de sangue. Cam ficou decepcionado com a timidez de Reagan.

Desceu da cama e pôs a mesa com talheres e pratos. Trouxera dois bifes. Os diplomatas naturalmente não estavam submetidos à mesma escassez que afligia os poloneses. Eles pagavam com os dólares dos quais o país precisava desesperadamente e podiam conseguir tudo o que quisessem. Lidka decerto estava comendo melhor até do que a elite do Partido Comunista.

Cam ficou em dúvida se deveria transar com ela antes ou depois de comer os bifes. Às vezes era bom saborear a expectativa. Outras vezes, sua pressa era tanta que ele não conseguia resistir. Lidka nunca reclamava nem de uma coisa nem de outra.

Ela finalmente chegou. Beijou-o na bochecha, largou a bolsa, tirou o casaco e desceu o corredor até o banheiro.

Quando voltou, Cam lhe mostrou os bifes.

– Que ótimo – comentou ela, mas sem encará-lo.

– Aconteceu alguma coisa, não foi? – perguntou Cam. Ele nunca a tinha visto de mau humor. Aquilo era inédito.

– Acho que não vou poder ser uma esposa da CIA – disse ela.

Cam tentou controlar o pânico.

– Me conte o que aconteceu.

– Não vou voltar lá amanhã. Não vou aguentar mais isso.

– O que houve?

– Estou me sentindo uma criminosa.

– Por quê? O que eles fizeram?

Ela finalmente o encarou.

– Você acha que eu estou só te usando para ir para os Estados Unidos?

– Não, não acho!

– Então por que eles me perguntaram isso?

– Não sei.

– Essa pergunta tem alguma coisa a ver com segurança nacional?

– Não, nada.

– Eles me acusaram de mentir.

– E você mentiu?

Ela deu de ombros.

– Não contei tudo a eles. Não sou nenhuma freira, já tive outros namorados. Deixei um ou dois de fora... mas a sua horrível CIA já sabia! Eles devem ter ido à minha antiga escola!

– Eu sei que você já teve outros namorados. Eu também tive. – Não muitas, pensou, mas não falou nada. – Não ligo para isso.

– Eles fizeram eu me sentir uma prostituta.

– Desculpe. Mas realmente não importa o que eles pensam de nós, contanto que liberem você.

– Eles vão lhe contar uma porção de histórias ruins a meu respeito. Coisas que ficaram sabendo pela boca de pessoas que me odeiam... garotas invejosas, e caras com quem eu não quis transar.

– Não vou acreditar neles.

– Promete para mim?

– Prometo.

Ela se sentou no seu colo.

– Desculpe o mau humor.

– Está desculpada.

– Eu te amo, Cam.

– Eu também te amo.

– Já estou melhor.

– Que bom.

– Quer que eu faça *você* se sentir melhor?

Aquele tipo de conversa deixava Cam com a boca seca.

– Quero, por favor.

– Tudo bem. – Ela se levantou. – É só deitar e relaxar, benzinho.

⁓

Dave Williams pegou um avião até Varsóvia com a mulher Beep e o filho John Lee para o casamento do cunhado Cam Dewar.

Aos oito anos, John Lee ainda não sabia ler, mas era um menino inteligente e estudava em uma boa escola. Dave e Beep o tinham levado a um psicólogo educacional e descobriram que o menino sofria de um distúrbio frequente chamado dislexia. Ele aprenderia a ler, mas precisaria de ajuda especial e teria de se esforçar mais do que os outros. A dislexia era genética e afetava mais meninos do que meninas.

Foi então que Dave entendeu qual era o seu problema.

– Passei minha vida escolar inteira achando que fosse burro – disse ele a Beep nessa noite depois de porem John Lee para dormir, na cozinha de pinho de Daisy Farm. – Os professores diziam a mesma coisa. Meus pais sabiam que eu não era burro, então imaginaram que eu devia ser apenas preguiçoso.

– Você não é preguiçoso – falou Beep. – É a pessoa mais esforçada que eu conheço.

– Tinha alguma coisa errada comigo, mas eu não sabia o quê. Agora a gente sabe.

– E vamos poder garantir que John Lee não sofra como você sofreu.

A luta de Dave durante a vida inteira para ler e escrever estava explicada. Havia muitos anos que aquilo já não o oprimia, desde que ele se tornara um compositor cujas letras de música milhões de pessoas sabiam na ponta da língua. Mesmo assim, ele sentiu um alívio imenso. Um mistério estava solucionado, e uma cruel deficiência tinha sido explicada. E o mais importante de tudo: ele agora sabia como garantir que aquilo não afetasse a nova geração.

– E sabe o que mais? – indagou Beep, servindo-se de um copo de Cabernet Sauvignon de Daisy Farm.

– Sei – falou Dave. – Ele provavelmente é meu filho.

Beep nunca tivera certeza se John Lee era filho de Dave ou de Walli. À medida que o menino crescia, mudava e ficava cada vez mais parecido com Dave, nenhum dos dois soubera dizer se as semelhanças eram herdadas ou adquiridas: os gestos, alguns jeitos de falar, predileções, tudo isso poderia ter sido aprendido por um menino que adorava o pai. Mas a dislexia era impossível de aprender.

– Não é conclusivo – falou Beep. – Mas é um forte indício.

– De toda forma, a gente não liga para isso – disse Dave.

No entanto, tinham decidido nunca mencionar essa dúvida com mais ninguém, nem mesmo com o próprio John Lee.

O casamento de Cam foi em uma igreja católica moderna na cidadezinha de Otwock, nos arredores de Varsóvia. Cam havia abraçado o catolicismo. Dave não tinha dúvidas de que a conversão do cunhado era totalmente cínica.

A noiva estava usando o mesmo vestido branco com o qual a mãe havia se casado; os poloneses precisavam reciclar roupas.

Lidka era magra e atraente, pensou Dave, dona de pernas compridas e de um belo par de peitos, mas havia algo em sua boca que lhe sugeria um temperamento cruel. Talvez ele estivesse sendo excessivamente duro: quinze anos como astro do rock o haviam tornado cínico em relação às mulheres. Segundo sua experiência, elas transavam com os homens para conseguir alguma vantagem com mais frequência do que a maioria das pessoas imaginava.

As três damas de honra usavam vestidos curtos de verão em algodão rosa-shocking.

A recepção foi na embaixada americana. Woody Dewar pagou a conta, mas a embaixada conseguiu garantir bastante comida e algo para beber além de vodca.

O pai de Lidka contou uma piada, metade em polonês, metade em inglês: um homem entra em um açougue do governo e pede meio quilo de carne de boi.

– *Nie ma*, não temos.
– De porco, então.
– *Nie ma.*
– Vitela?
– *Nie ma.*
– Frango?
– *Nie ma.*
O cliente vai embora. A mulher do açougueiro comenta:
– Esse cara é maluco.
– É claro que é – retruca o açougueiro. – Mas que memória!
Os americanos não entenderam, mas os poloneses riram para valer.

Dave tinha pedido a Cam que não contasse a ninguém que o cunhado era integrante da banda Plum Nellie, mas a notícia tinha vazado, como sempre, e ele foi acossado pelas amigas de Lidka. As damas de honra não o deixaram em paz, e ficou claro que, se quisesse, ele poderia ter ido para a cama com qualquer uma delas, ou até, como uma delas sugeriu, com as três ao mesmo tempo.

– Vocês deveriam conhecer meu baixista – falou Dave.

Enquanto Cam e Lidka dançavam a primeira valsa, Beep disse ao marido em voz baixa:

– Eu sei que ele não vale nada, mas é meu irmão, e não consigo deixar de ficar contente por ele finalmente ter encontrado alguém.

– Tem certeza de que Lidka não está só dando o golpe para conseguir o passaporte americano? – perguntou Dave.

– É disso que meus pais têm medo. Mas Cam está com 34 anos e continua solteiro.

– Acho que você está certa – disse Dave. – O que ele tem a perder?

⌇

Tanya Dvorkin estava morta de medo quando foi à primeira convenção nacional do Solidariedade, em setembro de 1981.

O evento começou na Catedral de Oliwa, um subúrbio ao norte de Gdansk. Duas torres finas e pontudas ladeavam ameaçadoramente um portão barroco baixo pelo qual os representantes entraram na igreja. Tanya foi se sentar com Danuta Gorski, sua vizinha de Varsóvia, jornalista e organizadora do Solidariedade. Assim como ela, Danuta escrevia matérias neutras e ortodoxas para a imprensa oficial, mas em segredo defendia aquilo em que realmente acreditava.

O arcebispo fez um sermão sobre paz e amor pela pátria na linha "não vamos criar problemas". Embora o papa fosse um grande defensor do Solidariedade, o clero polonês tinha uma opinião conflituosa sobre o sindicato. Apesar de odiarem o comunismo, seus membros eram naturalmente autoritários e hostis à democracia. Alguns padres demonstravam uma coragem heroica ao desafiar o regime, mas o que a hierarquia da Igreja queria era substituir uma tirania ateia por uma tirania cristã.

O que incomodava Tanya de fato não era a Igreja, nem qualquer uma das outras forças que tendiam a dividir o movimento. Muito mais perigosas eram as manobras ameaçadoras da Marinha soviética no Golfo de Gdansk, e os "exercícios terrestres" de 100 mil soldados do Exército Vermelho na fronteira leste da Polônia. Segundo a matéria de Danuta no *Trybuna Ludu* desse dia, essa movimentação militar era uma reação ao aumento da agressão americana. Mas ninguém se deixava enganar por essa mentira. A União Soviética queria era dizer a todo mundo que estava pronta para uma invasão caso o Solidariedade fizesse os ruídos errados.

Depois da missa, os novecentos representantes foram de ônibus para o campus da Universidade de Gdansk, onde a convenção iria acontecer no imenso ginásio Olivia.

Tudo isso era uma grande provocação. O Kremlin detestava o Solidariedade. Fazia mais de uma década que nada tão perigoso assim acontecia em nenhum país do bloco soviético. Representantes democraticamente eleitos de toda a Polônia estavam se reunindo para debater questões e votar resoluções, e o Partido Comunista não tinha controle algum sobre isso. Era um parlamento nacional em tudo, menos no nome. Poderia ter sido chamado de revolucionário se essa palavra não tivesse sido estragada pelos bolcheviques. Não era de espantar que os soviéticos estivessem histéricos.

O ginásio era equipado com um placar eletrônico. Quando Lech Walesa se levantou para falar, este se acendeu com uma cruz e o slogan em latim *Polonia semper fidelis*, Polônia sempre fiel.

Tanya saiu, foi até o carro e ligou o rádio. A programação estava normal em todo o dial. Os soviéticos ainda não tinham invadido o país.

O resto do sábado transcorreu sem maiores dramas. Foi só na terça-feira que ela teve medo outra vez.

O governo tinha publicado uma proposta preliminar de lei sobre Autoadministração dos Trabalhadores que dava aos funcionários o direito de serem consultados sobre as nomeações dos gerentes. Tanya refletiu com sarcasmo que o presidente Reagan jamais cogitaria, sequer por um minuto, conceder esses mesmos direitos aos americanos. Mesmo assim, a proposta não era radical o suficiente para o Solidariedade, pois não chegava a dar à força de trabalho o poder de contratar e demitir. Assim, o sindicato propôs um referendo nacional sobre o assunto.

Lênin deve ter se revirado na tumba.

Pior ainda: acrescentaram uma cláusula dizendo que, caso o governo recusasse um referendo, o próprio sindicato organizaria um.

Tanya sentiu novamente uma pontada de medo. O sindicato começava a desempenhar o papel de liderança normalmente reservado ao Partido Comunista. Os ateus dominavam a Igreja. A União Soviética jamais aceitaria aquilo.

A decisão foi aprovada com apenas um voto contra, e os representantes se levantaram para aplaudir a si mesmos.

Mas não pararam por aí.

Alguém propôs mandar um recado para os trabalhadores de Tchecoslováquia, Hungria, Alemanha Oriental e "todas as nações da União Soviética". Entre outras coisas, o recado dizia: "Nós apoiamos aqueles dentre vocês que decidirem embarcar na difícil estrada da luta por sindicatos livres." A proposta foi aprovada em uma votação por mão levantada.

Tanya teve certeza de que o Solidariedade tinha ido longe demais.

O pior medo dos soviéticos era que a cruzada polonesa rumo à liberdade se alastrasse para outros países da Cortina de Ferro, e era exatamente isso que os representantes estavam temerariamente incentivando! A invasão agora parecia inevitável.

No dia seguinte, o ultraje aos soviéticos dominou a imprensa. A alegação indignada era a de que o Solidariedade estava interferindo nas questões internas de Estados soberanos.

Mesmo assim, não houve invasão.

⌒

O líder soviético Leonid Brejnev não queria invadir a Polônia. Não podia se dar ao luxo de perder o crédito dos bancos ocidentais. Ele tinha um plano diferente, que Cam Dewar descobriu por Staz.

Eram sempre necessários alguns dias para processar o material bruto fornecido pelo coronel. Pegar seus rolos de filme em um perigoso esbarrão clandestino era só o começo. O filme precisava ser revelado no laboratório da embaixada americana e, depois, os documentos eram ampliados e copiados. Então um tradutor com autorização de segurança de alto nível se sentava para converter o material de polonês e russo para o inglês. Se houvesse umas cem páginas ou mais, como era frequente, o trabalho levava muitos dias. A tradução tinha de ser datilografada e copiada de novo antes de finalmente Cam poder ver que peixe caíra em sua rede.

Enquanto o gelo do inverno já se instalava em Varsóvia, Cam leu a última leva de documentos e encontrou um esquema bem planejado e detalhado para uma repressão pelo governo polonês. A lei marcial seria decretada, todas as liberdades suspensas e qualquer acordo feito com o Solidariedade seria anulado.

Era apenas um plano de contingência, mas Cam ficou espantado ao descobrir que Jaruzelski o havia instituído apenas uma semana depois de assumir o poder. Obviamente já tinha aquilo em mente desde o princípio.

E Brejnev o estava pressionando sem trégua para executar o plano.

Jaruzelski já resistira à pressão mais cedo naquele mesmo ano. Na época, o Solidariedade estava em boa posição para resistir, com trabalhadores ocupando fábricas em todo o país e preparativos bem avançados para uma greve geral.

Nessa ocasião, o Solidariedade levara a melhor, e os comunistas pareceram ceder. Agora, porém, os trabalhadores estavam com a guarda baixa.

Estavam também com fome, cansados e com frio. Faltava de tudo, a inflação estava descontrolada e a distribuição de alimentos era sabotada por burocratas comunistas que desejavam ver tudo voltar a ser como antigamente. Jaruzelski calculou que as pessoas só conseguiriam aguentar as dificuldades até certo ponto antes de começarem a sentir que a volta do governo autoritário talvez fosse uma bênção.

Ele *queria* uma invasão soviética. Tinha mandado um recado para o Kremlin perguntando sem rodeios: "Podemos contar com assistência militar de Moscou?"

A resposta recebida fora igualmente sem rodeios: "Não mandaremos tropas."

Era uma boa notícia para a Polônia, refletiu Cam. Os soviéticos podiam intimidar e vociferar, mas não estavam dispostos a dar o último passo. O que quer que acontecesse seria obra dos próprios poloneses.

Mas Jaruzelski talvez ainda reprimisse o sindicato mesmo sem o apoio de tanques soviéticos. Seu plano estava bem ali, no filme fotográfico de Staz. O próprio coronel claramente temia que o plano fosse executado, pois incluíra uma observação manuscrita, fato suficientemente raro para Cam prestar séria atenção. Staz escrevera: "Reagan pode evitar que isso aconteça se ameaçar cortar a ajuda financeira."

Cam achou aquilo astuto. Empréstimos de governos e bancos ocidentais eram o que vinha sustentando a Polônia. A única coisa pior do que a democracia seria a falência.

Ele votara em Reagan porque o republicano havia prometido ser mais agressivo em matéria de política externa. Aquela era a sua chance. Se agisse depressa, o presidente americano podia impedir a Polônia de dar um gigantesco passo para trás.

⁓

George e Verena moravam em uma agradável casa de subúrbio no condado de Prince George, em Maryland, logo depois da divisa com Washington; era o subúrbio que ele representava como deputado. Agora precisava ir à igreja semanalmente, uma religião diferente a cada domingo, para orar junto com os eleitores. Seu trabalho envolvia algumas obrigações assim, mas na maior parte do tempo seu envolvimento era mais arrebatado. Jimmy Carter era coisa do passado, Ronald Reagan ocupava a Casa Branca, e George agora podia brigar pelos americanos mais pobres, muitos dos quais eram negros.

A cada um ou dois meses, Maria Summers visitava o afilhado, Jack, que tinha agora um ano e meio e começava a exibir alguns traços da personalidade forte da avó Jacky. Em geral levava um livro de presente para o menino. Depois do *brunch*, George lavava a louça, Maria secava e os dois conversavam sobre inteligência e política externa.

Maria ainda trabalhava no Departamento de Estado. Seu chefe era agora o secretário Alexander Haig. George perguntou se o Estado recebia informações melhores sobre a Polônia.

– Muito melhores – respondeu ela. – Não sei o que você fez, mas o trabalho da CIA melhorou mesmo.

George lhe passou uma tigela para secar.

– Mas o que está acontecendo em Varsóvia?

– Os soviéticos não vão invadir. Disso nós temos certeza. Os comunistas poloneses lhes pediram para invadir e eles recusaram no ato. Mas Brejnev está pressionando Jaruzelski para decretar a lei marcial e proibir o Solidariedade.

– Seria uma pena.

– É o que o Departamento de Estado acha também.

George hesitou.

– Posso ouvir um "mas" vindo por aí...

– Você me conhece bem demais. – Ela sorriu. – Nós temos o poder de impedir o plano da lei marcial. Bastaria Reagan dizer que a futura ajuda econômica depende do respeito aos direitos humanos.

– E por que ele não faz isso?

– Ele e Al Haig na verdade não acreditam que os poloneses vão impor uma lei marcial a si mesmos.

– Quem pode saber? Talvez seja inteligente fazer o aviso, de qualquer maneira.

– É o que eu acho.

– Então por que eles não acham também?

– Eles não querem que o outro lado saiba quanto nossa inteligência é boa.

– Não adianta ter inteligência se ela não for usada.

– Talvez eles usem – falou Maria. – Mas por enquanto estão indecisos.

⁓

Duas semanas antes do Natal, nevou em Varsóvia. Tanya passou a noite de sábado sozinha. Staz nunca explicava por que estava ou não livre para dormir no apartamento dela. Embora soubesse onde ele morava, ela nunca tinha ido à sua casa. Desde que ela o apresentara a Cam Dewar, Staz fechara o bico sobre qualquer tema relacionado ao Exército. Tanya imaginou que fosse porque estava revelando segredos aos americanos, feito um prisioneiro que se comporta bem o dia inteiro e passa a noite escavando um túnel para fugir.

Mas aquele era o segundo sábado que Tanya passava sem ele. Não sabia muito bem por quê. Será que ele estava se cansando dela? Isso acontecia com os homens. O único que continuara a fazer parte de sua vida de forma permanente era Vasili, e eles nunca tinham ido para a cama.

Pegou-se com saudades dele. Jamais se permitira se apaixonar porque ele era promíscuo, mas sentia-se atraída. Começava a perceber que o que lhe agradava nos homens era a coragem. Os três mais importantes de sua vida tinham sido Paz Oliva, Staz Pawlak e Vasili. Por coincidência, os três eram muito bonitos, mas também corajosos: Paz resistira ao poderio dos Estados Unidos, Staz traíra os segredos do Exército Vermelho e Vasili desafiara o poder do Kremlin. Dos três, Vasili era o que mais instigava sua imaginação, pois havia escrito histórias demolidoras sobre a URSS enquanto passava fome e quase morria de frio na Sibéria. Perguntou-se como ele estaria, e desejou saber o que estava escrevendo no momento. Pensou se ele teria retomado os velhos hábitos de Casanova, ou se havia mesmo sossegado o facho.

Foi para a cama e ficou lendo *Doutor Jivago* em alemão, pois o livro ainda não tinha sido publicado em russo, até sentir sono e apagar a luz.

Foi acordada por um barulho de batidas. Sentou-se na cama e acendeu a luz. Eram duas e meia da manhã. Alguém estava batendo em uma porta, mas não era na sua.

Levantou-se e olhou pela janela. Os carros estacionados de ambos os lados da rua estavam cobertos com uma camada de neve recente. No meio da rua, duas viaturas da polícia e um veículo blindado de transporte de tropas BTR-60 estavam parados de qualquer maneira no estilo de policiais que sabiam poder fazer o que quisessem.

As batidas do lado de fora de seu apartamento se transformaram no barulho de algo rebentando. Alguém parecia estar tentando demolir o prédio com uma marreta.

Tanya vestiu um roupão e foi até o hall. Pegou seu crachá da TASS que estava em cima da mesa junto com as chaves do carro e uns trocados. Abriu a porta e olhou para o corredor. Não viu nada acontecendo a não ser dois vizinhos que também espiavam.

Escorou a porta com uma cadeira e saiu. O barulho vinha do andar de baixo. Ela olhou por cima do corrimão e viu um grupo de homens com os uniformes camuflados da Zomo, a célebre polícia de segurança. Com pés de cabra e marretas, derrubavam a porta da amiga Danuta Gorski.

– O que estão fazendo? O que está acontecendo? – gritou ela.

Outros vizinhos também gritaram perguntas. A polícia nem ligou.

A porta foi aberta por dentro e o marido de Danuta apareceu, um homem assustado de pijama e óculos.

– O que vocês querem? – indagou. Dentro do apartamento ouviu-se o barulho de crianças chorando.

Os policiais entraram, tirando-o do caminho com um empurrão.

Tanya desceu correndo a escada.

– Vocês não podem fazer isso! – berrou. – Precisam se identificar!

Dois policiais grandalhões saíram do apartamento arrastando Danuta, de camisola e roupão branco atoalhado, com os fartos cabelos todos despenteados.

Tanya se postou na sua frente para impedir a passagem. Ergueu seu crachá.

– Sou jornalista soviética! – gritou.

– Então saia da frente, porra! – retrucou um dos homens, desferindo o pé de cabra que segurava na mão esquerda. Não foi um golpe calculado, pois com a outra mão ele tentava conter Danuta, que se debatia, mas o pé de cabra acertou

Tanya no rosto. Ela sentiu uma explosão de dor e cambaleou para trás. Os dois policiais passaram por ela e arrastaram Danuta escada abaixo.

Apesar do sangue no olho direito, Tanya ainda conseguia ver com o esquerdo. Outro policial saiu do apartamento carregando uma máquina de escrever e uma secretária eletrônica.

O marido de Danuta reapareceu com uma criança no colo.

– Para onde a estão levando? – gritou. Os policiais não responderam.

– Vou ligar agora mesmo para o Exército e descobrir – disse-lhe Tanya. Comprimindo o rosto ferido com uma das mãos, ela tornou a subir a escada.

Olhou-se no espelho do hall. Tinha um corte na testa e sua bochecha, vermelha, já começava a inchar com um hematoma, mas achou que o golpe não tivesse quebrado nenhum osso.

Pegou o telefone para ligar para Staz.

A linha estava muda.

Ligou a TV e o rádio. A TV estava preta; o rádio, silencioso.

Então aquilo não era só com Danuta.

Uma vizinha entrou no apartamento atrás dela.

– Deixe-me chamar um médico – falou.

– Não tenho tempo para isso. – Tanya entrou em seu pequeno banheiro, molhou uma toalha com água da torneira e lavou o rosto com gestos delicados. Então voltou para o quarto e vestiu rapidamente uma roupa de baixo térmica, uma calça jeans, um suéter grosso e um grande e volumoso sobretudo forrado de pele.

Desceu correndo a escada e entrou no carro. Recomeçara a nevar, mas as ruas estavam limpas e ela logo viu por quê. Havia tanques e caminhões do Exército por toda parte. Com uma apreensão cada vez mais forte de que alguma coisa ruim estava prestes a acontecer, entendeu que a prisão de Danuta era apenas uma pequena parte de algo imenso e assustador.

Só que os soldados que invadiam o centro de Varsóvia não eram russos. Aquilo não era uma repetição de Praga em 1968. Os veículos exibiam símbolos do Exército polonês e os soldados usavam uniformes da Polônia. Os poloneses tinham invadido a própria capital.

Estavam montando barricadas na rua, mas tinham acabado de começar e ainda era possível contorná-las. Tanya dirigiu seu Mercedes depressa, abusando da sorte nas curvas escorregadias, até chegar à rua Jana Olbrachta, na parte oeste da cidade. Estacionou em frente ao prédio de Staz. Conhecia o endereço, mas era a primeira vez que ia lá: ele vivia dizendo que era quase tão ruim quanto uma caserna.

Entrou correndo e levou alguns minutos para achar o apartamento certo. Bateu na porta rezando para ele estar em casa, embora temesse a forte probabilidade de ele estar lá fora nas ruas junto com o resto do Exército.

A porta foi aberta por uma mulher.

Tanya não conseguiu dizer nada, chocada. Será que Staz tinha outra namorada?

A mulher loura de aspecto agradável estava usando uma camisola de náilon rosa. Consternada, encarou o rosto de Tanya.

– Você está machucada! – falou, em polonês.

No hall atrás dela, Tanya reparou em um pequeno triciclo vermelho. Aquela não era a namorada de Staz, era sua esposa, e eles tinham um filho!

Sentiu uma onda de culpa atravessá-la como um choque elétrico. Havia roubado Staz da família. E ele mentira para ela.

Com esforço, obrigou-se a pensar na emergência atual.

– Preciso falar com o coronel Pawlak – disse ela. – É urgente.

Ao ouvir o sotaque russo, o comportamento da outra mulher mudou no mesmo instante. Ela encarou Tanya com fúria.

– Então é você a puta russa.

Estava claro que Staz não conseguira esconder totalmente o caso da esposa. Tanya quis explicar que não sabia que ele era casado, mas aquela não era a hora.

– Não temos tempo para isso! – falou, desesperada. – Eles estão invadindo a cidade! Onde ele está?

– Aqui é que não está.

– Pode me ajudar a encontrá-lo?

– Não. Agora suma daqui e morra, sua piranha. – A mulher bateu a porta.

– Que merda! – praguejou Tanya.

Parada em frente à porta do apartamento, levou a mão à bochecha dolorida: seu rosto parecia inchar de modo grotesco. Não soube o que fazer a seguir.

Outra pessoa que talvez soubesse o que estava acontecendo era Cam Dewar. Ela provavelmente não conseguiria lhe telefonar: imaginou que todos os telefones civis da cidade houvessem sido cortados. Mas Cam talvez fosse para a embaixada americana.

Saiu correndo do prédio, tornou a pular para dentro do carro e seguiu em direção ao sul da cidade. Cortou caminho pelos subúrbios, evitando o centro, onde as ruas estariam fechadas.

Então Staz era casado. Ele vinha enganando as duas. Era um belo de um mentiroso, pensou Tanya com amargura; devia ser bom espião também. Sua raiva foi tanta que ela quis desistir dos homens para sempre. Eram todos iguais, droga.

Viu um grupo de soldados pendurando um cartaz em um poste. Parou para olhar, mas não se arriscou a descer do carro. Era um decreto emitido por algo chamado Conselho Militar para a Salvação Nacional. Esse conselho não existia: acabara de ser inventado, sem dúvida por Jaruzelski. Ela foi lendo, horrorizada. A lei marcial tinha sido decretada. Os direitos civis estavam suspensos, as fronteiras fechadas e as viagens intermunicipais proibidas, assim como todas as reuniões públicas; um toque de recolher seria implementado das dez da noite às seis da manhã, e as Forças Armadas estavam autorizadas a usar a coerção para restaurar a lei e a ordem.

Era a repressão. E tudo fora cuidadosamente planejado: o cartaz tinha sido impresso com antecedência. O plano estava sendo executado com uma eficiência implacável. Será que havia alguma esperança?

Ela tornou a se afastar. Em uma rua escura, dois agentes da Zomo apareceram diante da luz de seus faróis gêmeos, e um deles ergueu a mão para fazê-la parar. Nessa hora, Tanya sentiu uma fisgada de dor na bochecha e tomou uma decisão rápida: pisou fundo no acelerador. Agradeceu aos deuses pelo poderoso motor alemão quando o Mercedes deu um salto para a frente, assustando os agentes e fazendo-os pular para o lado. Ela fez a curva cantando pneus e sumiu de vista antes que eles conseguissem sacar as armas.

Minutos depois, parou em frente à embaixada de mármore branco. Todas as luzes estavam acesas: eles também deviam estar tentando descobrir o que estava acontecendo. Ela saltou do carro depressa e correu até o fuzileiro naval que vigiava o portão.

– Tenho informações importantes para Cam Dewar – falou, em inglês.

O fuzileiro apontou para trás dela.

– Parece que é ele vindo ali.

Tanya se virou e viu um Fiat Polski verde-limão se aproximar com Cam ao volante. Correu até o carro e ele baixou a janela. Falou-lhe em russo, como sempre:

– Meu Deus, o que aconteceu com seu rosto?

– Tive uma conversinha com a Zomo. Você sabe o que está acontecendo?

– O governo prendeu praticamente todos os líderes e organizadores do Solidariedade... milhares de pessoas – respondeu Cam, sombrio. – Todos os telefones caíram. Há imensos bloqueios em todas as principais ruas do país.

– Mas eu não estou vendo nenhum russo!

– Não. Os poloneses fizeram isso consigo mesmos.

– O governo americano sabia que isso iria acontecer? Staz comentou com você?

Cam não disse nada.

Tanya interpretou isso como um sim.

– Reagan não podia fazer nada para impedir?

Cam parecia tão perplexo e decepcionado quanto ela.

– Eu achei que sim – respondeu.

Tanya ouviu a própria voz aumentar de volume e se transformar em um guincho frustrado:

– Então por que não fez, pelo amor de Deus?

– Não sei – disse Cam. – Não sei mesmo.

Quando Tanya chegou em casa, em Moscou, um buquê de flores de Vasili a aguardava no apartamento da mãe. Como ele tinha feito para arrumar rosas em Moscou no mês de janeiro?

As flores eram um toque de cor em uma paisagem desolada. Tanya acabara de sofrer dois choques: Staz a havia enganado, e o general Jaruzelski havia traído o povo polonês. Staz era tão ruim quanto Paz Oliva, e ela foi obrigada a se perguntar o que havia de errado com o seu julgamento. Talvez estivesse errada em relação ao comunismo, também. Sempre acreditara que o regime não poderia durar. Em 1956, quando a rebelião do povo húngaro fora esmagada, ainda estava na escola. Doze anos depois, o mesmo acontecera na Primavera de Praga, e dali a mais treze anos o Solidariedade tivera o mesmo destino. Talvez o comunismo fosse mesmo o caminho do futuro, como seu avô Grigori morrera acreditando. Nesse caso, os filhos de Dimka, seus sobrinhos Grisha e Katya, tinham uma vida sombria pela frente.

Logo depois de ela voltar, Vasili a convidou para jantar.

Os dois haviam concordado que agora podiam ser amigos abertamente. Ele fora reabilitado. Seu programa de rádio já era um sucesso antigo, e ele, um astro do sindicato dos escritores. Ninguém sabia que era também Ivan Kuznetsov, autor dissidente de *Enregelamento* e outros livros anticomunistas que tinham feito grande sucesso no Ocidente. Era impressionante, pensou Tanya, que eles tivessem conseguido guardar o segredo por tanto tempo.

Estava se aprontando para sair do trabalho e ir para o apartamento de Vasili quando foi abordada por Pyotr Opotkin, com os olhos semicerrados por causa da fumaça do cigarro pendurado em sua boca.

– Você conseguiu de novo – comentou ele. – Estamos recebendo reclamações dos níveis mais altos por causa do seu artigo sobre vacas.

Tanya tinha visitado a região de Vladimir, onde os dirigentes do Partido Comunista eram tão ineficientes que o gado morria aos montes enquanto sua ração apodrecia nos celeiros. Escrevera um artigo irado e Daniil o divulgara.

– Imagino que quem reclamou com você foram os patifes corruptos e preguiçosos que deixaram as vacas morrerem – falou.

– Esqueça-os – retrucou Opotkin. – Recebi uma carta do secretário do Comitê Central responsável pela ideologia!

– Ele entende de vacas, é?

Opotkin lhe estendeu um pedaço de papel.

– Você vai ter que publicar uma retratação.

Tanya pegou o papel, mas não leu.

– Por que está tão preocupado em defender pessoas que estão destruindo o seu país?

– Não podemos enfraquecer os membros do Partido Comunista!

O telefone sobre a mesa de Tanya tocou e ela atendeu.

– Tanya Dvorkin.

Uma voz levemente conhecida falou:

– Foi a senhora quem escreveu a matéria sobre as vacas que estão morrendo em Vladimir?

Tanya deu um suspiro.

– Fui eu, sim, e já me repreenderam. Quem fala?

– Sou o secretário responsável pela agricultura. Meu nome é Mikhail Gorbachev. A senhora me entrevistou em 1976.

– Sim, fui eu mesma. – Imaginou que Gorbachev iria enfatizar ainda mais a condenação de Opotkin.

– Liguei para lhe dar os parabéns por sua excelente análise – disse o secretário.

Tanya levou um susto.

– Eu... ahn, obrigada, camarada!

– É extremamente importante eliminarmos esse tipo de ineficiência em nossas fazendas.

– Ahn, camarada secretário, o senhor se importaria em dizer isso para o meu editor-chefe? Estávamos justamente falando sobre a matéria, e ele mencionou uma retratação.

– Retratação? Que bobagem. Passe o telefone para ele.

Com um sorriso no rosto, Tanya disse a Opotkin:

– O secretário Gorbachev gostaria de falar com você.

De início, Opotkin não acreditou nela. Pegou o telefone e disse:

– Quem fala, por favor?

A partir daí, ficou calado a não ser por um "sim, camarada" ocasional. Por fim, pôs o fone no gancho e saiu sem falar com Tanya.

Com enorme satisfação, ela amassou a retratação e a jogou no lixo.

Foi até o apartamento de Vasili sem saber o que esperar. Torceu para que ele não a convidasse para o seu harém. Só por garantia, para desencorajá-lo, estava usando uma nada sexy calça de sarja e um suéter cinza desbotado. Mesmo assim, pegou-se ansiosa pensando no que iria acontecer.

Ele abriu a porta de suéter azul e camisa branca, ambos com aspecto de novos. Tanya o beijou na bochecha e o estudou. Seus cabelos agora eram grisalhos, mas ainda fartos e ondulados. Aos 50 anos, ele tinha boa postura e era esbelto.

Vasili abriu uma garrafa de champanhe da Geórgia e pôs petiscos sobre a mesa: quadradinhos de torrada com ovo e tomate, e ovas de peixe com pepino. Tanya se perguntou quem teria preparado os canapés. Ele bem que teria sido capaz de pedir para uma das namoradas.

O apartamento era confortável, cheio de livros e quadros. Vasili tinha um toca-fitas. Era abastado agora, mesmo sem a fortuna em direitos autorais estrangeiros que não podia receber.

Quis saber tudo sobre a Polônia. Como o Kremlin conseguira derrotar o Solidariedade sem invadir o país? Por que Jaruzelski traíra o povo polonês? Não pensava que o apartamento estivesse grampeado, mas mesmo assim pôs uma fita de Tchaikovski para tocar.

Tanya lhe contou que o Solidariedade não estava morto, mas agora era clandestino. Muitos dos homens presos sob a lei marcial continuavam na cadeia, mas a sexista polícia secreta não fora capaz de avaliar o importante papel desempenhado pelas mulheres. Quase todas as organizadoras continuavam em liberdade, entre elas Danuta, que fora presa e solta em seguida. Ela voltara a trabalhar secretamente na produção de jornais e panfletos ilegais e no restabelecimento de linhas de comunicação.

Apesar disso, Tanya não tinha qualquer esperança. Se eles tornassem a se rebelar, tornariam a ser esmagados. Já Vasili se mostrou mais otimista.

– Foi por um triz – disse ele. – Em meio século, ninguém chegou tão perto de derrotar o comunismo.

Aquilo era como nos velhos tempos, pensou Tanya, sentindo-se mais à vontade à medida que o champanhe a ajudava a relaxar. No início dos anos 1960, antes de Vasili ser preso, eles muitas vezes tinham se sentado daquele mesmo jeito para conversar e discutir sobre política, literatura e arte.

Ela lhe contou sobre o telefonema de Mikhail Gorbachev.

– Ele é um cara estranho – comentou Vasili. – Lá no Ministério da Agricultura nós o vemos com frequência. É o queridinho de Yuri Andropov e parece ser um comunista sólido. A esposa é pior ainda. No entanto, ele apoia ideias reformistas sempre que pode fazer isso sem ofender os superiores.

– Meu irmão o tem em alta conta.

– Quando Brejnev morrer, o que se Deus quiser não vai demorar muito, Andropov vai tentar assumir a liderança e Gorbachev vai apoiá-lo. Se essa tentativa fracassar, será o fim para ambos. Eles serão mandados para as províncias. Mas, se Andropov tiver sucesso, Gorbachev tem um futuro brilhante pela frente.

– Ele tem 50 anos; em qualquer outro país, estaria na idade certa para se tornar líder. Aqui é jovem demais.

– O Kremlin é uma ala geriátrica.

Vasili serviu *borsch*, uma sopa de beterraba com carne.

– Que delícia – elogiou Tanya. – Quem fez? – Não conseguiu segurar a pergunta.

– Eu, claro. Quem mais poderia ter sido?

– Não sei. Você tem faxineira?

– Só uma *babushka* que vem limpar o apartamento e passar minhas camisas.

– Uma das suas namoradas, então?

– Estou sem namorada no momento.

Tanya ficou intrigada. Lembrou-se da última conversa que os dois tiveram antes de ela ir para Varsóvia. Ele afirmara que tinha mudado, que estava maduro. Ela lhe dissera que ele precisava demonstrar isso, não apenas dizer. Tivera certeza de que era só mais um papo-furado para tentar levá-la para a cama. Será que tinha se enganado? Duvidava muito.

Depois de comerem, perguntou-lhe o que ele sentia em relação aos direitos autorais que se acumulavam na conta de Londres.

– Esse dinheiro deveria ficar para você – respondeu ele.

– Deixe de ser bobo. Quem escreveu os livros foi você.

– Eu não tinha quase nada a perder... já estava na Sibéria, mesmo. Ninguém podia fazer mais muita coisa comigo a não ser me matar, e eu teria ficado aliviado em morrer. Mas você arriscou tudo... a carreira, a liberdade, a vida. Merece esse dinheiro mais do que eu.

– Bom, eu nunca aceitaria, mesmo se você pudesse me dar.

– Então ele provavelmente vai ficar lá até eu morrer.

– Você não tem vontade de fugir para o Ocidente?

– Não.

– Parece muito seguro disso.

– E estou mesmo.

– Por quê? Assim ficaria livre para escrever o que quisesse, o tempo todo. Adeus, radionovelas.

– Eu não iria... a menos que você fosse também.

– Não está falando sério.

Ele deu de ombros.

– Não espero que você acredite em mim. Por que deveria? Mas você é a pessoa mais importante da minha vida. Foi até a Sibéria me procurar, coisa que ninguém mais fez. Tentou me tirar da prisão. Contrabandeou meu trabalho para o mundo livre. Durante vinte anos, você foi a melhor amiga que uma pessoa poderia desejar.

Ela ficou comovida. Nunca pensara na situação daquela forma.

– Obrigada por me dizer isso.

– É só a verdade. Eu não vou fugir. – Ele fez uma pausa antes de arrematar: – A menos, é claro, que você vá comigo.

Tanya o encarou. Será que ele estava fazendo uma sugestão séria? Teve medo de perguntar. Olhou pela janela para os flocos de neve que rodopiavam à luz do poste de rua.

– Vinte anos, e nós nunca sequer nos beijamos – disse Vasili.

– É mesmo.

– Mas você mesmo assim me acha um Casanova sem coração.

Na verdade, ela não sabia mais o que pensar. Será que ele tinha mudado? Será que as pessoas mudavam?

– Depois de todo esse tempo, seria uma pena estragar o nosso histórico – falou.

– Mas é isso que eu quero, de todo o coração.

Ela desconversou:

– Se tivesse uma chance, você fugiria para o Ocidente?

– Com você, sim. Caso contrário, não.

– Eu sempre quis fazer da União Soviética um lugar melhor, não fugir. Mas depois da derrota do Solidariedade estou achando difícil acreditar no futuro aqui. O comunismo pode durar mil anos.

– Pelo menos pode durar mais do que eu e você.

Tanya hesitou. Estava surpresa com quanto queria beijá-lo. E mais: queria ficar ali, conversando com ele, no sofá daquele apartamento quentinho, com os flocos de neve caindo do lado de fora por muito, muito tempo. Que sensação estranha, pensou. Talvez fosse amor.

Então o beijou.

Depois de algum tempo, eles foram para o quarto.

∽

Natalya era sempre a primeira a saber das novidades. Na véspera do Natal, apareceu na sala de Dimka no Kremlin com um ar aflito.

– Andropov não vai participar da reunião do Politburo. Está doente demais para sair do hospital.

– Que droga – exclamou Dimka. – Isso é um perigo.

Estranhamente, Yuri Andropov se revelara um bom líder soviético. Durante os últimos quinze anos, fora o chefe eficiente de um serviço secreto cruel e brutal, a KGB, e agora, como secretário-geral do Partido Comunista da União Soviética, continuava a reprimir sem dó os dissidentes. No entanto, dentro do Partido, mostrava-se surpreendentemente tolerante em relação a novas ideias e reformas. Como um papa medieval que torturava hereges mas debatia com seus cardeais os argumentos contra a existência de Deus, Andropov conversava livremente com os indivíduos que lhe eram mais próximos sobre as falhas do sistema soviético; Dimka e Natalya faziam parte desse grupo. E as conversas conduziam a ações. A área de influência de Gorbachev se estendeu da agricultura para a economia em geral, e ele criara um programa de descentralização que tirava parte do poder decisório de Moscou e o entregava a gerentes que estivessem mais próximos dos problemas.

Infelizmente, Andropov adoeceu pouco antes do Natal de 1983, quando fazia menos de um ano que era líder. Isso deixou Dimka e Natalya preocupados. Seu concorrente pela liderança era o sem-sal Konstantin Chernenko, ainda o segundo nome da hierarquia. Dimka temia que ele fosse tirar vantagem da doença de Andropov para recuperar o comando.

– Andropov escreveu um discurso para ser lido em voz alta – falou Natalya.

Dimka sacudiu a cabeça.

– Isso não basta. Na ausência dele, Chernenko vai presidir a reunião, e quando isso acontecer todos vão aceitá-lo como o próximo líder. E aí o país inteiro vai retroceder. – A perspectiva era deprimente demais para ser considerada.

– Nós queremos que Gorbachev presida a reunião, claro.

– Mas o número dois é Chernenko. Queria que ele fosse internado.

– Não vai demorar muito... Ele não é um homem saudável.

– Mas provavelmente vai demorar demais. Temos algum jeito de passar por cima dele?

Natalya refletiu.

– Bom, o Politburo precisa fazer o que Andropov mandar.

– Então ele poderia simplesmente dar uma ordem dizendo que Gorbachev vai presidir a reunião?

– É, poderia. Ele ainda é o chefe.

– Andropov poderia acrescentar um parágrafo ao seu discurso.

– Perfeito. Vou ligar para ele e fazer essa sugestão.

Mais para o final da tarde, Dimka recebeu um recado convocando-o à sala de Natalya. Lá chegando, viu os olhos da mulher brilhando de animação e triunfo. Ela estava acompanhada por Arkady Volsky, assessor pessoal de Andropov, que fora convocado ao hospital pelo chefe e recebera um adendo manuscrito a ser acrescentado ao discurso. Volsky entregou o texto a Dimka.

O último parágrafo dizia:

Por motivos que os senhores entendem, não poderei presidir no futuro próximo as reuniões do Politburo e do Secretariado. Assim sendo, peço aos membros do Comitê Central para considerarem a possibilidade de confiar a liderança do Politburo e do Secretariado a Mikhail Sergueievich Gorbachev.

A frase estava expressa como uma sugestão, mas no Kremlin qualquer sugestão do líder era uma ordem direta.

– Isto aqui é explosivo – comentou Dimka. – Eles não têm como desobedecer.

– O que faço com o texto? – perguntou Volsky.

– Em primeiro lugar, tire várias cópias, assim não vai adiantar nada alguém rasgar. Em seguida... – ele hesitou.

– Não fale com ninguém – disse Natalya. – Entregue somente para Bogolyubov. – Klavdii Bogolyubov era o responsável por preparar os documentos para as reuniões do Politburo. – Seja discreto. Apenas diga a ele para acrescentar o material suplementar à pasta vermelha com o discurso de Andropov.

Eles concordaram que era o melhor plano.

O Natal não era uma festa importante. Os comunistas não apreciavam seu caráter religioso. Mudaram o nome do Papai Noel para Papai Gelo, da Virgem Maria para Donzela de Gelo, e transferiram a comemoração para o Ano-Novo. Era nesse dia que as crianças ganhavam presentes. Grisha, agora com 20 anos, iria ganhar um toca-fitas, e Katya, de 14, um vestido novo. Independentemente de suas crenças pessoais, Dimka e Natalya, ambos políticos importantes, sequer sonhavam em comemorar o Natal. Ambos foram trabalhar como se fosse um dia normal.

No dia seguinte, Dimka foi à Sala do Presidium para a reunião do Politburo.

Foi recebido na porta por Natalya, que havia chegado mais cedo. Ela parecia preocupada, e segurava a pasta vermelha aberta com o discurso de Andropov.

– Eles deixaram de fora! – falou. – Deixaram o último parágrafo de fora!

Dimka se sentou pesadamente.

– Jamais imaginei que Chernenko fosse ter coragem de fazer isso – comentou.

Compreendeu que não havia nada que pudessem fazer. Andropov estava hospitalizado. Se ele tivesse irrompido na sala e gritado com todo mundo, sua autoridade teria se reafirmado, mas ele não podia fazer isso. Chernenko acertara ao avaliar sua fraqueza.

– Eles ganharam, não é? – perguntou Natalya.

– É – respondeu Dimka. – A era da Estagnação recomeça outra vez.

Parte Nove

BOMBA
1984 A 1987

CAPÍTULO CINQUENTA E CINCO

George Jakes foi ao vernissage de uma exposição sobre arte afro-americana no centro de Washington. Não se interessava muito por arte, mas um deputado negro precisava apoiar esse tipo de evento. A maior parte de seu trabalho no Congresso era mais importante.

O presidente Reagan tinha aumentado muito os gastos públicos com as Forças Armadas, mas quem iria pagar a conta? Não os ricos, que haviam ganhado de presente um grande corte de impostos.

George tinha uma piada que sempre repetia. Um jornalista perguntava a Reagan como ele iria reduzir os impostos e aumentar os gastos ao mesmo tempo. "Vou ter dois livros-caixa", era a resposta.

Na realidade, o plano do presidente era reduzir a previdência social e o plano de saúde do governo. Se ele conseguisse o que queria, os desempregados e as mães que viviam à custa do Estado perderiam dinheiro para financiar o boom da indústria da defesa. Pensar nisso deixava George louco de raiva. No entanto, ele e outros membros do Congresso lutavam para impedir tal coisa, e por enquanto haviam conseguido.

A consequência era um aumento nos empréstimos do governo. Reagan havia aumentado o déficit público. Todos aqueles novos e brilhantes armamentos para o Pentágono seriam bancados pelas futuras gerações.

George pegou um copo de vinho branco de uma bandeja servida por um garçom e olhou para as obras de arte à sua volta, em seguida conversou rapidamente com um jornalista. Não tinha muito tempo. Verena precisava ir a um jantar político em Georgetown nessa noite e ele teria de ficar com Jack, seu filho de 4 anos. O casal tinha babá, uma necessidade para duas pessoas com empregos tão exigentes, mas um deles sempre ficava disponível para o caso de ela não aparecer.

Ele pousou o copo sem provar a bebida. Vinho servido de graça nunca era grande coisa. Vestiu o casaco e saiu. Uma chuva fria começara a cair, e ele segurou o catálogo da exposição acima da cabeça enquanto andava depressa até o carro. Seu elegante Mercedes antigo era coisa do passado: um político precisava dirigir um carro americano. Ele agora tinha um Town Car prata da Lincoln.

Entrou, ligou os limpadores de para-brisa e partiu rumo ao condado de Prince George. Atravessou a ponte da South Capitol Street e pegou a Suitland Parkway na direção leste. Praguejou ao ver como o tráfego estava pesado: iria se atrasar.

Quando chegou em casa, viu o Jaguar vermelho de Verena parado em frente à casa, de frente para a rua, pronto para partir. O carro fora presente do pai dela pelos 40 anos da filha. George estacionou logo ao lado e entrou em casa levando uma pasta cheia de papéis, seu trabalho para aquela noite.

Verena estava no hall, espetacularmente glamurosa, usando um vestido de festa preto e escarpins de verniz com salto. Estava uma fera.

– Você está atrasado! – berrou.

– Desculpe. O trânsito na Suitland Parkway estava uma loucura hoje.

– Esse jantar é superimportante para mim... Três integrantes do gabinete de Reagan vão estar presentes, e eu vou chegar atrasada!

George entendia a irritação da mulher. Para uma lobista, a oportunidade de encontrar gente poderosa socialmente tinha um valor inestimável.

– Agora eu cheguei – falou.

– Eu não sou a empregada! Quando combinamos alguma coisa, você tem que cumprir!

A cena não era incomum. Verena muitas vezes ficava brava e gritava com George. Ele sempre tentava reagir com calma.

– Tiffany está aqui?

– Não, não está, foi para casa porque estava doente. Por isso tive que esperar você.

– Cadê o Jack?

– Vendo TV na salinha.

– Está bem, vou lá ficar com ele. Pode sair.

Ela emitiu um ruído furioso e saiu pisando duro.

George sentiu certa inveja da pessoa que sentaria ao lado dela no jantar. Verena continuava sendo a mulher mais sexy que já conhecera, mas ele agora sabia que ser seu namorado a distância, como tinha sido durante quinze anos, era melhor do que ser seu marido. Antigamente, os dois transavam mais vezes em um único fim de semana do que agora em um mês inteiro. Desde o casamento, suas brigas acaloradas e frequentes, em geral relacionadas aos cuidados com o filho, haviam erodido seu afeto mútuo como o lento gotejar de um forte corrosivo. Eles moravam juntos, cuidavam do filho e das respectivas carreiras. Mas será que se amavam? George não sabia mais.

Entrou na salinha. Jack estava no sofá em frente à televisão. O menino era o grande consolo de George. Sentou-se junto ao filho e passou o braço em volta de seus ombros pequeninos. Jack se aconchegou ao pai.

O programa era sobre um grupo de alunos do ensino médio metido em algum tipo de aventura.

– Que programa é esse? – perguntou George.
– *Garotos prodígio*. É demais.
– É sobre o quê?
– Eles capturam criminosos usando computadores.

George reparou que um dos gênios mirins era negro e pensou: como o mundo dá voltas.

⁓

– Tivemos muita sorte de ser convidados para esse jantar – disse Cam Dewar à mulher, Lidka, enquanto seu táxi encostava em frente a uma grande mansão na Rua R, perto da Biblioteca de Georgetown. – Quero que deixemos uma boa impressão.

Lidka fez um muxoxo.

– Você é um funcionário importante da polícia secreta. Acho que *eles* é que precisam impressionar *você*.

Lidka não entendia como os Estados Unidos funcionavam.

– A CIA não é a polícia secreta – explicou Cam. – E, pelos padrões dessas pessoas, eu não sou muito importante.

Mas Cam não era exatamente um zé-ninguém. Graças à experiência prévia na Casa Branca, era agora o principal articulador entre a CIA e o Governo Reagan. Estava animadíssimo com esse trabalho.

Havia superado a decepção com o fracasso de Reagan na Polônia, que acabara pondo na conta da inexperiência. Quando o Solidariedade fora esmagado, Reagan era presidente havia menos de um ano.

Lá no fundo de sua mente, porém, um advogado do diabo dizia que um presidente deveria ser inteligente e preparado o bastante para tomar decisões seguras a partir do momento em que assumisse o cargo. Lembrou-se de Nixon dizendo: "Reagan é um cara bacana, mas não entende porcaria nenhuma de política externa."

Mas Reagan tinha boas intenções, e isso era o principal. Era um anticomunista ferrenho.

– E o seu avô foi senador! – exclamou Lidka.

Isso tampouco tinha grande importância. Gus Dewar estava com mais de 90 anos. Depois de perder a esposa, mudara-se de Buffalo para São Francisco para ficar perto de Woody, de Beep e do bisneto John Lee. Aposentara-se da política havia muito tempo. Além do mais, ele era democrata e, pelos padrões do pessoal de Reagan, era extremamente liberal.

Cam e Lidka subiram um lance curto de escada até chegarem a uma casa de tijolos vermelhos que parecia um pequeno castelo francês, com águas-furtadas no telhado de ardósia e uma entrada de pedra branca encimada por um pequeno frontão grego. Era a residência de Frank e Marybell Lindeman, generosos financiadores multimilionários da campanha de Reagan e beneficiários de seus cortes fiscais. Marybell era uma entre a meia dúzia de mulheres que mandavam na vida social de Washington, e recebia os homens que administravam o país. Por isso Cam se sentia tão sortudo por estar ali.

Embora os Lindeman fossem republicanos, os jantares de Marybell eram bipartidários, e Cam imaginava que fosse encontrar políticos de ambos os lados naquela noite.

Um mordomo pegou seus casacos. Lidka correu os olhos pelo hall grandioso e comentou:

– Por que eles têm esses quadros horríveis?

– Isso é arte do Velho Oeste – explicou Cam. – Aquilo ali é um Remington... vale um dinheirão.

– Se eu tivesse esse dinheiro todo, não compraria quadros de caubóis e índios.

– Eles querem marcar uma posição. Os impressionistas não foram necessariamente os melhores pintores que já existiram. Há artistas americanos muito bons também.

– Não é verdade... todo mundo sabe disso.

– Gosto não se discute.

Lidka deu de ombros: aquele era mais um mistério da vida americana.

O mordomo os conduziu até uma ampla sala que parecia um salão setecentista, com um tapete de dragão chinês e uma porção de cadeiras finas estofadas com seda amarela. Cam percebeu que eles tinham sido os primeiros a chegar. Instantes depois, Marybell entrou por outra porta. Era uma mulher imponente, dona de uma cabeleira ruiva abundante que podia ou não ser natural. Usava um colar que, aos olhos de Cam, parecia feito de diamantes particularmente grandes.

– Que ótimo vocês terem chegado cedo! – disse ela.

Cam entendeu que era uma repreenda, mas Lidka nem percebeu.

– Eu mal podia esperar para conhecer a sua maravilhosa casa – derramou-se.

– E o que está achando da vida nos Estados Unidos? – perguntou-lhe Marybell. – Na sua opinião, qual é a melhor coisa daqui?

Lidka pensou por alguns instantes.

– Aqui tem muitos pretos – respondeu.

Cam reprimiu um grunhido. O que ela estava dizendo?

De tão surpresa, Marybell não comentou nada.

Com um aceno, Lidka apontou para o garçom que segurava uma bandeja cheia de flûtes de champanhe, para a empregada que trazia tira-gostos e para o mordomo, todos afro-americanos.

– Eles fazem tudo: abrem as portas, servem bebidas, varrem o chão. Lá na Polônia não temos ninguém para fazer esse trabalho... cada um tem que fazer o seu!

Um certo pânico tomou conta do semblante de Marybell. Esse tipo de conversa era incorreto até mesmo na Washington de Reagan. Então olhou por cima do ombro de Lidka e viu outro convidado ali perto.

– Karim, querido! – guinchou. – Venha conhecer Cam Dewar e a esposa dele, Lidka. Este é Karim Abdullah, da embaixada saudita.

Karim apertou a mão de todos.

– Já ouvi falar no senhor – disse ele a Cam. – Trabalho bem próximo de alguns dos seus colegas de Langley.

Era o seu jeito de lhe informar que trabalhava para a inteligência saudita.

Karim virou-se para Lidka, que ostentava um ar surpreso. Cam sabia por quê: ela não esperava ver alguém de pele tão escura na festa de Marybell.

Mas Karim a encantou com seu charme.

– Já tinham me dito que as polonesas eram as mulheres mais lindas do mundo, mas eu não acreditava... até agora.

Ele beijou a mão dela.

Aquele tipo de bajulação idiota sempre funcionava com Lidka.

– Ouvi o que a senhora disse sobre os negros – falou Karim. – Concordo. Não temos nenhum lá na Arábia Saudita... então precisamos importar da Índia!

Cam pôde ver que Lidka estava atarantada com as sutis distinções do racismo de Karim. Para ele, indianos eram negros, mas árabes, não. Felizmente, ela sabia quando se calar e ouvir o que um homem estava dizendo.

Outros convidados chegaram. Karim baixou a voz:

– Mas nós temos de tomar cuidado com o que dizemos... alguns dos convidados aqui podem ser liberais.

Como para ilustrar o que ele acabara de dizer, um homem alto de porte atlético com fartos cabelos louros entrou no recinto. Parecia um astro de cinema. Era Jasper Murray.

Cam não gostou nada de vê-lo ali; detestava Jasper desde que os dois eram adolescentes. Então o outro tinha se tornado jornalista investigativo e ajudado a derrubar Nixon. Seu livro sobre o ex-presidente, *Dick Trapaça*, havia sido um estouro de vendas e virara um filme de sucesso. Jasper se mantivera relativamente calado durante o governo Carter, mas voltara à carga assim que Reagan subira ao poder. Ele era agora uma das personalidades mais queridas da televisão, no mesmo nível de Peter Jennings e Barbara Walters. Na véspera mesmo, o seu programa *This Day* dedicara meia hora à ditadura militar salvadorenha apoiada pelos Estados Unidos. Murray repetira os clamores de grupos de direitos humanos de que os esquadrões da morte haviam assassinado 30 mil pessoas em El Salvador.

O marido de Marybell, Frank Lindeman, era dono da emissora responsável pela transmissão do *This Day*, de modo que Jasper decerto achara impossível recusar aquele convite. A Casa Branca já tinha pressionado Frank a se livrar do apresentador, mas o milionário até então recusara. Embora fosse o acionista majoritário, tinha de responder a um conselho, e os investidores poderiam criar problemas se ele demitisse um de seus maiores astros.

Marybell parecia ansiosa, à espera de alguma coisa. Então outra convidada chegou, um tanto atrasada: uma lobista negra glamurosa chamada Verena Marquand. Cam nunca a tinha encontrado, mas a conhecia de fotos.

O mordomo anunciou que a refeição estava servida e todos entraram por uma porta dupla na sala de jantar. As mulheres emitiram ruídos de aprovação ao ver a mesa comprida toda enfeitada com uma louça reluzente e tigelas de prata cheias de rosas amarelas cultivadas em estufa. Cam viu que Lidka tinha os olhos arregalados. Aquilo superava qualquer fotografia das suas revistas de decoração, calculou. Ela com certeza jamais vira ou sequer imaginara algo tão luxuoso.

Eram dezoito convivas em volta da mesa, mas a conversa foi dominada imediatamente por uma única pessoa: Suzy Cannon, amargurada jornalista de fofocas. Metade do que ela escrevia era mentira, mas a mulher tinha um faro de chacal para o ponto fraco dos outros. Embora fosse conservadora, interessava-se mais por escândalos do que por política. Para ela, a privacidade não existia. Cam rezou para que Lidka ficasse de boca fechada. Qualquer coisa que fosse dita ali poderia sair no jornal do dia seguinte.

Para sua surpresa, contudo, foi nele que Suzy mirou seus olhos penetrantes.

– Você e Jasper se conhecem, não é? – indagou ela.

– Na verdade, não – respondeu Cam. – Nós nos encontramos em Londres muitos anos atrás.

– Mas ouvi dizer que vocês dois se apaixonaram pela mesma garota.

Como ela podia saber disso, droga?

– Suzy, eu tinha 15 anos – falou Cam. – Devo ter me apaixonado por metade das garotas de Londres.

A jornalista se virou para Jasper.

– E você? Lembra-se dessa rivalidade?

Jasper estava muito entretido em uma conversa com Verena Marquand, sentada ao seu lado. Fez uma cara irritada.

– Se você está pretendendo escrever uma matéria sobre romances adolescentes que aconteceram há mais de vinte anos e chamar isso de notícia, Suzy, tudo o que posso dizer é que deve estar transando com o seu editor.

Todo mundo riu. Na verdade, Suzy era casada com o editor do jornal.

Cam reparou que a risada dela foi forçada e que seus olhos chispavam ódio na direção de Jasper. Lembrou que, quando era uma jovem jornalista, Suzy fora demitida do *This Day* após uma série de reportagens cheias de erros.

Então ela disse:

– Cam, você deve ter assistido com grande interesse ao programa de Jasper ontem à noite.

– Interesse nem tanto, mas consternação, sim – respondeu Cam. – O presidente e a CIA estão tentando apoiar o governo anticomunista de El Salvador.

– E Jasper parece defender o outro lado, não é? – insistiu Suzy.

– Eu defendo o lado da verdade, Suzy – interveio Jasper. – Sei que é difícil para você entender isso.

Cam reparou que não restava nenhum vestígio de seu sotaque britânico.

– Achei lamentável ver uma propaganda daquele tipo em uma emissora importante – comentou.

– E o que *você* diria sobre um governo que assassina 30 mil de seus próprios cidadãos? – disparou Jasper.

– Nós não aceitamos esse número.

– Então quantos cidadãos de El Salvador você *acha* que foram assassinados pelo governo de lá? Qual é a estimativa da CIA?

– Você deveria ter perguntado antes de o seu programa ir ao ar.

– Ah, eu perguntei. Só que não me responderam.

– Nenhum governo da América Central é perfeito. Você se concentra nos que nós apoiamos. Eu acho que você é antiamericano, só isso.

Suzy sorriu.

– Você é britânico, não é, Jasper? – indagou, com uma doçura venenosa.

Jasper pareceu abalado.

– Faz mais de uma década que virei americano. Sou tão pró-americano que arrisquei a vida por este país. Servi no Exército dos Estados Unidos por dois anos, um deles no Vietnã. E não foi com a bunda sentada atrás de uma mesa em Saigon: eu participei de batalhas, matei pessoas. Você nunca fez isso, Suzy. E você, Cam? O que fez no Vietnã?

– Não fui convocado.

– Então talvez seja melhor calar a porra dessa boca.

Marybell interrompeu a discussão:

– Acho que já chega dessa conversa sobre Jasper e Cam. – Virando-se para um deputado de Nova York sentado ao seu lado, ela emendou: – Vi que a sua cidade proibiu a discriminação contra os homossexuais. O senhor é a favor?

A conversa passou ao tema dos direitos dos homossexuais, e Cameron relaxou... cedo demais.

Alguém fez uma pergunta sobre a legislação em outros países, e Suzy indagou:

– Como é a lei na Polônia, Lidka?

– A Polônia é um país católico – respondeu Lidka. – Não temos homossexuais lá. – Fez-se um instante de silêncio. – Graças a Deus.

⁓

Jasper Murray saiu da casa dos Lindeman ao mesmo tempo que Verena Marquand.

– Suzy Cannon adora criar uma confusão – comentou ele enquanto desciam a escada.

Verena riu, mostrando os dentes brancos à luz do poste de rua.

– Verdade.

Eles chegaram à calçada. O táxi que Jasper pedira não estava ali. Ele acompanhou Verena até o carro dela.

– Suzy quer me derrubar.

– Ela não pode fazer grande coisa, não é? Você agora é famoso demais.

– Pelo contrário. Agora existe uma campanha séria contra mim em Washington. Estamos em ano eleitoral, e o governo não quer programas de TV como o que fiz ontem à noite.

Ele se sentia à vontade com ela. Os dois haviam se encontrado no dia em que viram Martin Luther King ser morto, e a sensação de intimidade nunca havia desaparecido por completo.

– Tenho certeza de que você consegue resistir a um ataque de fofoca – falou Verena.

– Não sei. Meu chefe é um antigo rival chamado Sam Cakebread, que nunca gostou muito de mim. E Frank Lindeman, o dono da emissora, obviamente adoraria se livrar de mim caso tivesse um pretexto. No momento, o conselho teme ser acusado de deturpar as notícias se me mandar embora. Mas basta um erro e estou fora.

– Você deveria fazer como Suzy e se casar com o patrão.

– Faria isso se pudesse. – Ele olhou para um lado e outro da rua. – Pedi um táxi para as onze, mas não estou vendo o carro. O programa não banca limusines.

– Quer uma carona?

– Seria ótimo.

Eles entraram no Jaguar.

Ela tirou os sapatos de salto alto e lhe passou.

– Pode pôr no chão aí do seu lado, por favor?

Ia dirigir só de meia fina. Jasper sentiu um calafrio de desejo. Sempre achara Verena bonita de cair o queixo. Observou-a se misturar ao tráfego noturno e acelerar pela rua. Ela dirigia bem, embora um pouco depressa, o que não era nenhuma surpresa.

– Não existe muita gente em quem posso confiar – disse ele. – Sou uma das pessoas mais conhecidas dos Estados Unidos e me sinto mais sozinho hoje do que nunca. Mas confio em você.

– Também sinto isso. Desde aquele dia horrível lá em Memphis. Nunca me senti tão apavorada e vulnerável quanto na hora em que escutei aquele tiro. Você cobriu minha cabeça com seus braços. Uma coisa dessas não dá para esquecer.

– Gostaria de ter conhecido você antes de George.

Verena lhe lançou um olhar rápido e sorriu.

Ele não soube muito bem como interpretar aquele gesto.

Chegaram ao prédio dele e ela parou na calçada esquerda da rua de mão única.

– Obrigado pela carona – falou Jasper, e saltou.

Tornou a se inclinar para dentro do carro, pegou os sapatos dela do chão e os pôs sobre o banco.

– Lindos sapatos – comentou, e bateu a porta.

Deu a volta no carro até a calçada e se aproximou da janela. Verena abaixou o vidro.

– Esqueci de lhe dar um beijo de boa-noite – disse ele.

Inclinou-se para dentro do carro e a beijou na boca. Ela abriu os lábios no mesmo instante, e o beijo se incendiou. Verena o segurou pelo pescoço e puxou sua cabeça para dentro do carro. Beijaram-se com um afã descontrolado. Jasper esticou a mão lá para dentro e a subiu pela saia do vestido de festa até tocar o triângulo macio coberto de algodão entre as pernas dela. Ela gemeu e arremeteu o quadril para cima em direção aos seus dedos.

Ofegante, ele interrompeu o beijo.

– Entre.

– Não.

Ela afastou a mão dele de seu sexo.

– Encontre comigo amanhã.

Ela não respondeu, mas o empurrou para longe até que seus ombros e sua cabeça saíssem do carro.

– Você se encontra comigo amanhã? – repetiu ele.

Ela engatou a marcha.

– Me liga – disse ela. Então pisou fundo e partiu fazendo o motor rugir.

⁂

George Jakes não sabia se acreditava ou não no programa de TV de Jasper Murray. Até mesmo para ele parecia improvável Reagan apoiar um governo que assassinava aos milhares os próprios cidadãos. Então, quatro semanas depois, o *The New York Times* fez uma revelação sensacional: o chefe do esquadrão da morte salvadorenho, coronel Nicolas Carranza, era agente da CIA e recebia 90 mil dólares por ano dos contribuintes americanos.

Os eleitores ficaram enfurecidos. Pensaram que, depois de Watergate, a CIA tivesse entrado na linha. Mas a agência estava obviamente fora de controle, pagando um monstro para cometer assassinato em massa.

Em seu escritório de casa, George terminou de arrumar os documentos na pasta alguns minutos antes das dez. Atarraxou a caneta-tinteiro, mas ainda passou algum tempo sentado, pensando.

Ninguém no Comitê de Inteligência da Câmara sabia sobre o coronel Carranza, tampouco nenhum integrante do comitê equivalente no Senado. Pegos desprevenidos, estavam todos constrangidos. Seu trabalho era supervisionar a CIA. A população achava que aquela confusão era culpa sua. Mas o que eles podiam fazer se os espiões mentiam?

Ele deu um suspiro e se levantou. Saiu do escritório, apagou a luz e entrou no quarto do filho. Jack dormia a sono solto. Quando via o menino assim, tão em paz, George tinha a sensação de que seu coração iria explodir. A pele macia de Jack era surpreendentemente escura, igual à de Jacky, muito embora ele tivesse dois avós brancos. Apesar de todo aquele papo de que "negro é lindo", pessoas de pele clara ainda eram favorecidas na comunidade afro-americana. Mas, para George, Jack era lindo. Sua cabeça estava pousada no urso de pelúcia de um jeito que parecia desconfortável. George pôs uma das mãos sob a cabeça do filho, sentindo cachos macios como os seus. Levantou-a um pouquinho, retirou delicadamente o ursinho e tornou a recostá-la no travesseiro com todo o cuidado. Jack continuou dormindo sem perceber nada.

George foi até a cozinha e serviu-se de um copo de leite que levou para o quarto. Verena já estava deitada, de camisola, com uma pilha de revistas ao lado, lendo e assistindo à TV ao mesmo tempo. George tomou o leite, depois foi até o banheiro escovar os dentes.

Eles pareciam estar se entendendo um pouco melhor. Raramente transavam, mas Verena estava mais equilibrada. Na verdade, fazia mais ou menos um mês que não dava um chilique. Andava trabalhando muito, com frequência noite adentro: talvez se sentisse mais feliz quando o emprego ficava mais exigente.

George tirou a camisa e ergueu a tampa do cesto de roupa suja. Estava prestes a largar a camisa lá dentro quando uma lingerie de Verena lhe chamou a atenção: um conjunto de sutiã e calcinha de renda preta. As peças pareciam novas, e ele não se lembrava de tê-las visto na mulher. Se ela estava comprando roupa íntima sexy, por que não deixar que ele visse? Com certeza não era tímida em relação a esses assuntos.

Ao observar mais de perto, ele viu algo ainda mais estranho: um cabelo louro.

Foi tomado por um medo terrível. Sentiu um frio na barriga. Tirou o sutiã e a calcinha do cesto de roupa suja.

Levou-os até o quarto e disse:

– Diga que estou louco.

– Você está louco – ela falou. Então viu o que ele tinha na mão. – Vai lavar minha roupa? – brincou, mas ele percebeu que estava nervosa.

– Bela lingerie – comentou ele.

– Que sorte a sua.

– Só que eu não vi você usando.

– Que falta de sorte a sua.

– Mas alguém viu.

– Claro. O Dr. Bernstein.

– O Dr. Bernstein é careca. Tem um cabelo louro na sua calcinha.

A pele cor de café com leite de Verena ficou mais pálida, mas ela manteve a pose.

– Bom, Sherlock Holmes, e que conclusão você tira disso?

– Que você transou com um homem de cabelos louros e compridos.

– Por que tem que ser um homem?

– Porque você gosta de homem.

– Talvez eu goste de mulher também. Está na moda. Todo mundo agora é bissexual.

George sentiu uma profunda tristeza.

– Você nem nega que esteja tendo um caso.

– Bem, George, acho que você me pegou.

Ele balançou a cabeça, incrédulo.

– Está fazendo graça com a situação?

– Acho que sim.

– Então você admite. Com quem está transando?

– Não vou dizer, então nem adianta perguntar de novo.

George estava tendo cada vez mais dificuldade para conter a raiva.

– Você age como se não tivesse feito nada de errado!

– Não vou fingir. Sim, estou saindo com uma pessoa de quem gosto. Sinto muito por magoar você.

George estava atarantado.

– Como isso foi acontecer tão depressa?

– Aconteceu devagar. Já faz mais de cinco anos que estamos casados. A emoção acabou, como diz a canção.

– O que eu fiz de errado?

– Casou-se comigo.

– Quando você ficou tão brava?

– Eu, brava? Pensei que estivesse só entediada.

– O que você quer fazer?

– Não vou largá-lo por causa de um casamento que quase não existe mais.

– Você sabe que não posso aceitar isso.

– Então vá embora. Você não é nenhum prisioneiro.

George sentou-se diante da penteadeira e enterrou o rosto nas mãos. Foi engolfado por uma intensa onda de emoção e de repente se pegou levado de volta à infância. Recordou o constrangimento de ser o único menino da turma que não tinha pai. Sentiu novamente a inveja dilacerante que o acometia sempre que via outros meninos com seus pais jogando bola, consertando o pneu furado de uma bicicleta, comprando um taco de beisebol, experimentando sapatos. Tornou a sentir a raiva ferver pelo homem que, aos seus olhos, havia abandonado sua mãe e ele, sem dar a mínima para a mulher que tinha se entregado a ele nem para o filho gerado por esse amor. Sentiu vontade de gritar, de bater em Verena, de chorar.

Por fim, conseguiu abrir a boca.

– Não vou abandonar Jack – falou.

– A escolha é sua – retrucou Verena.

Ela desligou a TV, jogou as revistas no chão, apagou a luz da cabeceira e se deitou de costas para ele.

– Então é isso? – indagou George, incrédulo. – É só o que você tem a dizer?

– Vou dormir. Tenho um café da manhã de trabalho.

Ele a encarou. Será que algum dia a conhecera de verdade?

É claro que sim. No fundo de seu coração, sempre entendera que havia duas Verenas: a primeira era uma dedicada ativista dos direitos civis; a segunda, uma moça festeira. Ele amava ambas e havia acreditado que, com sua ajuda, elas poderiam se tornar uma só pessoa feliz e equilibrada. Mas estava errado.

Continuou ali por vários minutos, olhando para ela à luz mortiça do poste de rua da esquina. Esperei tanto tempo por você, pensou, todos aqueles anos de amor a distância. Aí você finalmente se casou comigo, tivemos Jack e eu pensei que tudo fosse ficar bem, para sempre.

Por fim, levantou-se. Tirou a roupa e vestiu um pijama.

Não conseguiu se forçar a entrar na cama ao lado dela.

O quarto de hóspedes tinha cama, mas não estava feita. Ele foi até o hall e pegou no armário seu casaco mais quente. Foi para o quarto de hóspedes, deitou-se e se cobriu com o casaco.

Mas não dormiu.

∽

Algum tempo antes, George percebera que Verena às vezes usava roupas que não lhe caíam bem. Sua mulher tinha um bonito vestido estampado de florezinhas que usava quando queria parecer uma menina inocente, mas na verdade a roupa a deixava ridícula. Tinha um terno marrom que deixava seu rosto inteiramente sem cor, mas havia gastado tanto dinheiro nele que se recusava a admitir que a compra tinha sido um erro. Tinha um suéter amarelo-mostarda que deixava seus incríveis olhos verdes embaçados e sem brilho.

Todo mundo fazia o mesmo, pensou. Ele próprio tinha três camisas de cor creme cujos colarinhos desejava que puíssem logo para poder jogá-las fora. Por todos os tipos de motivo, as pessoas usavam roupas que detestavam.

Mas nunca para encontrar um amante.

Quando Verena vestia seu terno Armani preto com a blusa azul-turquesa e o colar de coral negro, ficava parecendo uma estrela de cinema e sabia disso.

Com certeza devia estar indo encontrar seu novo amor.

A humilhação de George foi tanta que pareceu uma dor a lhe mastigar o estômago. Não conseguiria suportar aquilo por muito mais tempo. Aquela situação lhe dava vontade de se atirar de uma ponte.

Verena saiu cedo e disse que voltaria cedo, então George concluiu que os dois se encontrariam na hora do almoço. Tomou o café da manhã com Jack e deixou o filho com a babá Tiffany. Foi à sua sala no prédio de escritórios de Cannon House, perto do Capitólio, e cancelou os compromissos do dia.

Ao meio-dia, o Jaguar vermelho de Verena estava parado como sempre no estacionamento perto da sala dela, no Centro. George ficou esperando mais adiante no mesmo quarteirão em seu Lincoln prateado, com os olhos grudados na saída. O carro vermelho apareceu ao meio-dia e meia. Ele entrou no tráfego e foi atrás dela.

Verena atravessou o Potomac e pegou a direção da zona rural da Virgínia. Quando o tráfego ficou mais leve, George deixou o Jaguar ganhar distância. Seria constrangedor se ela o visse. Torceu para que a mulher não reparasse em um carro tão comum quanto um Lincoln prata. Ele não teria feito aquilo em seu chamativo Mercedes antigo.

Alguns minutos antes da uma, ela saiu da estrada e parou em um restaurante rural chamado The Worcester Sauce. George passou direto, à toda, depois deu meia-volta uns 2 quilômetros à frente e retornou. Então entrou no estacionamento do restaurante e parou em uma vaga da qual pudesse ver o Jaguar. Acomodou-se para esperar.

Ficou cismando. Sabia que estava sendo um idiota. Sabia que aquilo poderia terminar em constrangimento ou coisa pior. Sabia que deveria ir embora.

Mas precisava descobrir quem era o amante da mulher.

O casal saiu do restaurante às três.

Pelo jeito de Verena caminhar, pôde ver que ela havia bebido um ou dois copos de vinho no almoço. Os dois atravessaram o estacionamento de mãos dadas e ela riu algumas vezes de algo que o homem disse; a fúria começou a ferver dentro de George.

O homem era alto, de ombros largos, com fartos cabelos louros bastante compridos.

Quando os dois se aproximaram, George reconheceu Jasper Murray.

– Seu filho da puta – falou em voz alta.

Jasper sempre tivera uma quedinha por Verena, desde a primeira vez que os dois tinham se visto, no Hotel Willard, no dia do discurso "Eu tenho um sonho" de Martin Luther King. Mas vários homens tinham uma quedinha por Verena.

George jamais imaginara que o jornalista, dentre todos eles, fosse chegar ao ponto de traí-lo.

O casal chegou ao Jaguar e se beijou.

George sabia que deveria ligar o carro e ir embora. Já havia descoberto o que precisava saber. Não havia mais nada a ser feito.

Pôde ver que Verena estava com a boca aberta e pressionava o quadril contra o corpo de Jasper. Ambos estavam de olhos fechados.

George desceu do carro.

Jasper segurou o seio de Verena.

George bateu a porta do carro e atravessou o estacionamento asfaltado a passos largos na direção deles.

Jasper estava entretido demais com o que fazia, mas Verena ouviu a porta bater e abriu os olhos. Viu George, empurrou Jasper para longe e deu um grito.

Mas era tarde demais.

George levou o braço direito para trás e acertou Jasper com um soco no qual usou toda a força das costas e dos ombros. Seu punho bateu no lado esquerdo do rosto do jornalista. George ouviu com profunda satisfação o ruído da pele mole sendo esmagada, e então, uma fração de segundo depois, a dureza do dente e do osso. A dor subiu queimando por sua mão.

Jasper cambaleou para trás e caiu no chão.

– George! O que você fez!? – gritou Verena. Sem ligar para as meias, ajoelhou-se ao lado de Jasper.

O jornalista se apoiou em um dos cotovelos e tateou o próprio rosto.

– Porra, seu animal! – falou para George.

George quis que o outro se levantasse do chão para revidar. Queria mais violência, mais dor, mais sangue. Passou vários segundos olhando para Jasper através de uma névoa vermelha. Então a névoa clareou e George entendeu que o outro não se levantaria para brigar.

Virou as costas, voltou para o carro e foi embora.

Quando chegou em casa, Jack estava no quarto, brincando com sua coleção de carrinhos. George fechou a porta para a babá não escutar. Sentou-se na cama coberta por uma colcha que parecia um carro de corrida.

– Tenho uma coisa muito difícil para lhe falar – disse ao filho.

– O que aconteceu com a sua mão? – perguntou Jack. – Está toda vermelha e inchada.

– Bati em uma coisa. Agora você precisa me escutar.

– Está bem.

Aquilo seria difícil para um menino de 4 anos entender.

– Você sabe que eu sempre vou amar você. Como a vovó Jacky me ama, apesar de eu não ser mais um menininho.

– A vovó vem hoje?

– Talvez amanhã.

– Ela sempre traz cookies.

– Escute. Às vezes as mamães e os papais param de se amar. Você sabia?

– Sabia. O pai do Pete Robbins não ama mais a mãe dele. – A voz do menino se fez solene: – Eles se *divorciaram*.

– Que bom que você entende isso, porque sua mãe e eu não nos amamos mais.

Ele observou o rosto do filho para ver se ele entendia ou não. O menino parecia confuso, como se algo aparentemente impossível estivesse acontecendo. A expressão de seu rosto partiu o coração de George. Como posso fazer algo tão cruel com a pessoa que mais amo no mundo?, pensou.

Como cheguei a este ponto?

– Você sabe que eu tenho dormido no quarto de hóspedes.

– Sei.

Agora vem a parte mais difícil.

– Bom, eu hoje vou dormir na casa da vovó.

– Por quê?

– Porque a mamãe e eu não nos amamos mais.

– Então a gente se vê amanhã.

– Vou dormir muito na casa da vovó daqui em diante.

Jack começou a ver que aquilo iria afetá-lo.

– Você vai ler história para mim na hora de dormir?

– Todas as noites, se você quiser. – Ele jurou manter a promessa.

Jack ainda tentava entender as consequências daquilo.

– Vai esquentar meu leite no café da manhã?

– Às vezes. Ou pode ser que a mamãe esquente. Ou Tiffany.

Jack sabia quando alguém estava sendo evasivo.

– Não sei – falou. – Acho melhor você não ir dormir na casa da vovó.

George perdeu a coragem.

– Bom, vamos ver o que acontece – falou. – Ei, quer um sorvete?

– Quero!

Foi o pior dia da vida de George.

No carro, enquanto ia do Capitólio em direção a sua casa no condado de Prince George, George ficou refletindo sobre reféns. Naquele ano, no Líbano, quatro americanos e um francês tinham sido raptados. Um dos americanos fora solto, mas os outros continuavam jogados em alguma prisão, a menos que já estivessem mortos. George sabia que um dos americanos era o chefe da estação da CIA em Beirute.

Os raptores eram quase com certeza um grupo militante muçulmano chamado Hezbollah, o Partido de Deus, criado em reação à invasão do Líbano por Israel em 1982, financiado pelo Irã e treinado pelos guardas revolucionários iranianos. Os Estados Unidos consideravam o Hezbollah um braço do governo iraniano e classificavam o Irã como patrocinador do terrorismo, ou seja, um país que não deveria ter autorização para comprar armas. George achava isso uma ironia, dado que o presidente Reagan estava patrocinando o terrorismo na Nicarágua ao bancar os Contras, um brutal grupo antigovernista que cometia assassinatos e sequestros.

Mesmo assim, estava bravo com o que vinha acontecendo no Líbano. Queria mandar os fuzileiros navais para Beirute disparando sem dó. As pessoas precisavam aprender o custo de raptar cidadãos americanos!

Sentia isso com força, mas sabia que era uma reação infantil. Assim como a invasão israelense havia gerado o Hezbollah, qualquer ataque americano violento ao grupo muçulmano só faria criar mais terrorismo. Mais uma geração de rapazes do Oriente Médio cresceria jurando vingança aos Estados Unidos, o grande Satã. Como todas as pessoas pensantes, quando seu sangue esfriava, George entendia que a vingança acabaria por derrotar a si mesma. A única solução era quebrar a corrente.

Mais fácil na teoria do que na prática.

George tinha também consciência de que, pessoalmente, fracassara no mesmo teste. Dera um soco em Jasper Murray, que não era nenhum bunda-mole, mas resistira à tentação de revidar. Consequentemente, os danos tinham sido limitados, mas não graças a George.

Ele estava morando com a mãe outra vez... aos 48 anos! Verena continuava na antiga casa da família com o pequeno Jack. George imaginava que Jasper dormisse lá algumas noites, mas não tinha certeza. Estava se esforçando ao máximo para encontrar um jeito de suportar o divórcio, assim como milhares de outros homens e mulheres.

Era sexta-feira à noite, e ele começou a pensar no fim de semana. Estava a caminho da casa de Verena. Os dois haviam criado uma rotina. George pegava Jack na sexta à noite e o levava para a casa da vovó Jacky para passar o fim de semana, depois o devolvia na segunda de manhã. Não era assim que ele queria criar o filho, mas era o melhor que estava conseguindo.

Pensou no que os dois fariam. No dia seguinte, talvez pudessem ir juntos à biblioteca pública e pegar emprestados alguns livros para ler antes de dormir. E domingo iriam ao culto, claro.

Chegou à casa em estilo fazenda onde morara. O carro de Verena não estava em frente à garagem: ela ainda não havia chegado. George estacionou e foi até a porta da frente. Por educação, tocou a campainha, em seguida entrou com a própria chave.

A casa estava silenciosa.

– Sou eu – chamou ele.

Não havia ninguém na cozinha. Encontrou Jack sozinho diante da TV.

– Oi, garotão – falou. Sentou-se e passou o braço em volta dos ombros do filho. – Cadê a Tiffany?

– Teve que ir para casa – respondeu Jack. – Mamãe está atrasada.

George controlou a raiva.

– Quer dizer que você está sozinho em casa?

– A Tiffany teve uma mergência.

– Quanto tempo faz isso?

– Não sei. – Jack ainda não conseguia avaliar o tempo.

George ficou uma fera. Seu filho de 4 anos tinha sido deixado sozinho em casa. Onde Verena estava com a cabeça?

Levantou-se e olhou em volta. A mala de fim de semana de Jack estava no hall. Espiou lá dentro e viu todo o necessário: pijama, muda de roupa, urso de pelúcia. A babá tinha preparado tudo antes de sair para cuidar do que Jack havia chamado de sua "mergência".

Foi até a cozinha e escreveu um recado: "Encontrei Jack sozinho em casa. Me ligue."

Então pegou o filho e saiu em direção ao carro.

A casa de Jacky ficava a menos de 2 quilômetros. Quando chegaram, ela deu ao neto um copo de leite e um cookie caseiro. O menino lhe contou tudo sobre o gato do vizinho, que ia visitá-lo e ganhava um pires de leite. Então Jacky olhou para o filho e perguntou:

– Que cara é essa?

– Venha até a sala que eu conto.

Os dois passaram para o cômodo ao lado.

– Jack estava sozinho em casa – falou George.

– Ah, isso não deveria acontecer.

– Não mesmo, porra!

Dessa vez ela deixou passar o palavrão.

– Alguma ideia do motivo?

– Verena não chegou na hora combinada e a babá teve que sair.

Nessa hora, eles ouviram um barulho de pneus cantando lá fora. Ambos olharam pela janela e viram Verena saltar de seu Jaguar vermelho e subir correndo o caminho até a porta.

– Vou matar essa mulher – disse George.

Jacky foi abrir a porta. Verena entrou correndo na cozinha e beijou o filho.

– Ai, meu amor, você está bem? – indagou, chorosa.

– Estou – respondeu Jack, despreocupado. – Comi um cookie.

– Os cookies da vovó são uma delícia, não são?

– São, sim.

– Verena, é melhor você entrar aqui e se explicar – falou George.

Ela estava ofegante e suada. Dessa vez não se comportou de forma arrogante como quem estava no controle da situação.

– Eu só me atrasei uns minutinhos! – choramingou. – Não sei por que aquela babá maldita foi embora!

– Você não pode se atrasar quando estiver cuidando do Jack – disse George, severo.

Ela se melindrou.

– Ah, e você nunca se atrasou, por acaso?

– Eu nunca o deixei sozinho.

– É muito difícil sem ninguém para me ajudar!

– Se você não tem ninguém para ajudar, é culpa sua.

– George, você está errado – interveio Jacky.

– Não se meta, mãe.

– Não. Esta casa é minha, o neto é meu e eu vou me meter, sim.

– Eu não posso deixar passar, mãe! O que ela fez foi errado.

– Se eu nunca tivesse feito nada errado, não teria tido você.

– Isso não tem nada a ver com a história.

– Só estou dizendo que todo mundo comete erros, e às vezes as coisas acabam bem mesmo assim. Então pare de castigar Verena. Não vai adiantar nada.

Com relutância, George viu que a mãe estava certa.

– Mas o que nós vamos fazer?

– Sinto muito, George, mas não estou conseguindo – falou Verena, e começou a chorar.

– Bom, agora que vocês pararam de gritar, quem sabe possamos começar a raciocinar – disse Jacky. – Essa sua babá não presta.

– Você não sabe como é difícil arrumar uma babá! – falou Verena. – E é pior para nós do que para os outros. Todo mundo contrata imigrantes ilegais e paga em dinheiro vivo, mas nós políticos temos de arrumar alguém com Greencard que pague impostos, então ninguém quer o emprego!

– Calma, não estou pondo a culpa em você – disse Jacky para Verena. – Talvez eu possa ajudar.

George e Verena a encararam.

– Estou com 64 anos, vou me aposentar daqui a pouco e preciso de alguma coisa para fazer. Eu posso ser o seu plano B. Se a sua babá a deixar na mão, é só trazer Jack para cá. Pode deixá-lo dormindo aqui quando precisar.

– Ora, isso me parece uma solução – disse George.

– Jacky, seria maravilhoso! – exclamou Verena.

– Não me agradeça, meu bem, estou sendo egoísta. Assim verei mais o meu neto.

– Tem certeza de que não vai ser trabalho demais, mãe?

Jacky fez um muxoxo de desprezo.

– Qual foi a última vez em que algo foi trabalho demais para mim?

George sorriu.

– Nunca, eu acho.

E a questão foi resolvida.

CAPÍTULO CINQUENTA E SEIS

Rebecca sentiu o frio das lágrimas nas faces.
Era outubro e um vento gelado soprava do Mar do Norte sobre o cemitério de Ohlsdorf, em Hamburgo, um dos maiores do mundo: 400 hectares de tristeza e luto. Havia um monumento às vítimas do Holocausto, um bosque murado para os combatentes da Resistência e uma vala comum para os 38 mil homens, mulheres e crianças mortos durante os dez dias da Operação Gomorra, a campanha de bombardeio aliada do verão de 1943.

Não havia área especial para as vítimas do Muro.

Rebecca se ajoelhou, catou as folhas mortas espalhadas sobre o túmulo do marido e pôs uma única rosa vermelha sobre a terra.

Ficou parada olhando para a lápide, lembrando-se dele.

Fazia um ano que Bernd tinha morrido. Vivera até os 62 anos, nada mau para um homem com lesão na medula. No fim, seus rins haviam parado de funcionar, uma causa de morte frequente em casos assim.

Rebecca pensou na vida que o marido tivera, destruída pelo Muro e pela lesão sofrida ao fugir da Alemanha Oriental, mas mesmo assim uma vida boa. Bernd fora um bom professor, excelente até. Havia desafiado a tirania comunista da Alemanha Oriental e fugido rumo à liberdade. Seu primeiro casamento acabara em divórcio, mas ele e Rebecca haviam sido apaixonados por vinte anos.

Ela não precisava ir ali para se lembrar; pensava nele todos os dias. Sua morte era como uma amputação: ela vivia se espantando ao constatar sua ausência. Sozinha no apartamento que os dois tinham dividido por tanto tempo, muitas vezes conversava com ele, contava-lhe sobre o seu dia, comentava as notícias e dizia como estava se sentindo, se estava com fome, cansada, tensa. Não mudara nada em casa, e ainda tinha as cordas e barras que o ajudavam a se movimentar. Sua cadeira de rodas continuava ao lado da cama, pronta para ele se sentar e se suspender até lá. Quando se masturbava, Rebecca o imaginava deitado ao seu lado com um braço à sua volta, o calor de seu corpo, os lábios colados aos seus.

Felizmente, o trabalho era uma ocupação e um desafio constantes. Rebecca era agora ministra adjunta no Ministério de Relações Exteriores do governo da Alemanha Ocidental. Como falava russo e tinha morado no lado oriental, especializara-se no Leste Europeu. Tinha pouco tempo livre.

A reunificação do país parecia ainda mais distante, o que era uma tragédia.

O líder alemão-oriental linha-dura Erich Honecker parecia irredutível. Pessoas ainda morriam tentando cruzar o Muro para fugir. Na URSS, a morte de Andropov só trouxera ao poder outro líder septuagenário e de saúde frágil, Konstantin Chernenko. De Berlim a Vladivostok, o império soviético era um pântano em que a população se debatia e muitas vezes se afogava, mas raramente avançava.

Rebecca percebeu que tinha se distraído de Bernd. Estava na hora de ir embora.

– Tchau, meu amor – falou baixinho, e afastou-se do túmulo devagar.

Fechou o pesado sobretudo em volta do corpo e cruzou os braços enquanto atravessava o cemitério frio. Agradecida, entrou no carro e ligou o motor. Ainda dirigia o mesmo furgão com a plataforma para cadeira de rodas. Estava na hora de trocá-lo por um carro normal.

Foi para casa. Em frente ao prédio estava parado um lustroso Mercedes S500 preto com um chofer de quepe em pé ao lado. Ela se animou. Como imaginava, viu que Walli tinha entrado no apartamento com a própria chave. Seu irmão estava sentado à mesa da cozinha com o rádio ligado, batendo o pé ao ritmo de uma música pop. Sobre a mesa havia uma cópia do mais recente álbum do Plum Nellie, *The Interpretation of Dreams*, "a interpretação dos sonhos".

– Que bom que não nos desencontramos – disse ele. – Estou de saída para o aeroporto. Vou para São Francisco.

Ele se levantou para beijá-la.

Dali a uns dois anos, Walli chegaria aos 40 e estava com uma aparência ótima. Ainda fumava, mas não usava mais drogas nem bebia. Estava de jaqueta de couro bege por cima de uma camisa de brim azul. Alguma garota deveria agarrá-lo, pensou Rebecca, mas, embora ele namorasse, não parecia ter pressa para sossegar.

Quando ela o beijou, tocou seu braço e reparou que o couro da jaqueta era macio como seda. Devia ter custado uma fortuna.

– Mas você acabou de gravar o disco – comentou ela.

– Vamos sair em turnê pelos Estados Unidos. Vou passar três semanas ensaiando em Daisy Farm. O show de abertura é na Filadélfia daqui a um mês.

– Mande um beijo para os meninos.

– Claro.

– Faz um tempo que vocês não saem em turnê.

– Três anos. Por isso os três meses de ensaio. Mas hoje os shows são todos em estádios. Não é mais como a Grande Turnê das Estrelas do Beat, com doze bandas tocando duas ou três músicas cada uma para 2 mil pessoas em um teatro ou ginásio. Hoje em dia são 50 mil pessoas na plateia e nós.

– Vocês vão tocar na Europa?

– Vamos, mas ainda não temos as datas.
– E aqui na Alemanha?
– Quase com certeza.
– Me avise.
– Claro. Talvez eu consiga um ingresso grátis.

Rebecca riu. Era tratada como um membro da realeza toda vez que ia ao camarim de um show do Plum Nellie. Nas entrevistas, a banda muitas vezes falava sobre os velhos tempos em Hamburgo e contava como a irmã mais velha de Walli costumava lhes preparar sua única refeição decente do dia. Rebecca era famosa por isso no mundo do rock 'n' roll.

– Boa turnê! – desejou ela.
– Você vai a Budapeste em breve, não é?
– Sim, para uma conferência comercial.
– Vai ter alemães-orientais?
– Sim, por quê?
– Você acha que um deles talvez consiga levar um disco para Alice?

Rebecca fez uma careta.

– Não sei. Minhas relações com os políticos da Alemanha Oriental não são calorosas. Eles me acham uma lacaia dos capitalistas-imperialistas, e eu os considero uns truculentos que não foram eleitos, governam por meio do terror e mantêm o povo preso.

Walli sorriu.

– Quer dizer que vocês não têm muito em comum.
– Não. Mas vou tentar.
– Obrigado. – Ele lhe entregou o disco.

Rebecca examinou a foto da capa: quatro homens de meia-idade, cabelos compridos e calça jeans. Buzz, o baixista libertino, estava acima do peso. O baterista gay, Lew, estava ficando careca. Dave, líder da banda, já exibia fios grisalhos nos cabelos. Os quatro eram estabelecidos, bem-sucedidos e ricos. Ela se lembrou dos jovens esfomeados que tinham aparecido naquele apartamento: magros, encardidos, espirituosos, encantadores, cheios de esperanças e sonhos.

– Vocês se saíram bem – comentou.
– É. Nós nos saímos bem, sim.

Na última noite da conferência em Budapeste, Rebecca e os outros representantes foram convidados para uma degustação de vinhos de Tokaj. Foram levados a uma adega de propriedade da indústria engarrafadora do governo húngaro em Pest, na margem leste do Danúbio. Lá puderam provar diferentes tipos de vinho branco: seco, forte, o néctar levemente alcoólico chamado *eszencia*, e o famoso vinho de fermentação lenta *Aszú*.

Por todo o mundo, oficiais do governo nunca sabiam dar festas, e Rebecca temeu que aquele evento fosse ser chato. Mas a velha adega com seus tetos em arco e seus caixotes de bebida empilhados tinha uma atmosfera aconchegante, e foram servidos petiscos húngaros apimentados: bolinhos de massa, cogumelos recheados, linguiças.

Rebecca escolheu um dos representantes alemães-orientais e lhe abriu seu sorriso mais encantador.

– Nossos vinhos alemães são melhores, o senhor não acha?

Conversou com ele em tom de flerte por alguns minutos, então perguntou:

– Tenho uma sobrinha em Berlim Oriental e gostaria de mandar um disco de pop para ela, mas estou com medo de o correio estragar. Será que o senhor levaria para mim?

– Sim, acho que eu poderia fazer isso – respondeu ele, sem convicção.

– Amanhã no café da manhã eu lhe entrego. O senhor é muito gentil.

– Combinado.

Ele parecia preocupado, e Rebecca pensou que havia uma chance de entregar o disco para a Stasi. Mas ela precisava tentar.

Depois de o vinho relaxar a todos, Rebecca foi abordada por Frederik Bíró, político húngaro da sua idade de quem ela gostava, também especializado em política externa.

– Qual é a verdade sobre este país? – perguntou-lhe. – Como estão as coisas aqui?

Bíró olhou para o relógio.

– Estamos a menos de 2 quilômetros do seu hotel. – Como a maioria dos húngaros instruídos, ele falava bem alemão. – Quer voltar a pé comigo?

Eles pegaram os casacos e saíram. Seguiram contornando o rio largo e escuro. Na outra margem, as luzes da cidade medieval de Buda subiam romanticamente até um palácio no alto da colina.

– Os comunistas prometeram prosperidade, e o povo está decepcionado – disse Bíró enquanto caminhavam. – Até mesmo os membros do Partido Comunista reclamam do governo de Kádár.

Rebecca imaginou que ele se sentisse mais livre para falar na rua, onde eles não podiam ser grampeados.

– E qual seria a solução?

– O mais estranho é que todo mundo conhece a resposta. Precisamos descentralizar as decisões, introduzir mercados limitados e legitimar a economia semi-ilegal para que ela possa crescer.

– O que impede isso? – Ela percebeu que o estava crivando de perguntas como uma advogada em um tribunal. – Me desculpe. Não quero interrogá-lo.

– Não tem problema – disse ele com um sorriso. – Gosto de gente que fala sem rodeios. Isso poupa tempo.

– Os homens muitas vezes resistem quando uma mulher fala assim com eles.

– Eu não. Pode-se dizer que tenho um fraco por mulheres decididas.

– É casado com uma?

– Já fui. Sou divorciado.

Rebecca percebeu que aquilo não era da sua conta.

– Você estava prestes a me dizer o que impede uma reforma.

– Uns 15 mil burocratas que perderiam o poder e o emprego, os cinquenta principais dirigentes do Partido responsáveis por quase todas as decisões e János Kádár, nosso líder desde 1956.

Rebecca arqueou as sobrancelhas. Bíró estava sendo de uma franqueza impressionante. Passou-lhe pela cabeça que os comentários sinceros do húngaro talvez não fossem totalmente espontâneos. Será que aquela conversa tinha sido armada?

– Kádár tem alguma solução alternativa? – indagou.

– Tem. Para manter o nível de vida dos trabalhadores, está pegando cada vez mais dinheiro emprestado com bancos ocidentais, inclusive alemães.

– E como vai pagar os juros dessas dívidas?

– Boa pergunta.

Eles chegaram ao hotel de Rebecca, que ficava do outro lado da rua em frente ao rio. Ela parou e se inclinou por cima da mureta da margem.

– É impossível tirar Kádár do poder?

– Não necessariamente. Eu sou próximo de um jovem promissor chamado Miklós Németh.

Ah, pensou Rebecca, então é esse o objetivo da conversa: informar ao governo alemão, discreta e informalmente, que Németh é o rival reformista de Kádár.

– Ele tem 30 e poucos anos e é muito inteligente – prosseguiu Bíró. – Mas temos medo de acontecer o mesmo que na URSS, quando Brejnev foi substituído por Andropov e este por Chernenko. Parece a fila do banheiro em um asilo de velhos.

Rebecca riu. Gostava de Bíró.

Ele abaixou a cabeça e a beijou.

Rebecca ficou só um pouco espantada. Já tinha percebido que ele estava atraído. O que a surpreendeu foi quanto o beijo a excitou. Ela retribuiu com ardor.

Então recuou. Levou as mãos ao peito dele e o empurrou de leve para trás. Examinou-o à luz do poste da rua. Nenhum homem de 50 anos tinha a aparência de um Adônis, mas Frederik era dono de um rosto que sugeria inteligência, compaixão e a capacidade de sorrir com bom humor das ironias da vida. Tinha cabelos grisalhos curtos e olhos azuis, e vestia um sobretudo azul-escuro e um cachecol vermelho-vivo, traje conservador, mas com uma pitada de alegria.

– Por que você se divorciou? – ela quis saber.

– Tive um caso e minha mulher me deixou. Pode me crucificar.

– Não. Eu também cometi erros.

– Quando me arrependi, já era tarde.

– Tem filhos?

– Dois, já crescidos. Eles me perdoaram. Marta se casou de novo, mas eu continuo solteiro. E você, qual é a sua história?

– Me divorciei do meu primeiro marido quando descobri que ele trabalhava para a Stasi. Meu segundo marido se feriu pulando o Muro de Berlim. Ele andava de cadeira de rodas, mas fomos felizes juntos por vinte anos. Faz um ano que ele morreu.

– Caramba, você merece um pouco de sorte.

– Talvez mereça mesmo. Pode me acompanhar até a entrada do hotel, por favor?

Eles atravessaram a rua. Na esquina do quarteirão, onde a luz era menos ofuscante, ela tornou a beijá-lo. Gostou mais ainda dessa segunda vez, e colou o corpo no dele.

– Passe a noite comigo – pediu Frederik.

Ela ficou muito tentada.

– Não – falou. – Está cedo demais. Eu mal o conheço.

– Mas vai voltar para Hamburgo amanhã.

– Eu sei.

– Pode ser que a gente nunca mais se veja.

– Tenho certeza de que vamos nos ver.

– Podemos ir para o meu apartamento. Ou então eu vou para o seu quarto.

– Não, mas estou lisonjeada com a sua persistência. Boa noite.

– Boa noite, então.

Ela se virou.

– Volta e meia vou a Bonn – disse ele. – Daqui a dez dias estarei lá.

Ela tornou a se virar, sorrindo.
– Quer jantar comigo? – perguntou ele.
– Adoraria. Me ligue.
– Certo.
Rebecca entrou sorrindo no lobby do hotel.

⁂

Certo dia, à tarde, Lili estava na casa de Mitte, em Berlim, quando sua sobrinha Alice entrou fugindo da chuva para pedir livros emprestados. Apesar das notas excepcionais, Alice tinha sido recusada na universidade por causa da carreira clandestina da mãe como cantora de protesto. Mesmo assim, decidida a se instruir, estudava inglês à tarde depois de terminar seu turno na fábrica. Carla tinha uma pequena coleção de romances em inglês herdados da mãe, Maud. Lili por acaso estava em casa quando Alice apareceu, e as duas subiram juntas até a sala para olhar os livros enquanto a chuva tamborilava nas janelas. Eram edições antigas, provavelmente anteriores à guerra, pensou Lili. Alice escolheu uma coleção de livros de Sherlock Holmes. Ela seria a quarta geração a lê-los, calculou Lili.

– A gente pediu permissão para ir à Alemanha Ocidental – falou Alice com toda a animação da juventude.

– A gente quem? – perguntou Lili.

– Helmut e eu.

Helmut Kappel era o namorado de Alice. Tinha um ano a mais do que ela, 22, e cursava a universidade.

– Algum motivo especial?

– Falei que queremos visitar meu pai em Hamburgo. Os avós de Helmut moram em Frankfurt. Mas o Plum Nellie está fazendo uma turnê mundial, e a gente quer muito ver meu pai no palco. Talvez dê para organizar a visita na mesma data do show na Alemanha, se ele fizer.

– Tenho certeza de que vai fazer.

– Acha que eles vão nos deixar sair?

– Vocês podem dar sorte.

Lili não queria desencorajar aquele otimismo jovem, mas tinha as suas dúvidas. Ela própria nunca tinha conseguido permissão. Muito poucas pessoas recebiam autorização para sair. As autoridades desconfiavam que jovens como Alice e Helmut não pretendessem voltar.

Lili desconfiava da mesma coisa. Alice muitas vezes falara em tom sonhador sobre ir morar na Alemanha Ocidental. Como a maioria dos jovens, queria ler livros e jornais não censurados, ver filmes e peças de teatro recentes e ouvir música independentemente de esta ter sido aprovada pelo velho Erich Honecker, de 72 anos. Se conseguisse sair da Alemanha Oriental, por que voltaria?

– A maioria das coisas que indispôs nossa família com as autoridades aconteceu antes de eu nascer, sabe? Eles não deveriam me punir.

Mas a sua mãe continua cantando aquelas canções, pensou Lili.

A campainha tocou e, no minuto seguinte, elas ouviram vozes agitadas no hall. Desceram a escada para ver o que era e lá toparam com Karolin, em pé, usando uma capa de chuva molhada. Inexplicavelmente, ela carregava uma mala. Carla tinha lhe aberto a porta e estava em pé ao seu lado no hall, com um avental por cima das roupas formais de trabalho.

O rosto de Karolin estava vermelho e inchado de tanto chorar.

– Mãe...? – falou Alice.

– Aconteceu alguma coisa? – perguntou Lili.

– Seu padrasto me deixou, Alice.

Lili ficou atônita. Odo Vossler? Era espantoso o dócil Odo ter tido coragem de largar a mulher.

Alice abraçou a mãe e não disse nada.

– Quando foi isso? – quis saber Carla.

Karolin assoou o nariz em um lenço.

– Ele me disse três horas atrás. Quer se divorciar de mim.

Coitada da Alice, pensou Lili: abandonada por dois pais.

– Mas os pastores não podem se divorciar! – falou Carla, indignada.

– Ele vai largar o sacerdócio também.

– Meu Deus!

Lili percebeu que a família fora atingida por um terremoto.

Carla começou a ser prática:

– É melhor você se sentar. Vamos para a cozinha. Alice, pegue a capa da sua mãe e pendure para secar. Lili, faça um café.

Lili pôs água para ferver e tirou um bolo da despensa.

– Karolin, o que deu em Odo? – perguntou Carla.

Karolin olhou para o chão.

– Ele é... – Ficou óbvio que era difícil para ela dizer aquilo. Desviando os olhos, ela falou em voz baixa: – Odo me disse que descobriu que é homossexual.

Alice soltou um gritinho.

– Que choque terrível! – comentou Carla.

Lili teve um súbito clarão de lembrança: cinco anos antes, quando todos tinham se encontrado na Hungria e Walli conhecera Odo, ela vira uma surpresa cruzar o semblante do irmão, breve mas nítida. Será que Walli tinha intuído a verdade sobre o pastor naquela ocasião?

A própria Lili sempre desconfiara que o amor de Odo por Karolin não fosse uma grande paixão, mas sim algo mais próximo de uma missão cristã. Se um homem algum dia a pedisse em casamento, não queria que fosse por causa da bondade em seu coração. Ele precisaria desejá-la tanto que mal conseguiria parar de tocá-la: isso sim era um bom motivo para um pedido de casamento.

Karolin ergueu os olhos. Agora que tinha dito a horrível verdade, conseguiu encarar Carla outra vez.

– Na verdade não estou chocada – falou baixinho. – Eu meio que sabia.

– Como?

– No início do nosso casamento, havia um rapaz chamado Paul, muito bonito, que Odo convidava para jantar algumas vezes por semana, com quem estudava a Bíblia na sacristia e saía para fazer longas e revigorantes caminhadas no Parque de Treptow nas tardes de sábado. Talvez eles nunca tenham feito nada... Odo não é do tipo que mente. Mas, quando ele fazia amor comigo, de alguma forma eu tinha certeza de que estava pensando em Paul.

– E o que aconteceu? Como essa história terminou?

Enquanto escutava, Lili cortou o bolo em fatias e as pôs sobre um prato. Ninguém comeu.

– Eu nunca soube a história toda – respondeu Karolin. – Paul parou de frequentar nossa casa e a igreja. Odo nunca explicou por quê. Talvez os dois tenham recuado antes de a relação se tornar física.

– Como pastor, Odo deve ter sofrido um conflito terrível – comentou Carla.

– Eu sei. Quando a raiva passa, sinto pena dele.

– Pobre Odo.

– Mas Paul foi só o primeiro de meia dúzia de rapazes, todos muito parecidos, extremamente bonitos e cristãos sinceros.

– E agora?

– Agora Odo encontrou o amor. Está me pedindo desculpas de joelhos, mas decidiu assumir o que realmente é. Ele vai morar com um homem chamado Eugen Freud.

– E o que vai fazer da vida?

– Ele quer lecionar em uma faculdade de teologia. Diz que essa é a sua verdadeira vocação.

Lili despejou a água fervente sobre o café moído na cafeteira. Agora que Odo e Karolin tinham se separado, perguntou-se o que Walli iria sentir. É claro que não poderia reencontrar Karolin e Alice por causa do maldito Muro de Berlim. Mas será que iria querer fazer isso? Ele não havia se comprometido com nenhuma outra mulher. Para Lili, parecia que Karolin era de fato o amor de sua vida.

Tudo isso, no entanto, não passava de teoria. Os comunistas haviam decretado que os dois não poderiam ficar juntos.

– Se Odo renunciou ao cargo de pastor, vocês vão ter que sair de casa – falou Carla.

– Vamos. Não tenho mais onde morar.

– Deixe de ser boba. Esta casa sempre vai ser sua.

– Eu sabia que você diria isso – falou Karolin, e desatou a chorar.

A campainha tocou.

Dois homens estavam postados diante da porta. Um deles usava um uniforme de chofer e segurava um guarda-chuva acima do outro, que era Hans Hoffmann.

– Posso entrar? – perguntou Hans, mas foi entrando no hall sem esperar resposta. Segurava um embrulho quadrado de mais ou menos 30 centímetros.

O motorista voltou para a limusine Zil preta estacionada junto ao meio-fio.

– O que você quer? – indagou Lili em tom de repulsa.

– Falar com sua sobrinha Alice.

– Como sabia que ela estava aqui?

Hans sorriu e nem se deu ao trabalho de responder. A Stasi sabia tudo.

Lili foi até a cozinha.

– É Hans Hoffmann. Ele quer falar com Alice.

Pálida de medo, a jovem se levantou.

– Lili, leve-o lá para cima – disse Carla. – E fique com eles.

Karolin fez menção de se levantar.

– Quem deve ir com ela sou eu.

Mas Carla pousou a mão no seu braço para contê-la.

– Você não está em condições de lidar com a Stasi.

Karolin se resignou e tornou a se sentar. Lili segurou a porta para Alice, que saiu da cozinha para o hall. As duas subiram, e Hans foi atrás.

Lili quase lhe ofereceu uma xícara de café em um gesto automático de boa educação, mas se conteve. Ele que morresse de sede.

Hans pegou o livro de Sherlock Holmes que Alice deixara em cima da mesa.

– Em inglês – comentou, como se aquilo confirmasse uma suspeita.

Sentou-se, puxando os joelhos da calça de lã para impedir que vincasse. Pôs o pacote quadrado no chão ao lado da cadeira.

– Então, jovem Alice, quer dizer que a senhorita deseja viajar para a Alemanha Ocidental. Por quê?

Ele agora era um homem poderoso. Lili não sabia qual era seu cargo exatamente, mas ele era mais do que um simples agente da polícia secreta: discursava em encontros nacionais, falava com a imprensa. Mas não era importante demais para deixar de perseguir a família Franck.

– Meu pai mora em Hamburgo – respondeu Alice. – Minha tia Rebecca também.

– Seu pai é um assassino.

– Isso aconteceu antes de eu nascer. É por esse motivo que está me punindo? Não é nisso que consiste a justiça comunista... ou é?

Hans tornou a menear a cabeça com o jeito arrogante de quem diz "eu já sabia".

– Cheia de respostas atrevidas, igualzinha à sua avó. Esta família nunca vai aprender.

Zangada, Lili falou:

– Nós aprendemos é que o comunismo significa que oficiais inferiores podem se vingar sem consideração pela justiça ou pela lei, isso sim.

– Imagina que esse seja o jeito de me convencer a permitir que Alice viaje?

– Você já tomou sua decisão – falou Lili, cansada. – Vai recusar a autorização. Não teria vindo aqui para dizer sim a ela. Você só quer se vangloriar.

– Onde, na obra de Karl Marx, está escrito que no estado comunista os trabalhadores não podem viajar para outros países? – perguntou Alice.

– As atuais condições tornam necessário esse tipo de restrição.

– Não tornam, nada. Eu quero ver meu pai e vocês não permitem. Por quê? Só porque podem! Não tem nada a ver com socialismo, mas com tirania.

A boca de Hans se contorceu.

– Seus burgueses – falou, em tom de repulsa. – Vocês não suportam quando os outros têm algum poder sobre vocês.

– Burgueses? – repetiu Lili. – Não sou eu que tenho um motorista de uniforme para me proteger com um guarda-chuva no caminho do carro até a casa. Nem Alice. Só existe um burguês aqui nesta sala, Hans.

Ele pegou o embrulho do chão e o entregou a Alice.

– Abra – falou.

Alice rasgou o papel pardo do embrulho. Era uma cópia do último disco do Plum Nellie, *The Interpretation of Dreams*. Seu rosto se iluminou.

Lili se perguntou que truque Hans estaria tramando agora.

– Por que não põe o disco do seu pai para tocar? – falou ele.

Alice retirou o envelope branco interno de dentro da capa colorida. Então, com o polegar e o indicador, removeu do envelope o disco de vinil preto.

Estava quebrado ao meio.

– Ah, parece que está quebrado – disse Hans. – Que pena.

Alice começou a chorar.

Hans se levantou.

– Já sei o caminho da porta – falou, e foi embora.

⁓

A Unter den Linden era o largo bulevar que cruzava Berlim Oriental até o Portão de Brandemburgo. Com outro nome, a rua continuava por Berlim Ocidental passando pelo parque chamado Tiergarten, mas desde 1961 acabava no portão, interrompida pelo Muro de Berlim. Do parque no lado oeste, a vista do Portão de Brandemburgo era estragada por uma cerca verde-acinzentada alta e feia, toda pichada, e por uma placa em alemão que dizia:

AVISO
Você está deixando
Berlim Ocidental

Do outro lado da cerca ficava o campo de abate do Muro.

A equipe do show do Plum Nellie tinha construído um palco encostado na cerca feia e erguido uma imponente pilha de alto-falantes virada para o parque. Sob instruções de Walli, alto-falantes igualmente potentes tinham sido virados para o lado oriental. Ele queria que Alice o escutasse. Um jornalista lhe dissera que o governo da Alemanha Oriental tinha reclamado dos alto-falantes.

– Diga que, se eles derrubarem o muro deles, eu derrubo o meu – respondera Walli, e a frase saíra em todos os jornais.

Originalmente, eles haviam pensado em fazer o show da Alemanha em Hamburgo, mas aí Walli ficou sabendo que Hans Hoffmann tinha quebrado o disco de Alice e, para revidar, pediu a Dave que marcasse a apresentação para Berlim, de modo que um milhão de alemães-orientais pudessem ouvir as músicas que Hoffmann tentara negar à sua filha. Dave adorou a ideia.

Agora, os dois estavam juntos olhando para o palco da lateral enquanto milhares de fãs se reuniam no parque.

– Nosso som vai sair mais alto do que nunca – comentou Dave.

– Ótimo – retrucou Walli. – Quero que eles ouçam minha guitarra até Leipzig, porra.

– Lembra-se dos velhos tempos? Daqueles alto-falantes pequenininhos que eles tinham nos estádios de beisebol?

– Ninguém escutava a gente... nem a gente mesmo!

– Agora 100 mil pessoas podem ouvir a música como a gente quer que ela saia.

– É quase um milagre.

Ao voltar para o camarim, Walli encontrou Rebecca.

– Que incrível! – exclamou ela. – Deve ter umas 100 mil pessoas no parque!

Ela estava acompanhada por um homem de cabelos grisalhos da sua idade.

– Este é meu amigo Fred Bíró – apresentou.

Walli apertou a mão dele, e Fred falou:

– É uma honra conhecê-lo. – Ele falava alemão com sotaque húngaro.

Walli achou graça. Então sua irmã estava namorando aos 53 anos! Bom, que sorte a dela. O sujeito parecia ser bem o seu tipo: intelectual, mas sem ser excessivamente solene. E Rebecca parecia rejuvenescida, com um corte de cabelo igual ao da princesa Diana e um vestido roxo.

Os três conversaram um pouco, então o casal saiu para Walli poder se arrumar. Ele vestiu um jeans limpo e uma camisa vermelho-fogo. Olhando-se no espelho, passou delineador nos olhos para a plateia poder ler melhor sua expressão. Lembrou-se com repulsa da época em que precisava administrar com muito cuidado seu consumo de drogas: uma pequena dose para fazê-lo aguentar o show, e um pico grande logo depois, como recompensa. Nem por um segundo se sentia tentado a voltar ao vício.

Foi chamado para subir ao palco e se juntou a Dave, Buzz e Lew. A família de Dave inteira estava ali para lhe desejar boa sorte: a esposa Beep, o filho de 11 anos, John Lee, os pais Daisy e Lloyd e até mesmo a irmã Evie; todos pareciam orgulhosos do seu Dave. Walli ficou feliz ao vê-los, mas a presença deles o fez lembrar com tristeza que ele não podia ver a própria família: Werner e Carla, Lili, Karolin e Alice.

Com sorte, porém, eles estariam escutando do outro lado.

A banda subiu ao palco e a plateia rugiu, dando as boas-vindas.

A Unter den Linden estava abarrotada com milhares de fãs do Plum Nellie, velhos e jovens. Lili, Karolin, Alice e Helmut, namorado da garota, tinham chegado de manhã. Haviam conseguido um lugar junto da barreira montada pela polícia para manter a multidão afastada do Muro. À medida que o público fora aumentando ao longo do dia, um ambiente de festival tomara conta da rua, e pessoas puxavam papo com desconhecidos, dividiam seus piqueniques e tocavam fitas do Plum Nellie em aparelhos de som portáteis. Quando o sol se pôs, abriram garrafas de cerveja e vinho.

Então a banda subiu ao palco e todos foram à loucura.

Os moradores de Berlim Oriental só conseguiam ver os quatro cavalos de bronze puxando a carruagem da vitória em cima do arco, mas podiam ouvir tudo em alto e bom som: a bateria de Lew, a cadência do baixo de Buzz, a guitarra de apoio e as harmonias agudas de Dave, e o melhor de tudo: o barítono pop perfeito de Walli e as líricas frases musicais de sua guitarra. As músicas conhecidas saíam dos alto-falantes empilhados e empolgavam a multidão, que se mexia e dançava. É o meu irmão, não parava de pensar Lili; meu irmão mais velho cantando para o mundo. Werner e Carla tinham um ar orgulhoso, Karolin sorria e os olhos de Alice brilhavam.

Lili ergueu os olhos para um prédio do governo ali perto. Em uma pequena sacada, meia dúzia de homens de gravata e casacos escuros se destacavam claramente à luz da rua. Não estavam dançando. Um deles fotografava o público. Deviam ser da Stasi, entendeu Lili. Estavam fazendo um registro dos traidores desleais do regime de Honecker, ou seja, quase todo mundo.

Observou mais de perto e pensou reconhecer um dos agentes da polícia secreta; teve quase certeza de que era Hans Hoffmann. Alto e levemente corcunda, ele parecia falar em tom raivoso, mexendo o braço direito no gesto violento de quem brande um martelo. Walli dissera em uma entrevista que a banda queria tocar ali porque os alemães-orientais não tinham permissão para escutar seus discos. Hans devia saber que o fato de ter quebrado o disco de Alice era o motivo daquele show e daquela multidão. Não era de espantar que estivesse zangado.

Viu Hans erguer as mãos para o alto, desesperado, virar-se, sair da sacada e sumir prédio adentro. Uma música terminou e outra logo começou. O público gritou de alegria ao reconhecer os primeiros acordes de um dos maiores sucessos da banda. A voz de Walli saiu pelos alto-falantes:

– Esta vai para a minha menina.

Ele então cantou "I Miss Ya, Alicia".

Lili olhou para a sobrinha. Lágrimas escorriam por seu rosto, mas ela estava sorrindo.

CAPÍTULO CINQUENTA E SETE

William Buckley, o americano sequestrado no Líbano pelo Hezbollah em 16 de março de 1984, foi oficialmente identificado como conselheiro político da embaixada norte-americana em Beirute. Na realidade, era chefe da estação da CIA na capital libanesa.

Cam Dewar conhecia Bill Buckley e o considerava um cara legal. Miúdo, sempre vestindo ternos conservadores da Brooks Brothers, Bill tinha uma cabeleira grisalha e cara de ídolo de matinê. Militar de carreira, havia combatido na Coreia e servido nas Forças Especiais no Vietnã, de onde saíra com a patente de coronel. Nos anos 1960, entrara para a Divisão de Atividades Especiais da CIA, a unidade encarregada de executar assassinatos.

Aos 57 anos, Bill ainda era solteiro. Segundo as fofocas de Langley, mantinha uma relação a distância com uma mulher chamada Candace em Farmer, Carolina do Norte. Ela lhe escrevia cartas de amor e ele lhe telefonava dos quatro cantos do mundo. Quando Bill estava nos Estados Unidos, os dois namoravam. Ou pelo menos era o que diziam.

Como todo mundo em Langley, Cam estava bravo com o sequestro e louco para que Bill fosse libertado. Mas todas as tentativas fracassaram.

E havia notícias ainda piores. Um depois do outro, os agentes e informantes de Bill em Beirute começaram a sumir. O Hezbollah devia estar conseguindo seus nomes com o próprio, ou seja: Bill estava sendo torturado.

Conhecendo os métodos do Hezbollah, a CIA podia adivinhar o que estava acontecendo com seu agente. Ele devia permanecer o tempo inteiro vendado, acorrentado nos tornozelos e pulsos e dentro de uma caixa parecida com um caixão, dia após dia, semanas a fio. Depois de alguns meses assim, devia ter quase enlouquecido: possivelmente vivia babando, tremendo, revirando os olhos e soltando gritos súbitos e aleatórios de terror.

Portanto, Cam ficou muito satisfeito quando alguém por fim bolou um plano de ação contra os sequestradores.

O plano não veio da CIA, mas sim do conselheiro de Segurança Nacional do presidente, Bud McFarlane. Em sua equipe havia um belicoso tenente-coronel dos Fuzileiros Navais chamado Oliver North, que todos conheciam como Ollie. Tim Tedder era um dos homens recrutados por Ollie para ajudá-lo, e foi ele quem contou a Cam sobre o plano de McFarlane.

Animado, Cam o levou até a sala de Florence Geary, sua velha conhecida dos tempos de CIA. Como sempre, Tim havia cortado o cabelo como se ainda estivesse no Exército, e nesse dia usava a roupa de safári mais próxima de um uniforme militar do que qualquer outro traje civil.

– Nós vamos trabalhar com cidadãos estrangeiros – explicou ele. – Vão ser três equipes, cada uma com cinco homens. Não serão funcionários da CIA nem sequer americanos, mas a agência vai treiná-los, equipá-los e organizar seu financiamento.

Florence assentiu.

– E o que essas equipes vão fazer? – perguntou, neutra.

– A ideia é pegar os sequestradores antes de eles agirem. Quando soubermos que estão planejando um sequestro, um atentado a bomba ou qualquer outro ato terrorista, mandaremos uma das equipes para eliminá-los.

– Deixe-me entender direito. Essas equipes vão matar terroristas *antes* de eles cometerem crimes.

Ela obviamente não estava tão animada com o plano quanto Cam, e ele teve um mau pressentimento.

– Exatamente – falou Tim.

– Tenho uma pergunta – disse Florence. – Vocês ficaram malucos, porra?

Cam se indignou. Como ela podia ser contra aquilo?

– Sei que não é muito convencional... – falou Tim, indignado.

– Não é muito convencional? – interrompeu Florence. – Pelas leis de qualquer país civilizado, isso é *assassinato*. Não há processo judicial, nem exigência de prova e, pelo que o senhor mesmo me disse, as pessoas que serão alvo dessas operações podem não ter feito nada além de apenas *pensar* em cometer crimes.

– Na verdade não é assassinato – disse Cam. – Nós agiríamos como o policial que dispara primeiro contra um marginal com uma arma apontada para ele. Chama-se autodefesa preventiva.

– Virou advogado, Cam?

– A opinião não é minha. Quem disse isso foi Sporkin.

Stanley Sporkin era o chefe do setor jurídico da CIA.

– Bom, Stan está errado – falou Florence. – Porque nós nunca chegamos a ver nenhuma arma apontada. Não temos como saber quem está prestes a cometer um ato terrorista. Não temos nem nunca tivemos inteligência desse naipe lá no Líbano. Então vamos acabar matando pessoas que *pensamos* que talvez estejam planejando atos terroristas.

– Quem sabe dê para melhorar a confiabilidade das nossas informações.

– E a confiabilidade dos cidadãos estrangeiros? Quem vai formar essas tais equipes de cinco homens? Bandidos de Beirute? Mercenários? Aqueles europeus de baixo nível que trabalham para empresas de segurança internacionais? Como confiar nessa gente? Como *controlar* essa gente? Tudo o que eles fizerem será de nossa responsabilidade... principalmente se matarem inocentes!

– Não, não... – falou Tim. – A operação toda vai ser distante e possível de negar.

– Não me parece muito possível de negar. A CIA vai treinar esses homens, equipá-los e financiar suas atividades. Já pensaram nas consequências políticas?

– Menos sequestros e bombardeios.

– Como vocês podem ser tão ingênuos? Se atacarmos o Hezbollah dessa forma, acham que eles vão se recostar na cadeira e dizer: "Puxa, os americanos são mesmo mais durões do que pensávamos, é melhor desistirmos desse negócio de terrorismo." Claro que não. Eles vão é clamar por vingança! No Oriente Médio, violência sempre gera mais violência... será que ainda não aprenderam isso? O Hezbollah bombardeou a caserna dos Fuzileiros Navais em Beirute. E por quê? Segundo o coronel Geraghty, comandante dos Marines na época, foi em reação ao bombardeio de muçulmanos inocentes na aldeia de Suz-al-Garb pela Sexta Frota americana. Uma atrocidade gera outra.

– Então vocês vão simplesmente cruzar os braços e dizer que nada mais pode ser feito?

– Nada *fácil* pode ser feito, só um trabalho político árduo. Acalmar os ânimos, conter os dois lados, depois levá-los para a mesa de negociação e repetir isso à exaustão, não importa quantas vezes eles forem embora. Não desistir e, aconteça o que acontecer, não escalar a violência.

– Eu acho que nós podemos...

Mas Florence ainda não havia terminado:

– Esse plano é criminoso, impraticável, tem consequências políticas medonhas no Oriente Médio e põe em risco a reputação da CIA, do presidente e dos Estados Unidos. E não é só isso. Tem mais uma coisa que exclui completamente essa possibilidade.

Ela fez uma pausa, e Cam se viu obrigado a perguntar:

– O quê?

– O *presidente* nos proibiu de cometer assassinatos. "Nenhuma pessoa empregada ou agindo em nome do governo dos Estados Unidos cometerá ou conspirará para cometer assassinato." Ordem Executiva 12.333. Assinada por Ronald Reagan em 1981.

– Acho que ele esqueceu – comentou Cam.

Maria encontrou Florence Geary no centro de Washington na loja de departamentos Woodward and Lothrop, que todos chamavam de Woodies. O encontro foi na seção de sutiãs. A maioria dos agentes era do sexo masculino, e qualquer homem que as seguisse até ali ficaria muito exposto. Talvez até fosse preso.

– Meu tamanho antes era 34A – falou Florence. – Agora estou usando 36C. O que será que aconteceu?

Maria deu uma risadinha. Aos 48 anos, era um pouco mais velha que Florence.

– Bem-vinda ao clube das mulheres de meia-idade – falou. – Minha bunda sempre foi grande, mas antigamente eu tinha uns peitinhos fofos que ficavam em pé sozinhos. Agora precisam de sustentação de verdade.

Em duas décadas morando em Washington, Maria nunca deixara de cultivar seus contatos. Aprendera logo cedo quanto era possível fazer, tanto para o bem quanto para o mal, graças a quem se conhecia. Na época em que a CIA usava Florence como secretária, em vez de treiná-la para ser agente como havia prometido, Maria simpatizara com sua situação, de mulher para mulher. Seus contatos em geral eram mulheres, sempre liberais. Ela lhes dava informações, avisando com antecedência sobre movimentações ameaçadoras de adversários políticos, e as ajudava discretamente, muitas vezes atribuindo prioridade mais alta a projetos que, de outra forma, teriam sido jogados para escanteio por políticos conservadores. Os homens faziam mais ou menos a mesma coisa.

Cada uma escolheu meia dúzia de sutiãs e foi experimentá-los. Era terça de manhã e o provador estava vazio. Mesmo assim, Florence baixou a voz:

– Bud McFarlane inventou um plano que é uma loucura completa – falou enquanto desabotoava a blusa. – Mas Bill Casey se comprometeu em nome da CIA, e o presidente concordou. – Casey, assecla de Reagan, era o diretor da agência.

– Qual é o plano?

– Vamos treinar esquadrões da morte formados por cidadãos estrangeiros para matar terroristas em Beirute. Estão chamando isso de contraterrorismo preventivo.

Maria ficou chocada.

– Mas, pelas leis americanas, isso é crime. Se tiverem sucesso, McFarlane, Casey e Ronald Reagan serão todos assassinos.

– Exato.

As duas tiraram os sutiãs que estavam usando e ficaram em pé lado a lado em frente ao espelho.

– Está vendo? – indagou Florence. – Eles não são mais empinadinhos.

– Nem os meus.

Houve um tempo, refletiu Maria, em que ela teria se sentido muito envergonhada para fazer aquilo com uma mulher branca. Talvez as coisas estivessem realmente mudando.

Elas começaram a experimentar os sutiãs.

– Casey informou os comitês de inteligência? – perguntou Maria.

– Não. Reagan decidiu que podia informar apenas o presidente e o vice-presidente de cada comitê, além dos líderes republicanos e democratas na Câmara e no Senado.

Estava explicado por que George Jakes não ouvira falar naquilo, deduziu Maria. Reagan tinha executado uma manobra astuta. Para garantir que pelo menos algumas perguntas críticas fossem feitas, os comitês de inteligência tinham alguns integrantes liberais. Reagan havia encontrado um jeito de excluir os críticos e informar apenas aqueles de cujo apoio estava certo.

– Uma das equipes está aqui nos Estados Unidos agora fazendo um curso de treinamento de duas semanas – falou Florence.

– Então o projeto está bem adiantado.

– É. – Florence se olhou no espelho com o sutiã preto. – Meu Frank gosta que os meus seios tenham mudado. Ele sempre quis uma mulher peituda. Diz que tem ido à igreja agradecer a Deus.

Maria riu.

– Seu marido é legal. Espero que ele goste dos sutiãs novos.

– E você? Quem vai admirar sua roupa de baixo?

– Você me conhece. Sou casada com o trabalho.

– Sempre foi assim?

– Houve um cara, muito tempo atrás, mas ele morreu.

– Sinto muito.

– Obrigada.

– E depois disso mais ninguém?

Ela quase não hesitou para responder:

– Uma vez foi por pouco. Eu gosto de homem, sabe, e gosto de transar, mas não estou disposta a abrir mão da minha vida para virar o apêndice de um cara qualquer. O seu Frank entende isso, claro, mas poucos homens entendem.

Florence assentiu.

– Isso é verdade.

Maria franziu o cenho.

– O que você quer que eu faça em relação a esses esquadrões da morte?

Ocorreu-lhe que a amiga era uma agente secreta e que, no final das contas, poderia ter descoberto ou adivinhado que Maria vazava informações para Jasper Murray. Será que sua intenção era que Maria vazasse também aquela?

Mas Florence respondeu:

– Não quero que faça nada por enquanto. O plano é só uma ideia imbecil que ainda pode ser cortada pela raiz. Só queria ter certeza de que alguém fora da comunidade de inteligência estivesse informado. Se a merda bater no ventilador e Reagan começar a mentir sobre os assassinatos do mesmo jeito que Nixon mentiu sobre a invasão do Watergate, pelo menos você vai saber a verdade.

– Enquanto isso, vamos rezar para que o plano nunca vire realidade.

– Amém.

⁂

– Escolhemos nosso primeiro alvo – disse Tim Tedder a Cam. – Vamos atrás do peixe grande.

– Fadlallah?

– O próprio.

Cam assentiu. Muhammad Hussein Fadlallah era um proeminente erudito e grande aiatolá muçulmano. Em seus sermões, clamava pela resistência armada à ocupação do Líbano pelos israelenses. Segundo o Hezbollah, era apenas uma inspiração, mas a CIA estava convencida de que Fadlallah era o cérebro por trás da campanha de sequestros. Cam ficaria feliz em vê-lo morto.

Os dois estavam sentados na sua sala em Langley. Sobre a mesa havia um porta-retratos com uma foto sua entretido em uma conversa com o presidente Nixon. Langley era um dos poucos lugares onde um homem ainda podia sentir orgulho de ter trabalhado para Nixon.

– Fadlallah está planejando novos sequestros? – perguntou Cam.

– O papa está planejando novos batismos?

– E a equipe? Eles são confiáveis? Estão sob controle? – As objeções de Florence Geary tinham sido preteridas, mas seus temores não eram estúpidos, e Cam se lembrava do que ela dissera.

Tim suspirou.

– Cam, se eles fossem pessoas confiáveis e responsáveis, que respeitassem a autoridade legítima, não estariam trabalhando como assassinos de aluguel. São tão confiáveis quanto homens assim podem ser. E por enquanto estão mais ou menos sob controle.

– Bom, pelo menos não os financiamos. Consegui o dinheiro com os sauditas... três milhões de dólares.

Tim arqueou as sobrancelhas.

– Muito bem.

– Obrigado.

– Podemos pensar em pôr o projeto inteiro tecnicamente sob o controle da inteligência saudita, para ser mais fácil negar o nosso envolvimento.

– Boa ideia. Mas mesmo assim vamos precisar de uma história de fachada, depois que Fadlallah for morto.

Após pensar por alguns instantes, Tim falou:

– Vamos pôr a culpa em Israel.

– É.

– Todo mundo vai acreditar que foi o Mossad.

Cam franziu o cenho, preocupado.

– Ainda não estou tranquilo. Gostaria de saber exatamente como eles vão agir.

– Melhor não.

– Eu preciso saber. Pode ser que vá ao Líbano. Ver mais de perto.

– Se você for, tome cuidado – falou Tim.

Cam alugou um Toyota Corolla branco e saiu do centro de Beirute rumo ao sul e ao subúrbio preponderantemente muçulmano chamado Bir-El-Abed. O lugar era uma selva de prédios feios de concreto entremeada de belas mesquitas, todas rodeadas por um amplo terreno, como graciosas árvores raras cuidadosamente cultivadas na clareira de uma apinhada floresta de coníferas grosseiras. Embora o país fosse pobre, o tráfego nas ruas estreitas era pesado e as lojas e barracas de rua estavam lotadas de clientes. Fazia calor e o Toyota não tinha ar-condicionado, mas mesmo assim ele manteve os vidros fechados, por medo de ter contato com aquela população ingovernável.

Já tinha visitado aquele bairro uma vez, com um guia da CIA, e logo encontrou a rua onde o aiatolá Fadlallah morava. Passou devagar em frente ao arranha--céu residencial, depois deu a volta inteira no quarteirão e estacionou 100 metros antes do prédio, do outro lado da rua.

Na mesma rua havia vários outros prédios residenciais, um cinema e, o mais importante de tudo, uma mesquita. Todas as tardes, no mesmo horário, Fadlallah saía do prédio e ia lá fazer suas orações.

Era nessa hora que eles iriam matá-lo.

Sem cagadas, por favor, rezou Cam.

No curto trecho de rua pelo qual o aiatolá teria de passar havia uma fila de carros estacionados junto ao meio-fio. Um deles continha uma bomba. Cam não sabia qual.

Em algum lugar ali perto, o homem que detonaria a bomba estava escondido, observando a rua como ele, à espera do religioso. Cam correu os olhos pelos carros e janelas mais acima. Não conseguiu ver o detonador, o que era uma boa coisa: o assassino estava bem escondido, como deveria ser.

Os sauditas lhe garantiram que nenhum transeunte inocente seria ferido. Fadlallah vivia cercado de guarda-costas, e alguns sem dúvida se machucariam, mas eles sempre mantinham a população em geral afastada de seu líder.

Cam estava inseguro: será que os efeitos da bomba podiam ser previstos com tamanha exatidão? Mas às vezes acontecia de civis se ferirem em uma guerra. Era só pensar em todas as mulheres e crianças japonesas mortas em Hiroshima e Nagasaki. É claro que na época os Estados Unidos estavam em guerra contra o Japão, situação que não ocorria no Líbano, mas, para Cam, o mesmo princípio se aplicava. Se alguns passantes sofressem arranhões e hematomas, o fim com certeza justificaria os meios.

Mesmo assim, ficou alarmado com a quantidade de pedestres. Um carro-bomba era mais adequado a um local isolado. Ali, um atirador com um fuzil de alta potência teria sido uma escolha melhor.

Agora era tarde.

Olhou para o relógio. Fadlallah estava atrasado. Era aflitivo. Desejou que ele se apressasse.

Parecia haver muitas mulheres e meninas na rua, e Cam se perguntou por quê. No minuto seguinte, entendeu que estavam saindo da mesquita. Devia ter havido algum evento feminino especial, o equivalente muçulmano a uma reunião de mães. Infelizmente, as fiéis agora lotavam a porcaria da rua. O esquadrão talvez tivesse de abortar o atentado.

Cam começou a desejar que Fadlallah se atrasasse mais ainda.

Tornou a correr os olhos pela paisagem urbana em busca de um homem atento que estivesse escondendo algum tipo de mecanismo de detonação operado por rádio. Dessa vez pensou ter encontrado: a 300 metros dali, do outro lado da rua em frente à mesquita, uma janela do térreo estava aberta na parede lateral de uma casa de cômodos. Não fosse o sol da tarde que despencava no céu do oeste ter movido as sombras e revelado sua silhueta, Cam não teria reparado nele. Não conseguiu distinguir seus traços, mas reconheceu a linguagem corporal: tenso, retesado, ansioso, amedrontado, segurando com as duas mãos algo que podia ser um rádio transistor com uma antena retrátil comprida, só que ninguém segurava um rádio transistor como se a sua vida dependesse disso.

Mais mulheres continuavam saindo da mesquita, algumas usando apenas o lenço *hijab* na cabeça, outras de burca completa, até abarrotar a calçada em ambas as direções. Cam torceu para a movimentação acabar logo.

Olhou para o prédio de Fadlallah e, para seu horror, viu-o sair cercado por seis ou sete homens.

O aiatolá era um velhote baixinho de barba branca comprida que usava um chapéu preto redondo e vestes brancas. Tinha uma expressão alerta, inteligente, e sorria de leve para algo que um companheiro dizia enquanto o grupo saía do prédio para a rua.

– Não – disse Cam em voz alta. – Agora não. Agora não!

Olhou para o resto da rua. As calçadas continuavam cheias de mulheres e meninas que conversavam, riam e exibiam nos sorrisos e gestos o alívio que as pessoas sentiam ao sair de um local sagrado após uma celebração solene. Seu dever estava cumprido, suas almas renovadas, e elas estavam prontas para retomar a vida mundana, ansiosas pela noite que começava, para jantar, conversar e se divertir com parentes e amigos.

Só que algumas iriam morrer.

Cam saltou do carro depressa.

Pôs-se a acenar desesperadamente na direção da janela em que estava o detonador, mas este não reagiu. Não era de espantar: ele estava longe demais, e totalmente concentrado em Fadlallah.

Cam olhou para o outro lado da rua. Fadlallah se afastava dele a passos céleres em direção à mesquita e ao esconderijo do assassino. Não podiam faltar mais do que poucos segundos para a explosão.

Ele correu pela rua em direção à casa de cômodos, mas seu avanço foi prejudicado pela quantidade de mulheres. O fato de um homem obviamente americano correr no meio de uma multidão de muçulmanas atraiu olhares curiosos e hostis. Ele chegou à altura de Fadlallah e viu um dos guarda-costas indicá-lo para um colega com o dedo. Dali a poucos segundos, alguém iria abordá-lo.

Mandando a cautela às favas, ele continuou correndo. A 15 metros do prédio, parou e começou a gritar e acenar para o assassino na janela. Agora podia ver com clareza o detonador: era um jovem árabe de barba rala, com uma expressão aterrorizada no rosto.

– Não faça isso! – berrou Cam, sabendo que estava agora arriscando a própria vida. – Abortar a missão, abortar a missão! Pelo amor de Deus, abortar a missão!

Alguém agarrou seu ombro por trás e disse algo agressivo em um árabe rascante.

Então ouviu-se um estrondo ensurdecedor.

Cam foi jogado ao chão.

Ficou sem ar, como se alguém tivesse batido em suas costas com uma tábua. Sentiu a cabeça doer. Ouviu gritos, homens praguejando e o ruído deslizante de escombros despencando. Aos arquejos, rolou de bruços e se levantou com esforço. Estava vivo, e até onde podia ver sem ferimentos graves. Um árabe jazia imóvel a seus pés, decerto o que o havia segurado pelo ombro. A explosão o atingira em cheio, e o corpo dele parecia ter funcionado como um escudo.

Cam olhou para o outro lado da rua.

– Ai, meu Deus do céu... – murmurou.

Havia corpos espalhados por toda parte, terrivelmente retorcidos, ensanguentados, desconjuntados. As mulheres que não morreram cambaleavam tentando estancar ferimentos, aos gritos, olhando em volta à procura de seus próximos. As roupas folgadas em estilo médio-oriental de algumas delas tinham sido arrancadas, e muitas estavam agora seminuas em meio à verdadeira obscenidade que era a morte violenta.

Dois prédios residenciais tinham a fachada destruída. Alvenaria e objetos domésticos despencavam na rua, imensos blocos de concreto junto com cadeiras e televisores. Vários edifícios ardiam em chamas. A rua estava repleta de carros esmagados, como se todos os veículos tivessem sido atirados de um lugar bem alto e aterrissado de forma aleatória.

Cam entendeu na hora que a bomba tinha sido potente demais, além da conta.

Do outro lado da rua, viu a barba branca e o chapéu preto de Fadlallah sendo levados às pressas pelos guarda-costas de volta para dentro do prédio. O aiatolá parecia ileso.

A missão tinha fracassado.

Olhou para a carnificina à sua volta. Quantas pessoas teriam morrido? Calculou umas cinquenta, sessenta, talvez até setenta. E centenas de feridos.

Precisava sair dali. Em poucos segundos, as pessoas começariam a se perguntar quem tinha feito aquilo. Embora seu rosto estivesse machucado e seu terno rasgado, saberiam que ele era americano. Precisava ir embora antes de alguém atinar que ele representava uma chance de vingança imediata.

Voltou depressa para o carro. Todas as janelas estavam arrebentadas, mas pelo visto o motor talvez funcionasse. Abriu a porta; o banco estava coberto de vidro estilhaçado. Tirou o paletó e o usou para remover os cacos. Em seguida, para o caso de ter sobrado algum, dobrou a roupa e a pôs sobre o banco. Sentou-se e girou a chave.

O carro deu a partida.

Ele saiu da vaga, fez a volta e foi embora dali.

Lembrou-se da afirmação de Florence Geary, que na época havia julgado histérica e exagerada: "Pelas leis de qualquer país civilizado, isso é *assassinato*."

Aquilo não era só assassinato. Era uma chacina.

O presidente Ronald Reagan era culpado.

E Cam Dewar também.

⁓

Sobre uma pequena mesa na sala, Jack montava um quebra-cabeça com a madrinha Maria sob o olhar do pai. Era domingo à tarde na casa de Jacky Jakes no condado de Prince George. Todos tinham ido ao culto na Igreja Evangélica Betel, em seguida almoçado costeletas de porco no bafo com molho de cebola e feijão-fradinho preparados por Jacky. Então Maria sacara o quebra-cabeça, escolhido a dedo para não ser nem fácil nem difícil demais para uma criança de 5 anos. Dali a pouco, ela iria embora e George levaria o filho de carro para a casa de Verena. Então passaria uma ou duas horas sentado à mesa da cozinha com seus papéis de trabalho preparando sua semana no Congresso.

Mas aquele era um momento de paz, sem compromisso algum. A luz da tarde caía sobre as duas cabeças curvadas acima do quebra-cabeça. Jack seria um homem bonito, pensou George. Tinha a testa larga, olhos bem separados, um nariz chato gracioso, a boca sorridente e um queixo marcado, tudo em perfeita proporção. Suas expressões já demonstravam o caráter que viria a ter. Completamente absorto no desafio intelectual de montar o quebra-cabeça, sorria com satisfação sempre que ele ou a madrinha encaixavam uma peça no lugar certo, e seu rostinho se iluminava. George jamais experimentara nada tão fascinante e comovente quanto aquela evolução da mente do próprio filho, o despertar cotidiano da compreensão: números e letras, mecanismos, pessoas, grupos sociais. Ver Jack correr, pular e jogar bola parecia um milagre, mas ele ficava ainda mais emocionado com a expressão de intensa concentração mental do menino, que fazia brotar em seus olhos lágrimas de orgulho, gratidão e assombro.

Era grato a Maria, também. Ela ia visitá-los cerca de uma vez por mês, sempre levando um presente, e passava algum tempo com o afilhado, lendo pacientemente com ele, conversando ou jogando. Maria e Jacky tinham proporcionado estabilidade ao menino durante o trauma do divórcio dos pais. Fazia um ano que George saíra de casa. Jack não acordava mais chorando no meio da noite e parecia estar se adaptando àquele novo modo de vida, embora seu pai não pudesse evitar alguma apreensão quanto aos possíveis efeitos a longo prazo.

Maria e Jack terminaram o quebra-cabeça. Jacky foi chamada para admirar o resultado e em seguida levou o neto até a cozinha para tomar um copo de leite e comer um cookie.

– Obrigado por tudo o que tem feito pelo Jack – disse George a Maria. – Você é a melhor madrinha do mundo.

– Não é sacrifício nenhum – respondeu ela. – Estar com ele é uma alegria.

Maria faria 50 anos no ano seguinte; jamais seria mãe. Tinha sobrinhas e sobrinhos em Chicago, mas o principal foco de seu amor materno era Jack.

– Tenho uma coisa para lhe contar – disse ela. – Uma coisa importante.

Ela se levantou para fechar a porta da sala, e George se perguntou o que iria dizer.

Depois de se sentar novamente, ela disse:

– Sabe o atentado em Beirute com o carro-bomba anteontem?

– Que horror! – falou George. – Oitenta mortos e duzentos feridos, a maioria mulheres e meninas.

– Não foram os israelenses que puseram a bomba.

– Então quem foi?

– Nós.

– Como assim, que conversa é essa?

– Foi uma iniciativa de contraterrorismo do presidente Reagan. Os responsáveis são libaneses, mas foram treinados, financiados e controlados pela CIA.

– Meu Deus... Mas o presidente é obrigado por lei a informar meu comitê sobre ações secretas.

– Acho que você vai descobrir que ele informou o presidente e o vice-presidente.

– Que horror... Você parece bem segura do que diz.

– Quem me contou foi um agente sênior da CIA. Muitos veteranos da agência se opuseram a esse programa, mas o presidente queria e Bill Casey forçou a barra.

– Onde esses caras estão com a cabeça? Eles cometeram uma chacina!

– Estão desesperados para acabar com os sequestros. Acham que Fadlallah é o mandante e estão tentando eliminá-lo.

– E fizeram uma cagada.

– Feia.

– Isso precisa ser denunciado.

– É o que eu acho.

Jacky entrou.

– Seu rapazinho está pronto para voltar para a casa da mãe.

– Já estou indo. – George se levantou. – Ok, pode deixar que eu cuido disso – falou para Maria.

– Obrigada.

Ele entrou no carro com o filho e dirigiu devagar pelas ruas do subúrbio até a casa da ex-mulher. O Cadillac cor de bronze de Jasper Murray estava parado em frente à garagem junto ao Jaguar vermelho de Verena. Se isso significava que Jasper estava na casa, seria uma coincidência oportuna.

Verena veio abrir usando uma camiseta preta e um jeans desbotado. George entrou, e ela levou o filho para tomar banho. Jasper saiu da cozinha e George lhe disse:

– Queria dar uma palavrinha com você.

Apesar do ar cauteloso, o jornalista respondeu:

– Claro.

– Vamos para... – ele quase disse *o meu escritório*, mas se corrigiu a tempo: – ...o escritório?

– Tudo bem.

Com um aperto no coração, George viu a máquina de escrever de Jasper sobre sua antiga escrivaninha junto com uma pilha de livros de referência que um jornalista poderia usar: *Who's Who Estados Unidos*, *Atlas do mundo*, *Enciclopédia Pear's*, *Almanaque de política norte-americana*.

O escritório era um cômodo pequeno com uma poltrona. Nenhum dos dois quis se sentar na cadeira atrás da escrivaninha. Após uma hesitação constrangida, Jasper pegou a cadeira e a pôs em frente à poltrona, e ambos se acomodaram.

Sem dizer o nome de Maria, George repetiu o que ela lhe dissera. Enquanto falava, ficou pensando por que Verena tinha preferido Jasper a ele; na sua opinião, o jornalista era movido por uma forte dose de interesse egoísta. Quando tinha feito essa pergunta à mãe, Jacky respondera:

– Jasper é um astro da TV. O pai de Verena é astro de cinema. Ela passou sete anos trabalhando para Martin Luther King, que era o astro do movimento pelos direitos civis. Talvez ela precise que o seu homem seja um astro. Mas como vou saber?

– Isso é uma verdadeira bomba – comentou Jasper depois que George lhe contou a história toda. – Está seguro da sua fonte?

– É a mesma das outras informações que eu já lhe passei. Cem por cento confiável.

– Isso faz do presidente Reagan um assassino.

– É – disse George. – Eu sei.

CAPÍTULO CINQUENTA E OITO

Nesse domingo, enquanto Jacky, George e Maria cantavam hinos na igreja, Konstantin Chernenko morreu em Moscou.

Foi às sete e vinte da noite, horário local. Dimka e Natalya estavam em casa, tomando uma sopa de feijão com a filha Katya, colegial de 15 anos, e Grisha, filho de Dimka, universitário de 21. O telefone tocou às sete e meia, e Natalya atendeu. Assim que ela disse "Oi, Andrei", Dimka adivinhou o que tinha acontecido.

Chernenko já agonizava desde que assumira o cargo de líder, apenas treze meses antes. Agora, hospitalizado, sofria de cirrose e enfisema. Toda Moscou aguardava impaciente a sua morte. Natalya havia subornado Andrei, um enfermeiro do hospital, para que lhe telefonasse assim que Chernenko desse o último suspiro. Ela pôs o fone no gancho e confirmou:

— Ele morreu.

Era um momento de esperança. Pela terceira vez em menos de três anos, um velho e cansado líder conservador havia morrido. Novamente havia uma chance de alguém mais jovem assumir seu lugar e transformar a URSS no tipo de país em que Dimka queria que Grisha e Katya vivessem e criassem seus netos. Só que essa esperança já fora frustrada duas vezes. Será que isso iria se repetir?

Dimka empurrou o prato para longe.

— Temos que agir agora — falou. — A sucessão será decidida nas próximas horas.

Natalya concordou com um meneio de cabeça.

— A única coisa que importa é quem vai presidir a próxima reunião do Politburo.

Ela estava certa, pensou Dimka. Era desse modo que as coisas funcionavam na União Soviética. Assim que um concorrente conseguia uma vantagem, ninguém mais apostava em nenhum outro cavalo do páreo.

Como segundo-secretário, Mikhail Gorbachev era o vice oficial do falecido líder. No entanto, sua nomeação para o cargo fora duramente contestada pela velha guarda, que preferia o chefe do Partido em Moscou, Victor Grishin, 70 anos, que de reformista não tinha nada. Gorbachev tinha vencido por apenas um voto.

O casal saiu da mesa e foi para o quarto; não queria ter aquela conversa na frente dos filhos. Dimka se postou à janela e olhou para as luzes de Moscou, e Natalya se sentou na beira da cama. Não tinham muito tempo.

— Agora que Chernenko morreu, o Politburo tem exatamente dez membros plenos, contando com Gorbachev e Grishin — falou Dimka. Os membros plenos formavam o círculo íntimo do poder soviético. – Pelos meus cálculos, eles estão divididos pau a pau: quatro apoiam Gorbachev, e outros quatro apoiam Grishin.

– Mas eles não estão todos aqui em Moscou – assinalou Natalya. – Dois dos que apoiam Grishin estão fora da cidade: Scherbitsky nos Estados Unidos e Kunayev em sua região natal do Cazaquistão, a cinco horas de avião.

– E um dos homens de Gorbachev, Vorotnikov, está na Iugoslávia.

– Mesmo assim temos a maioria, três contra dois... pelo menos durante as próximas horas.

– Gorbachev precisa convocar uma reunião dos membros plenos hoje à noite mesmo. Vou sugerir a ele que é para planejar o funeral de Chernenko. Se ele convocar a reunião, poderá presidi-la. E, depois de ter presidido essa reunião, vai parecer natural que presida todas as outras, e aí se tornará líder.

Natalya franziu a testa.

– Tem razão, mas eu gostaria de ter certeza. Não quero que os ausentes apareçam amanhã e digam que tudo precisa ser debatido outra vez porque eles não estavam presentes.

Dimka refletiu por alguns instantes.

– Não sei o que mais podemos fazer – falou.

Ele ligou para Gorbachev da extensão do quarto. O segundo-secretário já estava ciente da morte de Chernenko; ele também tinha os seus espiões. Concordou com Dimka que precisava convocar imediatamente uma reunião.

O casal vestiu seus pesados sobretudos de inverno, calçou suas botas e foi de carro até o Kremlin.

Uma hora mais tarde, os homens mais poderosos da União Soviética começaram a se reunir na sala do Presidium. Dimka continuava preocupado. O grupo de Gorbachev precisava de um golpe de mestre para transformá-lo em líder de forma irrevogável.

Logo antes da reunião, Gorbachev tirou um coelho da cartola. Aproximou-se do arquirrival Victor Grishin e disse, em tom formal:

– Victor Vasilyevitch, você gostaria de presidir a reunião?

Dimka, que estava por perto, ficou lívido. Que diabo Gorbachev estava fazendo, entregando a vitória ao adversário?

Mas Natalya, que estava bem ao seu lado, abriu um sorriso triunfante.

– Brilhante! – exclamou, com discreto entusiasmo. – Se o nome de Grishin for sugerido para presidir a reunião, os outros vão recusá-lo, de qualquer forma. É uma falsa oferta, uma caixa de presente vazia.

Grishin refletiu por alguns instantes e claramente chegou à mesma conclusão.

– Não, camarada. Quem deve presidir esta reunião é você.

E Dimka então percebeu, com júbilo crescente, que Gorbachev tinha montado uma armadilha. Agora que Grishin havia recusado sua oferta, seria difícil mudar de ideia e pedir a presidência no dia seguinte, quando seus correligionários voltassem. Qualquer proposta para que ele presidisse uma reunião seria contestada com o argumento de que ele já recusara essa ideia. Mesmo se ele resistisse a esse argumento, ficaria parecendo de todo modo um indeciso.

Assim, concluiu Dimka com um sorriso escancarado, Gorbachev se tornaria o próximo líder da União Soviética.

E foi exatamente o que aconteceu.

⁓

Tanya chegou em casa ansiosa para contar seu plano a Vasili.

Os dois estavam mais ou menos morando juntos extraoficialmente havia dois anos. Não tinham se casado: se virassem um casal oficial, jamais poderiam sair da URSS juntos. E eles estavam decididos a sair do bloco soviético. Ambos se sentiam encurralados. Tanya seguia escrevendo para a TASS reportagens que seguiam servilmente a linha do Partido. Vasili era agora redator-chefe de um programa de TV no qual heróis de maxilar quadrado da KGB derrotavam espiões americanos burros e sádicos. E ambos ansiavam por revelar ao mundo que ele era o aclamado escritor Ivan Kuznetsov, cujo romance mais recente, *A ala geriátrica* – uma sátira feroz a Brejnev, Andropov e Chernenko –, era atualmente um sucesso de vendas nos países ocidentais. Às vezes Vasili dizia que a única coisa que importava era ele ter escrito a verdade sobre a União Soviética em histórias lidas no mundo inteiro, mas Tanya sabia que ele desejava assumir com orgulho o crédito por seu trabalho em vez de esconder temerosamente o que tinha feito como se fosse uma perversão secreta.

No entanto, mesmo explodindo de entusiasmo, Tanya tomou o cuidado de ligar o rádio da cozinha antes de falar. Não pensava de fato que o seu apartamento estivesse grampeado, mas aquele era um hábito antigo, e não havia por que correr riscos.

Um comentarista falava sobre a visita de Gorbachev e da esposa a uma fábrica de jeans em Leningrado. Tanya reparou em como aquela notícia era significativa: enquanto os antigos líderes soviéticos visitavam siderúrgicas e estaleiros, Gorbachev celebrava os bens de consumo. As manufaturas soviéticas precisavam ser tão boas quanto as do Ocidente, era o que ele sempre dizia, coisa que para os seus predecessores não era sequer um sonho possível.

E ele levava a esposa consigo. Ao contrário das consortes dos antigos líderes, Raissa não era um simples apêndice, mas uma mulher atraente e bem-vestida como uma primeira-dama americana. Além disso, era inteligente: antes de o marido se tornar primeiro-secretário, ela trabalhava como professora universitária.

Tudo isso era promissor, mas na opinião de Tanya representava pouco mais do que um simbolismo. Qualquer resultado concreto dependia do Ocidente. Se alemães e americanos reconhecessem a liberalização na URSS e se esforçassem para incentivar as mudanças, Gorbachev talvez conseguisse alguma coisa. No entanto, se os falcões de Bonn e Washington vissem aquilo como fraqueza e agissem de forma ameaçadora ou agressiva, a elite governante soviética voltaria a se encolher dentro de sua concha de comunismo ortodoxo e excessos militares. E Gorbachev se juntaria a Kosygin e Kruschev no cemitério dos reformistas fracassados do Kremlin.

– Vai ter um congresso de roteiristas em Nápoles – disse Tanya a Vasili com o ruído do rádio ao fundo.

– Ah!

Ele entendeu na mesma hora a importância daquilo. A cidade de Nápoles tinha um governo comunista eleito.

Os dois se sentaram juntos no sofá.

– Eles querem convidar escritores do bloco soviético para provar que não é só em Hollywood que se produzem programas de televisão – disse Tanya.

– Claro.

– Você é o roteirista de dramaturgia televisiva mais bem-sucedido da URSS. Deveria participar.

– O sindicato dos escritores vai decidir quem terá essa sorte.

– Aconselhado pela KGB, claro.

– Você acha que eu tenho chance?

– Candidate-se, e eu peço a Dimka para dar uma palavrinha a seu favor.

– Será que você consegue ir também?

– Vou pedir a Daniil para me mandar cobrir o congresso pela TASS.

– Aí estaremos os dois no mundo livre.

– É.

– E depois?

– Ainda não pensei em todos os detalhes, mas essa deve ser a parte fácil. Do nosso quarto de hotel, podemos ligar para Anna Murray em Londres. Assim que ela souber que estamos na Itália, vai pegar o primeiro avião para lá. Aí é só nos desvencilharmos dos agentes da KGB que estarão nos vigiando e ir com ela para Roma. Ela dirá ao mundo que Ivan Kuznetsov na verdade se chama Vasili Yenkov, e que ele e a namorada estão pedindo asilo político à Grã-Bretanha.

Vasili ficou calado.

– Você acha mesmo possível? – indagou, soando quase como uma criança que fala sobre um conto de fadas.

Tanya segurou as duas mãos dele com as suas.

– Eu não sei – respondeu. – Mas quero tentar.

Dimka agora tinha uma sala ampla no Kremlin, com uma escrivaninha grande, dois telefones, uma pequena mesa de reunião e dois sofás em frente a uma lareira. Da parede pendia uma reprodução em tamanho real de um famoso quadro soviético: *Mobilização contra Yudenich na Metalúrgica Putilov*.

Seu convidado era Frederik Bíró, ministro do governo húngaro com ideias progressistas. Apesar de ser dois ou três anos mais velho que Dimka, ele pareceu assustado ao se acomodar no sofá e pedir um copo d'água à secretária.

– Estou aqui para levar uma bronca? – perguntou, com um sorriso forçado.

– Por que está perguntando isso?

– Eu faço parte de um grupo de homens que acha que o comunismo da Hungria está preso a um padrão repetitivo e inútil. Não é nenhum segredo.

– Não tenho intenção alguma de repreendê-lo por isso ou por qualquer outro motivo.

– Então eu vou ser elogiado?

– Também não. Imagino que o senhor e seus amigos irão formar o novo governo da Hungria assim que Janos Kádár morrer ou renunciar, e lhes desejo sorte, mas não o chamei aqui para dizer isso.

Bíró pousou o copo d'água sem beber.

– Agora estou assustado de verdade.

– Vou acabar logo com o suspense: a prioridade de Gorbachev é melhorar a economia soviética reduzindo os gastos militares e produzindo mais bens de consumo.

– Um bom plano – disse Bíró, cauteloso. – Muitas pessoas gostariam de fazer o mesmo na Hungria.

– Nosso único problema é que não está dando certo. Ou, para ser mais exato, não está dando certo depressa o bastante, o que dá na mesma. A União Soviética está arruinada, falida, sem um tostão. A causa da crise imediata é a queda no preço do petróleo, mas o problema a longo prazo é o péssimo desempenho da economia planificada. E a situação é grave demais para ser sanada somente cancelando encomendas de mísseis e fabricando mais calças jeans.

– Então qual é a solução?

– Nós vamos parar de subsidiar vocês.

– A Hungria?

– Todos os países do Leste Europeu. Vocês nunca pagaram pelo seu padrão de vida. Somos nós quem os financiamos lhes vendendo petróleo e outras matérias-primas abaixo do preço de mercado e comprando seus produtos industrializados ruins que ninguém mais quer.

– É verdade, claro – reconheceu Bíró. – Mas esse é o único jeito de manter a população tranquila e o Partido Comunista no poder. Se o padrão de vida cair, o povo não vai demorar muito para começar a perguntar por que precisa ser comunista.

– Eu sei.

– Então o que devemos fazer?

Dimka deu de ombros com um gesto exagerado.

– Isso não é problema nosso, mas de vocês.

– Problema nosso? – indagou Bíró, incrédulo. – Que papo é esse, porra?

– São vocês que têm de achar a solução.

– E se o Kremlin não gostar da solução que nós encontrarmos?

– Não faz mal. Vocês agora estão por sua conta.

– Está me dizendo que os quarenta anos de dominação soviética na Europa Oriental acabaram, seremos países independentes? – perguntou Bíró com desdém.

– Exatamente.

O húngaro encarou Dimka com firmeza por um longo tempo, então disse:

– Eu não acredito.

⁓

Tanya e Vasili foram ao hospital visitar a tia dela, a física Zoya, de 74 anos, que estava com câncer de mama. Como esposa de general, a doente tinha direito a um quarto particular. Os visitantes só podiam entrar de dois em dois, de modo que o casal aguardou do lado de fora do quarto junto com outros membros da família.

Depois de algum tempo, seu tio Volodya saiu amparado no braço do filho de 39 anos, Kotya. Homem forte com um histórico heroico na guerra, estava agora indefeso como uma criança, indo apenas aonde o conduzissem, soluçando descontrolado em um lenço já encharcado de lágrimas. Fazia quarenta anos que os dois eram casados.

Tanya entrou com a prima Galina, filha de Volodya e Zoya. Ficou chocada com o aspecto da tia: depois de conservar uma beleza estonteante mesmo na casa dos 60, ela agora exibia uma magreza cadavérica, estava quase careca e obviamente só tinha poucos dias ou mesmo horas de vida. No entanto, dormia e acordava, e não parecia sentir nenhuma dor. Tanya imaginou que estivessem lhe dando morfina.

– Volodya foi aos Estados Unidos depois da guerra descobrir como eles tinham feito a bomba de Hiroshima – disse Zoya, alegremente indiscreta sob o efeito do remédio.

Tanya cogitou lhe pedir que não dissesse mais nada, mas então pensou que aqueles segredos já não importavam mais a ninguém. Sua tia continuou, sorrindo com a lembrança:

– Ele me trouxe um catálogo da Sears cheio de coisas que qualquer americano podia comprar: vestidos, bicicletas, discos, casacos quentes para as crianças, até tratores para a agricultura. Eu não teria acreditado, teria pensado que era propaganda, mas Volodya tinha ido lá e sabia que era verdade. Desde então quero visitar os Estados Unidos, só para ver como é. Só para admirar essa fartura toda. Mas agora acho que não vai dar tempo. – Ela tornou a fechar os olhos. – Não faz mal – murmurou, e pareceu pegar no sono outra vez.

Alguns minutos depois, Tanya e Galina saíram, e dois dos netos de Zoya assumiram seu lugar à cabeceira.

Dimka, que havia chegado, juntou-se ao grupo que aguardava no corredor. Chamou Tanya e Vasili de lado e lhes disse em voz baixa:

– Recomendei você para o congresso de Nápoles – disse ele a Vasili.

– Obrigado...

– Não me agradeça. Eu fracassei. Tive uma conversa hoje com o desagradável Yevgeny Filipov, que cuida dessas coisas agora, e ele sabe que você foi mandado para a Sibéria por atividades subversivas em 1961.

– Mas Vasili foi reabilitado! – rebateu Tanya.

– Filipov também sabe disso. Reabilitação é uma coisa, disse ele, sair do país é outra. Está fora de cogitação. – Dimka tocou seu braço. – Eu sinto muito, irmã.

– Quer dizer que estamos presos aqui – disse ela.

– Um reles panfleto em uma leitura de poesia, 25 anos atrás, e continuo sendo punido – falou Vasili, amargurado. – Nós vivemos pensando que o nosso país está mudando, mas na verdade isso nunca acontece.

– Como tia Zoya, nunca vamos ver o mundo lá fora – completou Tanya.

– Não desistam ainda – falou Dimka.

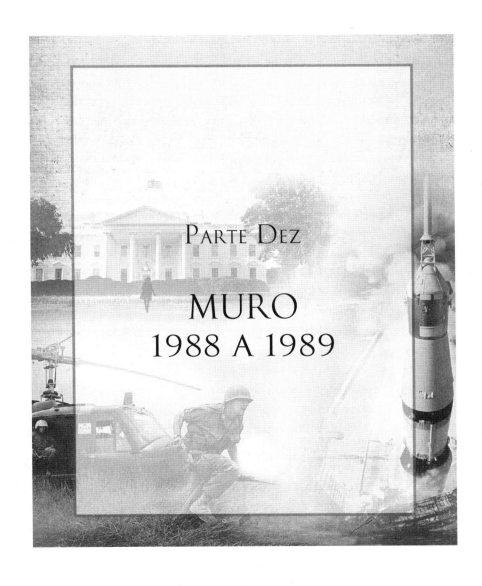

Parte Dez

MURO
1988 A 1989

CAPÍTULO CINQUENTA E NOVE

Jasper Murray foi demitido no outono de 1988.

Não se espantou. O clima em Washington tinha mudado. Apesar de ter cometido crimes muito piores do que os que haviam derrubado Nixon – financiar o terrorismo na Nicarágua, trocar armas por reféns com o Irã e transformar mulheres e meninas em corpos mutilados nas ruas de Beirute –, o presidente Reagan permanecia popular. Parecia provável que seu colaborador, o vice George H. W. Bush, fosse o seu sucessor. De alguma forma, e Jasper não conseguia entender como esse truque se dera, as pessoas que desafiavam o presidente e que o pegavam trapaceando e mentindo não eram mais heróis, como nos anos 1970, e sim consideradas desleais e até mesmo antiamericanas.

Portanto, Jasper não ficou chocado, mas profundamente magoado. Tinha entrado para o *This Day* vinte anos antes e ajudara a transformá-lo em um programa de notícias respeitadíssimo. Ser demitido era como negar o trabalho de uma vida inteira. A generosa indenização rescisória de nada adiantou para aliviar sua dor.

Ele decerto não deveria ter feito uma piada sobre Reagan no final do último programa. Depois de dizer ao público que iria sair, emendara:

– E lembrem-se: se o presidente disser que está chovendo e parecer sincero, sincero mesmo... vão olhar pela janela mesmo assim. Só para conferir.

Aquilo fizera Frank Lindeman perder a cor.

A festa de despedida que seus colegas organizaram no Old Ebbitt Grill foi prestigiada pela maior parte das pessoas influentes da capital. Encostado no bar, já tarde da noite, Jasper fez um discurso. Magoado, triste e despeitado, ele disse:

– Eu amo este país. Amei-o desde a primeira vez que estive aqui, em 1963. Eu o amo porque ele é livre. Minha mãe escapou da Alemanha nazista; o resto da família dela não teve a mesma sorte. A primeira coisa que Hitler fez foi dominar a imprensa e torná-la subserviente ao governo. Lênin fez o mesmo. – Como havia bebido alguns copos de vinho, ele estava um pouco mais sincero do que o normal. – Os Estados Unidos são livres porque têm jornais e programas de TV desrespeitosos que denunciam e envergonham os presidentes que metem o pau no cu da Constituição. – Ele ergueu o copo. – À liberdade de imprensa. Ao desrespeito. E Deus abençoe os Estados Unidos.

No dia seguinte, Suzy Cannon, sempre disposta a chutar cachorro morto, publicou um longo e maldoso perfil de Jasper. No texto, conseguiu sugerir que tanto seu serviço militar no Vietnã quanto sua naturalização como cidadão americano tinham sido tentativas desesperadas de ocultar um ódio virulento pelos Estados Unidos. Também o retratou como um predador sexual inescrupuloso, que havia roubado Verena de George Jakes da mesma forma que antes roubara Evie Williams de Cam Dewar nos anos 1960.

O resultado disso tudo foi que ele teve dificuldades para arrumar outro emprego. Após várias semanas de tentativas, finalmente outra emissora lhe ofereceu o cargo de correspondente na Europa, com base em Bonn.

– Com certeza você consegue coisa melhor – disse Verena, que não tinha tempo para perdedores.

– Nenhuma emissora quer me contratar como âncora.

Os dois estavam na sala de estar, tarde da noite, logo após terem assistido ao noticiário e prestes a se preparar para dormir.

– Mas na Alemanha? – insistiu ela. – Isso não é cargo para um jovem em início de carreira?

– Não necessariamente. O Leste Europeu está em polvorosa. No próximo ano ou dois, é possível que surjam algumas reportagens interessantes naquela parte do mundo.

Mas ela não o deixaria ver o lado bom da proposta.

– Existem empregos melhores – falou. – O *Washington Post* não lhe ofereceu uma coluna de opinião?

– Eu trabalhei a vida inteira na TV.

– Você não tentou nas emissoras regionais. Poderia ser um peixe grande em um laguinho pequeno.

– Não poderia, não. Eu seria um cara ultrapassado que já viu dias melhores. – Essa possibilidade o fez sentir um calafrio de humilhação. – Isso eu não vou fazer.

O rosto dela assumiu uma expressão de desafio.

– Bom, não me peça para ir com você para a Alemanha.

Ele já previa isso, mas levou um susto com a determinação insensível dela.

– Por quê?

– Você fala alemão, eu não.

Jasper não falava alemão muito bem, mas aquele não era o seu melhor argumento.

– Seria uma aventura – falou.

– Caia na real – disse Verena, ríspida. – Eu tenho um filho.

– Seria uma aventura para Jack, também. Ele cresceria bilíngue.

– George me processaria para me impedir de tirar Jack do país; nós temos guarda compartilhada. E, de todo modo, eu não faria isso. Jack precisa do pai e da avó. Além do mais, e o meu trabalho? Eu sou bem-sucedida, Jasper... tenho uma equipe de doze pessoas, todas fazendo lobby no governo por causas liberais. Você não pode me pedir para abrir mão disso.

– Bom, acho que eu poderia voltar para cá nas férias.

– Está falando sério? Que tipo de relacionamento seria esse? Quanto tempo você iria demorar para cair na cama com alguma alemãzinha roliça de tranças louras?

Era verdade que Jasper fora promíscuo durante a maior parte da vida, mas ele nunca havia traído Verena. A perspectiva de perdê-la de repente lhe pareceu insuportável.

– Eu consigo ser fiel – falou, desesperado.

Verena viu a aflição dele e abrandou o tom:

– Jasper, fico tocada. Acho até que você está sendo sincero. Mas conheço você, e me conheço também. Nenhum de nós dois consegue ficar sozinho por muito tempo.

– Escute, todo mundo na televisão americana sabe que estou atrás de um emprego, e esse foi o único que me ofereceram. Será que você não entende? Estou contra a parede, droga. Não tenho alternativa!

– Eu entendo, sim, e sinto muito. Mas temos que ser realistas.

Jasper achou sua empatia ainda pior que o seu desdém.

– Enfim, não vai ser para sempre – disse ele, desafiador.

– Ah, não?

– Não mesmo. Eu vou dar a volta por cima.

– Em Bonn?

– O noticiário americano vai ter mais reportagens importantes sobre a Europa do que nunca. Porra, você vai ver.

A expressão de Verena ficou triste.

– Que merda... Você vai mesmo, não é?

– Tenho que ir, já disse.

– Bom – disse ela com pesar. – Não espere que eu esteja aqui quando você voltar.

⌇

Jasper nunca tinha ido a Budapeste. Quando jovem, olhava sempre para o oeste, em direção aos Estados Unidos. Além disso, a Hungria passara sua vida inteira obscurecida pelas nuvens cinzentas do comunismo. Em novembro de 1988, porém, com a economia em ruínas, algo espantoso aconteceu. Um pequeno grupo de jovens comunistas reformistas assumiu o controle do governo, e um deles,

Miklós Németh, tornou-se primeiro-ministro. Entre outras mudanças, ele abriu uma bolsa de valores.

Jasper achou isso espantoso.

Apenas seis meses antes, Karoly Grosz, o truculento chefe do Partido Comunista húngaro, dissera à revista *Newsweek* que uma democracia multipartidária era "uma impossibilidade histórica" na Hungria. Mas Németh havia implementado uma nova lei que permitia a existência de "clubes" políticos independentes.

Era uma notícia e tanto. Mas será que as mudanças eram permanentes? Ou será que Moscou logo as sufocaria?

Jasper chegou de avião a Budapeste em janeiro, em meio a uma nevasca. Às margens do Danúbio, a neve formava uma grossa camada sobre as torres neogóticas do grande prédio do Parlamento. Foi lá que ele encontrou Miklós Németh.

Conseguira a entrevista graças a Rebecca Held. Embora nunca a tivesse encontrado, já ouvira Dave Williams e Walli Franck falarem nela. Fora procurá-la logo depois de chegar a Bonn; ela era seu contato mais próximo na Alemanha. Rebecca era agora uma figura importante no Ministério das Relações Exteriores alemão. Melhor ainda, era amiga – e talvez namorada, supunha Jasper – de Frederik Bíró, assessor de Miklós Németh, responsável por organizar a entrevista.

Foi Bíró quem veio encontrá-lo no saguão e o conduziu por um labirinto de corredores e passagens até a sala do primeiro-ministro.

Németh tinha apenas 41 anos. Era baixo, com fartos cabelos castanhos que caíam sobre a testa como um pega-rapaz. Sua expressão denotava inteligência e determinação, mas também ansiedade. Durante a entrevista, ficou sentado atrás de uma mesa de carvalho e, nervoso, cercou-se de assessores, sem dúvida muito consciente de estar falando não apenas com Jasper, mas com o próprio governo americano, e de que Moscou também estaria assistindo.

Como qualquer primeiro-ministro, a maioria das coisas que disse foram clichês previsíveis. O país enfrentaria tempos difíceis, mas a longo prazo sairia fortalecido. E blá-blá-blá, pensou Jasper. Precisava de algo melhor do que isso.

Perguntou se os novos "clubes" políticos algum dia poderiam virar partidos livres.

Németh o encarou com um olhar duro, direto, e respondeu com voz firme e nítida:

– Essa é uma de nossas maiores ambições.

Jasper disfarçou a surpresa. Nenhum país da Cortina de Ferro jamais tivera partidos políticos independentes. Será que Németh estava falando sério?

Perguntou se o Partido Comunista abriria mão de seu "papel preponderante" na sociedade húngara.

Németh o encarou com o mesmo olhar.

– Em dois anos, posso imaginar que o chefe de governo talvez não seja um membro do Politburo.

Jasper precisou se conter para não exclamar: *Meu Deus do céu!*

Estava embalado, e havia chegado a hora da grande pergunta:

– Os soviéticos podem intervir para deter essas mudanças, como fizeram em 1956?

Németh o encarou pela terceira vez com a mesma dureza.

– Gorbachev destampou uma panela fervente – falou, de forma lenta e articulada. – O vapor pode causar dor, mas a mudança é irreversível – acrescentou.

E Jasper entendeu que tinha sua primeira grande matéria da Europa.

Alguns dias mais tarde, assistiu a um videoteipe da sua reportagem na versão que fora veiculada pela televisão americana. Ao seu lado estava sentada Rebecca, mulher digna e segura de 50 e poucos anos, simpática, mas com um ar de autoridade.

– Sim, eu acho que Németh está falando sério – disse ela em resposta à pergunta de Jasper.

Ele havia terminado a matéria falando para a câmera em frente à sede do Parlamento enquanto flocos de neve caíam sobre seus cabelos. "O chão está congelado aqui neste país do Leste Europeu, mas, como sempre, as sementes da primavera se agitam debaixo da terra. Está claro que o povo húngaro quer mudanças. Mas será que as autoridades de Moscou vão permitir? Miklós Németh acredita que há uma nova atmosfera de tolerância no Kremlin. Só o tempo dirá se ele tem razão."

Fora essa a sua despedida, mas ele então constatou com surpresa que outro clipe havia sido acrescentado à matéria. Um porta-voz de James Baker, secretário de Estado do recém-empossado presidente George H. W. Bush, falava com um entrevistador invisível: "Indícios de um relaxamento das atitudes comunistas não merecem confiança", disse o porta-voz. "Os soviéticos estão tentando inspirar nos Estados Unidos uma falsa sensação de segurança. Não há motivo para duvidar da disposição do Kremlin de intervir na Europa Oriental assim que se sentir ameaçado. A necessidade urgente agora é sublinhar a credibilidade do fator nuclear dissuasivo da Otan."

– Meu Deus – comentou Rebecca. – Em que planeta essa gente vive?

Tanya Dvorkin voltou a Varsóvia em fevereiro de 1989.

Lamentou deixar Vasili sozinho em Moscou, principalmente porque sentiria saudades, mas também porque ainda tinha um leve receio de que ele enchesse o apartamento de ninfetas. Na verdade não acreditava que isso fosse acontecer; esse tempo havia passado. Mesmo assim, a preocupação a incomodava um pouco.

No entanto, Varsóvia era uma pauta excelente. A Polônia estava em polvorosa. Não se sabia como, mas o Solidariedade havia ressurgido das cinzas. De modo espantoso, o general Jaruzelski, o mesmo ditador que pisoteara a liberdade apenas oito anos antes, quebrando todas as promessas e esmagando o sindicato independente, havia aceitado, em desespero, formar uma mesa-redonda para discutir com grupos de oposição.

Na opinião de Tanya, Jaruzelski não havia mudado, mas o Kremlin, sim. O general era o mesmo velho tirano de sempre, mas não podia mais contar com o apoio soviético. Segundo Dimka, Moscou tinha lhe dito que a Polônia precisava resolver os próprios problemas sem a sua ajuda. Na primeira vez em que Mikhail Gorbachev falou isso, Jaruzelski não acreditou. Nenhum dos líderes da Europa Oriental acreditou. Só que já fazia três anos, e a ficha finalmente estava começando a cair.

Tanya não sabia o que iria acontecer; ninguém sabia. Nunca, em toda sua vida, ouvira falar tanto em mudanças, liberalização e liberdade. Mas os comunistas ainda controlavam o bloco soviético. Será que estava chegando o dia em que ela e Vasili poderiam revelar seu segredo e expor ao mundo a verdadeira identidade do escritor Ivan Kuznetsov? Antigamente, essa esperança sempre acabara esmagada pelas esteiras dos tanques soviéticos.

Assim que chegou a Varsóvia, ela foi convidada para jantar no apartamento de Danuta Gorski.

Em pé diante da porta, ao tocar a campainha, lembrou-se da última vez em que vira a polonesa: sete anos antes, sendo arrastada do mesmo apartamento pelos brutais agentes da polícia de segurança Zomo, com seus uniformes camuflados, na mesma noite em que Jaruzelski havia decretado lei marcial.

Nesse dia, Danuta veio abrir a porta com um largo sorriso, toda dentes e cabelos. Deu um abraço em Tanya e a acompanhou até a sala de jantar do pequeno apartamento. Marek, o marido, abria uma garrafa de Riesling húngaro, e sobre a mesa havia um prato de salsichas aperitivo ao lado de uma tigelinha de mostarda.

– Passei um ano e meio presa – falou Danuta. – Acho que me soltaram porque eu estava radicalizando as outras detentas. – Ela jogou a cabeça para trás e riu.

Tanya admirou sua coragem. *Se eu fosse lésbica poderia me apaixonar por ela*, pensou. Todos os homens que havia amado eram corajosos.

– Agora faço parte dessa tal mesa-redonda – continuou Danuta. – Todos os dias, o dia inteiro.

– É uma mesa-redonda de verdade?

– Sim, imensa. A teoria é que ninguém manda, mas, na prática, quem preside as reuniões é Lech Walesa.

Tanya ficou maravilhada. Um eletricista sem instrução dominava o debate sobre o futuro da Polônia. Esse tipo de coisa era o sonho de seu avô, o operário de fábrica bolchevique Grigori Peshkov. Só que Walesa era o contrário de um comunista. De certa forma, estava feliz por seu avô não ter vivido para testemunhar essa ironia, que poderia ter partido seu coração.

– E vai dar algum resultado? – perguntou.

Antes que Danuta conseguisse responder, Marek falou:

– É um truque. Jaruzelski quer enfraquecer a oposição cooptando seus líderes e incluindo-os no governo comunista sem modificar o sistema. É a estratégia dele para continuar no poder.

– Marek provavelmente tem razão – comentou Danuta. – Mas o truque não vai funcionar. Nós estamos pedindo sindicatos independentes, liberdade de imprensa e eleições de verdade.

Tanya ficou chocada.

– Jaruzelski está mesmo conversando sobre eleições livres? – A Polônia já tinha eleições fajutas, nas quais apenas o Partido Comunista e seus aliados podiam apresentar candidatos.

– As discussões vivem sendo interrompidas, mas ele precisa encerrar as greves, então torna a convocar a mesa-redonda, e nós voltamos a exigir eleições livres.

– Qual é o motivo das greves? – quis saber Tanya. – Fundamentalmente, quero dizer.

Marek tornou a interrompê-las:

– Sabe o que as pessoas estão dizendo? "Quarenta e cinco anos de comunismo e nós ainda não temos papel higiênico." Nosso país é pobre! O comunismo não funciona.

– Marek tem razão – falou Danuta. – Algumas semanas atrás, uma loja aqui de Varsóvia anunciou que aceitaria entradas para comprar televisores na segunda-feira seguinte. A loja não tinha televisores para vender, veja bem; estava só torcendo para conseguir alguns. As pessoas começaram a fazer fila na sexta-feira anterior. Na segunda de manhã, já eram 15 mil esperando só para pôr os nomes em uma lista!

Danuta foi até a cozinha e voltou com uma tigela perfumada cheia da sopa azeda de pepino chamada *zupa ogórkowa*, que Tanya adorava.

– O que vai acontecer, então? – perguntou ela enquanto começava a comer. – O país vai ter eleições de verdade?

– Não – respondeu Marek.

– Talvez – contrapôs Danuta. – A proposta mais recente é que dois terços dos assentos parlamentares sejam reservados para o Partido Comunista e que haja eleições livres para o restante.

– Ou seja, continuaríamos tendo eleições fajutas! – protestou Marek.

– Mas seria melhor do que o que temos agora – rebateu a esposa. – Você não concorda, Tanya?

– Não sei – respondeu ela.

⁓

A primavera ainda não havia chegado e Moscou continuava coberta por seu manto de neve quando o novo primeiro-ministro húngaro foi visitar Mikhail Gorbachev.

Yevgeny Filipov sabia que Miklós Németh estava chegando, e abordou Dimka em frente à sala do líder alguns minutos antes da reunião.

– Essa bobagem precisa acabar! – protestou.

Ultimamente, Filipov vinha exibindo um aspecto cada vez mais descontrolado, observou Dimka. Seus cabelos grisalhos estavam sujos e ele vivia andando apressado de um lado para outro. Tinha agora 60 e poucos anos e o rosto permanentemente imobilizado na expressão reprovadora que havia exibido durante grande parte da vida. Seus ternos folgados e cabelos muito curtos estavam na moda outra vez, um estilo que os jovens ocidentais chamavam de retrô.

Filipov tinha ódio de Gorbachev. O líder soviético representava tudo o que ele passara a vida inteira combatendo: o relaxamento das regras em vez da estrita disciplina do partido, a iniciativa individual por oposição ao planejamento central, a amizade com o Ocidente em vez da guerra contra o capitalismo imperialista. Dimka quase conseguia sentir compaixão por um homem que havia desperdiçado a vida travando uma batalha impossível de vencer.

Pelo menos ele torcia para que a batalha não fosse vencida. O conflito ainda não tinha acabado.

– De que bobagem específica nós estamos falando? – indagou, cauteloso.

– Partidos políticos independentes! – respondeu Filipov como se estivesse citando uma atrocidade. – Os húngaros inauguraram uma tendência perigosa. Jaruzelski agora fala em fazer a mesma coisa na Polônia. O general Jaruzelski!

Dimka entendia a incredulidade do colega. Era de fato espantoso o tirano polonês agora propor tornar o Solidariedade parte do futuro do país e permitir que partidos políticos competissem em uma eleição no estilo ocidental.

E Filipov nem sequer sabia da história toda. A irmã de Dimka, que estava em Varsóvia pela TASS, mandava-lhe informações precisas. Jaruzelski estava acuado e o Solidariedade não arredava pé. Eles não só discutiam, planejavam mesmo uma eleição.

Era isso que Filipov e os conservadores do Kremlin tentavam evitar.

– Esses desdobramentos são altamente perigosos! – falou Filipov. – Eles abrem a porta para tendências contrarrevolucionárias e revisionistas. Qual o propósito disso?

– O propósito é que nós não temos mais dinheiro para financiar nossos satélites...

– Nós não temos satélites. Temos aliados.

– Sejam o que forem, eles não estão dispostos a fazer o que dissermos se não pudermos remunerar a sua obediência.

– Antigamente nós tínhamos um Exército para defender o comunismo... agora não mais.

Havia certa verdade nesse exagero. Gorbachev tinha anunciado a retirada de 250 mil homens e 10 mil tanques da Europa Oriental, medida essencialmente econômica, mas também um gesto de paz.

– Nós não temos como bancar esse Exército – falou Dimka.

Filipov parecia prestes a explodir de tão indignado:

– Será que você não vê que está falando sobre o fim de tudo por que nós trabalhamos desde 1917?

– Kruschev disse que nós levaríamos vinte anos para alcançar os americanos em matéria de riqueza e poderio militar. Ele falou isso há 28 anos, e nós estamos mais atrás do que estávamos em 1961. O que você quer preservar, Yevgeny?

– A União Soviética! O que você imagina que os americanos estão pensando, quando sucateamos nosso Exército e permitimos que o revisionismo se alastre entre nossos aliados? Eles estão rindo baixinho. O presidente Bush é um guerreiro frio, decidido a nos derrubar. Não se deixe enganar.

– Discordo – falou Dimka. – Quanto mais nos desarmarmos, menos motivo os americanos terão para aumentar seu arsenal nuclear.

– Tomara que você tenha razão. Pelo bem de todos.

Filipov se retirou.

Dimka também esperava ter razão. Filipov havia apontado a falha na estratégia de Gorbachev, que dependia de o presidente Bush ser razoável. Se os americanos reagissem ao desarmamento com medidas recíprocas, Gorbachev sairia vitorioso e seus rivais no Kremlin ficariam com cara de idiotas. Mas se Bush não fizesse nada, ou pior, se aumentasse os gastos militares, quem ficaria com cara de bobo seria Gorbachev. Ele seria enfraquecido, e seus oponentes talvez aproveitassem a oportunidade para derrubá-lo e voltar aos bons velhos tempos do confronto entre as superpotências.

Dimka foi até o conjunto de salas de Gorbachev. Estava ansioso para conhecer Németh; os últimos acontecimentos na Hungria eram animadores. Estava também ansioso para descobrir o que Gorbachev diria ao líder húngaro.

Seu chefe não era previsível. Apesar de ter sido comunista a vida inteira, não estava disposto a impor o comunismo a outros países. Sua estratégia era clara: *glasnost* e *perestroika*, abertura e reestruturação. Já suas táticas não eram tão óbvias, e era impossível saber qual seria seu comportamento em relação a qualquer questão específica. Dimka vivia sem saber que música dançar.

Gorbachev não se mostrou caloroso com Németh. O primeiro-ministro húngaro havia pedido uma hora e recebido vinte minutos. A reunião talvez fosse complicada.

Németh chegou acompanhado de Frederik Bíró, que Dimka já conhecia. A secretária de Gorbachev imediatamente conduziu os três até o salão nobre, amplo recinto de pé-direito alto com paredes revestidas de madeira pintadas de amarelo-claro. O líder russo estava sentado atrás de uma escrivaninha moderna, de madeira com verniz escuro, posicionada em um canto e sobre a qual havia apenas um telefone e uma luminária. Os visitantes se acomodaram em estilosas cadeiras de couro preto. Tudo simbolizava modernidade.

Após umas poucas cortesias, Németh foi direto ao assunto. Estava prestes a anunciar eleições livres, falou. Livres mesmo: o resultado talvez fosse um governo não comunista. Como Moscou reagiria a isso?

Gorbachev enrubesceu, e a mancha roxa de nascença em sua careca ficou ainda mais escura.

– O caminho correto é retornar às raízes do leninismo – disse ele.

A frase não queria dizer grande coisa. Todos os que tentavam mudar a União Soviética alegavam estar retornando às raízes do leninismo.

– O comunismo pode reencontrar seu caminho voltando à época anterior a Stalin – prosseguiu Gorbachev.

– Não pode, não – rebateu Németh sem rodeios.

– Somente o Partido pode criar uma sociedade justa! Isso não pode ser deixado ao acaso.

– Nós discordamos.

Németh começava a parecer nauseado. Tinha o rosto pálido e a voz trêmula. Ele era um cardeal desafiando a autoridade do papa.

– Preciso lhe fazer uma pergunta muito direta. Se tivermos eleições e o Partido Comunista precisar sair do poder pelo voto, a União Soviética vai intervir com força militar como fez em 1956?

Um silêncio sepulcral tomou conta da sala. Nem mesmo Dimka sabia como Gorbachev iria responder.

Então ele disse uma única palavra em russo:

– *Nyet*. – Não.

Németh pareceu um homem cuja sentença de morte houvesse sido revogada.

– Pelo menos não enquanto eu estiver sentado nesta cadeira – acrescentou o líder soviético.

Németh riu. Não achava que Gorbachev corresse o risco de ser deposto.

Ele estava errado. O Kremlin sempre apresentava ao mundo uma frente unida, mas nunca era tão harmonioso quanto fingia ser. As pessoas não faziam ideia de quão tênue era o poder de Gorbachev. Németh se contentou em saber quais eram as suas intenções, mas Dimka não se deixou enganar.

Só que o húngaro ainda não havia terminado. Acabara de arrancar de Gorbachev uma imensa concessão: a promessa de que a URSS não interviria para impedir a derrubada do comunismo na Hungria! Mas então, com uma audácia surpreendente, pediu mais uma garantia:

– A cerca está dilapidada. Precisa ser renovada ou abandonada.

Dimka sabia do que Németh estava falando. A fronteira entre a Hungria comunista e a Áustria capitalista era protegida por uma cerca elétrica de aço inoxidável com quase 250 quilômetros de extensão, naturalmente muito cara de manter. Renovar a cerca toda custaria milhões.

– Se a cerca precisa ser renovada, então renovem – falou Gorbachev.

– Não – retrucou Németh. Ele podia até estar nervoso, mas estava determinado. Dimka admirou sua coragem. – Não tenho dinheiro e não preciso da cerca. É um equipamento do Pacto de Varsóvia. Se quiserem, quem deve renová-la são vocês.

– Isso não vai acontecer – respondeu Gorbachev. – A União Soviética não tem mais esse tipo de dinheiro. Dez anos atrás, com o petróleo a 40 dólares o barril, podíamos fazer qualquer coisa. Agora um barril vale o quê, 9 dólares? Estamos quebrados.

– Deixe eu me certificar de que estamos nos entendendo – falou Németh.

Estava suando e enxugou o rosto com um lenço. – Se vocês não pagarem, nós não vamos renovar a cerca, e ela vai deixar de funcionar como uma barreira eficaz. As pessoas poderão passar para a Áustria e nós não teremos como impedi-las.

Fez-se um novo silêncio pesado. Por fim, Gorbachev disse:

– Que seja, então.

Foi o fim da reunião. As cortesias de despedida foram superficiais. Os húngaros estavam loucos para sair dali; haviam conseguido tudo o que queriam. Apertaram a mão de Gorbachev e saíram da sala a passo célere. Era como se quisessem embarcar de volta no avião antes que o russo tivesse tempo de mudar de ideia.

Dimka voltou para sua sala pensativo. Gorbachev o surpreendera duas vezes: primeiro com uma hostilidade inesperada em relação às reformas de Németh, depois ao não oferecer nenhuma resistência.

Será que os húngaros iriam mesmo abandonar a cerca? Ela era uma parte fundamental da Cortina de Ferro. Se de repente as pessoas pudessem atravessar a fronteira para o Ocidente, isso poderia ser uma mudança ainda mais incrível do que as eleições livres.

Mas Filipov e os outros conservadores ainda não haviam se rendido e estavam atentos ao menor sinal de fraqueza de Gorbachev. Dimka não duvidava de que já tivessem planos de contingência para um golpe.

Estava olhando pensativo para o grande quadro revolucionário na parede da sua sala quando Natalya ligou.

– Você sabe o que é um míssil Lance, não sabe? – perguntou, sem preâmbulos.

– Uma arma nuclear tática terra-terra de curto alcance – respondeu ele. – Os americanos têm uns setecentos mísseis desse tipo na Alemanha. Felizmente, o alcance deles é só de uns 120 quilômetros.

– Não mais. O presidente Bush quer substituí-los. Os novos poderão voar 450 quilômetros.

– Caramba. – Era o que Dimka temia e o que Filipov previra. – Mas não faz sentido. Nem faz tanto tempo assim que Reagan e Gorbachev *retiraram* os mísseis balísticos de alcance intermediário.

– Bush acha que Reagan foi longe demais no desarmamento.

– Esse plano é definitivo?

– Segundo a estação da KGB em Washington, Bush se cercou de falcões da Guerra Fria. O secretário de Defesa Cheney é muito agressivo. Scowcroft também. – Brent Scowcroft era o conselheiro de Segurança Nacional. – E tem uma mulher chamada Condoleeza Rice que é tão ruim quanto eles.

– Filipov vai dizer "Eu bem que avisei" – falou Dimka, desesperado.

– Ele não vai ser o único. É um desdobramento perigoso para Gorbachev.

– Qual é o cronograma dos americanos?

– Eles vão pressionar os europeus ocidentais na reunião da Otan, em maio.

– Que merda. Agora estamos encrencados.

⁂

Era tarde, e Rebecca Held trabalhava em seu apartamento de Hamburgo, com papéis espalhados por toda a mesa redonda da cozinha. Sobre a bancada havia uma xícara de café suja e um prato com as migalhas do sanduíche de presunto que fora o seu jantar. Ela havia tirado as roupas de trabalho elegantes, removido a maquiagem, tomado uma ducha e vestido roupas íntimas velhas e folgadas e um antigo roupão de seda.

Estava se preparando para sua primeira visita aos Estados Unidos. Viajaria acompanhando o chefe, Hans-Dietrich Genscher, vice-chanceler da Alemanha, ministro das Relações Exteriores e chefe do Partido Democrático Livre, ao qual ela pertencia. A missão era explicar aos americanos por que eles não queriam mais nenhuma arma nuclear. A União Soviética ficava menos ameaçadora sob o comando de Gorbachev. Substituir armas nucleares não era apenas desnecessário, mas poderia se revelar contraproducente, prejudicar as iniciativas de paz do líder russo e fortalecer a influência dos falcões em Moscou.

Estava lendo uma avaliação da disputa de poder no Kremlin feita pela inteligência alemã quando a campainha tocou.

Olhou para o relógio: eram nove e meia da noite. Não esperava visita, e com certeza não estava vestida para receber ninguém. Devia ser um vizinho querendo algo trivial, como pedir um litro de leite emprestado.

Rebecca não merecia um guarda-costas permanente: graças a Deus, não era importante o suficiente para atrair terroristas. Mesmo assim, sua porta tinha um olho mágico para ela poder verificar quem era antes de abrir.

Ficou surpresa ao ver Frederik Bíró do lado de fora.

Teve uma sensação dúbia. Receber a visita-surpresa do namorado era uma delícia, mas ela estava horrorosa. Aos 57 anos, qualquer mulher precisava de tempo para se arrumar antes de aparecer diante do seu homem.

Mas ela não podia lhe pedir que esperasse no hall enquanto se maquiava e trocava a roupa de baixo.

Abriu a porta.

– Minha querida – disse ele, e a beijou.

– Que bom que você veio, mas me pegou de surpresa. Estou um lixo.

Fred entrou e Rebecca fechou a porta. Ele a segurou com os braços esticados para examiná-la.

– Despenteada, de óculos, de roupão, descalça – falou. – Está uma graça.

Ela riu e o levou até a cozinha.

– Você jantou? – perguntou. – Quer que eu faça uma omelete?

– Só um café, por favor. Já comi no avião.

– O que está fazendo em Hamburgo?

– Meu chefe me mandou. – Fred sentou-se à mesa. – O primeiro-ministro Németh virá à Alemanha na semana que vem conversar com o chanceler Kohl. Ele vai lhe fazer uma pergunta. Como todos os políticos, quer saber a resposta antes.

– Que pergunta?

– Preciso explicar.

Ela pôs uma xícara de café na sua frente.

– Pode falar. Tenho a noite inteira.

– Espero que não leve tanto tempo assim. – Ele subiu uma das mãos pela perna dela por dentro do roupão. – Tenho outros planos. – Chegou à calcinha. – Ah! Calcinha folgada...

Ela corou.

– Eu não estava esperando você!

Ele sorriu.

– Eu poderia pôr as duas mãos aí dentro... os dois braços, quem sabe?

Ela empurrou suas mãos para longe e se afastou até o outro lado da mesa.

– Amanhã vou jogar fora todas as minhas roupas de baixo velhas. – Sentou-se na sua frente. – Pare de me constranger e diga o que veio fazer aqui.

– A Hungria vai abrir a fronteira com a Áustria.

Rebecca achou que não tinha ouvido direito.

– Como é que é?

– Nós vamos abrir a fronteira. Deixar a cerca cair em desuso. Libertar nosso povo para ir aonde quiser.

– Você não pode estar falando sério.

– É uma decisão tanto econômica quanto política. A cerca está caindo aos pedaços e nós não temos dinheiro para reconstruí-la.

Rebecca começou a entender.

– Mas, se os húngaros puderem sair, todo mundo vai poder. Como vão impedir os tchecos, iugoslavos, poloneses...

– Não vamos.
– ...e alemães-orientais? Ai, meu Deus, minha família vai poder sair!
– Vai.
– Não pode ser. Os soviéticos não vão deixar.
– Németh foi a Moscou conversar com Gorbachev.
– E o que Gorbi falou?
– Nada. Ele não está contente, mas não vai intervir. Também não tem dinheiro para reconstruir a cerca.
– Mas...
– Eu estava lá, na reunião no Kremlin. Németh perguntou claramente se os soviéticos iriam invadir como fizeram em 1956, e ele respondeu *nyet*.
– Você acredita?
– Acredito.

Aquela notícia mudava o mundo. Era para isso que Rebecca havia trabalhado durante toda sua vida na política, mas não conseguia acreditar que iria mesmo acontecer: sua família poderia passar da Alemanha Oriental para a Alemanha Ocidental! Liberdade!

Então Fred falou:
– Tem um possível probleminha.
– Estava com medo disso.
– Gorbachev prometeu que não haverá intervenção militar, mas não descartou sanções econômicas.

Rebecca pensou que esse era o menor dos seus problemas.
– A economia húngara vai se virar para o Ocidente e vai crescer.
– É isso que nós queremos, mas vai levar tempo. A população talvez enfrente dificuldades. O Kremlin pode estar torcendo para conseguir nos levar ao colapso econômico antes de a economia ter tempo de se adaptar. Aí poderia haver uma contrarrevolução.

Rebecca viu que ele tinha razão. Era um risco sério.
– Sabia que era bom demais para ser verdade – falou, desanimada.
– Não se desespere. Nós temos uma solução. E é por isso que estou aqui.
– Qual é o seu plano?
– Precisamos do apoio do país mais rico da Europa. Com uma boa linha de crédito nos bancos alemães, podemos resistir à pressão soviética. Na semana que vem, Németh vai pedir dinheiro emprestado para Kohl. Eu sei que você sozinha não consegue autorizar uma coisa dessas, mas tinha esperanças de que pudesse me dar um palpite. O que Kohl vai dizer?

– Não consigo imaginar que vá recusar se a recompensa forem fronteiras abertas. Tirando o ganho político, pense no que isso poderia significar para a economia alemã.

– Talvez a gente precise de muito dinheiro.

– Quanto?

– Possivelmente um bilhão de marcos alemães.

– Não se preocupe – falou Rebecca. – Vocês vão conseguir.

⁂

Segundo o relatório da CIA em frente ao deputado George Jakes, a economia soviética estava indo ladeira abaixo. As reformas de Gorbachev – descentralização, mais bens de consumo, menos armamentos – não tinham sido suficientes.

Havia pressão sobre os satélites do Leste Europeu para seguir o exemplo da URSS e liberalizar a economia, mas qualquer mudança seria pequena e gradual, previa a agência. Se algum país rejeitasse o comunismo de cara, Gorbachev despacharia os tanques.

Sentado em uma reunião do Comitê de Supervisão de Inteligência da Câmara dos Representantes, George pensou que aquilo não parecia correto. Polônia, Hungria e Tchecoslováquia estavam à frente da URSS no avanço rumo ao livre empreendedorismo e à democracia, e Gorbachev não parecia fazer nada para detê-las.

Mas o presidente Bush e o secretário de Defesa Cheney acreditavam com ardor na ameaça soviética, e como sempre a CIA estava sendo pressionada para dizer ao presidente o que este queria ouvir.

A reunião deixou George insatisfeito e ansioso. Ele pegou o pequeno trem subterrâneo do Capitólio para voltar ao prédio de escritórios Cannon House, onde tinha um conjunto de três salas abarrotadas. A do meio tinha mesa de recepção, sofá para os visitantes e uma mesa redonda para reuniões. De um dos lados ficava a sala administrativa, cheia de mesas para funcionários, estantes e arquivos; e, do outro, a sua sala particular, com escrivaninha, mesa de reunião e uma foto de Bobby Kennedy.

Ficou intrigado ao ver, na lista dos compromissos da tarde, um religioso de Anniston, Alabama, chamado Clarence Bowyer, que desejava conversar sobre direitos civis.

George jamais esqueceria Anniston, a cidade onde os Viajantes da Liberdade tinham sido atacados por uma turba enfurecida e seu ônibus atingido por bombas caseiras. Fora a única vez em que alguém havia seriamente tentado matá-lo.

Devia ter respondido sim ao pedido do homem para falar com ele, mas não conseguia recordar por quê. Imaginou que um pastor do Alabama que desejasse encontrá-lo devesse ser afro-americano, e espantou-se quando sua assistente mandou entrar um branco. O reverendo Bowyer tinha mais ou menos a sua idade e usava um terno cinza com camisa branca e gravata escura, mas estava de tênis, talvez porque devesse caminhar muito por Washington. Tinha os dentes da frente bem grandes e um queixo recuado, e seus cabelos grisalhos acentuavam a semelhança com um esquilo ruivo. Havia nele algo de familiar. Bowyer acompanhava um adolescente igualzinho a ele.

– Eu tento levar o Evangelho de Jesus Cristo aos soldados e outros que trabalham no Entreposto Militar de Anniston – falou, apresentando-se. – Muitos fiéis da minha congregação são afro-americanos.

Bowyer era um homem sincero, pensou George, e tinha uma igreja racialmente mista, o que não era comum.

– Qual é seu interesse por direitos civis, reverendo?

– Bem, deputado, eu era segregacionista quando jovem.

– Muita gente era – falou George. – Nós aprendemos bastante.

– Eu fiz mais do que aprender. Passei décadas me penitenciando profundamente.

Aquilo parecia meio forte. Algumas das pessoas que solicitavam reuniões com deputados eram mais ou menos malucas. A equipe de George se esforçava ao máximo para filtrar os doidos, mas de vez em quando um deles passava pela rede. No entanto, Bowyer lhe parecia bastante são.

– Se penitenciando – repetiu George, tentando ganhar tempo.

– Deputado Jakes, eu vim aqui me desculpar – disse Bowyer, solene.

– Por quê, exatamente?

– Em 1961, acertei o senhor com um pé de cabra. Acho que quebrei seu braço.

Em um clarão, George entendeu por que aquele homem lhe parecia familiar. Ele fazia parte da turba em Anniston. Tentara bater em Maria, mas George pusera o braço no meio do caminho. Ainda doía quando fazia frio. Atônito, encarou aquele religioso sério.

– Então era o senhor.

– Sim, deputado. Não tenho desculpa nenhuma para dar. Eu sabia o que estava fazendo, e o que fiz foi errado. Mas nunca esqueci o senhor. Só gostaria que soubesse quanto estou arrependido, e queria que meu filho Clam estivesse presente quando eu confessasse o meu erro.

George não soube como reagir. Nada parecido com aquilo jamais havia lhe acontecido.

– Então o senhor virou pastor – falou.

– Primeiro virei alcoólatra. Por causa do uísque, perdi o emprego, a casa e o carro. Então, em um dia de domingo, o Senhor guiou meus passos até uma pequena missão em um casebre de um bairro pobre. O pastor, por acaso um negro, escolheu para o sermão o capítulo 25 do Evangelho de Mateus, sobretudo o versículo 40: "Em verdade vos digo que quando o fizestes a um destes meus pequeninos irmãos, a mim o fizestes."

George já tinha escutado mais de um sermão baseado nesse versículo, cuja mensagem era: qualquer mal feito a alguém era um mal feito a Jesus. Os afro-americanos, que haviam sofrido mais males do que a maioria dos cidadãos, consolavam-se muito com essa ideia. O versículo estava até gravado no vitral da Igreja Batista da Rua 16, em Birmingham, doado pelos operários do País de Gales.

– Entrei na igreja para zombar e saí salvo – contou Bowyer.

– Fico feliz em saber que o senhor mudou de atitude, reverendo – disse George.

– Eu não mereço o seu perdão, deputado, mas espero conseguir o de Deus. – Bowyer se levantou. – Não vou mais gastar o seu precioso tempo. Obrigado.

George também se levantou. Sentiu que não havia reagido adequadamente a um homem tomado por uma poderosa emoção.

– Antes de ir, vamos apertar as mãos. – Com as duas mãos, ele segurou a de Bowyer. – Se Deus pode perdoá-lo, acho que eu também deveria conseguir.

Bowyer engasgou de emoção. Lágrimas brotaram em seus olhos e ele sacudiu as mãos de George.

Por impulso, George lhe deu um abraço. O homem tremia de tanto soluçar.

Um minuto depois, George interrompeu o abraço e deu um passo para trás. O reverendo tentou falar, mas não conseguiu. Aos prantos, virou as costas e saiu da sala.

O filho apertou a mão de George.

– Obrigado, deputado – disse o menino com uma voz trêmula. – Não posso nem expressar quanto o seu perdão significa para o meu pai. O senhor é um grande homem. – Ele saiu da sala atrás de Bowyer.

Atordoado, George tornou a se sentar. Bem, pensou, que tal essa?

⁓

Naquela noite, contou o acontecido a Maria.

Ela demonstrou pouca empatia.

– Acho que você tem o direito de perdoar essa gente, afinal foi o seu braço que ele quebrou. Eu não sou muito fã de redimir segregacionistas. Gostaria, isso sim, é de ver o reverendo Bowyer cumprir uns dois anos de prisão, ou quem sabe de trabalhos forçados. *Aí* talvez eu aceitasse as desculpas dele. Todos aqueles juízes corruptos, policiais violentos e fabricantes de bombas caseiras continuam soltos por aí, sabia? Eles nunca tiveram que pagar pelo que fizeram. Alguns devem estar vivendo da droga da aposentadoria. E eles também querem ser perdoados? Não sou eu que vou ajudá-los a se sentirem melhor. Se a culpa os deixa infelizes, acho ótimo. É o mínimo que merecem.

George sorriu. Aos 50 e poucos anos, Maria ficava mais decidida. Era uma das funcionárias mais graduadas do Departamento de Estado, respeitada tanto por republicanos quanto por democratas, e portava-se com segurança e autoridade.

Os dois estavam no apartamento dela, e Maria preparava o jantar – cherne recheado com ervas –, enquanto George punha a mesa. Um aroma delicado pairava no ar deixando-o com água na boca. Ela tornou a encher seu copo de Chardonnay Lynmar, em seguida pôs um brócolis para cozinhar no vapor. Um pouco mais gorda do que antigamente, tentava adotar a predileção de George pela culinária leve.

Depois do jantar, eles levaram seus cafés para o sofá. Maria estava com uma disposição emotiva.

– Quero poder olhar para trás e dizer que o mundo era um lugar mais seguro quando saí do Departamento de Estado do que quando cheguei lá – falou. – Quero que meus sobrinhos e meu afilhado Jack possam criar os filhos sem o medo de um holocausto pairando sobre as suas cabeças. Aí poderei dizer que minha vida foi bem gasta.

– Entendo como você se sente – falou George. – Mas parece um castelo de areia. Será que isso é possível?

– Talvez. O bloco soviético está mais perto do colapso do que jamais esteve desde a Segunda Guerra. Nosso embaixador em Moscou acha que a Doutrina Brejnev morreu.

Segundo essa doutrina, a União Soviética controlava a Europa Oriental, da mesma forma que a Doutrina Monroe dava aos Estados Unidos direitos equivalentes na América do Sul.

George assentiu:

– Se Gorbachev não quer mais ser o chefe do império comunista, é um ganho geopolítico imenso para o nosso país.

– E nós deveríamos fazer todo o possível para ajudá-lo a permanecer no poder. Só que não estamos ajudando, porque o presidente Bush acredita que tudo isso não passa de um truque de Gorbachev. Portanto, ele na verdade planeja *aumentar* nossas armas nucleares na Europa.

– O que com certeza vai enfraquecer Gorbachev e incentivar os falcões do Kremlin.

– Exatamente. Enfim, amanhã vou receber uns alemães para tentar fazê-lo mudar de ideia.

– Boa sorte – disse George, cético.

– É.

Ele terminou o café, mas não quis ir embora. Sentia-se confortável, com a barriga cheia de boa comida e bom vinho, e sempre gostava de conversar com Maria.

– Sabe de uma coisa? – falou. – Tirando meu filho e minha mãe, você é a pessoa de quem eu mais gosto no mundo.

– Como vai Verena? – indagou Maria, direta.

George sorriu.

– Está saindo com seu ex-namorado Lee Montgomery. Ele agora é editor do *Washington Post*. Acho que a coisa é séria.

– Legal.

– Você se lembra... – Ele decerto não deveria dizer aquilo, mas tinha bebido meia garrafa de vinho e pensou *que se dane*. – Lembra aquela vez em que a gente transou aqui no sofá?

– George, eu não faço isso o suficiente para esquecer – respondeu ela.

– Infelizmente, nem eu.

Ela riu, mas disse:

– Que bom.

Ele se sentiu nostálgico.

– Quando tempo faz isso?

– Foi na noite em que Nixon renunciou, quinze anos atrás. Você era jovem e bonito.

– E você era quase tão linda quanto é hoje.

– Seu fala mansa!

– Foi gostoso, não foi? O sexo, quero dizer.

– Gostoso? – Ela se fez de ofendida. – Só isso?

– Foi incrível.

– É.

Ele foi tomado por uma sensação de arrependimento pelas oportunidades perdidas.

– O que aconteceu com a gente?

– Tínhamos caminhos diferentes a seguir.

– É, deve ser. – Depois de um silêncio, ele tornou a falar: – Quer tentar de novo?

– Pensei que você nunca fosse pedir.

Eles se beijaram, e ele se lembrou na mesma hora de como tinha sido da primeira vez: tão relaxado, tão natural, tão certo.

O corpo dela havia mudado. Estava mais macio, menos rijo, a pele mais seca sob o seu toque. Ele pensou que o próprio corpo também devia estar diferente: os músculos adquiridos na luta livre já tinham sumido havia muito tempo. Mas não fazia diferença. Os lábios e a língua dela não paravam de se agitar junto aos seus, e ele sentiu o mesmo prazer ansioso ao ser envolvido nos braços por uma mulher sensual e carinhosa.

Ela desabotoou sua camisa. Enquanto ele tirava a peça, levantou-se e tirou rapidamente o vestido.

– Antes de irmos mais longe... – falou George.

– O quê? – Ela tornou a se sentar. – Está mudando de ideia?

– Pelo contrário. Belo sutiã, aliás.

– Obrigada. Pode tirar daqui a um minuto. – Ela desafivelou seu cinto.

– Mas tem uma coisa que eu quero dizer. Correndo o risco de estragar tudo...

– Pode falar. Arrisque-se.

– Estou percebendo uma coisa. Acho que deveria ter sacado antes.

Ela o observou com um leve sorriso, sem dizer nada, e George teve a estranha sensação de que sabia exatamente o que ele iria dizer.

– Estou percebendo que amo você – disse ele.

– É mesmo? Jura?

– É. Você se importa? Tudo bem? Não estraguei o clima?

– Seu bobo – respondeu ela. – Eu sou apaixonada por você há anos.

⁓

Rebecca chegou ao Departamento de Estado em Washington em um dia ameno de primavera. Havia narcisos nos canteiros, e ela se sentia muito esperançosa. O império soviético estava enfraquecido, talvez fatalmente. A Alemanha tinha uma chance de se tornar unificada e livre. Os americanos só precisavam de um empurrãozinho na direção certa.

Pensou que era por causa de Carla, sua mãe adotiva, que estava ali em Washington representando seu país e negociando com os homens mais poderosos do mundo. Durante a guerra, em Berlim, Carla tinha recolhido uma menina de 13 anos aterrorizada e lhe dera segurança para se tornar uma política de nível internacional. Preciso tirar uma foto e mandar para mamãe, pensou Rebecca.

Junto com o chefe Hans-Dietrich Genscher e uma penca de assessores, entrou no prédio em estilo moderno do Departamento de Estado. O saguão de dois andares tinha um imenso mural chamado *A defesa das liberdades humanas*, que mostrava as cinco liberdades sendo protegidas pelas Forças Armadas americanas.

Os alemães foram recebidos por uma mulher que até então Rebecca só conhecia como uma voz calorosa e inteligente ao telefone: Maria Summers. Ficou surpresa ao constatar que Maria era afro-americana, então sentiu culpa por ficar surpresa: não havia motivo nenhum para uma afro-americana não ter um alto cargo no Departamento de Estado. No fim das contas, percebeu que havia muito poucos outros rostos escuros no prédio. Maria saía do padrão, e a sua surpresa, afinal, se justificava.

A americana se mostrou simpática e acolhedora, mas logo ficou claro que o secretário de Estado James Baker não sentia o mesmo. Os alemães passaram cinco minutos aguardando em frente à sua sala, depois dez. O grande constrangimento de Maria ficou claro. Rebecca começou a se preocupar. Aquilo não podia ser um acidente. Deixar o vice-chanceler alemão esperando era um insulto calculado. Baker devia ser hostil.

Rebecca já tinha ouvido dizer que os americanos faziam esse tipo de coisa. Depois do encontro, diziam à mídia que os visitantes tinham sido esnobados por causa das suas opiniões, e matérias constrangedoras eram publicadas na imprensa do país em questão. Ronald Reagan tratara da mesma forma o líder da oposição britânica, Neil Kinnock, porque ele também era a favor do desarmamento.

Para o insulto em si, Rebecca não estava nem aí. Políticos homens viviam se pavoneando; eram só meninos competindo para ver quem tinha o pau maior. Mas aquilo significava que a reunião decerto seria improdutiva, o que era má notícia para o relaxamento da tensão internacional.

Depois de quinze minutos, eles foram conduzidos para dentro da sala. Baker era um homem alto e magro, de porte atlético, que falava com um sotaque do Texas, mas não tinha nada de caipira: barba feita com esmero, terno de alfaiataria perfeita. Depois de um aperto de mão muito breve em Genscher, falou:

– Estamos profundamente decepcionados com a sua atitude.

Felizmente, Genscher não era nenhum banana. Fazia quinze anos que era vice-chanceler e ministro de Relações Exteriores da Alemanha, e sabia ignorar maus modos. Careca e de óculos, tinha um rosto bochechudo e belicoso.

– A situação na Europa mudou e vocês precisam levar isso em consideração.

– Nós precisamos é manter a força do sistema nuclear dissuasivo da Otan – retrucou Baker como quem repete um mantra.

Ao custo de um visível esforço, Genscher controlou a impaciência.

– Nós discordamos, e a nossa população também. Quatro em cada cinco alemães querem a retirada de todas as armas nucleares da Europa.

– Eles estão sendo enganados pela propaganda do Kremlin!

– Vivemos em uma democracia. No final, quem decide é o povo.

Dick Cheney, secretário de Defesa americano, também estava presente.

– Um dos principais objetivos do Kremlin é retirar as armas nucleares da Europa – falou ele. – Não podemos cair nessa armadilha!

Genscher ficou claramente irritado por ouvir aquele sermão sobre política europeia da boca de dois homens muito menos versados no assunto do que ele. Parecia um professor primário tentando em vão explicar alguma coisa a alunos que se mostravam deliberadamente estúpidos.

– A Guerra Fria acabou – disse ele.

Rebecca ficou consternada ao ver que aquela conversa seria totalmente inútil. Ninguém estava escutando: todos já tinham se decidido de antemão.

Estava certa: os dois lados ainda passaram mais alguns minutos trocando comentários irritadiços e a reunião terminou.

Ninguém posou para fotografias.

Quando os alemães estavam de saída, Rebecca refletiu, tentando encontrar um jeito de resgatar aquela situação, mas não conseguiu pensar em nada.

No saguão, Maria Summers lhe disse:

– Não correu como eu esperava.

Não era um pedido de desculpas, mas era o mais próximo disso que o cargo dela lhe permitia.

– Tudo bem – falou Rebecca. – Sinto muito não ter havido mais diálogo e menos competição.

– Há algo que possamos fazer para convencer o alto escalão a convergir mais em relação a esse tema?

Prestes a responder que não sabia, Rebecca teve uma ideia.

– Talvez haja, sim – respondeu. – Por que não levam o presidente Bush à Europa? Assim ele poderá ver com os próprios olhos. Ponham-no para conversar com poloneses e húngaros. Acho que ele talvez possa mudar de ideia.

– Tem razão – falou Maria. – Vou fazer essa sugestão. Obrigada.

– Boa sorte – disse Rebecca.

CAPÍTULO SESSENTA

Lili Franck e sua família estavam pasmos.
 Tinham os olhos grudados no noticiário de TV da Alemanha Ocidental. Todo mundo na Alemanha Oriental assistia à TV ocidental, até mesmo os *apparatchiks* do Partido Comunista: dava para ver pelo ângulo de suas antenas nos telhados.

Na sala estavam também seus pais, Carla e Werner, além de Karolin, Alice e seu namorado Helmut.

Nesse dia, 2 de maio, os húngaros tinham aberto sua fronteira com a Áustria.

Não foram discretos. O governo organizou uma coletiva de imprensa em Hegyeshalom, localidade em que a estrada de Budapeste a Viena cruzava a fronteira. Talvez estivessem quase *tentando* provocar uma reação dos soviéticos. Com grande cerimônia, diante de centenas de câmeras estrangeiras, o alarme eletrônico e o sistema de vigilância de toda a fronteira foram desligados.

A família Franck assistiu àquilo, incrédula.

Guardas de fronteira com alicates gigantescos começaram a dividir a cerca: cortavam grandes retângulos de arame farpado, levavam-nos embora e os descartavam de qualquer maneira em uma pilha.

– Meu Deus, é a Cortina de Ferro que está sendo derrubada – falou Lili.

– Os soviéticos não vão permitir uma coisa dessas – comentou Werner.

Lili não tinha tanta certeza. Não tinha mais certeza de nada ultimamente.

– Os húngaros não teriam feito isso se não esperassem que os soviéticos fossem aceitar, ou teriam?

Seu pai balançou a cabeça.

– Eles podem *achar* que vão conseguir se safar...

Os olhos de Alice brilhavam de esperança.

– Mas isso quer dizer que Helmut e eu podemos sair! – Ela e o namorado estavam desesperados para ir embora da Alemanha Oriental. – Podemos simplesmente ir de carro até a Hungria como se estivéssemos saindo de férias, depois atravessar a fronteira a pé!

Lili compartilhava o entusiasmo da sobrinha: ansiava que Alice tivesse na vida as oportunidades que ela própria não pudera ter. Mas não era possível que fosse tudo tão fácil.

– Podemos sair? – repetiu Helmut. – Mesmo?

– Não podem, não – disse Werner com firmeza. Apontou para a televisão. – Em primeiro lugar, por enquanto não estou vendo ninguém de fato atravessando a fronteira a pé. Vamos ver se isso acontece mesmo. Em segundo lugar, o governo húngaro pode mudar de ideia a qualquer momento e começar a prender gente. Em terceiro, se os húngaros de fato começarem a deixar as pessoas saírem, os soviéticos vão mandar os tanques e acabar com a festa.

Lili pensou que o pai talvez estivesse sendo pessimista demais. Agora com 70 anos, Werner estava ficando mais medroso. Ela percebera isso no âmbito profissional: ele havia desdenhado a ideia de controles remotos para os seus televisores, e, quando estes rapidamente se tornaram indispensáveis, a fábrica teve de se esfalfar para recuperar o tempo perdido.

– Vamos ver – disse Lili. – Nos próximos dias, algumas pessoas com certeza vão tentar sair. Aí veremos se alguém vai tentar detê-las.

– E se vovô Werner estiver errado? – indagou Alice, animada. – Não podemos simplesmente ignorar uma oportunidade dessas! O que devemos fazer?

– Parece perigoso – comentou sua mãe, Karolin, aflita.

– O que faz você achar que o governo da Alemanha Oriental vai continuar nos deixando ir à Hungria? – perguntou Werner a Lili.

– Eles vão ser obrigados. Se cancelarem as férias de verão de milhares de famílias, aí sim vai haver uma revolução.

– Mesmo se acabar sendo seguro para os outros, para nós talvez seja diferente.

– Por quê?

– Porque nós somos a família Franck – disse Werner em tom de irritação. – Sua mãe foi conselheira municipal social-democrata, sua irmã humilhou Hans Hoffmann, Walli matou um guarda de fronteira, e você e Karolin cantam canções de protesto. E o nosso negócio familiar fica em Berlim Ocidental, de modo que o governo não pode confiscá-lo. Nós sempre irritamos os comunistas. A consequência disso, infelizmente, é que recebemos um tratamento especial.

– Então precisamos tomar precauções especiais, só isso – disse Lili. – Alice e Helmut vão tomar o máximo de cuidado.

– Mesmo se for perigoso, eu quero ir – falou Alice, decidida. – Entendo os riscos e estou disposta a assumi-los. – Ela olhou para o avô com um ar de acusação. – Você criou duas gerações sob o comunismo. É um regime mesquinho, brutal, burro e agora falido... mas continua a existir. Eu quero viver no Ocidente, Helmut também. Queremos que os nossos filhos cresçam com liberdade e prosperidade. – Ela se virou para o namorado. – Não é?

– É – disse ele, mas Lili o sentiu mais cauteloso do que a sobrinha.

– Isso é loucura – disse Werner.

Carla se pronunciou pela primeira vez:

– Não é loucura não, querido. – Seu tom era firme. – É perigoso, sim. Mas lembre-se das coisas que fizemos, dos riscos que corremos em nome da liberdade.

– Alguns dos nossos morreram.

Carla não desistiu:

– Mas nós achamos que valia a pena.

– O país estava em guerra. Precisávamos derrotar os nazistas.

– Esta é a guerra de Alice e Helmut... a Guerra Fria.

Werner hesitou, então deu um suspiro.

– Talvez você tenha razão – falou, relutante.

– Certo – disse Carla. – Nesse caso, vamos fazer um plano.

Lili tornou a olhar para a TV. Na Hungria, os guardas de fronteira seguiam desmontando a cerca.

No dia da eleição na Polônia, Tanya foi à igreja com Danuta, que era candidata.

Era um domingo de sol, dia 4 de junho, e algumas nuvens fofinhas passeavam pelo céu azul. Danuta tinha vestido as melhores roupas nos dois filhos e escovado seus cabelos. Marek pusera uma gravata nas cores vermelha e branca do Solidariedade, as mesmas da bandeira polonesa. Danuta usava um chapéu de palha de aba larga com uma pena vermelha.

Tanya estava agoniada de tanta dúvida. Será que tudo aquilo estava mesmo acontecendo? Uma eleição, na Polônia? A cerca vindo abaixo na Hungria? Desarmamento na Europa? Será que Gorbachev estava mesmo sendo sincero quando falava em abertura e reestruturação?

Tanya sonhava com a liberdade ao lado de Vasili. Os dois viajariam o mundo: Paris, Nova York, Rio de Janeiro, Nova Déli. Vasili seria entrevistado na TV e falaria sobre sua obra e os longos anos que passara escondido. Tanya escreveria matérias sobre viagem, e talvez seu próprio livro.

Mas, quando acordava de seu devaneio, ficava esperando, hora após hora, as más notícias: os bloqueios nas ruas, os tanques, as prisões, o toque de recolher, e os carecas de terno feio aparecendo na TV para anunciar que haviam sufocado um complô contrarrevolucionário financiado pelo capitalismo imperialista.

O padre instruiu seus fiéis a votarem nos candidatos mais religiosos. Como todos os comunistas eram em princípio ateus, a indicação era clara. O autoritário clero polonês não gostava muito do liberal movimento Solidariedade, mas sabia quem eram os verdadeiros inimigos.

A eleição acontecera antes do que o Solidariedade previra. O sindicato havia se apressado para levantar dinheiro, alugar salas, contratar funcionários e montar uma campanha em nível nacional, tudo em poucas semanas. Jaruzelski fizera isso de propósito para dar uma rasteira no Solidariedade, pois sabia que o governo tinha uma organização sólida e pronta para ser posta em ação a qualquer momento.

Mas essa havia sido a última jogada inteligente do general. Desde então, os comunistas tinham se mostrado letárgicos, como se estivessem tão certos da vitória que mal conseguiam se dar ao trabalho de fazer campanha. Seu slogan, "Conosco é mais seguro", parecia uma propaganda de camisinha. Tanya tinha incluído essa piada em uma reportagem da TASS e, para sua surpresa, os editores não a cortaram.

Na cabeça das pessoas, aquela era uma disputa entre o general Jaruzelski, líder brutal do país durante quase uma década, e o encrenqueiro eletricista Lech Walesa. Como todos os outros candidatos do Solidariedade, Danuta havia tirado uma foto com Walesa, e as imagens tinham sido pregadas por toda parte. Ao longo da campanha, o sindicato publicou um jornal diário escrito principalmente por ela e as amigas. O cartaz mais popular do Solidariedade mostrava Gary Cooper como o xerife Will Kane segurando um boletim de voto em vez de uma arma com o slogan: *Matar ou morrer*, 4 de junho de 1989.

Talvez a incompetência da campanha comunista fosse previsível, pensou Tanya. Afinal de contas, a ideia de passar o chapéu entre a população dizendo "por favor, votem em mim" era totalmente estranha para a elite governante da Polônia.

A nova câmara alta do Parlamento, chamada de Senado, tinha cem assentos, e os comunistas esperavam conquistar a maioria. Economicamente, os poloneses estavam com a corda no pescoço, e era provável que votassem no conhecido Jaruzelski em vez de no independente Walesa, pensava ela. Na câmara baixa, chamada Sejm, os comunistas não podiam perder, pois 65% dos assentos estavam reservados para eles e seus aliados.

As aspirações do Solidariedade eram modestas e o sindicato imaginava que, se conquistasse uma minoria significativa de votos, os comunistas seriam forçados a lhe dar uma voz no governo.

Tanya torcia para eles estarem certos.

Depois da missa, Danuta apertou a mão de todos na igreja.

Então Tanya e a família Gorsky foram até a seção eleitoral. Como o boletim de voto era longo e complicado, o Solidariedade montara uma barraquinha do lado de fora para ensinar as pessoas a votar. Em vez de marcar os candidatos preferidos, elas precisavam riscar os nomes dos que não queriam. Os organizadores de campanha do Solidariedade mostravam alegremente boletins-modelo com todos os nomes dos comunistas riscados.

Tanya ficou observando as pessoas votarem. Para a maioria, aquela era a primeira experiência de uma eleição livre. Viu uma mulher de roupas gastas descendo o lápis pela lista de nomes, soltando um grunhido de satisfação sempre que identificava um comunista e riscando seu nome com um sorriso de prazer. Tanya desconfiava que o governo talvez houvesse cometido uma imprudência ao escolher um sistema de votação no qual a rejeição podia proporcionar uma satisfação física tão grande.

Conversou com algumas pessoas e lhes perguntou o que lhes passava pela cabeça ao escolher seus candidatos.

– Eu votei nos comunistas – disse uma mulher de casaco caro. – Foram eles que tornaram essa eleição possível.

A maioria, contudo, parecia ter escolhido candidatos do Solidariedade. É claro que a amostragem de Tanya não tinha qualquer embasamento científico.

Foi almoçar na casa de Danuta, e depois as duas deixaram Marek com as crianças e foram no carro de Tanya até a sede do Solidariedade no primeiro andar do Café Surpresa, no centro da cidade.

O clima estava animado. As pesquisas de opinião davam vantagem ao Solidariedade, mas ninguém confiava nesse número, porque 50 por cento das opiniões eram "não sei". No entanto, informações vindas do país inteiro diziam que o moral estava elevado. A própria Tanya sentia-se alegre e otimista. Fosse qual fosse o resultado, uma eleição de verdade parecia estar acontecendo em um país do bloco soviético, e isso por si só já era motivo de felicidade.

Quando as urnas foram fechadas, no final do dia, Tanya foi com Danuta ver os votos serem apurados. Era um momento tenso. Se as autoridades decidissem trapacear, havia uma centena de formas de falsificar o resultado. Os membros do Solidariedade encarregados de fiscalizar a apuração observavam atentamente, mas ninguém constatou nenhuma irregularidade séria, o que já era espantoso.

E Danuta ganhou de lavada.

Na verdade, a polonesa não esperava por isso, como Tanya constatou por sua expressão pálida de choque.

– Eu sou deputada – disse ela, sem acreditar. – Fui eleita pelo povo.

Seu rosto então se abriu naquele imenso sorriso cheio de dentes, e ela começou a aceitar os parabéns. Ganhou tantos beijos que Tanya começou a se preocupar com questões de higiene.

Assim que conseguiram escapar, elas percorreram de carro as ruas iluminadas pelos postes até voltarem ao Café Surpresa, onde todos estavam reunidos em volta dos aparelhos de TV. O resultado de Danuta não era a única lavada: os candidatos do Solidariedade estavam se saindo muito, muito melhor do que qualquer um imaginava.

– Que maravilha! – exclamou Tanya.

– Não é, não – retrucou Danuta, desanimada.

A russa percebeu que os correligionários do Solidariedade tinham a crista baixa. Ficou espantada com a reação desanimada às notícias triunfais.

– Qual é o problema?

– Estamos nos saindo bem demais – falou Danuta. – Os comunistas não vão aceitar isso. Vai haver alguma reação.

Tanya não tinha pensado nisso.

– Até agora o governo não ganhou nada – prosseguiu a polonesa. – Mesmo quando se candidataram sozinhos, alguns comunistas nem sequer conseguiram os 50 por cento mínimos. É humilhante demais. Jaruzelski vai anular o resultado.

– Vou falar com meu irmão – disse Tanya.

Graças a um número especial, ela podia ligar para o Kremlin depressa. Era tarde, mas Dimka ainda devia estar no trabalho.

– Sim, Jaruzelski acabou de ligar para cá – falou ele. – Imagino que os comunistas estejam sendo humilhados.

– O que ele falou?

– Ele quer impor a lei marcial outra vez, exatamente como fez oito anos atrás.

Tanya sentiu um peso no coração.

– Que merda! – Lembrou-se de Danuta sendo arrastada para a prisão pelos brutamontes da Zomo enquanto seus filhos choravam. – De novo, não.

– Ele está propondo anular a eleição. "Nós ainda estamos segurando as alavancas do poder", falou.

– É verdade – disse Tanya, arrasada. – São eles que têm todas as armas.

– Mas Jaruzelski está com medo de fazer isso sozinho. Ele quer o apoio de Gorbachev.

Tanya se animou um pouco.

– E o que Gorbi falou?

– Ele ainda não fez nenhuma declaração. Alguém o está acordando neste exato momento.

– O que você acha que ele vai fazer?

– Provavelmente mandar Jaruzelski resolver os próprios problemas. É isso que ele vem dizendo nos últimos quatro anos. Mas não posso garantir. Ver o Partido rejeitado de forma tão completa em uma eleição livre... talvez seja demais até para Gorbachev.

– Quando você vai saber?

– Ele só vai dizer sim ou não e depois voltar a dormir. Me ligue daqui a uma hora.

Tanya desligou. Não sabia o que pensar. O general polonês estava obviamente pronto para ativar a repressão, prender todos os ativistas do Solidariedade, jogar as liberdades civis pela janela e tornar a impor a ditadura, exatamente como fizera em 1981. Era o que sempre acontecia quando os países comunistas sentiam cheiro de liberdade. Mas Gorbachev dizia que os velhos tempos tinham acabado. Seria verdade?

A Polônia estava prestes a descobrir.

Agoniada, Tanya não conseguia desgrudar os olhos do telefone. O que deveria dizer a Danuta? Não queria fazer todo mundo entrar em pânico, mas talvez eles devessem ser avisados das intenções de Jaruzelski.

– Agora você também está com uma cara desanimada – disse-lhe Danuta. – O que o seu irmão falou?

Tanya hesitou, então decidiu dizer que nada fora decidido ainda, ou seja, a verdade.

– Jaruzelski ligou para Gorbachev, mas ainda não conseguiu falar com ele.

Todos continuaram a observar as telas das TVs. O Solidariedade ganhava uma depois da outra. Até ali, os comunistas ainda não tinham conquistado nenhum dos assentos em disputa. Os resultados que continuavam a chegar só faziam confirmar as primeiras impressões. Lavada não era um termo forte o suficiente: aquilo estava mais para tsunami.

Na sala acima do café, a euforia foi se misturando ao medo. A mudança gradual de poder pela qual todos torciam estava agora fora de cogitação. Nas 24 horas seguintes, das duas, uma: ou os comunistas reconquistariam o poder à força, ou, caso não o fizessem, estavam acabados para sempre.

Tanya se forçou a esperar uma hora inteira antes de ligar para Moscou outra vez.

– Eles conversaram – falou Dimka. – Gorbachev se recusou a apoiar uma repressão.

– Que os céus sejam louvados! E o que Jaruzelski vai fazer?

– Recuar o mais depressa que conseguir.

– Sério? – Tanya mal conseguia acreditar em notícias tão boas.
– Ele não tem mais alternativa.
– É, acho que não.
– Boa comemoração.
Tanya desligou e virou-se para Danuta.
– Não vai haver violência. Gorbachev excluiu essa possibilidade.
– Ai, meu Deus! – exclamou a polonesa com uma voz que misturava incredulidade e júbilo. – Nós vencemos mesmo, não é?
– Sim – falou Tanya, com um sentimento de satisfação e esperança que vinha do fundo de seu coração. – É o começo do fim.

~

Era 7 de julho, auge do verão, e fazia um calor escaldante em Bucareste. Dimka e Natalya estavam na cidade com Gorbachev para a cúpula do Pacto de Varsóvia. Seu anfitrião era Nicolae Ceausescu, o louco ditador romeno.

O item mais importante da pauta era "O problema húngaro", que Dimka sabia ter sido incluído na lista pelo líder da Alemanha Oriental Erich Honecker. A liberalização da Hungria ameaçava todos os outros países do Pacto de Varsóvia, pois chamava atenção para o caráter repressivo de seus regimes não reformados, mas a situação era pior para a Alemanha Oriental. Centenas de alemães-orientais de férias na Hungria abandonando suas barracas e se embrenhando na mata para passar por buracos na velha cerca rumo à Áustria e à liberdade. As estradas que iam do Lago Balaton até a fronteira estavam coalhadas com seus Trabants e Wartburgs feitos de metal fino, abandonados sem arrependimento. A maioria dessas pessoas não tinha passaporte, mas pouco importava: elas eram conduzidas até a Alemanha Ocidental, onde recebiam automaticamente a cidadania e onde pretendiam fixar residência. Com certeza logo substituíam seus velhos carros por Volkswagens, mais confiáveis e confortáveis.

Os líderes do Pacto de Varsóvia se reuniram em uma sala espaçosa cheia de mesas envoltas em bandeiras e dispostas para formar um retângulo. Como sempre, os assessores como Dimka e Natalya ficaram sentados junto às paredes da sala. Honecker era a principal força motriz do encontro, mas foi Ceausescu quem liderou o ataque. Levantando-se de sua cadeira ao lado de Gorbachev, começou a atacar as políticas reformistas do governo húngaro. Era um homem baixinho e corcunda, com sobrancelhas peludas e olhos desvairados. Embora estivesse falando com poucas dezenas de pessoas em uma sala de reuniões, gritava e gesticulava como se tivesse diante de si milhares de pessoas em um estádio. Seus lábios retorcidos cuspiam enquanto ele vociferava. Ele não mediu palavras em relação ao que queria: um repeteco de 1956. Conclamou os presentes a uma invasão da Hungria pelo Pacto de Varsóvia para tirar Miklós Németh do poder e restaurar no país o governo ortodoxo do Partido Comunista.

Dimka correu os olhos pelo recinto. Honecker concordava com um meneio de cabeça. O linha-dura tcheco Milos Jakes exibia uma expressão de aprovação. Todor Zhivkov, da Bulgária, claramente concordava também. Apenas o líder polonês, general Jaruzelski, permaneceu sentado, imóvel e inexpressivo, talvez abatido com a derrota nas urnas.

Todos aqueles homens eram tiranos, torturadores e assassinos em massa brutais. Stalin não tinha sido excepcional, e sim o típico líder comunista. Qualquer sistema político que permitisse o governo de pessoas assim era mau, refletiu Dimka. Por que levamos tanto tempo para entender isso?

Mas ele, assim como a maioria das pessoas ali presentes, estava de olho em Gorbachev.

A retórica não tinha mais importância. Não fazia diferença quem estava certo ou errado. Ninguém naquela sala tinha poder para fazer nada sem o consentimento do homem com a mancha roxa na careca.

Dimka pensava saber como o líder russo iria agir, mas não podia ter certeza. Gorbachev estava dividido, assim como o império que governava, entre as tendências conservadora e reformista. Não era provável que qualquer discurso o fizesse mudar de ideia. Na maior parte do tempo, ele exibia apenas uma expressão entediada.

A voz de Ceausescu aumentou de volume até virar quase um grito. Nessa hora, Gorbachev cruzou olhares com Miklós Németh. O russo abriu um leve sorriso para o húngaro enquanto o romeno seguia cuspindo saliva e impropérios.

Então, para total assombro de Dimka, Gorbachev deu uma piscadela.

Ainda sustentou o sorriso por mais um segundo, depois desviou os olhos e retomou a expressão entediada.

Maria conseguiu evitar Jasper Murray quase até o fim da visita do presidente Bush à Europa.

Não o conhecia pessoalmente. Sabia que cara ele tinha: como todo mundo, já o vira na TV. Ele só era mais alto na vida real. Ao longo dos anos, ela fora a fonte de algumas das melhores matérias daquele jornalista, mas ele não sabia disso:

encontrava-se apenas com George Jakes, o intermediário. Eles eram cautelosos, motivo pelo qual nunca tinham sido desmascarados.

Conhecia a história por trás da demissão de Jasper do *This Day*. A Casa Branca havia pressionado Frank Lindeman, dono da emissora, e era assim que um astro do jornalismo americano estava agora no exílio. No entanto, a agitação que varria o Leste Europeu, somada ao faro de Jasper para boas notícias, fizeram a mudança se revelar bem vantajosa.

Bush e sua comitiva acabaram indo a Paris, e Maria foi junto. Estava em pé nos Champs-Elysées com os jornalistas no dia da Queda da Bastilha, 14 de julho, assistindo a um interminável desfile de poderio militar e ansiosa para voltar para casa e transar de novo com George, quando Jasper a abordou. Apontando para um imenso cartaz de Evie Williams anunciando um creme facial, ele falou:

– Ela foi a fim de mim quando tinha 15 anos.

Maria olhou para a foto. Evie Williams tinha entrado na lista negra de Hollywood por causa de suas posições políticas, mas era uma grande estrela na Europa, e Maria se lembrou de ter lido que sua linha pessoal de produtos de beleza orgânicos rendiam mais dinheiro do que o cinema jamais rendera.

– Nós nunca nos encontramos – continuou Jasper. – Mas conheci seu afilhado Jack Jakes quando morava com Verena Marquand.

Maria apertou a mão dele com cautela; conversar com jornalistas era sempre um perigo. Independentemente do que a pessoa dissesse, o simples fato de ter tido a conversa a colocava em posição de fraqueza, pois sempre poderia haver controvérsia em relação ao que de fato fora dito.

– É um prazer enfim conhecê-lo – disse ela.

– Admiro você pelas suas conquistas. A sua carreira já seria notável para um branco do sexo masculino. Para uma afro-americana, é espantosa.

Maria sorriu. É claro que Jasper era charmoso; era assim que conseguia fazer as pessoas falarem. Ele também não merecia nenhum pingo de confiança, e trairia a própria mãe em troca de uma matéria.

– Está gostando da Europa? – perguntou ela, neutra.

– Neste exato momento, aqui é o lugar mais empolgante do mundo – respondeu ele. – Tive muita sorte.

– Que ótimo.

– Em compensação, para o presidente Bush a viagem não foi um sucesso.

Lá vem, pensou Maria. Ela estava em uma posição difícil. Embora concordasse com a afirmação de Jasper, precisava defender o presidente e as políticas do Departamento de Estado. Bush não conseguira assumir a liderança do movimento da Europa Oriental rumo à liberdade; não tinha pulso para isso. Mas o que ela disse foi:

– Na nossa avaliação, foi uma vitória relativa.

– Bem, vocês precisam dizer isso. Mas, cá entre nós, será que foi certo Bush incentivar Jaruzelski, um tirano comunista da velha guarda, a se candidatar à presidência da Polônia?

– Jaruzelski pode muito bem ser o melhor candidato para supervisionar uma reforma gradual – disse Maria, embora não acreditasse nisso.

– Bush enfureceu Lech Walesa ao oferecer um pacote de ajuda pífio de 100 milhões de dólares, quando o Solidariedade tinha pedido 10 bilhões.

– O presidente Bush acredita em cautela – argumentou Maria. – Ele acha que os poloneses precisam reformar sua economia primeiro, depois procurar ajuda. Caso contrário, será dinheiro jogado no ralo. O presidente é conservador, Jasper. Você pode não gostar disso, mas o povo americano gosta. Por isso o elegeu.

Jasper sorriu, reconhecendo que tinha perdido um ponto, mas insistiu:

– Na Hungria, Bush elogiou o governo comunista por ter derrubado a cerca, não a oposição por ter feito pressão. Não parou de dizer aos húngaros para não irem longe demais depressa demais! Que tipo de conselho é esse, vindo do líder do mundo livre?

Maria não o contradisse. Ele estava coberto de razão. Resolveu mudar o rumo da conversa. Tentando ganhar alguns instantes para pensar, ficou vendo passar um caminhão aberto que transportava um míssil comprido com a bandeira francesa pintada na lateral. Então falou:

– Você está deixando passar uma notícia mais importante.

Ele arqueou uma das sobrancelhas, cético. Não era uma acusação que escutasse com frequência.

– Continue – falou, em tom levemente bem-humorado.

– Não posso dar nenhuma declaração oficial.

– Então que seja oficiosa.

Ela o encarou.

– Contanto que estejamos entendidos em relação a isso.

– Estamos.

– Está bem. Você deve saber que alguns dos conselhos que o presidente tem recebido sugerem que Gorbachev é uma fraude, que a *glasnost* e a *perestroika* não passam de uma bobagem comunista e que essa encenação toda é apenas uma forma de tapear o Ocidente para fazê-lo baixar a guarda e se desarmar prematuramente.

– Quem está dando esses conselhos a Bush?

A resposta era: a CIA, o Conselho de Segurança Nacional e a Secretaria de Defesa, mas Maria não iria expô-los conversando com um jornalista, nem mesmo em um bate-papo informal, por isso respondeu:

– Jasper, se você não sabe isso, não é o jornalista que todos julgamos que é.

Ele sorriu.

– Certo. Qual é a grande notícia, então?

– O presidente Bush estava inclinado a acatar esses conselhos... antes de embarcar nesta viagem. A notícia é que aqui na Europa ele viu a realidade do terreno, e isso o fez mudar de opinião. Na Polônia, ele disse: "Tenho a embriagante sensação de estar presenciando a História sendo feita bem na minha frente."

– Posso usar essa frase?

– Pode. Ele disse isso para mim.

– Obrigado.

– O presidente agora acredita que a mudança no mundo comunista é real e permanente, e que precisamos incentivá-la com cautela, em vez de ficar nos enganando, dizendo que ela não está acontecendo.

Jasper encarou Maria com um olhar demorado que, na opinião dela, denotava certo respeito surpreso.

– Tem razão – disse ele. – Essa notícia é melhor. Os adeptos da Guerra Fria lá de Washington, como Dick Cheney e Brent Scowcroft, vão ficar loucos de raiva.

– Quem disse isso foi você – falou Maria. – Não eu.

⁂

Lili, Karolin, Alice e Helmut foram de Berlim até o Lago Balaton no Trabant branco de Lili. Como sempre, a viagem levou dois dias e, no caminho, Lili e Karolin cantaram todas as canções que conheciam.

Cantavam para esconder o medo. O casal de jovens tentaria fugir para o Ocidente. Ninguém sabia o que poderia acontecer.

Lili e Karolin ficariam para trás. Apesar de serem as duas solteiras, suas vidas estavam na Alemanha Oriental. Odiavam aquele regime, mas queriam se opor a ele, não fugir. Era diferente para Alice e Helmut, que tinham a vida inteira pela frente.

Lili só conhecia duas pessoas que tinham tentado fugir: Rebecca e Walli. O noivo de Rebecca caíra de um telhado e ficara aleijado para o resto da vida. Walli atropelara e matara um guarda de fronteira, trauma que o havia atormentado por muitos anos. Não eram precedentes felizes, mas a situação agora havia mudado... ou não?

Em sua primeira noite no acampamento, eles toparam com um homem de meia-idade chamado Berthold sentado em frente à sua barraca, rodeado por meia dúzia de jovens que tomavam cerveja em latinhas.

– É óbvio, não é?– disse ele, em tom sigiloso, mas mesmo assim alto. – É tudo uma armadilha montada pela Stasi. Esse é o seu novo jeito de capturar subversivos.

Um rapaz que fumava um cigarro sentado no chão fez cara de cético.

– E como funciona?

– Assim que você cruza a fronteira, os austríacos o prendem. Aí eles o entregam para a polícia húngara, que manda você de volta para a Alemanha Oriental algemado. E lá você vai direto para as salas de interrogatório no quartel-general da Stasi em Lichtenberg.

Uma garota em pé ali perto perguntou:

– Como você sabe disso?

– Meu primo tentou passar a fronteira aqui – respondeu Berthold. – A última coisa que me disse foi: "Mando um postal de Viena." Agora ele está em um campo de prisioneiros perto de Dresden, trabalhando em uma mina de urânio. É o único jeito de o nosso governo fazer as pessoas trabalharem nessas minas, porque ninguém mais aceita isso... a radiação provoca câncer de pulmão.

A família conversou em voz baixa sobre a teoria de Berthold antes de dormir. Com desdém, Alice falou:

– Berthold é um daqueles sabichões donos da verdade. Como ele pode saber que o primo trabalha em uma mina de urânio? O governo não admite usar prisioneiros dessa forma.

Helmut, porém, estava preocupado.

– Ele pode ser um idiota, mas e se a história dele for verdadeira? A fronteira pode ser uma armadilha.

– Por que os austríacos mandariam os fugitivos de volta? – indagou Alice. – Eles não têm amor nenhum pelo comunismo.

– Eles podem não querer arcar nem com os problemas nem com as despesas que essas pessoas representam. Por que os austríacos deveriam se importar com os alemães-orientais?

A conversa durou uma hora e não levou a lugar nenhum. Lili passou um tempão preocupada, sem conseguir dormir.

Na manhã seguinte, no refeitório comunitário, viu Berthold discorrer sobre suas teorias com outro grupo de jovens diante de um grande prato de presunto e queijo. Será que ele era sincero, ou não passava de um farsante da Stasi? Sentiu que precisava saber. Ele estava com cara de quem iria ficar algum tempo ali, então, num impulso, decidiu vasculhar sua barraca. Saiu do refeitório.

As barracas não ficavam trancadas; os veranistas eram apenas aconselhados a não deixar dinheiro nem objetos de valor lá dentro. Mesmo assim, a entrada da barraca de Berthold estava amarrada bem firme.

Lili começou a desatar as cordas tentando parecer natural, como se tivesse todo o direito de fazer aquilo. Seu coração parecia um tambor dentro do peito. Ela se esforçou para não lançar olhares de culpa na direção das pessoas que passavam. Estava acostumada a agir com discrição – os shows que fazia com Karolin eram sempre semi-ilegais –, mas nunca tinha feito nada como aquilo. Se Berthold por algum motivo abandonasse o café da manhã mais cedo e voltasse antes do previsto, o que poderia dizer? "Ih, errei de barraca, me desculpe!"? As barracas eram todas iguais. Talvez ele não acreditasse, mas o que poderia fazer? Chamar a polícia?

Ela abriu a barraca e entrou.

Para um homem, Berthold era bem arrumadinho. As roupas estavam dobradas dentro de uma mala, e a roupa suja toda dentro de um saco fechado por um cordão. Havia um nécessaire com gilete e creme de barbear. A cama era feita de lona esticada em uma estrutura de metal. Ao lado dela havia uma pequena pilha de revistas em alemão. Tudo parecia inocente.

Não se apresse, pensou ela. Procure por pistas com cuidado. Quem é esse homem e o que ele está fazendo aqui?

Um saco de dormir estava dobrado sobre a cama de lona. Ao pegá-lo, Lili sentiu um objeto pesado. Abriu o zíper e tateou lá dentro. Encontrou um livro de fotos pornográficas... e uma arma.

Era uma pistola pequena de cano curto. Ela não sabia grande coisa sobre armas de fogo nem conseguiu identificar o fabricante, mas pensou que fosse o que chamavam de 9 milímetros. Parecia ter sido projetada para ser escondida.

Enfiou-a no bolso da calça jeans.

Já tinha a resposta para sua pergunta. Berthold não era um sabe-tudo fanfarrão, mas um agente da Stasi, e estava ali para espalhar histórias assustadoras e desencorajar os fugitivos.

Tornou a dobrar o saco de dormir e saiu da barraca. Berthold não estava por perto. Com os dedos trêmulos, fechou rapidamente a entrada. Em poucos segundos, estaria em segurança. Assim que Berthold procurasse a arma, saberia que alguém tinha entrado em sua barraca, mas, se ela conseguisse fugir agora, ele jamais saberia quem fora. Calculou que nem sequer denunciaria o roubo à polícia húngara, pois esta com certeza não veria com bons olhos o fato de um agente secreto alemão levar uma pistola para um de seus acampamentos de férias.

Ela se afastou a passos rápidos.

Karolin estava na barraca de Helmut e Alice e os três conversavam em voz baixa, ainda discutindo se atravessar a fronteira poderia ser uma armadilha. Lili os interrompeu:

– Berthold é agente da Stasi – falou. – Fiz uma busca na barraca dele.

Tirou a pistola do bolso.

– É uma Makarov – disse Helmut, que tinha prestado serviço militar. – Uma pistola semiautomática de fabricação soviética usada pela Stasi.

– Se a fronteira fosse mesmo uma armadilha, a Stasi estaria guardando segredo em relação a esse fato – falou Lili. – O jeito como Berthold vem falando com todo mundo praticamente prova que não é verdade.

Helmut concordou:

– Para mim isso basta. Vamos fugir.

Todos se levantaram.

– Quer que eu dê um fim na pistola? – perguntou Helmut a Lili.

– Quero, por favor. – Ela entregou a arma ao rapaz, feliz por se livrar daquilo.

Enquanto Helmut resolvia a questão da pistola, as mulheres carregaram o porta-malas do Trabi com toalhas, roupas de banho e filtro solar, como se estivessem indo passar o dia fora, para manter a ficção de férias em família. Quando ele voltou, passaram de carro no mercado e compraram queijo, pão e vinho para fazer um piquenique.

Então seguiram para oeste.

Lili olhou para trás várias vezes, mas, até onde pôde ver, ninguém os seguiu.

Depois de percorrer 80 quilômetros, quando já estavam perto da fronteira, eles saíram da estrada principal. Alice tinha um mapa e uma bússola magnética. Enquanto serpenteavam por estradas rurais fingindo estar procurando um lugar na floresta para um piquenique, viram vários carros com placas da Alemanha Oriental abandonados no acostamento, e entenderam que estavam na região certa.

Não havia sinal nenhum de qualquer presença oficial, mas mesmo assim Lili continuou preocupada. Estava claro que a polícia secreta alemã tinha interesse nos fugitivos, mas decerto não havia nada que pudesse fazer a respeito.

Passavam por um pequeno lago quando Alice falou:

– Calculo que agora estejamos a menos de um quilômetro e meio da cerca.

Segundos depois, Helmut, que estava dirigindo, saiu da estrada e pegou um caminho de terra batida pelo meio das árvores. Parou o carro em uma clareira a alguns passos da água.

Desligou o motor.

– Bom – falou, em meio ao silêncio. – Vamos fingir que estamos almoçando?

– Não – respondeu Alice em um tom agudo de tensão. – Eu quero ir agora.

Todos saltaram do carro.

A jovem foi na frente, sempre checando a bússola. O caminho era fácil, com pouca vegetação rasteira para atrapalhar seus passos. Pinheiros altos filtravam a luz do sol, pintando manchas douradas no tapete de folhas espalhado pelo chão. A mata estava silenciosa. Lili ouviu o grito de algum tipo de ave aquática, e de vez em quando um trator roncava ao longe.

Passaram por um Wartburg Knight amarelo meio escondido entre os galhos mais baixos, com os vidros quebrados e os para-choques já cobertos de ferrugem. Um pássaro saiu voando do porta-malas aberto e Lili se perguntou se ele teria feito ninho ali.

Não parava de olhar em volta à procura da mancha de lã verde ou cinza que trairia a presença de um uniforme, mas não viu ninguém. Reparou que Helmut estava igualmente alerta.

Eles subiram uma encosta e então a floresta acabou abruptamente. Emergiram em um trecho descampado e viram, 100 metros mais adiante, a cerca.

Não era uma estrutura muito impressionante. Os paus eram de madeira bruta. Havia várias fileiras de arame, que decerto já fora eletrificado. A mais alta, a uns 2 metros do chão, era de arame farpado simples. Do outro lado, um campo amarelo de cereais amadurecia sob o sol de agosto.

Eles atravessaram o descampado e chegaram à cerca.

– Podemos pular aqui mesmo – falou Alice.

– Será que eles desligaram mesmo a eletricidade? – perguntou Helmut.

– Sim – respondeu ela.

Impaciente, Karolin estendeu a mão e tocou o arame. Tocou todos os fios, segurando cada um deles com firmeza.

– Desligados – falou.

Alice beijou e abraçou a mãe e a tia. Helmut apertou a mão das duas.

Cem metros à frente, em cima de um promontório, surgiram dois soldados usando as túnicas cinzentas e os chapéus altos e pontudos do Serviço de Guarda de Fronteira da Hungria.

– Ai, não – falou Lili.

Os dois miraram seus fuzis.

– Ninguém se mexe – disse Helmut.

– Não acredito que chegamos tão perto! – lamentou Alice, e desatou a chorar.

– Não se desespere – falou o namorado. – Nem tudo está perdido.

Ao se aproximarem, os guardas baixaram os fuzis e se dirigiram ao grupo em alemão.

– O que estão fazendo aqui? – perguntou um deles.

– Viemos fazer um piquenique na floresta – respondeu Lili.

– Um piquenique? É mesmo?

– Não tínhamos a intenção de fazer nada errado!

– Vocês não podem ficar aqui.

Lili estava morta de medo de que os soldados os prendessem.

– Tudo bem, tudo bem – falou. – Nós vamos voltar!

Temeu que Helmut fosse resistir; todos os quatro poderiam ser mortos. Começou a tremer e sentiu as pernas bambas.

O segundo guarda então falou:

– Tomem cuidado. – Apontou para mais adiante na cerca, na direção da qual eles tinham vindo. – A uns 500 metros daqui tem um buraco na cerca. Vocês podem cruzar a fronteira por acidente.

Os dois se entreolharam e riram a valer. Então seguiram seu caminho.

Atônita, Lili ficou encarando as costas dos soldados enquanto eles se afastavam. Os dois seguiram andando sem olhar para trás. Ela e os outros continuaram olhando em silêncio até eles desaparecerem.

Então Lili falou:

– Eles pareciam estar nos dizendo...

– Para ir procurar o buraco na cerca! – completou Helmut. – Vamos lá, rápido!

Eles seguiram apressados na direção para a qual o guarda havia apontado. Ficaram perto da orla da mata para o caso de precisarem se esconder. De fato, dali a uns 500 metros chegaram a um ponto em que a cerca estava quebrada. Os paus de madeira tinham sido desenterrados do chão e o arame, partido em alguns lugares. Um caminhão grande parecia ter passado por cima da cerca. A terra em volta estava toda pisoteada, e a grama, escurecida e falha. Para lá do buraco, uma trilha entre dois campos conduzia a um grupo de árvores ao longe, onde se podia distinguir algumas casas: uma aldeia, ou quem sabe apenas um povoado.

A liberdade.

Perto dali havia um pequeno pinheiro todo enfeitado com chaveiros: trinta, quarenta, talvez até cinquenta. As pessoas tinham abandonado as chaves de seus apartamentos e carros no gesto desafiador de quem mostra que nunca mais vai voltar. Quando os galhos eram sacudidos pela brisa leve, o metal cintilava à luz do sol. Parecia uma árvore de Natal.

– Não hesitem – falou Lili. – Já nos despedimos dez minutos atrás. Vão agora.

– Eu amo você, mãe – falou Alice. – Você também, Lili.

– Andem – disse Karolin.

Alice segurou a mão de Helmut.

Lili olhou para um lado e outro do espaço vazio que margeava a cerca. Não havia ninguém à vista.

Os dois jovens passaram, pisando com cuidado na cerca derrubada.

Do outro lado, embora estivessem apenas a 3 metros de distância, pararam para acenar.

– Estamos livres! – falou Alice.

– Dê um beijo em Walli – falou Lili.

– Outro meu – disse Karolin.

Alice e Helmut se afastaram de mãos dadas pela trilha entre os campos de cereais.

Lá no final, acenaram outra vez.

Então entraram no vilarejo e sumiram de vista.

O rosto de Karolin estava molhado de lágrimas.

– Será que algum dia vamos vê-los outra vez? – indagou.

CAPÍTULO SESSENTA E UM

Berlim Ocidental deixava Walli nostálgico. Fazia-o se lembrar de quando era adolescente e tocava Everly Brothers no violão no clube de *folk* Minnesänger, perto da Ku'damm, sonhando em ir para os Estados Unidos e virar popstar. Consegui o que queria, pensou... além de muitas outras coisas que não queria.

Quando estava fazendo o check-in no hotel, topou com Jasper Murray.

– Ouvi dizer que você estava aqui – comentou. – Aposto que o que está acontecendo na Alemanha deve ser emocionante de cobrir.

– É mesmo. Os americanos em geral não se interessam por notícias da Europa, mas este caso é especial.

– O seu programa *This Day* não é a mesma coisa sem você. Ouvi dizer que a audiência caiu.

– Eu provavelmente deveria fingir que sinto muito. E você, o que tem feito da vida?

– Estou gravando um disco novo. Dave está mixando lá na Califórnia. Provavelmente vai foder tudo com instrumentos de corda e um xilofone.

– E o que está fazendo em Berlim?

– Vou encontrar minha filha Alice. Ela fugiu da Alemanha Oriental.

– E seus pais, continuam lá?

– Sim, e minha irmã Lili também.

E Karolin, pensou Walli, mas não falou nada. Ansiava para que ela também fugisse. No fundo de seu coração, apesar de tantos anos terem se passado, ainda sentia saudades.

– Rebecca está aqui no Ocidente. Agora é uma bambambã do Ministério de Relações Exteriores.

– Eu sei. Ela já me ajudou. Quem sabe possamos fazer uma reportagem sobre uma família dividida pelo Muro? Para mostrar o sofrimento humano causado pela Guerra Fria.

– Não – respondeu Walli, firme. Não havia esquecido a entrevista que Jasper fizera com ele nos anos 1960 e que tantos problemas causara para a família Franck no lado oriental. – O governo da Alemanha Oriental faria minha família sofrer.

– Que pena. Mesmo assim, foi um prazer revê-lo.

Walli fez seu check-in na suíte presidencial. Na saleta do quarto, ligou a TV. O aparelho era um Franck produzido na fábrica de seu pai. O noticiário só falava nas pessoas que fugiam da Alemanha Oriental pela Hungria, e agora também pela Tchecoslováquia. Manteve o aparelho ligado com o volume baixinho; estava acostumado a deixar a TV ligada enquanto fazia outras coisas. Achara o máximo quando ouvira dizer que Elvis também fazia isso.

Tomou um banho de chuveiro e trocou de roupa. Então a recepção ligou avisando que Alice e Helmut tinham chegado.

– Pode mandar subir – falou.

Estava nervoso, o que era uma bobagem. Embora a tivesse visto apenas uma vez em 25 anos, ela era sua filha. Na época do encontro, era uma adolescente magrela de longos cabelos louros que o fizera pensar em Karolin quando os dois tinham se conhecido, nos anos 1960.

Um minuto depois, ouviu a campainha e foi abrir a porta. Alice era agora uma jovem adulta, sem qualquer vestígio da adolescente desengonçada da primeira vez. Usava os cabelos louros cortados curtos, o que diminuía sua impressionante semelhança com Karolin jovem, embora ela e a mãe tivessem o mesmo sorriso de 100 megawatts. Vestia roupas velhas e sapatos gastos da Alemanha Oriental, e Walli pensou que não podia se esquecer de levá-la para fazer compras.

Beijou a filha de modo canhestro nas duas faces e apertou a mão de Helmut.

Alice correu os olhos pela suíte e falou:

– Nossa, que quarto bonito.

Aquilo não era nada em comparação com os hotéis de Los Angeles, mas Walli não lhe disse isso. Alice tinha muito o que aprender, mas haveria tempo de sobra.

Ele pediu café e bolos ao serviço de quarto e os três se sentaram em volta da mesa da saleta.

– Que estranho – comentou, sincero. – Você é minha filha, mas somos como dois desconhecidos.

– Mas conheço suas músicas – retrucou Alice. – Todas. Embora não estivesse presente, você canta para mim desde que me entendo por gente.

– Isso é bem incrível.

– Pois é.

O casal lhe contou em detalhes a história da fuga.

– Pensando bem, até que foi fácil – disse Alice. – Mas na hora eu morri de medo.

Os dois moravam temporariamente em um apartamento alugado por Enok Andersen, contador da fábrica Franck.

– O que vão fazer daqui para a frente? – perguntou Walli.

– Eu sou engenheiro elétrico, mas gostaria de estudar administração de empresas – respondeu Helmut. – Semana que vem vou viajar pelo país com um dos vendedores da fábrica Franck. Werner, seu pai, disse que é o melhor jeito de começar.

– No lado oriental eu trabalhava em uma farmácia – falou Alice. – No começo provavelmente vou fazer a mesma coisa aqui, mas um dia quero ter meu próprio estabelecimento.

Walli ficou feliz ao ver que ambos estavam pensando em trabalho. Vinha nutrindo uma apreensão secreta de que o casal quisesse viver à sua custa, o que teria sido ruim para os dois. Sorriu e disse:

– Que bom que nenhum de vocês quer seguir carreira na música.

– Mas o que a gente quer mesmo é ter filhos – disse Alice.

– Que bom! Mal posso esperar para ser um vovô do rock. Vocês vão se casar?

– Temos conversado sobre o assunto – respondeu ela. – Nunca ligamos para isso morando no lado oriental, mas agora meio que estamos querendo. O que você acha?

– O casamento em si não é uma questão importante para mim, mas eu ficaria bem animado se vocês decidissem se casar.

– Ótimo. Papai, você cantaria no meu casamento?

O pedido inesperado deixou Walli sem ar. Ele teve de se esforçar ao máximo para não chorar.

– Claro, meu bem – conseguiu articular. – Com grande prazer.

Para disfarçar a emoção, aumentou o som da TV.

A imagem mostrava um protesto na noite anterior em Leipzig, na Alemanha Oriental. Manifestantes com velas na mão tinham saído de uma igreja e seguido pelas ruas em silêncio. Apesar de a passeata ser pacífica, furgões da polícia entraram no meio da multidão atropelando várias pessoas e policiais saltaram dos veículos para prender gente.

– Que filhos da mãe – comentou Helmut.

– Qual é o motivo do protesto? – indagou Walli.

– O direito de viajar – respondeu o jovem. – Nós fugimos, mas não podemos voltar. Alice agora tem você, mas não pode visitar a mãe. E eu deixei meus pais para trás. A gente não sabe se um dia vai vê-los de novo.

Irritada, Alice falou:

– As pessoas estão protestando porque não há motivo para a gente viver assim. Eu deveria poder ver tanto minha mãe quanto meu pai. A gente deveria poder circular entre os lados ocidental e oriental. A Alemanha é um país só. Esse Muro deveria cair.

– Amém – disse Walli.

Dimka gostava de seu chefe. Bem no fundo, Gorbachev era um homem que acreditava na verdade. Desde a morte de Lênin, todos os líderes soviéticos tinham sido uns mentirosos. Todos haviam disfarçado o que estava errado e se negado a admitir a realidade. A característica mais marcante da liderança soviética nos últimos 65 anos era a recusa de encarar os fatos. Gorbachev não era assim. Enquanto lutava para navegar a tormenta que se abatia sobre a URSS, ele se aferrava a um único princípio norteador: o de que a verdade precisava ser dita. A admiração de Dimka não tinha fim.

Tanto ele quanto o chefe ficaram felizes quando Erich Honecker foi deposto da função de líder da Alemanha Oriental, pois havia perdido o controle do país e do Partido. No entanto, ficaram desapontados com seu sucessor. Para irritação de Dimka, quem assumiu o poder foi o leal vice de Honecker, Egon Krenz. Era como trocar seis por meia dúzia.

Mesmo assim, continuava achando que Gorbachev deveria dar uma ajudinha a Krenz. A União Soviética não podia permitir o colapso da Alemanha Oriental. Talvez a URSS pudesse conviver com eleições democráticas na Polônia e com as forças do mercado na Hungria, mas a Alemanha era outra história: como a própria Europa, estava dividida entre Ocidente e Oriente, capitalismo e comunismo. Se a Alemanha Ocidental triunfasse, seria um sinal da ascensão do capitalismo e do fim do sonho de Marx e Lênin. Nem mesmo Gorbachev poderia permitir uma coisa dessas... ou poderia?

Krenz fez a peregrinação habitual a Moscou duas semanas mais tarde. Dimka apertou a mão de um homem de rosto gordo, fartos cabelos grisalhos e uma expressão de satisfação arrogante. Quando jovem, talvez tivesse sido um verdadeiro galã.

Em sua grandiosa sala de paredes revestidas com painéis amarelos, Gorbachev o cumprimentou de modo frio mas cortês.

Krenz levou consigo um relatório de seu principal planejador econômico, segundo o qual a Alemanha Oriental estava falida. Afirmou que o relatório fora ocultado por Honecker. Dimka sabia que a verdade sobre a economia do país fora escondida durante décadas. Toda a propaganda sobre crescimento econômico tinha sido mentirosa. A produtividade nas fábricas e nas minas chegava a ser apenas 50 por cento da do Ocidente.

– Só temos conseguido nos sustentar pedindo dinheiro emprestado – disse Krenz ao líder russo, sentado em uma cadeira de couro preto no salão do Kremlin. – Dez bilhões de marcos alemães por ano.

Até Gorbachev ficou chocado.

– Dez *bilhões*?

– Nós temos feito empréstimos de curto prazo para pagar os juros dos de longo prazo.

– Isso é ilegal – interpôs Dimka. – Se os bancos descobrirem...

– Hoje, os juros da nossa dívida são de 4,5 bilhões de dólares por ano, ou seja, dois terços de toda a nossa renda em moeda estrangeira. Precisamos da sua ajuda para lidar com essa crise.

Gorbachev se empertigou; odiava quando os líderes da Europa Oriental imploravam por dinheiro.

Krenz tentou convencê-lo:

– De certa forma, a Alemanha Oriental é filha da URSS. – Ele tentou uma piada masculina: – É preciso assumir a paternidade.

Gorbachev nem sequer esboçou um sorriso.

– Nós não temos condições de lhes oferecer ajuda – falou, direto. – Não na atual situação da União Soviética.

Dimka levou um susto; não esperava que seu chefe fosse ser tão duro.

Krenz ficou sem ação.

– Então o que eu vou fazer?

– O senhor precisa ser honesto com a sua população e dizer às pessoas que elas não podem continuar a viver do jeito a que estão acostumadas.

– Vai haver problemas – retrucou Krenz. – Seria preciso decretar estado de emergência. Tomar medidas para impedir uma fuga em massa pelo Muro.

Aquilo estava começando a parecer chantagem política, pensou Dimka. Gorbachev achou a mesma coisa, e se retesou.

– Se isso acontecer, não esperem ajuda do Exército Vermelho – falou. – Vocês têm que resolver esses problemas sozinhos.

Será que ele estava mesmo falando sério? A URSS realmente iria deixar a Alemanha Oriental se virar sozinha? A animação de Dimka aumentou no mesmo grau que o seu espanto. Será que Gorbachev estava disposto a ir até o fim?

Krenz parecia um padre que acabou de se dar conta da inexistência de Deus. A Alemanha Oriental fora criada pela URSS, subsidiada pelos cofres do Kremlin e protegida pela força militar soviética. O alemão não conseguia absorver que isso tinha acabado e, obviamente, não tinha a menor ideia do que fazer em seguida.

Depois de Krenz sair, Gorbachev disse a Dimka:

– Emita um comunicado para os comandantes das nossas forças na Alemanha

Oriental. *Em circunstância nenhuma* eles devem se envolver em conflitos entre o governo e a população de lá. É uma prioridade absoluta.

Meu Deus, pensou Dimka, será mesmo o fim?

⌇

Em novembro, já havia protestos semanais em todas as cidades importantes da Alemanha Oriental. Os números só faziam crescer e a ousadia das multidões aumentava. Elas não podiam ser contidas pelos brutais ataques de cassetete da polícia.

Lili e Karolin foram convidadas a tocar em um comício na Alexanderplatz, não muito longe de sua casa. Centenas de milhares de pessoas apareceram. Alguém havia pintado uma imensa placa com o slogan WIR SIND DAS VOLK, "o povo somos nós". Em toda a volta da praça, policiais em trajes de choque aguardavam a ordem para arremeter contra a multidão com seus porretes. Só que a polícia parecia mais assustada do que os manifestantes.

Os discursos de denúncia do regime comunista se sucederam, e a polícia não fez nada.

Os organizadores permitiram também discursos a favor dos comunistas e, para espanto de Lili, o defensor escolhido pelo governo foi Hans Hoffmann. Nas coxias, onde esperava junto com Karolin a hora de entrar em cena, ela viu a silhueta conhecida e corcunda do homem que havia passado um quarto de século perseguindo sua família. Apesar do caro sobretudo azul, ele tremia de frio... ou talvez fosse de medo.

Quando tentou dar um sorriso amável, tudo o que Hans conseguiu foi ficar igual a um vampiro.

– Camaradas – começou. – O Partido escutou a voz do povo e novas medidas estão a caminho.

A plateia sabia que aquilo era mentira, e começou uma onda de sussurros.

– Mas precisamos agir de maneira ordenada, reconhecendo o papel do Partido no desenvolvimento do comunismo.

Os sussurros se transformaram em vaias.

Lili o observou com atenção. Sua expressão exibia raiva e frustração. Um ano antes, uma palavra sua poderia ter destruído qualquer um ali presente, mas agora, de repente, quem parecia ter o poder eram as pessoas. Ele nem sequer conseguia fazê-las calar a boca. Mesmo com a ajuda do microfone, teve de levantar a voz e gritar para se fazer ouvir:

– Em especial, não podemos transformar todos os integrantes dos órgãos de segurança do Estado em bodes expiatórios de quaisquer erros que possam ter sido cometidos por lideranças anteriores.

Isso nada mais era do que um apelo por clemência para com os truculentos e sádicos agentes que vinham oprimindo a população havia décadas, e a plateia se indignou. Em meio às vaias, as pessoas gritaram:

– *Stasi raus!* – Fora, Stasi!

Hans gritou a plenos pulmões:

– Afinal de contas, estávamos apenas obedecendo a ordens!

A frase provocou um rugido de risadas incrédulas.

Para Hans, ser alvo de risadas era o pior que poderia acontecer. Ele ficou vermelho de raiva. De repente, Lili se lembrou daquele dia, 28 anos antes, quando Rebecca havia jogado os sapatos de Hans em cima dele da janela do primeiro andar. O que o deixara enfurecido tinham sido as risadas das vizinhas.

Nesse dia, Hans continuou diante do microfone, incapaz de suplantar o alarido da multidão, mas sem querer desistir. Foi uma queda de braço entre ele e os manifestantes, e ele perdeu. Sua expressão arrogante se desfez e ele pareceu prestes a cair no choro. Por fim, virou as costas para o microfone e se afastou do púlpito.

Ainda lançou um último olhar para a plateia, que continuava rindo e vaiando, e desistiu. Enquanto se afastava, viu Lili e a reconheceu. Seus olhares se cruzaram quando ela subia ao palco junto com Karolin, cada uma com um violão na mão. Nesse instante, ele parecia um cachorro que havia apanhado, e tinha um ar tão trágico que Lili quase ficou com pena.

Então passou por ele e foi até o centro do palco. Algumas pessoas da plateia as reconheceram, outras sabiam seus nomes, e todas entoaram um rugido de boas--vindas. Elas foram até os microfones. Tocaram um acorde maior e então, juntas, começaram a cantar "This Land Is Your Land".

A multidão foi à loucura.

⁓

Cidade provinciana às margens do Reno, Bonn era uma escolha improvável para ser a capital nacional, e justamente por isso fora escolhida: simbolizava o caráter transitório dessa condição e a fé do povo de que um dia Berlim voltaria a ser a capital de uma Alemanha reunificada. Só que isso já fazia quarenta anos e Bonn continuava sendo a capital.

Era uma cidade chata, mas, para Rebecca, isso não tinha problema, pois ela vivia ocupada demais para ter vida social, a não ser quando Fred Bíró ia visitá-la.

Tinha uma rotina muito atarefada. Sua área de especialidade era a Europa Oriental, que se encontrava em meio a uma revolução cujo fim ninguém conseguia ver. Na maior parte dos dias, tinha almoços de trabalho, mas nesse fez uma pausa. Saiu do Ministério de Relações Exteriores e foi a pé sozinha até um restaurante barato de que gostava, onde pediu seu prato preferido, *Himmel und Erde*, céu e terra, feito com batatas e maças ao bacon.

Enquanto comia, Hans Hoffmann apareceu.

Rebecca empurrou a cadeira para trás e se levantou. Seu primeiro pensamento foi que ele tinha ido até lá para matá-la. Estava a ponto de gritar por socorro quando reparou na expressão de seu rosto. Ele parecia derrotado e triste. Seu medo desapareceu: Hans não era mais perigoso.

– Por favor, não tenha medo, não vim lhe fazer mal – disse ele.

Ela continuou de pé.

– O que você quer?

– Dar uma palavrinha com você. Só por um minuto ou dois, não mais que isso.

Por alguns instantes, ela se perguntou como ele conseguira passar da Alemanha Oriental para o lado ocidental, mas então se deu conta de que as restrições de viagem não se aplicavam aos funcionários graduados da polícia. Eles podiam fazer o que quisessem. Hans decerto dissera aos colegas que tinha uma missão de inteligência em Bonn. Talvez tivesse mesmo.

O dono do restaurante se aproximou e perguntou:

– Tudo em ordem, Frau Held?

Rebecca passou mais alguns instantes encarando Hans. Então respondeu:

– Sim, Gunther, obrigada. Acho que está tudo bem.

Tornou a se sentar, e Hans se acomodou na sua frente.

Ela empunhou o garfo, mas tornou a pousá-lo; tinha perdido o apetite.

– Um minuto ou dois, então.

– Me ajude – disse ele.

Ela mal conseguiu acreditar no que ouvia.

– O quê? Eu, ajudar *você*?

– Está tudo ruindo. Preciso sair do país. As multidões riem de mim. Estou com medo que me matem.

– Que diabos você acha que eu poderia fazer por você?

– Preciso de um lugar para ficar, de dinheiro e documentos.

– Você enlouqueceu? Depois de tudo o que fez comigo e com a minha família?

– Será que você não entende por que fiz essas coisas?

– Porque você nos odeia!

– Porque eu te amo.

– Deixe de ser ridículo.

– Recebi a missão de espionar você e sua família, sim. Comecei a namorar você para entrar na casa. Mas aí aconteceu uma coisa: eu me apaixonei.

Ele já tinha dito aquilo uma vez, no dia em que Rebecca pulara o Muro para fugir. Estava sendo sincero. Ele estava *realmente* maluco, pensou ela. Começou a sentir medo outra vez.

– Não contei a ninguém sobre os meus sentimentos – continuou ele, sorrindo com nostalgia como quem recorda um inocente romance de juventude, e não um engodo cruel. – Fingi estar explorando e manipulando você, mas eu a amava de verdade. Aí você disse que a gente deveria se casar. Fiquei nas nuvens! Era a desculpa perfeita para dar aos meus superiores.

Ele estava vivendo em um mundo de sonho, mas não era o caso de toda a elite governante da Alemanha Oriental?

– Aquele ano que passamos juntos como marido e mulher foi o melhor da minha vida – disse ele. – E a sua rejeição partiu meu coração.

– Como você pode dizer uma coisa dessas?

– Por que acha que não tornei a me casar?

Ela estava estupefata.

– Sei lá.

– Eu não tenho interesse por nenhuma outra mulher, Rebecca. Você é o amor da minha vida.

Ela o encarou. Percebeu que aquilo não era só uma história idiota, uma tentativa fraca de conquistar sua simpatia. Hans estava sendo sincero. Cada palavra do que ele dizia era verdadeira.

– Me aceite de volta – implorou ele.

– Não.

– Por favor.

– A resposta é não – repetiu ela. – E vai sempre ser não. Nada do que você possa dizer me faria mudar de ideia. Por favor, não me obrigue a usar palavras duras para fazê-lo entender. – Não sei por que estou relutando em magoá-lo, pensou, ele jamais hesitou em ser cruel comigo. – Só aceite o que acabei de dizer e vá embora.

– Tudo bem – falou ele, triste. – Eu sabia que você diria isso, mas precisava tentar. – Ele se levantou. – Obrigado, Rebecca. Obrigado por aquele ano de felicidade. Vou amar você para sempre. – Virou as costas e saiu do restaurante.

Rebecca o observou partir, ainda profundamente abalada. Meu Deus, pensou, por essa eu não esperava.

CAPÍTULO SESSENTA E DOIS

Era um dia frio de novembro em Berlim, um dia de névoa densa, e um cheiro de enxofre vindo das fábricas fumacentas do infernal lado oriental pairava no ar. Tanya, transferida às pressas de Varsóvia para lá a fim de ajudar a cobrir a crise cada vez mais grave, sentia que a Alemanha Oriental estava à beira de um colapso. Tudo estava ruindo. Em uma espantosa repetição do que acontecera em 1961, antes de o Muro ser erguido, tantas pessoas fugiam para o Ocidente que as escolas estavam fechando por falta de professores e os hospitais contavam com um número mínimo de funcionários. A raiva e a frustração dos que ficavam para trás só aumentava.

O novo líder, Egon Krenz, se concentrava na questão das viagens e torcia para que, se conseguisse aplacar o povo em relação a isso, as outras insatisfações se diluíssem. Na opinião de Tanya, ele estava errado: exigir mais liberdade provavelmente se tornaria um hábito para os alemães-orientais. No dia 6 de novembro, Krenz havia divulgado um novo regulamento sobre viagens que permitia às pessoas saírem do país com autorização do Ministério do Interior levando 15 marcos alemães, ou seja, o suficiente para um prato de linguiça e uma caneca de cerveja no lado ocidental. Essa concessão foi desdenhada pela população. Nesse dia, 9 de novembro, o líder cada vez mais desesperado havia convocado uma coletiva de imprensa para anunciar mais uma nova lei relacionada a viagens.

Tanya entendia a ânsia dos alemães-orientais de poderem ir aonde quisessem. Ansiava pela mesma liberdade para ela própria e Vasili. Apesar de famoso no mundo inteiro, seu namorado precisava se esconder atrás de um pseudônimo. Nunca saíra da União Soviética, onde seus livros ainda não tinham sido publicados. Ele deveria poder comparecer para aceitar pessoalmente os prêmios ganhos por seu alter ego e saborear um pouco o prazer da fama... e ela queria ir junto.

Infelizmente, não via como a Alemanha Oriental poderia algum dia libertar seu povo. O país mal conseguia existir como Estado independente: por isso o Muro fora construído, aliás. Se eles deixassem as pessoas viajarem, milhões iriam embora para sempre. A Alemanha Ocidental podia ser uma nação conservadora e carola, com atitudes antiquadas em relação aos direitos das mulheres, mas, em comparação com o lado oriental, era um paraíso. Nenhum país podia sobreviver ao êxodo de seus jovens mais empreendedores. Assim, Krenz jamais daria por vontade própria aos alemães-orientais a coisa que eles mais desejavam.

Portanto, foi com poucas expectativas que Tanya se dirigiu ao Centro Internacional de Imprensa na Mohrenstrasse faltando alguns minutos para as seis da tarde. O recinto estava lotado de jornalistas, fotógrafos e câmeras de TV. As fileiras de cadeiras vermelhas estavam todas lotadas, e ela teve que se juntar às pessoas apinhadas junto às paredes. A imprensa internacional tinha comparecido em peso: já podia sentir o gosto de sangue.

Às seis em ponto, o assessor de imprensa de Krenz, Günter Schabowski, entrou acompanhado por três outros funcionários do governo e sentou-se à mesa sobre o tablado. Tinha os cabelos grisalhos e usava um terno cinza com gravata da mesma cor. Era um burocrata competente, de quem Tanya gostava e em quem confiava, e passou uma hora anunciando mudanças ministeriais e reformas administrativas.

Tanya se maravilhou com a visão de um governo comunista esforçando-se para satisfazer uma demanda pública por mudanças. Aquilo era quase inédito. Nas raras ocasiões em que havia acontecido, os tanques tinham entrado logo depois. Lembrou-se das cruéis decepções da Primavera de Praga em 1968 e do Solidariedade em 1981. No entanto, segundo seu irmão, a União Soviética não tinha mais poder ou vontade para esmagar dissidências. Ela mal se atrevia a esperar que aquilo fosse verdade. Imaginou uma vida em que ela e Vasili pudessem escrever a verdade sem medo. Liberdade. Era difícil de imaginar.

Às sete, Schabowski anunciou a nova lei sobre viagens:

– Todos os cidadãos da Alemanha Oriental poderão deixar o país usando pontos de travessia na fronteira.

Não ficou muito claro, e vários jornalistas pediram esclarecimentos.

O próprio Schabowski parecia inseguro. Pôs um par de óculos em formato de meia-lua para ler o decreto em voz alta:

– Viagens particulares a países estrangeiros poderão ser solicitadas sem a apresentação das exigências de visto existentes e sem documentos que comprovem a necessidade da viagem ou vínculos familiares.

Embora estivesse escrito em uma linguagem burocrática ininteligível, aquilo soava bem.

– Quando esse novo regulamento passa a vigorar? – perguntou alguém.

Schabowski não sabia. Tanya reparou que ele estava suando. Imaginou que a nova lei tivesse sido redigida às pressas. Ele mexeu nos papéis à sua frente à procura da resposta.

– Até onde sei, imediatamente, sem demora – falou.

Tanya ficou assombrada. Algo estava entrando em vigor imediatamente, mas o quê? Será que qualquer um poderia se apresentar em um posto de controle e atravessar? A coletiva, no entanto, acabou sem mais informações.

Enquanto pensava no que escrever, Tanya percorreu a pé o curto trecho da Friedrichstrasse de volta ao Hotel Metropole. Na grandiosidade encardida do saguão de mármore, agentes da Stasi com os habituais casacos de couro e calças jeans descansavam fumando e assistindo a uma TV com imagem ruim que passava a reprise da coletiva. Quando estava pegando a chave do quarto, ouviu um recepcionista perguntar para outro:

– Como assim? Podemos simplesmente ir embora?

Ninguém sabia.

⁓

Em sua suíte de hotel em Berlim Ocidental, Walli assistia ao noticiário com Rebecca, que fora até lá de avião encontrar Alice e Helmut. Os quatro haviam combinado jantar juntos.

Walli e Rebecca ficaram intrigados após assistir a uma reportagem discreta no jornal das sete da ZDF, chamado *Hoje*. Um novo regulamento sobre viagens para os alemães-orientais estava em vigor, mas seu significado não era claro. Walli não conseguiu entender se os parentes agora poderiam visitá-lo na Alemanha Ocidental ou não.

– Será que vou poder rever Karolin em breve? – divagou.

Alice e Helmut chegaram em poucos minutos, tirando sobretudos e cachecóis de inverno.

Às oito, Walli trocou de canal para o *Programa Diurno* da ARD, mas não descobriu muito mais.

Parecia-lhe impossível que o Muro, o flagelo de sua vida, fosse aberto. Em um clarão de lembrança familiar demais, ele reviveu aqueles poucos e dramáticos segundos ao volante do velho Framo preto de Joe Henry. Recordou o terror que sentira ao ver o guarda de fronteira se ajoelhar e mirar nele a submetralhadora, o pânico quando havia girado o volante e passado por cima do guarda, a confusão quando as balas estilhaçaram seu para-brisa. Ficara nauseado ao sentir as rodas passarem por cima de outro ser humano. E então arrebentara a cancela rumo à liberdade.

O Muro tinha roubado sua inocência, além de lhe tirar Karolin. E a infância da filha.

Essa mesma filha, agora a poucos dias de completar 26 anos, dizia:

– O Muro continua sendo o Muro ou não?

– Não consigo entender – falou Rebecca. – É quase como se eles tivessem aberto a fronteira por engano.

– Vamos sair para ver o que está acontecendo nas ruas? – sugeriu Walli.

∽

Assim como milhões de habitantes da Alemanha Oriental, Lili, Karolin, Werner e Carla assistiam sempre ao *Programa Diurno* da ARD. Em sua opinião, esse noticiário dizia a verdade, por oposição aos do lado oriental, controlados pelo governo, que retratavam um mundo de fantasia no qual ninguém acreditava. Mesmo assim, ficaram intrigados com a ambígua edição das oito da noite.

– A fronteira está aberta ou não? – perguntou Carla.

– Não pode estar – disse Werner.

Lili se levantou.

– Bom, vou sair para dar uma olhada.

Acabaram saindo os quatro.

Assim que pisaram na rua e respiraram o ar gelado da noite, sentiram a atmosfera carregada de emoção. Iluminadas pela luz baça de lâmpadas amarelas, as ruas de Berlim Oriental estavam mais movimentadas com pedestres e carros do que o normal. Todos seguiam na mesma direção, a do Muro, principalmente em grupos. Alguns rapazes tentavam pedir carona, crime que uma semana antes os teria feito ser presos. Pessoas abordavam desconhecidos para perguntar o que eles sabiam, se era mesmo verdade que eles agora podiam passar para Berlim Ocidental.

– Walli está em Berlim Ocidental – disse Karolin a Lili. – Escutei no rádio. Deve ter ido encontrar Alice. – Ela fez uma cara pensativa. – Tomara que eles gostem um do outro.

A família Franck percorreu a Friedrichstrasse na direção sul até ver, ao longe, os potentes refletores do Checkpoint Charlie, complexo que ocupava um quarteirão inteiro da rua, da Zimmerstrasse no lado mais próximo, comunista, até a Kochstrasse no lado livre.

Ao chegar mais perto, viram pessoas saindo aos montes da estação de metrô de Stadtmitte para engrossar a multidão. Havia também uma fila de carros cujos motoristas visivelmente não sabiam se podiam ou não se aproximar do posto de controle. Lili pôde sentir o clima de celebração, mas não estava certa de que houvesse motivo para comemorar. Até onde podia ver, os portões não estavam abertos.

Muitas pessoas estavam paradas logo antes do alcance dos refletores, com medo de mostrar a cara; as mais corajosas, porém, se aproximaram e, apesar do risco de prisão e de uma pena de três anos em um campo de trabalhos forçados, cometeram o crime de "intrusão injustificada em área de fronteira".

A rua se estreitava ao chegar perto do Checkpoint Charlie, e a multidão ali estava mais densa. Lili e os parentes abriram caminho até a frente. Lá adiante, sob uma luz clara como o dia, podiam ver os portões vermelhos e brancos de pedestres e carros, os guardas de fronteira parados com suas armas, os prédios da alfândega e as torres de observação a despontar acima de tudo. Dentro de um posto de comando com paredes de vidro, um oficial falava ao telefone e fazia gestos amplos e frustrados com os braços.

À esquerda e à direita do posto de controle, estendendo-se pela Kochstrasse em ambas as direções, ficava o odiado Muro. Lili sentiu um embrulho nauseante no estômago. Aquela era a construção que, durante a maior parte de sua vida, dividira sua família em duas metades que quase nunca se encontravam. Ela detestava o Muro ainda mais do que detestava Hans Hoffmann.

– Alguém já tentou atravessar a pé? – perguntou em voz alta.

Uma mulher ao seu lado respondeu, zangada:

– Eles mandam você voltar. Dizem que é preciso tirar um visto na delegacia de polícia. Mas eu fui à delegacia e eles lá não sabem nada sobre isso.

Um mês antes, a mulher teria dado de ombros diante desse típico erro burocrático e voltado para casa, mas nessa noite as coisas estavam diferentes. Ela continuava ali, insatisfeita, protestando. Ninguém iria voltar para casa.

As pessoas ao redor de Lili começaram a entoar um canto:

– Abram! Abram!

Quando o canto morreu, Lili pensou ouvir ao longe outro canto, vindo do outro lado. Apurou os ouvidos. O que eles estavam dizendo? Acabou conseguindo entender:

– Venham! Venham!

Compreendeu que os moradores de Berlim Ocidental também deviam estar reunidos nos postos de controle.

O que iria acontecer? Como aquilo iria terminar?

Uma fila de meia dúzia de vans chegou pela Zimmerstrasse até o posto de controle, e cinquenta ou sessenta guardas de fronteira armados saltaram.

Em pé ao lado de Lili, Werner falou, sombrio:

– Reforços.

Animados e tensos, Dimka e Natalya estavam sentados nas cadeiras de couro preto da sala de Gorbachev. A estratégia de seu chefe – deixar os satélites da Europa Oriental seguirem o próprio caminho – conduzira a uma crise que parecia prestes a explodir. Aquilo podia ser um perigo, ou então uma esperança. Talvez as duas coisas.

Para Dimka, como sempre, a questão era o tipo de mundo em que seus netos iriam crescer. Grigor, seu filho com Nina, já era casado, e Katya, sua filha com Natalya, estava na universidade: ambos com certeza teriam filhos dali a poucos anos. O que o futuro reservava para essas crianças? Será que o comunismo antiquado estava mesmo morto? Dimka ainda não sabia.

– Milhares de pessoas estão reunidas nos postos de controle do Muro de Berlim – disse ele para Gorbachev. – Se o governo da Alemanha Oriental não abrir os portões, a coisa vai se complicar.

– Não é problema nosso – retrucou Gorbachev. Aquilo era uma litania; ele vivia repetindo as mesmas palavras. – Quero falar com o chanceler Kohl, da Alemanha Ocidental – acrescentou.

– Kohl está na Polônia – falou Natalya.

– Entrem em contato assim que puderem... o mais tardar amanhã. Não quero que ele comece a falar em reunificação alemã; isso faria a crise aumentar. A abertura do Muro provavelmente é a única desestabilização com que a Alemanha pode lidar neste momento.

Ele estava coberto de razão, pensou Dimka. Se a fronteira fosse aberta, uma Alemanha reunificada não poderia estar muito distante no futuro, mas era melhor não levantar essa questão explosiva agora.

– Vou tentar entrar em contato com os alemães ocidentais agora mesmo – falou Natalya. – Algo mais?

– Não, obrigado.

O casal se levantou. Gorbachev ainda não lhes dissera o que fazer em relação à crise em curso.

– E se Egon Krenz ligar de Berlim Oriental? – perguntou Dimka.

– Não me acordem.

Dimka e Natalya saíram da sala.

Do lado de fora, Dimka falou:

– Se ele não fizer alguma coisa logo, vai ser tarde demais.

– Tarde demais para quê? – indagou Natalya.

– Para salvar o comunismo.

Maria Summers estava na casa de Jacky Jakes, no condado de Prince George, onde havia jantado cedo com o afilhado, Jack. Na TV ligada, viu Jasper Murray de sobretudo e cachecol fazendo uma reportagem de Berlim. Ele estava do lado ocidental do Checkpoint Charlie, o lado livre, em pé no meio de uma multidão perto de uma pequena guarita aliada que fora construída no meio da Friedrichstrasse junto a uma placa que dizia VOCÊ ESTÁ SAINDO DO SETOR AMERICANO em quatro idiomas. Atrás dele, ela podia ver refletores e torres de observação.

Jasper falou: "A crise do comunismo está atingindo um novo patamar de tensão aqui em Berlim. Após semanas de protestos, o governo da Alemanha Oriental anunciou hoje a abertura da fronteira com o Ocidente... mas parece que ninguém avisou aos guardas ou aos policiais que verificam passaportes. Assim, milhares de berlinenses estão reunidos de ambos os lados do infame Muro, exigindo exercer seu recém-adquirido direito de atravessar, enquanto o governo não faz nada... e os guardas armados vão ficando cada vez mais nervosos."

Jack terminou de comer seu sanduíche e foi tomar banho.

– Ele tem 9 anos e acabou de ficar pudico – disse Jacky com um sorriso maroto. – Me disse que está velho para a avó lhe dar banho.

Fascinada com as notícias de Berlim, Maria estava recordando o amante, Jack Kennedy, que dissera ao mundo: *"Ich bin ein Berliner."*

– Eu passei a vida trabalhando para o governo americano – disse ela para Jacky. – Durante todo esse tempo, nosso objetivo foi derrotar o comunismo. Mas no final o comunismo acabou derrotando a si mesmo.

– Por que isso está acontecendo? – indagou Jacky. – Eu não consigo entender.

– Uma nova geração de líderes subiu ao poder. Gorbachev é o mais importante deles. Quando eles abriram os livros e viram os números, disseram: "Se isso é o melhor que podemos fazer, para que serve o comunismo?" Tenho a sensação de que poderia muito bem nunca ter entrado para o Departamento de Estado... eu e centenas de outras pessoas.

– E o que mais você teria feito?

– Me casado – respondeu Maria sem pestanejar.

Jacky se sentou.

– George nunca me contou seus segredos – disse ela. – Mas nos anos 1960 eu achava que você devia estar apaixonada por um homem casado.

Maria assentiu.

– Eu amei dois homens na minha vida – falou. – Ele e George.

— E o que houve? – indagou Jacky. – Ele voltou para a esposa? Em geral é o que acontece.

— Não, ele morreu.

— Meu Deus! – exclamou Jacky. – Era o presidente Kennedy?

Maria a encarou, atônita.

— Como você chegou a essa conclusão?

— Eu não concluí nada, só adivinhei.

— Por favor, não conte a ninguém! George sabe, mas é o único.

— Eu sei guardar segredo. – Jacky sorriu. – Greg não soube que era pai até George completar 6 anos.

— Obrigada. Se a notícia vazar, vou sair em todos aqueles jornais vagabundos de supermercado. Só Deus sabe o estrago que isso provocaria na minha carreira.

— Não se preocupe. Mas, escute, George vai chegar daqui a pouco. Vocês dois praticamente já moram juntos. E combinam tanto um com o outro... – Ela baixou a voz: – Eu gosto muito mais de você do que de Verena.

Maria riu.

— E os meus pais, se soubessem, teriam preferido George ao presidente Kennedy, nisso você pode apostar.

— Acha que você e George se casariam?

— O problema é que eu não poderia manter meu emprego se fosse casada com um deputado. Preciso ser apartidária, pelo menos nas aparências.

— Um dia você vai se aposentar.

— Daqui a sete anos vou fazer 60.

— Aí se casa com ele?

— Se ele me pedir... eu caso.

⁂

Rebecca estava no Checkpoint Charlie, do lado ocidental, com Walli, Alice e Helmut, tomando cuidado para evitar Jasper Murray e suas câmeras de TV. Sentia que participar de um tumulto de rua não era a atitude certa para uma deputada do Bundestag, quanto mais para uma ministra do governo. Mas não perderia aquilo por nada. Era a maior manifestação jamais vista contra o Muro – o Muro que deixara aleijado o homem que ela amava e que havia atormentado sua vida. O governo da Alemanha Oriental não poderia sobreviver se o Muro caísse... ou poderia?

Apesar do ar frio, sentia-se aquecida pela multidão. O trecho da Friedrichstrasse que conduzia ao posto de controle estava ocupado por milhares de pessoas.

Rebecca e seus parentes estavam perto da frente. Logo depois da guarita aliada, havia uma linha pintada no asfalto no ponto em que a Friedrichstrasse cruzava a Kochstrasse. A linha indicava onde Berlim Ocidental terminava e começava Berlim Oriental. Na esquina, o Café Adler estava tendo um dia de grande movimento.

O Muro margeava a rua transversal, Kochstrasse. Na realidade eram dois muros, ambos feitos de painéis altos de concreto, separados por uma faixa vazia. Do lado ocidental, o concreto era coberto por pichações coloridas. Em frente a onde Rebecca estava, havia um buraco e, para além dele, vários guardas armados estavam postados em frente a três portões vermelhos e brancos, dois para carros e um para pedestres. Atrás dos portões ficavam três torres de observação. Por trás das paredes de vidro, ela pôde ver soldados vasculhando a multidão ameaçadoramente com binóculos.

Algumas das pessoas próximas a Rebecca conversavam com os guardas, implorando para que eles deixassem passar as do lado oriental. Os guardas não reagiam. Um oficial se aproximou da multidão e tentou explicar que ainda não havia novas normas em relação a viagens a partir do lado oriental. Ninguém acreditou nele: a informação tinha saído na TV!

A pressão da multidão era impossível de resistir, e aos poucos Rebecca foi forçada a avançar até cruzar a linha branca e, tecnicamente, passar para o lado oriental. Os guardas assistiram, impotentes.

Depois de algum tempo, eles desapareceram atrás dos portões. Rebecca ficou estupefata. Soldados da Alemanha Oriental em geral não recuavam diante de uma multidão: eles a controlavam usando qualquer brutalidade necessária.

Com o cruzamento agora livre de guardas, a multidão continuou a avançar devagar. De ambos os lados, o muro duplo terminava em um muro transversal curto que unia as barreiras interna e externa e impedia o acesso à faixa vazia. Para assombro de Rebecca, dois manifestantes ousados treparam nele e se sentaram nas bordas superiores arredondadas das placas de concreto.

Os guardas os abordaram e disseram:

– Desçam daí, por favor.

Os manifestantes se recusaram educadamente.

O coração de Rebecca batia com força. Os dois manifestantes que haviam subido no Muro estavam em Berlim Oriental, assim como ela, ou seja, podiam ser abatidos pelos guardas por atravessar o Muro como tantos outros nos últimos 28 anos.

Só que ninguém atirou. Em vez disso, várias outras pessoas subiram no Muro em pontos diferentes e se sentaram lá em cima com as pernas penduradas de ambos os lados, desafiando os guardas a tomar alguma atitude.

Estes reassumiram seus lugares atrás dos portões.

Aquilo era incrível. Pelos padrões comunistas, era uma total falta de lei, uma anarquia. Mas ninguém fazia nada para impedir.

Rebecca se lembrou daquele domingo em agosto de 1961 quando, aos 30 anos, saíra de casa para ir a pé até Berlim Ocidental e encontrara todos os pontos de travessia bloqueados por arame farpado. Aquela barreira existira por metade da sua vida. Será que essa época estava finalmente chegando ao fim? Ela ansiava por isso com todo o coração.

A multidão agora desafiava abertamente o Muro, os guardas e o regime da Alemanha Oriental. E Rebecca viu que a atitude dos guardas estava mudando. Alguns conversavam com os manifestantes, o que era proibido. Um dos manifestantes estendeu a mão, pegou a boina de um guarda e a pôs sobre a própria cabeça.

– Pode me devolver, por favor? – pediu o guarda. – Preciso dela, senão vou ter problemas.

Gentil, o manifestante devolveu a boina.

Rebecca olhou para o relógio de pulso. Era quase meia-noite.

 ⤺

Do lado oriental, as pessoas em volta de Lili cantavam:

– Deixem passar! Deixem passar!

Do lado ocidental do posto de controle, outro canto respondia:

– Venham! Venham! Venham!

Minuto a minuto, a multidão havia chegado mais perto dos guardas, e agora já podia tocar os portões; os guardas tinham se refugiado dentro do complexo.

Atrás de Lili, uma turba formada por dezenas de milhares de pessoas e uma fila de carros se estendiam pela Friedrichstrasse até onde sua vista alcançava.

Todos sabiam que aquela situação era instável e perigosa. Lili temia que os guardas simplesmente começassem a alvejar a multidão. Eles não tinham munição suficiente para se proteger de 10 mil pessoas iradas, mas o que mais poderiam fazer?

No instante seguinte, Lili descobriu.

De repente, um oficial apareceu e gritou:

– *Alles rauf!*

Todos os portões se abriram ao mesmo tempo.

A multidão soltou um rugido e avançou. Lili fez força para ficar perto dos parentes enquanto todos passavam pelos acessos de pedestres e de carros. Correndo, cambaleando, gritando e berrando de alegria, eles atravessaram o complexo do Muro. Do outro lado, os portões também estavam abertos. Pessoas vieram na direção oposta, e o Oriente encontrou o Ocidente.

Pessoas choravam, se abraçavam e se beijavam. A multidão aguardava do lado ocidental segurando flores e garrafas de champanhe. O barulho da comemoração era ensurdecedor.

Lili olhou em volta. Viu seus pais logo atrás dela, e Karolin um pouco mais à frente.

– Onde será que Walli e Rebecca estão? – perguntou.

⁓

Evie Williams fez um retorno triunfal aos Estados Unidos e foi aplaudida de pé na estreia de *Casa de bonecas* na Broadway. O drama soturno e introspectivo de Ibsen era perfeito para a intensidade sombria de sua melhor interpretação.

Quando a plateia finalmente se cansou de aplaudir e saiu do teatro, Dave, Beep e o filho de 16 anos deles, John Lee, foram até o camarim se juntar ao grupo de admiradores. O camarim de Evie estava lotado de pessoas e flores, e havia muitas garrafas de champanhe no gelo. Estranhamente, porém, todos estavam em silêncio e o champanhe não fora aberto.

Em um dos cantos havia uma TV à volta da qual a maior parte do elenco estava reunida, em silêncio, assistindo às notícias de Berlim.

– O que foi? – indagou Dave. – O que está acontecendo?

⁓

Cam estava em sua sala em Langley com Tim Tedder, vendo televisão e bebendo uísque. Na tela, Jasper Murray falava ao vivo de Berlim e gritava, animado: "Os portões estão abertos e os alemães-orientais estão vindo! Estão passando às centenas, aos milhares! Este é um dia histórico! O Muro de Berlim caiu!"

Cam tirou o volume da TV.

– Dá para acreditar?

Tedder ergueu o copo para um brinde.

– O fim do comunismo.

– É por isso que temos trabalhado todos esses anos – falou Cam.

Tedder balançou a cabeça, cético.

– Tudo o que nós fizemos foi totalmente ineficaz. Apesar de todos os nossos esforços, Vietnã, Cuba e Nicarágua viraram comunistas. Veja os outros lugares onde tentamos deter o comunismo: Irã, Guatemala, Chile, Camboja, Laos... Nenhum deles nos dá muito crédito. E agora a Europa Oriental abandona o comunismo sem a nossa ajuda.

– Mesmo assim, deveríamos pensar em um jeito de levar crédito por isso. Ou pelo menos fazer o presidente levar.

– Bush está no poder há menos de um ano e passou esse tempo todo correndo atrás do prejuízo – falou Tim. – Ele não pode afirmar que causou isso; pelo contrário, tentou desacelerar o processo.

– Então Reagan, quem sabe? – sugeriu Cam.

– Pense um pouco – rebateu Tedder. – Reagan não fez isso. Quem fez foi Gorbachev. Ele e o preço do petróleo. E o fato de o comunismo nunca ter funcionado mesmo.

– E o Guerra nas Estrelas?

– Era um sistema de armamentos que jamais passaria do estágio de ficção científica, como todos sabiam, inclusive os soviéticos.

– Mas Reagan fez aquele discurso: "Sr. Gorbachev, derrube esse muro." Lembra?

– Lembro, sim. Você vai dizer às pessoas que o comunismo caiu por causa de um discurso de Reagan? Ninguém nunca vai acreditar.

– É claro que vai – retrucou Cam.

A primeira pessoa que Rebecca viu foi o pai, um homem alto com cabelos louros ralos e uma gravata de nó perfeito a despontar no V do sobretudo. Estava envelhecido.

– Olhe! – gritou ela para Walli. – É papai!

O rosto de Walli se abriu num largo sorriso.

– É mesmo – disse ele. – Não achei que fôssemos encontrá-lo nesta multidão.

Ele passou o braço em volta dos ombros da irmã e juntos os dois abriram caminho por entre pessoas imprensadas. Helmut e Alice os seguiram de perto.

Mover-se era difícil e frustrante. A multidão estava compacta e todos dançavam e pulavam de alegria, abraçando desconhecidos.

Rebecca viu a mãe ao lado do pai, depois Lili e Karolin.

– Eles ainda não nos viram – falou para Walli. – Acene!

De nada adiantava gritar; todo mundo estava gritando.

– Esta é a maior festa de rua do mundo – comentou Walli.

Uma mulher de bobes nos cabelos trombou com Rebecca, e ela teria caído não fosse o braço de Walli a sustentá-la.

Então os dois grupos finalmente se encontraram. Rebecca se atirou nos braços do pai e sentiu os lábios dele em sua testa. Aquele beijo conhecido, o contato de seu queixo levemente áspero, o leve aroma da loção pós-barba, tudo isso encheu seu coração de uma emoção que quase a fez explodir.

Walli abraçou Carla, e então os irmãos trocaram. Rebecca estava quase cega de tanto chorar. Eles então abraçaram Lili e Karolin. Esta beijou Alice e falou:

– Não achei que fosse rever você tão cedo. Nem sabia se algum dia tornaria a vê-la.

Rebecca observou Walli cumprimentando Karolin: seu irmão segurou a ex-namorada pelas duas mãos e os dois trocaram um sorriso. Disse apenas:

– Estou muito feliz em ver você de novo, Karolin. Muito feliz.

– Eu também – respondeu ela.

Enlaçando-se pela cintura, eles formaram um círculo bem ali, no meio da rua, no meio da noite, no meio da Europa.

– Aqui estamos nós – disse Carla, olhando em volta para a família com um largo sorriso estampado no rosto, feliz. – Enfim, juntos de novo. Depois de tanta coisa. – Fez uma pausa e então repetiu: – Depois de tanta coisa.

Epílogo

4 DE NOVEMBRO DE 2008

CAPÍTULO SESSENTA E TRÊS

Eles eram uma família estranha, pensou Maria, correndo os olhos pela sala da casa de Jacky Jakes poucos segundos antes da meia-noite.

Ali estava a própria Jacky, sua sogra, agora com 89 anos e a personalidade mais forte do que nunca.

Ali estava George, seu marido nos últimos doze anos, agora com 72 e os cabelos completamente brancos. Maria havia se casado pela primeira vez aos 60 anos, o que a teria deixado constrangida caso não estivesse tão feliz.

Ali estava a ex-mulher de George, Verena, sem dúvida a mais linda senhora de 69 anos de todo o país, acompanhada do segundo marido, Lee Montgomery.

E ali estava o filho de George e Verena, Jack, advogado de 27 anos, acompanhado da mulher e da encantadora filhinha de 5 anos, Marga.

Todos assistiam a uma transmissão na TV de um parque em Chicago, onde 240 mil pessoas estourando de felicidade haviam se reunido.

Em cima do palanque, outra família: um pai bonitão, uma linda mãe e duas adoráveis meninas. Era noite de eleição, e Barack Obama tinha vencido.

Michelle Obama e as meninas desceram do palanque e o presidente eleito foi até o microfone e disse:

– Boa noite, Chicago.

Jacky, matriarca da família Jakes, falou:

– Agora todo mundo calado. Vamos escutar.

Ela aumentou o volume.

Obama usava um terno cinza-escuro e uma gravata bordô. Atrás dele, mais bandeiras americanas do que Maria conseguia contar tremulavam à brisa suave.

Falando devagar, com uma pausa após cada expressão, Obama disse:

– Se houver alguém aí que ainda duvide que os Estados Unidos sejam um lugar onde tudo é possível, que ainda se espante que o sonho de nossos fundadores continue vivo até hoje, que ainda questione o poder da nossa democracia... a noite de hoje é a sua resposta.

A pequena Marga foi até o sofá em que Maria estava sentada.

– Vó Maria? – falou.

Maria pegou a menina no colo e disse:

– Shh, querida, agora todo mundo quer ouvir o novo presidente.

Obama seguiu falando:

– Uma resposta dada por jovens e idosos, ricos e pobres, democratas e republicanos, negros, brancos, hispânicos, asiáticos, indígenas americanos, gays, héteros, deficientes... por todos os americanos que mandaram para o mundo o recado de que nós nunca fomos apenas um conjunto de indivíduos nem um conjunto de estados vermelhos e estados azuis: nós somos e sempre seremos os Estados *Unidos* da América.

– Vó Maria? – repetiu Marga. – Olhe lá o vovô.

Maria olhou para George: de olhos pregados na TV, ele tinha as faces marrons cheias de rugas banhadas em lágrimas. Enxugava-as com um grande lenço branco, mas assim que o fazia novas lágrimas brotavam.

– Por que o vovô está chorando? – perguntou Marga.

Maria sabia por quê. Ele estava chorando por Bobby, por Martin e por Jack. Por quatro meninas de uma escola de catecismo. Por Medgar Evers. Por todos os que lutaram pela liberdade, mortos e vivos.

– Por quê? – insistiu a criança.

E Maria respondeu:

– Meu amor, é uma história bem comprida.

FIM

A glória do tempo é acalmar reis combativos,
Desmascarar falsidades, trazer a verdade à luz,
Imprimir o selo do tempo a objetos envelhecidos,
Despertar a manhã, velar a noite,
Punir o culpado até que reto fique,
Arruinar com suas horas orgulhosos edifícios
E neles sujar de pó cintilantes torres douradas.

Shakespeare, *O estupro de Lucrécia*

Agradecimentos

Meu principal consultor de História para a trilogia "O Século" foi Richard Overy. Outros historiadores acadêmicos que me ajudaram com este volume foram Clayborne Carson, Mary Fulbrook, Claire McCallum e Matthias Reiss.

Várias pessoas que vivenciaram os acontecimentos do período também me auxiliaram, seja conferindo minha primeira versão ou me concedendo entrevistas, em especial: Mimi Alford sobre a Casa Branca na era Kennedy; Peter Asher sobre ser um astro pop; Jay Coburn e Howard Stringer sobre o Vietnã; Frank Gannon sobre a Casa Branca na era Nixon, e também seus colegas Jim Cavanaugh, Tod Hullin e Geoff Shephard; o deputado John Lewis sobre direitos civis; e Angela Spizig e Annemarie Behnke sobre a vida na Alemanha. Como sempre, Dan Starer, da Research for Writers em Nova York, me ajudou a encontrar esses consultores.

Na viagem de pesquisa que fiz ao Sul dos Estados Unidos, meus guias foram: Barry McNealy em Birmingham, Alabama; Ron Flood em Atlanta, Geórgia; e Ismail Naskai em Washington, D.C. Ray Young, da estação rodoviária da viação Greyhound em Fredericksburg, fez a gentileza de me mostrar fotografias dos anos 1960.

Meus amigos Johnny Clare e Chris Manners leram a primeira versão e fizeram muitas críticas úteis. Charlotte Quelch corrigiu vários erros.

Minha família me ajudou de formas incomensuráveis. A Dra. Kim Turner me aconselhou sobre diversos temas, especialmente médicos. Jann Turner e Barbara Follett leram a primeira versão e fizeram comentários perspicazes e proveitosos.

Alguns dos editores e agentes que leram a primeira versão deste livro são Amy Berkower, Cherise Fisher, Leslie Gelbman, Phyllis Grann, Neil Nyren, Susan Opie, Jeremy Trevathan e, como sempre, Al Zuckerman.

CONHEÇA OS LIVROS DE KEN FOLLETT

Os pilares da Terra (e-book)
Mundo sem fim
Coluna de fogo
Um lugar chamado liberdade
As espiãs do Dia D
Noite sobre as águas
O homem de São Petersburgo
A chave de Rebecca
O voo da vespa
Contagem regressiva
O buraco da agulha
Tripla espionagem
Uma fortuna perigosa
Notre-Dame

O SÉCULO
Queda de gigantes
Inverno do mundo
Eternidade por um fio

Para saber mais sobre os títulos e autores da Editora Arqueiro,
visite o nosso site. Além de informações sobre os
próximos lançamentos, você terá acesso a conteúdos exclusivos
e poderá participar de promoções e sorteios.

editoraarqueiro.com.br